The Encyclopedia of Japanese Arms and Equipment

図説
日本合戦武具事典

Yoshihiko Sasama

笹間良彦

柏書房

『蒙古襲来絵詞（模本）』東京国立博物館所蔵。
足が短く、体つきのがっしりとした馬と、腰に弦巻、太刀をつけ、和弓を引く日本の武士の姿が描かれている。

『平治物語絵巻（模本）』三条殿焼討巻。
東京国立博物館所蔵。
平治元年（1159）に起こった平治の乱
の様子を描いたもの。

『後三年合戦絵巻』東京国立博物館所蔵。永保三年（1083）から寛治元年（1087）にかけての後三年の役の様子。中央に、腰に箙をつけた武士、その左に矢筒をつけた武士の姿が見られる。右は、その部分の拡大。

はじめに

「人間の歴史は戦争の歴史である」という言葉がある。これは否定することのできない事実であり、国家同士の大戦から支配権を賭けた内戦・内乱に至るまで、あらゆる時代、あらゆる場所において戦争は繰り返されてきた。むろん我が日本も例外ではない。特に、武士と呼ばれる武装集団の成立した平安時代から江戸時代にかけては社会・文化の両面において戦争（合戦）というものが、歴史を語る上での重要な要素となっている。即ち、合戦の様子を知ることは日本の歴史を知ることでもあるのである。

武具や馬具、陣営具は、金属以外にも竹、籐、動物の毛皮などといった身の回りにある自然物を日本人がどのように利用していたかを知る手がかりとなるだけでなく、外国から入ってきた文化が日本でどのように発達していったかを知ることで、日本人の技術文化に対する考え方をあらためて浮き彫りにする物でもある。またその記録は、今日ではもはや兵器としての実用性を失ってしまった武具の、美術工芸品としてではない本来の姿を明らかにしている。籐の巻き方ひとつにまで意味を見出そうとし、勿体をつけた数々の流儀書や、後世、江戸泰平の世に書かれた武具の誤った認識なども、当時の日本を知る上での重要な資料である。

本書は以前柏書房より出版された『図録日本の甲冑武具事典』の姉妹編にあたり、弓や刀剣などの「武具」、戦中の武士の姿を描いた「陣営具」、合戦のみならずかつての日本人の生活になくてはならなかった「馬」の三部で構成され、前著では多く触れることのできなかった甲冑以外の合戦用具に光をあてている。甲冑については今回はほとんど触れていないが、興味のある方はぜひ前著をお読みいただきたい。また本書においては古記録を多く引用し、その中に見られる名称を列挙することで、事典としての内容を充実させるとともに、道具の歴史的変遷の解説を試みた。先人達がいかなる目でそれらを見ていたのか、鮮やかに伝わるのではないだろうか。

合戦武具は、現代では実用性のない、ある意味で無用の長物とさえ言える物かも知れない。しかし考えてみれば、ある時代においてこれらは最先端の文化・文明であり、日本社会の根底を担う重要な役割を果たしていたのである。例え書物の上とはいえ、これら歴史の証人達に触れることは決して無駄なことではない。

最後に、柏書房編集部諸氏をはじめ、本書の編集、刊行に協力をいただいた多くの方々に心より御礼申し上げる。

平成十一年初春に刊行した『図録日本の合戦武具事典』の普及版として、本書『図説日本合戦武具事典』を刊行することになった。本書のより一層の普及と読者の方々のご研究の進展を願うものである。

鎌倉龍仙泊にて　笹間良彦

平成十六年　四月　吉日

図説 日本合戦武具事典 目次

第一部　武具

第三章　銃砲

第二部　陣営具

第一章　陣の設備

第二章　軍用の小物類

第三部　馬

凡例

●武具・道具の名称や用語の文字遣いについては、原則として古書の記載例を参考としたが、現在でもしばしば用いられる名称・用語については慣例により常用漢字を用いた。
●革と韋の使い分けは、革は皮の毛をとり堅くなったもの、韋はなめしたものに大別して用いた。
●形と型の使い分けは、形は「なり」とし、型は形式の場合に用いた。
●引用文は原書のままを基本としたが、不足と思われる部分について若干の読みや説明などを加えた。

第一部 武具

第一章 弓具類

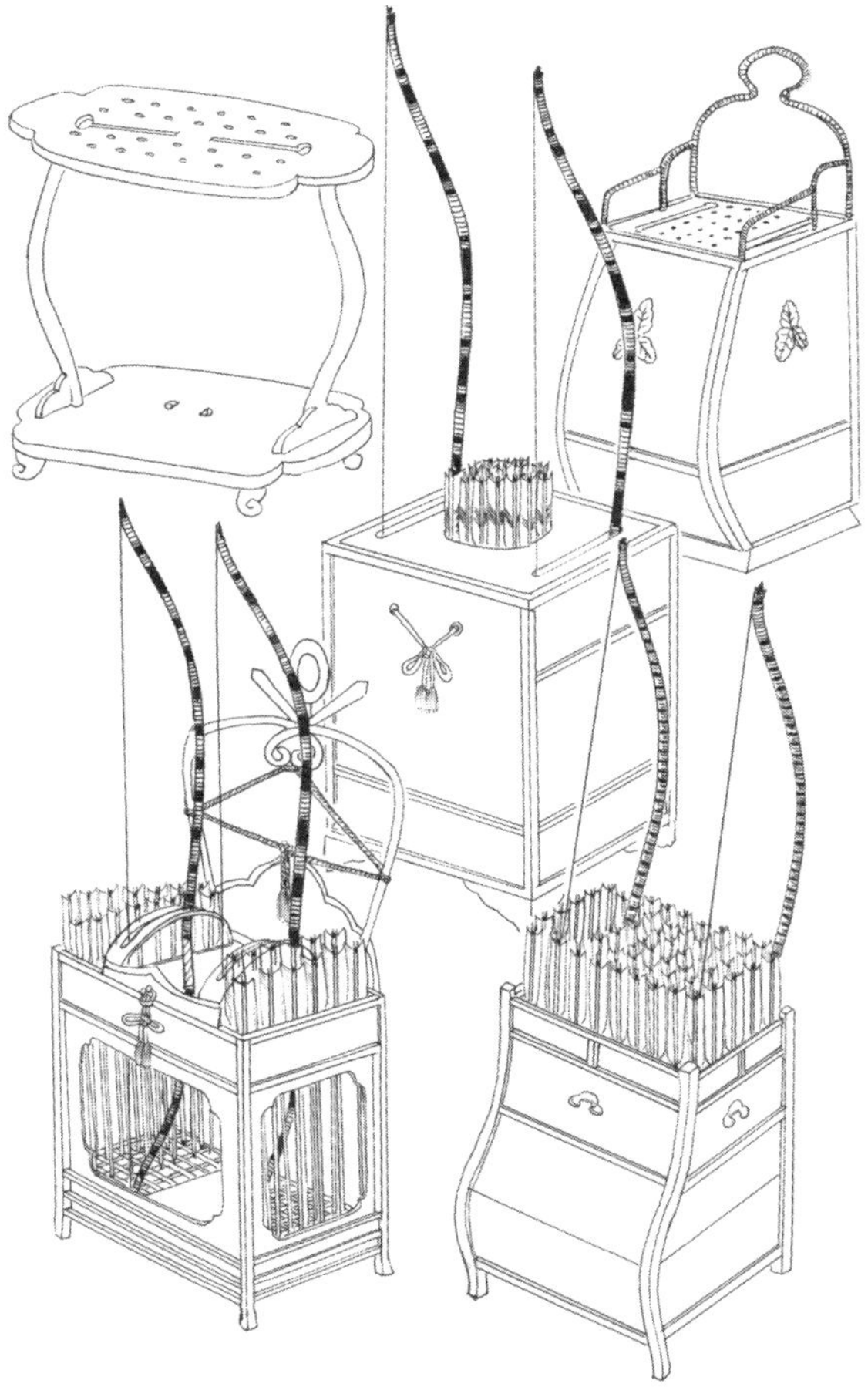

弓の発達〜丸木弓から弓胎弓へ

丸木弓

梓《あずさ》・檀《まゆみ》・槻《つき》・柘《つげ》・櫨《はぜ》等の樹の枝を削って弓としたものを丸木弓という。古代はもっぱら丸木弓であったが、後世は竹と合せて用いたので流行しなくなったが、それでも稀に軍用に用いられた。木弓は矢を合せたものより堅いので弾力が少なく、従って力量を要し、また合せ竹弓よりも到達距離が短かかった。ただし初速は同じであるから、近距離では差支えなかった。中世頃まで近距離での射戦であったのは丸木弓を用いていた慣習からである。

『四季草』に

丸木弓といふは、木にて丸く（断面が）削りたる弓也。丸木の本名は、ただ弓とばかり云也。上古（古代）弓といひしは丸木弓の事也。後に木と竹を合せたる弓を、弓とばかり呼ぶ故、まぎれぬ為に、丸木弓と呼びならわしたる也。梓弓、檀弓、柘弓、櫨弓などいふは皆丸木弓なり。其弓は削りたる木の名を以て何弓と呼ぶ也。今も新木《あらき》・白木《しらき》などと云ふは、もと丸木弓より出し詞なり。

とあり、木だけで作った弓が丸木弓で、木質によって呼ぶ事もある。

丸木弓

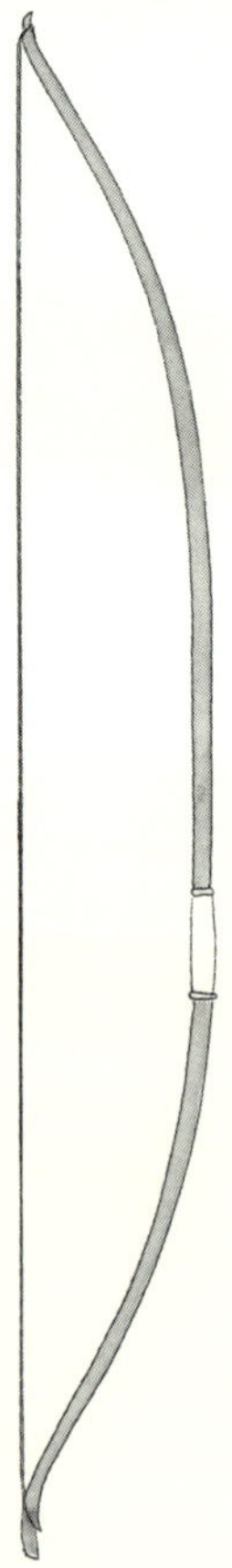

丸木弓の断面

梓　弓［あずさゆみ］

『古事記』にも「阿豆佐由美」の語があり梓弓は随分用いられたらしく『続日本紀』大宝二年（七〇二）二月の条に歌斐（甲斐）国より梓弓五百張、信濃国より一千二十張献じた記録があり、『延喜式』兵庫寮式にも梓弓製作日数を長功十五日中功短功一日を加える（十六日）と規定している。『平家物語』梶原が二度駆の条にも梶原平三が用いた事が記され後世は歌詞の枕言葉にまで残り、また梓真弓の語や荒木真弓の話まであることから梓の木は弓の主流であったことがわかる。

檀　弓［まゆみ］

にしきぎ科の落葉木で日本中に広く分布している。真弓という名は弓材に用いたからで、檀は当て字で正しくないが、古来用いられている。

『和名類聚抄《わみょうるいじゅしょう》』『釈日本紀《しゃくにほんぎ》』『三代実録』

世界の民族の弓—一

等に見られ、荒木真弓（『万葉集』）、反檀弓（『新撰六帖』）、はりまゆみ（『夫木抄』）、腹檀弓（『桂川地蔵記』）、信濃真弓（『万葉集』『新撰六帖』）、吾田多良真弓（安達太郎真弓『万葉集』）、安達真弓（『古今集』、『古今六帖』）、常陸真弓（『年中行事歌合』）、十津川真弓（『光明峯寺摂政家歌合』）等土地の名を冠した真弓の名で呼ばれている。

槻　弓［つきゆみ］
欅《けやき》の一種で、つきげやきともいい、また欅の古名ともいう。『古事記』の軽太子の歌に「都久由美」の語があり、『日本書紀』神功皇后条の歌にも「菟区喩弥」とあって、これは『釈日本紀』に槻弓の事であるとしている。『延喜式』神祇式にも甲斐・信濃から祈念祭に進献する雑弓の中に槻弓十八張とあり、梓弓と共に歌によく用いられている。『田村丸草子』には「つののつき弓」とあるのは弭《ゆはず》に鹿角を用いたものであろう。

梔（櫨）弓［はしゆみ］
『古事記』に

天忍日命、天津久米命二人取二特天之波士弓二手挟二天之真鹿兒矢一

とあり、『日本書紀』神代下一書にも「天梔弓」とあり『万葉集』にも「波自由美」の語がある。

世界の民族の弓—二

ヨーロッパの十四・五世紀頃の木弓
インドの鹿と牛の腱を張り合せた弓
トルコの合成弓
中国の合成弓
タタールの合成弓

天鹿兒弓［まかごゆみ］

『古事記』天之麻迦古弓。『日本書紀』天鹿兒弓とあり、『日本紀纂疏』に

天鹿兒弓　一名天梔弓

とあるから櫨弓の尊称であり、もちろん櫨の丸木弓である。櫨弓は『古事記』では天之波士弓で『旧事本紀』の「天羽羽弓」も同じであろう。

柘　弓［つげゆみ］

『和名類聚抄』に

柘毛　毛詩注云桑柘　音射　漢語抄云豆美　蠶所ㇾ食也

とある。落葉高木で山桑の事である。桑種は弾力があるので古くより弓に用いられた。『三代実録』元慶二年（八七八）五月九日の条に諸国から弓材を進献させた中に「備中国柘弓百枝」とあり、『延喜式』兵庫寮式にも記されている。

梠　弓［へみゆみ］

梠は『和名類聚抄』に

梠　玉篇云梠　音居　一音踞　漢語抄云閉美　木腫節中為ㇾ杖也

とあり、植物学上では、すいかずら科のやぶてまりの事をいう。関東以西の谷や林に生えている樹で、『源順家集』にも「へひ弓のはるにもあらで　ちる花は　雪かと人にいる人にとえ」とあり、白い花が沢山咲くので古来有名であるが、木の節腫《ふし》が多いので杖に用いたりするが弓は特殊である。

特殊な弓としては小児等が遊戯に用いたりする。

梅　弓〔うめゆみ〕

『臥雲日件録』享徳癸酉（二年、一四五三）二月廿三日条に

有二梅弓之語一、蓋所レ謂神臂弓也。以二梅木一製レ之

とある。何かの縁起由縁を以て梅の木で弓を作ったのであろうが、一般的丸木弓の如く七尺程の弓でなく短い弓と思われるが詳細は不明である。

桃　弓〔ももゆみ〕

往古十二月大晦日追儺《ついな》の折に、方相氏を桃の弓、葦の矢で射て追う行事があり、桃は延命邪気を払う伝承があるから浄めの弓で、儀式的に用いるから大きい弓でなく、丸木弓であると思われる。

桑　弓〔くわゆみ〕

邪気払いの神事に用いる弓で、中国の『礼記註疏』に

君国世子生（中略）射人以二桑弧蓬矢一立射二天地四方一

とあり、日本でも宮中では皇子誕生の折に行った事は『平家物語』公卿揃の条に安産の祈りの折に「くはのゆみ、よもぎの矢もて、てんち四方をゐさせらる」とある。

七曲したる弓〔ななまがりしたるゆみ〕

長門本『平家物語』橋合戦条に筒井浄妙房が「七曲したるくろぬりの弓もち」とあるのは七曲りの鞭《むち》のように部分的に曲った幹を利用して作った弓で、もちろん丸木弓である。

おそらく太い藤蔓を利用した弓であろう。まれに用いられたらしく『前九年合戦絵詞』に描かれている。

劔樋掻たる弓〔けんひかいたるゆみ〕

毛利家西源院天正本『太平記』に

白木ノ弓ニ劔樋カキタル弓

とある。丸木弓には古くは中央筋を樋に削り込んだのがあるが、この樋の先を剣形に削った装飾化したものもあったことの例である。

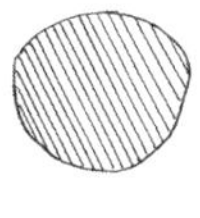

一般的な丸木弓

樋のある丸木弓

弾　弓〔はじきゆみ〕

奈良時代に矢の代りに小石玉を飛ばすように装置した弓で、正倉院に所蔵され、『本朝軍器考』にも聖武天皇弓として図示され、『安斎随筆』にも

彈弓にて彈を射るなり。異国にては鳥などを射るなり。弦二筋かけて革を縫いつけ、此の革に玉をくるみて射るなり。

と記している。弦の捜《さぐ》りに当る部分に玉が挟めるような韋をつけ、ゴム製のパチンコの役を弓の弾力の戻る力を弦に代用せしめたもので、玉が矢の代りに飛んで行くが、往々にして玉が弓に当ったり、近距離でないと弾道を描いて威力が弱まり、また鏃《やじり》のように尖っていないから、衝突効果だけで大した威力はない。せいぜい小鳥を仕留める程度であるから、軍用にも用いられず、後世はまったく用いられなくなった。奈良朝時代の頃のものであるからもちろん丸木弓である。

楊　弓〔ようきゅう〕

小さい丸木弓で、古くは楊《やなぎ》の木の枝で作った故に楊弓といったが、後には蘇芁《すおう》・紫檀などの輸入品の銘木を細く削り、江戸時代には長さ二尺八寸を三分して、はめ込み繋ぎとし、握り丈は太くした。子女の室内遊技用の射的に用いた。矢は桜材などで九寸二分、鏃は厚い丸革を貼り、当っても被害のないようにし

弓の各部の名称

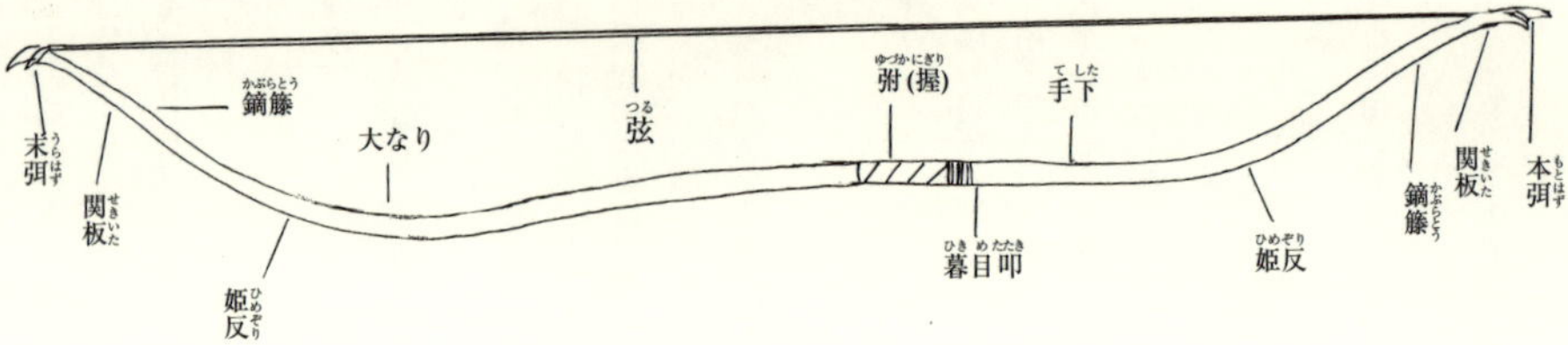

た。距離は七間半に枠付の埒《あずち》に布を垂れ中央に的を吊してこれを射た。五矢で一勝負とし、二百を百手として五十矢以上的に当れば朱書し、百矢以上は金泥で記した。

江戸時代には楊弓場という娯楽場までできたが、弓の材質は上質の木を用いず、また半弓に代った。

小　弓［しょうきゅう］

古くは上流の子女の遊戯用の弓で、『蜻蛉《かげろう》日記』『宇津保物語』『源氏物語』『枕草子』等に記され、後世『小弓指南抄』という手引書まで作られたが、楊弓に代った。

破魔弓［はまゆみ］

古くは正月に子供の遊戯用として用いた小弓であったが、装飾性を帯びて、縁起物の飾り置物となった。弓矢台に小型の籐巻の弓を二張並べ立て、矢を添えて、弦巻をさげた。現在でも正月の床飾りに用いられ、神社で破邪の矢として白羽鏑矢《かぶらや》に護符や絵馬をつけて破魔矢として年頭に売る傾向となったが、本来は子供の玩具弓矢であった。

雀小弓［すずめこゆみ］

近距離の雀などを射る小児用の弓で、『法然上人行状絵図』に、上人の幼時に父の漆時国が明石の源内武者定明に夜討にされた。小児は庭にかくれていて雀小弓で定明の顔の真中を射て、小矢児《こやちご》と評判されたと記されているが、おそらくこれは伏竹や三枚打でなく、桑の枝か、篠竹《しのだけ》の弓で、もっとも素朴な丸木弓に属する小弓であったと思われる。

多羅枝真弓［たらしまゆみ］

『今川大雙紙』に

先七徳は仁義礼智信忠孝此七ツなり。又五形とは木火土金水の五つなり。是に依て弓を七尺五寸に被レ定なり。
日本にて弓を作り初る事は人皇十五代めの神功皇后と申奉る女帝にましましける。異国退治の御時、黒き両頭の蛇をみ給て、たらし木にて作り給と云なり。此ゆえに弓を御多良志《みたらし》と云也。但三国に渡てこれにおほくの口伝有レ之

とあって「多羅枝」または多羅の木の枝で弓を作ったのが始まりであるとし、室町時代にもっぱらこの説が信じられていたらしく『塵添壒嚢抄』にも

弓を御タラシと云は何故ぞ。神功皇后異国征伐の御時、多羅樹真弓を持給故に、それより御たらしとは云也

とあり『公事根源抄』にまでこの説をとっており、天竺（インド）の多羅樹の葉の長さが七尺二寸あるから多羅樹をもって弓を作るときに、その長さに準じたのであるとしている。

多羅という木で作ったから敬語をつけて「みたらしの弓」としたというのであるが、日本のタラの樹は弓に使える程太くも無いし、また、弓が神功皇后という伝承上の人物の発明でもない。弓は縄文時代から用いられ、当時の石鏃さえ出土している。『万葉集』の「御執乃梓弓」とあるように高貴の人が手に執る（持つ）弓の尊称で「御手に執った弓」が「みたらし」と称したので貴人の弓に対する表現である。『軍陣聞書』にも

弓をみたらしといふ事は只の人の弓は申まじき也。公方様の御弓をば可レ申なり

とし、『長享元年江州御動座記』にも将軍の弓を御多羅枝と記している。古代から平安時代初期頃までは丸木の弓であったから、その時代の高貴の人の持った丸木弓が「みたらし」であり、鎌倉、南北朝時代では高貴の人の伏《ふせ》竹弓《だけのゆみ》や、三枚打の弓が「みたらし」であったのである。御多羅枝と書くことによって樹質による名称と誤解されたのである。

手束弓［たつかゆみ］

手束弓《たつかゆみ》　手《て》爾《に》取持《とりもち》而《て》朝獦《あさかり》爾《に》君《きみ》者《は》立《たち》去《い》奴《ぬ》
多《た》奈《の》久《く》良《ら》能《の》野《ぬ》爾《に》

と『万葉集』にあるのを『註釈』には、

たつかゆみとは、とつかをおほきにまきたる弓をいうといえり。しかれどもこれは、ただてにとるを、たつかといえるにや

とあるから手束弓は御執弓《みたらしゆみ》と意味は同じで手に執った弓ということになる。従って弓の種類ではない。

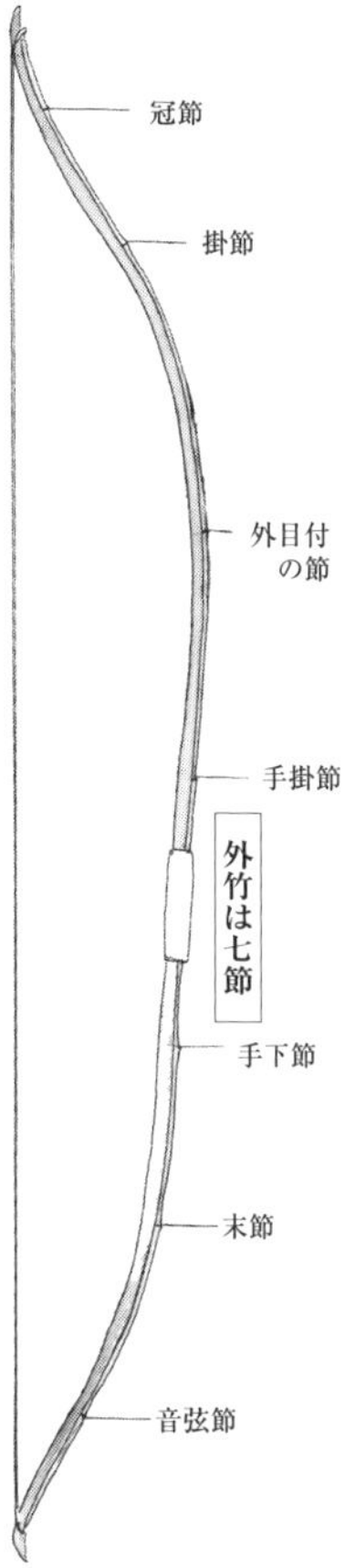

伏竹弓

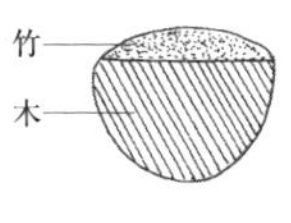

伏竹弓の断面

伏《ふせ》竹《だけの》弓《ゆみ》

天仁元年（一一〇八）顕秀郷家歌合の『夫木抄』に

いかにせむままきの弓のともすれば
引はなちつつあはぬ心は

とあるによって木と竹を合せて継いだ「継木」つまり伏竹の弓とする齋藤直芳氏の説が穏当のようである。『本間流弓書』には伏竹の弓は藤原秀郷の発明とし『十万弓伝説』では藤原秀衡の発明とし、陸奥国栗原郡金成村金田八幡の社伝では源頼義考案としているが、だいたい平安時代末期にはすでに用いられていたが、未だ主流は丸木弓であったのであろう。弓の外面に当る所を平らに削って割り竹を一面に鰾《にべ》（魚から採った膠《にかわ》）で貼り合せたもので、丸木弓よりも折れ難くなり、竹の繊維質の弾力が加わったので、引きやすく、強力に遠距離を飛ぶようになった。

竹と木を貼り合せた事によって後代は三枚打、四方竹の弓、弓胎弓と発達し、その弾力

による矢の飛ぶ距離は次第に伸びていったから、伏竹弓は改良の第一段階である。そして竹と木を鰾《にべ》で貼り合せたものは暑湿や年数が経つことによって、剝れる恐れがあるので、これを防ぐために漆塗りや、絲裏《いとつつ》み、籐巻きの弓が発達して行き、堪久性と美観を増したのである。

この伏竹の弓は外竹の弓といっている。『義経記』忠信吉野山合戦条に、忠信の軍装を記して「ふしきのゆみのほこみじかきいよげなるをもちたりけり」という「ふし木」は木に竹を伏せた意か、木に竹を伏した意か不明であるが伏竹の意と理解して良い。

三《さん》枚《まい》打《うちの》弓《ゆみ》

伏竹の弓に次いで考えられるのは、内側にも竹を張った三枚打の弓で、これは鎌倉時代に入ってからの発明とされている。

ただし内竹は両弭《りょうはず》まで貼ったのではなく、弭から四寸程手前までを竹を入れるように剝ったものであるが、木を竹で上下に挟んだ形になり、更に弾力を増し、引き易くなった。

四《し》方《ほう》竹《だけの》弓《ゆみ》

竹と木の貼り合せで弾力を増すことを考えついた時に、さらにもっと竹の利用として考えられるのは木を芯として上下左右を竹で貼り、つまり木芯を竹で囲んだ形にして弾力を充分に生かした四方竹が考えられるのは当然であるが、この形式が現われたのは室町時代頃であるといわれている。『尺素往来』に弓の名を挙げた中に

梓弓檀弓槻弓四方竹之大弓　三人張之勁弓皆悉荒木口之間刪研調之

とある。

弓《ひ》胎《ご》弓《ゆみ》

四方竹の弓という竹と木を巧みに貼り合せる手法は、更に細かく竹と木を組合せる繊細な技術をうながし、これが弓胎弓という構造になった。これによって弾道の描き方が少なくなり、遠距離まで飛ぶので、また弓法の飛躍的進歩も促した。これは堂前射法の発達による影響である。

堂前とは京都の蓮華王院の三十三間堂のことである。ここは柱と柱の間を一間と呼ぶが、一般的一間でなく二間、つまり四メートルであるから三十三間は約一三二メートルである。この距離で軒と縁の間を射通すのであるから、よほど剛弓でなければ弾道を描いて射通せない。そこで工夫されたのが弾力を強めるための竹筋を細かく組んだ弓で、これを以て三十三間堂を射通す堂前弓具と射法ができ、

三枚打弓

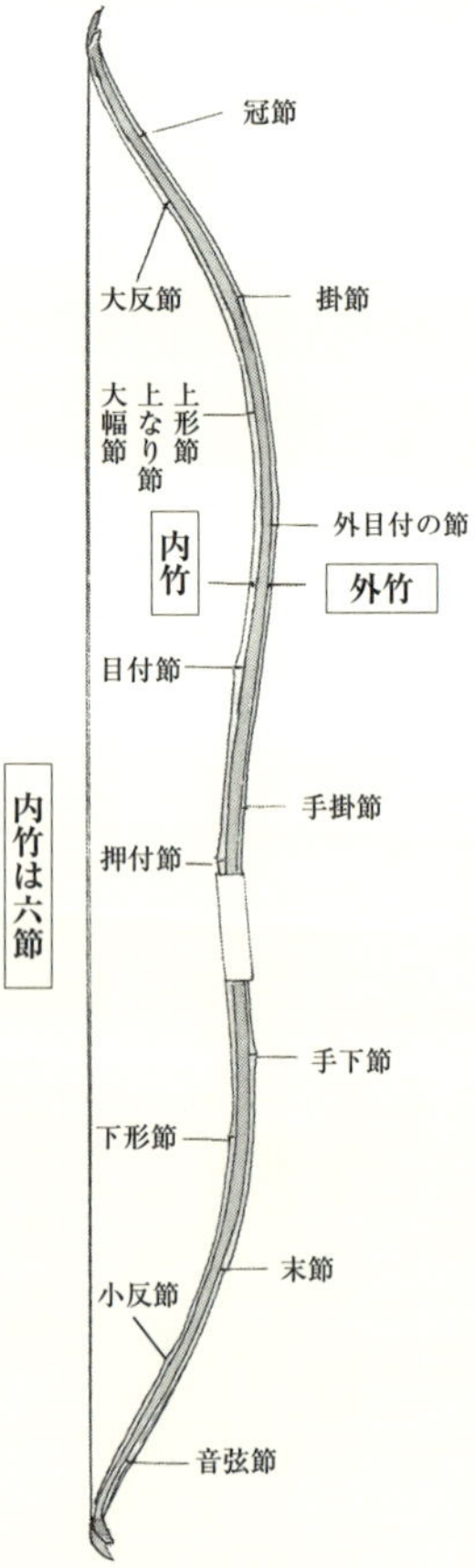

三枚打弓の断面

これを差矢といった。この遠距離を射通す弓胎弓は以降流行した。

四方竹弓・弓胎弓

江戸時代から明治時代に用いられた弓は、現在枯れていて、うっかり引くと折れてしまうが、その断面を検すると、芯に竹片三個合せ、左右に木、前後に竹を貼って、その組み方に技術的に高度の程をうかがわせるが、外見からは三枚打の弓のようにしか見えない。

現代であれば薄い鋼を重ねて弾力の強い弓が可能であるが、弓具が武器としての使用価値から競技用、精神的修養の手段として利用されるようになったので、威力開発の工夫は停止してしまった。

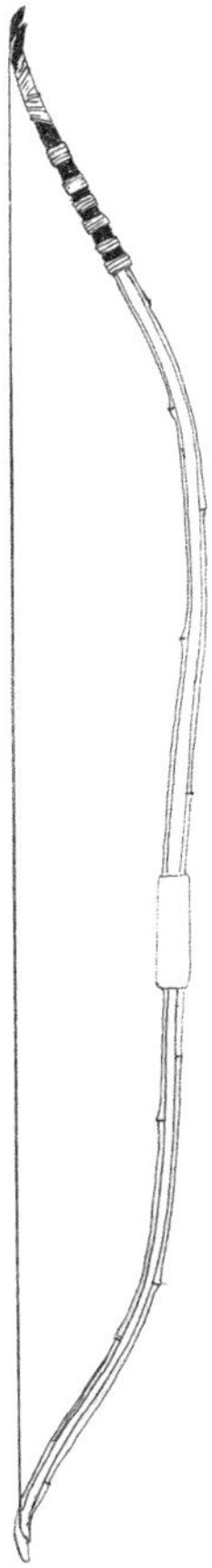

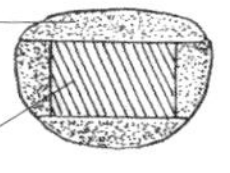

四方竹弓の断面

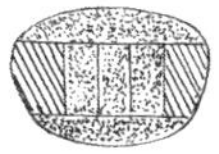
弓胎弓の断面－1

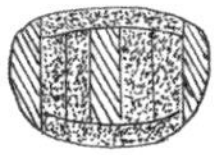
弓胎弓の断面－2

竹と木の合せ方

弓胎弓は外竹（的に向った時に、的に向った面に貼られた竹）と内竹（的に向った時に射手側の竹、前竹ともいう）の間に木と竹ヒゴを入れるが、竹ヒゴの数によって三枚ヒゴ・五枚ヒゴ等といい、粗製は一枚ヒゴもある。またヒゴの代用として鯨の髭を用いたりすることもある。外竹と内竹の間のヒゴは、真中に木、そしてその両脇にヒゴを二枚ずつ置き、外竹と内竹を貼って、両側に側木を貼るものと、三枚竹ヒゴを芯に貼り、両側に木を置き、その上に外竹、内竹を覆うのとあり、弓師によって色々の仕方がある。

外竹は七節、内竹は六節で組むが、外竹、内竹いずれかの節間に他の竹の節が二つ配置されるのを「弓の辻」といって嫌うことは『貞丈雑記』に

外竹にても、内竹にても一方の節の間に二つあるという。嫌ふ事なり。弓馬秘説に見えたり。これは例へば外竹の節間に内竹の節二つあるをいう。忌む事なり。常の弓は外竹の節間に内竹の節一つ宛あるなり

と記している。竹の節間は根に近い程狭いから、そうした竹を用いると、反対側の竹の節間が、こちら側の節間に二つ来ることになる。ただし漆塗重籐にするとこの忌むべき節合せはわからなくなる。

弓の姿～各部の名称と用語

弓の各部の名

弰［ほこ］

弓自体を弰といった事は源平合戦頃かららしく長門本『平家物語』に

弓のほこをならべて

とあり、『義経記』にも

弓の弰みじかく射よげたるを

更に『太平記』に

白木の弓のほこ短には見えけれども、尋常の弓に立双《くら》べたりければ、今二寸余ほこ長にて、曲高なるを

また『義貞記』にも

枕にたてたる小ぼこの弓を取て臥ながら手鉾の柄に添て矢を放つ

とある。これらから察すると弓の両端、つまり弭に当る所をいったとも考えられる。

『今川大雙紙』には

矢づか並にほこの事

とある点から『古事類苑』では

按にホコとは弓の体、即ち幹を云へるなるべし。されど古書、幹をホコと訓ぜるものなし。

とある。『会津四家合考』高倉合戦条には

弓ノ結構箭幹ノ用意ナンドコソキラ〳〵シクハアラネドモ握リニ餘リタル鎌矛弓ニツク打テ、猫潜《ねこくぐり》ト云大狩俣ノ矢束普通ニ勝タルヲ矢続早ニ射出ス

とあって鎌矛弓の語まであるので、弰の正確な意味は極め兼るが、前に述べた如く弓幹自体と見るのが一般のようである。

弣［ゆづか］

弣も『倭訓栞』では

ゆづか　弣をよめり。弓柄の義也。倭名抄にユミヅカと訓めり。弓束とも見えたり

とあり、弓を握る箇所をいう。

弭［はず］

弓の両端は弦を懸る装置の弭がある。矢にも筈があるので、弓は弓弭・ゆはずといい、彇・弰・弲の文字の用いる。上端を末弭《うらはず》、下端を本弭《もとはず》といい、弦がかけ易いように中央の尖った山形になっている。

弭の形

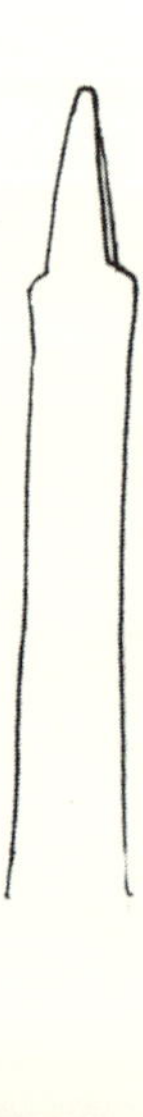

鶴岡八幡宮蔵弓の弭の形

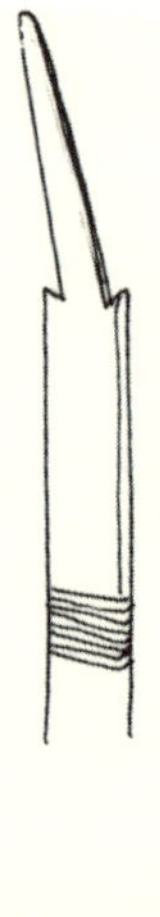

大三島山祇神所弓の弭の形

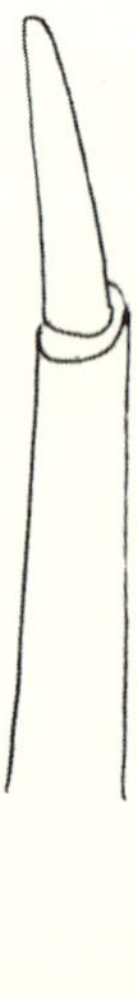

熱田神宮蔵弓の弭の形

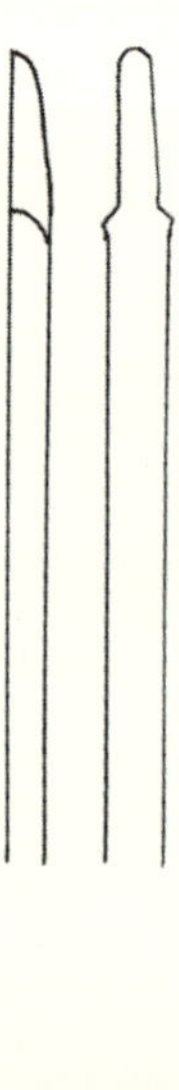

春日大社蔵弓弭の形

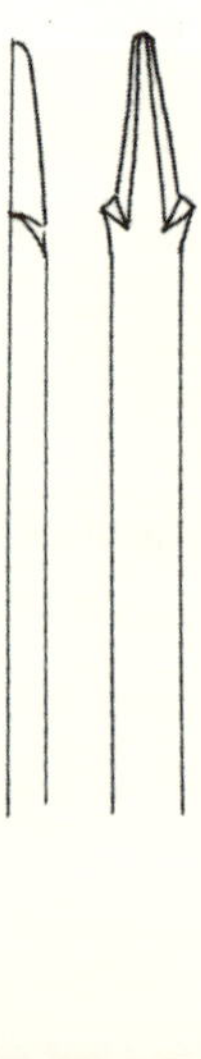

現在の弓の弭の形

関板・額木［せきいた・ひたいぎ］
弭より約十センチ程内側を関板または額木といい、その下に巻く籐を鏑籐といい、握り韋（弣）の上に巻いた籐を矢摺籐、下に巻いた籐を蟇目叩《ひきめたたき》とするのが一般であるが、漆塗重籐の弓ではこのほかに、末弭に接して日輪巻、本弭に接して月輪巻等の籐巻がある。

このほか部分とした名称に末弭の弦の線から離れかける部分が相打、曲りの強い所が大鳥打、その下を小鳥打、握り下を握り下とし、その下の曲線に移る所を手下、本弭に近い所を弦持という。

節の名
外竹の七つの節は上から冠節・掛節・外目付の節・手掛節・手下節・末節・音弦節。

内竹六つの節は末弭側から大反節・上形節・おっとり節（目付節）・矢摺節・下形節・小反節（小腰節）等と名付けるが、籐巻弓ではこれらの節がわからない。

弓の長さと強さ

弓の長さ
日本の弓は外国の弓に較べて長いのが特長で、現在では七尺三寸（約二二一・二センチ）が一般的であるが、使用者によって多少の長短はある。献物帳所載と正倉院蔵の弓は六尺六分（約一八三・六センチ）から、八尺五寸五分（約二五九・一センチ）まであり、一定していない。古書では七尺五寸というのが多いが、これは手量で計ったものであるから人によって握りの幅が多少異なる。一握り（親指を除く）を五寸と見て十五握りあれば七尺五寸としたのであるから実際は五寸よりもっと短い。

伊勢貞丈は親指と人差指を伸ばした長さを五寸とし、一寸は人差指を屈めて中の節間の長さとし、また、腕を屈して臂《ひじ》から手首の関節までを一尺とするとした。これらは非常に不確かであるが、現在は曲尺で七尺三寸を表準とし、それより短いのを「詰り」「ほこ詰り」また三寸詰り、五寸詰り等といい、それより長いものを「延び」といっている。

弓の強弱
往古は弦をかける時に要する力、つまり一人で押して弦がかけられるのを一人張（これが一般である）といい二人で弓を押して弦をかけるのを二人張、三人がかりが三人張、五人かかるのを五人張りという風に称した。

数人かかって弦を張る程の弓の形容であるから、軍記物に表現されているのは何処まで信じて良いかわからぬが、強弓の形容と見るべきであろう。

近代においては弓幹の厚みで弓の強弱を推

節の名称

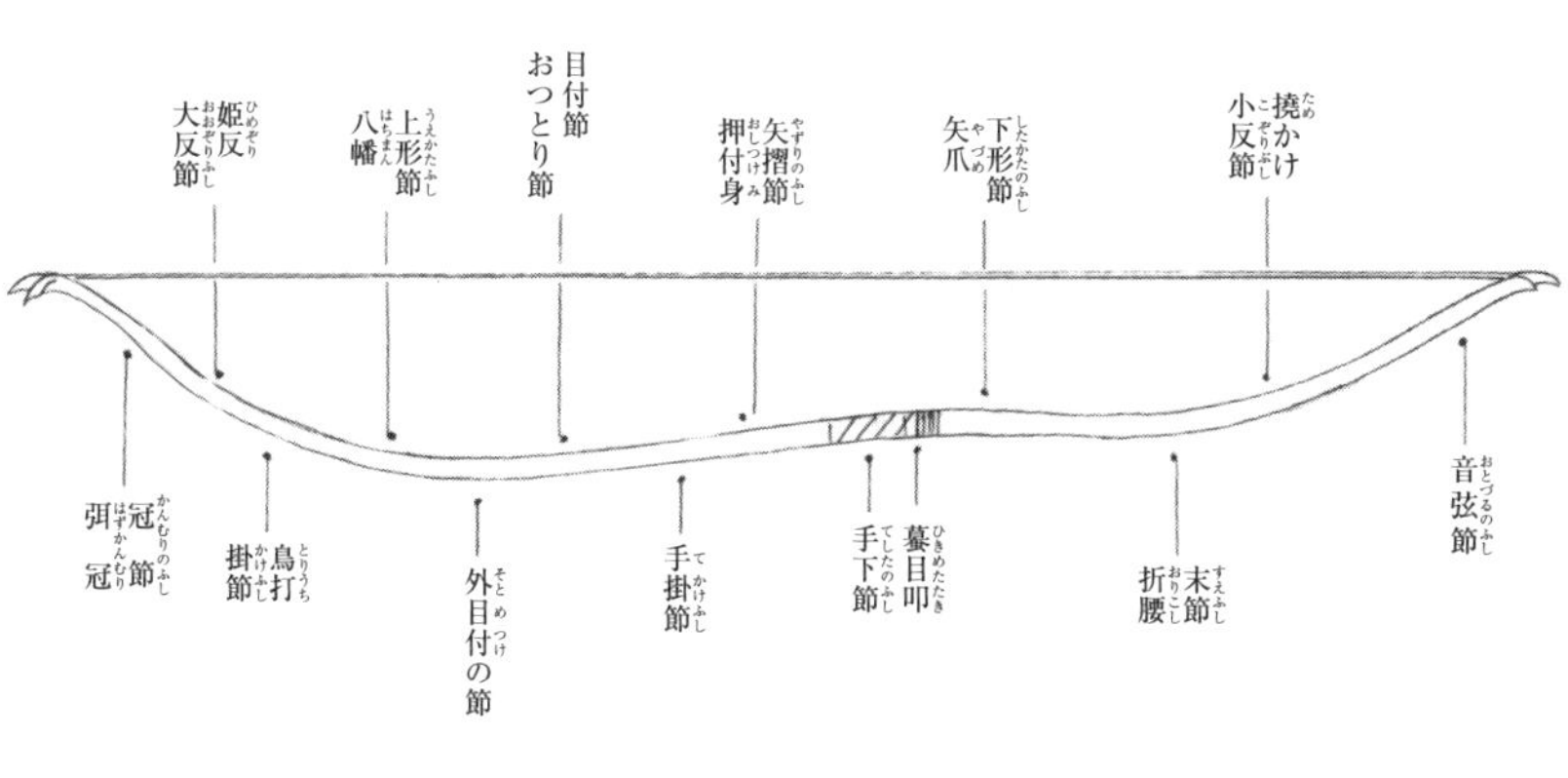

しはかったので四分弓（約一・二センチ）、五分弓（約一・五センチ）五分八厘弓（約一・七センチ）、六分弓（約一・八センチ）、六分二厘弓（約一・九センチ）等といって、四分弓は婦人、六分弓は男性が用いると漠然と考えられているが、厚いから強力とは限らないし、弱い弓でも扱う人によって強力となる。

中国では弓の両端を柱にかけて、中央に穀物の袋を下げて、その重量に耐えられる量によって五石の弓とか六石の弓と弾力を測定している。

現在は科学的測定器があるようである。

弓の張り方

弓の弦を張るには柱の長押の角などに末弭を当て、本弭を左足の股《もも》の内側に移して支え、末弭は弦輪をすでにはめた弦をくわえて左手で弣《ゆづか》を押し、右手で本弭を上にかかえるようにして、本弭に弦輪をはめる。この時左手は弣を充分に押して、弓の弱強、手下の強弱を確かめる。こうしてから張顔（弦をかけた時の弓の形）を確かめてから二・三度弦打をし、弓の出入、手下の立様を見て、肩入を二三度試みる。

手量《たばかり》のいろいろ

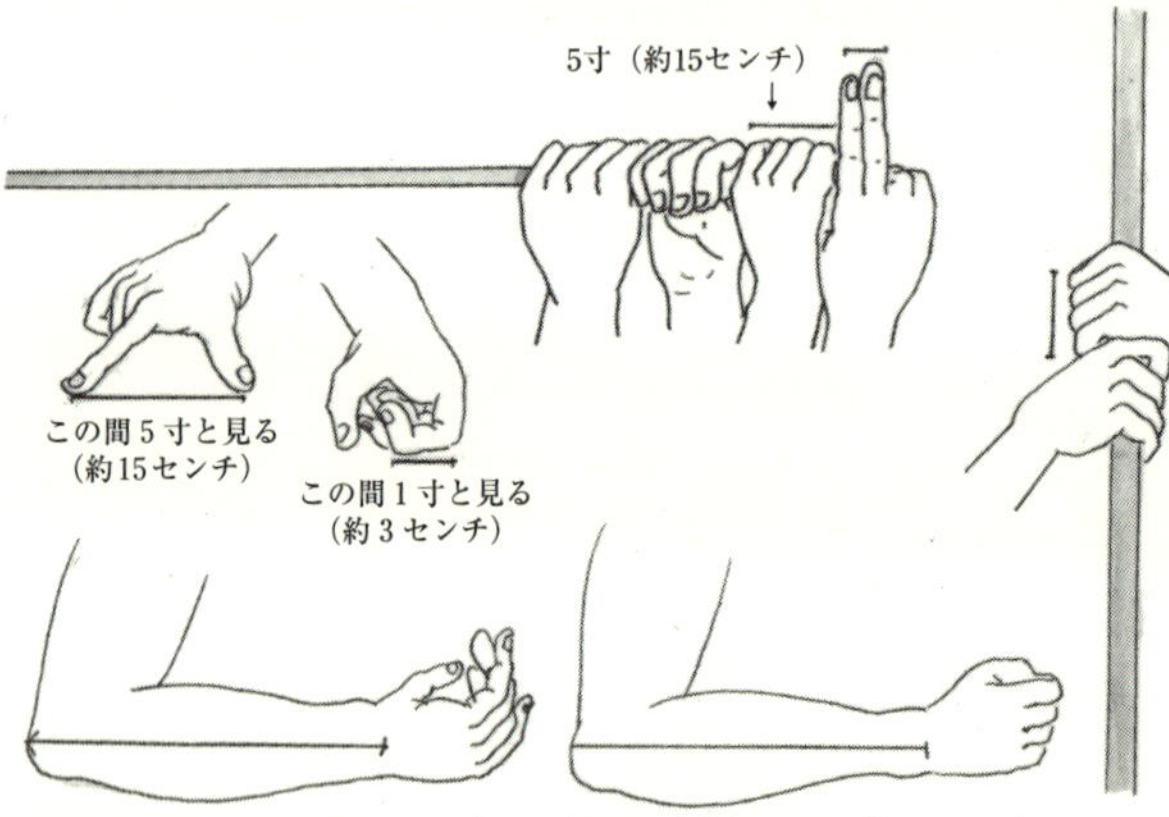

一握りを五寸（一五センチ）と見る
弓の測り方

桃山時代以降の弓組足軽の尺籐弓《しゃくとうゆみ》

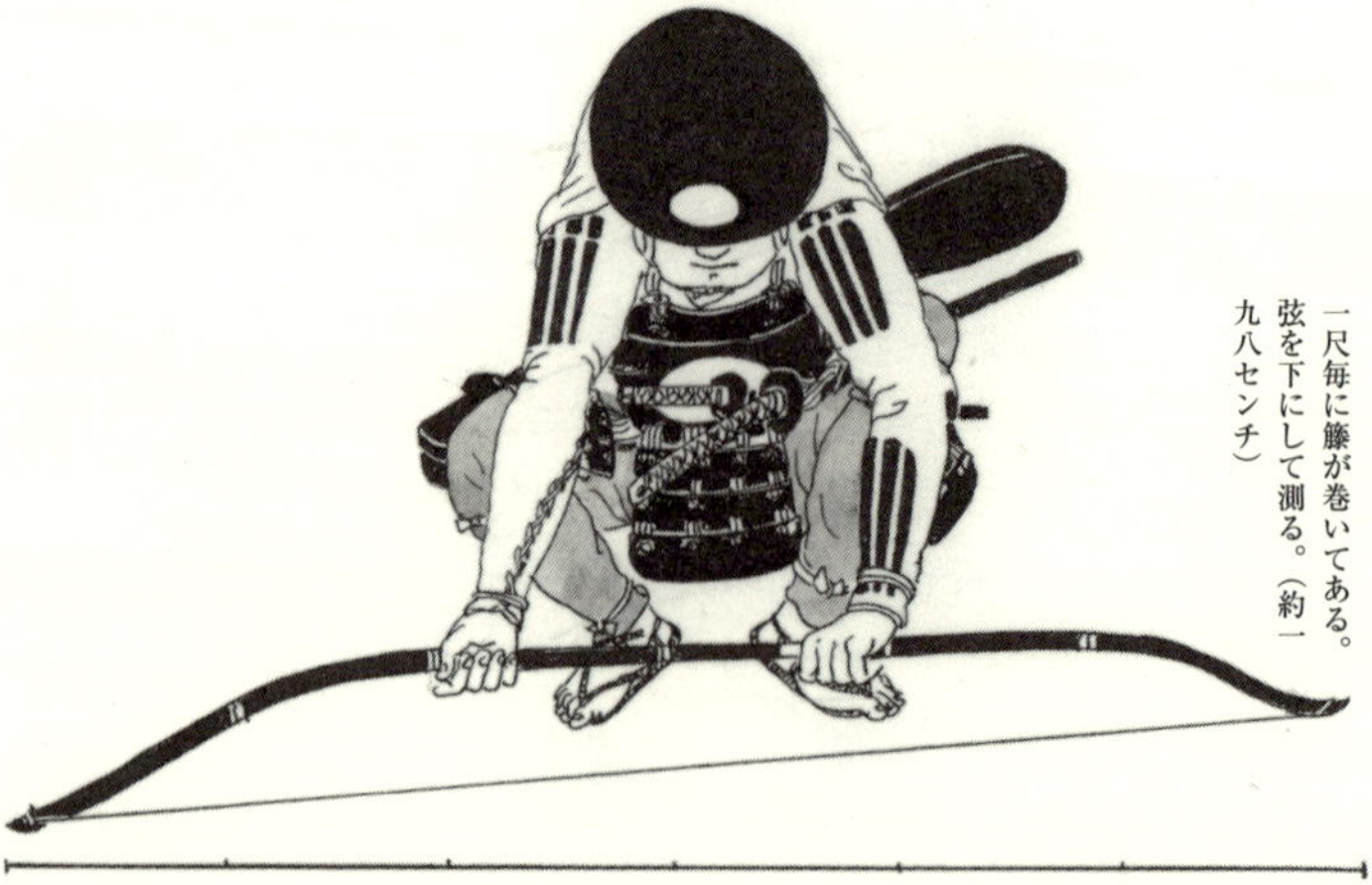

一尺毎に籐が巻いてある。弦を下にして測る。（約一九八センチ）

弓に弦を張る方法

ギリシャの絵皿に描かれた半弓の張り方

ローマの半弓　エマースの像
カピトリーノ美術館蔵

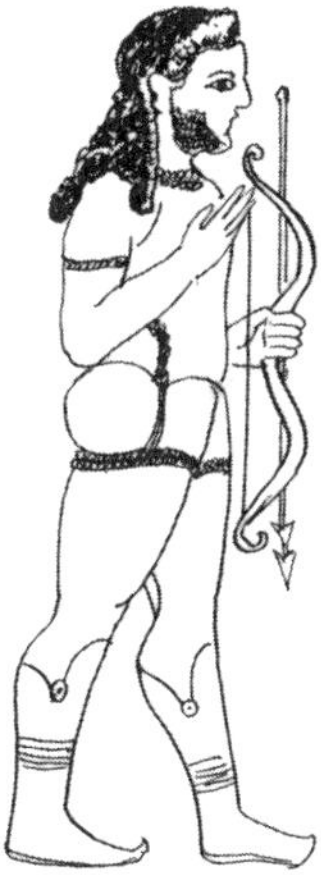

ギリシャの半弓（セルヴェートリ出社のフレスコ）ルーブル博物館蔵

立って足の間に入れて曲げて弦を張る長弓

菊地容斎の描いた御厩喜三太の弓を張る図

『男衾三郎絵詞』に描かれた三人張の長弓

弓の姿

弓は古くはその曲線の姿が、末弭と本弭と間の曲線が上下同じように撓《たわ》められていたことは正倉院御物の弓、鶴岡八幡宮所蔵の弓その他鎌倉時代に該当する弓及び、古画に描かれた弓の姿によってもうかがえる。

それが時代降るに従って大鳥打のあたりから曲線が強くなり、握り辺で弦側に寄り、再び手下あたりで曲線を描くという形となり、握より上部の方が、下部より脹らんだ形となり、握りを中心として上下均等でないのが日本の弓の形の特徴となり、現代に至っている。

羽太い・羽高い［はぶとい・はだかい］

この脹は弓幹と弦の間の間隔によって表現する。『小笠原入道宗賢記』に

弓のはふとい（羽太い）はたかひ（羽高い）と云は弓と弦とのあひのひろき也

とある。

羽細い・羽低い［はぼそい・はひくい］

弓幹と弦の間の間隔の狭いのをいう。『小笠原入道宗賢記』に

はほそい（羽細い）はひくい（羽低い）と云は弓とつるとのあひのせばき事なり。此時はふとい（羽太い）といはばはほそひ（羽細い）といってよし。はたかい（羽高い）といふ時ははひくい（羽低い）といふなり

とある。弓道者の用語で一般では使っていない。

弓張顔［ゆみはりがお］

弓に弦を張った形の良し悪しを評する時に使う言葉。これを弓を張った顔（貌・姿）という。『小笠原入道宗賢記』に

弓のはりたるなり（姿）のよきあしきをばはりかほ（張顔）のよきあしきといふ

とあり、『大造物手組』にも

弓を張るべき時は末弭の弦輪をよく見て直に掛りたらば、其儘置、ゆがみたらば直して隅の柱に末弭を押あてて、左の膝にて宛て、右の手にて絃輪をとりてくわえ、弓を膝に押当て、能右の手にて握りの下を取り、左の手をば其儘置て次第次第に弓を上え取上げて張顔を見べし。悪くは其儘弓を下におしあて、直すべし。押直す時は立ながらも又は膝まづきても直すべし

とある。弦をかける時、弓を押し撓《た》める方法によって張った弓の姿が良くも悪くもなる。また新しい弓をしばらく用いないと、捻れが出て、弦を張っても姿が悪いし、用いても狙いに狂いが出やすい。

『土岐家聞書』に

弓の張かほを張かはといふはわろし

とあるが、往々にして張顔を張かわと言っている。『岡本記』にも

かりに一の矢二の矢と申事ろんあるべし。まづ弓のはりかはをくらべて見るにはたかき弓まつ矢をつく也。

と述べている。

弓の姿

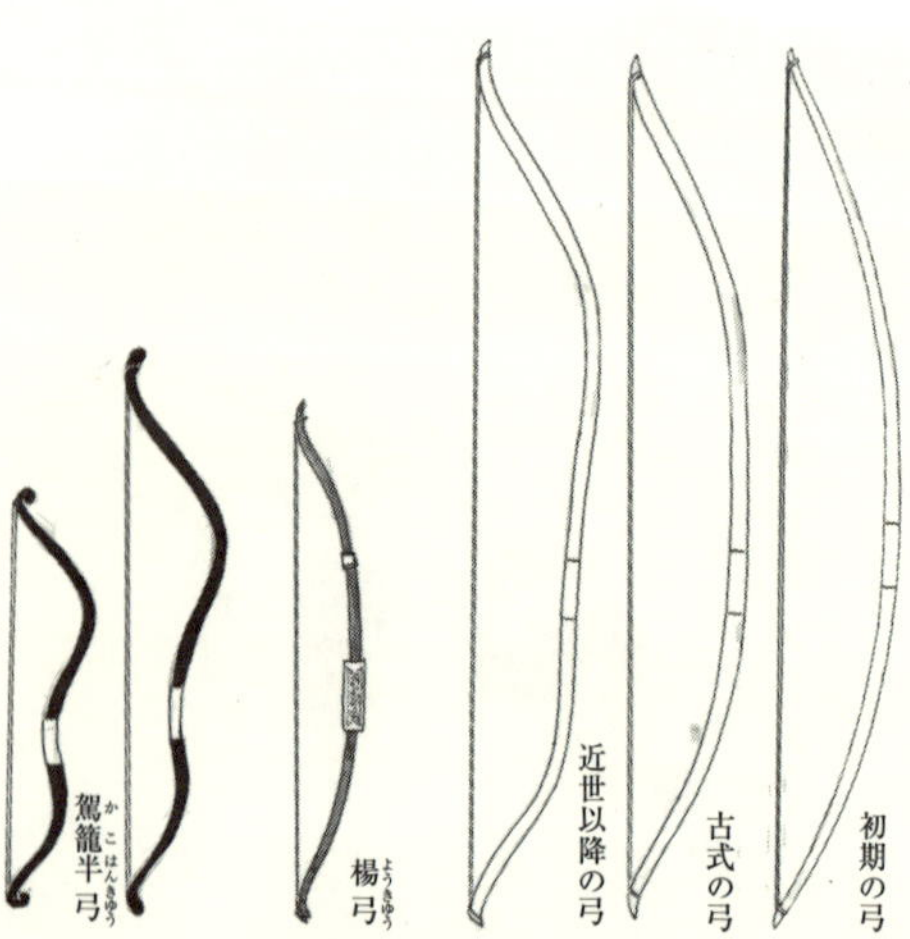

各種の弓１～大弓

の一は

第一大平弓ハ式ノ籐ノ弓也。若《モシ》此籐ニ応ゼザル物アラバ、略ノ籐ト知ベシ。式トハ鏑籐、矢摺籐、鏑扣《カブラタタキ》ノ籐等也。鏑籐ハ上下ニアリ。之ヲ違籐《チガイトウ》共又ハ戻籐《モドリトウ》共云。矢摺籐上下ニハ勾籐ヲ遣也。後ノ四足弓ニ六ノ籐廿八ノ籐アルモ皆是式ノ籐ノ外ノ数也。式ノ籐ヲ入テハ筭《カゾフ》ヘカラズ。何ノ弓ニモ右ノ籐ヲ遣故ニ別シテ式ノ籐トハ云也。或人ノ云、籐ヲハ遣ト云ベシ。巻トハ云ベカラズ、斤《スベテ》八張弓ノ図諸家ノ秘スル所ニシテ、少々ノ相違アルコトナリ。能師説ニ随フベシ

第二　蛇形弓ハ白木ノ弓也。的弓ト云。化生《ケショウ》ノ物ヲ射ル弓ナリト云云。猶口伝アリ。

と記し、籐巻の弓が、式正《しきしょう》で、大平弓といい、白木弓は蛇形弓といって略式で、的弓に用い

弓の拵《こしら》え

一張弓〔いっちょうきゅう〕

『武用弁略』弓矢の部三に

一張弓　今云蛇頭弓、又曼荼羅《マンダラ》弓ト云。弓道私記ニ弓ノ弭ヲ蛇形ニ作《ツクル》弓アリ。日本ノ旧製也。神宮（功）皇后破魔治平ノ製弓ニシテ元来木朱《モッス》ナシトゾ。或書ニ曰、一張弓ハ是根本初製ノ本弓也。故ニ外竹ヲ赤色ニシ、内竹ヲ黒塗ニスル弓ヲ一張弓ノ拵ト云也。蛇腹弓ト云モ同弓也ト云云

と述べている。外竹を朱漆塗、内竹を黒漆塗にしたのを一張弓の拵というとあり蛇腹弓ともいうとしている。

握りより上に籐を三十六巻き、これを地の三十六禽、握りより下に籐を二十八巻いて天の二十八宿になぞらえるが、流儀によっては逆なのもある。

八張弓〔はっちょうきゅう〕

『武用弁略』には陰陽二弓あって、それぞれを四張弓といい、合せて八張弓とする。そ

籐巻の弓

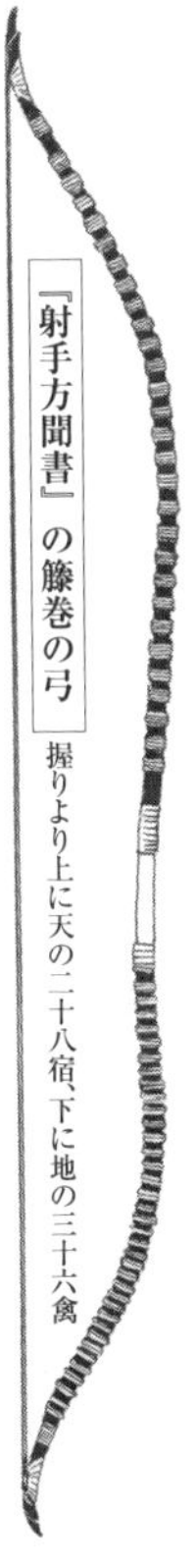

『射手方聞書』の籐巻の弓

握りより上に天の二十八宿、下に地の三十六禽

『弓馬故実』の籐巻の弓

握より上に十九、下に九の天の二十八宿

籐巻の名

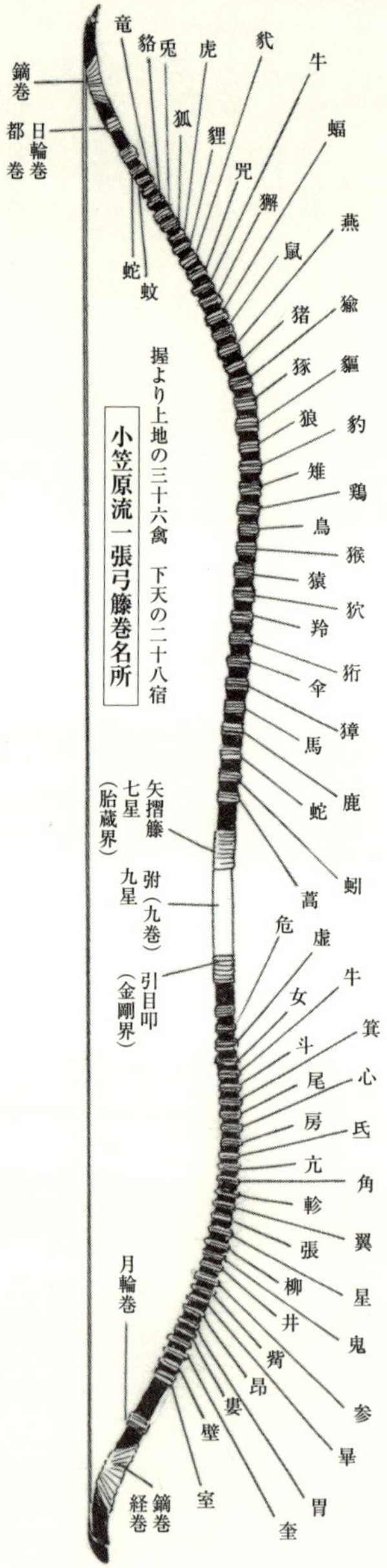

たり化生（ばけもの）を射る時に用いるとしている。籐巻の弓が陽で白木弓は陰、この二張の弓が八張弓であるとする。

白木弓（蛇形弓）［しらきゆみ（じゃぎょうきゅう）］

『八張弓記』に

蛇形弓。白木の弓なり。的可ㇾ射弓也

とあるように的弓である。

羅形弓［らぎょうきゅう］

これも白木の弓であるが、日輪巻、矢摺籐、蟇目叩、月輪巻、鏑巻等に籐を巻いたもので

『八張弓記』に

白木の弓に籐をつかひたる弓なり。化生の物を可ㇾ射弓なり

とあり、「枕近置テ可ナリトス」とあるから寝所を守り化生のものを払う弓である。

側白木弓［そばしらきゆみ］

三枚打の弓の場合に前後に貼った竹の部分を赤または黒漆で塗り、側面の木の部分は木地のまま白く残した弓をいう。『高忠聞書』『射御拾遺抄』『弓馬故実』『八廻日記口伝』『武田射礼日記』等に村捨弓と共に扱われ、

『弓村削秘伝書』に

側白木の弓仕立様、弓の竹の節をおろさず、とくさみがきにして其上をむくの葉にてみがき、赤漆にてぬり側を白木にこそげるなり。是又的円物《まるもの》・草鹿《くさじし》・挟物《はさみもの》・以下可ㇾ用ㇾ之。騎射に不ㇾ用ㇾ之也

とある。この両面漆塗は赤漆塗と黒漆塗とあり、『佐竹宗三聞書』には黒漆塗の弓の場合は的を射ても良いが赤漆塗は的弓としないとしている。

村揩弓［むらこきゆみ］

側白木弓の漆を塗ったのを、所々拭い去ってまだら塗りのようにした弓をいう。『弓村削秘伝書』に

村こき弓の事。小笠原信濃守貞宗弓太郎にて建武年中御的の有し時、右弓のきわめていろつきたる弓のすこしはりくせ有しを所々こさげてあらためて用ひ被レ射しなり。それより面白とてわざと弓を赤うるしにてうすくぬりて、小刀数をさだめて所々こきしらけて、我家の秘事にして被レ用也。其例をしたひて御的弓太郎はいつも村こきの弓を被レ用也。故に自余の射手は憚《はばか》りて用レ之なし。鹿苑院殿様御治世に此弓を不レ残御てうあい有レ之て御自身御的被レ遊時は、いつも此弓を此用ひ被レ成也。故弥常人ははかりをもんして不レ用レ之、御赦免有レ之人はかく別也

とあって小笠原信濃守貞宗が、側白木の古い弓で癖のついたものをためる為に漆塗りの部分を所々削ったのを持って弓太郎を勤めたので、いつしか弓太郎だけの持つ弓となり、更に足利八代将軍義政がこの弓を愛したので、一般では更に用いられなくなり、特別に許された者だけとなった。そのコク（削る）部分は別に定まっていなかったが、室町時代に弓道の規矩が定まると村揩にする場所もいつか

籐巻の変化

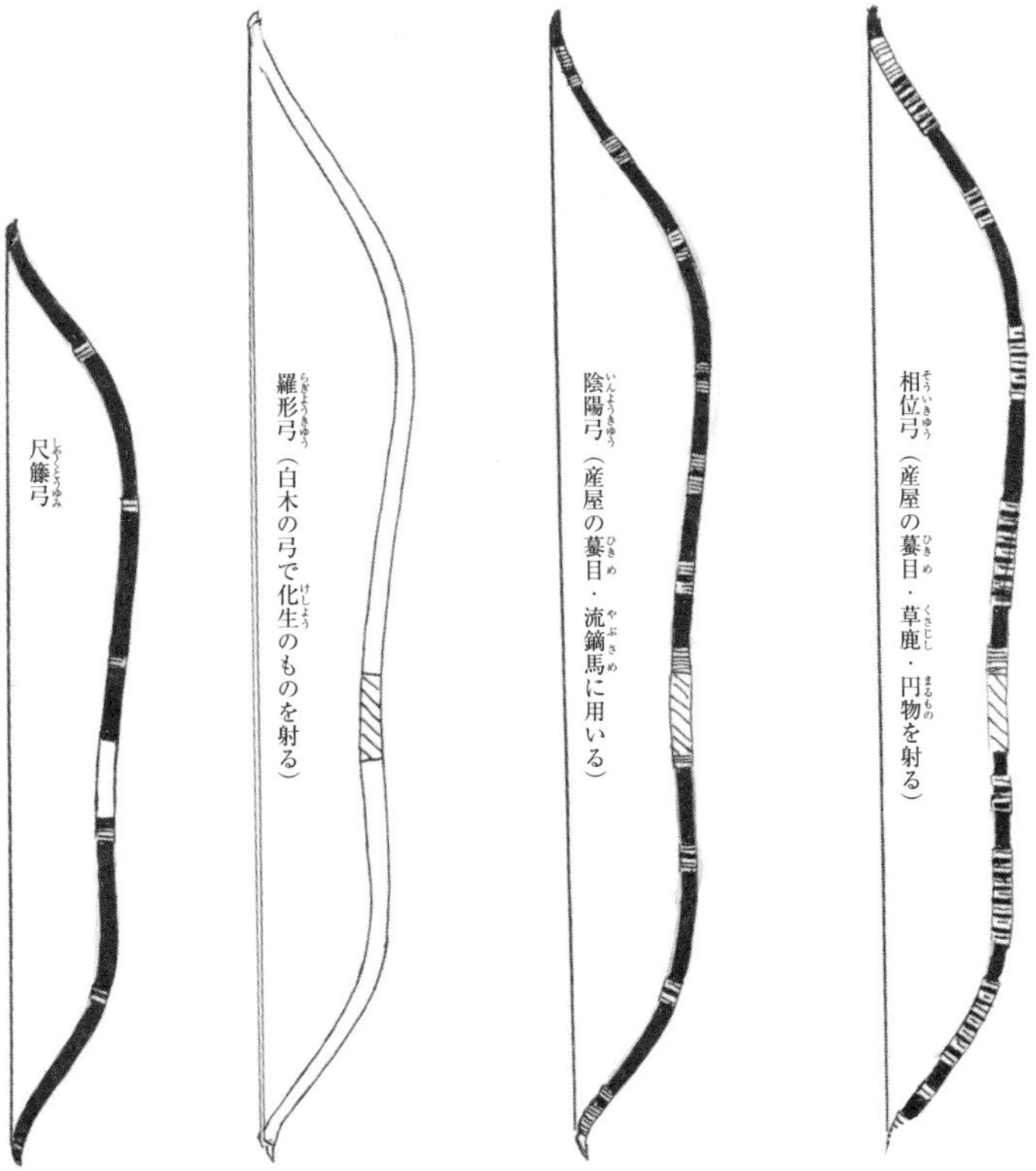

相位弓《そういきゅう》（産屋の蟇目《ひきめ》・草鹿《くさじし》・円物《まるもの》を射る）

陰陽弓《いんようきゅう》（産屋の蟇目《ひきめ》・流鏑馬《やぶさめ》に用いる）

羅形弓《らぎょうきゅう》（白木の弓で化生《けしょう》のものを射る）

尺籐弓《しゃくとうゆみ》

桃山時代頃からの弓組足軽の弓、一尺毎に籐が巻いてある

一定するようになった。その形式というのは

村刳の仕様。弓の内の方を弣上二尺五寸、弣下一尺二寸こくべし。又弓の外の方を末弭より下へ二尺五寸こくべし。同弣下本弭より一尺二寸弣の方へこくべし。以上三刀也。口伝有レ之

と、削ることにも口伝秘伝が設けられてしまった。

側黒弓［そばぐろゆみ］

側白木弓とは逆に前後に貼った竹を漆塗にせず、側面の木の部分を黒漆で塗った弓をいう。『家中竹馬記』に

そばくろの弓は竹をぬらで皮を置なり

とあり、竹の表皮のままにして、木の部分を黒漆で塗ったものをいう。『弓法私書』に

弓の竹を白く残して節をも落さずして、わきを黒く塗りて、籐をつかひ、馬上にて持事、好ざるこしらへ也。晴の時には持べからず

とあり、騎馬や晴の場所では遠慮すべき弓であるとしている。

塗　弓［ぬりゆみ］

塗弓とは弓に漆を塗ったものをいい、平安時代には正式の弓であった。『延喜式』兵部省式に

凡武官人等皆用二漆弓一其正月十七日大射節文官人亦同

とあり、武官の持つ弓はすべて漆塗弓であり晴儀にはこれに蒔絵した蒔絵弓を持った。大体が黒漆を塗るのが主で『江家次第』その他軍記物に見られるが、鎌倉時代頃から赤漆塗も用いられ、室町時代には二重赤漆塗などというのも見られた。『家中竹馬記』に

馬上にて可レ持弓は黒ぬり、矢すりかふらとう、白くつかひたる本式也。節巻或は黒漆赤塗の段々、或はそば黒又は竹を黒く木を赤漆、又は捲より上と下とをかへても誘也。又こき赤漆に木をうす赤漆にしたるをば、ふたえ赤漆と云也

とあり、また栗色塗の弓も用いられた事は『弓法私記』に

弓ヲ黒クヌリ栗色ナドノ事ハ本ヨリノ事、ウス赤漆ニヌリタル弓成トモ、矢ズリカブラ籐ダニモツカヒタラバ、馬上ニテ持ベシ。イカニ黒クヌリ栗色ナリトモ、籐ヲツカハヌハ馬上ニテ持ベカラズ。コシラヘタル弓ニ白弦カケベカラズ、ヌルベシ

とあって、漆塗でも籐巻きをしていない弓は馬上で持ってはならないし、塗弓に白絃を用いてはならないとしている。また『犬追物益鏡』には渋塗の弓もまれに用いられた事が記されている。

絲裏弓［いとつつみゆみ］

弓の上から末まで絲で巻きしめた弓で、補強の意味である。『義経記』『庭訓往來』『易林木節用集』等に記され、その構造については『貞丈雑記』に

絲裹の弓と云ふは、是も軍弓也。弓の竹の上皮をこそげて、ふとき針程の太さの麻の捻絲にて、末弭より本弭まで隙間なく巻きつめる也。絲の下には麦漆を付て巻く也。麦漆は、せしめ漆に小麦の粉をよくおし交る也。総体に右の如く巻て、絲の上をせしめ漆にてさつと塗り、能くからして、かれたる時、麻のきれ等にて拭ひて、光沢を抜きて、其上より吉野漆にて黒く塗り、能くからして後、籐を巻くなり。籐は末弭、本弭、千段巻、鏑籐、日輪巻、月輪巻あるべし。（中略）矢摺籐、蟇目叩の籐をも巻く也

とあり、一般の籐巻きの弓より堅固である。

樺巻弓［かばまきゆみ］

『飾抄』『御禊行幸服色部類』等に記されており、古くは随身《ずいじん》や舎人《とねり》の持つ弓を樺巻弓といった。絲・紙・籐で弓を横に巻いたものである。樺桜の皮は横に巻いた様に覆っているので横巻にするのを樺巻といったと『四季草』にあるが、それであれば絲裏弓も樺巻弓に含まれる。籐で巻きしめたのを眞樺ともいって

いる。『今昔物語』に「革巻たる弓持て」とある革巻きも樺巻の当て字であるとの説もあるが、同書には「革所々巻たる弓」の語が、いくつか記されているから、ちょうど握りが韋巻きであるように、節の辺りの折れ易い所に韋を巻いたのではあるまいか。

節巻弓［ふしまきゆみ］

『四季草』に

節巻の弓の事。弓は節の所厚き故、多くは節の所浮上りて、にべ離るるものなり。その用心の為に節の上に籐を巻たるを節巻の弓といふなり。

とあるように、籐巻の弓の始まりは、節に巻いたことから装飾、意匠的に数多く巻くようになったのであろう。膠《にべ》の剥れ離れるのを防ぐ意味と、折れを防ぐ補強から、絲裹、樺巻、籐巻が発達したものと思われる。『平治物語』内裏勢状条や『源平盛衰記』『義経記』等に記されている。『岡本記』には

節巻を巻て塗れば重きとて、漆計にて段々に塗りたるも節巻といふべし

とあって籐を巻かないで、いかにも籐巻に見えるように漆で段々に塗ったのも節巻の弓といったとしている。

千檀籐の弓［せんだんとうのゆみ］

『曾我物語』かわづうたれし条や『今川大

化粧籐

両弭の近くに巻くを化粧藤という

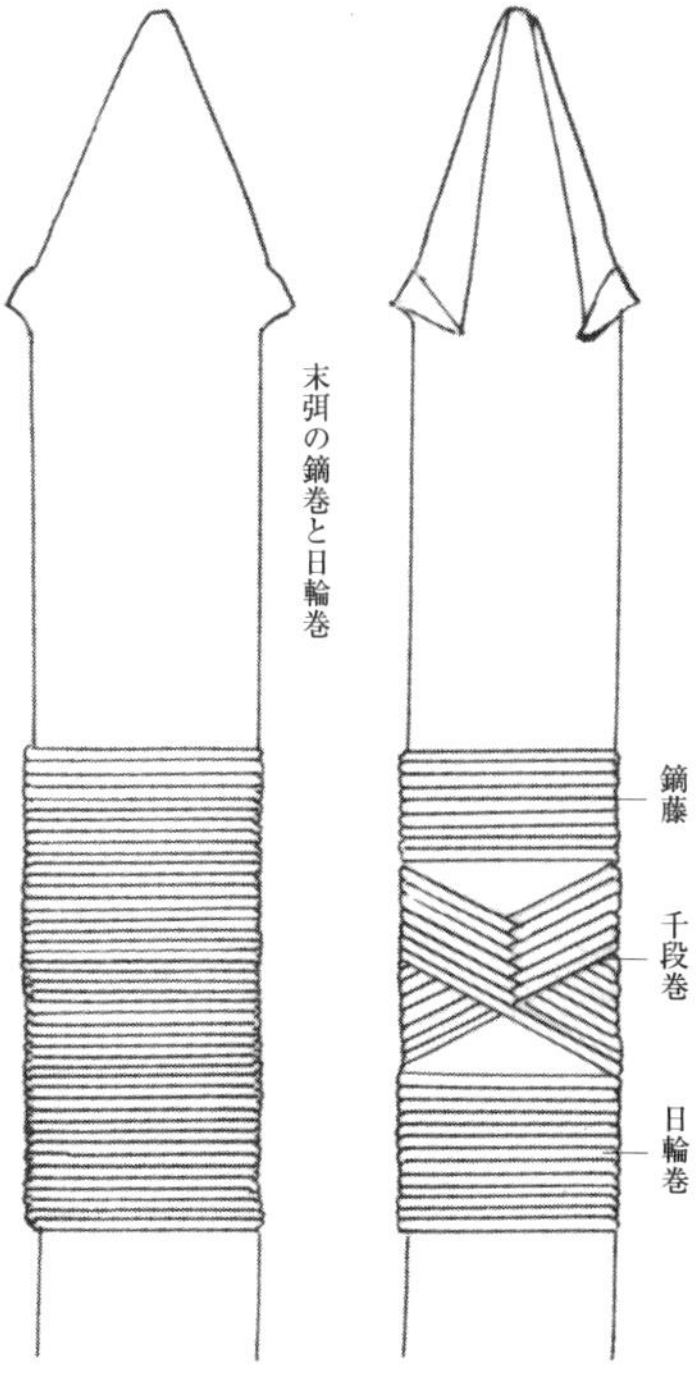

末弭の鏑巻と日輪巻

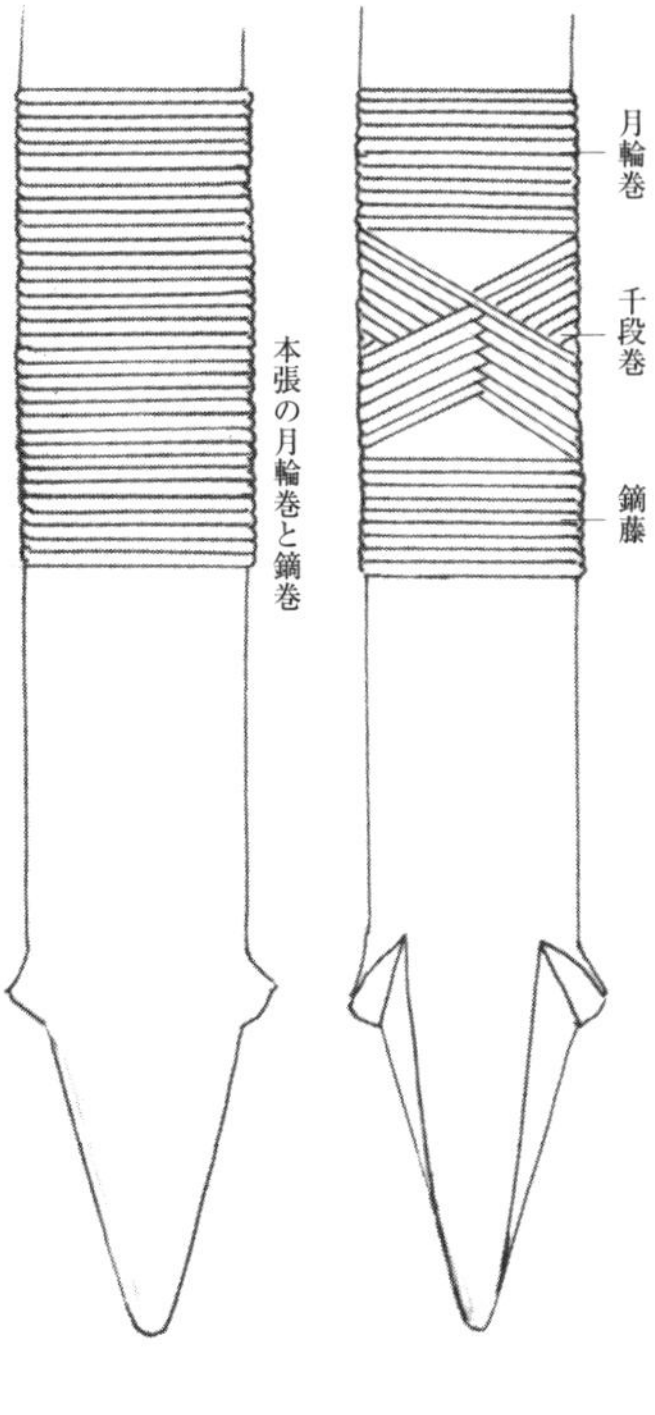

本張の月輪巻と鏑巻

雙紙』『射御拾遺抄』『弓法私記』に記され

　随兵軍陣などの弓は下地黒くぬりて、せんたをすべし。せんだん巻といふ事は蛇の体を表する也。其上にしげとうをつかふ。籐の寸法二寸ばかり、あい五分ばかり、矢ずり五寸許也。うらはず少長く、本はずは少し短し。うらはず赤かるべし。

とあるが『貞丈雑記』では、

　せんだん巻の弓と云ふは、千手巻也。下地に漆をつけて、麻絲にて巻目を五分繁く巻、又五分置きて、又五分巻、だんだん如此麻にて巻きてせしめうるしにて塗り込めて、上をろう色に塗るなり。扨上、下、矢摺籐三所白籐を使ふ。総体は籐を巻かず、これをせんだ巻の弓といふ。

とあり、絲裏弓と同じであるが、五分幅五分間隔（約一センチ）で巻くだけの差である。

相位弓［そういきゅう］

　弓を黒漆塗にして握りより上下の部に、七、五、三の数で籐の巻き個所とした弓で、一に吹寄籐ともいう。草鹿・円物を射る時に用いるが、御産の時に家に魔性のものが寄って来るので、それを払うために産所蟇目を家の棟の上方に向って射る時に用いる弓ともいわれている。

四足弓［しそくきゅう］

　『武用弁略』によると「四足弓ハ重籐ノ弓也。握ヨリ上ニ地ノ卌六禽ヲ表シテ卌六籐アリ。握下ニハ天ノ廿八宿ヲ表シテ廿八籐アリ」とあって重籐の弓のこととしている。

『八張弓記』には

　四足弓。えびら征矢に可レ添弓なり。重籐弓是也

とある。

重籐弓［しげとうゆみ］

　籐を滋く巻いた弓であるから滋籐が本当であるが、同訓故に重の文字が室町時代頃から用いられ、現在ではほとんど重籐で通用している。『四季草』に

　軍陣にも専ら細射弓《ままきゆみ》を用ふる事になりしより、雨露にあひて、にべの離れぬ為に、重籐に拵ゆる事は始りしなるべし。（中略）籐をしげく巻たるは皆重籐なり。（中略）重く籐を巻くことは唯弓の飾りにはあらず。湿にあひて、にべの離れぬ為也（中略）重籐の籐は塗らず白籐也。弓をば黒く塗る也

とあるように多くの個所に籐を巻いたのはすべて重籐であり、後にはその籐の巻き方によって色々の名称がついた。

『今川大雙紙』には

　ずいひやう軍陣の弓とは、下地を黒ぬりにして千たん巻をして其上にしげ籐をつかふべし

『弓箭条々』に

　重籐の弓の誘やう二寸計の籐をつかふ也

『弓法私記』には

　重籐のつかひ様、うらはず六寸、矢ずり本はす、五寸、上下はすきはまてたへざる様につかふ也

『武将記』

　シゲ籐ヲ握ノ下ニ中ヲカケズシテ巻　其以下若ハ一寸、若一寸五分、若二寸、思々ニ巻、籐長ノ程ニ中ヲヨクル也。

『射手方聞書』

　軍陣の時、弓こしらふる事にぎりより上は籐の数廿八。是は天の廿八宿を表する也。にぎりの下には愛染明王の咒《じゅ》、摩利支天の咒をうすやうに書て巻て、其上を赤地のにしきにて巻て紫革にてにぎりを十五にまくべし。黒韋にても巻べし。黒革（韋）は平人の儀なり。此事しれる人なし

と次第に重籐の弓製作の作法がやかましくなり、室町時代には『大坪道禪鞍鐙記』にあるように「眞の重籐」などと名付け、籐巻の数にこだわるようになった。

重籐弓の種類

眞の重籐弓

『大坪道禪鞍鐙記』

弓に籐の遺所《つかうところ》の事。節毎に遣ひて上下の籐を合て十五也。是は天神七代地神五代三光の徳也。是重籐と名付也。又裏弭より七五三共巻べし。昔より是等をも重籐と云也。然共《しかれども》今の重籐と云は又各別也。今の重籐は本籐の外にうら弭の方に三十六所、本弭の方に廿八所、是は本籐間々に如レ斯遣たるを眞の重籐といふ也。知る人稀成べし。籐をしげく遣たるはしたるく可ニ悪歟一也。此重籐は天子将軍の外斟酌たるべし

と記され、勿体付けた数字合せを行った故に握りを境として末弭までが三十六ヵ所、本弭までが二十八ヵ所巻くと定ってしまった。握りから末弭までの方が長いから三十六ヵ所巻くのにはちょうど良く、地の三十六禽を意味し、握りから本弭までの方が短いから二十八ヵ所、天の二十八宿に結び付いた。

ところが、地が上で、天が下に位置するのは不自然であるとして『射手方聞書』では、握りより上を二十八、下を三十六としたりするので握りより下の籐巻一つ一つの幅がすこぶる狭いものとなってしまった。こうしたこじつけに室町時代の人は随分悩んだらしく、『弓馬故実』では三十六禽を略して、二十八宿だけを採用し、握りより上を十九ヵ所、下を九ヵ所として二十八宿に象《かたど》る方法もとられた。

また握りの韋巻きも九巻か七巻して、九曜・七曜に附会したり、握り韋の下に愛染明王や摩利支天の咒《じゅ》を書いた紙を包み、更に錦布で包んでから、韋を巻くなどという事は古くはまったく行われない事であった。

しこめの重籐［しこめのしげとう］

しこめの意味不明、『岡本記』に「いろこかたにしこめ候」「しこめたる弓」また『水野勝成記』に「しこめの重籐」等記されているが仕籠・仕込の意か。いろこがたとは鱗形の意であろうから、鱗形に籐を編み付けた籐巻の弓か。こうした遺物は無い。

村重籐弓［むらしげとうゆみ］

『武者物語』実検書条に

大将軍の年の人なれば勿論の儀也。さなくは午の年の人を大将に首の間に立て、むら重籐の弓を持すべし。首の左右に山鳥の羽のかぶら矢を二筋立べし。首より四尺さり、張弓を置くべし。弓より一丈さり大将ましますなり

と記されている。『貞丈雑記』には

弓礼秘伝書云、村重籐と云は、籐をむらむらとちらしてつがひたるを云也。是は重籐の根本とする所、廿八、卅六合せて八々六十四のつもりの巻により、其余の拵弓は、すべて村重籐と云也。しかれども中此より村重籐のもようを定て巻たるなり

とあって、籐巻の数に規定のなかった頃はすべて重籐の名で一括されていたが、後には籐巻の小部分がいくつかに固まって、それがまた間隔を置いた固まりとして巻いたものをいうようになった。

また、上は三十六、下は二十八と定めずに巻いてあるのも村重籐といった。村は群で、所々に集っている意である。

本重籐弓［もとしげとうゆみ］

『太平記』関東大勢上洛条に長崎四郎左衛門尉の所持した事が記され、『随兵次第』に

弓は本重籐うら二所とうをつかふべし。何《いづれ》も白籐なるべし。

とあり、『高忠聞書』にも

にぎりより下をしげとうに巻き、にぎりの上を二巻づつ巻たるしげとうをば小笠原殿・武田殿持レ之。よの者持まじき也

とあり『弓馬故実』にも

にぎり下を重籐にして、握より上を二所籐にする弓の事。本重籐と云也。是は人

によりて斟酌する弓也。ただの人は持ぬ
也。秘事の弓也。

とあって小笠原流・武田流の弓道が確立してから籐の巻き方も身分・待遇によってうるさくなっている。この籐を二ヵ所ずつ寄せて巻くのは「二所籐弓」といって、小笠原・武田両家では厳格であった。

鏑重籐弓［かぶらしげとうゆみ］
日輪巻と月輪巻の上にのみ特に籐を巻いたものといわれるが、『武用弁略』では下記の図のごとき籐巻としている。

三所籐弓［みところとうゆみ］
『太平記』山崎久我畷合戦条に高尾張守が用いた事が記されている。三つずつ寄せて籐を巻いたものと思われる。

七所籐弓［ななところとうゆみ］
記録にあるが不明。七つずつ寄せて籐を巻いたものか。

末重籐弓［うらしげとうゆみ］
握りより上を重籐に、下を疎《まば》らに巻いた籐とする、本重籐と上下逆に仕上げたものをいう。『武用弁略』では「すえしげとう」と訓ませている。

重籐弓

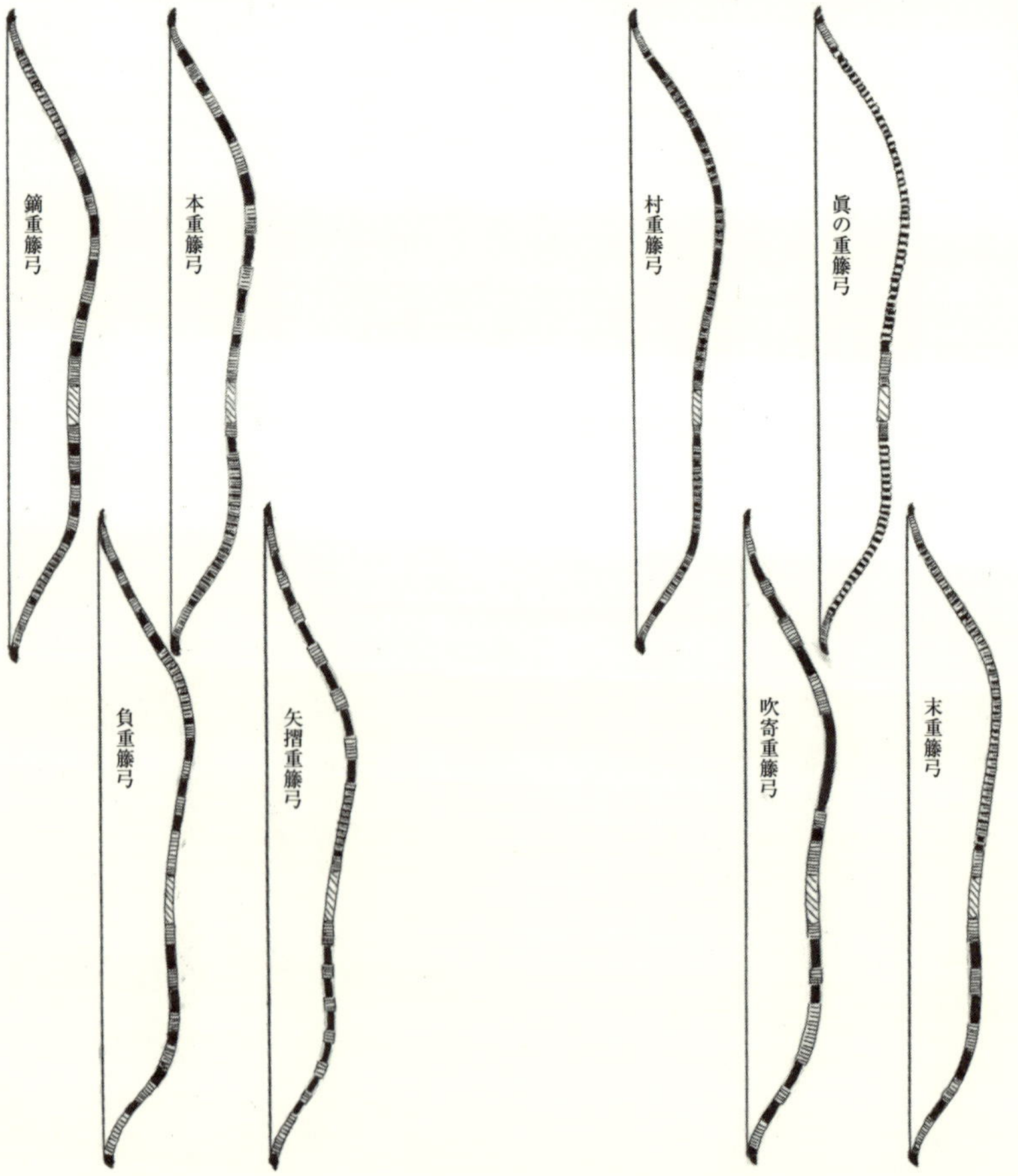

吹寄重籐弓［ふきよせしげとうゆみ］

籐を二ヵ所ずつ並べて巻いたものを吹寄籐といい、これを滋《しげ》く巻いたのを吹寄重籐という。『曾我物語』祐経を射んとせし条に記されている。

矢摺重籐弓［やずりしげとうゆみ］

握りの上の矢摺籐の上方星巻から上の方に籐を滋く巻いた弓をいう。『家中竹馬記』に

籐はかぶら籐をば必つかふべし。其外はつかひたき処につかふなり。但にぎりのきはに下の方につかふ事は軍陣にて持弓につかふなり。

また『高忠聞書』に

弓にとうをつかふべき事。うらはず六寸、矢ずり五寸、もとはず五寸につかふべし。とうの数定まらずはずのうらには、つかはでもくるしからず候

とあり『武用弁略』では矢摺籐の上部を滋く巻いた図がある。

負重籐弓［おいしげとうゆみ］

『武家名目抄』には追重籐と書いた名目だけある。負は敗けに通じるから避けて追の字を用いたのであろう。『武用弁略』には図示されている。

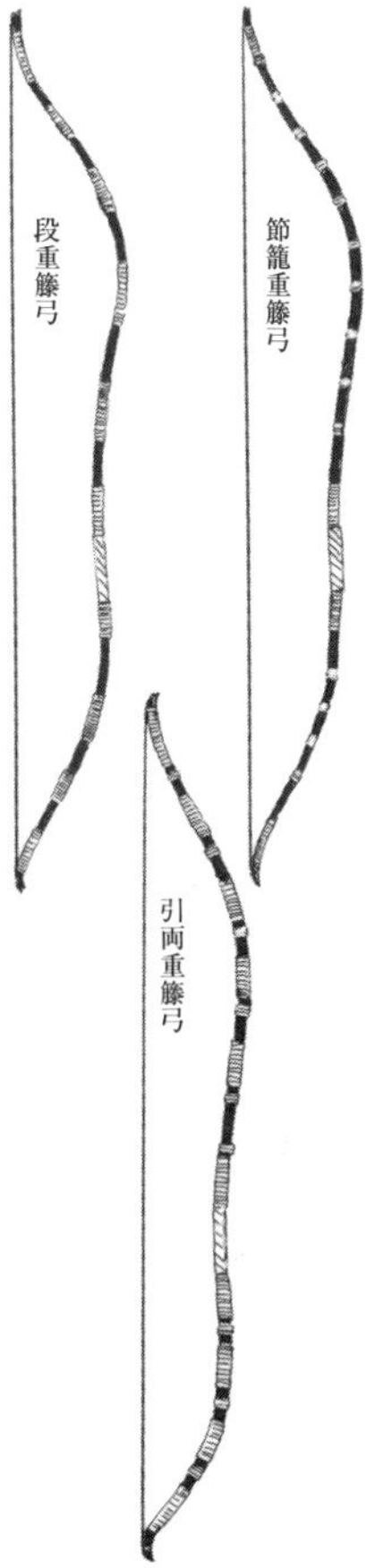

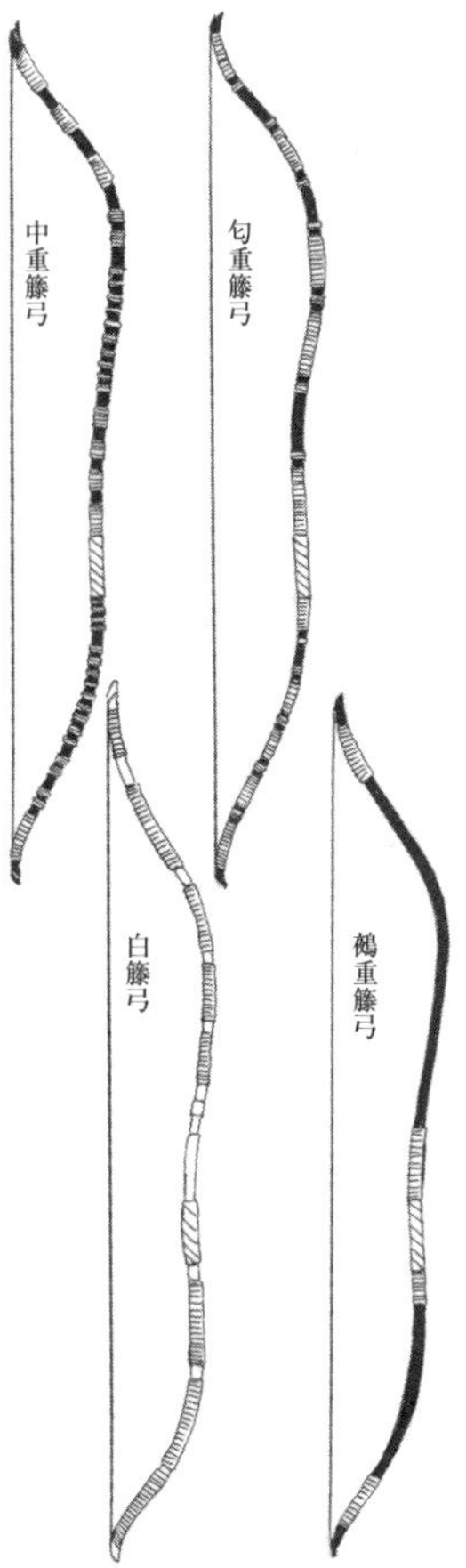

節篭重籐弓［ふしごめしげとうゆみ］
竹の節の部分を籐で巻いたもので節巻重籐と同物と思われる。

段重籐弓［だんしげとうゆみ］
一定の幅を揃えて、段々に籐を巻いた弓をいう。

匂重籐弓［においしげとうゆみ］
段重籐の各部分の両端に細い籐巻を添えた形式。

中重籐弓［なかしげとうゆみ］
握りより日輪巻、握りより月輪巻の間を幅広に巻き、その間を細かく繁く巻いた籐巻をいう。

引両重籐弓［ひきりょうしげとうゆみ］
引両は二引両、三引両あるが、その引両紋の様に二つ、三つ寄せて籐を巻いたのをいうが、大体は子持引両に似せて、幅広と細い線の形に巻いたものが多い。

鵺重籐弓［ぬえしげとうゆみ］
『武用弁略』に図示されている。上下の鏑籐と矢摺籐だけ籐巻の弓。

白籐弓［しらとうゆみ］
籐巻部分が多くて隙間の少ないもの。

笛籐弓［ふえとうゆみ］
『平治物語』内裏勢揃条に源中宮大夫進朝長が持った事が記され、『源平盛衰記』には佐々木四郎高綱、那須十郎が笛籐弓を持った事が記されており、その形式に諸説あるが、籐巻の部分を笛（横笛）のように朱漆で塗った弓をいうとの説もある。

福蔵弓［ふくぞうゆみ］
福蔵弓とはいずれの籐巻の弓にかかわらず、握りの所に鍵状の金属を挿入して、番《つが》えた矢の矢毀《やこぼれ》を防ぐための装置ある弓と『武用弁略』に記されてある軍用の弓。『保元物語』新院御所門々かため軍評定の条に

　為朝は七尺ばかりなる男のめのかど二つにきれたるが（中略）五人ばりの弓長さ七尺五寸にてつくうつたるに卅六さしたるくろ羽の矢おひ

とあり、後世も戦場用の弓に折々釘（鈨）打った弓の記録がある。

陰陽弓［いんようゆみ］
『武用弁略』では二所籐の弓で、婚礼、産屋で魔障のものを払う蟇目矢を射たり、流鏑馬に用いる弓としてあるが、これは『八張弓記』によるもので、『軍記物』には軍用に用いた例が数多く記され（二所籐弓）、また貞丈の『平義器談』には武田・小笠原家で用いた弓としている。

尺籐弓［しゃくとうゆみ］
『本間流聞書』に

　しゃくとう作《づくり》の尺といふは一尺一尺に籐をつかふを云。然ば尺籐つくりといふ也。かぶらのぞきて間を一尺づつ置て巻へき也。矢すりは常のごとく成べし

とあるが、室町時代末期以降足軽活用法として兵種別にした時、弓組足軽は尺籐作りの弓を持たされた。長さは六尺で一尺毎に籐が巻かれているので設営その他の測量の時に、この弓が物指代りになったという。

各種の弓2～その他の弓

半弓

半　弓［はんきゅう］

小児の遊戯用でなく、短い弓もまれに実戦に用いられた。中国・朝鮮の弓にヒントを得たものと思われるが、合せ竹の弓で、短いが強力であった。『士気城雙廃記』に永禄八年（一五六五）に竹内大夫左衛門が片原に潜んでいて、通る馬上の士十四、五人を射殺したことが記され、『続武将感状記』に宇喜多秀家の家臣安東兵右衛門が半弓で戦った話が載っている。

鯨半弓［くじらはんきゅう］

大弓は室内では使用が不便なために考案された長さ一メートル程の小弓で、鯨の髭（鯨の口内の歯に該当するもの）を加工貼り合せて作った。矢も短く、遠距離は飛ばない。故に寝所などに置いて護身用に用いたので、矢《し》籠《こ》形式のものに組んで用意した。江戸時代のものである。

籠半弓［かごはんきゅう］

大名、大身の武士などが駕籠で旅行した折に用心のために駕籠の中に七十センチ程の長さの小弓に矢籠を一セットとしたもので近距離にしか役に立たない。紀州の士林李満が考案したといわれるので李満弓ともいう。

特殊の弓

鉄　弓［くろがねのゆみ］

薄板状の鋼の長い棒であれば弾力が強いから弓に用いられる事はあり、現在のボーガンは鋼材の小型のもので、弩《いしゆみ》にも用いられているが、長弓となると威力は少ない。従って長弓は普通の薄い鋼ではなく、厚みの大きい弓で、これであると一般の人の力では引けない。日本伝説上の人物である百合若《ゆりわか》大臣は鉄の弓を引いたといわれる。『武者物語』に池田武蔵守家中の伊庭藤大夫という士が、この百合若大臣奉納と伝来する鉄の弓を引折ったという話が記されているが、日本では鋼の弓は流行しなかったらしい。

弩——一

中国山東省武梁祠陰刻の手弩

弩〔いしゆみ〕

中国でもっぱら行われ、奈良時代に日本にも伝わって軍団の中に設備され、それを扱う兵を弩師といったが、操作に時間がかかるので次第に用いられなくなった。携帯に便利で、矢継早に射ることのできる弓の発達によって、操作に時間のかかる弩はその効用が失われてしまったものと推定される。

一人で手に持って矢を発射する小型のものもあるが、これでさえ矢継早に操作できぬので流行しなかった。中国・朝鮮・そしてヨーロッパでは中世まで手に持って発射する手弩は用いられていたが、日本においてもまれに平安時代初期頃に用いられていたらしく『三代実録』に手弩の語がある。しかし一般的に日本で弩というのは、大型の設置された弓の事であるから『和名類聚抄』にも

弩　兼名苑注云、弩。音怒。和名於保由美。　黄帝造也

と記され、中国の伝承通り黄帝が発明した機械弓と信じていたようである。弩の台を据えつけて発射するので弓のように便ではなかったが、鋭い鏃《やじり》を付けたり、箆《の》を金属で作ったりして重いので、貫徹力はあった。『日本書紀』天武天皇紀十四年（六八五）には諸国に令して武器の私有を禁じた中に弩も含まれているから、一時はかなり普及したと思われる。『令義解』にも

弩――二

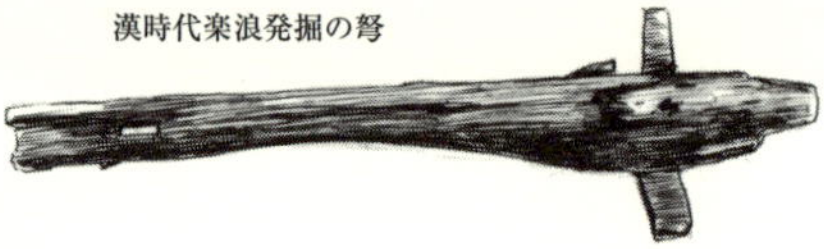
漢時代楽浪発掘の弩

漢時代永元二年銘の手弩

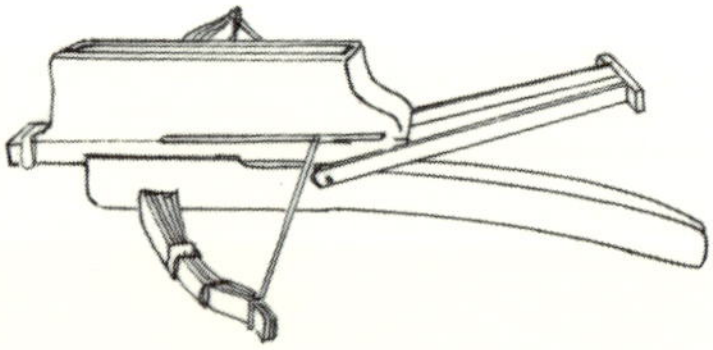

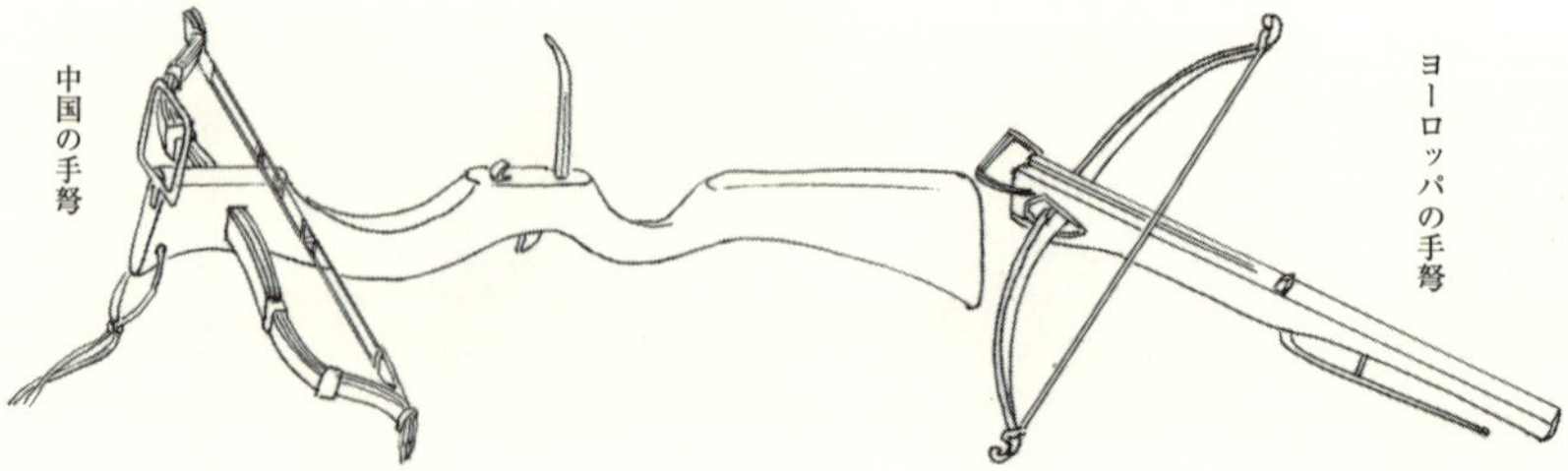
中国の手弩

ヨーロッパの手弩

凡衛士者（中略）毎下日　即令於当府、
教習弓馬（中略）及発弩抛石

とあり、この時代の衛士は下日（下番、非番）には諸武芸を習い、弩の発射・抛石の訓練をする事が義務付けられていたことがうかがわれる。ただしこの弩は衛士専用であるから、野戦・征戦用でなく、守備用と推定されるから手軽に手に持って移動できるものでなく、おそらくこれは中国の漢時代から用いられている連射弩であったと思われる。

また淳和《じゅんな》天皇の時代（九世紀初の頃）は島木史《ふしと》島守がすこぶる強力な大型の弩を発明し、朱雀門外で南に向けて発射したが、その矢音すさまじく、凄いスピードであったので人々は驚嘆したという。

また平安時代初期頃までは武具として重視されていたことは『延喜式』兵庫寮式にも

造弩一具單功六百卅三人　為㆓丁十二人
五十分十之卅三㆒

とあり、その製作に力を入れていたことがうかがえる。

また『扶桑略記』寛平六年（八九四・宇多天皇の代）に対馬島司が新羅の賊徒の来冦を弩で撃退したことが記され、三善清行の『意見封事』には「我国の弩は中国の弩より甚だ勁利」である事が記されているから、弩は奈良時代よりも平安時代に多く使用されていた形跡がある。それが何故急速に用いられなくなったか不明であるが、城塞守備や敵の来襲に備えての武器としては効果があるが、移動性のある野戦には不向きで、併せて武士階級の台頭によりスピード移動性を利用した騎射戦の発達には効果を生じなかった事によるものであろう。馬上でも使える大弓は矢継早に射る事や急速に接近できる故に弩の的になりにくいし、弩矢の効果は大弓と同じに一矢一的に過ぎないから、貫通力の問題だけで、効果力は大弓に変らない点にあった。

石　弓［いしゆみ］

石弩とも書くので弩と往々混同されるが、『日本書紀』や『令義解』などに記されている抛石《ほうせき》がこれに当ると推定される。

遺物例古画等にはうかがえないが、弾力ある木を立てて、綱で引き撓《た》め、先端に石をのせて、綱を放して、石を投射する武器で、木竹の弾力を利用したカタパルト式投石器である。『日本書紀』推古天皇の二十六年（六一八）秋八月高麗で隋と戦って勝った戦利品の中に

俘虜貞公普通二人及鼓吹弩抛石之類十
物併土物駱駝一疋

とあるから、中国では抛石機が武器として用いられていたことがうかがえる。一般的には弾力ある木の下方を土に埋めて固定して用いるが、戦利品として持ち帰った所から見ると、

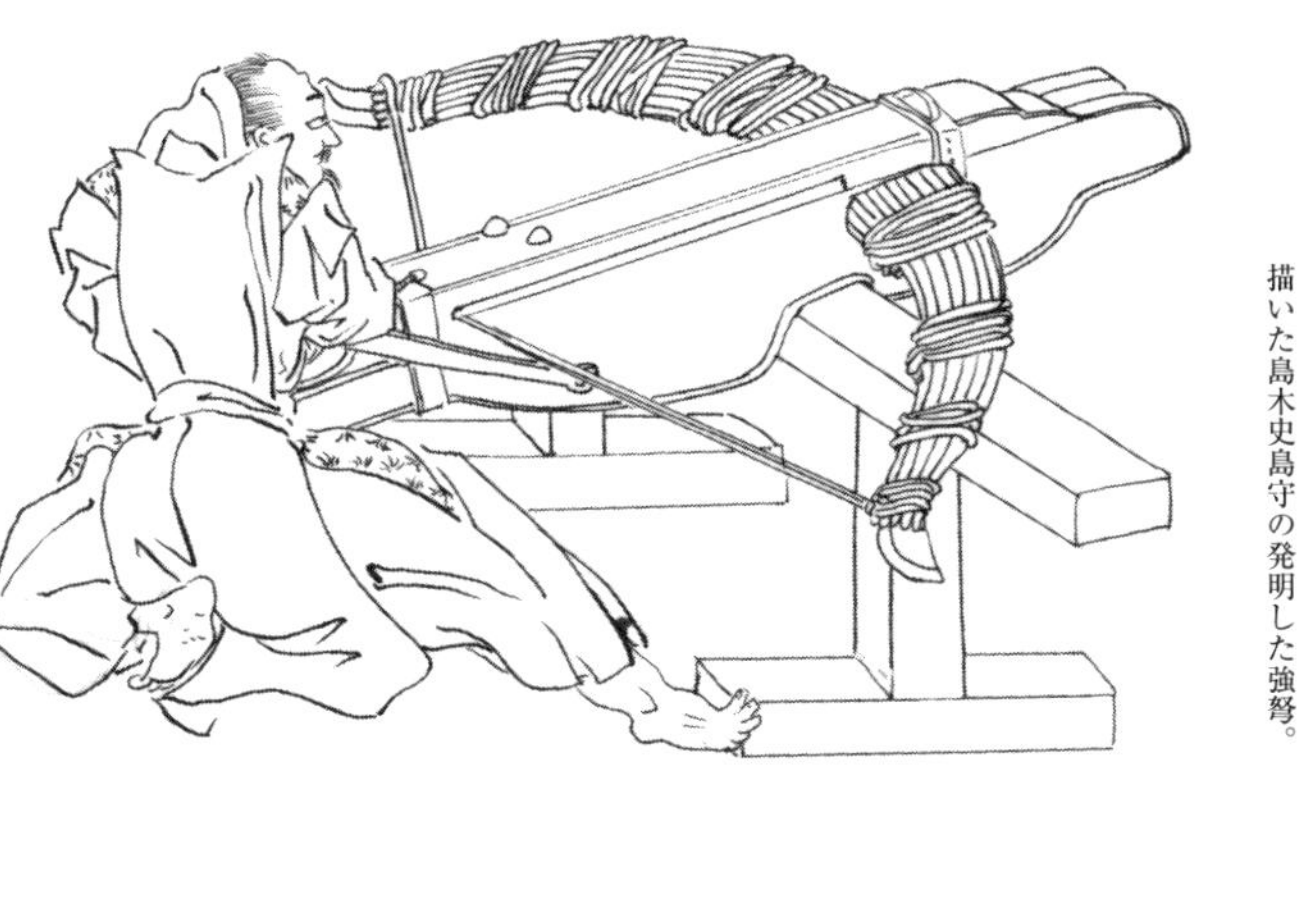

島木史島守の弩

『前賢故実』で菊地容斎が推定画を描いた島木史島守の発明した強弩。

ヨーロッパのカタパルト式に台付きのものであったらしい。

石弓の大きさ、効果は抛石する石の大きさにもよるが、遠距離までは飛ばず、あらかじめ石の到達する地点を測っていて、敵がそこに来た時に発射するのであるが、また石の大小によって距離も効果も異なってくるから、有効な武器ではない。

しかし『和名類聚抄』征戦具第百七十五に

擶　四声字苑云　擶　音鱠　和名以之波之岐　建㆓大木㆒置㆓石其上㆒発㆑機以投㆑敵也

とあるから、敵に当るかどうかは確率が低いが、城門や置楯破砕には効果あったと見えて『奥州後三年記』に

遠きものをば矢を以てこれを射　近きものをば、石弓を発して是をうつ、死する者数を知らず

とある。また『武衡記』にも伴次郎傔仗助兼が義家より恩賞として賜った薄金鎧を着て敵砦近く寄った所、兜を石弓に打たれて、兜を失ったことが記され、この態は『後三年合戦絵詞』にも描かれているが、この図はカタパルト式の石弓でなく、岩石を縄で吊し、その下に敵が来ると縄を切って落すはなはだ原始的な方法になっている。もっとも南北朝時代の山城防衛軍は城垣に大木や岩石を縄で吊っておいて敵が近付くと縄を切って落すという

石弓—一

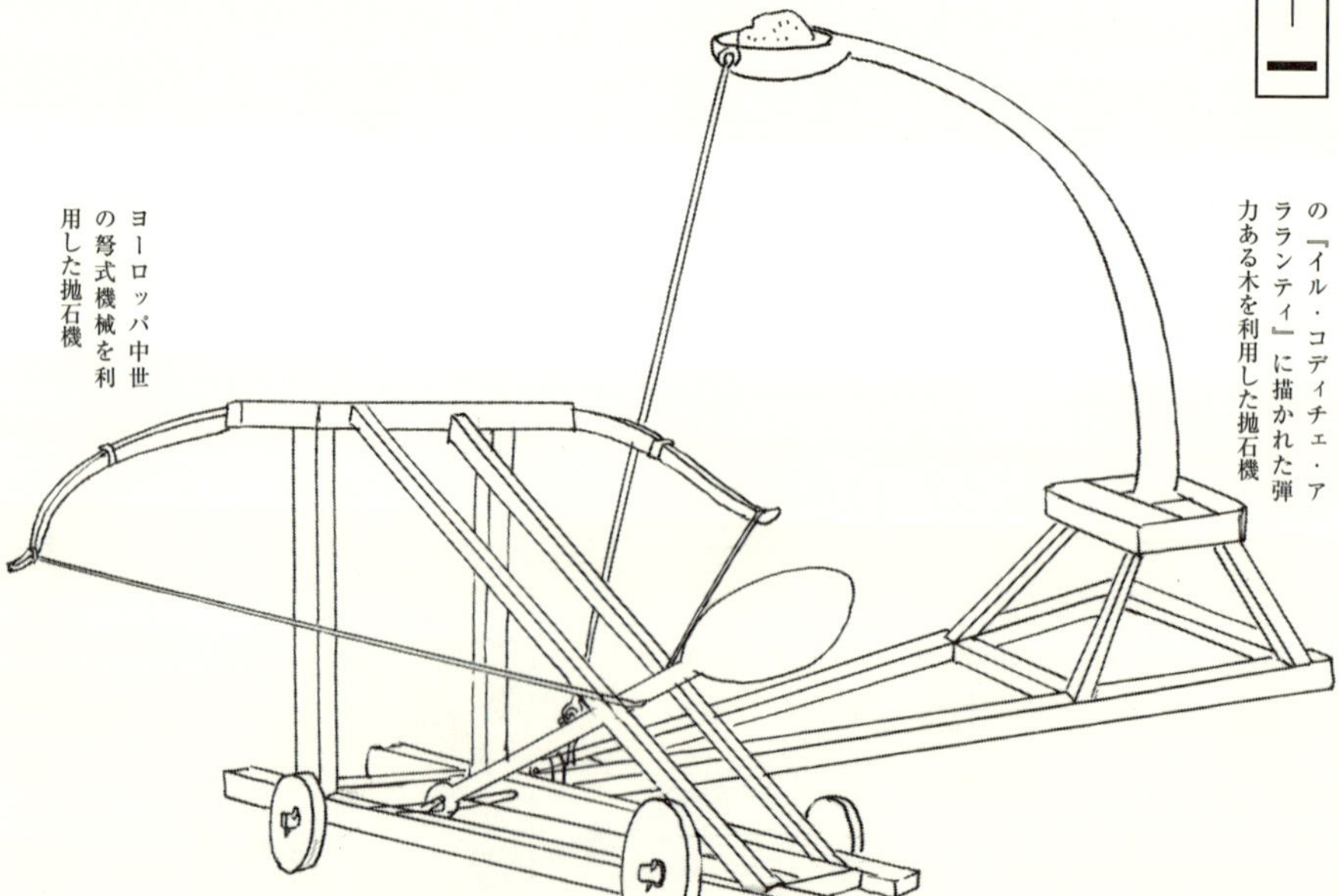

レオナルド・ダ・ヴィンチの『イル・コディチェ・アララランティィ』に描かれた弾力ある木を利用した抛石機

ヨーロッパ中世の弩式機械を利用した抛石機

戦術があったから『後三年合戦絵詞』もこの方法を石弓と見たのかも知れぬ。

石弓は城塞守備に南北朝時代頃まで用いられたらしく、長門本『平家物語』『源平盛衰記』『承久記』『太平記』『結城戦場物語』『なかおち草紙』等に散見している。

近世火薬を用いるようになってからは石の代りに宝禄火矢を発射したこともある。

藤放弓［ふじばなしのゆみ］

弓の形にしたが、未だ弭もつけない未完成品をいう。『貞丈雑記』に

弓を進物にする時、かかる品をも用いる。その名の起りは、つづら藤で巻いて、くさびを打て枯した弓の、その巻いた藤をとき放した義であると。近世は藤を用いず、苧縄《おなわ》又は古い弓弦で巻くに至ったという

とあり、『武用弁略』には

藤放《フジバナシ》 ▲新木《アラき》ノ未《イマダ》押肩切ラザルヲ云也。古ハ弓ヲ作時《ツクルトキ》藤ニテ巻タル故ニ尒云《シカイウ》以葛《カツラ》放ノ弓共云也。又弓ヲ削事ヲ俗ニ村ヲスルト云テ削《ケズル》トハ云ズ。村ト云事ハ国府ノ弁ニ記如物ノ齊《ヒトシ》カラザルヲ云也。トアレバ弓モ其木ヲ削成シテ曲《ユガミ》ナク齊《ヒトシク》スル心也。又上下額木《ヒタイギ》ヲ付テ仕掛肩ヲ切トハ彇廻リヲ切事也

と記され、『伊勢貞助雑記』にも

石弓—二

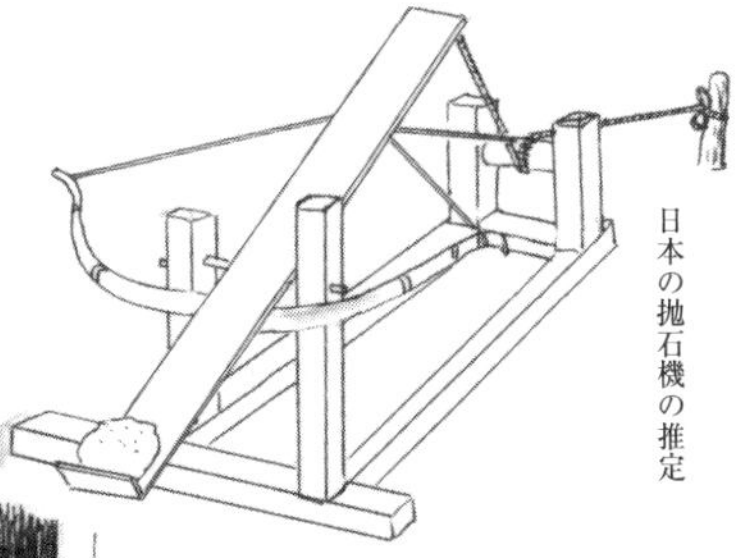

日本の抛石機の推定

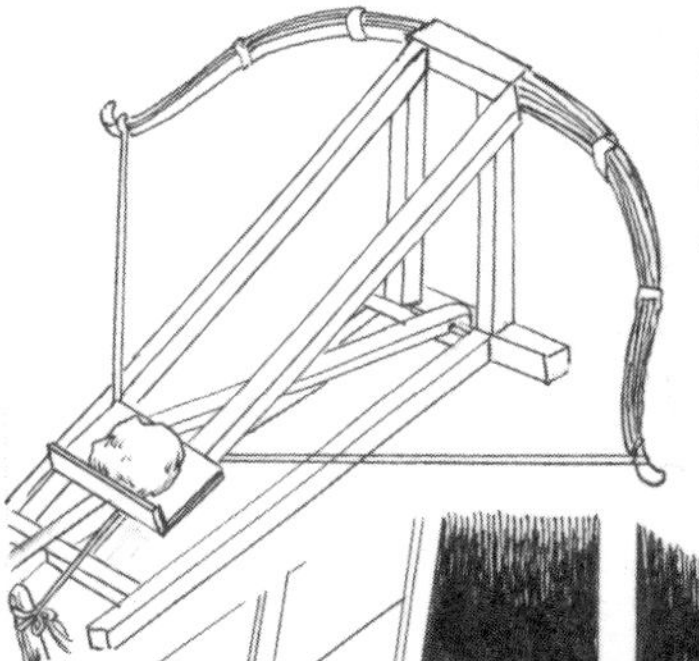

日本の抛石機の推定図

弾力ある木を利用した抛石機

『後三年合戦絵詞』に描かれた石弓（投石機）

藤はなしの弓十張或は二十張、田舎より進上の時披露致候藤はなしの弓のごとくに懸二御目一候数は何張も同前、結やうとてはあるまじく候。

また藤葛《ふじかづら》放《はなし》ともいった事は『小笠入道宗賢記』に

荒木をば藤かつらばなしともいう也。又一説、ふじばなしと云は比興《ひきょう》也。ただあら木と云ふべしと

とある点から、藤葛を巻いて弓の形を整えたのを、弓として作るときに藤葛を解くのでいうのであって、それらに藤葛が巻いてないのは単に荒（新）木というべきだという。

荒木弓［あらきゆみ］

木を削り（村をする）整えないで弓として用いたのが荒木弓で、『万葉集』にも

葛木《かつらぎ》之《の》其《そ》津《は》彦《ひこ》眞《ま》弓《ゆみ》荒《あら》木《き》爾《に》毛憑也《もよるとや》君《きみ》之《が》名《な》告兼《のりけむ》

とあり、『源平盛衰記』絹笠合戦条にも

荒木ノ弓ノイマダ削治ザルヲ押張テ、スビキシタリケレバ、チト強キヤラント思ヒケルニ

等と記され、こうして削り整えてない弓や、新品の弓を荒木弓、また荒弓といった。『職人尽歌合』にゆみつくりの歌として

たまづさもはねのきらるるあらゆみのおしかへしても人ぞこひしき

と詠んで、あら弓としている。また整えてない弓を「不レ拵弓」といったことは『異本法量物』に記され、これに対して完成品は「拵たる弓」「拵え弓」と『高忠聞書』や『犬追物手組』に記されている。

弭槍

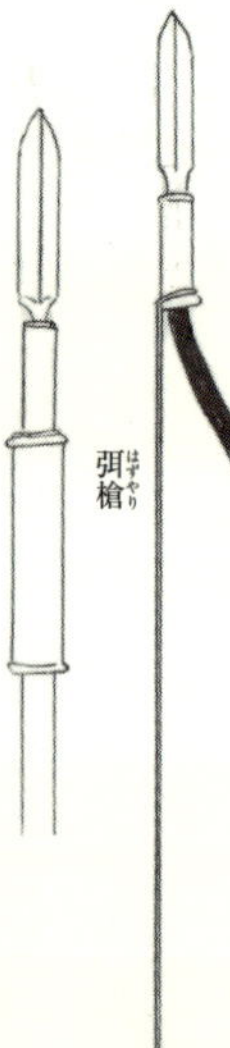

弭鎗・鉾弓［はずやり・ほこゆみ］

弓は弦や矢を使用し尽したら、振り廻して打つ以外武器としての効果はない。そこで近世考案されたのが弭鎗とか鉾弓という武器で、末弭の先につけた槍身伏のものである。室町時代末期頃から行なわれたといわれるが、古い遺物はなく、近世の好事家によって作られたものばかりである。

槍身伏の茎を末弭に結び付けたり、鉾の様に茎が袋状になっているのを末弭にはめ込み、そこに弦をかけて抜け落ちるのを防ぐ。

槍として用いた時にどの程度効果があるか、弓幹は槍柄のように真直でないから、目標を突くのにはなはだ不確かである。

弾　弓［はじきゆみ］

『和名類聚抄』征戦具第百七十五に

彈弓　唐韻云彈　徒丹反　去声弓俗音暖宮　放彈弓也　文字集略云竹弦弓也

とあり、『本朝軍器考』に、正倉院蔵の聖武天皇御弓の図が載せられ、弓の長さ五尺四寸とし、普通の丸木弓であるが、弦の捜《さぐ》りの所が韋になっている。ここに弾（小石か金属の小弾）を挟んで、弦を引き放つと弾が発射される。パチンコの原理であるが、矢のように刺突力は無いから、小鳥を狩る時か遊戯用で

弾弓

『本朝軍器考』所載正倉院蔵聖武天皇の弾弓長さ五尺二寸

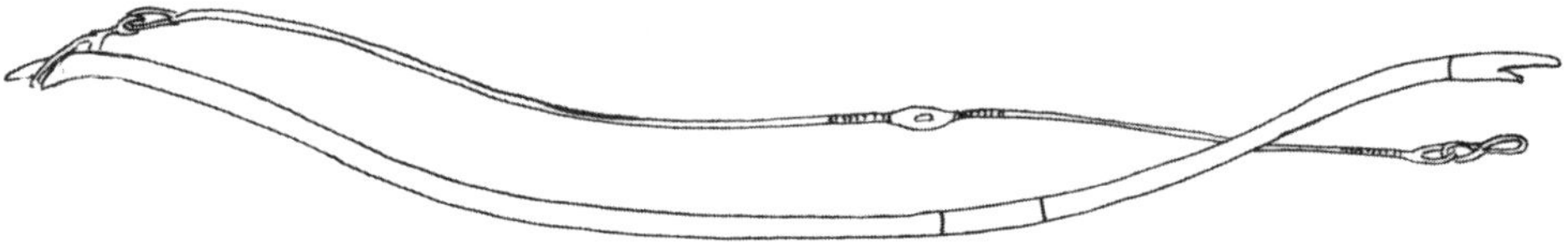

中国の弾弓の木製の弦

弾弓の重弦

弾弓の一本弦

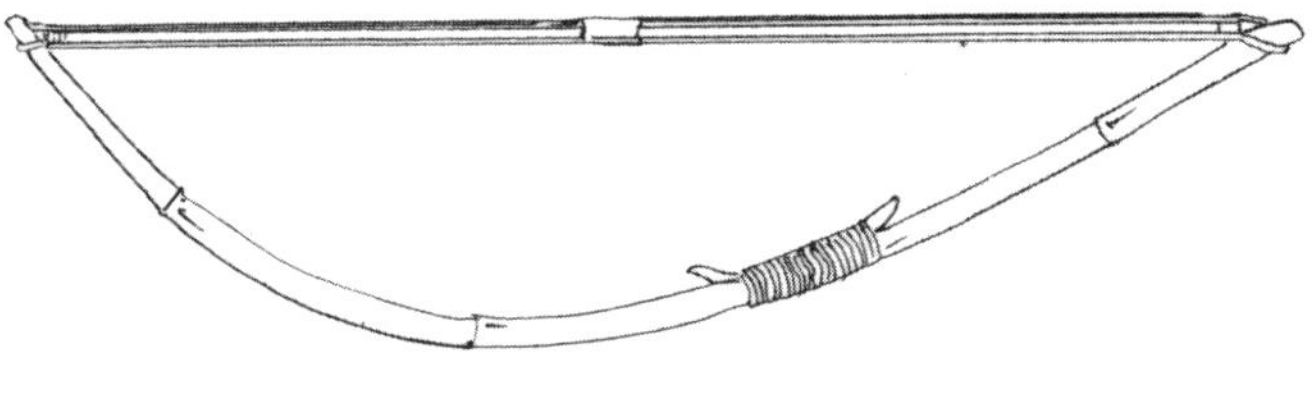

ビルマの竹製の弾弓

あろう。

普通の弓に矢を番《つが》えたように射れば、弓幹に当って反ね返って危険であるから、弓の右側を通るように工夫するのは難しい。従って流行しなかったと見えて、後世には見られない。

ビルマでは竹製の弾弓が用いられ、これは二条の弦を張り、捜りの所に、二条の弦の間に弾を挟むような韋がつけられている。

弦が一条の時には捜の所に立鼓形の器具をつけ、これの凹みに小石等を入れ、この小石と立鼓形を右手の指で持って弦を引く。

立鼓形の戻る反動で小石が発射されるが、矢のように刺突力が無いから、小動物の狩に用いるぐらいで戦闘には用いられない。

ビルマの竹製の弓は日本の弓とは逆で、握りが中央よりやや上に位置し、握りより上の方がふくらみが大きい。

弾弓は弾を包んだ指が均等で前方に直角でないと弾は往々にして外れる。

弦～弦の種類と呼び名

弦は弓幹の付属具としてもっとも大切なもので、弦が無ければ弓の機能は果せないし、弓幹が無ければ弦は活用できない一体のものである。弓が用いられ始めた頃は籐蔓や動物の筋、または植物の繊維を縄や捻糸のように捻って紐として用いたであろうが現在では麻の繊維を日本独得の方法で捻って作ったものである。『延喜式』主税式には

造弓一張料漆二勺、弦枲一両二分

とあり、兵庫寮式には

料理枲、繞弦著弓一日（中略）料理枲繞弦長功五条、中功四条、短功三条

とあり、枲《からむし》が弦の材料であることがわかる。枲はカラムシという約一メートル程に成長する植物でマオ、またコロモソウともいう。これの繊維をとって織物にする。これを片捻りにして用いたものが正倉院に見られるが、現在用いられているのは麻の繊維を片捻りにしたものである。

麻の繊維を矢筈にはめこめる位の太さに片捻りとし、天鼠《くすね》（松脂に油を交ぜて煮て煉り上げたもの）を塗り込んでは長さが足りない部分を足して捻り上げ、弦としての適当の長さになったら水に浸し、丸竹の弓に張って、充分にしごき、上下の弭掛部分に当る所は紙または絹布で巻く。『貞丈雑記』に

弓の弦は、麻苧を水に少しの間ひたし、頓に取上げ、短き竿につけて、苧の所を以て畳を打てば、縮み出来ると、乾かしてこき延ばし、弦の太さ程宛取分けて、継ぎ〳〵してさす。是通例也。如レ此したるよりも、苧を績《う》みて、それにてさせは強しと云ふ。然れども績みたる麻にては弱し、さしつぎたるは強き也

とある。また『愚得随筆』にも

苧を縫苧の如く績みて、かせの如く綜て、水に漬け、よりをかけて、米俵につるし、こきたりと語る。予如レ此して試むるに、其弦むらなく尤強し

とあり、弦の均等の太さに、同じ捻りにして天鼠《くすね》で固めるのはなかなかコツの要る仕事であった。京都では八坂神社の犬神神人が内職に弦を作り「弦召せ」と呼って武家の所に売り歩き、また戦争で布陣すると、消耗品である弦を売りに来る商人もあったし、武士は弦巻に必ず一条二条はスペアとして用意するのが心得であった。

弦は天鼠で硬くかためてあったから弦に折目をつけたら、弓を引いた時に必ず折目から切れるので、折目のつかないように弦巻に巻くのである。

弦を張った弓

弦の種類

白　弦［しらづる］

『今川大雙紙』に

ぬり弓に白弦をかけべからず。ことに馬上にて不レ可レ持。いはれ有事也

とあり、『射礼私記』にも

白木そば白木むらこきたるべし。五度弓の時はゆみの数十張也。はりてもたすべし。弦は何《いずれ》も白弦たるべし

とあって塗弓でない弓は白弦、塗弓は塗弦（黒漆で塗った弦）と定まっていたのは調和上からいつしか慣習化したものであろう。

塗　弦［ぬりづる］

弦に黒漆を塗ったもので、堅牢であり、塗弓に用いるとされた。『今川大雙紙』には、

白木にぬりづるかけべからず。子細あることも

とあり、古くより塗弓に塗弦をかけたことは『源平盛衰記』宇治合戦条に筒井浄妙坊明春が「七もち」（七曲り）の真弓に漆を塗り漆（塗）弦をかけたことが記されている。

関　弦［せきづる］

『弓法私書』に

重籐の弓は必ずせき弦をかくべし

とあり、『貞丈雑記』には

弦に糸を巻き漆にて塗るをせくと云ふ

また

せきづると云は、弦に天鼠を引て、絹糸にて巻て、柿渋を引（渋引くことは悪し）其上に漆にて塗るなり

とある点から、単なる塗弦でなく、弦の上を上から下まで絹糸で巻きしめて漆で塗り固めたものであるから、普通の塗弦より丈夫である。

また『軍陣聞書』には

しきの弓の弦は巻弦なり。ぬりやう巻弦は常の弦の上をを（緒・糸のこと）にて太刀のつか巻のことくちがひてまくをせき弦というなり

とあり、ただ繁く糸を巻くだけでなく、刀の柄糸を巻くように組み違えるように重ねて巻いて行くというから、手数がかかるがすこぶる丈夫である。

しめのせきづる・せめのせきづる

『高館草紙』『志田草紙』に記されている「せめのせきづる」とあるのがこれで、『射学大成』に

しめの堰弦とも、せめのせき絃ともいう。新らしき弦をよく射ならして堰《せ》くなり。堰様は、麻を細く揃え、弦に天鼠を引き、我が前へ一返、又向へ一返堰くなり。これは拵へ弓にかくる弦にて、礼射には用いざる弦なり

弦と弦輪

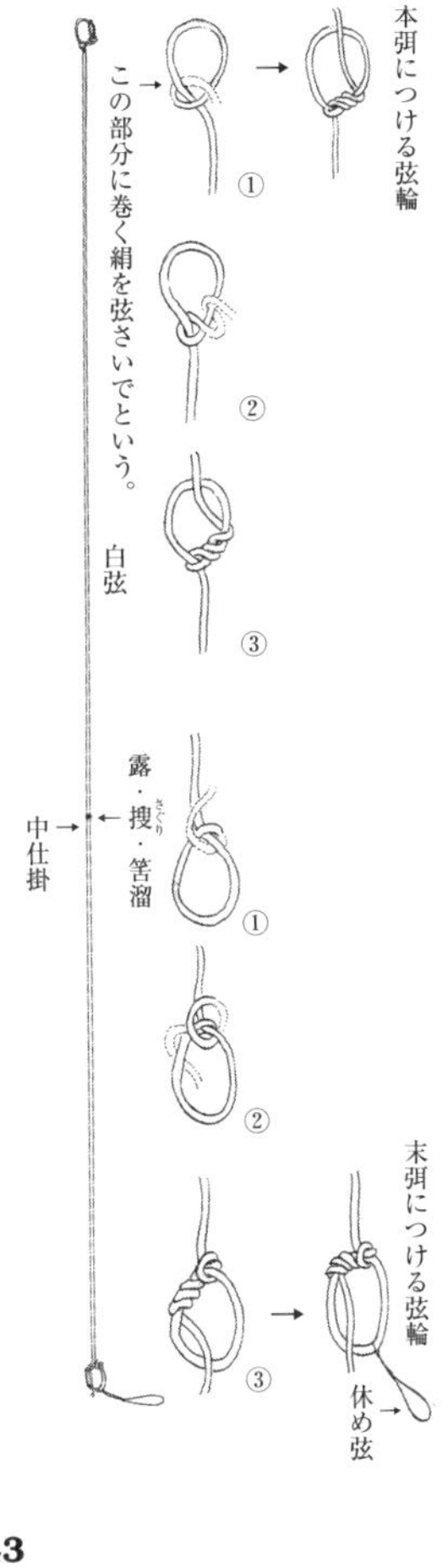

とある。『日置流法要録』に

　しめのせき弦といふこと。射しめたる弦をせきたるをいうなり。射しめたるならではせくまじき也

とあり何回か射た弦は繊維が充分伸びているから、それに更に麻を添えて天鼠で固めたものをいう。

坂　弦［さかづる］

『万の礼儀之次第』に

　さかのもの、さしたて、本弭ばかり作り納めて、いまだ末弭をばつくらずして、其侭《まま》なるを、さか弦、さかの弦ともいうなり

とあり『尺素往来』にも記され、『職人尽歌合』に

　つるうり夕暮の山の端みればまつ坂やつるつるとこそ月は出けれ

とある歌から貞丈は伊勢の松坂から産したともいっている。坂弦という語から京都の八坂（八坂神社の犬神人は弦を作って売り歩く）という説もあり、一定しない。

順　弦［しないづる］

『愚得随筆』に

　順弦とは藤放しの弓を張り立つる時用ゆる弦なり。太くして苧を以てせきし弦なり。仮弦・雁金弦ともいう。

ふせ弦［ふせづる］

古くは越中国射水郡布施より産した弦といわれるが不明。

煮　弦［にづる］

天鼠を麻捻の繊維によく浸み込ませるために煮沸したものをいう。丈夫になるが、手にねばり付き易い。

万年弦［まんねんづる］

弦が切れないように牛の筋を弦を作る麻に交ぜたもので、『射学大成』に

　牛筋を弦麻の中へ交ぜ、煉合はせて弦を造れば切るることなし。白弦・塗弦によしという。試むべし

とある。中国の弓の弦がそれである。

栴檀弦［せんだんづる］

『藤葉栄衰記』に

　水野勘解図ガ狩俣ノ其間六寸余リ有リ。大弓ニ栴檀弦掛ケ二十間三十間ニテ八人ノ頭ヲ切程ノ強弓ナリ

とあるが、不明である。

宇佐由豆留［うさゆづる］

『日本書紀』神功皇后紀に

　因以号令曰各儲弦蔵㆓于髪中㆒且佩㆓木刀㆒

とあり儲弦は『釈日本紀』に記される于槎由《うさゆ》豆流《づる》、『古事記』の設弦《うさゆづる》であり、予備の弦のことで、『軍防令』にいう副弦、『源平盛衰記』に記される替弦《かえづる》、『家中竹馬記』の懸替弦《かけかえづる》皆同物異名である。

弦の各部の名

弦さいで［つるさいで］

弦の端は末弭・本弭にはめる輪状にからめるが、この部分を布片や絹で巻いたものをいう。『四季草』に、さいでは割出《さきいで》の音便とし、『節用集』には割出を布切也としている。

弦　輪［つるわ］

末弭にはめる弦輪を上関、本弭にはめる弦輪を下関ともいうのは、中央を中関といった事に対する用語である。

探（捜）［さぐり］

弦の中央よりやや下、矢を番えた時に矢筈の納まる所で中関または差掛ともいう。

仕掛苧を二十センチ程にとって三分一位に折って短い方を上から下に弦の巻目と反対に巻きしめて下し、長い方を逆に弦と同じ方向に巻きおろし道宝《どうほう》（コロといって、丸棒を斜めに二分し、これに挟んでころころと転して締める道具）で堅く圧し締める。『武用弁略』ではこの捜を、「朝は露と称し、昼は玉とい

い、夜は探というが、必ずしもそう言わなくても良い」としている。矢筈が納まるので筈溜りともいった。近世から便利のために作ったらしく『高忠聞書』には「弓のさぐり、昔はなかりしなり」とある。

弦の数の称呼

『延喜式』では一条、二条と数え、『今川大雙紙』では一筋、二筋と数える。七筋を一張とし、二十一筋を一桶という。桶とはわげ物(曲物)のことでこれに二十一筋入れて進物に用いるからである。

弓を引く手の型

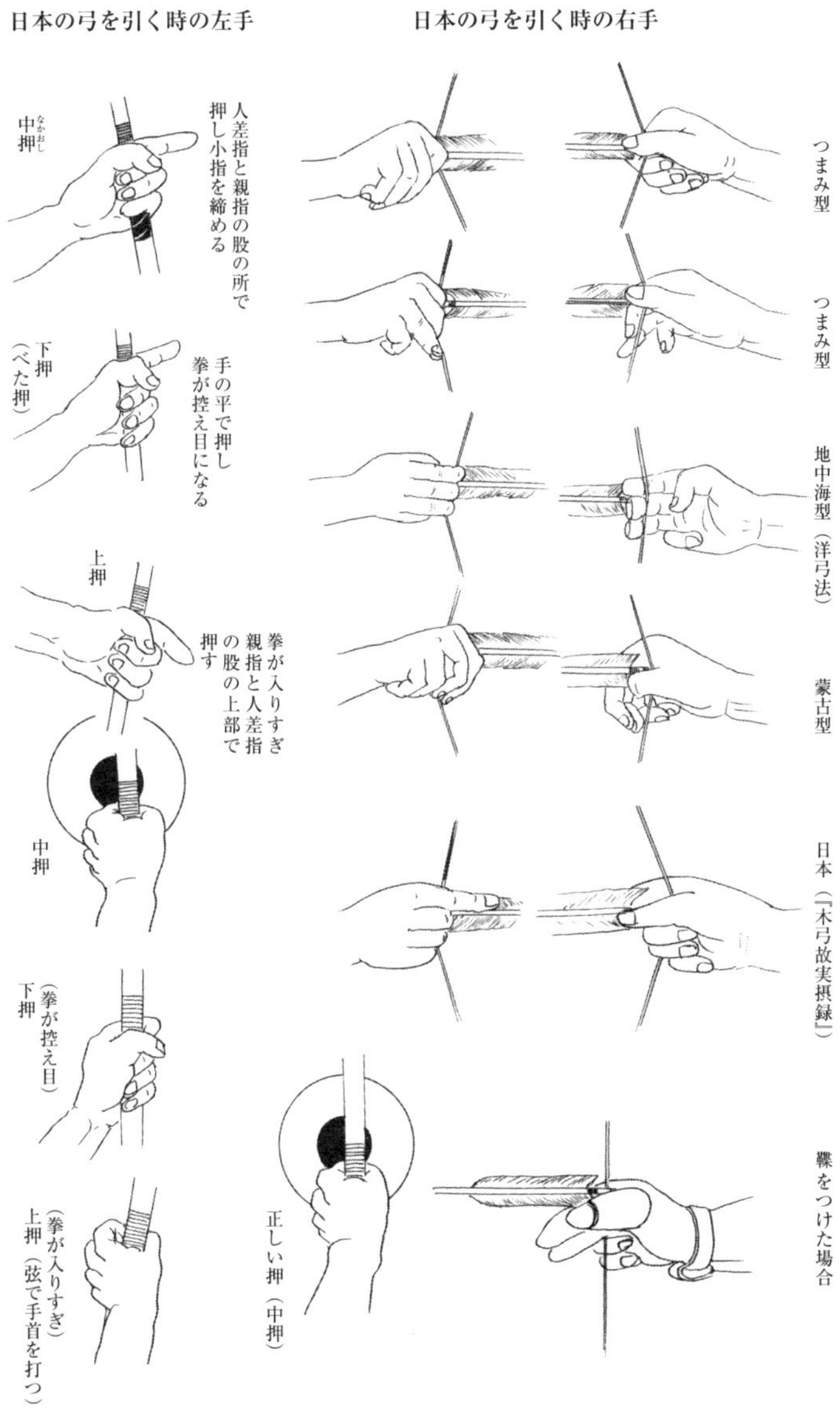

日本の弓を引く時の左手
日本の弓を引く時の右手

矢の拵え1〜矢羽

矢は弓の弾力で発射して目的物に刺さるもので、速力とできるだけ直線を飛ぶように細い直なる材料を用い、飛翔と直線を保つために羽をつけ、刺る効果を上げるために先端を鋭くし、また威力を増すために鏃《やじり》をつける。『武用弁略』では「釈名ニ曰ク、矢ハ指《シ》也。言《イウココロ》ハ其指向所有テ迅疾也。又之ヲ箭《セン》ト云」と説いている。弓矢は一体で矢が無ければ弓の用をなさず、弓が無ければ矢の威力は発揮できない。(『太平記』に手突矢が記されているが、これは別)

古くは細い棒状のものか篠竹状のものを用いたであろうが、縄文時代すでに石鏃が用いられていたから、弓矢の拵えの精粗は別として、すでに矢としての本質は完成し、その威力は古代においては神格化する程重要視されていた。『日本書紀』神代巻下に、天羽々矢《あめのはばや》、『古事記』に天加久矢《あめのかぐや》・天真鹿兒矢《あめのまかごや》・穴穂《あなほ》矢《や》・漆塗の丹塗矢《にぬりや》等の語があり、『万葉集』には姫鏑《ひめかぶら》まであるから古代から矢の性能は相当進歩していたことがわかる。

矢は距離あるにかかわらず、相手を刺突できる鏃という武器と、それを直線に維持して飛ぶための箆、飛翔を良くするための羽、弓弦にはめて、弾力を直接に受けるための筈から成るが、羽も鏃もその目的物に対してもっとも良い効果を発揮するために、色々の種類があり、箆《の》の外装によってもさまざまな名称を生じた。古くは羽は二枚羽であったが、飛翔の水平を保つために、僅かに張った羽が捻れて、真直に飛ぶようにした三立羽、常に鏃が水平を保つように工夫された四立羽等がほとんどとなった。

羽の付き方

三つ立羽(三立羽)［みつたてば］(みたてば)

箆の丸味に対して三方に羽を矧《は》ぐものをいう。羽は箆の直線に対して直に矧ぐのではなく、目で感じられない程僅かに斜めに矧いであるから、飛翔する時に捻れて飛ぶ。それによって直線に近く飛ぶことができるので、刺突に効果のある尖り矢などに用いる。こうした折に矧いだ羽の表が弓を番えた人の方に向くのを、的矢の場合「内向」といい、羽の表が、反対側に向くのを「外向《とむき》」といい、外向を甲矢《はや》(兄矢)、内向を乙矢(弟矢)といって、二本で一手といい、外向は陽、内向は陰

羽の名称と模様

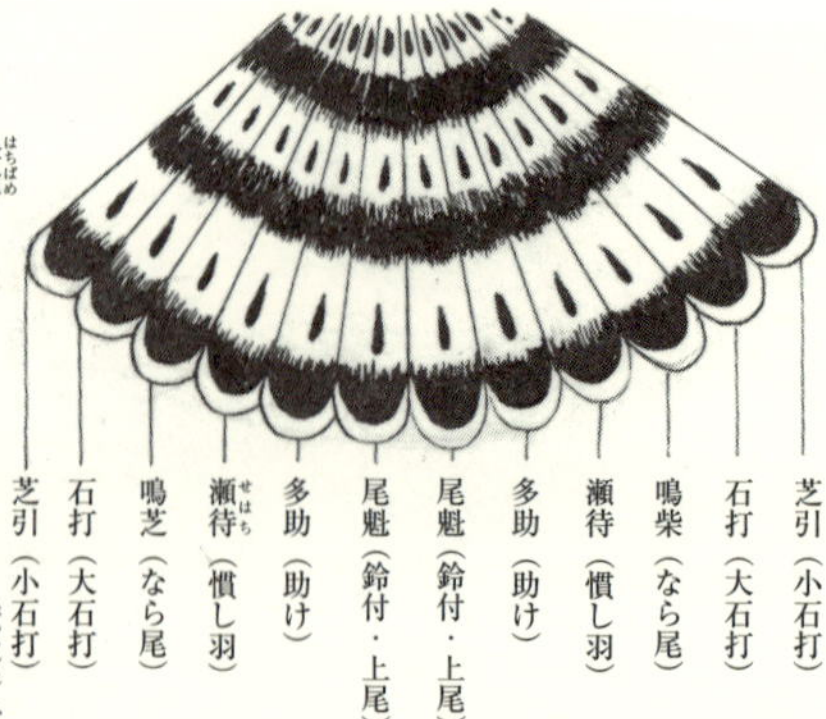

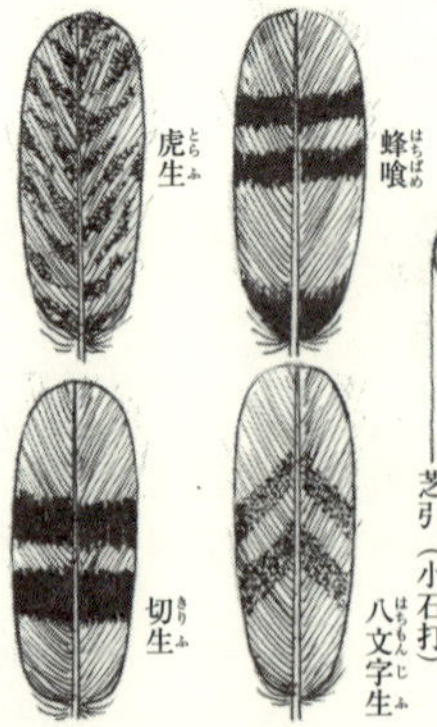

で、陽の矢を先に射るという。

四つ立羽（四立羽）［よつたてば（よたてば）］

箆に対して水平と上下に羽を矧ぎ、矢が捻れて飛翔するのを防ぐ。平根、雁股《かりまた》等が水平に飛ぶためのものである。

羽はどの鳥の羽を用いても良いが、普通は尾羽を用い、それも大形の鳥の羽が良いので古来、鷲・鷹・鵠・鶴の羽が好まれた。

走羽・外懸羽・弓摺羽［はしりば・とがけば・ゆずりば］

『今川大雙紙』に

矢の羽の事。上はやり羽、前はゆすり、今一ツはとかけと云也。矢の羽の長さは四寸也。

『高忠聞書』に

矢に三付る羽の名の事はすのとをりに付るをば走羽と云なり。外なる方に付るをばゆすりといふなり。

とあり、三立羽の場合に番《つが》えた時に上中央に当る羽が走羽（遺羽）、内側の斜め下が弓摺羽、外側斜め下が外懸羽という。

遺羽・小羽［やりば・こば］

四立羽の場合は上下に大きい羽を遺羽（走羽）といい、左右の小さい羽を小羽という。

『佐竹宗三聞書』に

四付たるをば上を走羽、下のやり羽と云。外かけの小羽、弓すりの小羽といふ

とある。

羽の種類

真鳥羽（真羽）［まとりば・まば］

一番好まれるのは鷲の羽で真羽というが、鷲にも大鳥と小鳥とがあり、大鳥は鶚の文字を用い、小鳥は鷲の字を用い、鷲羽のことを鵰《くま》という。鷲の尾羽も、鈴付け・助け・慣《なら》し羽・なら尾・大石打・小石打と場所によって名称が異なり、切生《きりふ》（符）・真似切生・大切生・小切生・筋切生・三切生・逆切生・並切生・妻切生・星切生・摺切生・地自切生・安摩切生・真切生・しつれ切生・布露切生・し切生・しき切生・ねこ切生・一文字大中黒・小中黒・中白・摺中白・妻黒・大妻黒・小妻黒・摺妻黒・切生の妻黒・妻白・地白・安摩《あま》の面《おもて》・薄安摩の面・さがり斑・一つ斑・摺斑・たつ摺斑・たか摺斑・ふとくき・ちちしらず・護田鳥尾・うすべお・すりうすべお・高護田鳥尾・鵶尾・さるな尾・まね尾・矢形尾・まね矢形尾・糟尾・黒糟尾・しきしらの糟符・逆ふちの糟符・から摺尾・黒摺尾・忍摺尾・切生の摺尾・冱る夜の尾・くしの羽・ひしゃく花・蝿頭・碁石・黒布露・青保呂等の羽の色形によって区分があり、保呂羽は翼

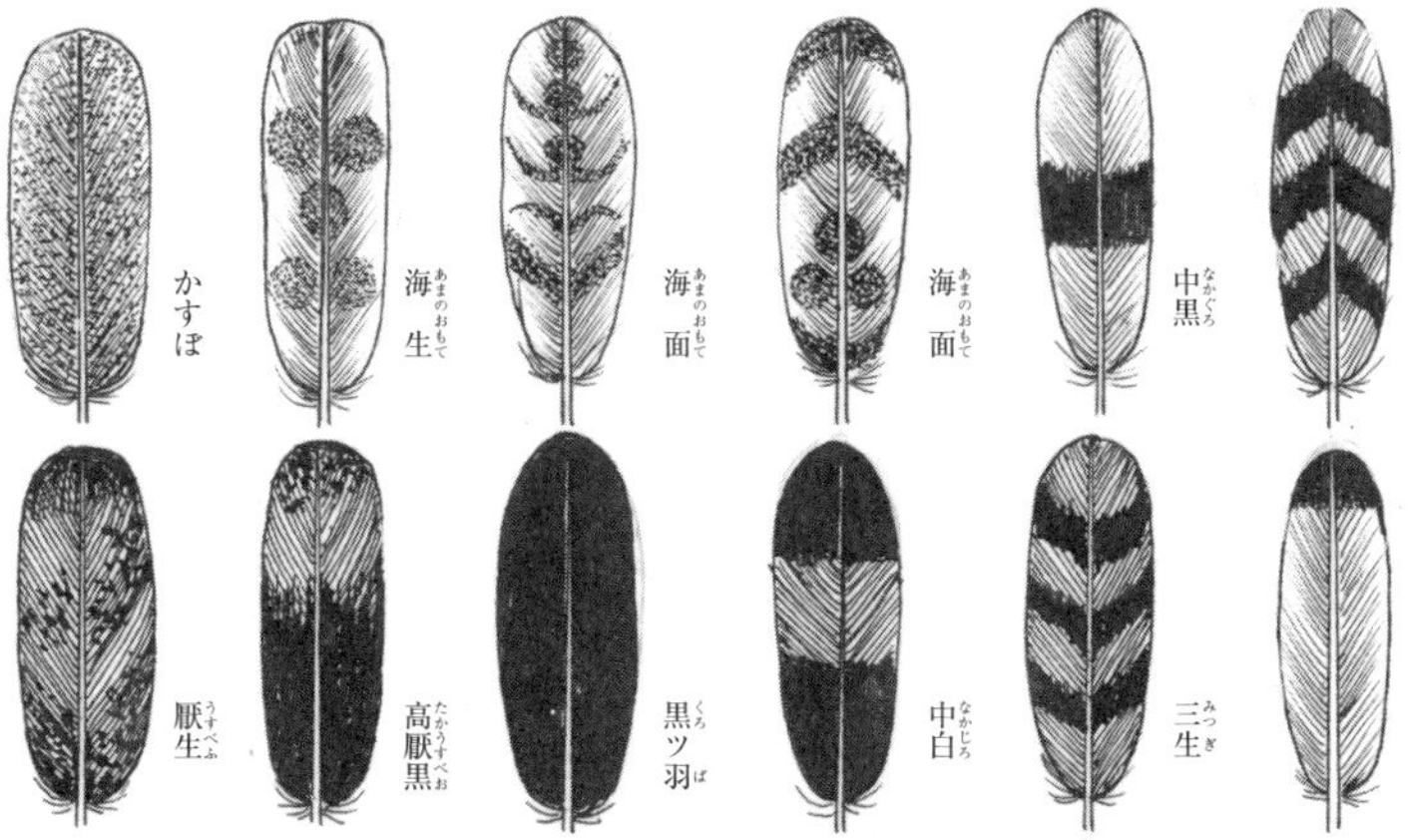

の羽を用いたもの、風切羽は保呂羽の下に生えている長い羽をいう。

『用害記』に

大鳥羽は十四枚、小鳥羽は十二枚也

とあるのは尾羽の事である。

白鷺の羽を白羽といい、唐鷺の羽の黒保呂羽で矧いだのを黒羽・くろつばという。

鷹［**たか**］

鷹の尾羽、保呂羽を用いるが『高忠聞書』によると、尖り矢・鏑矢・雁股などに用い、的矢に用いるのは略儀である。また神頭《じんとう》・笠《かさ》懸《がけ》がら・征矢等には用いない。

鷲・鷹の羽は貴重であり、『貞丈雑記』に蜂食《はちばみ》の羽は熊鷹の一種であるという。

粛慎の羽［**しゅくしんのは**］

『御禊行幸服飾部類』に「粛慎羽胡簶」とあるのは粛慎（沿海州に起った国）から輸入された鷹の羽を用いた贅沢な羽である。

鶴［**つる**］

鶴の尾羽、風切羽も用いる。『平家物語』以下軍記物によく記され「鶴の本白」「白羽」の矢などという。

鵠［**くぐひ**］

くぐび・白鳥。古くより高級な矢羽として『東大寺献物帳』にも記され、軍記物にもしばしば記されるが、白鷺の羽とは異なる。

鴇［**とき**］

ときの事で「とう」ともいうことは『貞丈雑記』にも記される。

鷺［**さぎ**］

『吾妻鏡』建久元年（一一九〇）九月十八日に佐々木三郎進上の矢が青鷺の羽を以て矧いたことが記されている。

雉［**きじ**］

雉の羽を用いた事は『東大寺献物帳』にすでに記され、『延喜式』にも記されている。また四立羽などの折に副羽として用いる。

山鳥［**やまどり**］

『東大寺献物帳』にも見られ、後世も好まれて用いた。『太平記』隆資卿自八幡被寄条にも悪源太が山鳥の引尾の羽を矧いだ矢三十六筋差した記述がある。

川雁［**かわかり**］

『了俊大草紙』に

引目は染たる絲にてはぐなり。羽は切符中黒爪黒（褄黒）也。河かりと云鳥の羽をも用也

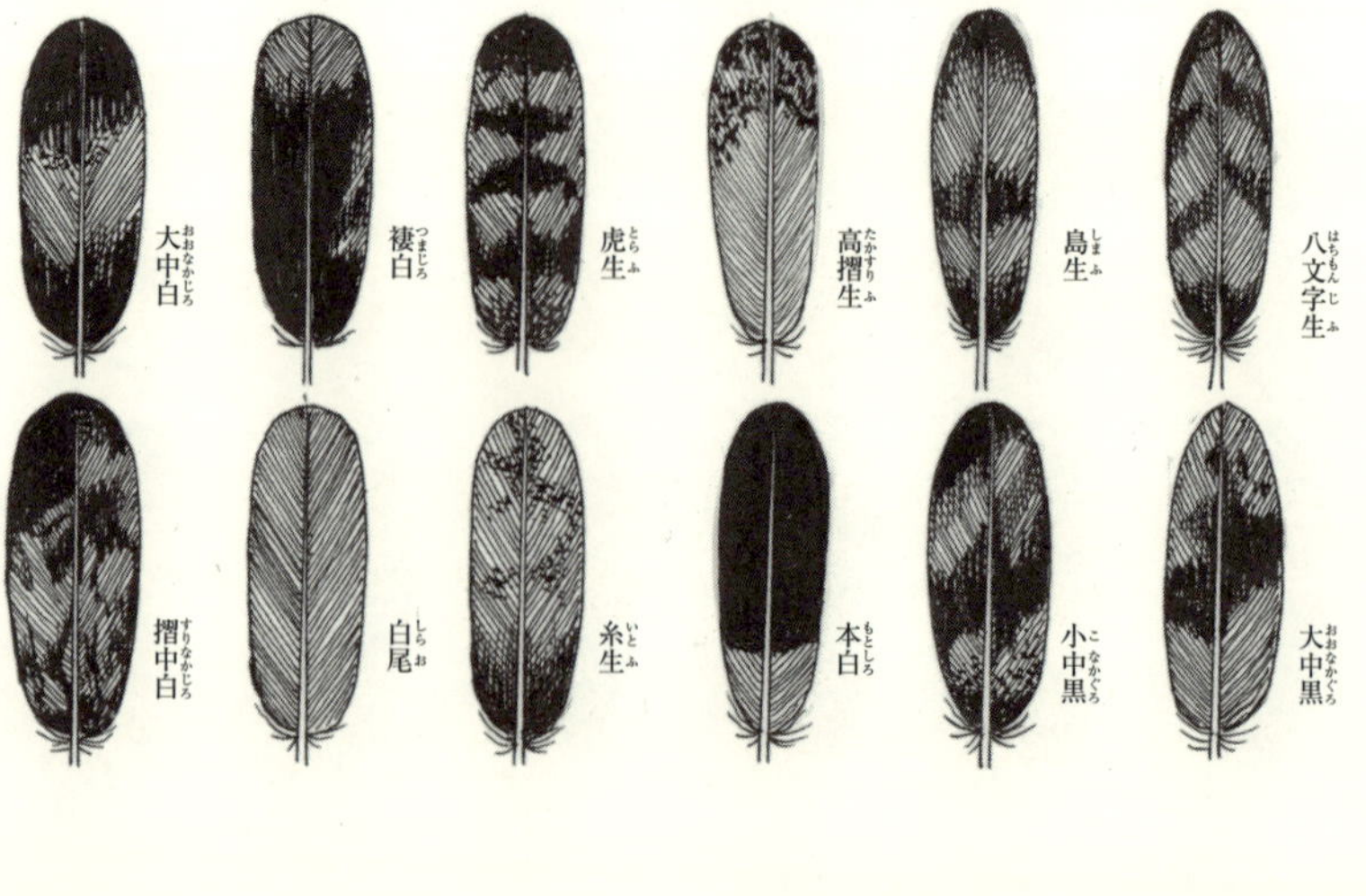

雁［かり］

雁の羽も用いた事は『桂川地蔵記』に

箭者《やは》筋切符、妻白、中黒、白尾、糟尾、高鵃尾、鶴、本白、雁、鴾　鳥羽而作レ之

とある。

烏［からす］

『延喜式』にも記され、長門本『平家物語』にも渋谷重国が烏尾の征矢を用いたことが記され、黒ツ羽という中にこの鳥の羽も多く用いられたらしい。

鳶［とび］

鳶の羽は忌まれている。『今川大雙紙』に

矢に不レ付羽の事　鳶、ふくろふ、さぎの羽付べからず

とあるが、これは人を調伏する時に用いる矢である。

梟［ふくろう］

『高忠聞書』に

ふくろふの羽をば、何矢にも付ぬ事也。人を調伏する時の矢にあり

と記し、『岡本記』には

矢にはかぬ羽の事は、とび、ふくろふにわとりおおさぎ以下也。但口伝あり

ささ羽［ささは］

『高忠聞書』に

的矢の羽にうすえをつくる事有べからず。ささ羽くるしからず。ささはとはたうの羽の事也。よの鳥のはをばさうさうの羽と云なり。人の方よりささ羽などこわれん時はたうのはと心得よ。よの鳥の羽をささばとてやる事あるべからず、さうさうの羽とてやる事のあるべからず、さうさうの羽とてやるべし。ささはの時は一尻とはいはず、一とりといふべし

とある。

染　羽［そめば］

鷲の白尾・鵠・鷺の白尾を染めたものをいう。『高忠聞書』に

少人などの犬射からをば皆染羽にてもはぐべきなり。但略儀なり。細々の犬などにはくるしからず。みな染羽の矢を検見といふ時は染羽よととふ也。まぜはぎの時はとふまじき也。皆染羽にて矢をはぐ事、少人の時犬射からならではあるまじきなり。略儀なり

とあり、子供が犬追物に用いるなら差支えないとしているが、少年が軍用にも用いた事は『平治物語』（十三歳の頼朝）、『承久軍物語』（十四歳の寿王）等に記されている。『貞丈雑

記』には

染羽の矢、古書に見えたり。羽はただは染らぬもの也。赤きは紅、青きは藍蝋、黄は雌黄、黒は硯墨、萌黄は藍と雌黄、を交合、紫は藍と紅也。此等の絵具を醋にて溶き、煮付て染て干し、乾きたらば又染べし。濃くも淡くも好に随ふべし。醋を用ひざれば、羽にも染込まぬなり。何れに染むるとも醋にて絵具を溶くべし。白羽を染むるなり。

とあり、鷹鷲の羽のように斑をつける事もあるが一色で染めるのを「無紋の染羽」という。『吾妻鏡』建久元年（一一九〇）九月十八日の項に佐々木三郎盛綱の進上した矢に「無文染羽以二鷲目樺一挨レ之」とある。

矢羽の矧ぎ方

矢に用いる羽を箆に貼り付ける事を矧《はぐ》という。ハは刄で、刄を以て割くから、その工作の活用語の語尾を以てキといった。竹や木を削って矢を作ることを矢矧というのと同じである。羽の茎を中央から割いて、上部は羽を少し取り去って茎をあらわし、下方の茎も少し残して、これを箆は膘《にべ》か漆で貼り付け、茎の露出した上下を紙か糸巻にする。上の方を末矧、下の方を本矧という。

末矧・本矧を紙や糸で巻くことを俗に樺を巻くといい、糸で巻くのを真樺《まかば》といい、糸矧ともいう。色糸で巻いたのを色糸矧、細い籐で巻いたのを籐矧、白糸で巻いて上に漆を塗ったのを漆矧といった。糸は末矧は左より右に、本矧は右より左に巻き、室町時代以降将軍家に限って紫糸を用いるようになった。

時には檀《まゆみ》のあま皮を巻くのを古くは樺矧といい、時には桜のあま皮を用い、これを鶉目樺といい、略式は紙を巻いた。現在神社で売る破魔矢の樺は白紙または金紙である。

交　羽［まぜば］

二種以上の鳥の羽を交ぜて矧いだものをいう。『東大寺献物帳』には白黒交羽の矢の事が記され、軍記物にもしばしば記れる。『弓張記』にも

まぜはぎにするとおもいづれも真羽一つ入たるがよし。鷹の羽も入たるが本也。但まぜはぎは本式になき間、何としてもくるしからず

とあり、交ぜ矧でも真羽（鷲の羽）を必ず一つ入れれば、略式であるがあとは忌む羽以外は何鳥の羽を入れても良いとしている。

ただし

まぜはぎに鷹の羽と鶴の羽と二色にて矧ぐことあるまじき也

とある。

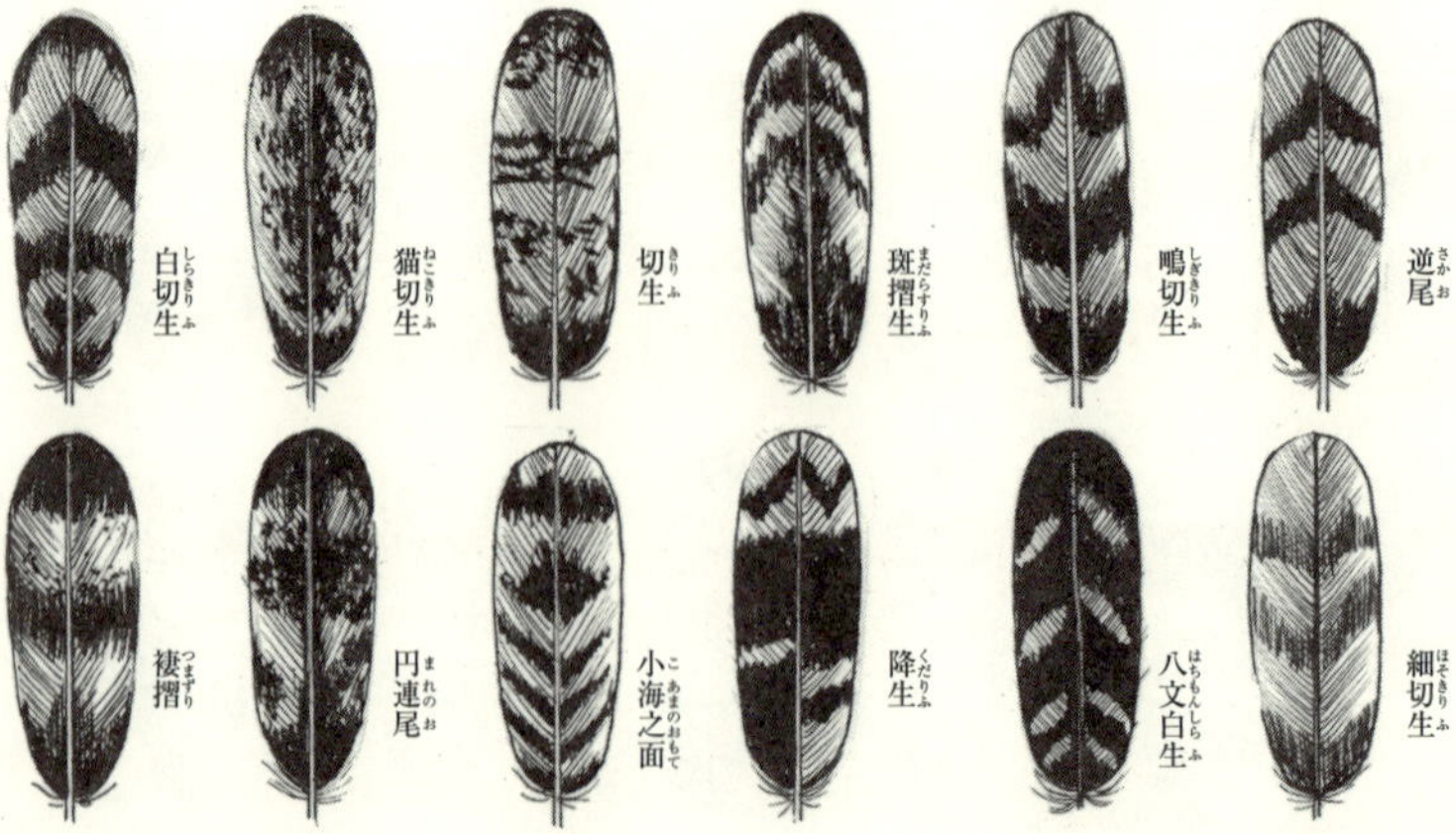

合せ矧［あわせはぎ］

二色の羽をはり合わせた羽の矢をいう。『平家物語』扇の的の条に那須与一の矢について

廿四さしたるきりふのやおひ、うすきりにたかのはわりあはせてはきたりけるぬための鏑をぞさしそえたる

とあり、軍記物に散見する。

三鳥合せ［みとりあわせ］

『弓張記』に

常に人のわり合のからと云事なき事なり。ゆめゆめいふまじき事なり。まぜはぎといふは、まぜはぎの内に三とり合といふことあり。鷹の羽、染羽などにてはぎたるを三鳥合といふ也。羽は何羽にてもあれ、三色の鳥の羽にてはぎたるを三鳥合といふなり

とあり、三種類の鳥の羽を用いたものをいう。

仕切羽［しきりば］

仕切羽とは白羽・黒羽で矧交ぜにした羽で『四季草』に

しきり羽とは、白羽と黒羽とを切継ぎてしきりめを立つる故、しきり羽と云也

と記し、伊勢貞丈は

しきり矧と称して、四つ立で小羽を短くし、下の方をあけて、そのあきたる所にかし鳥の羽を一寸二分ばかりにして二つつけ、又一方の小羽の下のあいた所には、れんじやくの羽を一寸二分ばかりにして二つつける

とある。鷹の羽の大中黒に見えるように矧ぎ継いだものなどがその例である。

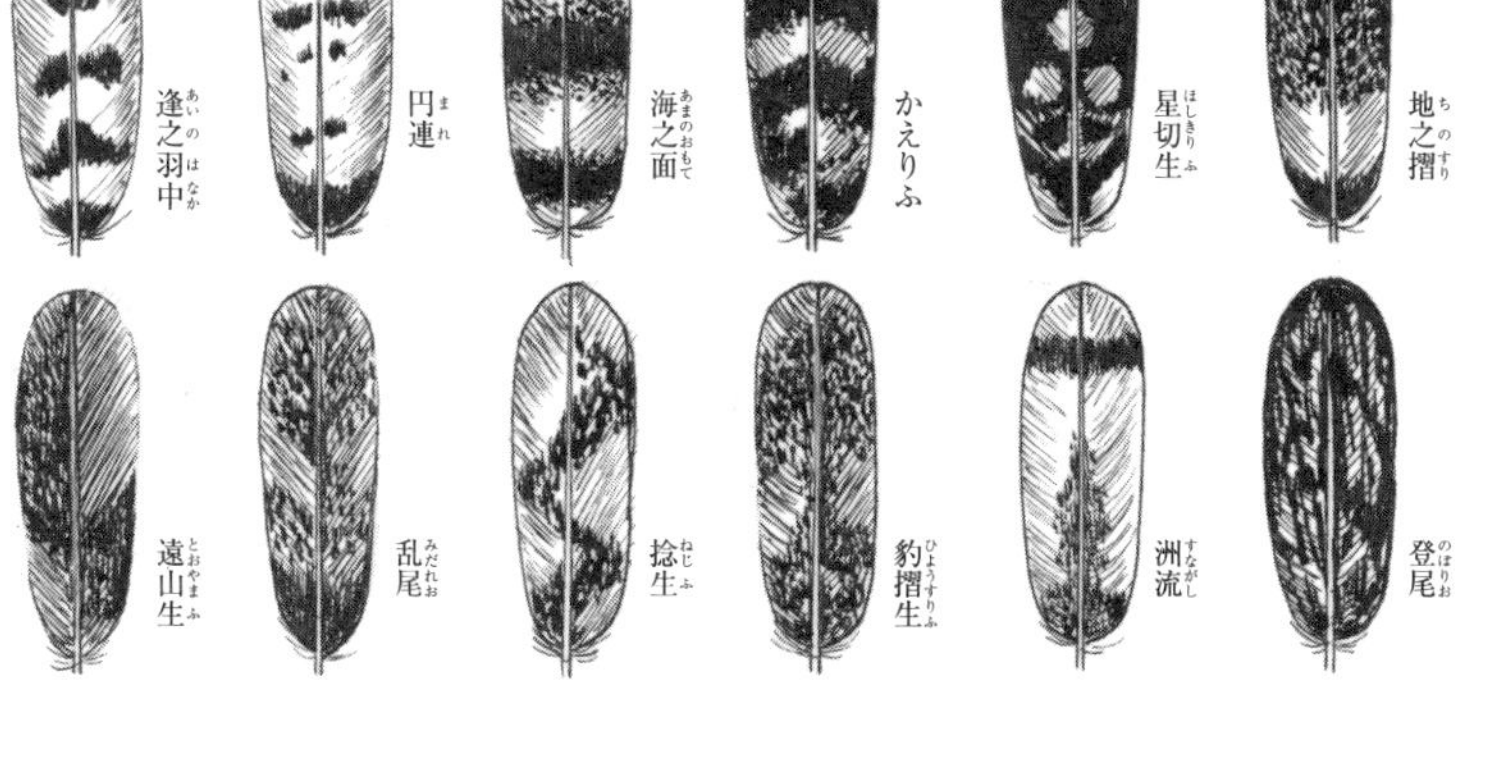

矢の拵え2〜箆《の》・簳《やがら》

矢の本体をなす直線の棒状のものを言い、植物の幹《くき》を用いるが、まれに鉄を用いる事もあり、最近の遊戯用のボーガン等はアルミニウムの直線的管《パイプ》を用いたりする。

日本古来の矢はもっぱら篠竹を加工して用いるが、手突矢・打根等には樫の棒を用い、楊弓《ようきゅう》には蘇枋《すおう》・紫檀の木を用いる事もある。

釈名に

矢ハ指也。言《イフココロ》ハ其指向所有テ迅疾也。又之ヲ箭《セン》ト云。前進也。方言ニ云、関ヨリシテ、東之ヲ矢ト云。江淮ノ間之ヲ東ト云。関西ニハ箭ト云

とあり、『和名類聚抄』には

箭釈名云笶　其体曰レ簳、音幹　夜加良　旁曰レ羽　去声

とあり、本来は箆と簳は別名であったらしいが、後世では矢幹《やがら》は箭茎の意で「やがら」とは矢の体軀《からだ》の意である。

篠竹がもっとも適しているが、『四季草』には

柳の木にて矢箆を作る事、木性しなやかにして軽くてよかるべし

とあり、まれに用いられたらしい。

日本で良質の矢竹に用いる篠竹は『射学大成』によると、山城（京都府）、河内（大阪府）が最高で、三河（愛知県）、駿河（静岡県）宇津ノ谷、信州（長野県）下伊那郡、伊豆（静岡県）、相模（神奈川県）、甲斐（山梨県）、奥羽（東北地方）等に優良の篠竹が生えるとされている。

この矢簳も育ち方によって上下同径の所が得られるものと、上細、下やや太のもの、中ふくらみのものと三種ある。

上下同径のものは一文字といい、上細下太は杉形《すぎなり》、やや膨らんでいるのは麦粒《むぎつほ》といっているが、好みによって削ったり、また多少の曲りは火にあぶって真直に直す（矯《た》める）。

そして筈をつけ羽を貼り鏃をつけるが、箆自体の表面を色々と加工する。

うきす箆［うきすの］

『弓礼秘伝書』に

一年たちの夏切の箆をうきすといふ

とあり、五月に生えたのを来年の八月に切ったものをいう。

片うきす箆［かたうきすの］

『弓礼秘伝書』『矢本秘伝書』に

二年箆はかたうきすという

とある。

堅　箆［かたの］

『弓礼秘伝書』に

三年竹を堅箆と云

とある。

ちく箆［ちくの］

『中学集』に

信州知久の一かまといふを用ゐるなり。されど片うきすにとくおほきなり

とあって、信州知久で採れる二年竹の箆を言い、『職人尽歌合』にあるように好まれた矢幹である。

佐渡箆［さどの］

『蜷川親俊記』に記されているごとく佐渡産の箆も著名であった。

箆の種類

白　箆［しらの］

矢箆を矯め削っただけで、表面に加工を施

郵便はがき

恐縮ですが切手をお貼り下さい

113-0021

東京都文京区本駒込
1－13－14

柏書房

編集部 行

本のタイトル

●お買い求めの動機をお聞かせください
A. 新聞・雑誌の広告で（紙・誌名　　　　　　　　　　）
B. 新聞・雑誌の書評で（紙・誌名　　　　　　　　　　）
C. 人に薦められて（　　　　　　　　　　　　　　　　）
D. 小社の各種書誌情報で
E. 書店で実物を見て
1. テーマに関心がある　　2. 著者に関心がある
3. 装丁にひかれた　　4. タイトルにひかれた
F. その他（　　　　　　　　　　　　　　　　　　　　）

●本書のご感想、お読みになりたい企画などご自由にお書きください

●小社の出版物のご案内に利用させていただきます。
お客様についてお聞かせください

お名前	（フリガナ）	性別 男・女	年齢
ご住所	都・道 府・県 Eメールアドレス:		
郵便番号		電話番号	
ご職業			
本書をどこでご購入されましたか	都・道 府・県	区 市	書店

柏書房 愛読書カードへのご協力、ありがとうございました

さないものをいう。征矢に多く用いられ、軍記物にしばしば登場する。白箆には白羽を用いるが山鳥の羽を矧いだ例もある（『承久軍物語』）。白箆は『射手方聞書』によると鏑矢、狩股は白箆を用いるとし、また『弓礼秘伝書』には白箆の節に黒漆は塗ってはいけないとしている。

荒　箆［あらの］

『岡本記』に

　あらのといふ事は、たち（断）たるままの事也

とある。

焦　箆［こがしの］

箆を藁火を燃して焦し色をつけたものをいう。『高忠聞書』等には小笠懸に用いる蟇目は焦し箆にするとある。

拭　箆［ぬぐいの］

訛って「のごひ箆」ともいう。箆全体に薄く漆をかけて拭ったもの。白箆よりは色付いている。『蜷川親順聞書』『高忠聞書』『佐竹宗三聞書』『本間流聞書』に記され、「いと目ばかり黒くぬる也」という流儀もあれば、「赤漆にていくたびものごひて塗りたる」箆ともいわれている。

渋　箆［さわしの］

『弓礼秘伝書』に

　箆をさはしといふことはふしかげぬりたる矢の事なり

とあり、『布衣記』も

　黒漆にてさはす也

と記されていることから、『貞丈雑記』も

　黒塗にて光沢なくさっと薄く塗りたるべし。節陰を取る時は、黒漆にて光沢あるやうに濃く塗る也

としている。『武用弁略』の箆の項には

　渋箆トハ泥ニ沈テ黒キ色着タル物ニテ麁畧ナリ。是ヲ沮箆共云

と記され、漆塗ではなく泥沼などに一、二年漬けて置いて、茶黒く艶の失せたような色になったものを、泥を洗い流して陰干にして箆に仕立てたものをいうとしている。俗に溝漬《どぶづけ》といっているが、おそらくこれは渋箆の略法であろうか。漆で渋色にさっと塗ったのが古法であろう。

砂摺箆［すなずりの］

砂を布につけて磨いた箆。艶の無い白箆となる。竹林派の的矢に用いる。

塗　箆［ぬりの］

塗籠の矢ともいい、箆を漆で塗ったもので軍陣用に用いる。『飾抄』『逍遙院右府装束抄』

矢と節の名称

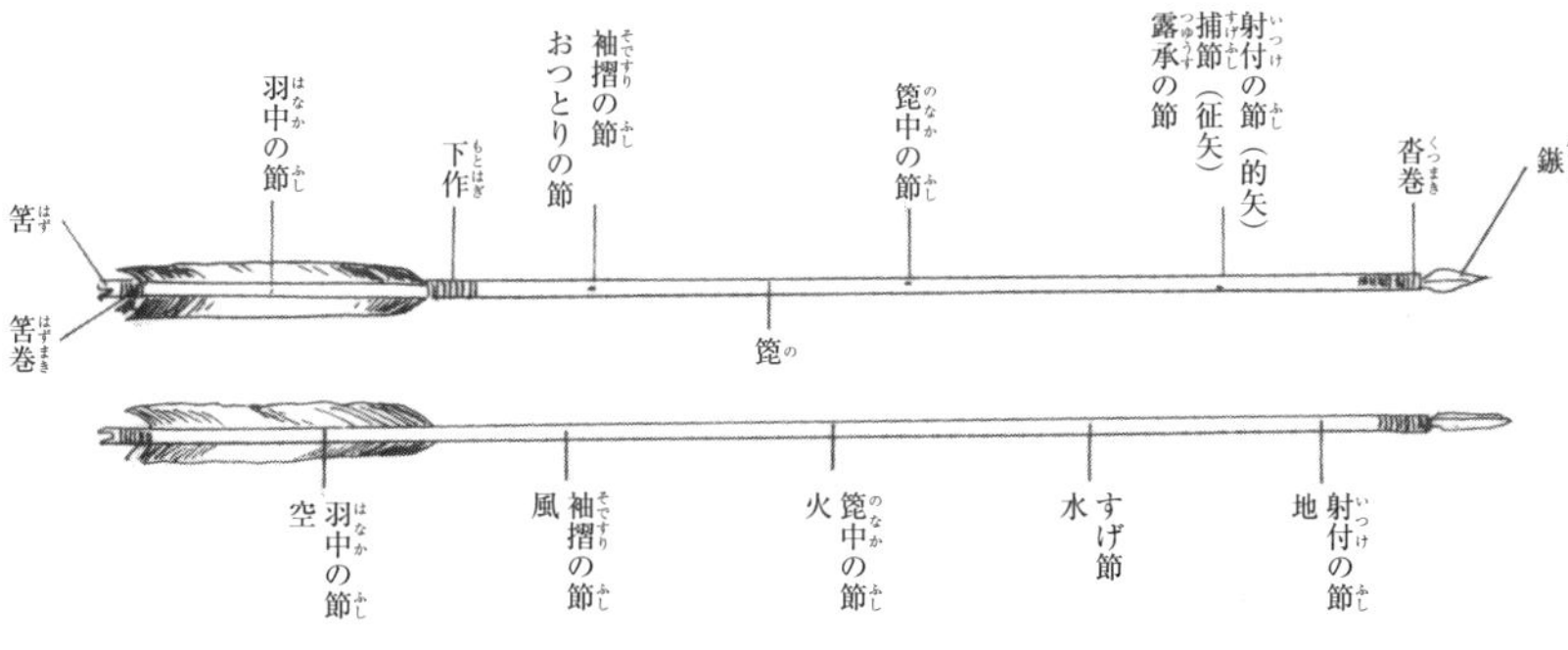

などでは武官の胡籙《やなぐい》に盛る矢は黒漆塗の篦である。軍記物に散見する。

節陰篦［ふしかげの］

『貞丈雑記』に

節陰をとると云ふは、竹の枝をもぎ取りたる跡の凹みたる所を黒く漆にて塗るを云ふ。皮を皆磨き落す事なし。節の下に皮を残して、皮へかけて塗る也。節より下の外に皮を残す事なり

とあり『四季草』には

篦の芽をかきて取りたる跡の凹き所より、篦は乾割るるものなり、これによりて乾割れぬ前に、其所に漆をためて塗り置ば、漆が陰になる故に、日を除けて乾割れぬ也。されば節陰と名付たる也

とある。確かに白篦や渋篦は古くなると節の所から縦に干し割れて来るから、装飾を兼ねて竹の筋割れ防止の役に漆を塗るのは有効である。

各種の節陰

小節陰［こふしかげ］

節の凹みを少し黒漆で塗ったものをいい、『弓法私書』に

ふしかげ、こふしかげと云はふしのきわより少しぬりたるを云也。

大節陰・長節陰［おおふしかげ・ながふしかげ］

節の所から先に長目に黒漆を塗った篦をいう。『扇鏡』に

長ふしかげ、小ふしかげ的矢に可レ然くだふしかげ大ふしかげ

とあり、節陰の塗り方にも種類がある。

管節陰［くだふしかげ］

『弓法私書』に

長くぬりてさっととめたるをばくだふしかげと云也。くだふしは御的の時も用いる也

とあり『弓法私書』には

くだふしかげと云は短く塗るを云なり。

とある。短かく塗ったのであれば小節陰であるが、管節陰は長目に塗るが、先は細くならず、すとんと切った様になるのをいう。

十河節陰［そごうふしかげ］

『十河物語』に三好家の臣三好政泰は十河に養子に行ったが、なかなかの弓の射手で、弓矢の細工にも巧みで節陰を行ったが、これを十河節陰といった。様式は不明。

きつ節陰［きつふしかげ］

『佐竹宗三聞書』に

節陰をこき色にぬりたるをばきつふしと云

とある。濃くというのは、黒漆や溜塗りである。

うす節陰［うすふしかげ］

『佐竹宗三聞書』に、漆を薄く塗った篦をいう。色漆でなく生漆を塗ったものと思われる。

節黒［ふしぐろ］

『本間流聞書』に

ふしぐろと云は、ふしの下をぬりまわしたるなり。次第々々に匂ひあるようにうすくぬりたるをいふ

とあるから、節だけでなく節のあるまわりも漆で塗り、下方は匂いのごとく次第に薄く塗るのをいう。干割れを防ぐには良い方法である。

節塗［ふしぬり］

長節陰、小節陰のように節の部分を漆塗りする篦はすべて節塗り篦である。『高忠聞書』によれば征矢は必ず節陰塗り、尖り矢も節陰塗りとあり、『貞丈雑記』では的矢は白篦でも節陰にするという。

節［ふし］

篦は篠竹で作るから枝を取り去った跡の節があり、三節から五節ある。近世以降は一手

（二本）または四本は必ず節の位置が揃うようになった。この節を揃えて用いる事を『貞丈雑記』では「節を正《しょう》する」といい、節の位置が僅かに上下していても、節数が同じであれば良いとしている。羽の中間頃に当る羽中《はなか》の節の位置を揃えた矢は小笠懸用、羽から下のおつとりの節を揃えた箆は、征矢・尖り矢、鏃に近いすげ節を揃えるのは的矢・一手四目・一手神頭矢に用いるとしている。

四節は羽中の節・袖摺《そですり》の節（おつとりの節）・箆中《のなか》の節・露承《つゆうす》の節（すげ節・射付《いつけ》の節）というが五節の場合はすげ節と射付の節を別々に数えて名付け、また『今川大雙紙』では五節を空・風・火・水・地に象って呼んだりしている。

矢を爪《つま》縒《よ》る

矢箆は少しでも曲っていると射ても的をそれてしまうから、使用する矢の曲直、狂いを検査しなければならない。左の拇指と中指の爪を合せるようにして受け台として、左手の指二本で、矢の筈か、鏃に近い方を持って、箆を廻すと、狂っている箆は爪の上で躍るからわかる。これを爪縒るという。『宇治拾遺物語』大太郎盗人条に「矢をつまよるをとのするが」などと記され、『源平盛衰記』法住寺城郭合戦条には「矢ヲ爪遣ル」と記している。

矢を爪縒る

『前賢故実』に描かれた矢を爪縒る図
左手の栂指と中指の爪を合せて受台とし、右手の指二本で矢の筈か鏃の方を持って箆を廻して箆の曲直をしらべる。

矢の拵え3〜鏃、筈とその他の各部名

石器時代から奈良時代までの鏃

鏃《やじり》

矢は鏃が目的物を刺突する武器で、篦や羽は鏃を正確に直進さすための装置に外ならない、弓も鏃の威力を発揮する道具であり、弓矢の効果は鏃にあるといって良い。弓矢が用いられた石器時代から金属使用時代までは石の鏃が用いられ、やがて金属使用時代に入って、銅鏃・鉄鏃が用いられた。刺突を主とするために鏃の大部分は尖った矢であるが、刺突の効果を大きくするために尖りにも色々の形が工夫され、やがて平根や雁股、三日月形や鑿《のみ》の形をした鑿根《のみね》等が用いられ、中世以降はその形式がすこぶる多種類となった。

尖矢は鉾矢の語で統一されるが、鶴觜形《つるはしなり》・櫂形《かいなり》・笄形《こうがいなり》・伊勢形・劔尻形・柳葉形・楊枝葉形・槇の葉形・定角《じようかく》形・椎形・柚の葉形・釘形・鎧通し形等々で、尖矢を平たくして傷口を大きくする平根、腹に当った時に鏃を引き抜くと内臓も一緒に引き出してしまうという腸繰《わたくり》形、二股になっている雁股、十文字槍に似た十文字形等があり、江戸時代の鏃鍛冶はこれらに彫刻したりして実用品よりも工芸

→旧石器時代（先縄文時代）

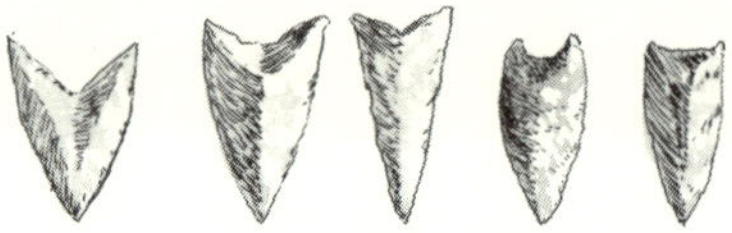

新石器時代（縄文時代晩期）←

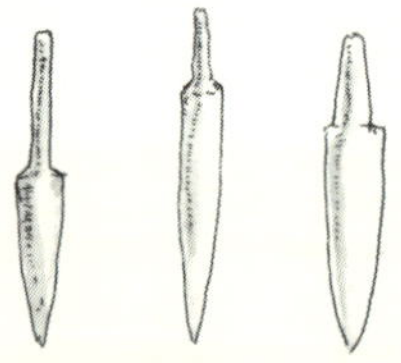

→弥生時代骨鏃

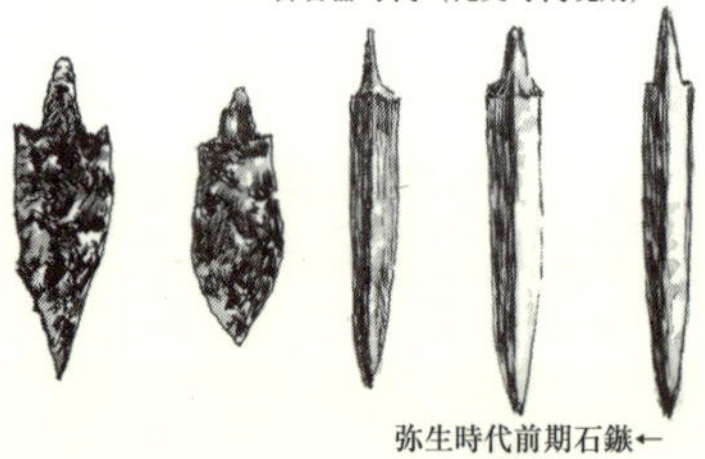

弥生時代前期石鏃←

→日本古墳時代銅鏃

中国前漢時代銅鏃←

品に近いものがある。これらはほとんど三立羽に用いるが、雁股と平根は四立羽に用いる。

尖矢について『高忠聞書』には

とがり矢の事。節陰《ふしかげ》を塗るべし。筈は俑《よ》筈《はず》、節はおつとりを本とすべし。幾節篦とは不レ定。但おつとりすげ節、篦中の節、三節篦可レ然。黒漆たるべし。根太巻は捻り糸にて巻て、赤漆に塗るべし。これまでは何も征矢に変る事あるまじきなり。矧ぎ様は四立なり。羽は鷹の羽なり。小羽は山鳥の引尾を付なり。小羽をも末弭まで通すべし。羽中にて止むること当流には無き事なり。

尖矢は一手の物也。羽は的矢の如く一は裏向たるべし。又一は外向たるべし。

とあり、鷹と山鳥の羽を用いる四立羽はちょっと特殊であり、普通は鏃の形にもよるが三立羽である。

大尖矢［おおとがりや］

尖矢鏃の大型のもの。『曾我物語』河津討れし条や、『大友興廃記』土民穴籠に籠る条等に記されている。

丸根尖矢［まるねとがりや］

『高忠聞書』に

まるねとがり矢とは今のけんじりを云べし

→日本古墳時代鉄鏃

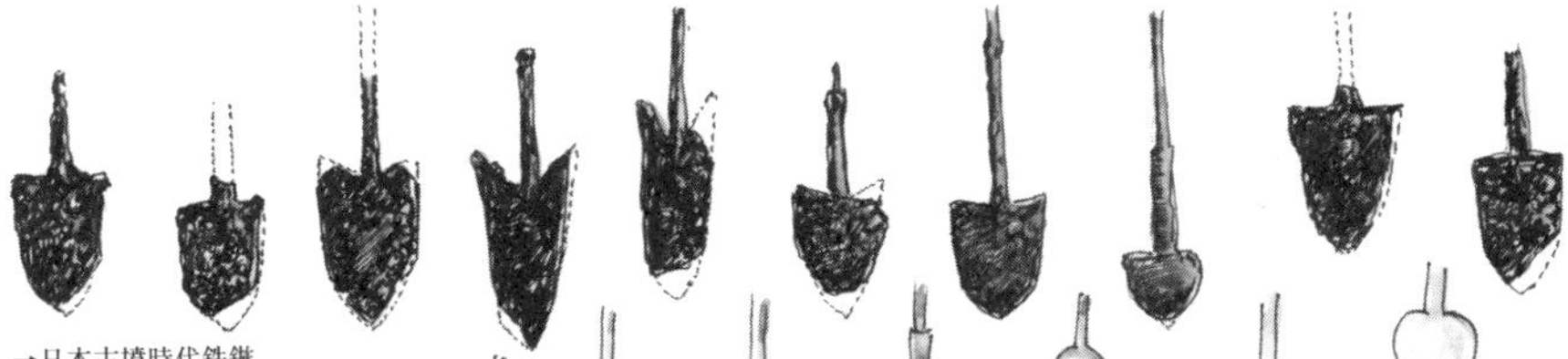

→日本古墳時代鉄鏃

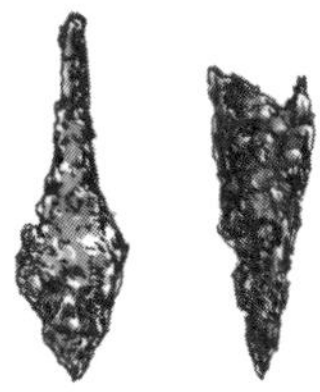

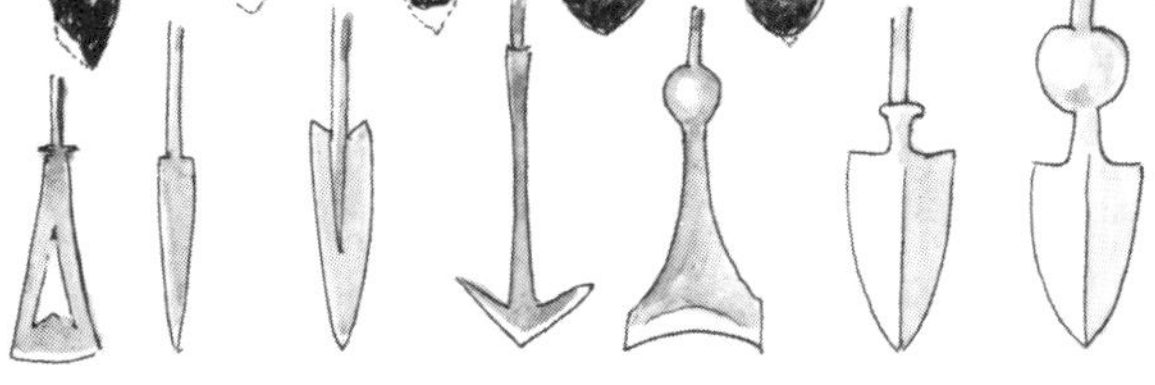

→奈良時代

とある。

剣　尻［けんじり］

『高忠聞書』に

射付てやると云事は、鹿まへおきの物に限りていふなり。

また、

征矢劔尻にて物を射ては、ひやうつはと射てと云なり

『家中竹馬記』に

射取の物と云は鹿狐兎狸など也

とある。剣尻とは表裏中央鎬で尖った三角形型の鏃で、征矢に含まれる。剣先ともいう（『大友興廃記』鑑連矢音指南条）

鳥の舌［とりのした］

剣尻、木葉、柳葉に似るが、先の方が少し膨らんでいる。『高館草子』などに記されている。

平　根［ひらね］

剣尻形を幅広く薄くしたもので、刺突に際して傷口を広くする。中央鎬立のものと、中央を平らにして廻りに刃をつけたもの、平面を模様透しに彫ったものとある。水平に飛翔する様に四立羽を用いる。葵形、鏑形、異形のものに角透《くすかくし》等がある。

腸　繰［わたくり］

平根の元の方を角状に拡げたもの。胴中に射込まれた矢を抜き取る時に、この角状のものが、腸に引っかかって繰り出してしまうという、傷を大きくする残酷な矢で、いろいろの型がある。

貞　能［じょうのう］

『運歩色葉集』にも記され、『貞丈雑記』には

ぢやうのうと云ふは、しやうの尾と云ふ事也。泥鰌《どじょう》の尾をいふ事なり鏃鋒図彙に見えたり

とし、更に註記して

しようのうは丸くして木鋒の類也。平きものにあらず、刃のあるものにあらず。鉄也

とあり、椎の実のような形を図している。

筆　成［ふでなり］

これも筆先のようであるから、貞能の一種であろう。丸根もこれに当る。

鑿　根［のみね］

細い鑿《のみ》のような形で、先端は一文字で刃が付いている

雁　股［かりまた］

鏃の先端が二つに分れて刃のついた矢で、だいたい根元に鏑をはめ、四立の羽をつける。狩股ともいい箙に挿す時は上差に用いる。

戦闘開始の挑戦用に主将が敵方に射込んだり、願文を巻いて神社に奉納したりするが、もちろん戦闘用にも用いた事は『古今著聞集』『源平盛衰記』以下軍記物にしばしば見られる。『貞丈雑記』に

雁股の事。雁の股に似たる事なし。かりまたは、かえるまたということなり。かへるを中略して、かると云、かる転じてかりとなりたる也

とあって蛙の股の形に似ているからといっているが、『弓張記』では

当世かりまたをたゞまたと計云事おかしき事也。

とあって、一部では股といったらしいのは「かりまた」の語原、当字がいろいろ論議されたからであろう。

素雁股［すかりまた］

『高忠聞書』

すかりまたと云事は、鏑《かぶら》を射て後やがて雁股を射るをすかりまたとは云なり。ただ素雁股を云事はあるまじきなり。

また

素雁股と云事、たとえば鏑をすげぬ雁股

鏃の型——一

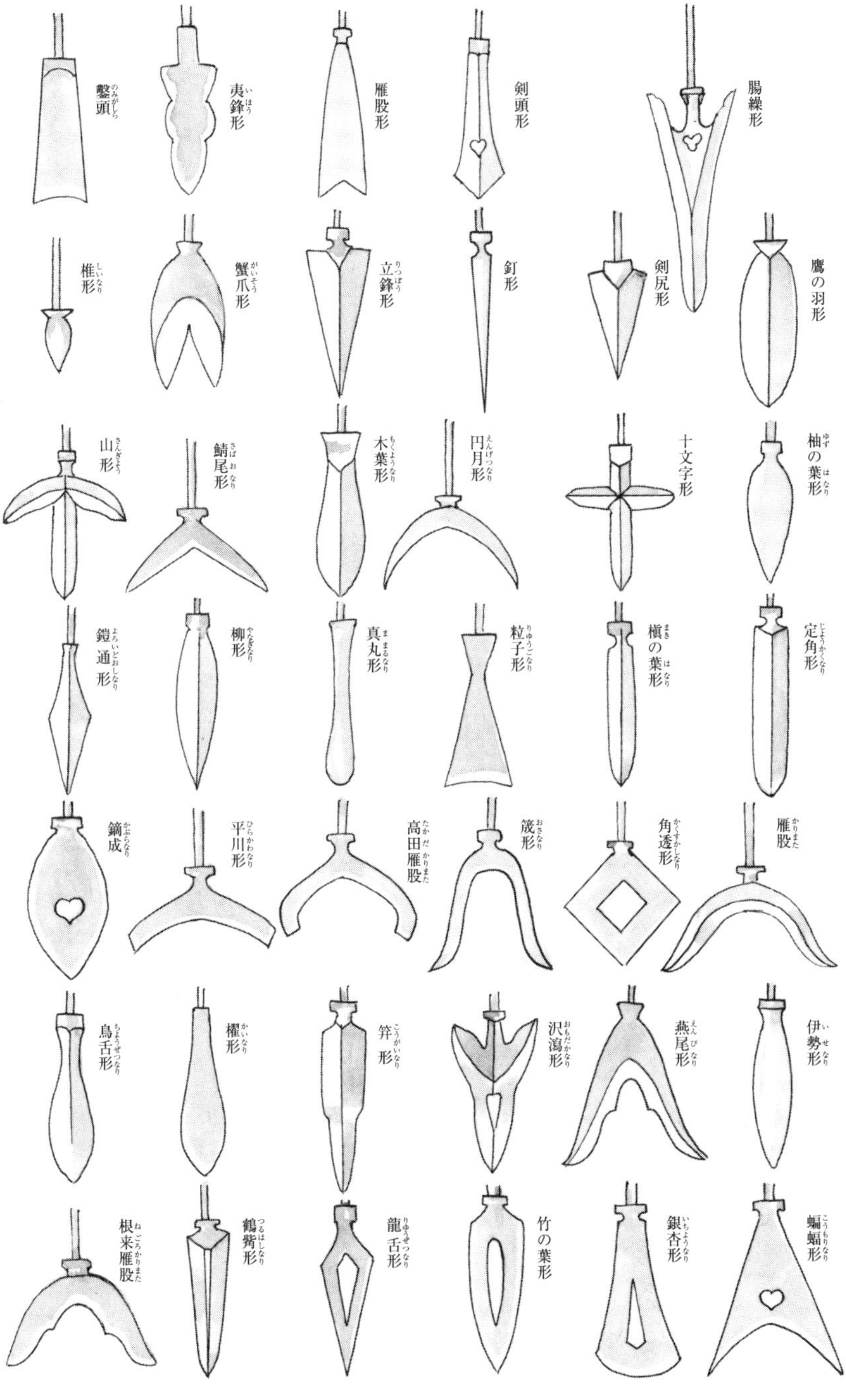
腸繰形
剣頭形
雁股形
夷鋒《いほう》形
鑿頭《のみがしら》
鷹の羽形
剣尻形
釘形
立鋒《りっぽう》形
蟹爪《がいそう》形
椎形《しいなり》
柚《ゆず》の葉形《はなり》
十文字形
円月形《えんげつなり》
木葉形《もくようなり》
鯖尾形《さばおなり》
山形《さんぎょう》
定角形《じょうかくなり》
槇《まき》の葉形《はなり》
粒子形《りゅうごなり》
真丸形《ままるなり》
柳形《やなぎなり》
鎧通形《よろいどおしなり》
雁股《かりまた》
角透形《かくすかしなり》
筬形《おさなり》
高田雁股《たかだかりまた》
平川形《ひらかわなり》
鏑成《かぶらなり》
伊勢形《いせなり》
燕尾形《えんびなり》
沢瀉形《おもだかなり》
笄形《こうがいなり》
櫂形《かいなり》
鳥舌形《ちょうぜつなり》
蝙蝠形《こうもりなり》
銀杏形《いちょうなり》
竹の葉形
龍舌形《りゅうぜつなり》
鶴觜形《つるはしなり》
根来雁股《ねごろかりまた》

を素雁股と云也。

『岡本記』に

　素雁股というは常の雁股の事なり

とあって、鏑をつけぬ雁股もあって、これを素雁股といったらしい。

　こうした鏑無しの雁股も征矢の如く戦場でしばしば用いられた。

大の雁股［だいのかりまた］

　軍記物には大の雁股の用語がよく見られ、『太平記』新田左兵衛佐義興自害の条には、「ワタリ七寸計ナル雁股ヲ以テ」とあるのは二股の先端の径が七寸（約二十一・二センチ）ある雁股で、強弓で射れば、その径だけの傷口となるが、弱弓であれば当っても効果は少い。

猫潜の雁股［ねこくぐりのかりまた］

　大雁股の異名で、二股の先端が五寸（約十五・二センチ）以上の股の雁股のこと。猫が潜り通れる程の大きい股になっているものをいう。

　『会津四家合考』高倉合戦条に

　握リニ余リタル鎌柔弓ニ鈨《ツク》打テ、猫潜ナド云大狩股ノ矢束普通ニ勝レタルヲ矢続《ヤツギ》早ニ射出ス程ノ手利共《テダレ》

とある。『集古十種』弓矢之部巻一には越後国一宮弥彦神社所蔵、鎮西八郎為朝鏃図には、長さ一尺（約三十・三センチ）、股の径七寸五分（約二十二・七センチ）の雁股図が記されている。

楯破［たてわり］

　京師本『保元物語』新院御所各門々固条に

　為朝長絹直垂ニ黒絲威鎧ヲ者（中略）矢ノ根ハ楯破鳥舌《チヨウゼツ》ニモアラズ鑿ノ如クナル物ヲサキ細ニ厚サ五分、広サ一寸、長サ八寸ニウタセテ、区《マチ》ノキハヲバ箆ニスリキセ氷ナドノ様ニ磨タリ

とあり、鑿の様な形で中央剣状に尖ったもののようである。

　これで射ると楯に刺るのでなく楯が裂けてしまうので楯割り（楯破）と名付けられたが、余程の豪弓を扱う武者でないと効果は無い大鏃である。

木鋒［きぼう］

　木製の鑿根のような形で数矢《かずや》に用いた。

『高忠聞書』に

　うつぼに矢を六さゝぬ事也。うつぼにかぎらずしんとう木鋒など小者にさする時も六はさゝず

とあり、『北条五代記』昔矢軍の条に

　去程に侍たる人は鉄砲をみがき、薬をあはせ、弓の弦をさし、矢を作、うつ木、青木などにて木鋒をけづるにいとまあらず

とあり『四季草』の図に

　先ハ平ナリ。長短ハ弓ノカニヨルベシ。フトサ弓ニヨルベシ

とあるが、この形を鉄で作っても木鋒と呼んだらしいし、『愚得随筆』に図する木鋒は丸根のような形である。

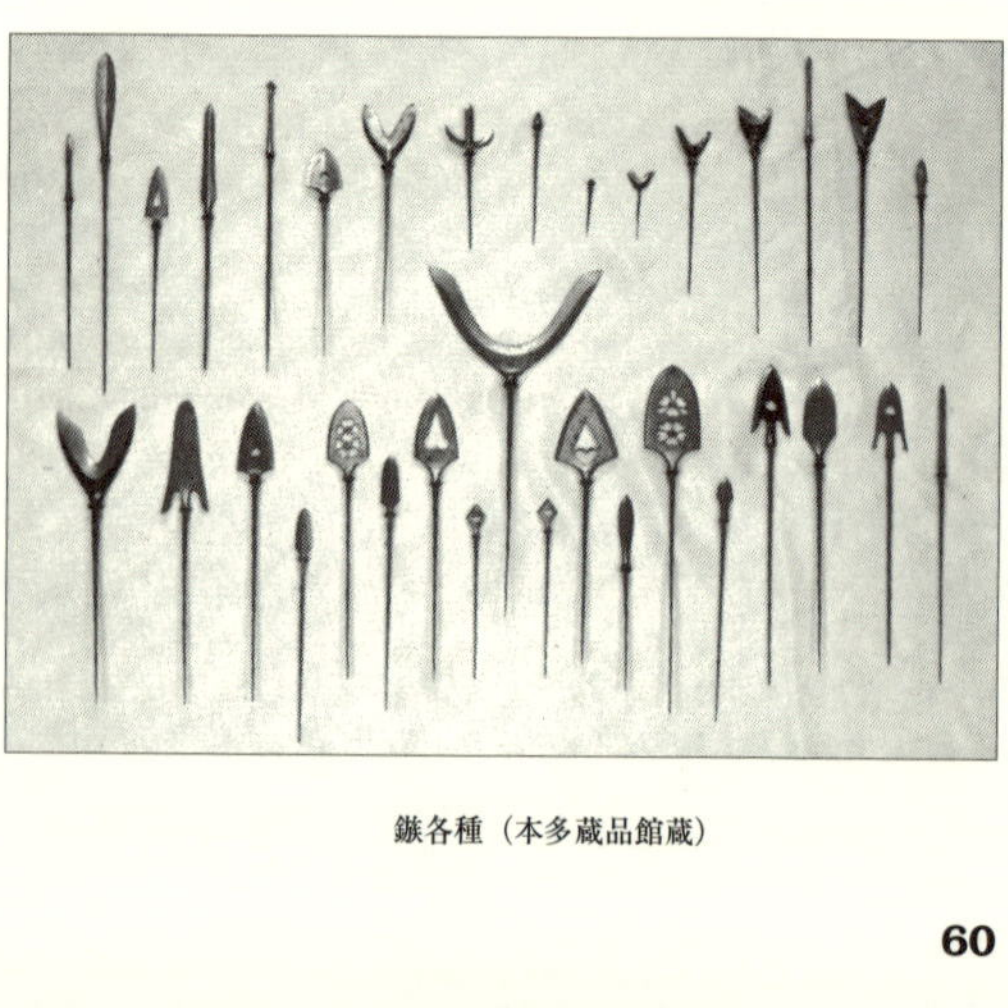

鏃各種（本多蔵品館蔵）

鏃の型――二

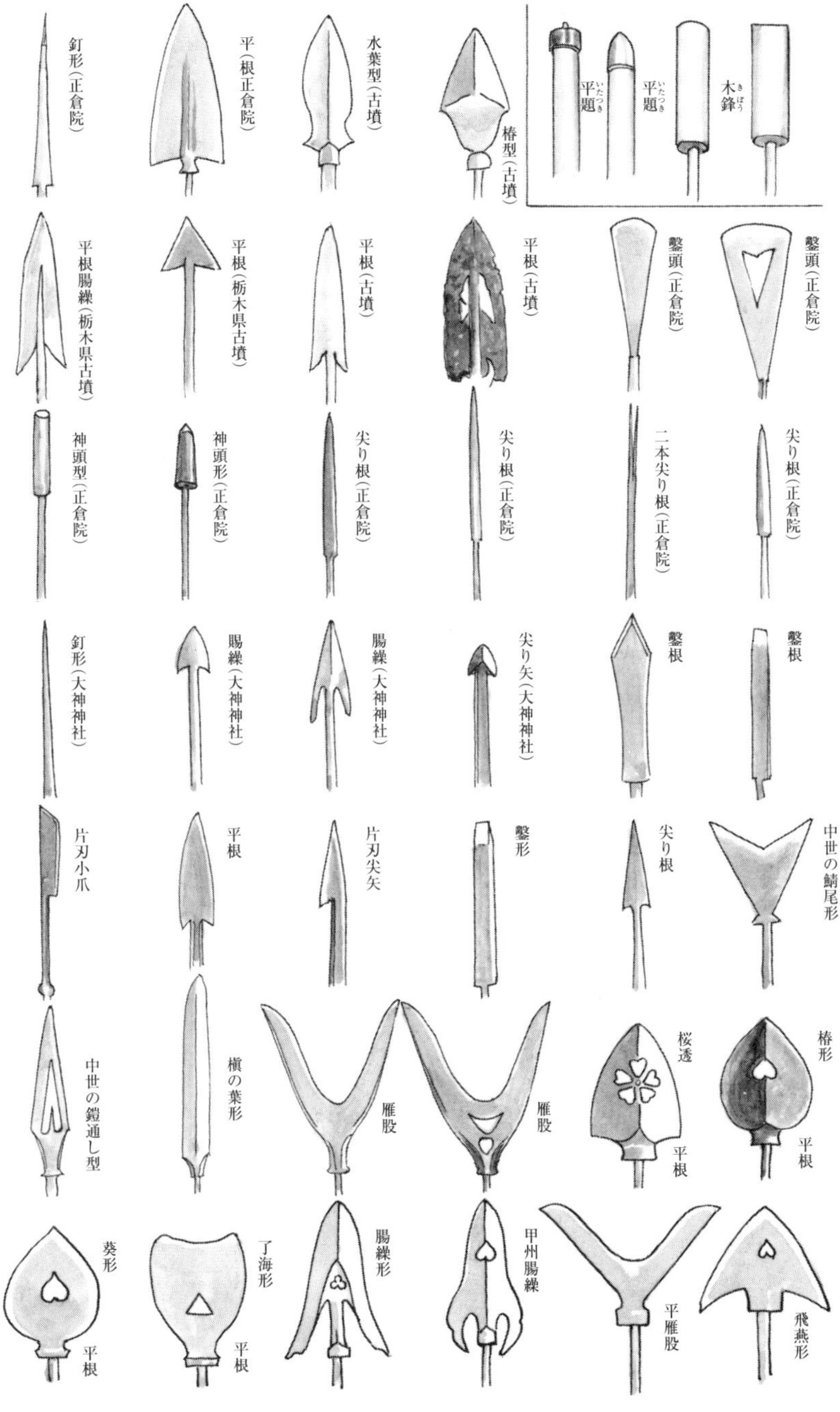
釘形（正倉院）
平（根正倉院）
水葉型（古墳）
椿型（古墳）
平題《いたつき》
平題《いたつき》
木鋒《きぼう》
平根腸繰（栃木県古墳）
平根（栃木県古墳）
平根（古墳）
平根（古墳）
鑿頭（正倉院）
鑿頭（正倉院）
神頭型（正倉院）
神頭形（正倉院）
尖り根（正倉院）
尖り根（正倉院）
二本尖り根（正倉院）
尖り根（正倉院）
釘形（大神神社）
腸繰（大神神社）
腸繰（大神神社）
尖り矢（大神神社）
鑿根
鑿根
片刃小爪
平根
片刃尖矢
鑿形
尖り根
中世の鯖尾形
中世の鎧通し型
槇の葉形
雁股
雁股
桜透
平根
椿形
平根
葵形
平根
了海形
平根
腸繰形
甲州腸繰
平雁股
飛燕形

筈《はず》

筈は端の意から来た語で、弦にはめ込んで発射するために弦の太さ分ぐらい刳《く》り込みになっている。

箆《の》をそのまま筈に切ったものを「よ筈」というが、箆の節を利用して作ったものを「節《ふし》筈《はず》」という。『岡本記』に

ふし筈といふ事は、まと矢のはづのごとくけづりたるをふしはづと申也。これをけづりはづと申人もあり

とある。

また、筈を別の材料で作り箆にはめたのを「継筈《つぎはず》」という。これは筈が節になっている所へはめるので、『弓法私書』では、これを節筈としたりしている。継筈は一般には角筈・水晶筈・木筈・二重筈・白磨の銀筈等がある。

角　筈［つのはず］

牛や鹿の角で筈を作ってはめたもので、現代では水牛の角も用いられている。また、鹿角の皺のある所を削り残したものを「ぬた筈」といい、高級品である。

水晶筈［すいしょうはず］

水晶を加工して筈としたもので、宮中の武官の儀礼用の胡簶《やなぐい》に挿した矢に用いる。

木　筈［きはず］

樫の木などを加工して筈としたもの。

二重筈［ふたえはず］

角筈の中に更に竹筈を差し込んだものをいう。

白磨の銀筈［しらみがきのぎんはず］

『太平記』関東大勢上洛条に長崎悪四郎左衛門の軍装に

白磨の銀筈の大中黒の矢に

とある。白磨で銀色に光った筈であるから、銀製ではなく鉄を磨いた筈であろう。鉄筈では末矧《うらはぎ》が重くなるから、バランス上鏃も大型か、茎が太く長い矢であろう。

笠　筈［かさはず］

継筈の種類であるが、筈が箆より少し太くして、箆の上にかぶさるような形の笠をいう。

筈の形式の種類

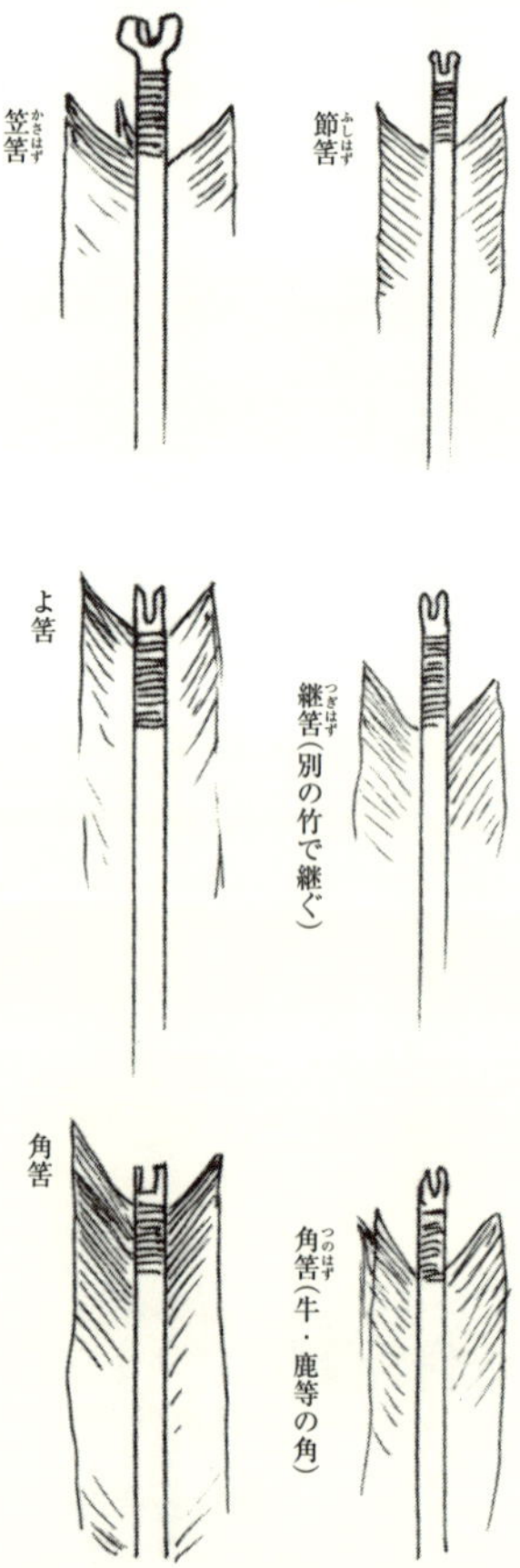

その他の各部

筈巻［はずまき］

矢羽の上部の茎を、筈との間にかけて巻く糸の部分をいう。

下作［もとはぎ］

矢羽の元の方の茎を巻きしめた糸の部分をいう。

沓巻［くつまき］

篦の鏃に近い方を糸で巻いた部分をいう。

根多巻［ねだまき］

金巻ともいい、鏃を挿入した篦の端を巻いた糸の部分をいう。『弓張記』に

かりまたのねだまきの事。かぶらまきとも云。

とある。

矢印［やじるし］

目標に当てた矢が他人と紛れぬために矢篦に使用者の姓名または印を書いたり、焼印を捺《お》したりする。『平家物語』遠矢の条に

くつまきより一そくばかりおいて和田の小太郎平の義盛と漆にてぞ書付たる

とあり、長門本『平家物語』では焼書（焼漆）したとあり、『太平記』本間孫四郎遠矢条では「相模国住人本間孫四郎重氏ト小刀ノサキニテカキタリケル」と彫り付けたものもある。『弓張記』に

矢じるしの事。羽中には三方にかくる也

とあり、『高忠聞書』では

矢じるしする事。をつとりのふしにかくよりて下へかくべし。またくつまきより一束ばかりあけてかくべし

『小笠原入道宗賢記』には

走り羽のとおりにすげぶしのきわに書也。書所は羽中おつとりのふしのもと、すげぶしのもと三所まで也。されど三所には不レ書。朱漆などにて矢印する事なし

『和翰集要』には羽中の節とおつとりの節とすげ節の三か所のいずれかに名字官名を墨書するが、墨の乗りが悪い時は墨の中に耳の垢を混ぜて摺って書けば良いとしている。これは『甲陽軍鑑』にも同様の事が記されている。

矢束［やつか］

矢束とは矢の長さをいう語で、古来矢の長さを計測するのは四本指で掴んだものを基準として、これを手量《たばかり》といい、一掴みを一束といった。軍記物などに十三束三伏《ぞく》せなどと記されるのは十三掴みと、その余分が、指を三本列べた長さをいったものである。左手で弓を支えて矢を番《つが》え、引き絞った時の長さはだいたい十二束であり、十三束三伏せは大男で腕の長い者であるから、ことさらに軍記物では十三束三伏せと表現するのである。『高忠聞書』に

矢は三尺なり。手の寸十二束の矢つか也

とあるから三尺（約九一センチ）の長さは十二掴みに該当するのであるが、正確には掌の大きさは個人差があるからあくまでも概念的測り方である。

しかし軍記物では十二束二伏（『平家物語』）、十二束三伏（『太平記』）、十三束二伏（『源平盛衰記』）、十三束三伏（『平家物語』）、十四束（長門本『平家物語』）、十四束二伏（『源平盛衰記』）、十四束三伏（『平家物語』）、十五束（『保元物語』）、十五束三伏（『平家物語』）等、大矢束（『北条五代記』）、長掴（『文正記』）の矢を用いた記録もある。

各種の矢〜矢の目的と名称

各種の矢

矢は目的によって野矢《のや》・征矢《そや》・的矢《まとや》に大別でき、その他、鏑矢・尖り矢・雁股・蟇目・四目・神頭《じんとう》等に分けることができる。江戸時代は軍用の征矢・鏑矢・雁股を根矢というが、『安斎随筆』では根矢という古称は無かったとしている。

目的別の矢

野矢（鹿矢）［のや（ししや）］

狩猟用に用いる矢で、鹿狩などに用いるから鹿矢ともいう。野矢は『平家物語』征夷将軍院宣の条や『吾妻鏡』『古今著聞集』にも記され、鹿矢の語は古く『日本書紀』敏達天皇の十四年（五八五）の条以降、軍記物にもしばしば記される。狩猟用であるが軍用にも用いられた尖った鏃の矢である。室町時代の鹿矢の征矢（『今川記』）の語もある。

征　矢［そや］

戦争に用いる矢で、形は色々あるが、要は尖り矢である。ソヤの語は細長く尖っているから直矢《すや》といったのが訛ったとする説や、鷹の事を征鳥といったので、鷹の羽を矧いで用いた矢であるからいうともいわれるが、『続日本紀』桓武天皇の項に「令㆑作㆓征矢三万四千五百余具㆒」とあるから古くより用いられた語である。『高忠聞書』に征矢のこしらへ様の事として

篦には節陰を塗るべし。筈は俑筈、節はおっとりの節を本とすべし。幾節篦とは不㆑定。但おっとりの節、すげ節、篦中の節、以上三節の可㆑然。おっとりの節の在所は末弭の下の巻留より一束ばかり間を置て、おっとりの節を置くべし。但し確《しか》とは如何程は不㆑定なり。一束計可㆑然。少の上り下りは苦しからず。矧目筈巻黒漆たるべし。くつ巻同然、根太巻はえり糸にて巻べし。赤漆なるべし。くつ巻二ふせ、根太巻一ふせたるべし。羽は真羽本なり。切符、中黒其外何れも真鳥の羽を付べし。但切斑の羽を付る事。殊なる過飾の儀なり。これは負征矢また空穂に指す征矢の事なり。昔は何矢にも筈巻は三分、うら矧六分なり、本矧一寸二分、次第々々に一坏いづゝにすぐなりは筈をば筈巻一ぱい、螻蛄《けら》首は筈巻ほどに矧ぐ也。これは本也。但本矧なり。余り

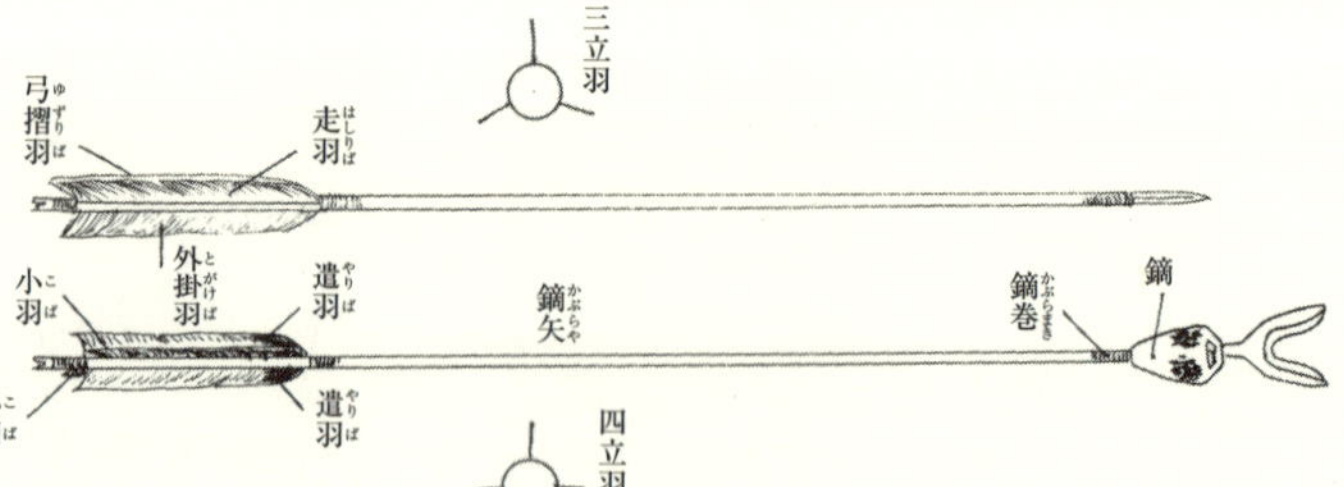

長くて見難きとて見計らひて拵ゆる也。白箆の物、又拭ひ箆に目を彫る事無き事也。根は丸根なり。根の先余りに丸ければ箙に差されぬなり。根の大小弓により又人の好みに依るべし。

また、

征矢をはとふと云。空穂をば付ると云なり。又云征矢には雁股をばささぬなり

（この文読み易くするため漢字を交えた）

『貞丈雑記』には

征矢は、根は剱尻、柳葉、鳥舌などを用ふるなり。

野矢も征矢の如くなれども、麁相に拵へ、羽なども何羽にてもあるに任せて矧ぐ

とあり、野矢よりも征矢の方が念入りに作られているから一見してわかる。鏃も茎が浅いのは野矢である。

負征矢［おいそや］

『万葉集』に

伊敵乎於毛比弖於比曾箭乃曾与等奈流麻弖奈気吉都流香母

とあり、背に負うたように胡籙に差した征矢をいう。

並征矢［ならびそや］

『今昔物語』東人通花山院御門詣の条に、

節黒ノ胡籙ノ雁胯《かりまた》に並征箭四十計差たるを負たり

とあるが、特殊の征矢ではなく、征矢を並べて差したことをいう。

的　矢［まとや］

遊戯、稽古等に用いる矢や時には儀式用に帯びる矢で、相手を殺傷する目的でないから、拵えは同じであるが、鏃は鋭くなく平題《いたつき》、鋲根等である。『高忠聞書』に

的矢の拵え様の事。淋《さわ》し箆たるべし。すげ節を正すべし。節はすげ節、箆中の節、羽中の節　三節の本なり。筈は節筈たるべし。節をば削るべし。羽は真鳥羽本なり。殊に切符可レ用、すげ節、本とうひ三ふせ可レ然。くつ巻い黒く塗るべし。拭ひ箆にもする也。但略義也。

とあり『的出張記』にも

的矢は節陰塗りたるが本にて候。さらし箆（さわし箆・渋箆）も不レ苦候

とある。

交矧的矢［まぜはぎのまとや］

羽を交矧にした的矢で、『岡本記』に

的矢惣じて交矧にする事なし

とあるから、的矢は交矧の羽は用いない。

漆矧の的矢［うるしはぎのまとや］

『佐竹宗三聞書』に

四目《しめ》

数神頭《かずじんとう》

蟇目《ひきめ》

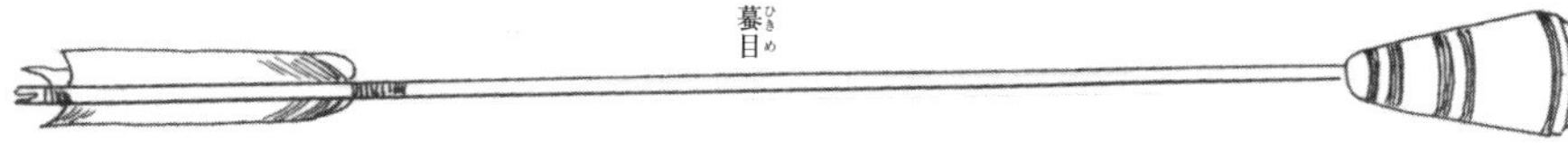

同的の時、雪雨ふるに漆矧の的矢たるべし。同矧糸を栗梅に染て管に巻きて持て雨の時絲に天鼠《くすね》をひき上矧、本矧の真木樺の上をまきて射る事秘事也。

とあり雨湿予防に的矢でも漆矧にする。

錫の平題［すずのいたつき］

的矢の平題を錫材で作ったもの。『夫木抄』に記されている。

矪矢［くるりや］

『四季草』に

くるりは、水鳥を射る矢也。桧の木、桐の木の類の軽くして水に浮く様なる木にて、鏑の如くなる形にこしらへ、先には小さき雁股をすげる也

とある。この鏑に似た形が、丁度平石を投げて水切りをするように水面に跳ね接しながら水に浮いている鳥に突進するので、左右の狙いの狂いさえなければ必ず命中する。鏑状の先に雁股や三日月状の鏃がはめてある。

差矢［さしや］

三十三間堂の通し矢用に用いるもので矢根は木で作り、鴨の羽を用いる。近世の矢である。

繰矢［くりや］

遠矢用で根は木で作る。近世の矢である。

芝矢［しばや］

遠矢の稽古矢。

堂前矢［どうまえや］

差矢と同じであるが、矢の沅《さ》をよくするために篦を砂磨とする。

蓬矢［ほうや］

よもぎの矢。貴人出産の折に縁起で天地四方を射て魔障を祓い浄めに用いる。桑の弓を用いるので桑弓蓬矢という。

『平家物語』公卿揃えの条にも中宮のお産の時に小松大臣（重盛）がこれを用いた事が記され、『成氏年中行事』若君御誕生条にもこの行事を行ったことが記されている。

鏑矢

『記紀』に記され、古代の発掘品にも鹿角の鏑が見られるから古代より用いられていたことがわかる。鏑とは蕪状に丸く固まった形をいい株にも頭にも通じるが、中を刳り抜いて空気の出入する穴をあけてあるために、矢につけて発射すると音響を出すので鳴鏑と書いたり、鏑一字で「なりかぶら」と訓ませたりする。中国の嚆矢（響箭）は周代にすでに用いられているから、弓矢文化の移入と共に使用されたらしい。『扶桑略記』天慶三年（九四〇）平将門降伏の祈禱の折に、延暦寺の壇から鏑矢が響いて東方に飛んで人々を驚かしたという事が記されているので、当時すでに悪敵調伏の儀礼にも用いられていたことがわかる。鏑矢が大形化して蟇目は魔障のものを祓う意に用いられるようになったのも、鏑矢の発する不気味な音響が効果的であったからである。鏑矢は敵を威嚇するばかりでなく緒戦に大将が敵に向って射る作法を生じた事は『貞丈雑記』にも

軍の時、戦の初、矢入の鏑矢は山鳥、鳶、烏、鷺、蜂喰此の五つの羽を何れも用ゆる事通例なり

とあり、山鳥は別として他の鳥の羽はいずれも忌むべき羽であるから、これらの羽の鏑矢を使用して敵を侮辱調伏する意味を持つが、大将たる者が、こうした羽の鏑矢を果して箙に差していたかどうか。大将級であれば、鷲鷹の羽に雉の羽を交えた鏑矢を持つのが普通である。とにかく戦闘開始の合図には鏑矢を射る事は近世まで行なわれ、また神前に願文を捧げる時は、読み上げた願文を鏑矢に巻いて中程を結んで納めた。また出陣に当って馬がいばえたり暴れたりする時は不吉として、家臣が鏑矢をもって魔障祓いしたり、腰に手

挟んだりして、鏑矢はよろず縁起的の品に用いられ、征矢のようにやたら射なくなった。

そして鏑はたとえば箙に二十四筋挿すときに十二本目は平根をすげた鏑矢を挿して、これを中挿といい、さらに征矢を挿し並べて最後に雁股を植えた鏑矢を挿し添えて上挿とするのが普通であり、中挿、上挿は鏑の分だけ征矢より長くなる。

角　鏑［つのかぶら］

『夫木抄』の民部卿為家の歌に

おひぬれば　のやにさすてふつのかぶら
そう〱しくもはや成にける

とあり、鹿の角の鏑矢は古くより用いられている。

ぬため鏑［ぬためかぶら］

鹿角の鏑で削って作るが、鹿の角の表皮の皺状の所をわざと残したものをいう。ぬためは『和名類聚抄』に

觘、角之浪皮也　和名沼太

とある。鹿角細工には浪皮をよく残して、その素朴さが珍重される。

柊　鏑［ひいらぎかぶら］

柊の木で作った鏑。『義貞記』に

上矢ノ鏑　竹ノ根ヲ式トス。又一説ニハ柊トモ云。羽ハ中白、一説ニハ鴾ノ羽一ニ鴇ノ羽トモ云ヘリ。大将軍ハ四五侍ハ二指也

とある。大将軍は箙に四、五本挿すというのは、大将軍が縁起的に鏑矢を多く用いるからで、侍は二というのは中挿と上挿に用いるからである。

八目鏑［やつめかぶら］

『旧事本記』にも大伴連の遠祖天忍日命が天梔弓《あめのはじゆみ》を持ち、天羽々矢と八目鏑、頭槌剣《かぶつちのつるぎ》を佩《は》いて天照大神の前に来た由が記されているから八目鏑（八ツ刳《く》り孔がある）は古くより用いられていたことがわかる。

三目鏑［みつめかぶら］

『源平盛衰記』熊野新宮軍条に矢軍の状況を「三目ノ鳴矢止ム事ナリ」と記されているのは鏑に目が三つ開いているものを用いたこ

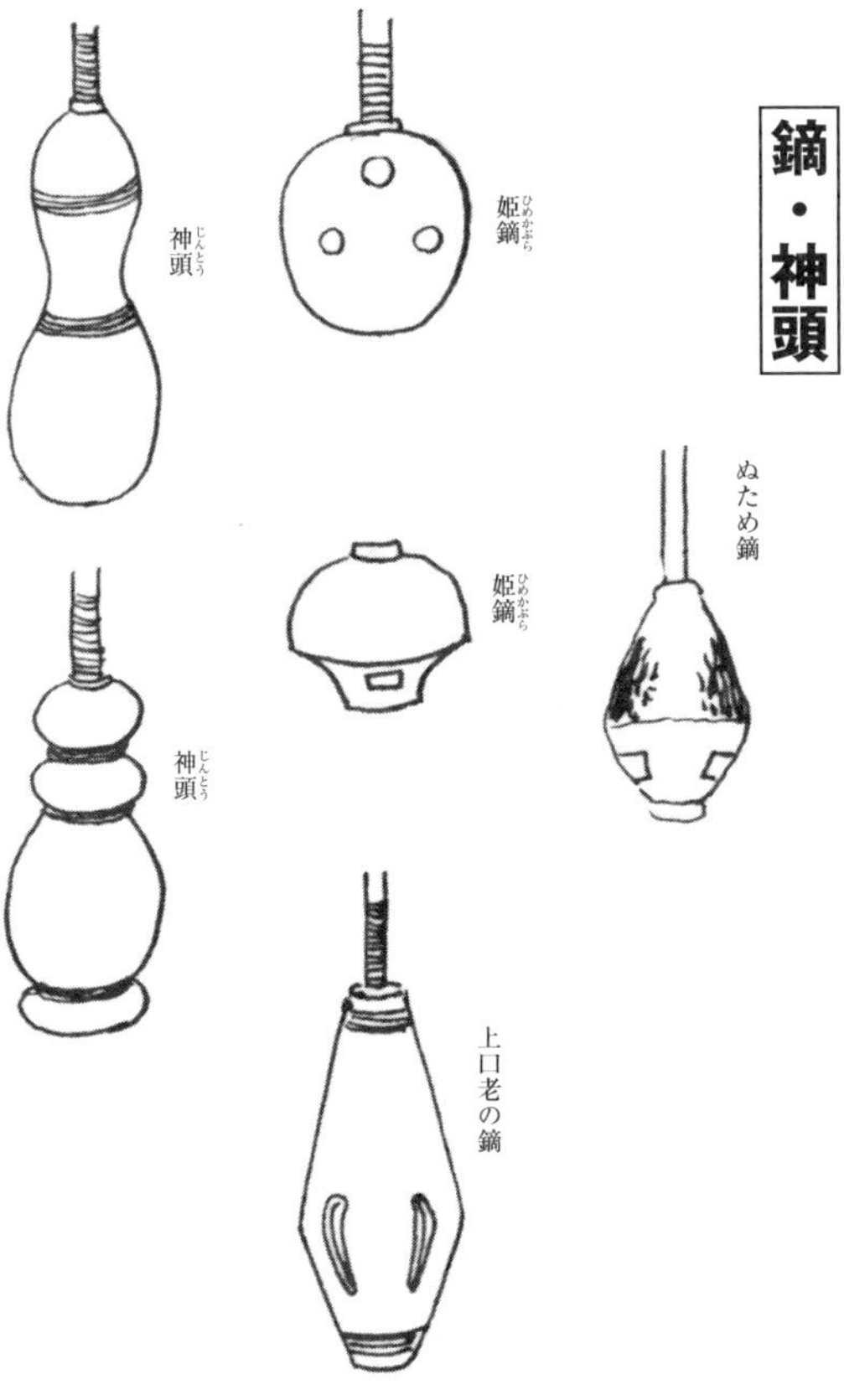

とをいう。

大　鏑［おおかぶら］

鏑の大形のものをいう。大鏑矢は軍記物にしばしば記され、『保元物語』白河殿攻落条に源為朝が平野平太の馬の太腹を射通した事が記されている。

姫鏑・小鏑［ひめかぶら・こかぶら］

『万葉集』にも

梓弓八多婆佐弥比米加夫良

とあり、おそらく鹿角製の小形の鏑であろうが、軍記物には小鏑の語がよくあらわれる。四目の当て字ともいわれる。

蟇《ひき》目《め》

『武用弁略』に

蟇目　▲又蟾目或蠨《ヒキ》目《メ》ニ作。前漢書匈奴ノ伝ニ冒頓鳴鏑ヲ以射テ頭曼《トウマン》ヲ殺。音義ニ鳴鏑《メイテキ》ハ今ノ鳴箭ノ如。或書ニ曰。諸魔ハ調子ヲ窺者也。蟇ノ声ハ調子ニ応ゼズ。故ニ蟇ノ声ヲ表シニ蟇目ヲ造ト云云。犬射蟇目笠掛蟇目、誕生ノ蟇目等アリ。各習アル事也ト云云。大形常ニハ鷹ノ羽也。産屋ノ蟇目ニハ鶴ノ本白ヲ用ル也。柄ハ的矢ノ如。蟇目ノ長七寸。桐ノ木ヲ以作也。大具足ノ蟇目ト云ヲ長一尺二寸アルモ侍也。宿直蟇目ト云アリ。是ハ矢ニ替事ナシ。警備ノ為ニ殿中ニ蟇目ヲ置ヲ指テ宿直蟇目ト云。又産屋ノ蟇目ヲ射ニハ殊更習アリ。蟇ノ目、猪ノ目ノ二物秘伝有事也。杈蟇目一束ト八十本ヲ云。一把トハ廿十本ヲ云。一腰トハ四本也

とあり、蟇の声は調子に応じないから蟇目というなどと、蟇の文字にこだわっているが、蟇目は当て字で、引目の意である。鏑矢の大型のもので桐の木で作り、中を刳り抜いて空洞にするために割って作る。従って割れない様に幾か所かに巻糸の通り道を削って、糸で巻きしめ、漆で固めるから、引いた目通りが付き、また空気出し入れの穴目があるから引目なのである。また日夏繁高は『本朝武林原始』の中で響目から転じた語であるともしている。『貞丈雑記』は蟇目は朴の木で作り、桐は略式であるとする。鏃矢のように鏃をつ

蟇　目

犬射蟇目《いぬいひきめ》

産所蟇目《さんじょひきめ》

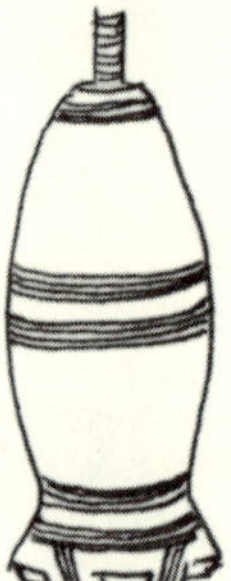

笠懸蟇目《かさがけひきめ》

竹根蟇目《たけのねひきめ》

けないのは、相手を射殺す目的でなく、当った時の衝激を与えたり、鏑状が大きいので、穴から風が入って不気味な音が大きく響くため、魔障祓いの呪術的意味が大きい。

従って貴人や有力の武家の家庭でお産がある時に、汚れをねらって魔障のものが来るので、それを祓うための産所蟇目や、犬追物の折に犬に当てる目的の大型の犬射蟇目、侍が宿直する時に魔障のものを払う宿直《とのい》蟇目・笠懸蟇目・大蟇目・小蟇目・半蟇目・猪子蟇目・竹根蟇目・繕い蟇目等の種類がある。

『高忠聞書』に

一、引目の事。目は九目也。目の上一所、目の下一所、篦口一所以上三所、しづめて巻き、巻目の見えぬやうに布をきせて地をして、黒漆にて塗りてらういろ（蠟色）をとるべし。引目の寸は四寸也。かね（曲尺）の定、但昔より四寸とは定めおかれたれど、大小の事は弓の力によりてもすべし。少しのよりのき苦しからず。又目を七目にもするなり。但略儀なり。

竹根蟇目［たけのねひきめ］

竹の根を用いた特殊の引目であるから『貞丈雑記』から引用すると、竹の根の枝根を截《き》り払って、三分の一位の所から裁断して、中を刳り

合せやう前のごとく中をくりぬくべし。外も削るべし。根をよく枯して合すべし。これは外をけづらぬ時の形なり（図）中をくりぬくは、なまのうちにくるべし。かれて後にまたくよくるべし。竹の根引目には目極入るるに不レ及

とある。竹根蟇目も古くは射戦に用いた事は『吾妻鏡』文治元年（一一八五）後藤基清と伊勢能盛の部下が争った時に用いているが、後に遠笠懸などに用いるようになった。

水破・兵破［すいは・ひょうは］

『源平盛衰記』三位入道芸等条に、源頼政が雷上動という弓に、黒鷲の羽で矧《は》いだ水破という鏑矢、山鳥の羽で矧いだ兵破という鏑矢を用いたことが記されているが、特殊の鏑矢ではなく、その鏑矢に号けられた名である。

神頭（磁頭・矢頭）

『武用弁略』に

神頭　又矢頭、或鏃頭ニ作。集覧ニ曰。神頭ハ鏑ノ一種也。神頭ト云文字其拠ヲ知ズ。或曰雁股ハ陰ニシテ鬼頭ト号シ、鏑ハ陽ニシテ神頭ト云。所謂鬼神ノ隠語也ト云リ。然共此又中華造化ノ字ヲ仮テ我国ノ器《ウツワ》ニ附合《フガウ》スト見タリ。按ニ若鏃頭ヲ云訛タルニヤ。鏃ハ矢ノ根ノ形ヲ云ト見タリ。鏃頭ト云事ハ古書ノ中ニ多出タリ、然共コレヲ本説ニセヨト云ニハ非ズト云云。神頭ノ筈ハ続筈也。篦ハ焦篦也。羽ハ雉子タルベシ。或手鳥揃ト云テ、一羽ハ鷹、一羽ハ雉、今一羽ヲ染羽ニシテ用ル也。又何鳥ニテモ三鳥ノ羽ヲ交テ作ルモアリ。矯様《ハギヨウ》ハ樵作《コリハギ》ニス。羽ヲ列ズシテ其儘用ル事也。神頭ノ形大概後ニ記。又数神頭、一手神頭アリ。一手神頭ト云ハ挟物ヲ射也。又膨ト云物アリ。神頭ニ少違アリ

右ノ外近代異形出来侍共余ハ畧スル也。古法ノ神頭ハ此ニニテ知ベシ。或書ニ今ノ神頭ハ正意ナシ。羽ハ真羽ト雉子《キジ》ヲ本トスレ共染羽様々ノ異風神頭ヲ拵、本形ヲ失ス。然共矢代振《ヤダイブリ》ノ持ナド人々ノ見知ノ為ナレバ評スルニ詮ナシト云云

『高忠聞書』に

じんとうはめかふ也。いかにもほしかためてする也。じんとうの長さ三ふせ也。少きり入て三所巻て上へ見へぬやうに地をしてぬりかくして、黒くらう色をとりてぬるべし。じんとうのなり口伝あり

と室町時代には面倒くさい約束事ができ、挟《はさみ》物《もの》、草鹿《くさじし》、丸物の的用の矢になってしまった。少なくとも南北朝時代頃迄は戦場用として盛に用いられていたのである。『太平記』笠置戦条には足助二郎重範が用いたことが記されている。

鉄神頭［かねじんとう］

鐙ノ上ヲ射バ篦摧《クダケ》テ鏃折テ通ラス事モコソアレ、甲ノ真向ヲ射タランニナドカ砕テ通ラザラント思案シテ胡簶ヨリ金礠頭ヲ一ツ抜出シ

とある。

一手神頭［ひとてじんとう］

『弓馬故実』に

一手神頭拵様の事。下地は柊又は余の木にてもするなり。三所切入りて巻き、巻目の見えぬ程黒く塗る也

とあり、木製の鏑と同じであるが、鏑矢のように中は刳り抜かない。

三神頭［みつじんとう］

『今川大雙紙』に

三神頭之事。早矢二ツ、乙矢一ツ三神頭ト申也。以上三ツ也。

とあり、早矢（兄矢。羽の表が弓の外側に向いて矧いだ矢）が二筋、乙矢（羽の表が弓持つ人の側に向いて矧いだ矢）一筋の三つを用意したものをいう。

数神頭［かずじんとう］

『空穂次第』に

四目をも靫の上にさすべき也。又小者中間にもささすべし。数神頭同前なり

とあって数物の粗製の神頭で、身分低い者、弓を持たないものにも腰に差させた。魔障を祓う鏑蟇目の代りをも兼ねた。

四　目［よめ］

鏑や神頭の形と同じであるが目（穴）が四つあいているものをいう。『高忠聞書』に

四目は竹の根にても木にてもすべし。何共に不レ定大小も不レ定なり。あかうるしにも黒くもぬるべし。又こがし篦にもするなり。略儀なり。

とあり、また小者、中間にも持たさせるが、『弓張記』では四目は空穂の上に挿すことはないとしている。

一手四目［ひとてよめ］

『高忠聞書』によると四目は牛の角で作るという。

小四目［こよめ］

『高忠聞書』によると、鶉等小鳥を射る時に用い尖り鏃をつけても四立羽の矢とするという。

特殊な矢

毒　矢［どくや］

『袖中抄』に

あさましや千島の蝦夷の製なる毒気の矢こそひまはもるなれ

とあり『安斎随筆』に

蝦夷人の矢の根に、毒を塗りて射る。其の毒は蕃椒、蜘蛛、附子此三品也。此毒にあたりたる時は、大蒜をすり、鉛を交ぜて付る、解毒する事妙也。毒の所は肉

特殊な矢

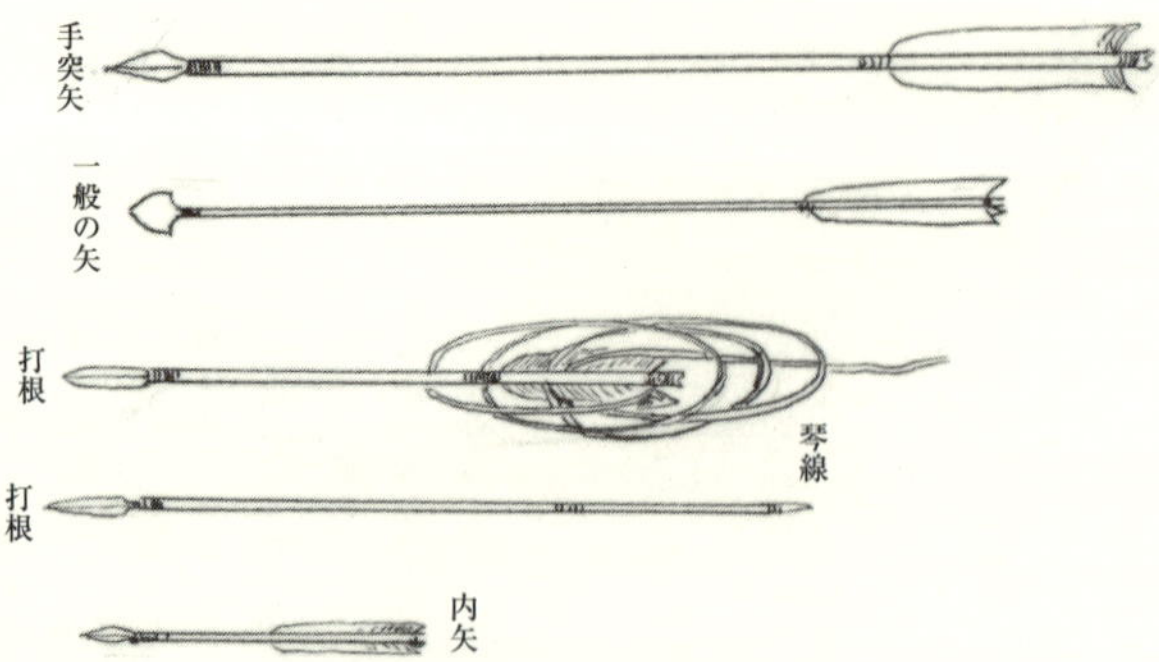

をえぐりとりて薬を付る

とある。

火　矢［ひや］

敵陣、敵の建物を焼くために火の付いた矢を用いるもので、『周礼』に枉矢、絜矢の名称あるは火矢の事である。『平家物語』に木曾義仲の臣今井兼平が鏑の中に火を入れて法住寺殿を焼立てたことが記され、合戦にはしばしば用いられた。近世は火薬の利用によって火矢はますます発達した。

手突矢［てづきや］

弓を用いないで、片手に持って相手を突き刺す矢で、篦も太く、鏃も槍の様に鋭くなっている。手突矢を用いた例は極めて特殊で、『太平記』巻第十五　正月二十七日合戦事の条に、

爰に妙観院の因幡竪者全村とて、三塔名誉の悪僧あり。鏁《くさり》の上に大荒目の鎧を重て、備前長刀のしのぎざかりに菖蒲形なるを脇に挟み、篦の太さは尋常の人の蟇目がらにする程なる三年竹を、もぎつけに押削りて、長船打の鏃の五分鑿程なるを、筈元迄中子を打通しにしてねぢすげ、沓巻の上を琴の絲を以て、ねた巻に巻て三十六差たるを森の如くに負成し、態と弓をば不持。是は手衝《てづき》にせんが為なりけり（中略）上差一筋抽出《ぬきだし》て、櫓の小間を手突にぞ突たりける。此矢不誤、矢間の陰に立たりける鎧武者の、せんだんの板より、後の総角の金物迄裏表二重を徹《とおし》て、矢先二寸計出たりける間、其兵《つわもの》櫓より落て、二言も不云死にけり。

と記されている。

打　根［うちね］

手突矢の発想から近世考案されたと推定される太くて短い矢で、手裏剣のように片手で投げつけたり、極く近距離は手突矢のようにして刺す。太目の竹か樫の棒の長さ三十センチから、長いので六十センチ位まであり、羽は十五センチから二十センチ位の大きい三立羽あるいは四立羽で、筈も大きめに作り、筈巻、上矧、沓巻、根太巻を行って、鏃は槍身形で長さ六センチから十五センチ位ある。

直打ちと廻転打ちをして相手に刺撃する。中には筈巻の下に鵐目を入れた穴をつけ、これに琴糸を通して三メートル程にして、端を手首に結えて、投げて相手に刺さってもすぐ手繰って手元に戻して数回使えるようにしたものもある。また琴糸の代りに丸組の紐を通し、その先が総状になり、直線で飛びやすくした装飾的のものもある。

このほかに長さ六十センチ程の棒で、筈の方も削って尖らし、小さい槍身状の鏃をつけ

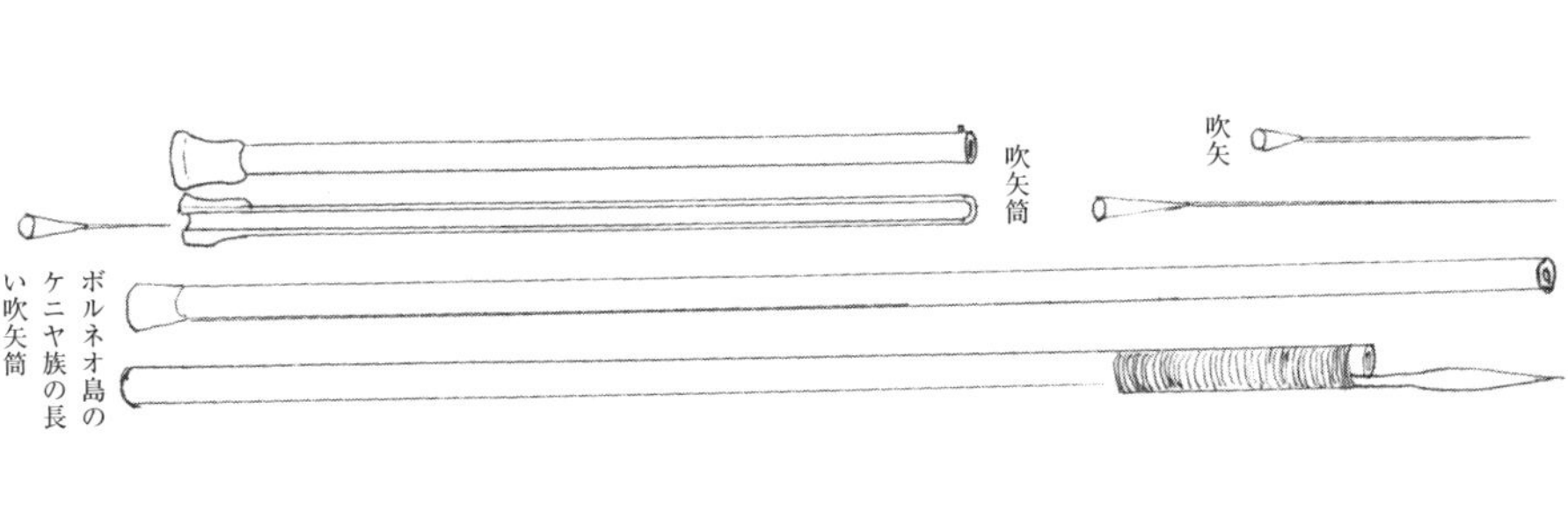

たものもあり、これは手突矢と同じに片手突にする。

短矢〔みじかや〕

打根と同じであるが、更に短い矢で、手裏剣のように片手で投げる矢である、拵えは一般の矢とまったく同じであるが、篦の長さは二十センチから二十四センチ位で羽は十センチ位である。

内矢〔うちや〕

内矢も短矢と同様であるが、これは矢よりやや長い筒に入れて、筒を持って投げるように振り出すと矢だけ飛んで行って目的物に刺さる。外見は筒を持っているとしか見えないが、振り出した力は手で投げるより強く、狙いも効果的であるが近距離しか有効でないから隠し武器の一種である。

吹矢〔ふきや〕

南米やマレーシア等で使われていた狩猟用の道具で、細い筒に吹き込んだ力で竹もしくは細く短い尖った金属を押し出して目的物に刺突させる道具で、矢は空気を押し込めるために、紙などの軽いもので円錐状になっている。筒は矢を直線で飛翔させる為に木を刳り抜いた長い円筒状のものである。

円錐形が少さいと、吹き込んだ空気が洩れて威力が減退するので円錐の径は円筒一杯に作る。近距離であると意外と刺突効果がある。日本でも江戸時代に一部の好事家が用いている。円筒の先の方に目当の突起をつけたものもあり、長さは一メートルから二メートル近いものもある。南米などで用いられた吹矢筒は三メートルから四メートル程もあり、目的物に極く近付けて吹くから命中率は良いが、小動物以外は殺傷効果は小さい。

マレー半島のサカイ族は吹矢筒の先端に槍状の刃物を結び付けたものも用いており、南米では矢筈の円錐形を木線で作り、矢篦兼鏃がすこぶる長い棘針を用いている。

日本では戦闘に用いた記録は無い。

特殊な矢の使用

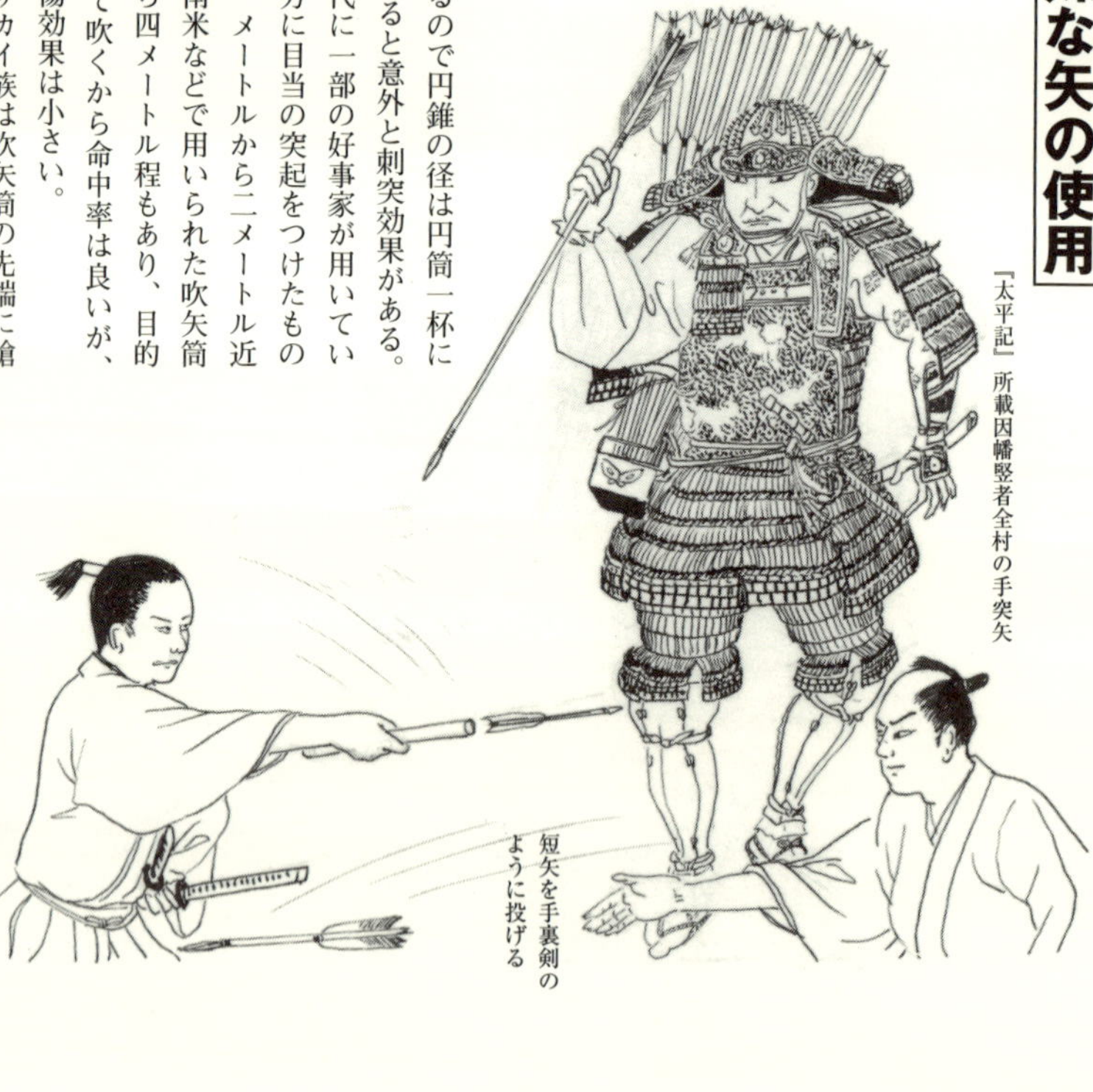

『太平記』所載因幡堅者全村の手突矢

短矢を手裏剣のように投げる

内矢を筒の中に入れて振り出して発射する図

弓に付随する道具〜靫・胡籙など

矢を盛る道具

矢を複数携帯するための道具は古代からあり、『記紀』にも靫として登場し、武装埴輪にも表現されている。

靫は『和訓栞』等には矢笥《やけ》の訛りでありとしているが、古代の靫から胡籙、箙の形が生れ、更に矢籠（尻籠）、空穂、矢筒、矢箱等が分れている。

靫［ゆぎ］

靫は記録からは歩靫《かちゆぎ》（徒歩の士の持つもの）、金靫、姫靫（樋の形をして穴のあいている形という）、錦靫（表面に錦を貼ったもの）、蒲靫（桧板で形作り、表面に蒲を編んだもの）、革靫（革で形作ったもの）、白葛靫（葛の蔓で編んだもの）、漆靫（表面に漆を塗ったもの）等が記録に記されるが、箱形と箙の前身であり、古式の矢入具である。

胡　籙［やなぐい］

中世は胡籙の文字をエビラと訓んだりしたが、平安朝時代にはもっぱらヤナグヒといった。『和名類聚抄』征戦具第百七十五には

箙、周礼注箙　音服　和名夜奈久比　盛ㇾ矢器也。唐令用ニ胡禄二字ー唐韻云箶簏　胡鹿二音　箭室也

とあって箙をヤナグヒと訓ませているからヤナグヒ・エビラは属に混用されているが、後

靫と胡籙

群馬県出土埴輪の靫《ゆぎ》

群馬県出土武装埴輪の靫《ゆぎ》

群馬県新田郡世良田出土武装埴輪平胡籙

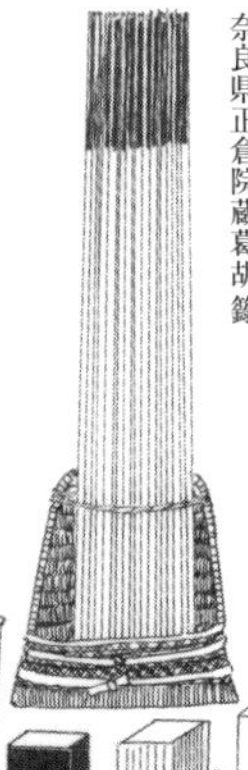

奈良県正倉院蔵葛胡籙

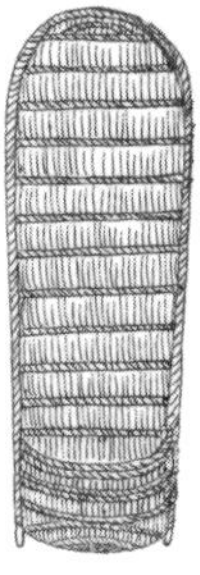

奈良県大安寺八幡蔵伝神功皇后所用の葛靫

岡山県天狗山出土の金銅胡籙の方立の面

春日大社蔵平胡籙

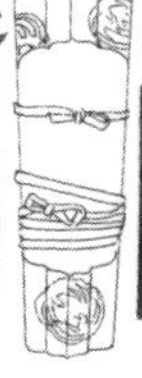

近世儀仗用壺胡籙

近世儀仗用平胡籙

世は武官の儀礼用に用いる矢入具を平胡籙《ひらやなぐい》、壺胡籙《つぼやなぐい》の二系統とし、戦陣用の箙形式を箙としている。後世は平胡籙、壺胡籙は宮中の武官の儀礼用に形式を留めるだけで、軍陣用としては用いられなくなった。

平胡籙は箙の形式によく似ていて、蒔絵や彫金物で飾られ、矢束の緒で矢の途中をまとめて背にもたせかけ、これの下方は細長い箱状の上部に簀がある。受緒と懸緒によって右腰につける事は箙と同じである。

壺胡籙は靫のように筒状になっているが、筒の表側に窓があって挿した矢筈の部分が見える。表は漆塗りや蒔絵にし、箙と同じように右腰やや後方に装着する。この形式で矢全体を包み込んで、鏃側から矢を抜き出すようにしたのが空穂である。江戸時代は、矢立硯を付属したのを箙といい。矢立硯のないのを胡籙というと『愚得随筆』に記されるようになったがこじつけである。狩胡籙とは行幸の供奉や狩猟の折に狩矢を盛った胡籙をいう。

箙［えびら］

平胡籙が軍陣用に改良され、武家が用いて形式が定ったもので、箙の方立の箱の大きさによって、矢は十二本位から三十数本まで盛ることができる。これも形式に種類があり、塗箙・逆頬箙《さかつらえびら》・革箙・竹箙・筑紫箙・差箙、後世は短冊箙等があり、構成法も時代によって多少の違いがある。

空　穂［うつぼ］

矢箆全体を納め、鏃の方に間塞ぎという蓋が付いた筒状のものであるから矢は数多く挿せない。これも右腰に装着する。

空穂

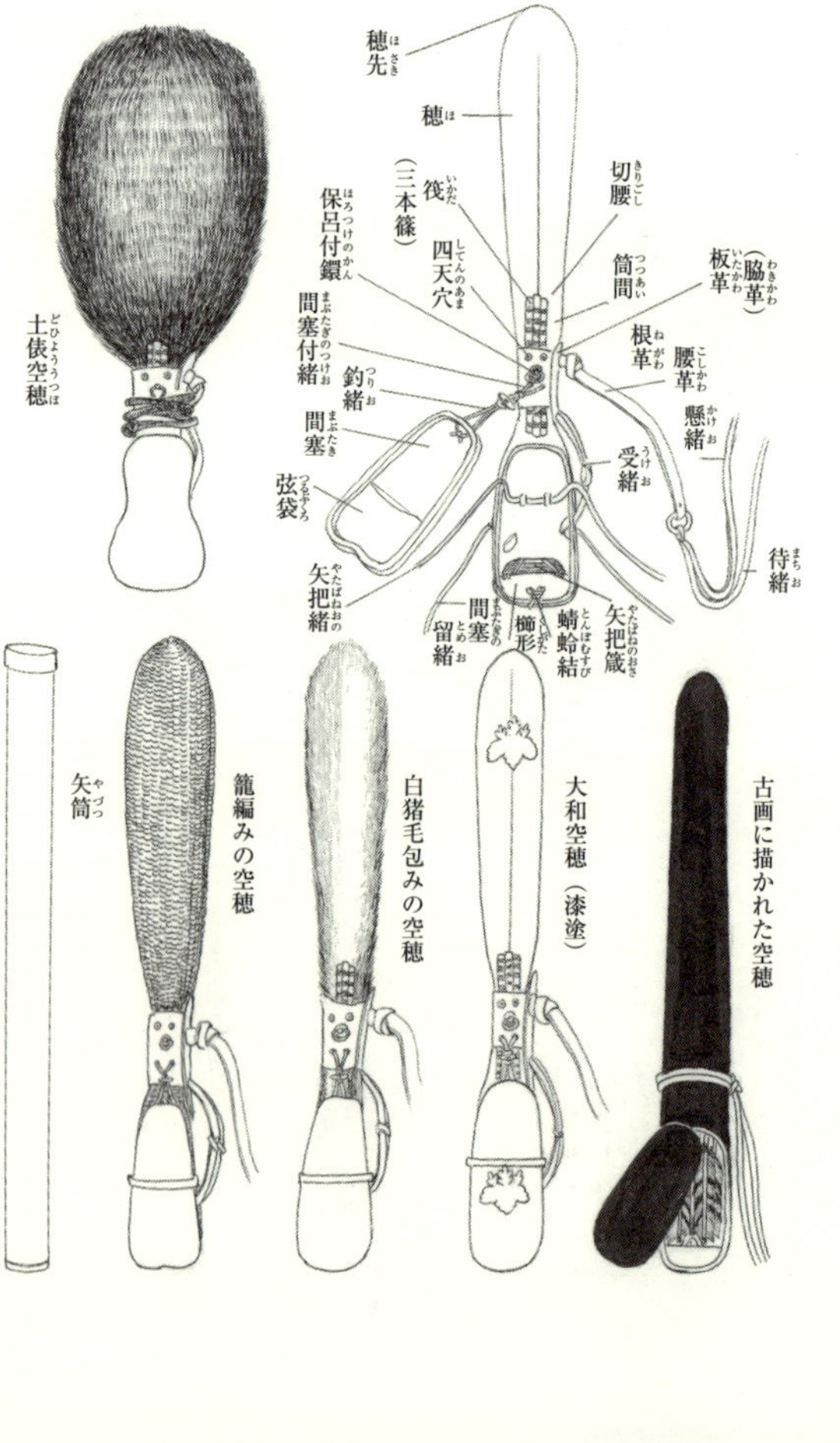

山空穂・大和空穂・白猪空穂・細空穂・騎馬空穂・弩俵（土俵）空穂等の種類がある。

尻籠（矢籠）［しこ］

細長い棒の外側を鉤状に刳って、これで腰帯に差す。下方に革または韋で袋状のものが

箙

『武用弁略』所載短冊箙《たんざくえびら》
角箙《つのえびら》
『集古十種』所載新羅三郎義光箙
塗箙『集古十種』所載和田義盛箙
『集古十種』所載角箙
豹の毛皮の逆頬箙《さかつらえびら》
『集古十種』所載竹箙
『集古十種』所載佐竹家家臣伝来
『集古十種』所載佐竹家竹箙
江戸時代塗箙
『集古十種』所載東大寺蔵竹箙
『集古十種』所載熱田神宮蔵葛箙

付き矢を差し込むが、上方は細長い輪か矢数を挿し込むだけの穴があいており、これによって矢の位置は安定する。
狩とか、旅の要心のために持って行くもので、武用と、猟師用とあり精粗がある。

矢筒［やづつ］
室町時代頃から用いられたもので、空穂より細いから矢は沢山は入らない。上部に蓋があって矢を出し入れする。

矢櫃［やびつ］
予備の矢を沢山納めた上拡がりの四角い箱で二個を一荷として棒の両側に掛けて担ぐ。

調度掛［ちょうどがけ］
武器庫などに大量の矢を保管するための矢櫃と同じ形式であるが、羽の部分は露出するので矢櫃より低い。箙のように欄干や高頭が付き、背面に連尺を結ぶ装置があって、家来が背負う。時には両側に弓も収める装置がある。江戸時代には形式に種類を生じた。

百矢台［ももやだい］
弓と沢山の矢を挿し込んだ台で室内に用意した。江戸時代には、さまざまな意匠が考案された。

箙・空穂に矢を差す位置

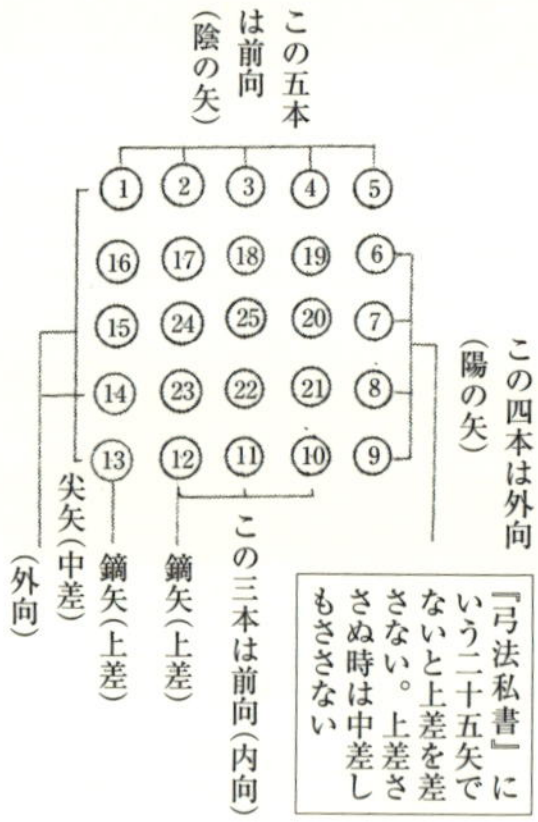

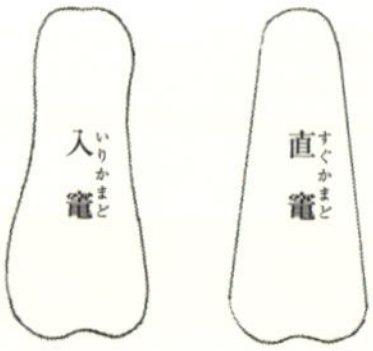

『武用弁略』組譚に曰く、靫《うつぼ》の実七つの時は矢配《やくばり》りを二宛隔てて上矢を身寄りに指べし。狩股を上矢に差べし。矢の数は春は七、上指了海也。夏は九指。秋は十、上指尖矢。冬は廿一、上指剣形。四月より九月までは狩股を上に指。十月より三月までは狩股を下に指べし。

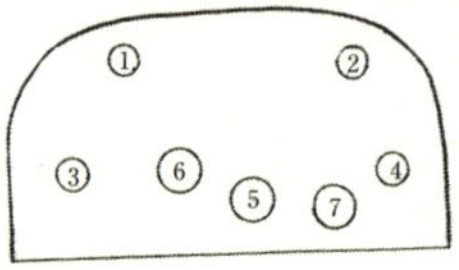
空穂に七筋差す位置

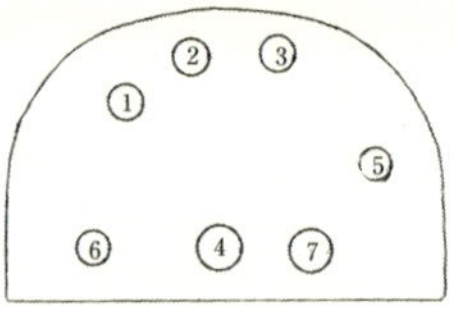
空穂に七筋差す位置

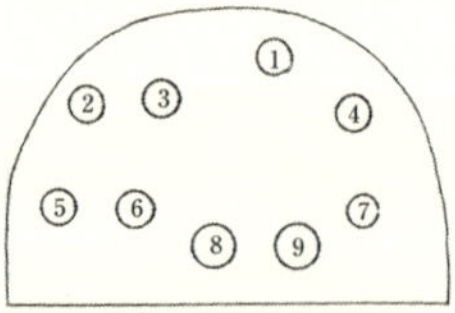
空穂に九筋差す位置

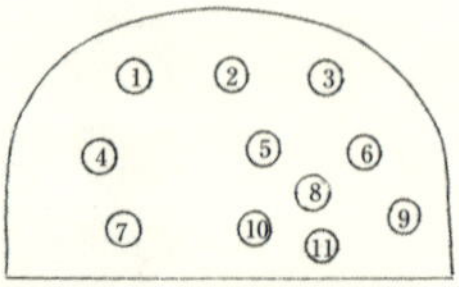
空穂に十一筋差す位置

弓台［ゆみだい］
弓二張と、矢籠と弦巻を一セットとして棒状の台に韋緒で結び、台の反対側には撓《ため》のある金具が蝶番付けされ、江戸時代に主人の持弓用として家臣がこれを担いで供をした。鈎は肩の支えとなるためである。

箙の名所と緒の組み方

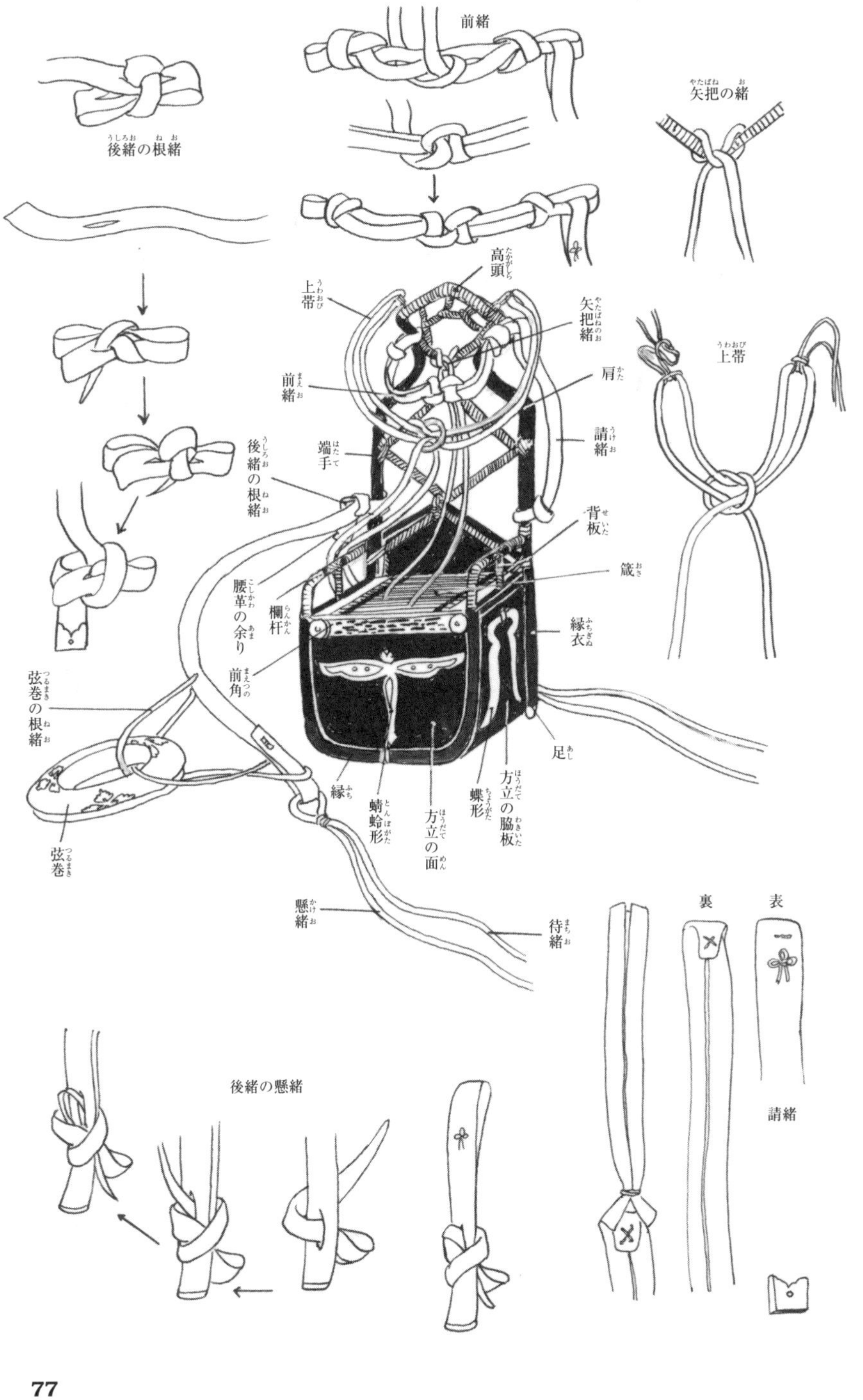
前緒
後緒《うしろお》の根緒《ねお》
矢把《やたばね》の緒《お》
高頭《たかがしら》
上帯《うわおび》
矢把緒《やたばねのお》
上帯《うわおび》
前緒《まえお》
肩《かた》
端手《はたて》
請緒《うけお》
後緒《うしろお》の根緒《ねお》
背板《せいた》
筬《おさ》
腰革《こしかわ》の余《あま》り
欄杆《らんかん》
縁衣《ふちぎぬ》
前角《まえつの》
弦巻《つるまき》の根緒《ねお》
足《あし》
縁《ふち》
蜻蛉形《とんぼがた》
方立《ほうだて》の面《めん》
蝶形《ちょうがた》
方立《ほうだて》の脇板《わきいた》
弦巻《つるまき》
懸緒《かけお》
待緒《まちお》
裏
表
請緒
後緒の懸緒

矢保侶（矢母衣・矢幌・矢武羅）［やほろ］

箙に盛った矢が風雨で損傷するのを防ぐためと装飾的意味をもって布袋状にして筈の方から覆い、高頭あたりで紐で結んだ。矢袋ともいう。古くはこの布の先端をわざと余らして結んで垂らし装飾とし、布地には紋様を染めたりした。

古くは記録に見られず、多賀高忠の『軍陣聞書』や、小笠原元長の『随兵日記』等に見られ始めているから室町時代頃から用いられたと推定される。『随兵次第』には

矢武羅の事、是は軍陣の時の儀也。随兵には不ㇾ可ㇾ有

『随兵日記』に

矢ほろの色は紅もえぎ同白くも朽葉色にもすべし。但しうつたれに同、矢にかけて羽の通りに二つひきりやうをくろくおり付べし。惣て矢ほろかくる事は異儀なり。

『軍陣聞書』には

矢ほろのこと、十六矢は二はたり也。廿矢廿五矢には二はたはりにわりのを可ㇾ入打たれば一尺二寸也。たかはかりのさだめうつたれ一尺二寸の分をばぬうまじきなり。但わりの分をばかたく〵へ縫つくべし。すそのくくりの分はかり也。矢にかゝる分の長さ打たれをのけて矢つかの長さにするなり。矢にあてかいて拵べし

とある。古画では土佐光信の『一の谷合戦絵巻』『結城合戦絵巻』に描かれており、戦国期の絵には見られぬが、江戸時代の伊勢貞丈の『軍用記』第五には、すでに法量まで記されているから、室町時代以降矢保侶にも法式が定って、それが定めとなったのであろう。

うつぼに矢ぼろかけたる体をえがきたり。その矢ほろは何れも紅にて白く二つ引両をかきたり。又えびら負ひたる武者

竹箙と角服

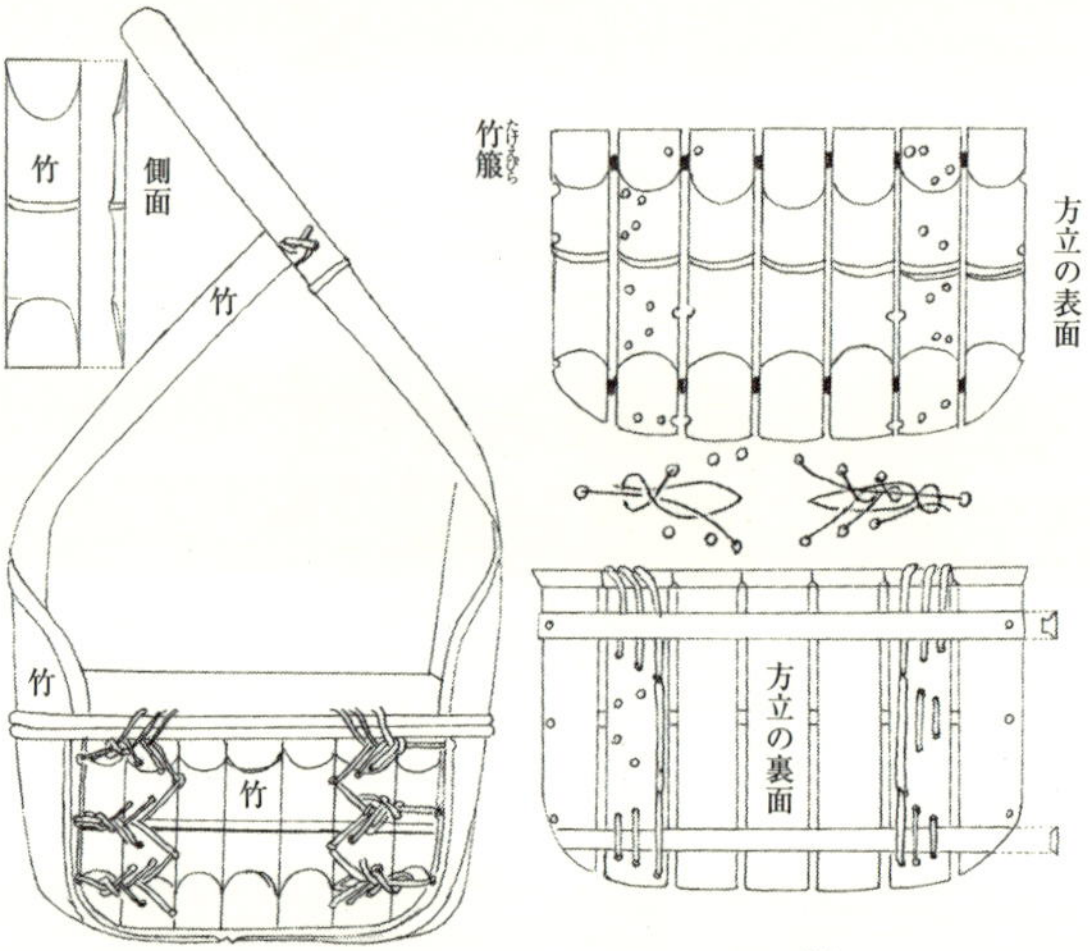

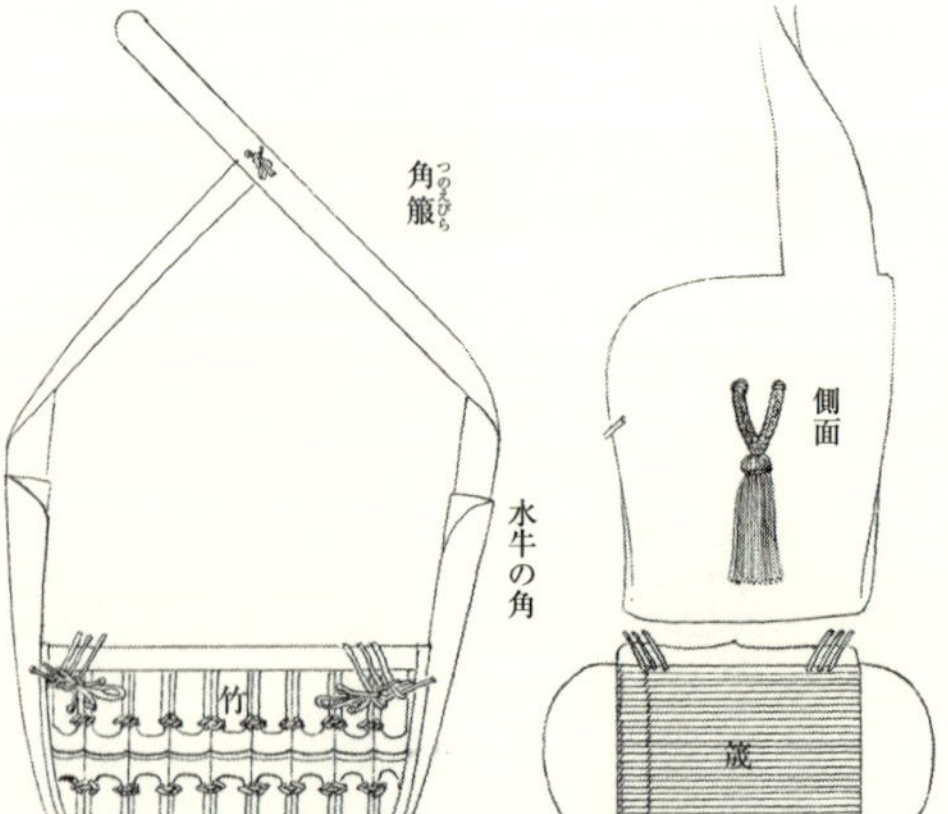

『本朝軍器考図式』後編『玉箙』所載

を書たるも多けれどもえびらに矢ほろ懸けたるは一つも見えず。

と記して、矢保侶は空穂にかけるもので、箙には用いぬとしているが、『軍陣聞書』には二十矢・二十五矢にも用いる事が記され、これは空穂でなく、明らかに箙を示しているから、矢保侶本来は箙に用いるもので、古画に描かれている空穂に矢保侶は偶々《たまたま》のものに過ぎない。空穂は本来矢を包み納めた道具であるから、装飾的以外に矢保侶を必要としない。『軍陣聞書』にも

少しは長くして矢にかゝりて、ゆる〳〵とみよき程にすべし。打たれの分をはくみにて女結びに結で、五分計かしらのきはにて引しめてさす。一の矢にからみてとむべし

と記されるように羽の上から覆ったり、一の矢に緒をからめるという事は空穂ではできない。

打たれのきはさがりをば黒革と赤革と合せて赤革を下に重る女むすびにして切なり。

とあるように上部一尺二寸位を打垂としてそこを黒韋と赤韋を重ねて結び留める。裾の方は矢たばねの緒のあたりに来るので、袋縫いにして緒を通してある紐で矢束の所を結び留める。こうすれば矢束は覆われる。

貞丈は空穂に用いるものとして盛に力説しており、『結城合戦絵巻』に描かれた武者の図を例証としているが、この絵巻の武装図は不正確で証拠にはならないし、『一の谷合戦絵』も、矢保侶の上方だけの図で例証とはならない。

調度掛

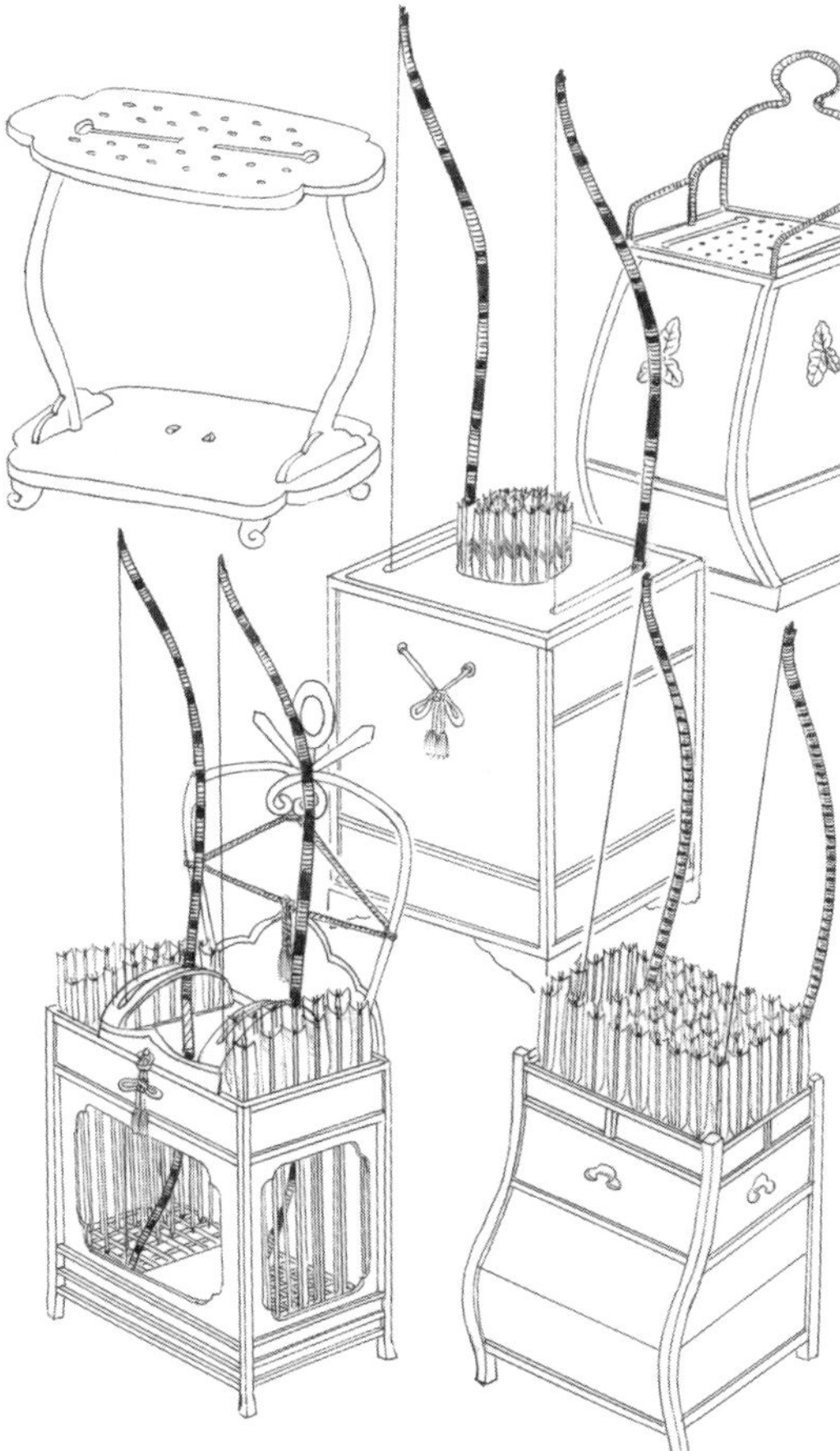

『武用弁略』に描かれた調度掛

弓台と矢籠

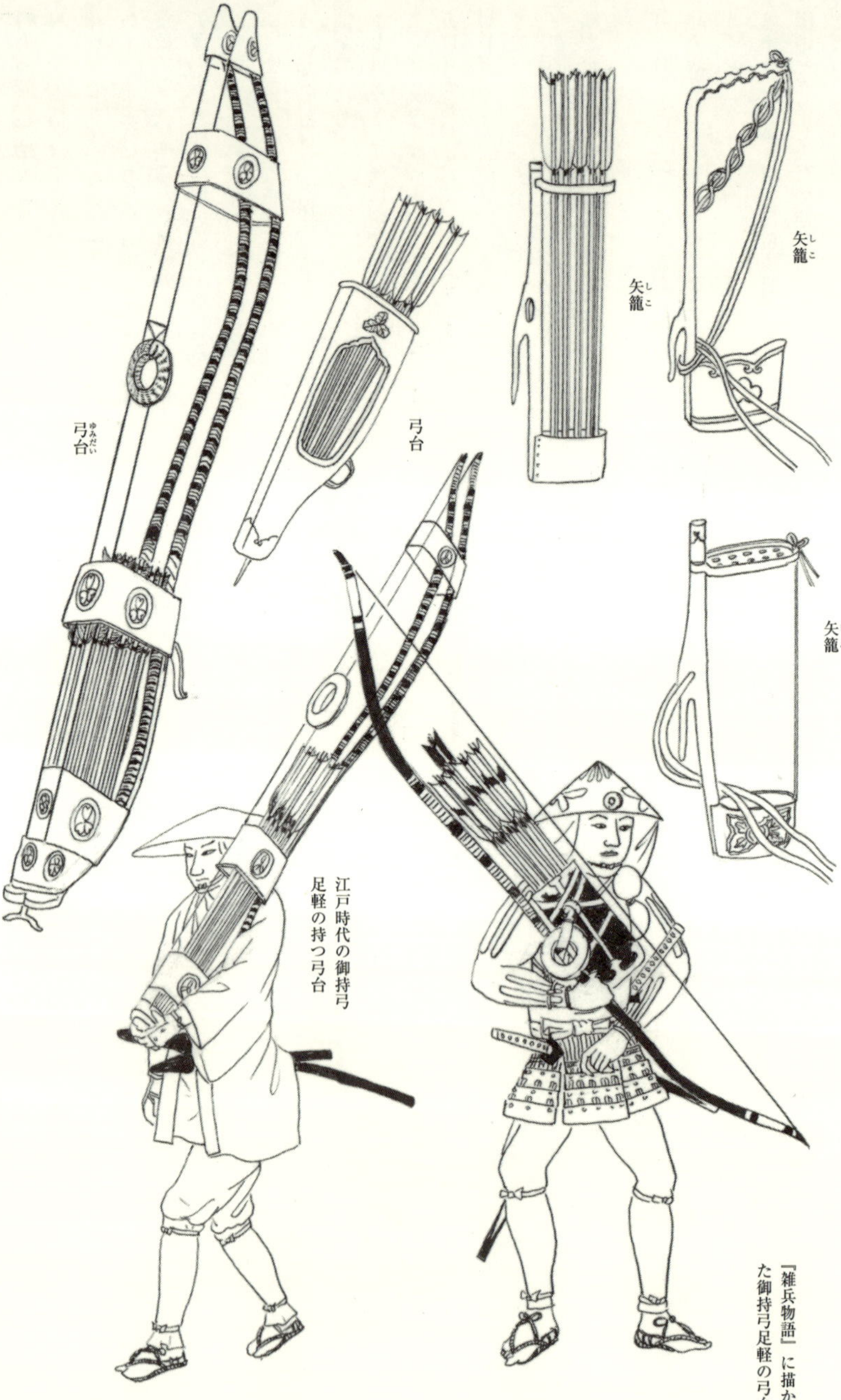

江戸時代の御持弓足軽の持つ弓台

『雑兵物語』に描かれた御持弓足軽の弓台

矢保呂

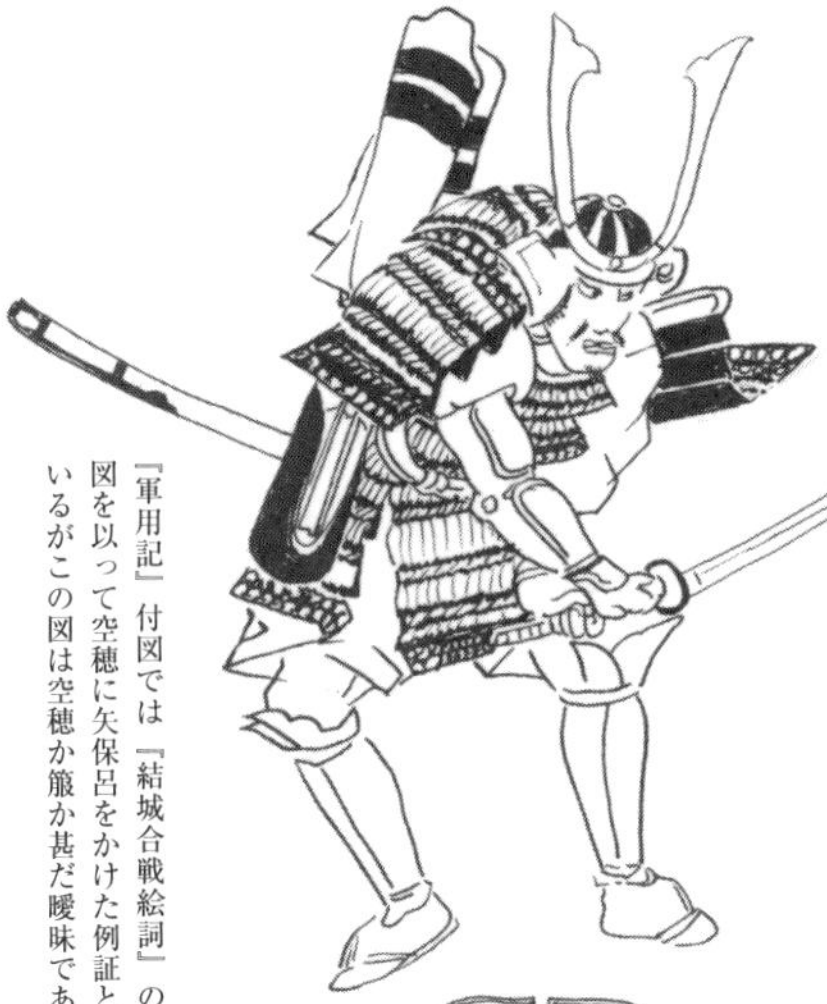

『軍用記』付図では『結城合戦絵詞』のこの図を以って空穂に矢保呂をかけた例証としているがこの図は空穂か箙か甚だ曖昧である。

『軍用記』付図ではこの『一の谷合戦図』を採り上げて空穂に矢保侶をかけた例証としているが曖昧である。

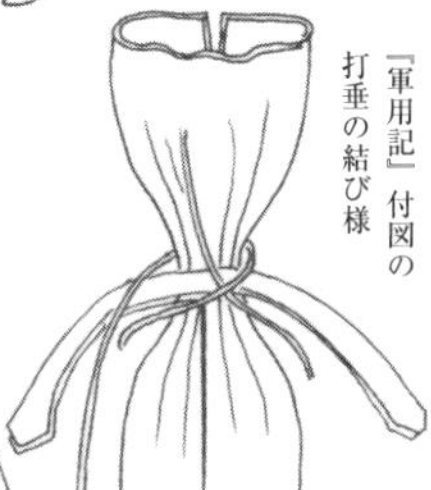

『軍用記』付図の打垂の結び様

黒韋を糸にて綴りつける

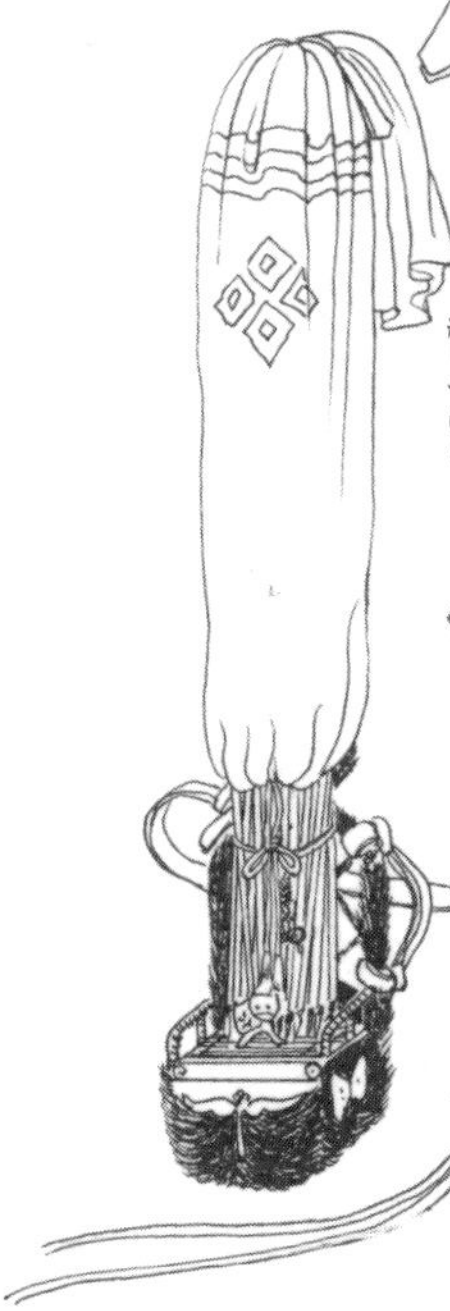

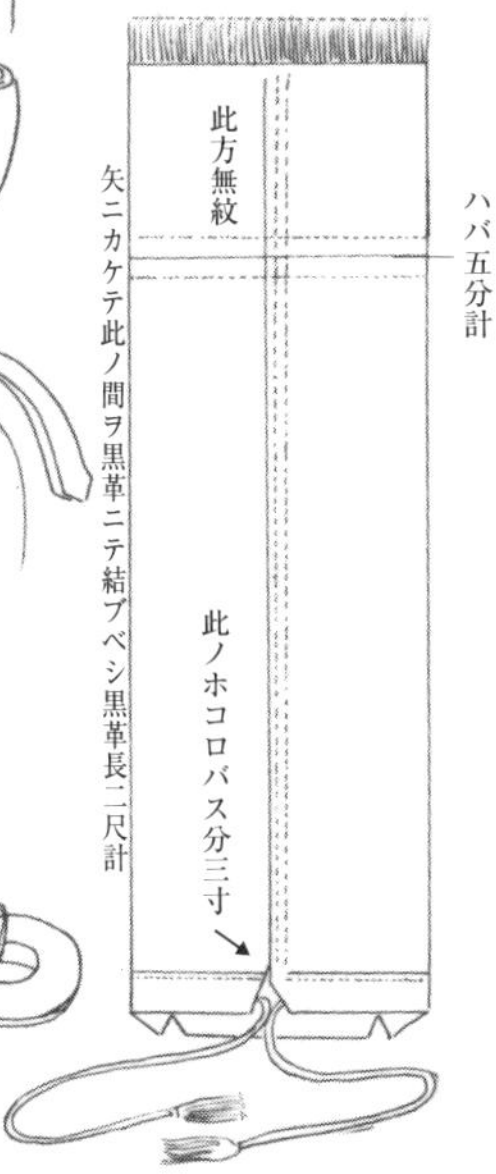

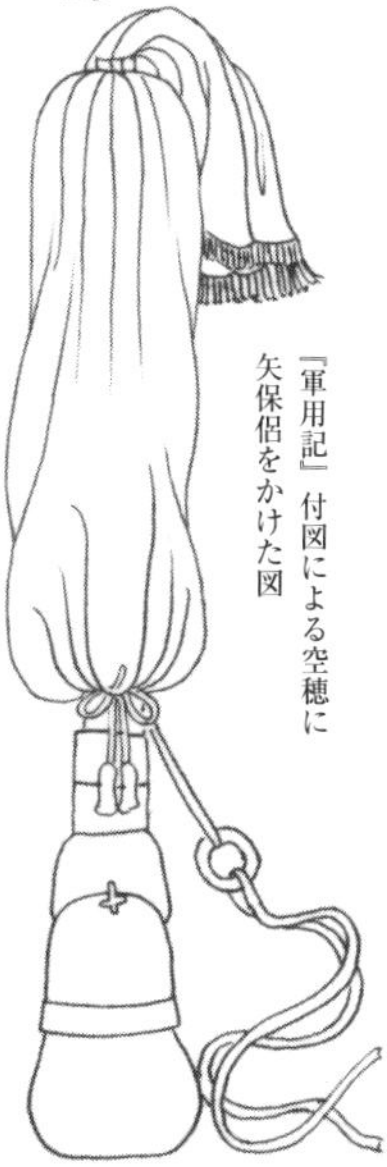

『軍用記』付図による空穂に矢保侶をかけた図

その他の道具

韘（弽）［ゆがけ］

韘は弓を射る時に、指に痛みを感じるのを防ぐために用いる韋の手袋の事で、中国でも古くより用いられていたらしく『和名類聚抄』射芸具第四十三に

弽　毛詩注云　弽　戸渉反訓　由美加介抉也。能射馭則佩之　周礼注　抉音決抉矢時所以持弦之飾也

とあるから、日本でも古くより用いられていた事がわかるが、武家階級が台頭した頃はおそらく盛んに使用されていたと推察される。

後世は射術用に柔帽子《やわらかぼうし》と堅帽子《かたぼうし》の二系統あるが、柔帽子は鞣韋《なめしがわ》の手袋で、手首深くまで覆われ、韋紐で手首を巻き締めるもので、軍陣用であるが、流鏑馬の折にも使用された。

堅帽子韘は江戸時代に京都の三十三間堂の通し矢の折に用いたもので、右手の親指と人差指・中指・薬指の四本にはめる四つ韘と、薬指を除いた三本指にはめる三つ韘と、両手にはめる諸韘（一具韘）と、押手（左手）にはめる押手韘とがある。

堅帽子は親指の腹側（内側）が弦を引くときに傷みやすいので、水牛の角や象牙・木の小片を二重韋の間に当てたものである。

四つ韘は慶長年間に大蔵派の始祖吉田大

韘

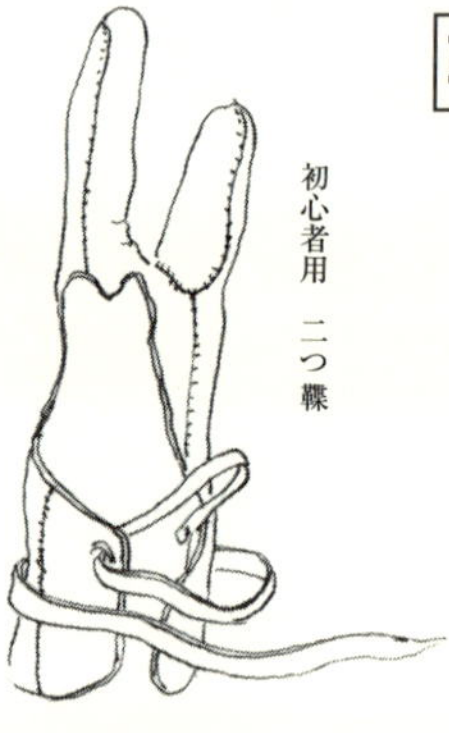

初心者用　二つ韘

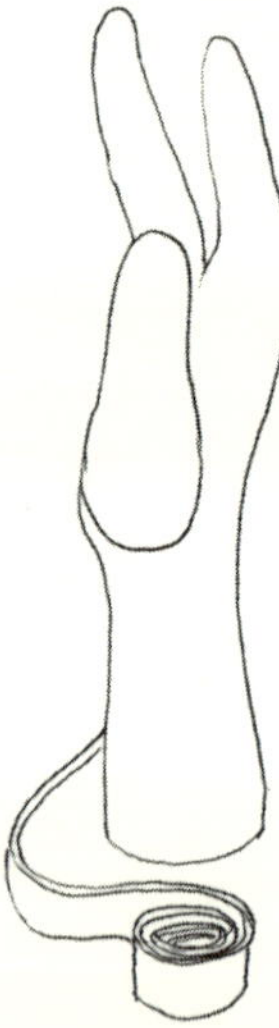

三つ韘

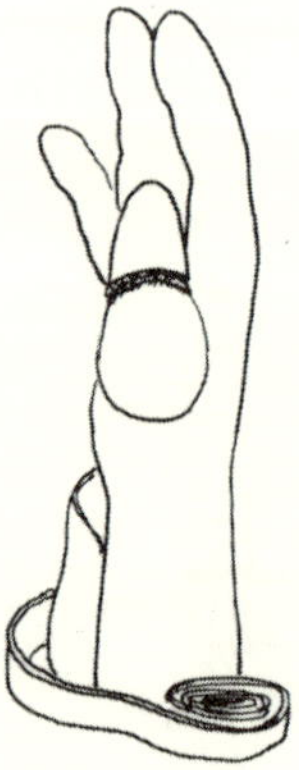

四つ韘

大和流三つ韘の名所

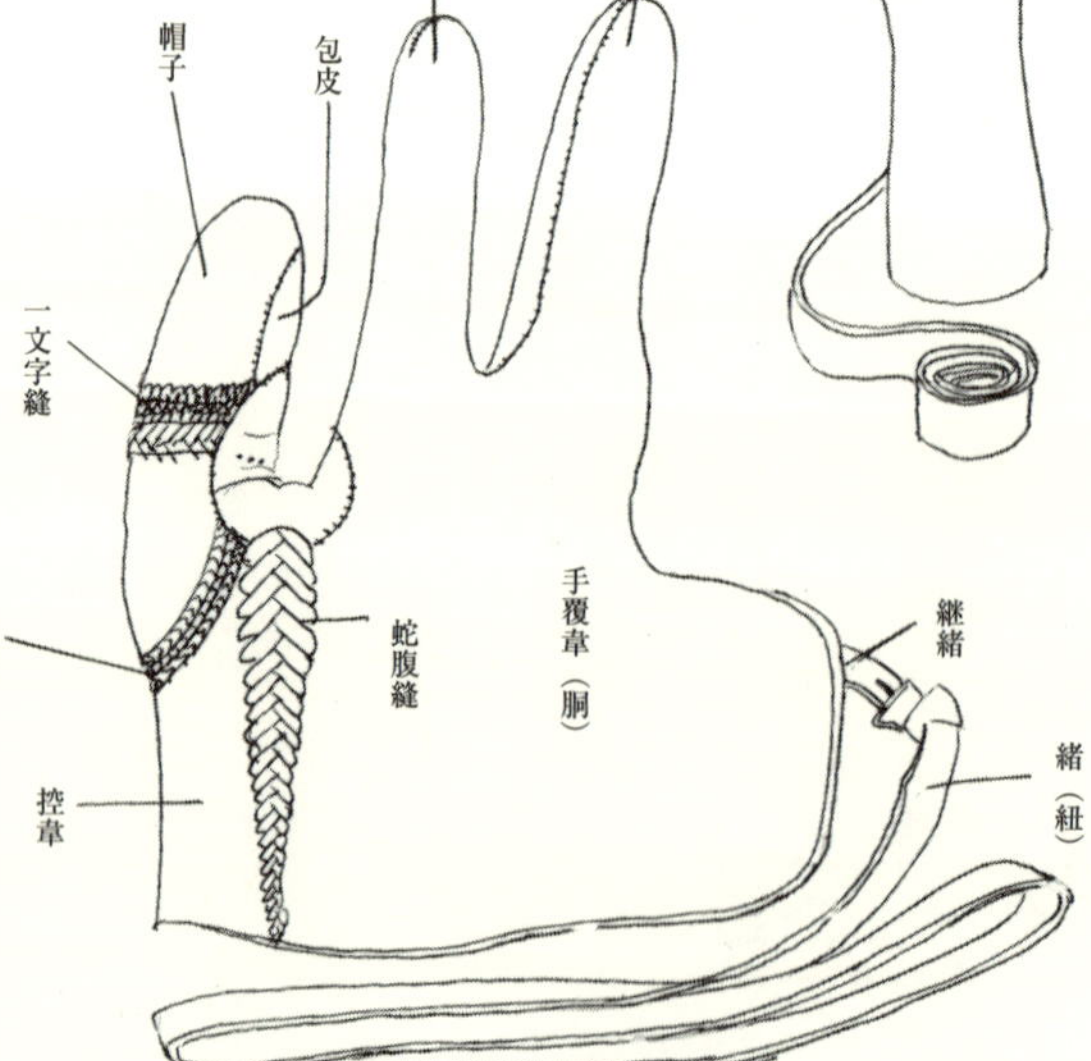

蔵が堂前矢（三十二間堂の通し矢）の折に三つ韘を付指として一指加えたことから始ったとあるから、始めは三つ韘であったと推定される。

『貞丈雑記』には

細川玄旨弓馬聞書（貞丈註　慶長八年に記されたるなり）云、ゆかけを四つかけに射る頃、射手の習、当流になし。又三つゆかけと申事御存知なく候（貞丈傍註、小笠原にしることなしと云ふ也）五つゆかけ本也と見ゆ（貞丈傍註、玄旨の頃はや三つかけ、四つかけの称ありし也）ばうし堅くなりしは差矢始りて後のこと也

とあり、また

流鏑馬の時に限らず、鎌倉時代には、ゆがけをすべて手袋といひし成べし。東鑑巻十一に、多好方好節帰京の時、頼朝より色々はなむけの品を送られし目録の中に、むかばき一懸（くまのかは）くつ、てぶくろ、又むかばき一懸（なつげ）、くつ、てぶくろ、むかばき（ふゆげ）、くつ、てぶくろなどあり

と記している手袋は韘のことである。

現代では一具韘というのは、三つ韘、四つ韘に対して五本指の手袋状になったものに言う語になっている。

韘は鹿の鞣韋を用いこれを俗に真皮というが、近世は中指と薬指を色変りの韋にしたり、また鶉巻模様や錦韋を用いたりするが、これは正式ではない。鶉巻の韋は鶉韋ともいって鶉の身体の色のように斑をつけた韋をいう。『安斎随筆』に

うづらまきの革、こしらへやう。白革を太き竹にても、木にても巻く、巻かさねず巻きて、細縄に細間をおきて巻き、又其のうへを、すぢかへに巻き、ひしになる様に巻きて、わらと、たばこのくさを、火に、たきふすべ、よきほどに色のつくほど、ふすべて、縄をとき去れば、縄のあと白くなるなり。縄を巻くとき、縄の直にならぬ様に、うねらせて、細かに巻くべし

とある。軍陣用の韘はこの鶉韋重べがよく用いられたらしい。

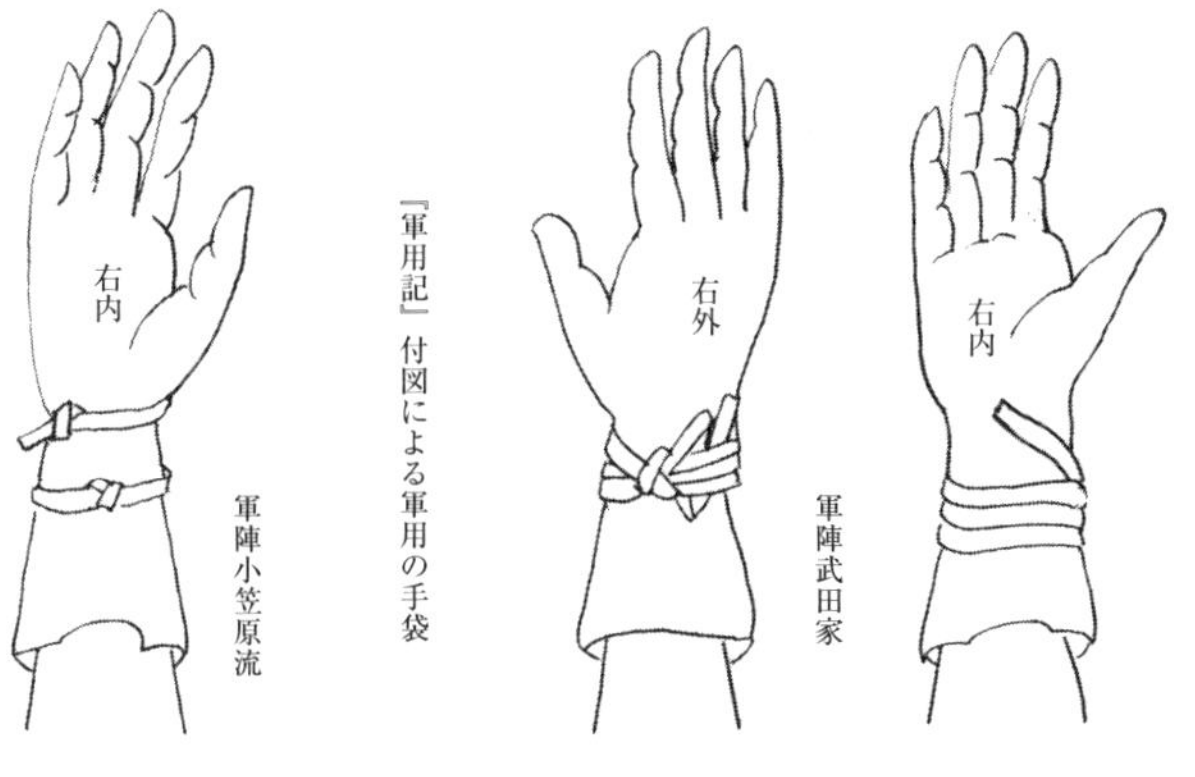

『軍用記』付図による軍用の手袋

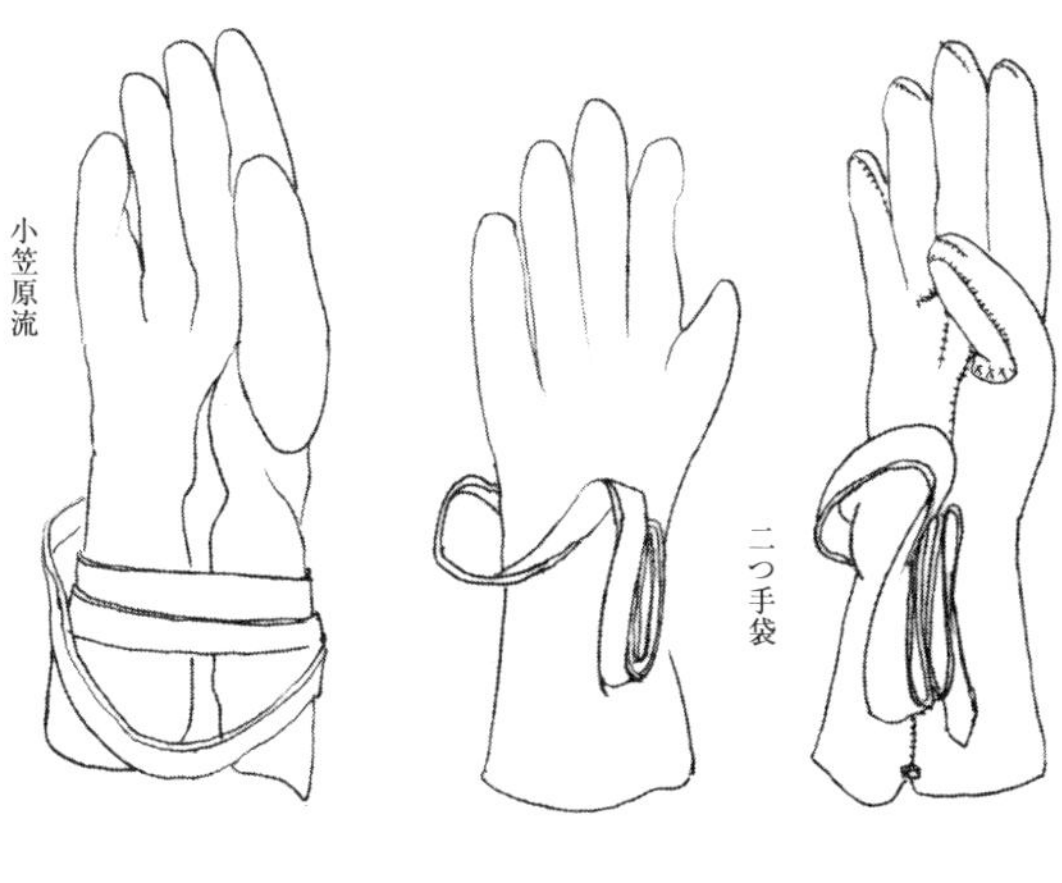

鞆［とも］

遺物と記録には見られるが、中世以降使用されなくなったために、その使用法に諸説を生じたものに鞆と称するものがある。

記録においては『記紀』に見られ、また持統天皇の七年（六九三）に官人も武器・武具を用意すべき詔を出した中に鞆も一枚必ず備える事が規定されたから、射戦には必要の道具として認められていた。しかし次の文武天皇の大宝元年（七〇一）に発布された大宝令の軍防令には鞆の記載は無く、次第に用いられなくなっていったらしいが、次代の元明天皇の和銅元年（七〇八）の『万葉集』雑歌の中に

大夫《ますらお》之《の》鞆《とも》乃《の》音《おと》為《す》奈《な》利《り》物部《もののふ》乃《の》大臣《おほまえつぎみ》楯《たて》立《たつ》良《ら》思《し》母《も》

とあるのは翌年に蝦夷征討を行うので、軍士が演練する時に鞆を未だ用いていたことを示すものである。

また『続日本紀』孝謙天皇の天平勝宝四年（七五二）二月巳巳の条に武具造りの雑工の中に鞆張の工人のことが記されているからまったく使用されなくなったのではあるまい。『本朝軍器考図』享巻には『年中行事絵巻』第八巻の宮中における正月十八日の賭弓の図を参照して、射手が左腕に鞆をつけた態を描いている。

この図では鞆が外側につけた図になっているので、弓反《ゆがえり》して弦が当るのを防ぐという説が生れるが、弓反した丈では「鞆の音すなり」という程の音は出なかったであろう。

また別の説では矢を放したときに弦が腕を擦るのを防ぐために内側につけると推定するが、これは弓の握り方が拳の入り過ぎの場合に腕の内側を擦るいわゆる「拙射の一癖」の折にこそ必要であり、また『本朝軍器考図』の鞆のように大きく膨んだ鞆では射術に不便である。

鞆

『年中行事絵巻』正月十八日賭弓に描かれた鞆。腕の内側か外側か明瞭でない

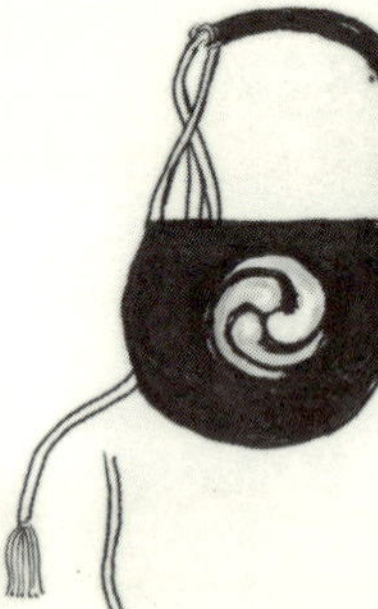

『本朝軍器考』付図に描かれた大神宮宝物の鞆

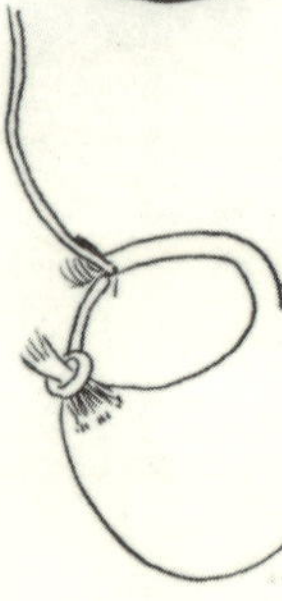

『吉房秘訓図』の白鞆

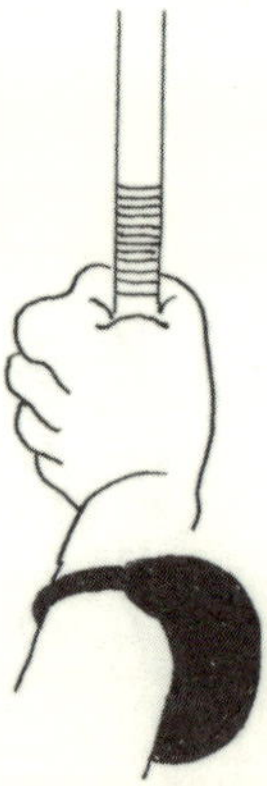

鞆を腕の内側にはめると拙射の一癖のようになり狙いがうまくいかない

故に『貞丈雑記』では

鞆に二品あり。武用の鞆と、伊勢神宝の鞆と二品なり。武用の鞆は熊の皮にて作り（毛は裏の方にあるなり）腕を通す所は牛の革にて手を付て、紫の組緒を付くるなり。又神宝の鞆は鹿の皮にて縫ひて胡粉をぬりて墨を以て絵を画くなり。委細は延喜式と云ふ書に見えたり

として、実用の鞆は熊の皮を牛の革緒で腕に巻いて作り、神宝の鞆は鹿の韋を縫って作ったものであると述べている点から、実用の鞆は腕に巻くだけで、神宝の鞆は誇張されて膨んだ形であるのが、一般概念で神宝の鞆が鞆の本体と認識しがちに思われていた。神宝の鞆の形では腕の内側につけては不便であるし、外側につけて弓反りを防ぐだけのものとしたら無用のものである。

実用の鞆は毛皮を腕に巻いた丈のものが本当であったと推定される事は『春湊浪話』に

鞆といふものは上に云う手の飾にせし手纒を覆ふ料にせしものなり

とその理由を説いているが、『万葉集』第九に

吾妹子者《わぎもこは》　久志呂爾有奈武左手乃《くしろにありなむひだりての》　其奥《そのおくの》
手爾纒而去麻志乎《てにまといてさりましこ》

とあるように男も左手に釧《くしろ》をはめていたので弓を射る時に弦が釧に触れて矢業に障害を生じるので、釧の上に韋を当てて巻いたのが鞆の始まりらしい。その巻いた形が誇張されて神宝に見られる形となったものであろう。

年中行事絵巻賭弓の図に見られる、左腕に巻いたやや太目の鞆は、儀礼化して誇張されたものと見るべきである。武人が実戦においては籠手が鞆の役も果たすし、また韘をつける事によって鞆の必要をまったく認めない故に次第に用いられなくなった事と推察できる。

故に神宝の鞆を以て、左手の外側あるいは内側につけると議論する事は無理である。

古物語や古歌に鞆の音する事が記されるが『江次第』に

先引弦　次当拾《とも》　両三度鳴之

とあるように弦が鞆に当る音が儀礼化する程になったが、別に大きい音がするわけではない。

弦巻［つるまき］

弓の弦を巻いて納めて置く道具で弦袋ともいうが、袋状のものではなく、両側を囲った輪状にして腰に下げる。弓は弦が切れたら予備を持っていないと役に立たない。

故に古くから弓には予備の弦を用意する事が心得で、『養老令』（七一八）軍防令に兵士一人につき「弓弦袋一口、副弦二条」と規定されるくらいで、古くは于磋由豆流《うさゆづる》とあり、『古事記』でも設弦《うさゆずる》の文字もあり、儲弦とも書いている。

弓弦は麻を捻って天鼠《くすね》を塗り込んで固めたものであるから、絲紐のように折り畳むと、そこから折目が付いて、弓を引いた時に切れてしまう。それで折目が付かぬように輪に巻いて用意するのである。

『貞丈雑記』に

弦巻は弦を巻きおく物なり。今もみなくちといふ所にて作り出すなり。古は皮にても作りしなり。みなくちにて作るは、草のくきにて作るなり。今の弦巻は、まんぢうを二つ合せたる如く、丸みあり。古の弦巻は算盤の玉のごとく、杉形のやうにてありしなり。中の穴もせばし。今のは穴広過るなり

と記されるように古くは牛の皮などを固めて作ったが、近世はもっぱら蔓草を編んだり、籐をこまかく裂いて編んで作ったが、輪の穴は次第に大きくなり、弦を巻く部分が狭くなってきた。

甲冑武装の折には箙の掛緒の途中に吊り下げたが、武装していない時は太刀の帯取と帯取の間の緒に弦袋緒を通して用いた。『貞丈雑記』には、無位無官の者は弦袋は用いる事ができなかったとしてあるが、甲冑武装した折には箙の付属品として必要の具であるから、必ず用意された。

また『安斎随筆』には

箙には必弦巻付るなり　つる袋はうつぼに必つくるものなり

とあり、つる袋という名称にこだわって区別しているが、確かに近世の空穂の間塞ぎの裏には袋状のものが取付けられて、巻いた弦を納めるようになっていて、俗に弦袋といっている。

弓袋［ゆみぶくろ］

弓を日照雨湿から防ぐのに用いたり、予備の弓を持参するときに用いる、弓を納める細長い袋で、奈良時代すでに使用されていた。『東大寺献物帳』に

十五張紫袋　緋綾裏　十張紫袋緑絹裏
錦袋緋綾裏　紫紬袋縹纈綾裏　以上四十
二張　並纈袋　緑絹裏　黄紬袋緋綾裏

等の記録があり、後世よりも立派な裂地で弓袋が作られていた事がうかがえる。ただし後世の弓袋と同形であったかどうかは不明である。

また『和名類聚抄』には

韔　音張　和名由美布久呂　弓衣也　唐
式云弓袋

とあり、同時代の『延喜式』兵庫寮式に

凡後梓弓一張（中略）弓袋料紫表緋裏帛
各一条　各長一丈一尺三寸　広八寸

とあってはなはだ長いから上部は紐で結んで折返し（打垂）としたものであろう。幅八寸

弦巻

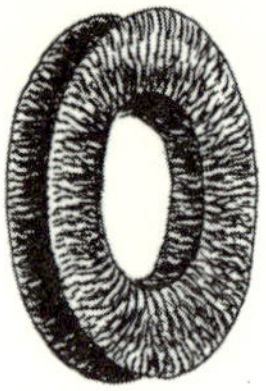

つづらふじを編んだ弦巻

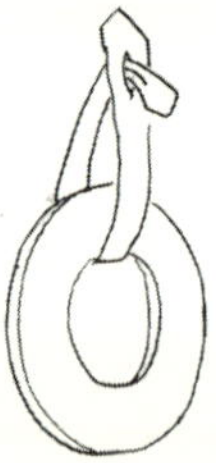

『軍用記』付図の弦巻

『平治物語絵巻』に描かれた武者の弦巻

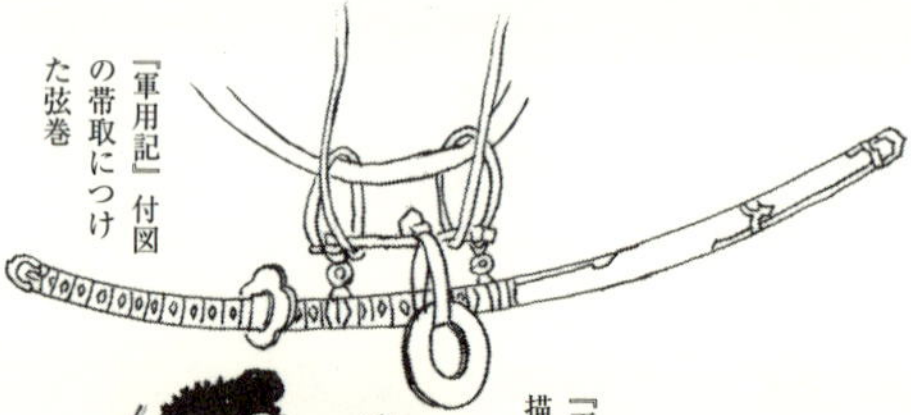

『軍用記』付図の帯取につけた弦巻

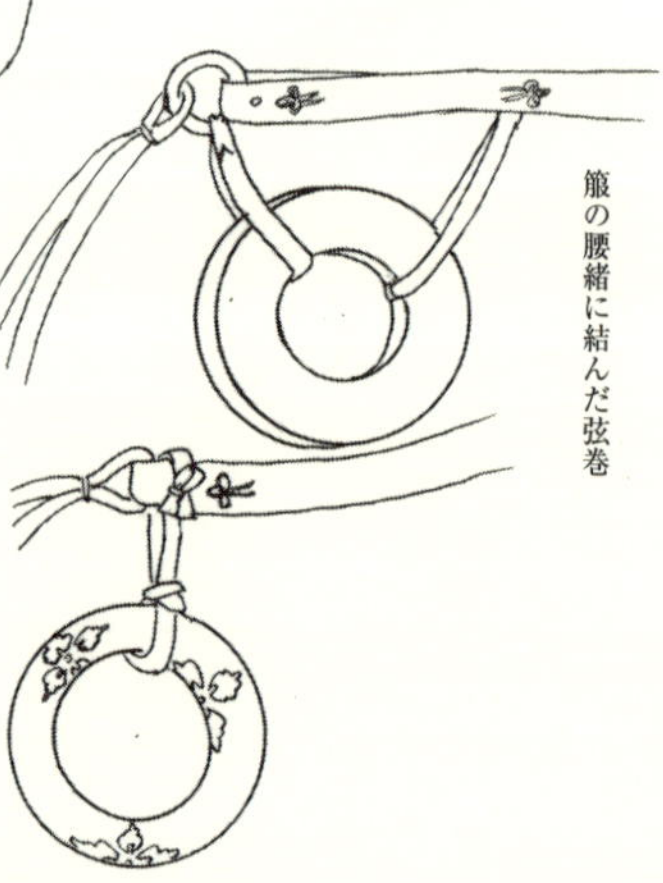

箙の腰緒に結んだ弦巻

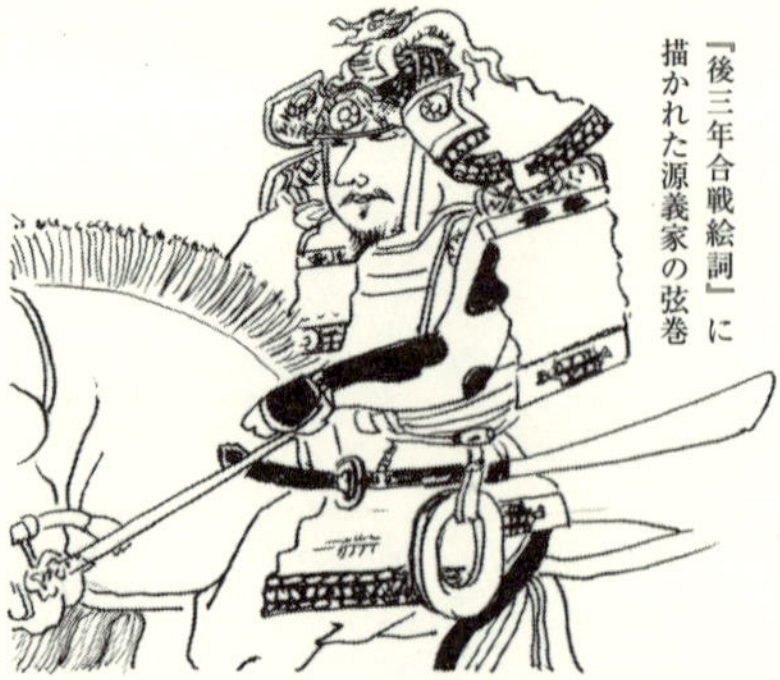

『後三年合戦絵詞』に描かれた源義家の弦巻

は二つ折にして袋縫いにするから四寸であるから、だぶだぶの袋で、『伴大納言絵詞』に描かれている検非違使の随兵に従う下部が持っている弓袋のようであるから、すでに形式が一定していたと推定できる。

武家が台頭し始めると、主戦兵器が弓馬となったので武家はほとんど弓を携帯し、その予備の弓を用意したから、弓袋は大いに用いられた。

『撮要集』に

弓袋の事。ながさは弓のたけたるべし。ふせぬいにすべし。布は十九といふきぬ也。さりながら当世かつてなきぬのなり。ただの布のうつくしきを可レ用。うらはずのかたを一尺二寸ぬいあましておくべし。其たけほどにごめんとしやうぶかはをばかさねて上につくべし。ごめんを中にかさねてしやうぶかは上にかさねべし。二ツになりて折めの方にてあなたこなたへもちらかして、そのあなの所を別の黒かはにてゆひて、上のぬいめによくよくむすびてつくべし。上のひだ十二におりて可レ付。しょうぞくのかはのひろさ一寸二分ばかりさきをけんさきにきるべし。下を一尺五寸ばかり、弓よりながくして、是もぬいのこして弓のきはにてむすびておくなり。色の事つねにあさぎたるべし。二所にきくとぢをつけべし。

弓袋

『小笠原長時記』所載弓袋図

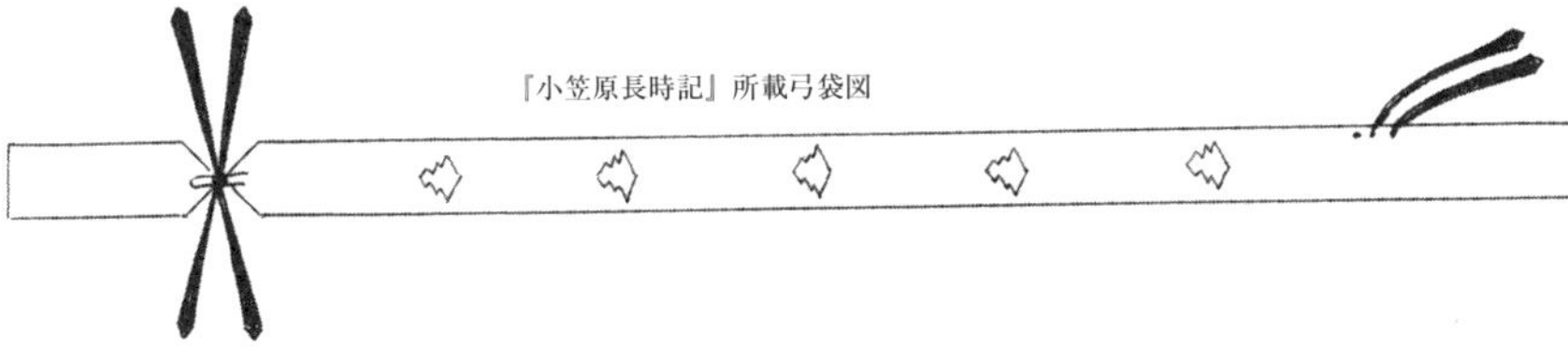

『勝闘記』所載
弓袋長サ一文定リ也

弓袋は一尺二寸幅の布を水色に
染てかとかとばかりふせぬいに
針つかひて三針さしか又は七五
三につかふべし口伝

『軍陣聞書』書載弓袋

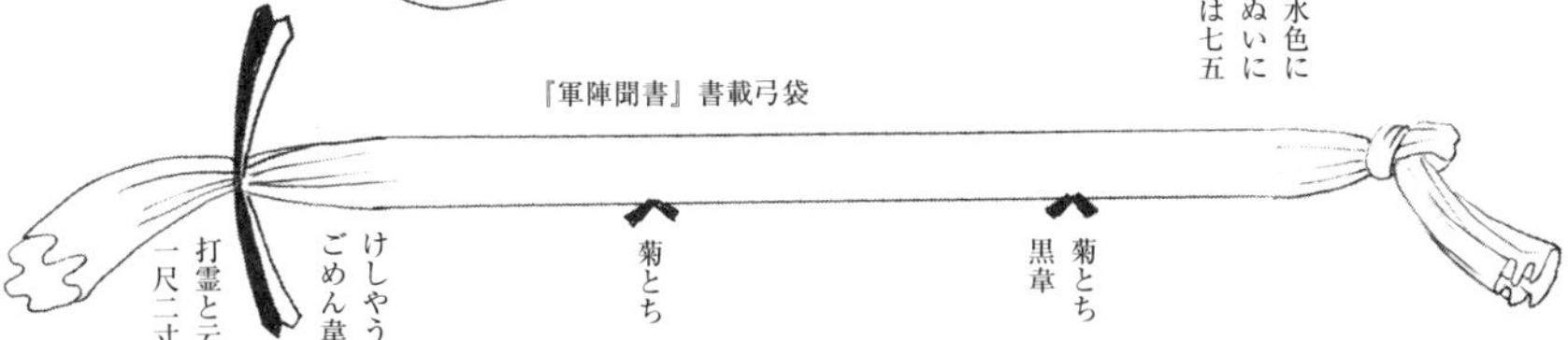

是もくろかはなり。ひろさ五分計むすびて長さ一寸ばかりひだりまへになきやうによく〳〵みてむすぶべし。又弓袋の下をかはにてゆひておくなり

とあり、その寸法、作り様は『高忠聞書』『家中竹馬記』『出陣聞書』『射御拾遺抄』『武雑記』『八張弓之巻』『小笠原長時記』江戸時代においては伊勢貞丈の『軍用記』等にそれぞれの家の流儀によって規矩が述べられている。

弓袋に入れた弓の持様は『私刀記』によると

公方様御弓袋の事。遠く御成の時は被レ持候。御富士御参詣の時は御弓袋の色赤様にて御座候。つるよし承及候。惣別は紫を御用なさるべき儀にて候

とあり、紫色が将軍用になってしまっている。また弓袋に入れた弓を下人が持つときは『常照愚草』に

弓袋に入たる弓を下人に持せ候事も、はり弓のことし。又外竹をさきへ成てかたにかつぎて持事も在レ之。略儀なり。

張弓を持つときに外竹が前方になるが弓袋に入れた弓も外竹が前になる。弦を外してあるので弓は前のめりに反った形となる。

下人郎等が弓を持って行く図は『伴太納言絵詞』『年中行事絵巻』『後三年合戦絵詞』等に散見している。

弓袋持

『後三年合戦絵詞』に描かれた弓袋持の従者

『伴太納言絵詞』に描かれた弓袋持の下部

第二章
刀剣と長柄類

各種の刀剣〜刀剣の発達と装飾

石剣と青銅剣

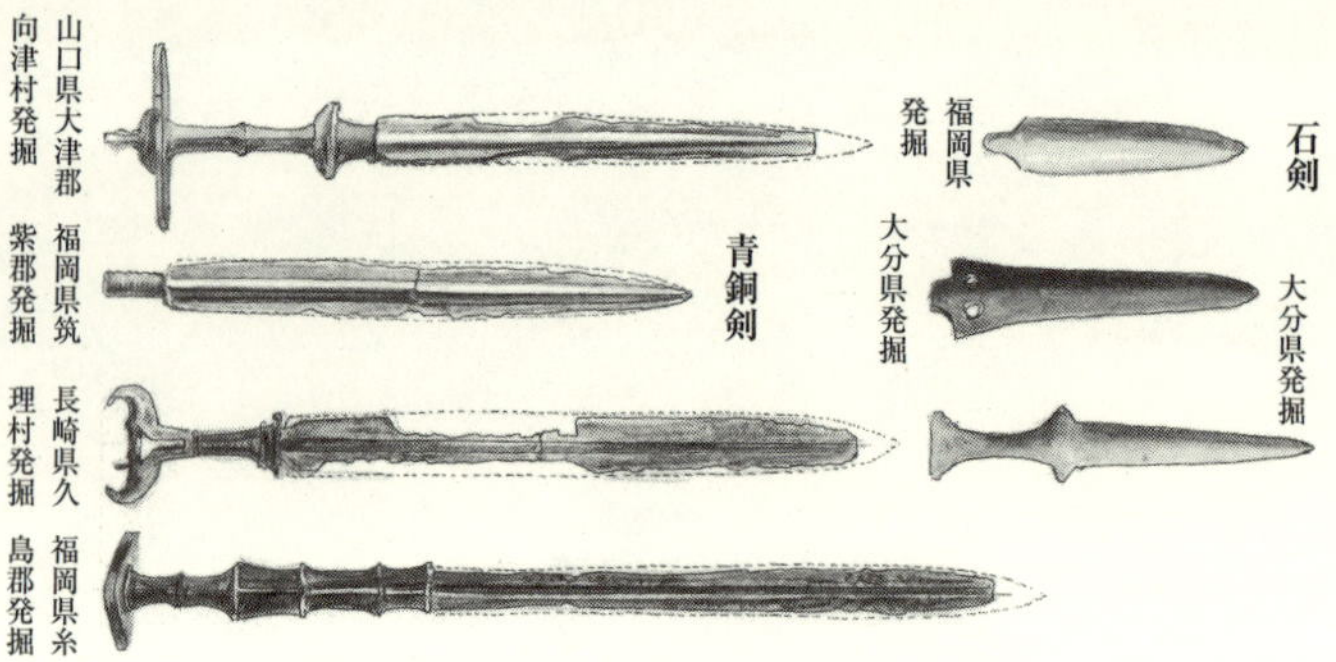

古代の刀剣

古代において両刃の武器は、斬撃もするが、刺突を主としたので貫きの意から「つるぎ」といい、また片刃のものは主として斬ることを主としたので断つことから「たち」と呼んだという。

「つるぎ」や「たち」は帯取の紐をつけて腰に吊り、横に位置するので横刀と書いて「たち」と訓ませている。『日本書紀』等に記され「多知」「大刀」「太刀」とも書くが、後世はもっぱら「太刀」の用語が多い。

環刀太刀［かんとうのたち］

古代は直刀で、中国の影響を受けた環頭太刀がある。これは柄頭が大きい輪になっていて、その中に鳳凰や龍首の彫刻がある。また単に輪状のものを素環頭という。この形式は柄頭が変化しつつ奈良時代に及ぶが、その過程の中で柄頭を誇張的に膨らました頭椎《かぶつち》の太刀という形式もある。

頭椎の太刀［かぶつちのたち］

頭椎の太刀は『日本書紀』神代巻下に天槵《あめくし》津《つ》大来目《おおくめ》命が頭槌劔を帯び、また、神武天皇紀、神功皇后紀等に散見するが、これらの人物が実在したと仮定した場合の年代には合わない。頭椎は古記録では「勾夫蒬智」「勾鶩都々伊」と書いたもので、「かぶつちのたち」とも「かぶつちのつるぎ」とも称している。

十握劔・八握劔

［とつかのつるぎ・やつかのつるぎ］

また片刃か両刃かは不明であるが『記紀』では劔の文字を用いて「つるぎ」「たち」「けん」と訓ませ、十握劔・八握劔（掌で十握りしたり八握りした刃の長さの剣）の用語もある。『和名類聚抄』では

劔　四声字苑云　似レ刀而両刄日劔　今按僧家所持是也

また「つるぎ」については

属鏤　広雅云属鏤　力朱反　文選読豆流岐

大刀については

刀四声字苑云　似剣一刄日刀　大刀和名太刀

刀剣——一（古墳時代）

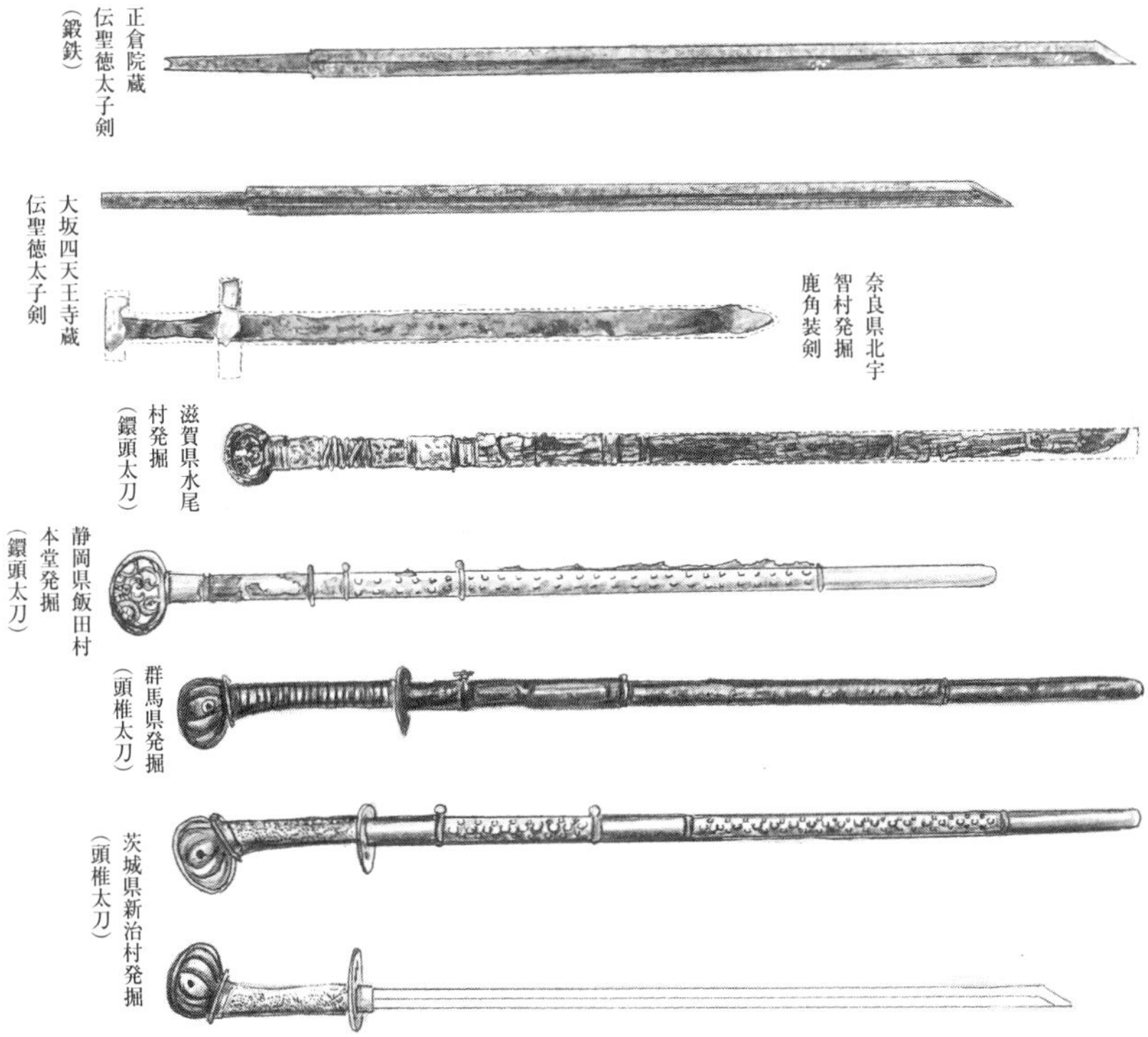

とあるが、二つを合わせて「つるぎたち」ともいっている。（『万葉集』）

狛　剱［こまつるぎ］

『日本書紀』推古天皇紀には句礼能麻差比とあるのは狛剱（『万葉集』）とあるが『藻塩草』には

狛剱は仙覚か枝ありてわさ〳〵しければ狛剱和射とつつけたりといひしは牽強に近し。宗砌か柄長して輪ありといへる必所見あらん。狛剱輪とつつけたりといはんは穏にも聞えて異国の剱頭に環ある多かりしともいふなり

と環頭太刀に近い推定である。

玉纏太刀［たまきのたち］

玉纏太刀は『万葉集』にも詠われているが『延喜式』大神宮式に

玉纏横刀一柄　柄長七寸　鞘長三尺六寸　柄頭横著レ銅　塗レ金長三寸八分　片端広一寸五分　片端広一寸　頭頂著仆鐶一勾　径一寸五分　玉纏十三町四面五色玉有　著五色組　長一丈阿志須恵組四尺　柄著勾金　長二尺　著鈴八口　虎碧玉二枚　金鮒一雙　長各六寸　廣二寸五分　著緒紫組長六尺　袋一口　表大暈繝綿裏緋綾　帛各長七尺

とあり、『内宮長暦送官符』にも同様の記事

がある。現在伊勢遷宮の折毎に新調する玉纏太刀は古代の技術に見られない程精巧であるが、明治十三年印刷局より発行した伊勢内外部神宝部『国華余芳』には古い玉纏横刀残欠二種が描れているが、それでも平安様式であるから、古代の玉纏横刀はもう少し虚飾の中に素朴さがあったであろう。

剣の美称

『古事記』には都牟刈之太刀という語があり『延喜式』太神宮式や『内宮長暦送官符』等に記されているが、都牟我利、須我流、須我利等は利《と》く断ちきるさまを讃えて名付けられたという説があり、利剣の美称らしい。

また天之尾羽張、伊都之尾羽張の太刀も鋭利な太刀の美称。『日本書紀』の八岐大蛇を斬った蛇之麁正《おろちのあらまさ》　蛇韓鋤《おろちのからすき》、天蝿斫《あまのはばきり》（天羽々斬）、草薙劔（天叢雲劔）等はすべて古語による美称の名剣の名であり、その形態はうかがい知れない。

記録に残る刀剣

古い記録には生太刀《いくたち》（『古事記』）。大葉刈（『古事記』の神度剣）。韴靈《ふとのみたま》（『日本書紀』）。佐士布都（『古事記』一に甕布都）。建布都（『旧事紀』一に豊布都）。膽狭淺大刀（『日本書紀』垂仁天皇条）、聖徳太子の丙毛槐林の御劔。壺切（『扶桑略記』。日月護身、破敵（『桃華蘂葉《とうかずいよう》』）。三公闘戦（『禁秘抄《きんぴしょう》』）。坂上田村麻呂の坂上宝剣（『増鏡』）。平時忠の河霧（『源平盛衰記』平家都落条）。獅子王（『平家物語』ぬえ主の条）。鵜の丸（『保元物語』『吾妻鏡』寿永二年の条）。吠（吼）丸（『平家物語』劔巻）。石切（『平治物語』『太平記』）。髭切（『平治物語』）。鬼切（『劔巻』）。泉水（『平治物語』）。薄緑（『平治物語』）。こんねんとう・友切微塵（『曾我物語』）。鬼丸・鬼切（『太平記』）。血吸（『酒呑童子物語』）。骨食《ほねばみ》（『源平盛衰記』）。小烏（木枯と同物ともいう。『平治物語』）。抜丸・竹現（長門本『平家物語』）。小狐（『餝抄』『保元物語』他）。鳳凰丸（『太平記』賀名生皇居条）。面影（『太平記』）。八八王（『難太平記』）等古代から有名の刀剣が記録に見られるが、その全容はわからない。

これらはほとんど武将達に伝来したので、実戦的経験から刃に少しずつ反りを生じた。馬上で片手斬りが多いために、柄にも反りを持つようになり、後世の刀とは反りが異なる。

野　剣［のだち］

武士が多く佩用したために刀剣は著しく発達し、刀鍛冶の名工も平安時代より聞え始めたが、一方で公家が供奉に佩用する野剣がある。野剣は後世の野太刀とはまったく異なり『西宮記』人々装束条に

野劔公卿布袴時著二革緒一用レ之。衛府平緒革緒随レ便用レ之設饗雑役用二野劔一云云

とあり、その形式は俗に毛抜太刀ともいう。身と柄が同鉄で作られ、柄の中程に毛抜形の透かしがあり、代表的遺物は伊勢徴古館に伝藤原秀郷佩用という品がある。柄に反りがあり透しがあるのは、前代に関東から東北にかけて多く用いられたらしい蕨手刀の形式に関連性があるように思われる。後世の野太刀とは実戦用の大太刀のことをいう。

こうした野剣の系統を衛府太刀というが、この言葉が訛って江戸時代には陽の太刀ともいった。

武太刀［ぶたち］

これに対して実戦用の太刀を武太刀と呼び、『吾妻鏡』建久元年十二月一日条に

御劔　武太刀

とあり『花園院御記』正中二年十二月十一日条にも「如レ此劔号二武劔一云云」とあって、宮廷用の太刀と武人の太刀と歴然と区分されるようになった。

刀剣の装飾

武用の太刀の装飾

武用の太刀は柄鞘を金銀鍍金した板で包んだり覆輪したので「金銀装束太刀」とか金作《こがねづくりの》

刀剣―二

（古墳時代～奈良時代）

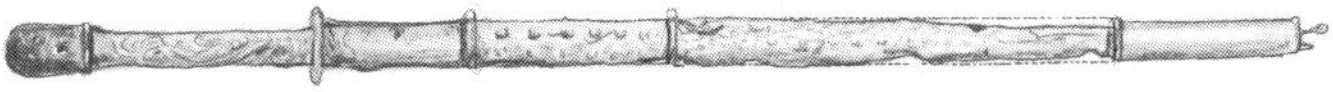
円頭《えんとう》大刀《たち》
旧朝鮮総督府蔵

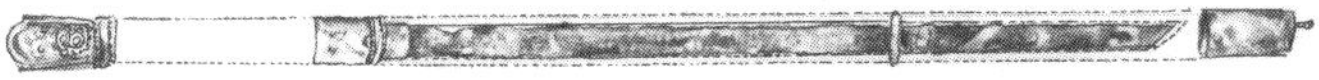
圭頭《けいとう》大刀《たち》
上野国立博物館蔵

方頭《ほうとう》太刀《だち》
古墳出土
栃木県足利市

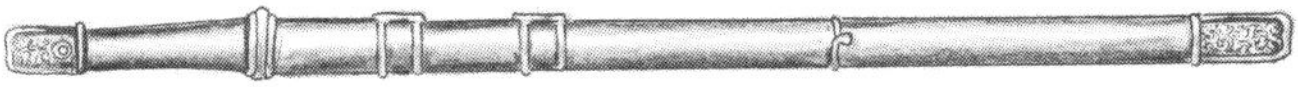
群馬県藤岡古墳
出土の復原
銀装大刀

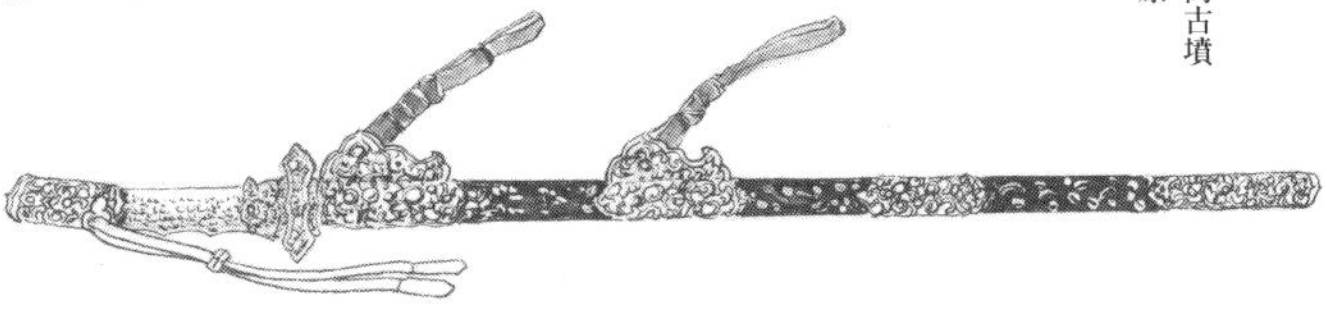
金銀装大刀
正倉院所蔵

横刀《たち》
正倉院所蔵

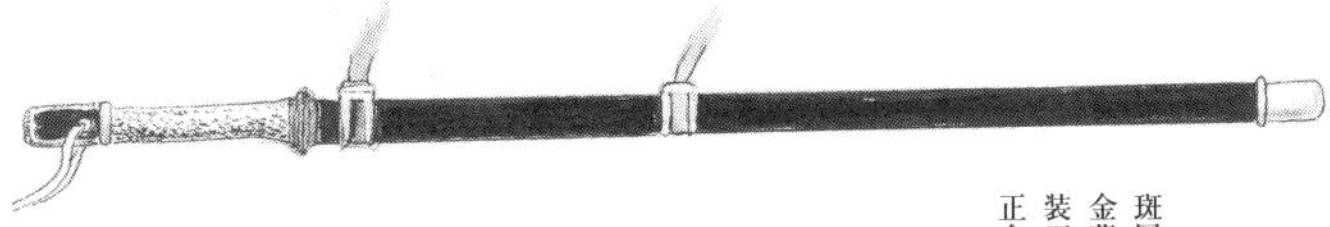
黄金装大刀
正倉院所蔵

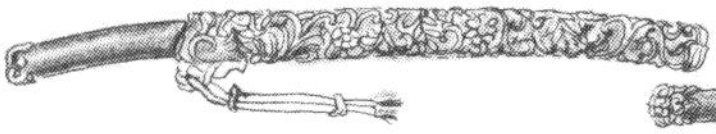
犀角把銀葛形刀子
正倉院蔵

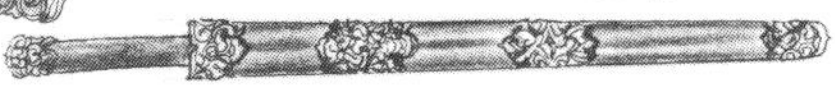
斑犀把漆鞘
金葛形珠玉
装刀子
正倉院蔵

黒作大刀
正倉院蔵

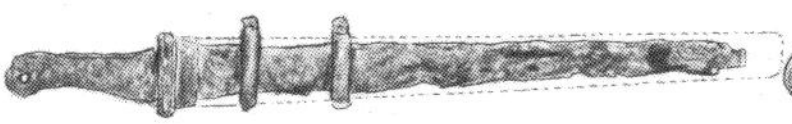
長野県祢津村発掘
蕨手刀
東京国立博物館蔵

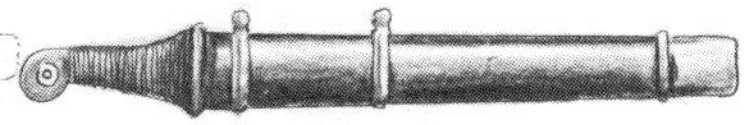
蕨手刀復原品

刀剣──三

（平安時代～鎌倉時代）

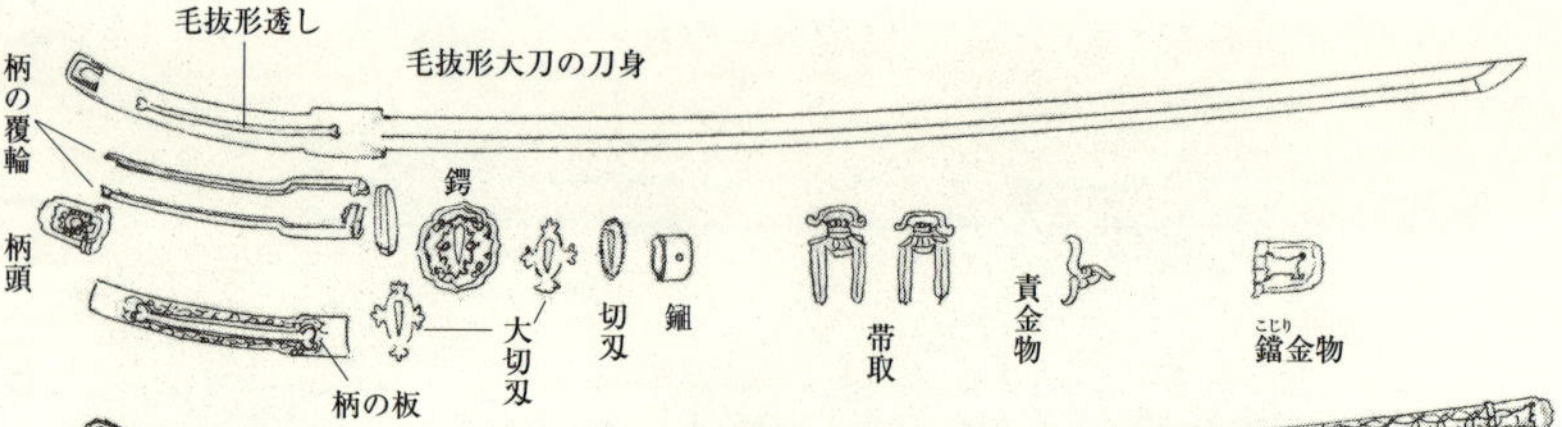

錦包毛抜形太刀（伊勢徴古館所蔵）

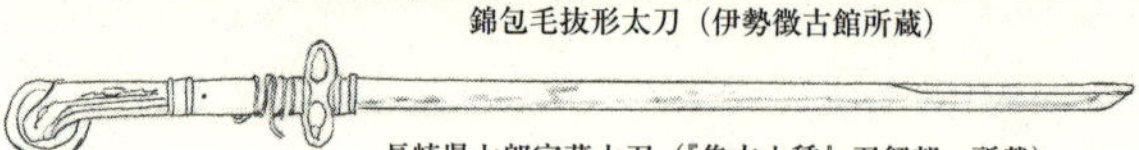

長崎県七郎宮蔵大刀（『集古十種』刀劔部一所載）

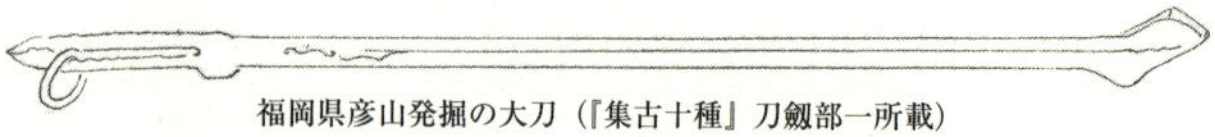

福岡県彦山発掘の大刀（『集古十種』刀劔部一所載）

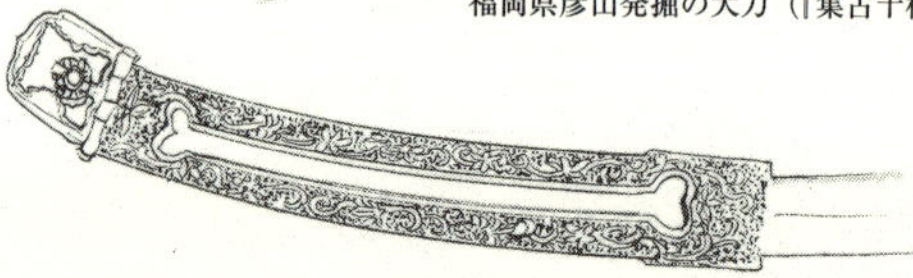

毛抜形大刀柄

毛抜形大刀

熱田神宮所蔵覆輪太刀

静岡県三島大社所蔵北条太刀

熱田神宮所蔵覆輪太刀

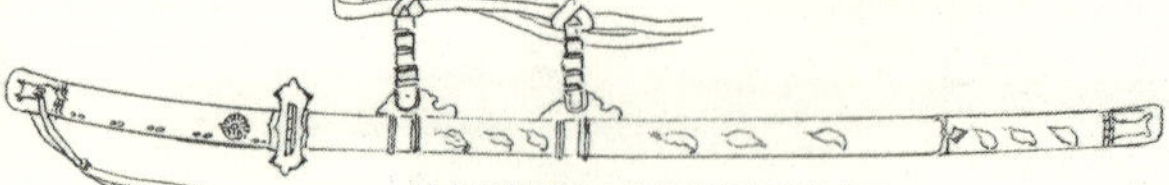

神奈川県鶴岡八幡宮所蔵杏葉紋大刀

刀剣—四（鎌倉時代）

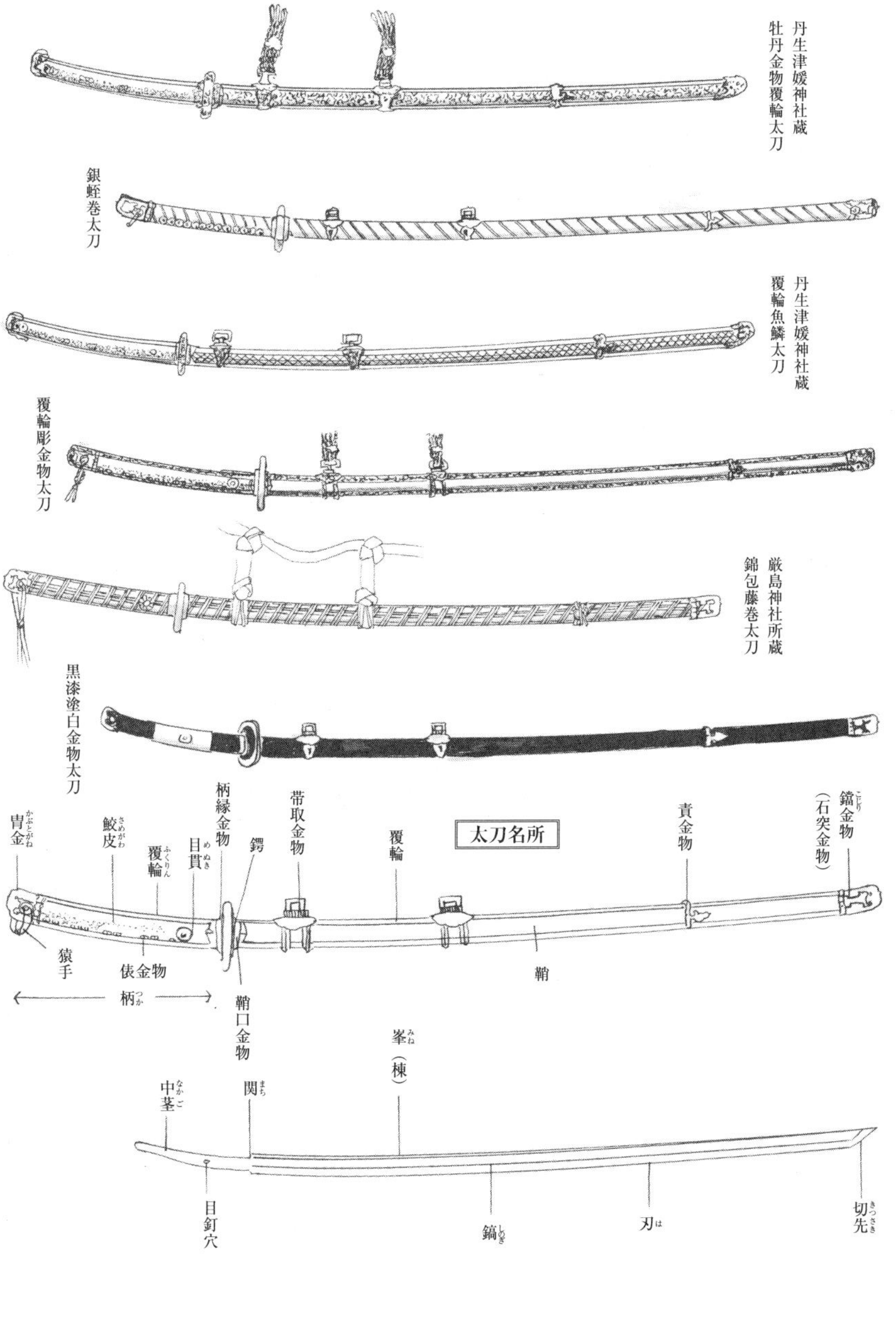
丹生津媛神社蔵
牡丹金物覆輪太刀
銀蛭巻太刀
丹生津媛神社蔵
覆輪魚鱗太刀
覆輪彫金物太刀
厳島神社所蔵
錦包藤巻太刀
黒漆塗白金物太刀
太刀名所
冑金《かぶとがね》
鮫皮《さめがわ》
覆輪《ふくりん》
目貫《めぬき》
柄縁金物
鍔
帯取金物
覆輪
責金物
鐺《こじり》金物
（石突金物）
猿手
俵金物
鞘
柄《つか》
鞘口金物
峯《みね》
（棟）
中茎《なかご》
関《まち》
目釘穴
鎬《しのぎ》
刃《は》
切先《きっさき》

刀剣―五

（室町時代～江戸時代）

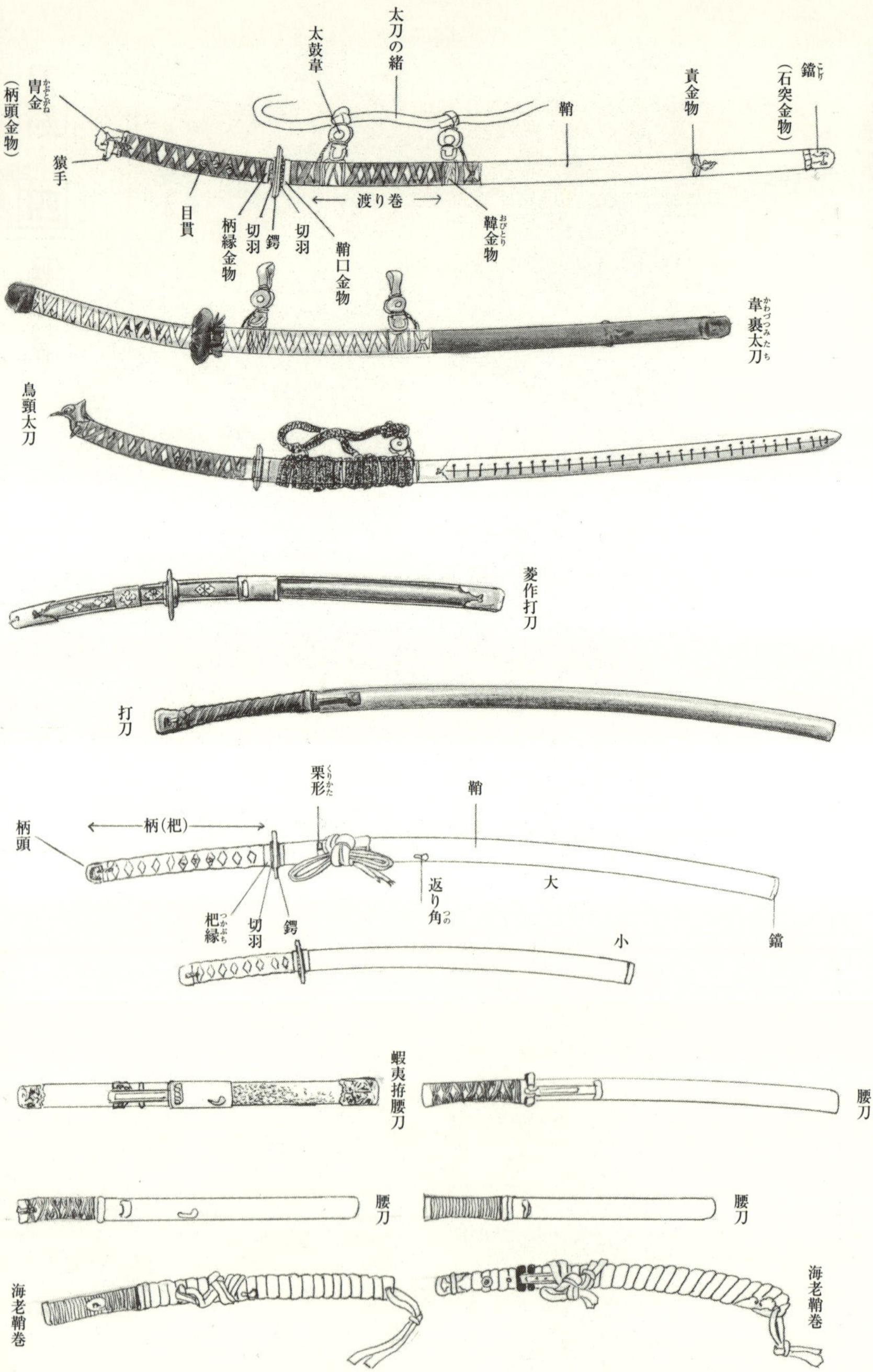

太刀（『平治物語』）・金剣といい、銀装束は銀造《しろがねづくり》太刀・白作《しろづくり》太刀・白太刀・銀剣等といった。これは装飾化もあるが、武用のために頑丈に作られたからである。金色に輝くのは金銅作《こがねづくり》太刀、銅のままのものを赤銅作《しゃくどうづくり》太刀（後世の合金の赤銅とは異なる）、また黒漆塗りで仕上げたものを黒作《くろづくり》太刀（『大内義隆記』）といった。

武用の太刀は頑丈な拵えで、覆輪《ふくりん》したり蛭《ひる》巻《まき》をしたりして厳めしいので、これを嗔物《いかもの》（怒物・厳物）造りの太刀といい、源平期に流行し、帯取《おびとり》に兵庫鎖《ひょうごぐさり》を用いるので兵庫鎖太刀（『太平記』『曾我物語』他軍記物に散見）といった。総覆輪の太刀でも、鞘の表裏は金属板を貼るが、柄は、握り溜りが良いように鮫皮（一説に「エイ」の皮）を貼る。その鮫皮が小粒の粒子が揃っているのは一般的で、中に梅花形の大粒が混ざっているのを梅花皮《かいらぎ》（鰄）といって珍重し、この皮を貼った柄の太刀を鰄太刀といった。またこの鰄肌を象った金銅の薄板を貼ったものを鰄金作太刀（『太平記』中殿御会の条）とも打鰄金作（同書）ともいい、銀の薄板で打出したものを白打鮫太刀（『鎌倉年中行事』）、鞘まで金を貼ったのを金村含《くくみ》太刀（『建内記』。くくみは包みの意）といった。

また柄鞘を黒漆塗にした太刀を黒太刀（『将軍義教公元服記』）、帯取り（韓）金物などを銀装としたものを足白太刀（『平家物語』）、黒漆塗に柄頭・縁金・足・責金物《せめかなもの》等を銀を用いたのを黒漆白金物太刀等といった。

公家の剣の装飾

一方公家の剣はほとんど非実用の形式的飾《かさ》剣《だち》で鞘を螺鈿や蒔絵で装飾したので螺鈿野劔（『小右記』）、蒔絵野劔（『飾抄』）といい平《ひょう》文《もん》野劔（『左経記』）があり、中には銀長覆輪野劔（『吾妻鏡』嘉禎元年六月廿九日条）、黒漆野劔（『明月記』建久三年四月八日条）、黒鞘野劔（『小右記』）ともいった。

また柄前を絲や韋で巻いて手溜り良くしたものが南北朝時代頃から流行し、これを絲巻太刀（『康富記』他）といい、腰刀もこれに倣い、後に大小刀二振佩用するものの定形となったが、大刀の場合には渡り巻きといって鞘口から帯取り、そして帯取の後十センチ程も柄と同じ様に韋か絲で巻いた。俗にこれを鬼丸拵えといっている。

また柄頭、鍔部、鞘の損傷を防ぐために韋をかぶせる事が行なわれ、これを皮（韋）裹《つつみ》太刀といい、『康富記』『蜷川親元記』等に記され、軍陣用に流行した。

このほかに儀礼用には鳥頸太刀《とりくびのたち》（柄頭に鳥の頸が表頸され、鷹飼用ともいわれるが他の者も用いた）、劔頭太刀（『江陽屋形年譜』。柄頭が剣先状に角ばっている）、熨斗付太刀（鞘を熨斗に見える薄板で巻いたもの。後に大小刀にも用いられた）などがある。

刀剣のつくり〜刀身と柄・鍔

刀身の名称

断面の形

刃身は鋼を折返し鍛えて、中に軟鉄を包むようにして作るのが日本刀の特徴であるが、姿は剣のように両刃をつけ断面が平たい菱形状のものを両刃造といい、太刀・刀のように片刃のものは峯の形により角棟（平棟）、三つ棟（これが一番多い）、庵棟、丸棟とする。

鎬［しのぎ］

刀身の側面には鎬を設けるが、鎬無しを平《ひら》造《づくり》といい、鎬の先端が鋒まで伸びているのを菖蒲《しょうぶ》造、薙刀に見られるように上部の棟部分を薄くしたものを鵜《う》の首造、これに横手あるものを冠落《かんむりおとし》、鎬が刃の方に寄っているものを切刃《きりは》造、鎬が峯方に近いのを鎬造といい、これに似て帽子（鋩子《ぼうし》）が長くて横手が下方にあるのを「おそらく造」という。

鋩子は横手まで直線のものを鰤切先《かますきつさき》といい古いものに見られ、膨みを持つのが多いが横手の位置の長短によって小切先・中切先・大切先と呼んでいる。

樋［ひ］

また鎬地に樋と名付ける細い溝を切ったものもあり、これを俗に血溝と呼び、茎に接する溝先が丸留め、角留め、掻き通し、掻き流し等の種類があり、棒樋《ぼうひ》、棒樋に添樋、二本樋、菖蒲樋、薙刀樋（喰違樋）等がある。樋にも長短あって腰の方だけのものを腰樋、横手より上まで掻いてあるのを「樋先上る」横手より下でとまっているのを「樋先下る」という。

反り［そり］

刀身は古くは直刀であったが、斬る動作からいくらか湾曲した方が有利のため反りを生じた。反りは古い時代程僅かで、むしろ柄の方が反っていたのは片手斬り（馬上戦）に有効であったが、これには蕨手刀の形からの影響が見られる。しかしアジア大陸の騎馬戦の刀剣が湾刀であるように刀身が反るのは有利であるために、僅かであるが反りを生じ、柄が強く反った。しかし鎌倉時代頃から反りは強くなり華表《とりい》（鳥居）の笠木のように平均した反りの華表反りと、佩用した折の腰の辺か

刀身の断面と各部名

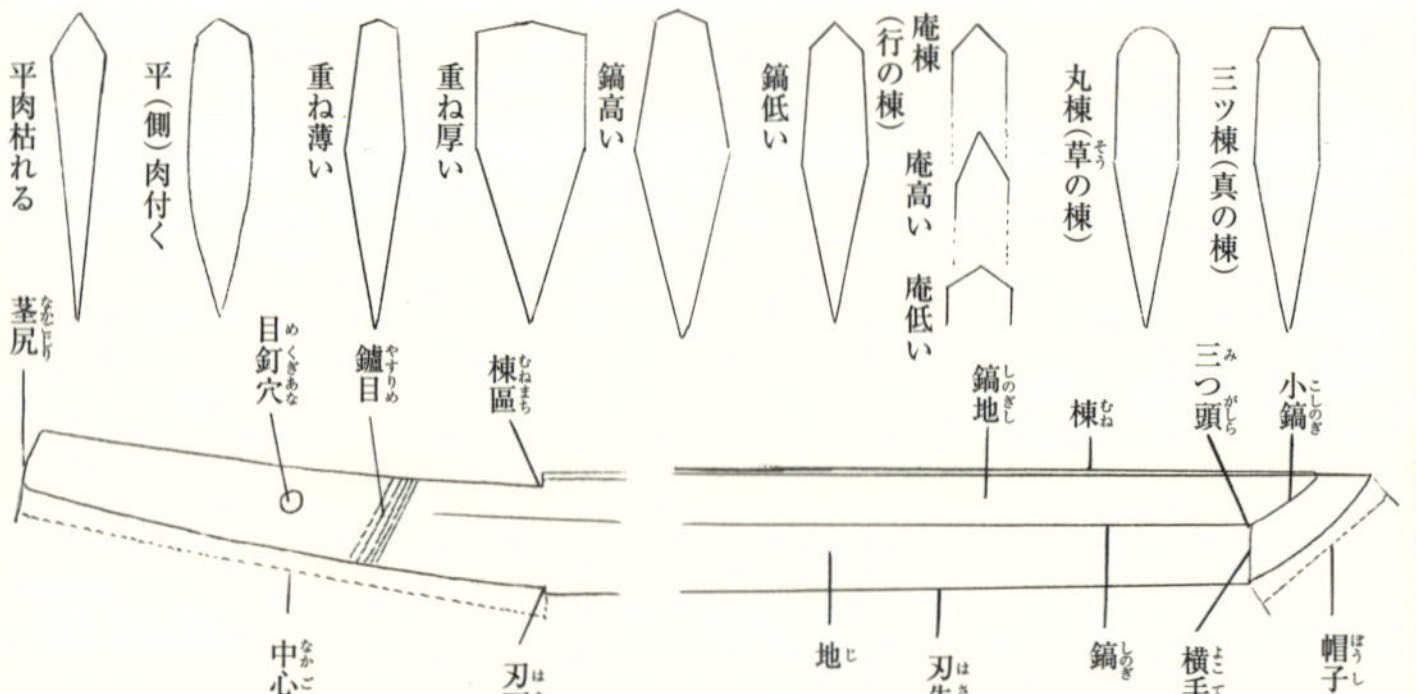

刀身の形式

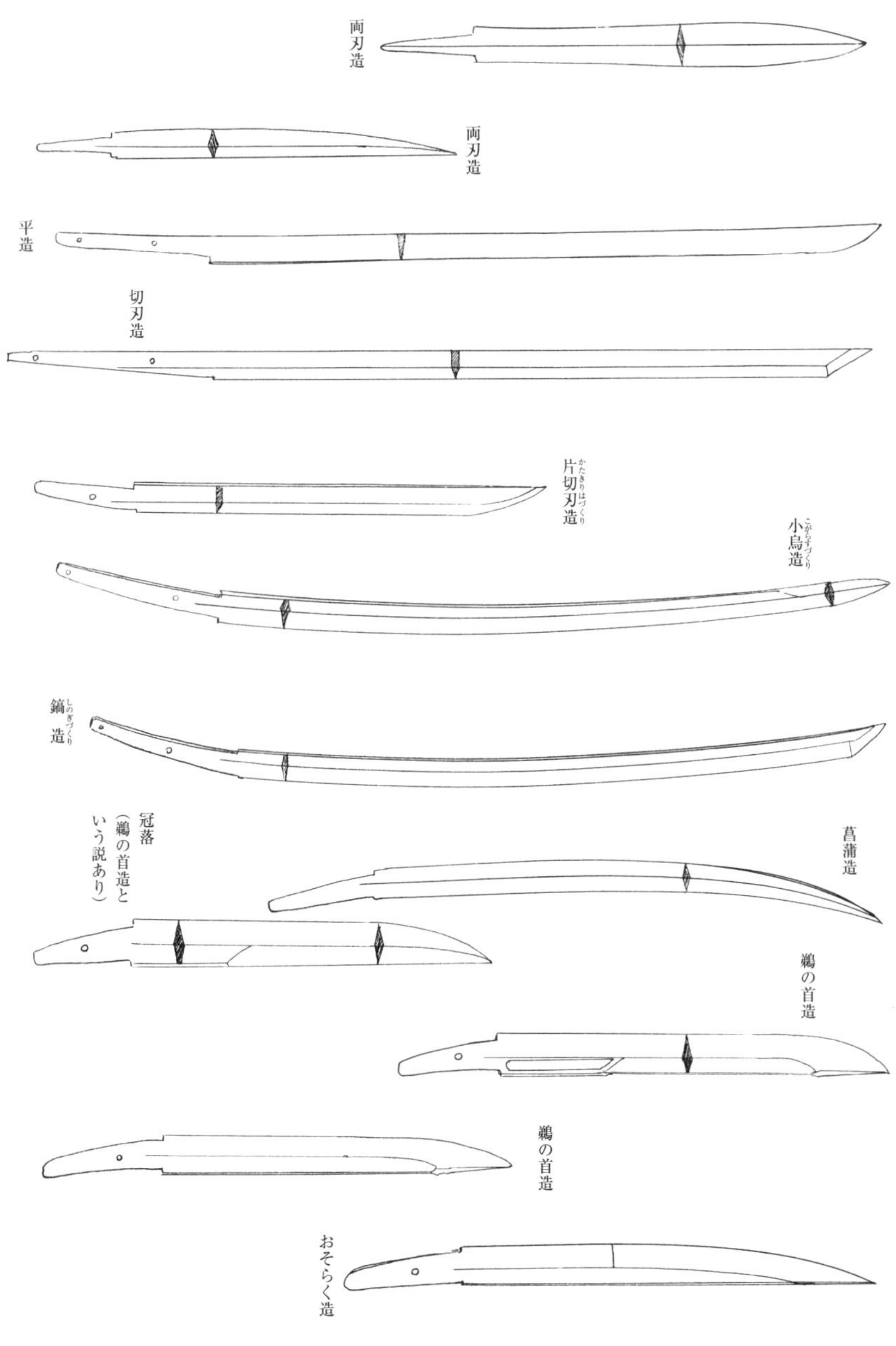
両刃造
両刃造
平造
切刃造
片切刃造《かたきりはづくり》
小烏造《こがらすづくり》
鎬造《しのぎづくり》
冠落（鵜の首造という説あり）
菖蒲造
鵜の首造
鵜の首造
おそらく造

樋の形式

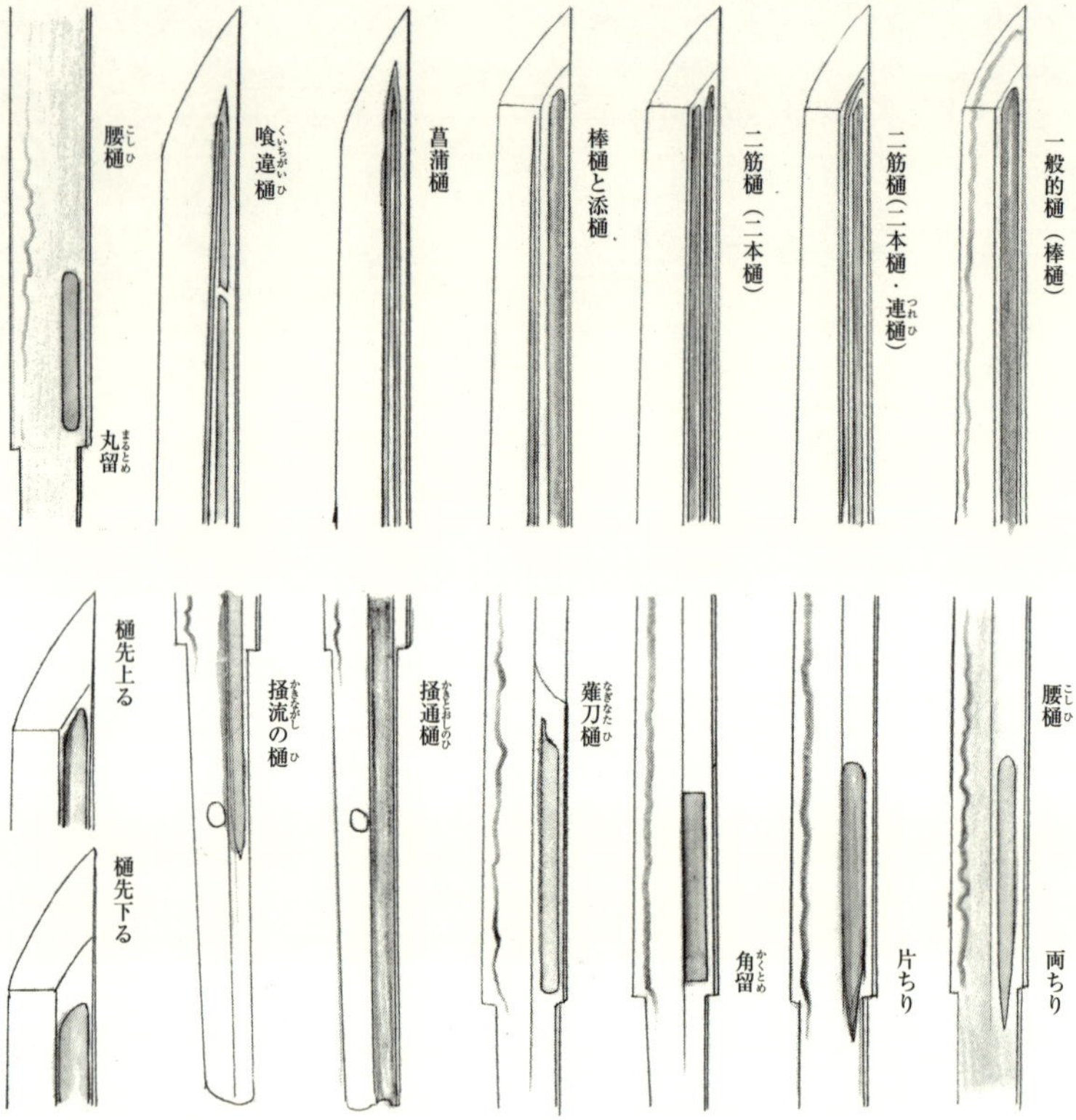
一般的樋（棒樋）
二筋樋（二本樋・連樋《つれひ》）
二筋樋（二本樋）
棒樋と添樋
菖蒲樋
喰違樋《くいちがいひ》
腰樋《こしひ》
丸留《まるとめ》
腰樋《こしひ》
両ちり
片ちり
角留《かくとめ》
薙刀樋《なぎなたひ》
掻通樋《かきとおしのひ》
掻流《かきながし》の樋《ひ》
樋先上る
樋先下る

茎の鑢目

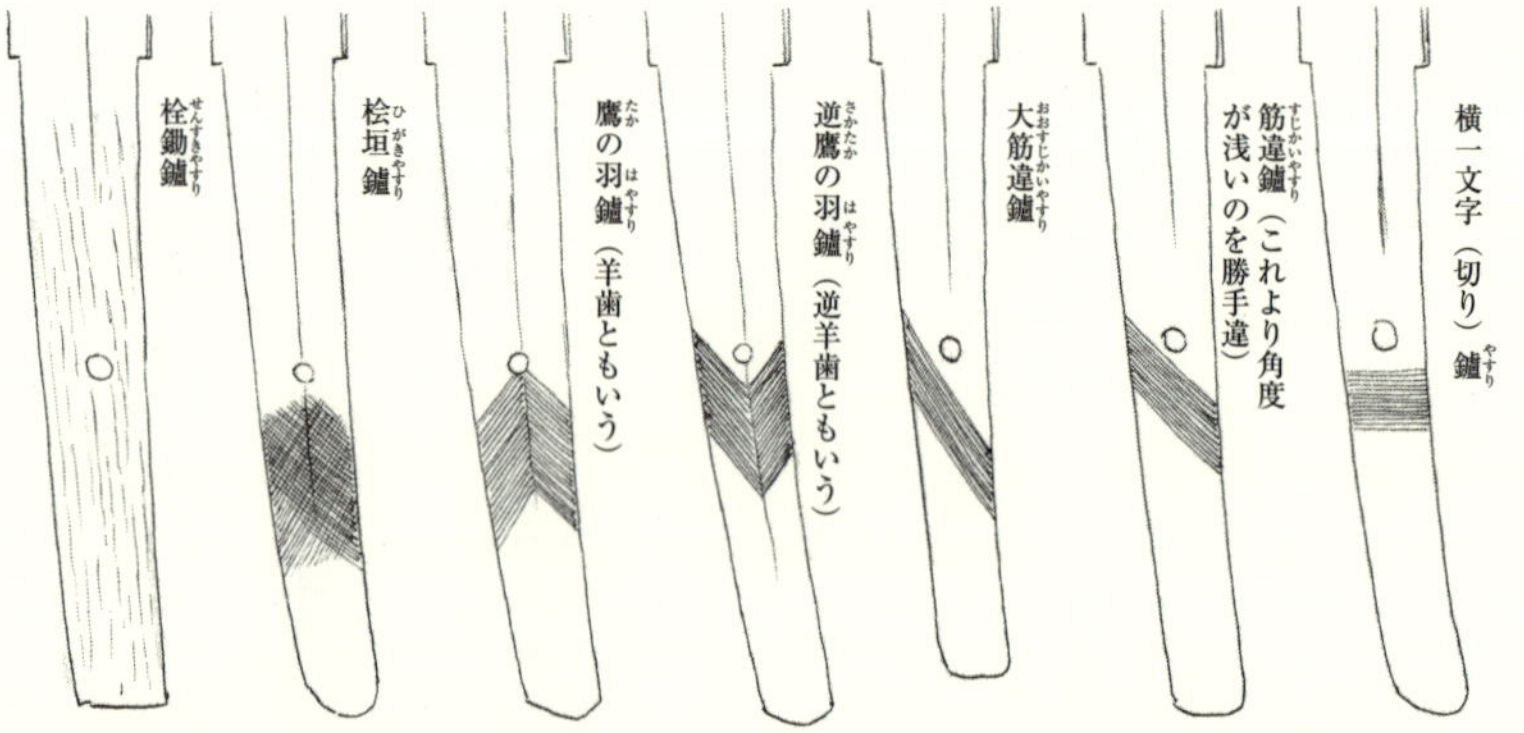
横一文字（切り）鑢《やすり》
筋違鑢《すじかいやすり》（これより角度が浅いのを勝手違）
大筋違鑢《おおすじかいやすり》
逆鷹《さかたか》の羽鑢《はやすり》（逆羊歯ともいう）
鷹《たか》の羽鑢《はやすり》（羊歯ともいう）
桧垣鑢《ひがきやすり》
栓鋤鑢《せんすきやすり》

ら微少であるが反りが強く（これは茎が反るからであるが）なったのを腰反りという。室町時代頃から刀術が発達して両手で柄を握るようになると、反りも再び華表反りとなり、反りが浅くなり、江戸時代には無反《むぞり》（直刀）に近いものも用いられた。

錵と匂［にえとにおい］

鍛えと焼刃によって日本刀は錵と匂の刃文が作られた。直刃《すぐは》・のたれ・互《ぐ》の目・丁字・乱れ刃・濤瀾《とうらん》・皆焼《ひたつら》・三本杉等があり、これには刀鍛冶と地域的系統の特徴をあらわす。

茎［なかご］

茎は柄の中に収めて、抜け出ぬように目釘で留めるが、その形によって作者の特徴がある。舟形・鯽腹《たなごばら》・雉子股《きじもも》・振袖形等で、茎の先端も栗尻・剣形・卒塔婆形・刃上り・一文字（切り）等があるが、中には後世刀身を短くするために刃部を茎にし、旧来の茎を鐫《きり》去った大磨上げや磨上げがあり、目釘孔をあけ直すので、孔が二つ以上あるものもある。茎は柄の中に挿入するので触りが良いように鑢《やすり》目を入れ、それを横一文字、勝手上り、勝手下り、大筋違《おおすじかい》、鎬筋違《しますじかい》といい鷹の羽、逆鷹《さかたか》の羽、不規則のを栓鋤《せんすき》などと呼ぶ。

また茎には作者名・年紀・作地等を鐫るが、佩表に鐫るのが一般で、従って太刀は刃

茎と帽子

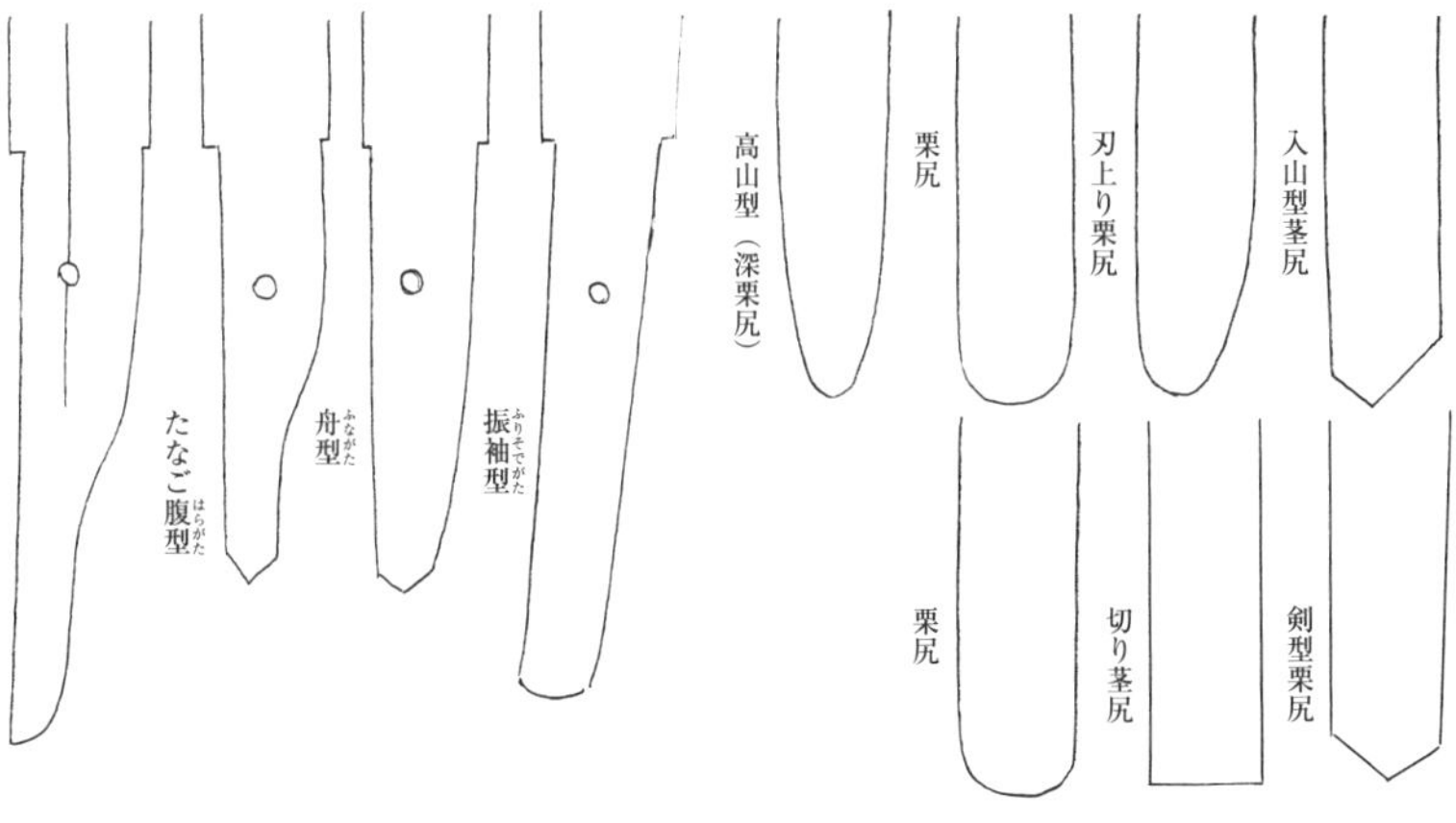

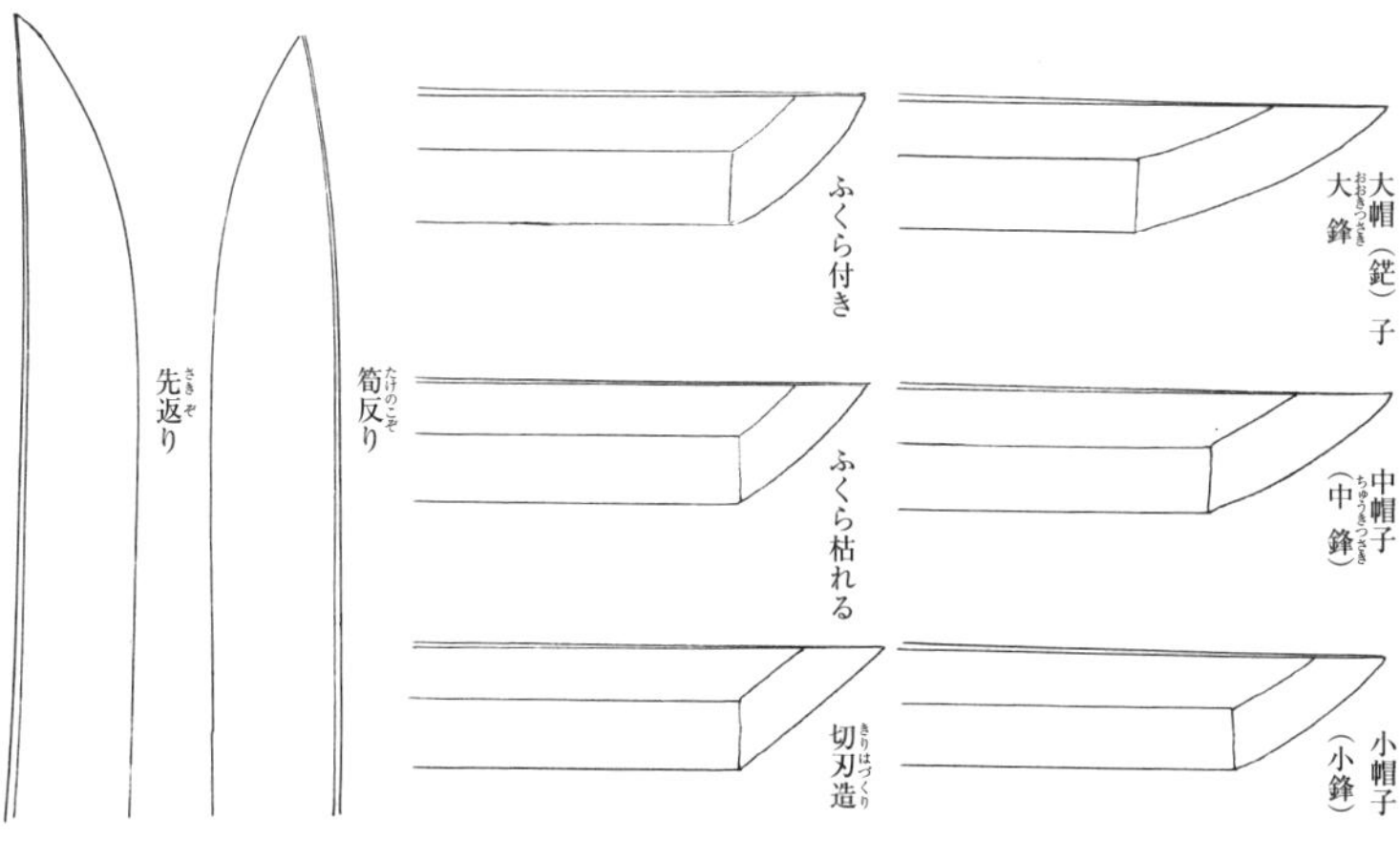

刃紋の種類

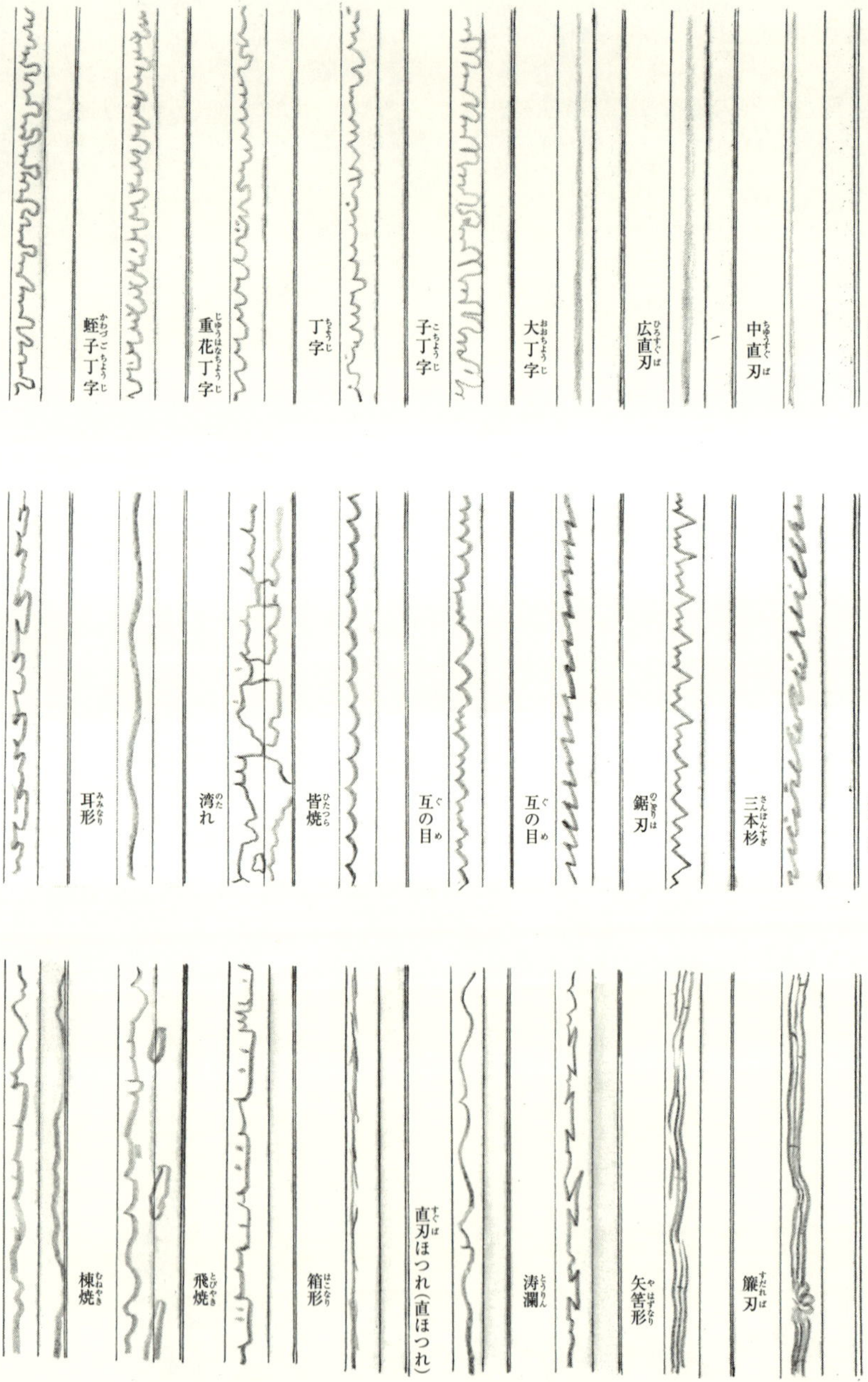
細直刃《ほそすぐは》
中直刃《ちゅうすぐば》
広直刃《ひろすぐば》
大丁字《おおちょうじ》
子丁字《こちょうじ》
丁字《ちょうじ》
重花丁字《じゅうはなちょうじ》
蛙子丁字《かわづこちょうじ》
逆丁字《さかちょうじ》
三本杉《さんぼんすぎ》
鋸刃《のこぎりは》
互の目《ぐめ》
互の目《ぐめ》
皆焼《ひたつら》
湾れ《のたれ》
耳形《みみなり》
菊水
簾刃《すだれば》
矢筈形《やはずなり》
涛瀾《とうりん》
直刃《すぐば》ほつれ（直ほつれ）
箱形《はこなり》
飛焼《とびやき》
棟焼《むねやき》

帽子の刃紋

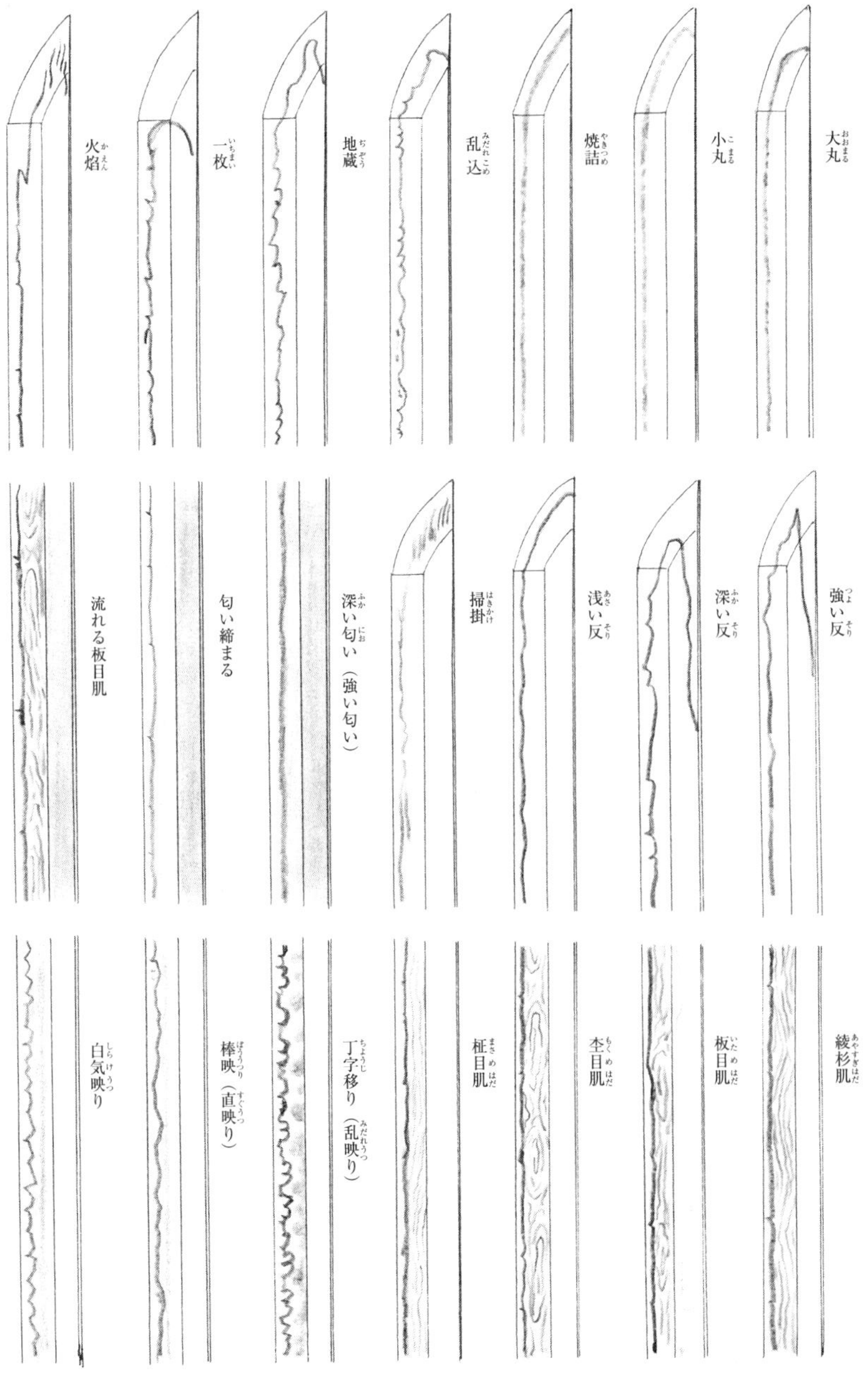
大丸《おおまる》
小丸《こまる》
焼詰《やきつめ》
乱込《みだれこめ》
地蔵《ちぞう》
一枚《いちまい》
火焔《かえん》
強《つよ》い反《そり》
深《ふか》い反《そり》
浅《あさ》い反《そり》
掃掛《はきかけ》
深《ふか》い匂《にお》い（強い匂い）
匂い締まる
流れる板目肌
綾杉肌《あやすぎはだ》
板目肌《いためはだ》
杢目肌《もくめはだ》
柾目肌《まさめはだ》
丁字《ちょうじ》移り（乱映《みだれうつ》り）
棒映《ぼうようつり》（直映《すぐうつ》り）
白気映《しらけうつ》り

が下にして佩《は》くので表側に鐫《き》り、腰に差す刀は刃が上になった佩き表に鐫る。時には大磨上の場合や無銘、由緒あるものには往々金象嵌銘とし、無銘で本阿弥家が鑑定して銘を鐫る時は朱漆をさしたりする。

柄《つか》と鍔《つば》

柄と目貫［つかとめぬき］

柄には茎を挿入し、脱落を防ぐために柄と茎を通して留める目貫孔があるが、これを留める竹釘・木釘（時には金属、またなめくじを乾して作ったものもあるという）は頭に彫金金物のあるのを用いたが、後には目貫は別に留めて、彫金金物を図案化した彫物を用いて、絲巻の間に配置した。これを放ち目貫といい、小柄・笄と共に揃えた三所物が流行した。こうした外装上の金物を刀剣小道具と呼んでいる。刀剣の身や、鍔、小道具にはそれ

柄―一

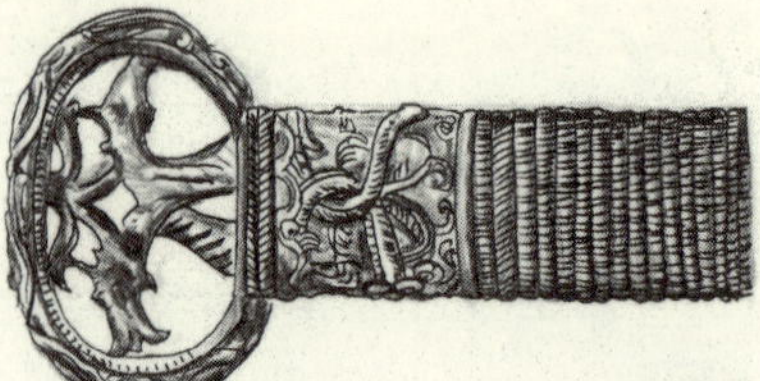
朝鮮発掘の鐶頭大刀の柄

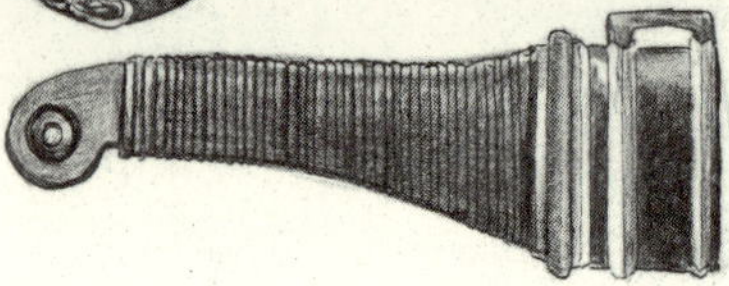
正倉院蔵蕨手刀の柄

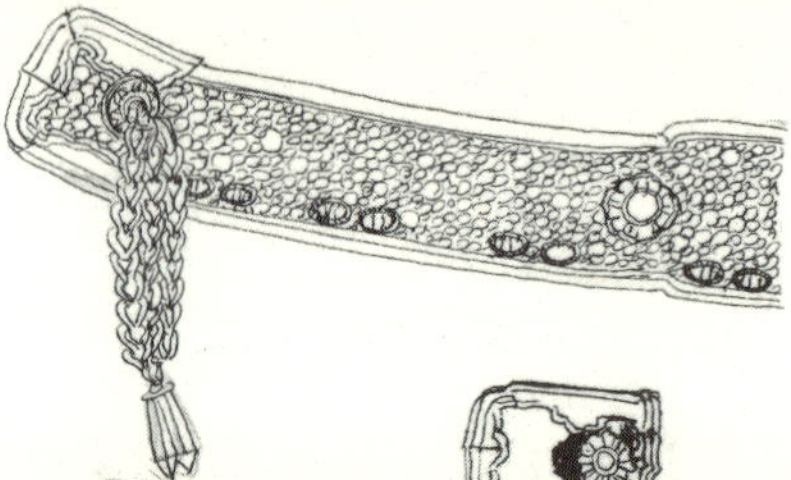
鶴岡八幡宮蔵覆輪大刀の柄

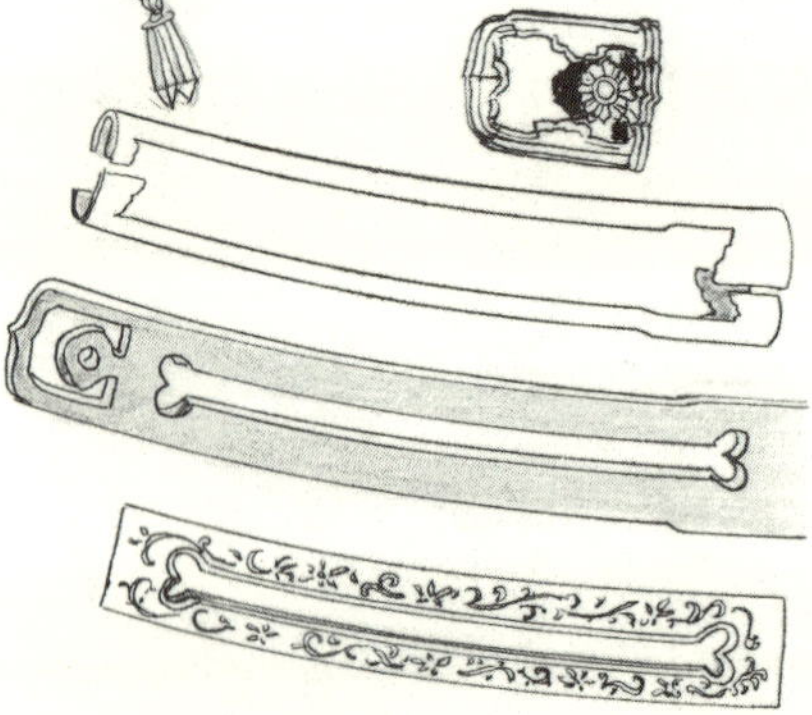
伊勢徴古館所蔵毛抜太刀の柄

ツマミ巻の刀の柄

笹浪巻の柄

ぞれの分野において、勝れた名工が輩出し、長い歴史を有し、その研究はそれぞれ進んでいるから、専門書を読んでいただきたい。

鍔［つば］

鍔は柄を握った時の護拳装置で、古代は卵の形を逆さにした形が用いられたが、奈良時代頃から粢鍔《しとぎつば》（餅や炊いた米を丸めてから握って指の形の残った型に似ている）となり、唐様の喰出鍔《はみだしつば》（柄や鞘口よりやや大きい）形となり、これに猪目状や、海鼠形の透かしを入れ、木瓜型となった。木瓜型は武用の太刀の時代になって大型となり、更に上膨らみの丸鍔などになり、後世鍔工の輩出によって、鍛えと彫金の技を競うようになり、大小刀の鍔に及んだ。

古代は鉄・金銅を用いたが、武家時代は煉革の厚い鍔も用いられ、近世は真鍮・赤銅・鉄・素銅が用いられた。

小柄・笄［こづか・こうがい］

太刀には見られないが大小刀には小柄や笄を鞘の外面に挿入するようになったので、鍔は茎穴を挟んで、小柄樋（櫃）、笄樋（櫃）

柄——二

唐組絲巻の柄

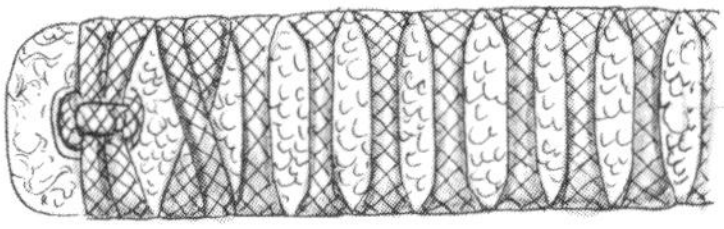
荘内巻の柄

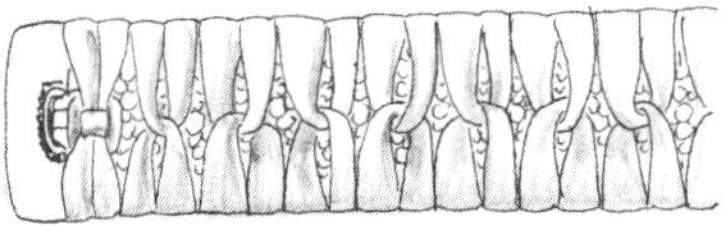
常平組変り巻の柄

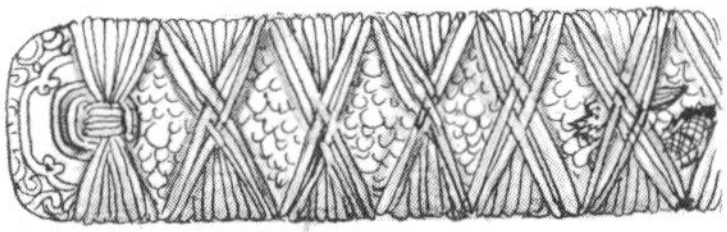
蛇腹巻の柄

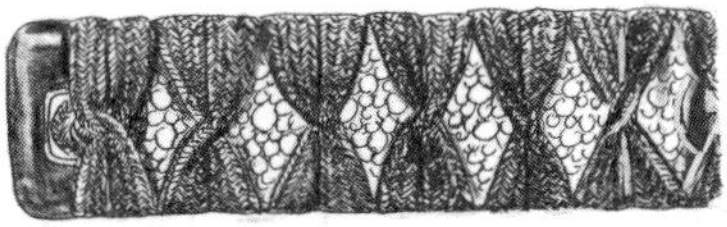
諸撚巻の柄

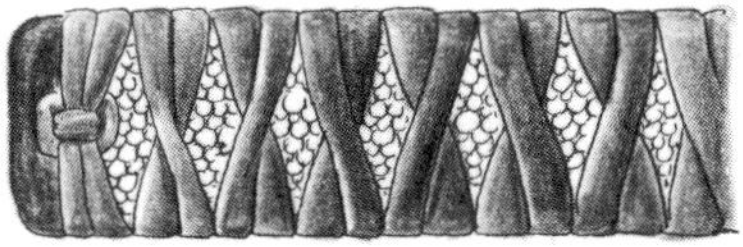
韋巻の柄

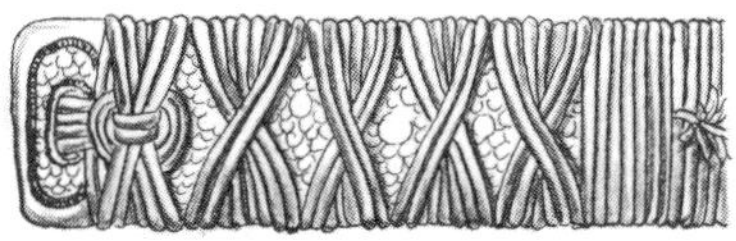
籐巻の柄

柄頭

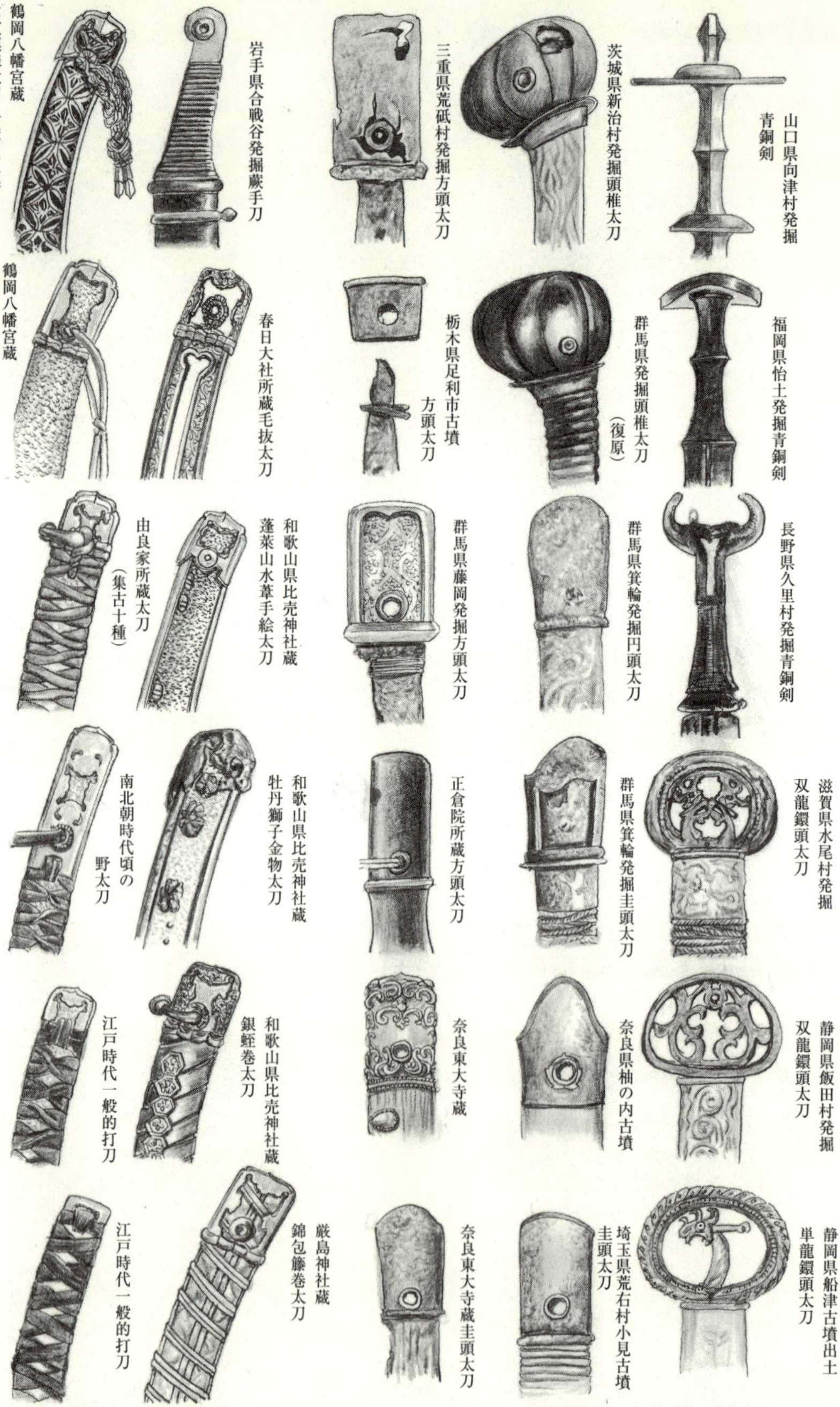

山口県向津村発掘 青銅剣
茨城県新治村発掘頭椎太刀
三重県荒砥村発掘方頭太刀
岩手県合戦谷発掘蕨手刀
鶴岡八幡宮蔵 七宝模様太刀（集古十種）
福岡県怡土発掘青銅剣
群馬県発掘頭椎太刀（復原）
栃木県足利市古墳 方頭太刀
春日大社所蔵毛抜太刀
鶴岡八幡宮蔵 杏葉紋太刀（集古十種）
長野県久里村発掘青銅剣
群馬県箕輪発掘円頭太刀
群馬県藤岡発掘方頭太刀
和歌山県比売神社蔵 蓬莱山水葦手絵太刀
由良家所蔵太刀（集古十種）
滋賀県水尾村発掘 双龍鐶頭太刀
群馬県箕輪発掘圭頭太刀
正倉院所蔵方頭太刀
和歌山県比売神社蔵 牡丹獅子金物太刀
南北朝時代頃の野太刀
静岡県飯田村発掘 双龍鐶頭太刀
奈良県柚の内古墳
奈良東大寺蔵
和歌山県比売神社蔵 銀蛭巻太刀
江戸時代一般的打刀
静岡県船津古墳出土 単龍鐶頭太刀
埼玉県荒右村小見古墳 圭頭太刀
奈良東大寺蔵圭頭太刀
厳島神社蔵 錦包籐巻太刀
江戸時代一般的打刀

鍔

山口県向津具村発掘銅剣の鍔（復原品）

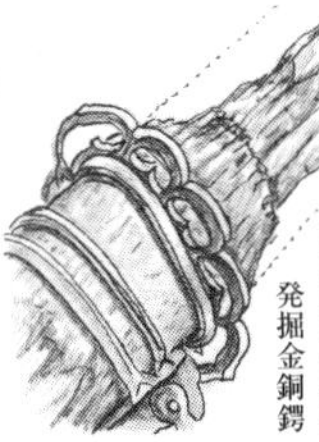
山形県四小屋村発掘金銅鍔

正倉院蔵金銀鈿装大刀

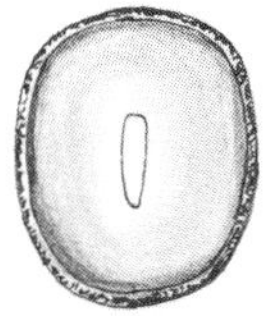
和歌山県比売神社蔵金銅丸鍔

東京国立博物館蔵鐶頭大刀の鍔

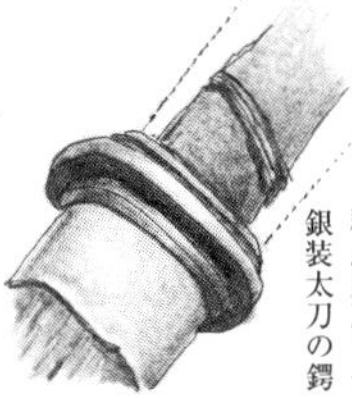
群馬県藤岡発掘銀装太刀の鍔

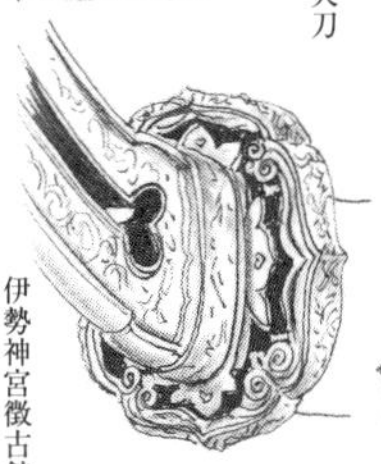
伊勢神宮徴古館蔵毛抜形太刀の鍔

和歌山県比売神社蔵銀蛭巻太刀の金銅の鍔

黒漆塗白覆輪太刀の煉鍔

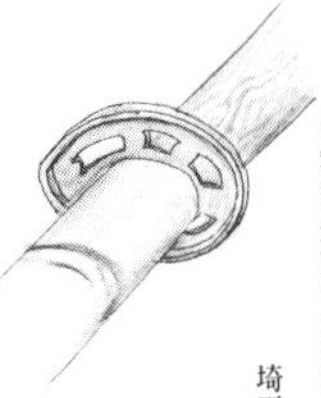
東京国立博物館蔵金銅装頭椎大刀の鍔

正倉院蔵金銀鈿装大刀の鍔

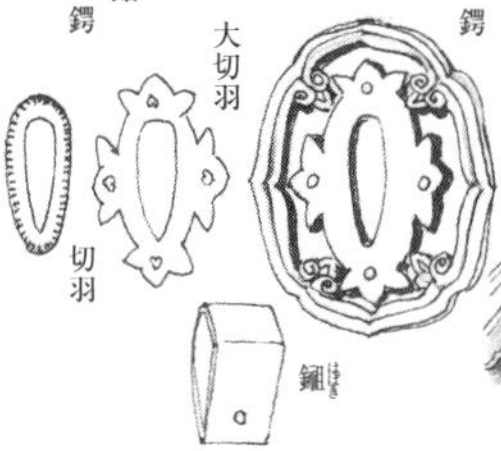

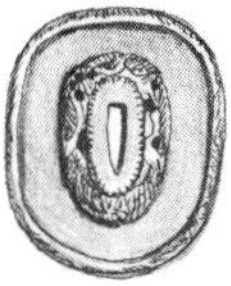
熱田神宮蔵金銅鶴丸紋太刀の丸鍔

埼玉県馬室村発掘鉄鍔

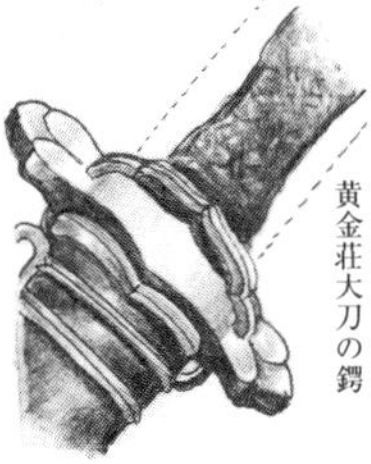
京都西の山古墳出土黄金荘大刀の鍔

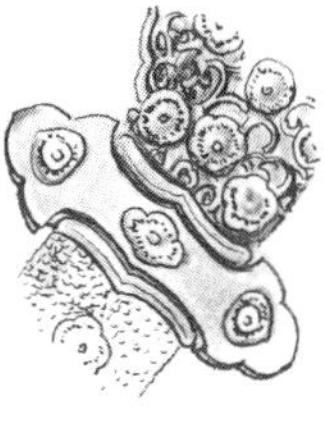
春日大社蔵鍍剣の鍔

室町時代頃の太刀鍔

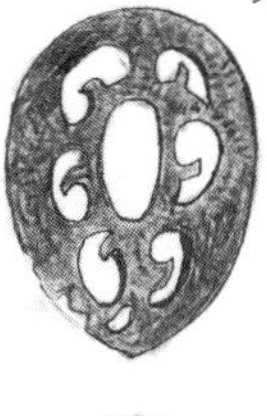
発掘地名不詳鉄鍔

『集古十種』所載太刀鍔

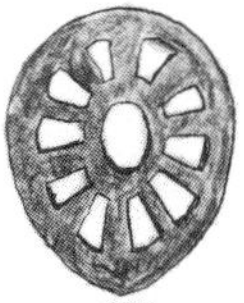
群馬県美九里村発掘鉄鍔

正倉院蔵黒作大刀の鍔

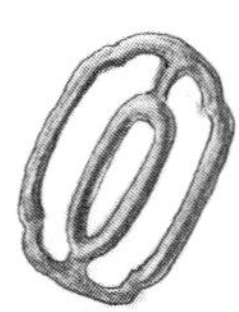
鞍馬寺蔵黒漆太刀の鍔

静岡県初倉村発掘鉄鍔

蕨手刀の鉄鍔

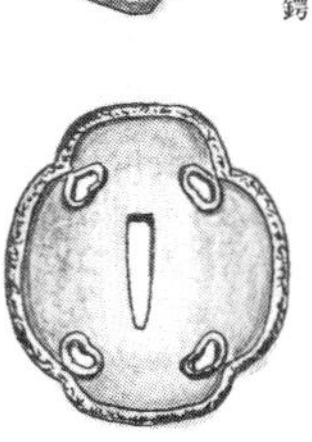
帽額形鍔

『集古十種』所載大坂商家西村家蔵義政公鍔
（おそらくヨーロッパの剣の鍔）

の穴があけられ、また鍔の面の表裏には切羽という銅製のものを当て、刀身部の接着面には鎺金《はばきがね》を入れ、鞘の鯉口（入口）の木部が軽く押えるようになっている。

小柄は片刃の小さいナイフで、茎は金属の平たい柄に収められ、紙切りその他軽い細工に使用するが時には手裏剣代りにも用いられる。笄は髪を掻き上げたり、整えたりする道具であるが、ほとんど装飾的に付属し、彫金・鍍金等に施される。

尻《しり》鞘《ざや》

太刀の鞘が雨や風に当ったり物に触れて損傷したりするのを防ぐために覆い物をするが、これは尻鞘といって、一種の威儀的装飾品でもある。太刀の場合に鐺から帯取の二の足の辺まで覆う。軍記物や『餝抄』にまであり、武者に限らず官人、舞人も用いた。

尻鞘口は鞘を通すに足る太さであるが、鐺辺に行くに従って太くし、鞘尻を逆頬《さかつら》状にはね上る。一般的には鹿・猪・熊の毛皮を用いるが、官人は輸入物の毛皮を用いる。

尻鞘に用いた毛皮

豹皮の尻鞘は四位以上の官人が用いる（『世俗深浅秘抄』、長門本『平家物語』日吉神輿入洛条、『太平記』阿保秋山河原軍条）。

竹豹の尻鞘（『餝抄』『玉海』安元二年三月四日記）。

小豹の尻鞘（『玉海』安元二年三月四日記）。

虎皮の尻鞘（『餝抄』仁安四年二月十二殿記、『世俗深浅秘抄』）は五位の官人が用いるとしている。

唐皮の尻鞘。唐皮とは虎皮の事であるから右に同じ（『建武年間記』）。

水豹《あざらし》の尻鞘。『雅亮装束抄』に「六位はあざらし」とある。

鹿皮の尻鞘。一般的尻鞘で、諸大夫（五位以上）も火長（検非違使の下級役人）も用いる。

猪皮の尻鞘。『江家次第』には舞人、『長秋記』では左近衛府の府生等が用いるが『今昔物語』や『宇治拾遺物語』によると一般の者も用いている。また鼠毛の尻鞘というのも猪毛らしいし、猪皮尻鞘には班（斑）猪の毛もある。

各種の尻鞘

左筆の尻鞘。『御禊行幸服飾部類』等に記されているが、本来左筆とは右筆に対していうのであるが、虎の符を描いたものをいう。

細尻鞘。『餝抄』『明月記』に鹿皮細尻鞘とあるから細目の品であろう。

平尻鞘は『小右記』『高野御幸記』等に、左兵衛佐が鹿皮平尻鞘を用いたことが記されているから御幸などの供奉には五位の武官でも鹿皮を平めて誇張的にした尻鞘を用いたらしい。

丸尻鞘は『江家次第』相撲召仰条に相撲長が用いた由が記されているが、膨まして丸みを帯びた尻鞘であろう。

尻鞘をつけた態の木太刀は官中の武官の競《くらべ》馬《うま》の時に佩用するが、表側は朱漆に豹紋、裏側は虎斑紋を描く。

現在遺物ははなはだまれであるが、軍陣には往々用いられたらしく『後三年合戦絵詞』から、降っては『結城合戦絵詞』に描かれており、後世は官位に関係なく好みの毛皮を用いたようである。

尻鞘

表
模様は黒漆塗
朱漆塗
滑革
黒漆塗
『集古十種』刀剣三所載東大寺八幡所蔵競馬用木製太刀（正和五年九月十三日の書銘あり）
裏
絵尻鞘
宮中武官の競馬《くらべうま》の乗尻の装束
『後三年合戦絵詞』に描かれた尻鞘
『結城合戦絵詞』に描かれた尻鞘
豹の尻鞘
猪又は熊、鹿の尻鞘
虎の尻鞘（江戸時代は先端をはね上げる）

鉾・槍～刺突に用いる長柄武器

鉾

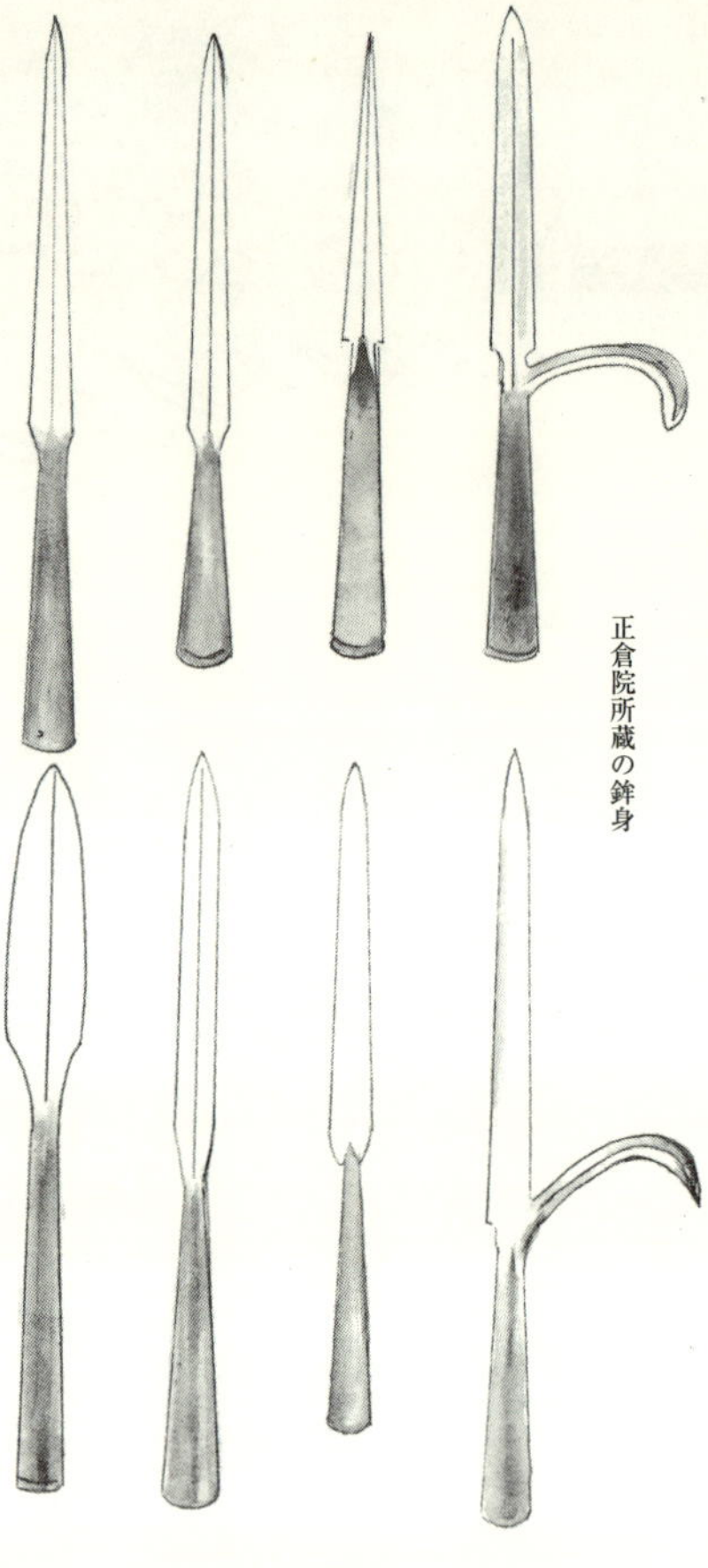

正倉院所蔵の鉾身

鉾の柄は竹を以て打柄にし糸を繋ぐ巻いたもので柄の長さ一丈四尺九寸から一丈九寸が多い

鉾《ほこ》

鉾は矛とも書き、長柄の刺突武器であるから、後世の槍と同じ目的を持つが、鉾身と槍身は刃の下部に当る長柄に挿入する部分が異なる。槍は刀剣と同じく中茎があって、木竹の柄の先端に挿入して目釘で留める。鉾は中茎に当る部分が同金属の袋筒状になっていて、これに柄を挿入する。ただし後世この形式の袋穂の槍身もある。

古代は刺突武器として木鉾・竹鉾もあったと思われるが、金属で鉾身を作るようになった頃は銅鉾である。

鉾の語が現れるのは『日本書紀』崇神天皇紀四十八年（紀元前五〇）の項に「八廻弄槍（やたひほこゆけし）」の語があり、垂仁天皇紀卅四年（紀元五年）の条に矛、以降、桙・

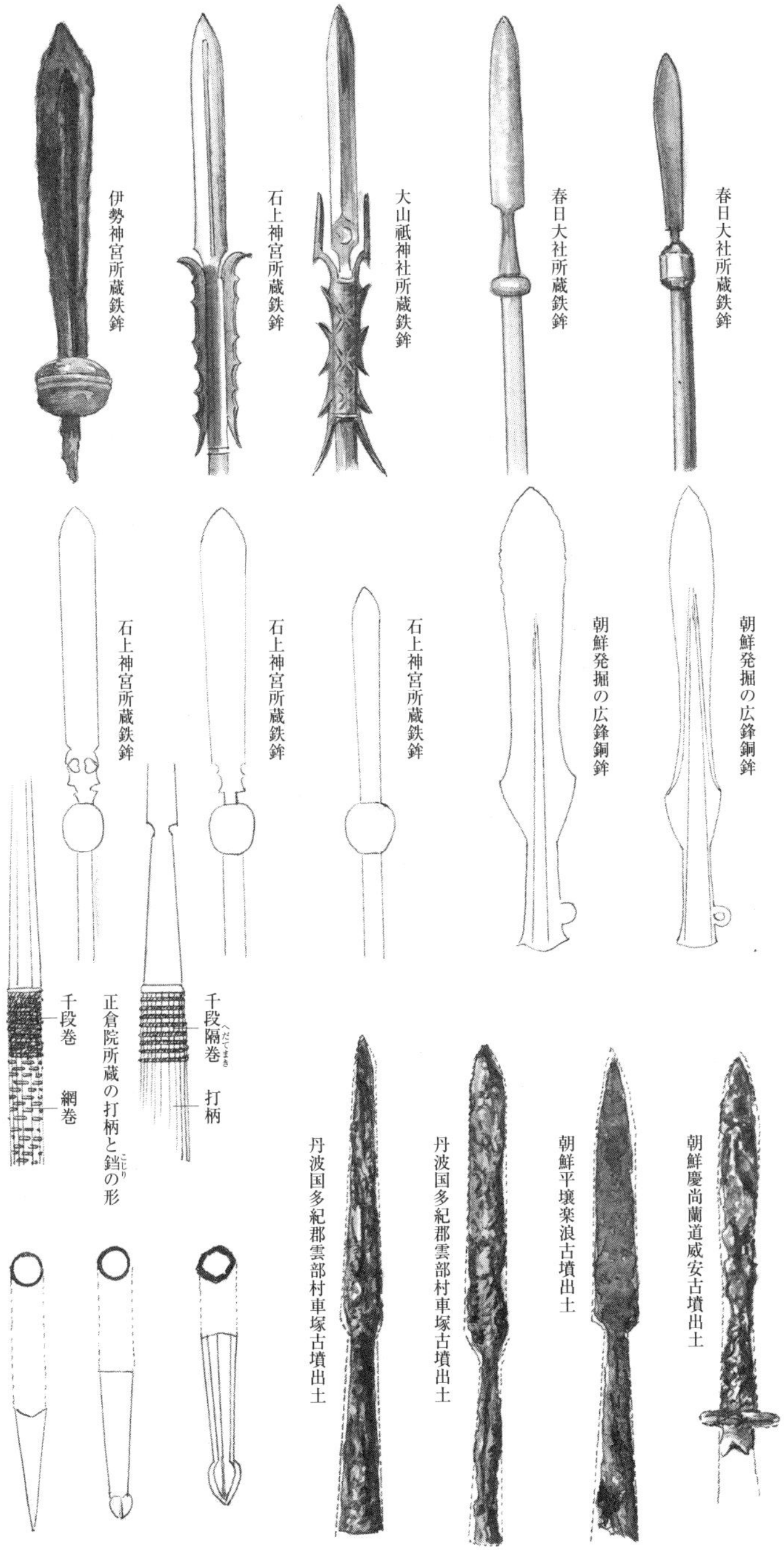
伊勢神宮所蔵鉄鉾
石上神宮所蔵鉄鉾
大山祇神社所蔵鉄鉾
春日大社所蔵鉄鉾
春日大社所蔵鉄鉾
石上神宮所蔵鉄鉾
石上神宮所蔵鉄鉾
石上神宮所蔵鉄鉾
朝鮮発掘の広鋒銅鉾
朝鮮発掘の広鋒銅鉾
千段巻
網巻
正倉院所蔵の打柄と鐺《こじり》の形
千段隔巻《へだてまき》
打柄
丹波国多紀郡雲部村車塚古墳出土
丹波国多紀郡雲部村車塚古墳出土
朝鮮平壌楽浪古墳出土
朝鮮慶尚南道咸安古墳出土

槍の文字が散見するが、すべて「ほこ」と訓ませている。

『和名類聚抄』では

戟　楊雄方言曰レ戟　九劇反　和名保古
或謂二之干一或謂二之戈一　古禾反

とある。日本では最古のものに銅鉾・鉄鉾が遺物に見られるが、古くより武器に限らず威嚇・威儀的にも用いられた。朝廷の儀式の折には鉾に旗を結び付けたりし、尊称して天沼矛・天逆矛・日矛等の語もある。神宝にも鉾は残されており、鎌倉時代に槍という形式が用いられても一部では未だ鉾が使われていた事は『後三年合戦絵詞』等に描かれているのでもわかる。

銅製の鉾は薄く平たい身幅で、鋭い剣状でないものは威儀的のものであったと思われる。袋口もかなり大きいから太い木の柄を用いたらしいが、丹波国多紀郡雲部古墳からは鉄柄、鉄身の鉾が出土している。また奈良時代の遺品としては正倉院に数種の身の鉾が残され、柄は木製漆塗りもあるが、後世の打柄のような作りの柄を用いたものもある。

この打柄の柄は糸を巻いて漆を塗ってあり、中央部をやや太くしてその上下に鉄の約《せめがね》や皮の約を巻いたり銅線を巻いたりしてあるのは、おそらく握る部分で、これをもってしても鉾は片手に握って突いたと推定し得る。また石上神宮や大山祇神社、春日大社には

両刃の鉾と片刃の鉾

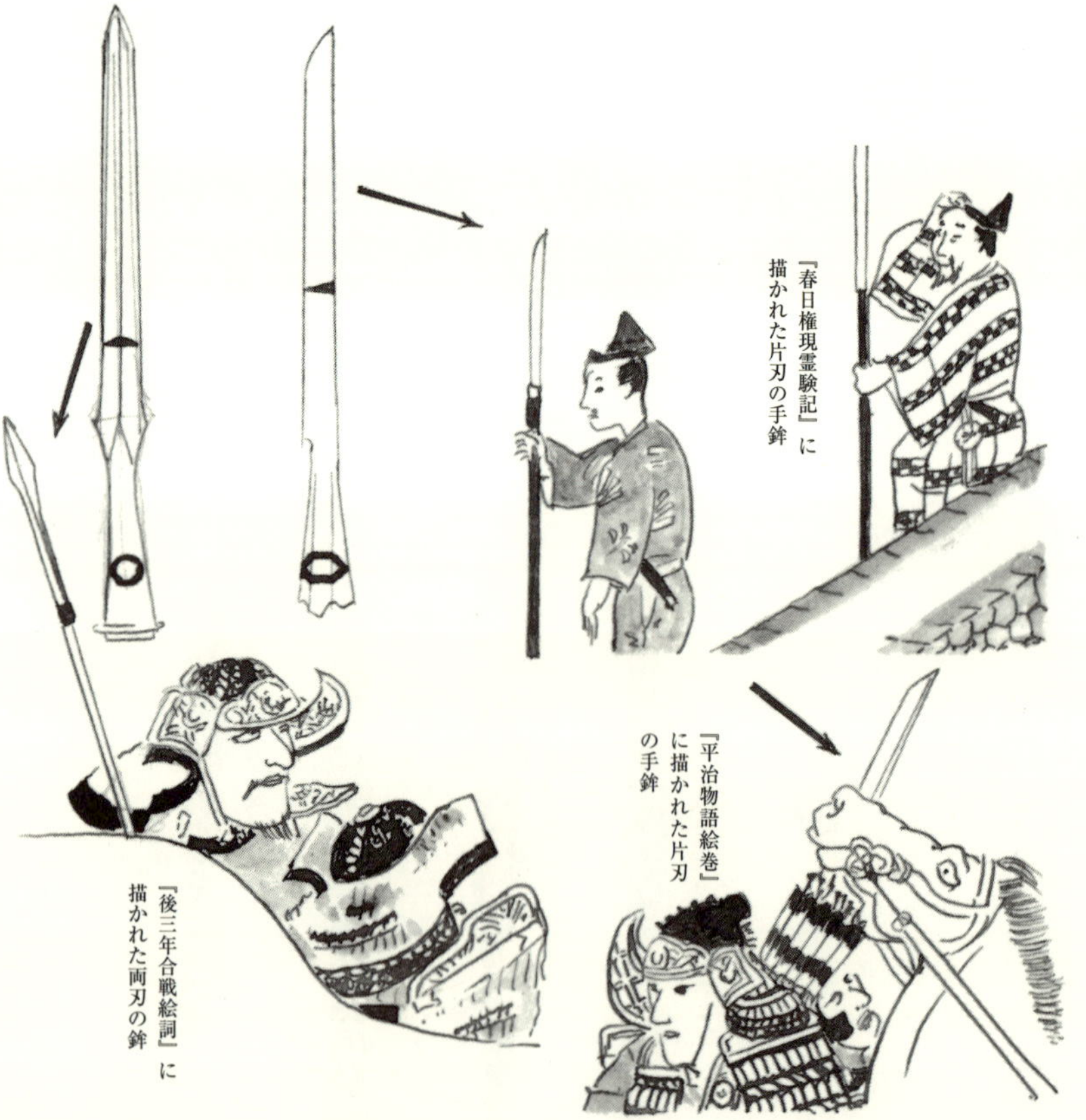

『春日権現霊験記』に描かれた片刃の手鉾

『平治物語絵巻』に描かれた片刃の手鉾

『後三年合戦絵詞』に描かれた両刃の鉾

儀礼用であろうが、鉾の袋に当る所に上下に反り角があり、その間にも尖った部分が作られたり、伊勢神宮神宝のように銅製の球状のものを鐏としたものもある。

手　鉾［てぼこ］

このほかに正倉院には柄の長さ一尺八寸（約五五センチ）から三尺三寸二分（約一メートル）で刃は片刃のものがあり、これは手鉾と名付けられているが、この形式から薙刀が発達したという説もある。この手鉾の形式も『平治物語絵巻』『春日権現霊験記』にも描れているが、薙刀と異なる点は身に反りの無いことである。

槍《やり》（鎗・鑓・也利・矢利）

槍の構造は鉾と同じで刺突武器であるが、鉾は身を装着するのに下方が筒袋状になってそれに柄をはめるのに対し、槍は身の下方が刀剣のごとく茎になって、これを柄の先の方に挿入する。ただし後世の槍でも元を鉾のように筒袋状にしたものもあり、槍が全盛時代故にこれを特に袋穂の槍といった。

槍の語源

槍の語源については『武家名目抄』刀剱部二十二に

按、也利はもとの用の語にて古事記の矛由気といへる由気のごとし。由気は令レ行（由加世の由気となる。加世のつづまり気なれば也）即こき出してかなたに衝遣ることなれば由気といひ也利といひ、語は異なれば意は全く同じ。おもふに此物古代の長鎗より出て、手鉾に対へて遣鉾といひけんを略して遣りとのみいへるなるべし。建武二年正月三井寺合戦の時

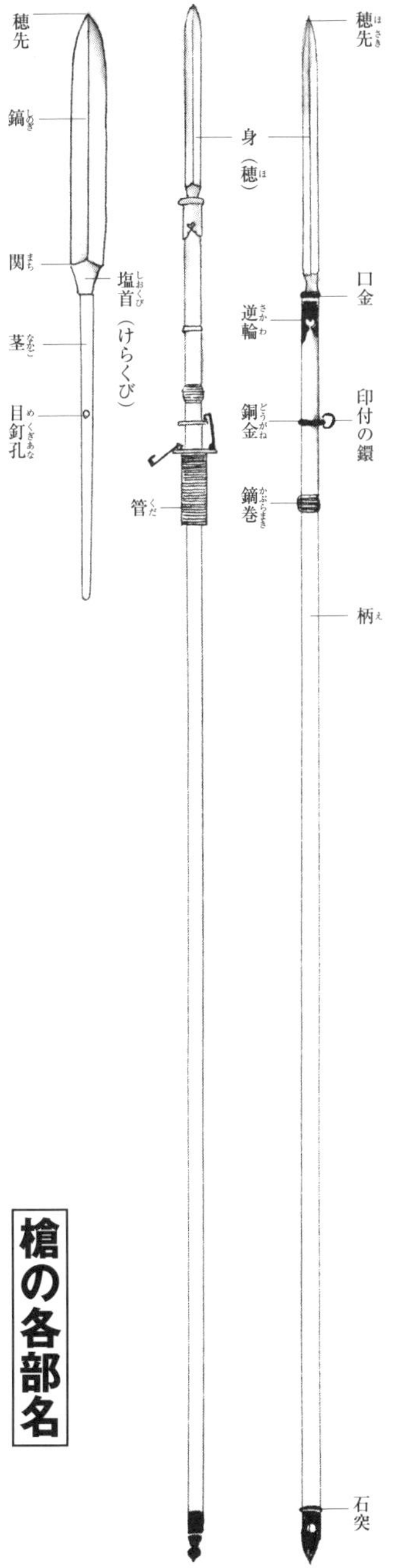

槍の各部名

槍身

土矢間より鑓長刀さし出せしといふこと太平記にしるせしが、此物の見えたる初めにて、是より前鎌倉殿の時さる物ありしこと更に所見なく伊呂波字類抄、字鏡集にも載ざれば元弘建武の際にやはじまりけん。庭訓往来・異制庭訓等はその頃の書なれど、兵器を書つらねたる所に也利といふことのなきは極めたる俗語なれは載ざるなるべし。其文字は鎗とも鑓とも書けど、鎗は保古と訓じ来れば、也利に用ひんことといとまぎらはし。鑓は作り字なれど、今標目になため用ひぬるはかふべき文字の外になく世に用ひ来れることの久きが故なり。尺素往来の遣刀の文字は一条禅閤の作意にてかかれたるなれば普通には用ひ難し

と説いている。『古事記』には矛由気、『衣服令義解』には鎗、『軍防令義解』も槍の文字をもって「ほこ」と訓ませているから、後世の槍でなく鉾を由気・鎗・槍の文字を用いていたのである。また由気は繰り出して目的物に衝遣るから由気（行）であり、遣るから也利であるというのは、いささかこじつけであるし、金属性の穂先を繰り出して遣るから鑓

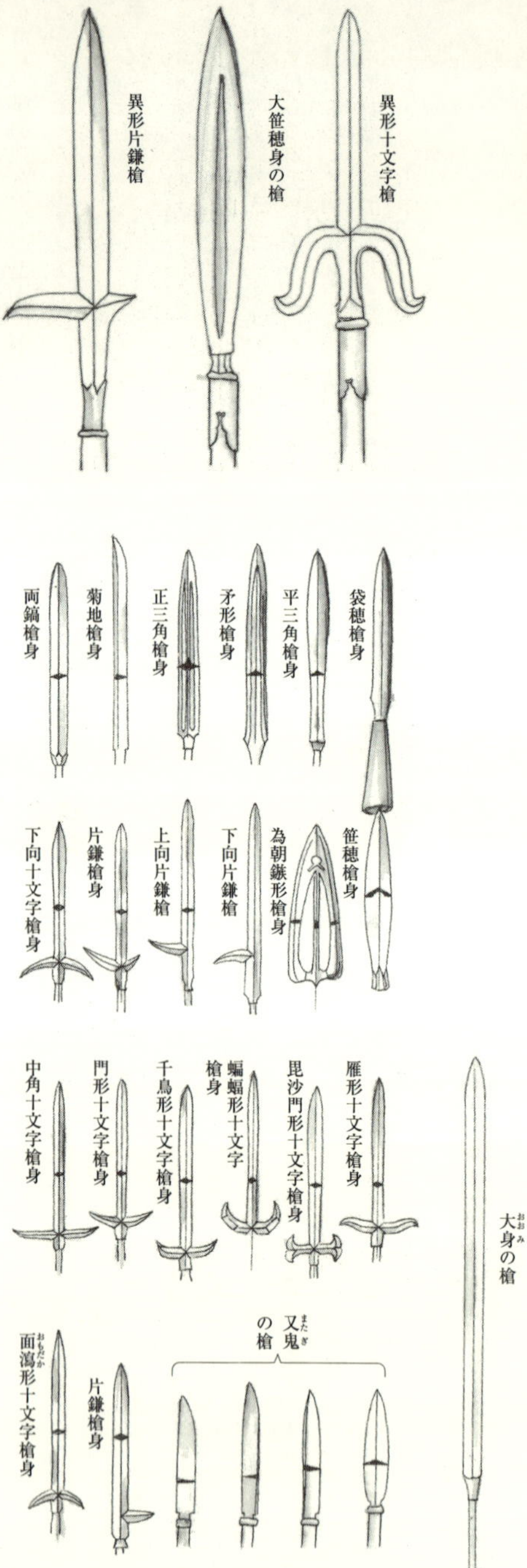

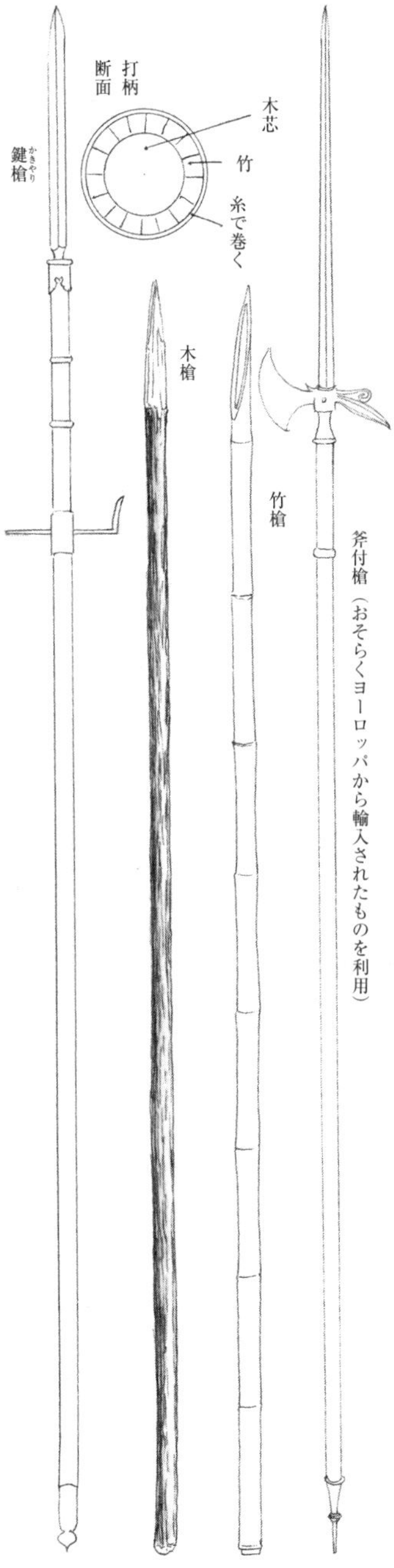

各種の槍

の文字が生れたというのはどうであろうか。一般に槍の文字が多く用いられるが、木篇を用いたのは木の柄のついた武器で、倉が音を表わし突く意の衡からきている。鎗は本来は金属の触合う音から来ているから鎗鎗（錚鎗）などと表現したが、日本では槍と同じに用いられた。鑓は繰り出して遣の武器であるから金篇を用いた国字である。その「やり」の当字が「也利」「矢利」である。

この矢利の語の古い例は元弘四年（一三三四）正月十日の陸前石巻斎藤氏蔵曾我文書の大光寺合戦手負交名人等事の条に

久木弥二郎　以矢利被胸突　半死半生了
正月八日

とあるのが記録では古い方で、それより二十五年たった正平十四年（一三五九）に菊池武光が短刀を竹竿の先に結び付て戦った事から菊池槍の名が起ったとし、片刃の槍があるが、これは手鉾の一種ともいえるし、薙刀代りにも用いられる。しかし槍の本来の用法は鉾と同じで刺突が主であり、手鉾・薙刀のように両手で操作する。しかも突出し、手繰り寄せ、後世は柄が長いので、撲ったり払ったりして、槍術として独特の攻法を生じた。また刺突の効果をあげるために鉾先と同じようにさまざまな穂先の形式を生み、十文字槍・片鎌槍・直槍などを生じた。

槍の長さ

槍穂が長いのを有効とする説は『武具要説』

に

原美濃守（武田二十四将の一人）申分、鑓と申は刀長刀にてなるまじきと思ふ場にて敵をしほする為の鑓なれば、二間より短きは詮なき事に御座候（中略）鑓の穂も願はくは長きが能候。其故は鎧の上を鑓にてつくに、柄まで通ることは稀にて御座候。四寸五寸の穂にて突ては、足下に死る物にて無㆓御座㆒。然とも長きは重く御座候ゆえ人々あつかひ成かね候間、穂は短くても其分たるべく候

とあって、力量分相応の槍穂の長さを用いるべきであるが大身の槍穂の方が有効としている。大身の槍とは穂が一メートル前後のものをいい、長身槍（『勝軍地蔵軍記』『甲陽軍鑑』『義光物語』『松平記』『武具要説』等）、穂長槍（『武蔭叢話』）といい、十文字や片鎌等の枝の無いのは一般に素槍（『別所長治記』）という。

各種の槍

十文字槍とは塩首に近い方に横手状の刃が左右に突出ているもので『由良家伝記』『宣町殿物語』『荒山合戦記』『清正記』『甲陽軍鑑』『武蔭叢話』その他に散見し、遺物も多いが、これも細分すると牛角十文字・月形十文字・千鳥形十文字・面潟形十文字・蝙蝠形十文字・雁形十文字・毘沙門形十文字・懸外し十文字等の形式がある。これらを両鎌形または十文字鎌槍（『総見院殿追善記』）ともいう。また片方だけ鎌状になっているのを片鎌槍（『大友興廃記』『続撰清正記』これには十文字槍の片方が折れて片鎌になったとしている。『水野勝成記』等）があるが、上向片鎌、下向片鎌、また十文字の片側が短いのも片鎌と呼んでいる。

直（素）槍もその形によって色々の名称があり、断面が菱形のものを両鎬直槍、平三角形を平三角直槍、三角形で三面に血流しのあるのを正三角直槍、刀身のように片刃のものを菊池槍、断面が三角でも塩首近くが膨らんで鉾に似ているのを鉾形直槍、中央の身幅が広く笹の葉に似たものを笹穂槍、平根の鏃形を為朝鏃形槍、中茎が鉾のように袋状になっているのを袋穂槍という。

また塩首元に鍔を付けたものを鍔槍といい『見聞雑録』では五錠槍といっている。

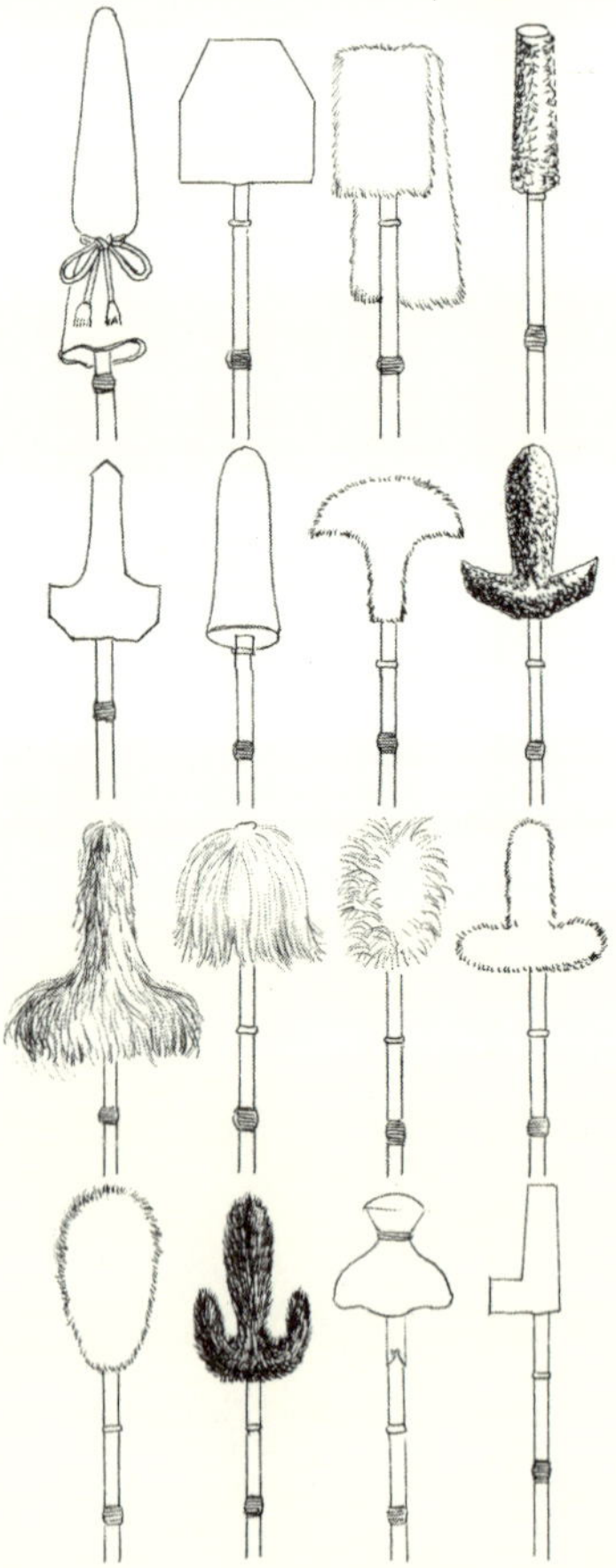

槍鞘

槍の柄［やりのつか］

柄は古来樫の木で樫柄（『豊臣太閤御事書』

『藤葉栄衰記』等）が多いが、長柄といって（『大友興廃記』他）二間（約四メートル以上）柄、三間柄（『荒山合戦記』他）三間半柄（約七メートル『信長記』等）のものには打柄（樫の木を芯に竹を放射状に集めて絲で巻いたもの、奈良時代の鉾の柄にすでに用いられている）が用いられている。

　これらの槍の柄は表面を漆で拭いたものから、赤槍（『室町殿物語』他）といって朱漆を塗ったものや、全般を朱漆に塗った皆朱槍（『賀越闘諍記』『会津陣物語』等、この槍は後に豪勇の士にのみ許可された）などがある。また瑇瑁《たいまい》槍（『賀越闘諍記』）といって金箔押または金陀美にしたものもあり、亀甲槍（『甲陽軍鑑』）とも金柄（『豊臣太閤御事書』）ともいった。また大小二条の薄板を蛭巻したのを熨斗付槍（『板坂卜斎慶長記』）といい、鉄の薄板を貼ったものを鉄延付槍（『大友興廃記』）、藤を繁く巻いて朱漆塗りとした笛巻槍（『続武家閑談』）等の他に太刀打の中程に鉄の鈎をつけた鈎（鍵）槍（『北条五代記』関東鍵鑓条）、左手が柄を握って突き引きするのに便なように左手で握る所に管をつけた管槍（『東遷基業』分部左京亮）等がある。

槍鞘［やりざや］

　槍は使用時以外は抜身のままであると錆びたり、物に触れて危険のためにたいていの場合、普段は槍鞘をはめている。槍鞘は槍身の形に木を刳り抜いたもので、漆塗りに箔押、金陀美、叩き塗、青貝象嵌等で飾る。装飾にはこのほか鞘の上から獣の毛皮、羅紗等で長目に作って垂れるようにし、これを投鞘（『豊臣太閤御事書』『板坂卜斎慶長記』等）といっている。

槍印と石突［やりじるしといしづき］

　また大名・大身の武士は誰々所持とわかるように槍印（『甲陽軍鑑』信玄の持槍青貝柄には小熊のたれ（小熊の毛で作って垂れる））を太刀打に結びつけたりした。

　石突は鉾の時代からあり、薙刀・槍にもあるが、種類は大体図のごときである。

槍印と石突

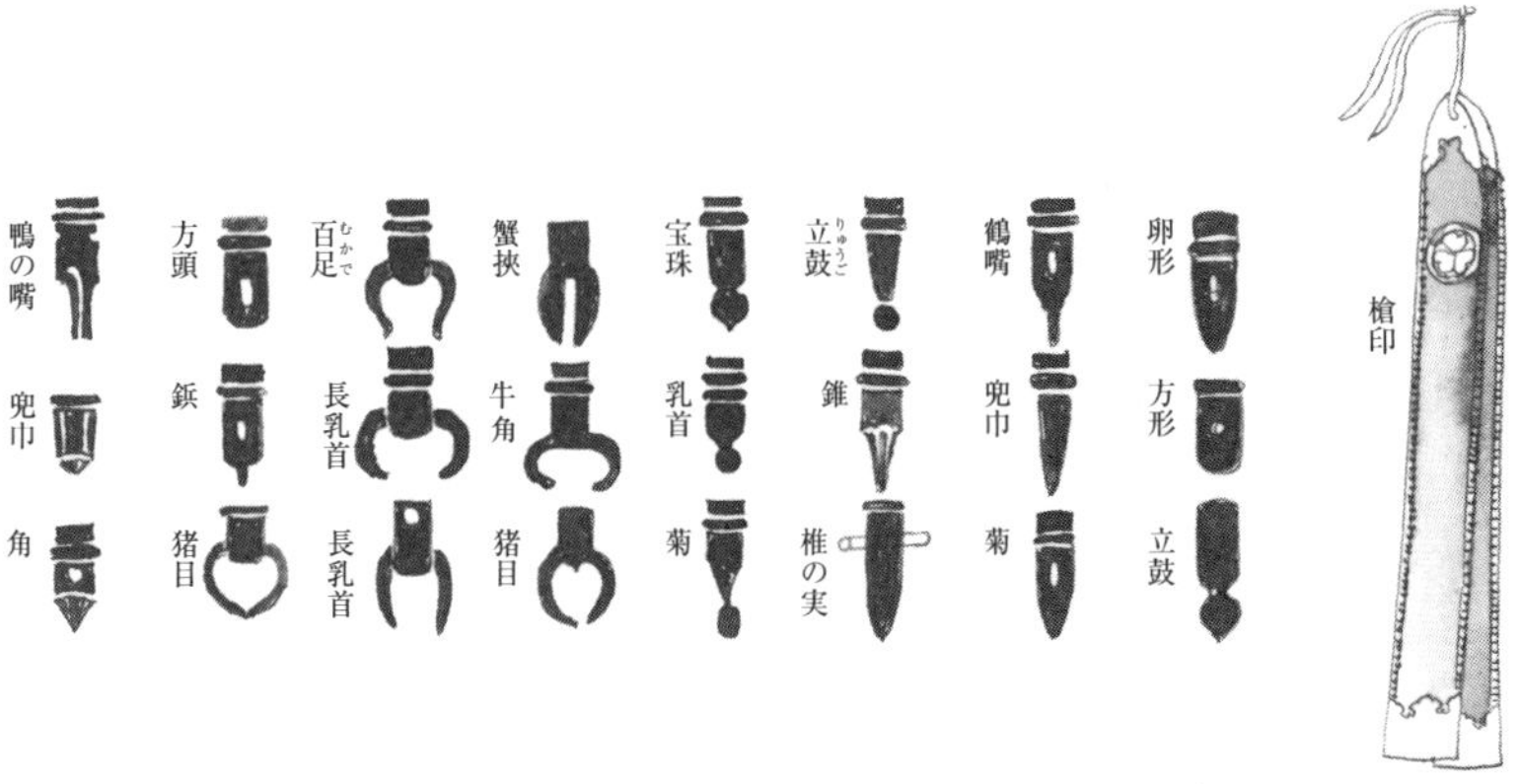

薙刀など～斬撃に用いる長柄武器

薙《なぎ》刀《なた》

薙刀は長刀・薙太刀（『異制庭訓往来』）等とも書き幅広の刀状のものに長い柄をつけた武器で、両手に持って薙ぎ斬るところからきた名称であろう。

鉾や槍は刺突を主とした目的とするが薙刀は薙ぎ斬るのが主とする所で、『後三年合戦絵詞』に首を突刺している図があるからまれに突く事もあったらしい。

手鉾と薙刀［てぼことなぎなた］

刀剣の柄を鉾や槍のように長くしたことから始ったとも思われるが、奈良の正倉院所蔵手鉾にその形及び使用法が酷似する。

手鉾は鉾の一種であるが、末永雅雄氏によると、正倉院所蔵の品を明治以後整理するに当り、仮に命名したのが今日でも名称として用いられているものであるとしている。

『和名類聚抄』に

　矛　釈名云手戟曰ㇾ矛　人所ㇾ持也。字亦作ㇾ鉾　和名天保古

とあり、『伊呂波字類抄』にも

　矛　テボコ亦作鉾手戟也　鉾手戟　已上同テホコ

とある所の鉾の事を手鉾といったのであるが、古代の鉾の中で柄が特に短く、かつ、突くより斬るに適した形態であるために特に手鉾といったのであろう。長門本『平家物語』入道相国が押寄院御所條にも

　しろかねのひる巻したる秘蔵の手ほこ

とあり、これはおそらく小薙刀のことであろうから、手ぼこという形式か名称が後世にまで用いられていた（『義貞記』にまで記され、後世の『関八州古戦録』にも「五尺許有シ手鉾」とある）ことは薙刀も手鉾も異名として用いられていたことがうかがえる。さらに『判官物語』鬼一法眼条には「大てほこつえについて」とあるのは大薙刀の意であろう。このように正倉院所蔵の手鉾と後世名付けられた鉾は薙刀としての性質そのものであるから、明治の調査において手鉾と名付けられ、以降もこの名称が通用したのであろう。確かに鉾類に含まれていたが、その使用効果とする所は刺突と斬撃の違いで、この斬撃を目的とする所から薙刀（長刀）の名称も生れてきたのであろう。

薙刀の長さ

薙刀は接戦において便利であるために平安時代末期から急速に普及し、それも徒歩戦で多く用いられた。使用法において太刀より操作に敏捷さは欠けるが、敵刀より離れた位置で攻撃を加えられることは鉾槍と同様で、その円心力の大きい点からも斬撃の効果は強力であった。

薙刀

『平治物語絵巻』に描かれた薙刀

それでも初期の薙刀は刃長も六〇センチ前後であるが、時代が降ると刃も柄も次第に長くなり大薙刀（『平家物語』『源平盛衰記』『太平記』近世の戦記）が出現し、それに対して旧制の薙刀は小薙刀などと呼ばれ、刃の形式も「小反刃の薙刀」「鉈薙刀」等が記録に見られ、拵えも「熨斗付薙刀」「大鐔薙刀」「白柄の薙刀」「銀の蛭巻の薙刀」「朱柄薙刀」等の名称があらわれてくる。

大薙刀とは『大友興廃記』原大隅刀条にあるように「大長刀の柄は一丈（約三メートル）身は六尺あまり（約一・八メートル）」という異例もあるが、大体に刃も柄も、旧来の薙刀より長大のものをいい、小薙刀は旧来のように柄の短い（地上に立てて柄の長さが持つ人の肩から耳のあたりぐらいの長さ）ものを言い、刃の長さで大小は言わない。その例として『太平記』唐崎浜合戦条に「岡本房が二尺八寸の小長刀」、吉野城軍条に「大塔宮が三尺五寸ノ小長刀」と形容されていることは、刃は長くとも柄が短いのを小薙刀といったことがわかる。栗原孫之丞信充（柳庵）の『武器袖鏡』には『軍記物』から薙刀の刃の長さを拾って列記している。

冷泉隆豊の白柄の長刀二尺五寸。三好義長の二尺八寸の大長刀。平能登守教経の三尺に過たる大長刀。大内介義弘の三尺一寸の長刀。戒浄房祐慶の三尺五寸の大長刀。和田五郎の三尺五寸の小長刀。塩谷伊勢守の四尺許の長刀。『志田草子』の四尺八寸、柄は三尺五寸の長刀、滑良兵庫頭の五尺二寸の長刀。塩谷伊勢守の五尺三寸の長刀、長尾彈正の六尺二寸の長刀（右ノ内ニ中（長）巻ナラント知ルルモノモアリ）と記され、中世より用いられた長巻（中巻）が、柄が一般的薙刀より短く、刀剣の柄のように絲や韋で巻いた形式と区別つき兼ねる形式のものも含まれている。

薙刀の刃と鞘

それらの薙刀の中で特殊なのは『大友興廃記』沢野十二口合戦條に記される鉇長刀、爪なし長鉇刀という名称のもので、薙刀の刃が鉈《なた》のように茎が筒になっている形式かとも思われる。それであれば俗にいう筑紫薙刀形式は遺品は極めて少なく、その図は『武器袖鏡』

正倉院所蔵の手鉾

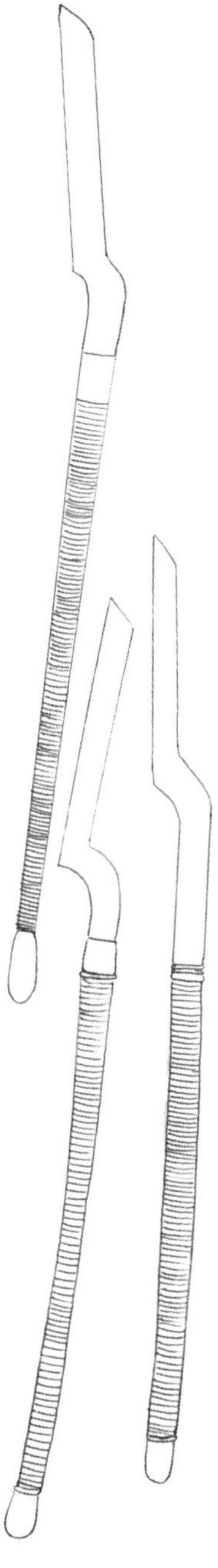

に示されている。『軍記物』に散見する「小《こ》反刃《そりば》の薙刀」というのは『武家名目抄』刃劍部巻二十四に

按、小反刃といふは小薙刀の殊にそりたるをいふ。小反刃の薙刀とも称ふなり

とあるが、小薙刀ほど反りは浅いのが多いから、これは『平治物語絵巻』『後三年合戦絵詞』等に描かれた小薙刀の刃が極端に反って表現されていることから推定した上での判断であろう。

だいたい遺物の薙刀の身は古画に見るほど反ってはいない。また近世になるほど反りは浅くなる。近世は槍の活用によって薙刀の使用は少なくなり、江戸時代は大身・大名の表道具として揃えたが、一般的には武家婦人の心得の道具として用意するぐらいとなり、刃長は二尺から一尺五寸（六十センチ前後）で柄は九尺（三メートル前後）の漆塗りや蒔絵の装飾的のものが多くなった。

薙刀は使用時には当然身はむき出しであるが、使用しない時は木の鞘で覆っていたことは長門本『平家物語』橋合戦条や、『源平盛衰記』八牧夜討条にも記されているところで、江戸時代には威儀的に薙刀を用意するから、ほとんど木製漆塗りの鞘をかぶせ、外出の折にはさらにその上に羅紗の覆いをつけたりした。

手鉾と薙刀

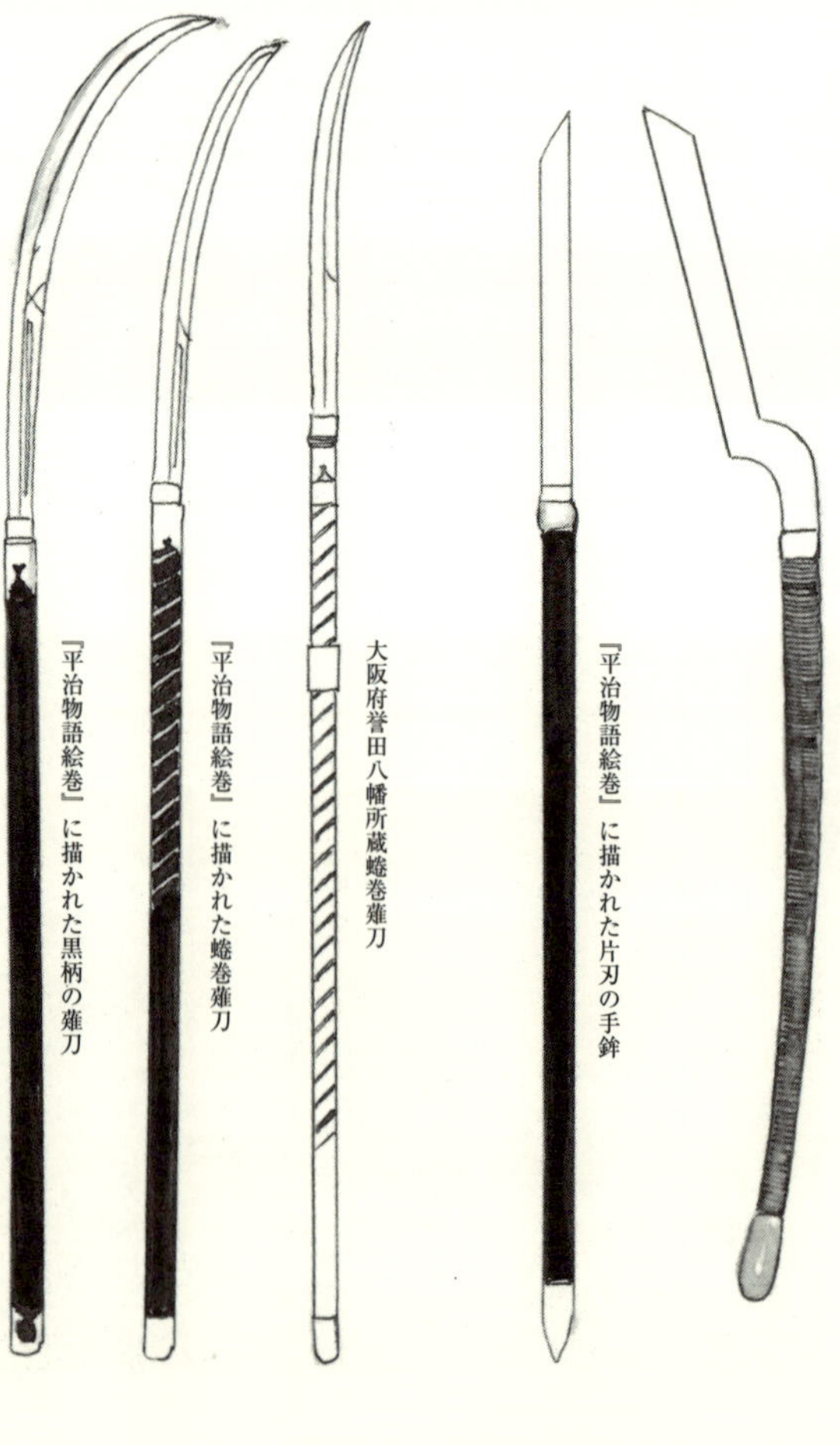

正倉院所蔵の手鉾

『平治物語絵巻』に描かれた片刃の手鉾

大阪府誉田八幡所蔵蛭巻薙刀

『平治物語絵巻』に描かれた蛭巻薙刀

『平治物語絵巻』に描かれた黒柄の薙刀

竹薙刀［たけなぎなた］

また果して薙刀として通用するかどうかは疑問であり、形式も不明のものに「竹薙刀」という名称の記録がある。『牛窪記』に

此事須山兄弟聞テ、オカシキヤツバラカナ。物ノ数ニハアラネド、村里ノナヤミモアルベケレバ、謀ヲ出シ一ナブリナブラバヤト、藁ノ人形ヲ数百コシラヘ、木鑓竹長刀サスマリナンド持セテ、藪陰ニ立並、外カニハカリソメナル小屋処々ニ

目立ヌホドニコシラへ番ノ者ワヅカとある。木鐺は木を削って作った槍であるから竹長刀も竹を削って薙刀の身のように見せたものであるから疑似武器である。従って竹槍程の効果はなく、相手を斬る代りに叩くだけで、むしろ棒の先に鉈をつけた方が有効である。おそらく実用品ではあるまい。

薙《なぎ》鎌《がま》

長柄の先に鎌をつけた形のもので、その古い形式は薙刀の刃を内側に曲げ、敵の首を掻くようにしたり、張った縄等を掻くように斬る道具で、突くのは不能で、横にはらう。

各種の薙刀

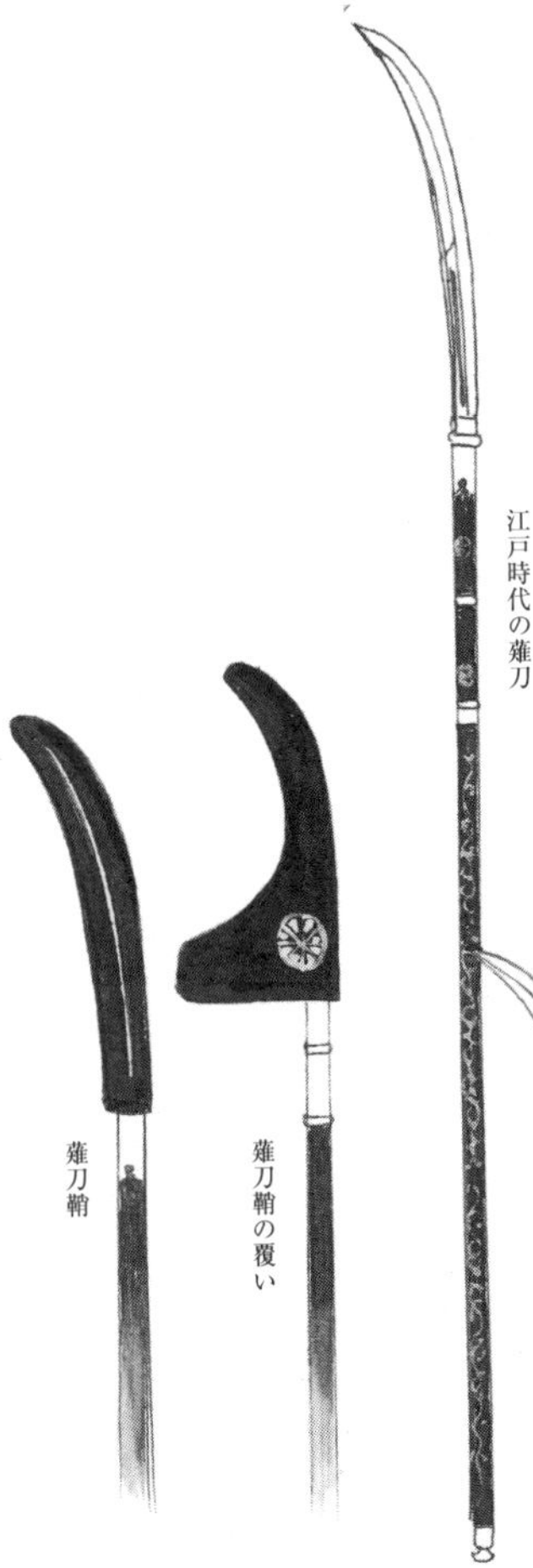

江戸時代の薙刀

薙刀鞘の覆い

薙刀鞘

『十二類合戦絵詞』に描かれた鍔付薙刀

『結城合戦絵詞』に描かれた鍔付の大薙刀

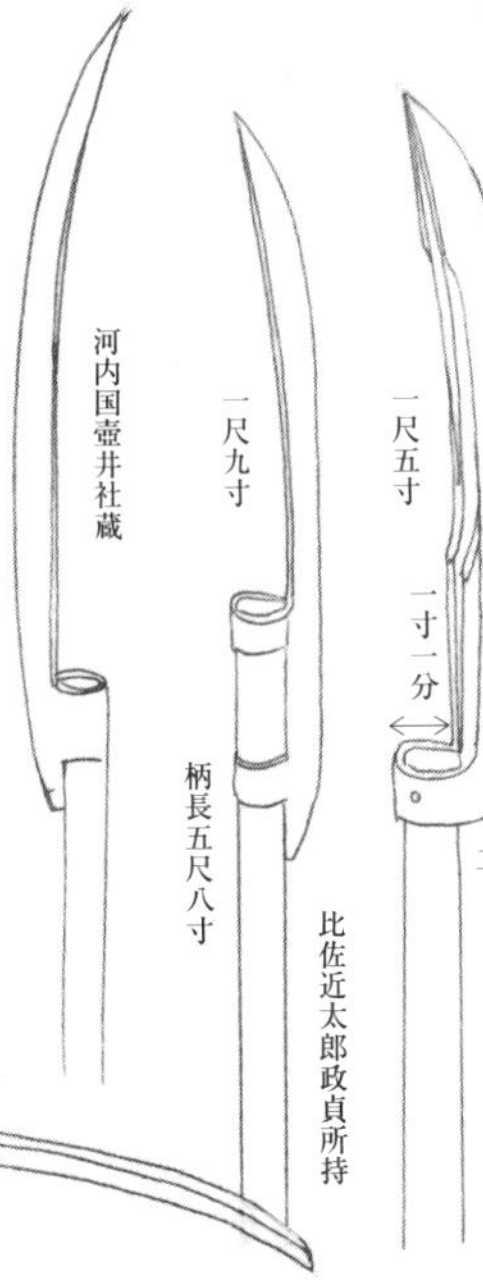

『武器袖鏡』所載筑紫薙刀

一尺五寸

一寸一分

二寸一分

一尺九寸

柄長五尺八寸

比佐近太郎政貞所持

河内国壷井社蔵

二尺刃弘一寸四分

野太刀

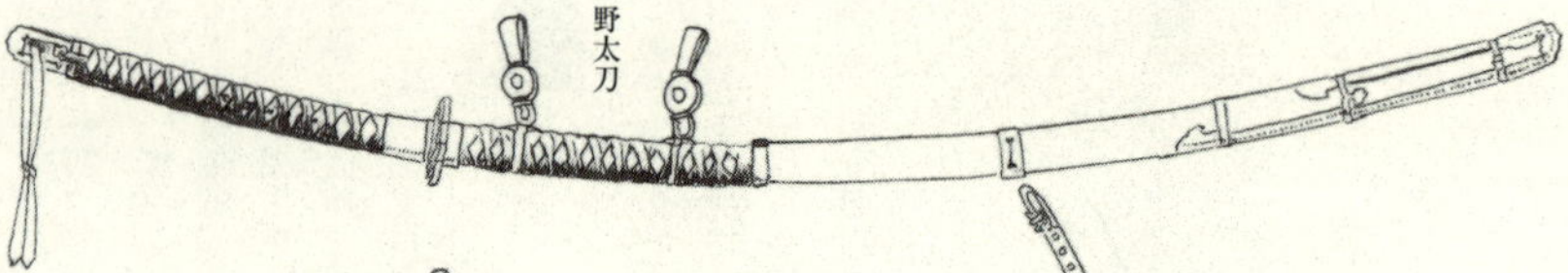
野太刀

野太刀『七十一番職人尽絵』所載

『大塔富出陣影』に描かれた従者の持つ野太刀

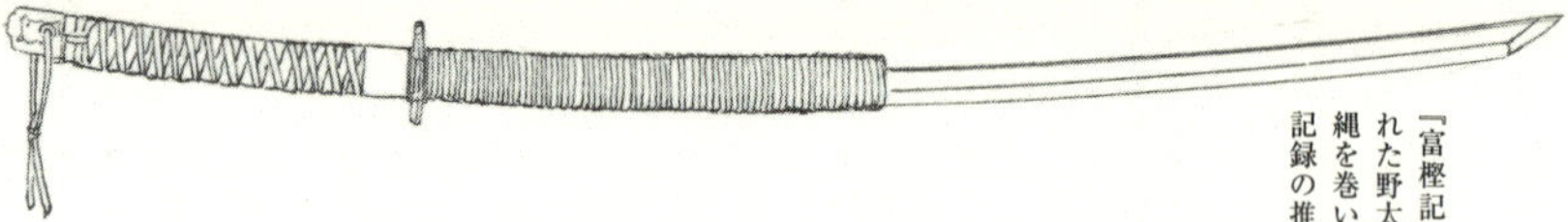
『富樫記』に記された野太刀の刃に縄を巻いたという記録の推定図

『判官物語』伊勢三郎義経の臣下と成る条に、夜襲した伊勢三郎の輩下に

　四五人に猪の目彫りたる鉞、やいばのないかまなぎなた、乳切木、材棒てんてんにもちて

とあり、刃の無い鎌薙刀とは後世いう薙鎌のことである。薙鎌は一般の鎌のように内側だけ刃が付くが、まれに両刃もある。

相手に引かける点から熊手と同種に見られ、『源平盛衰記』熊谷向追手条にも

　岩ノ上ニ逆木《サカモキ》ヲ引懸テ郎等下部マデモ熊手薙鎌持テ、アト云ハバサト出ベキ躰ナリ

とあり『官地論』にも熊手薙鎌と続けている。

薙鎌は長柄鎌ともいった事は『奥羽永慶軍記』奥州大平落城条に「長柄鎌」とあり、最上勢山北出陣攻法領館条にも

　ワタリ一尺計ノ両刄ノ大鎌三間余ノ樫ノ長柄ヲ付テ

と記されている。

野太刀《のだち》

長太刀改良形から長巻（中巻）が発展していった一因にもなるので、長太刀（大太刀）を野太刀といった事について、『壒嚢抄《あいのうしょう》』に

　足モ无《ナ》クテ大ナル太刀ヲ野太刀ト云ハ、鷹野ナトニ持太刀歟。野太刀ト書事不ニ

見及ニ三宝名義抄并ニ和名ニ短刀又ハ野釼ト書テ、ノダチトヨム。野ニ持ツ義ニアラズ。目《ナツケ》テ云、論語ニ云。先進礼楽野人也。後進礼楽君子也ト貴キヲバ君子トシ、賤ヲハ野人トス。又野僧ト云ハ卑キヲ云、無容儀ナル事歟。爾《シカ》ルニ太刀ハ身ニ佩物ナレバ、是以下ノ装束アルベキニ鞸韄ナトモ无クテ異体ナレバ卑劣ノ義ヲ以テ野釼ト云歟。但先ハ短刀ト書、太ヲ略スル也。殊《コトニ》短ノ字アリ。豈大太刀ナランヤ。倩《ツラツラ》是ヲ思フニ今ノ打刀ナルベキ歟。和名等其外古キ物ニ打刀ト云名ナシ。近比云出セルニヤ。結句是ヲ内刀ト書ク。内ニテ指刀ノ大ナルベキ事歟。推テ是ヲ云ハ建武ノ比ヨリ大太刀多成ト云フ。サレバ太平記ニモ元弘元年ニ山徒ノ都ヘ寄タリシニ、丹波国人佐治孫三郎ガ太刀ヲバ、其比曾テナカリシ五尺三寸ノ太刀ト書ケリ。知又建武ヨリ多ク成ト云事ヲ当時ハ天下一向大太刀也。是ニ引レテ古ヘノ短刀ヲ長ク成シテ野太刀ト云。故ニ昔ノ短刀ヲバ今打刀ト名ヅクル歟。角大太刀ノミ多キ事ヨモ人ノカノ悉ク昔ニ勝ル事ハ侍ラジ。

と記し『和名類聚抄』征戦具第百七十五

短刀　ノダチ　兼名苑云　剌刀　和名能太知　短刀也

と記されるのにこだわって難しく考えているが『武家名目抄』刀劍部七には

按　大内問答長道具書つらねたる所に、長太刀野太刀小鎗といひて、大太刀をいはず。家中竹馬記には大太刀長太刀といひて野太刀をいはねば、野太刀は即大太刀なるべし。抑《そもそも》いにしへ大太刀といひしは、只常の太刀のや、大きなる物也。中頃よりようやく長大になりて、終には帯《は》くべからざるに至れり。其後帯くべき物ならねば用なき足をも付ず、装束をも略して打刀の誠に長大なる物となり、又身の中程より本を巻て中巻の野太刀（長巻・中巻の項参照）などと名付たる。皆かの大太刀より其利のうつり来て、接戦にたよりよからんことをむねとしたるなるべし。扨《さて》壒嚢抄に野太刀といふは野に用る義にあらず、卑劣の義なりといひたる承け難くおぼゆ（中略）又長大なる太刀を野太刀といふは、此もの広場の戦をむねとして、殿舎の上に用なきゆえ野太刀といふ。野といふは皆郊野の義也。和語に「の」といひて賤き意に用ひしこといまだ其例を聞ず（実際には野鄙・野卑に通ぜしめることもある）

とあるのは明快な説で、建物の中では長大な太刀は振えない。ただし岩佐又兵衛の『山中常盤』絵巻では牛若が室内で長大な太刀を振り廻している画があるが、実際は不可能で、野戦においては重量ある長大な豪刀を振り廻すことは有利であるから、野戦用の長太刀という意味でも野太刀の語は適切である。南北朝時代頃から戦闘が激化して長大な野戦用の太刀が流行し、室町時代末期には、外出には刀を佩用しもっぱら、従者に野太刀（大太刀）を持たせた態は、武士が遊女の所を訪れる『七十一番歌合』の図にも描かれているが、帯取金具は無いが渡り巻の鞘を描いている。

長《なが》巻《まき》（中《なか》巻《まき》）

長巻の起こり

薙刀によく似たものに長巻（中巻）がある。長巻は野太刀（大太刀）を改良して用いられ始め、小薙刀の使用法と同じように用いたので、小薙刀が蛭巻をしたように、長巻は柄を柄絲巻きにしたことからその名が起ったらしいが、長巻と薙刀とでは身幅や反りが違う。『武家名目抄』刀劍部七では野太刀から改良されて行ったらしき事が記され『富樫記』を一例に挙げている。それによると

藤島友重鍛澄シ打九尺三寸ノ大太刀中程ヨリ鍔本迄手縄ヲ以テ吉利々々ト巻キ推立テ被レ置

とある条から大太刀の中程から鍔元まで縄で巻きしめて柄の代りとして用いたので、中巻ともいわれたのであるが、刃の部をわざわざ

巻きしめるよりは柄を長目にした方が便利なので小薙刀式とし、縄を巻くより刀の柄巻きのように柄を巻いて手溜りを良くしたので、長巻の名称が起ったらしい。故に刃の中程から縄を巻いた中巻の語も用いられていた事は『慶長見聞記』に

大和大納言ヨリ進メラルル中巻ノ野太刀ヲカツギ

と表現されたりする。また『関八州古戦録』謙信後巻無雙誉条にも

五尺計有シ牛鉾長巻ノ大太刀ヲ担ケサセ真先ニ押立

とあり、一部では中巻の野太刀とか、長巻の大太刀と呼んでいた。形式が定まると、『見聞雑録』の羽柴秀吉の播州を拝領せし頃には

此頃の長巻といふは新身の業物を三尺或二尺五六寸七八寸に打せ、柄を三尺細縄にて巻たり。依レ之長巻と号し、近年長柄の跡に立、大将の馬廻り小人中間の腕先強き者に為レ持候。他家になし。信長家にて秀吉の仕始られし事なり

とあり、秀吉の発明のように記されるが『太閤記』山鹿の有勤父が為救急難後巻条に長巻五十人

長巻は三尺余有レ之刀をさやなしに柄四尺余にして、かち立の士に持せしなり。信長公すき給ひて百人御先に立候し今せはまれなり

と記され、秀吉の発明よりもすでに前に信長が徒士に持せていたことがわかり、さらに富樫政親が、長巻の初期的形式を用いていた。

長巻の形式

長巻として形式が整ったのは信長時代であるが、結局刃の長い小薙刀と同じで、異なる点は刃の身幅が太刀に等しく、柄は三尺ほど、刀の柄巻のように巻いて握りやすくしたものである。この柄巻は時には刻みを入れた柄を漆で固めたものも作られ、越後の上杉家でも馬廻りの徒士武者に用いさせ、これを「馬の足払い」などと俗称した。

つまり刃の長い小薙刀と同じになったが、結局は太刀の身幅の身で、薙刀のように分厚い形式でない違いだけであるから、人によっては中巻太刀、長巻太刀と呼んだのである。

長巻

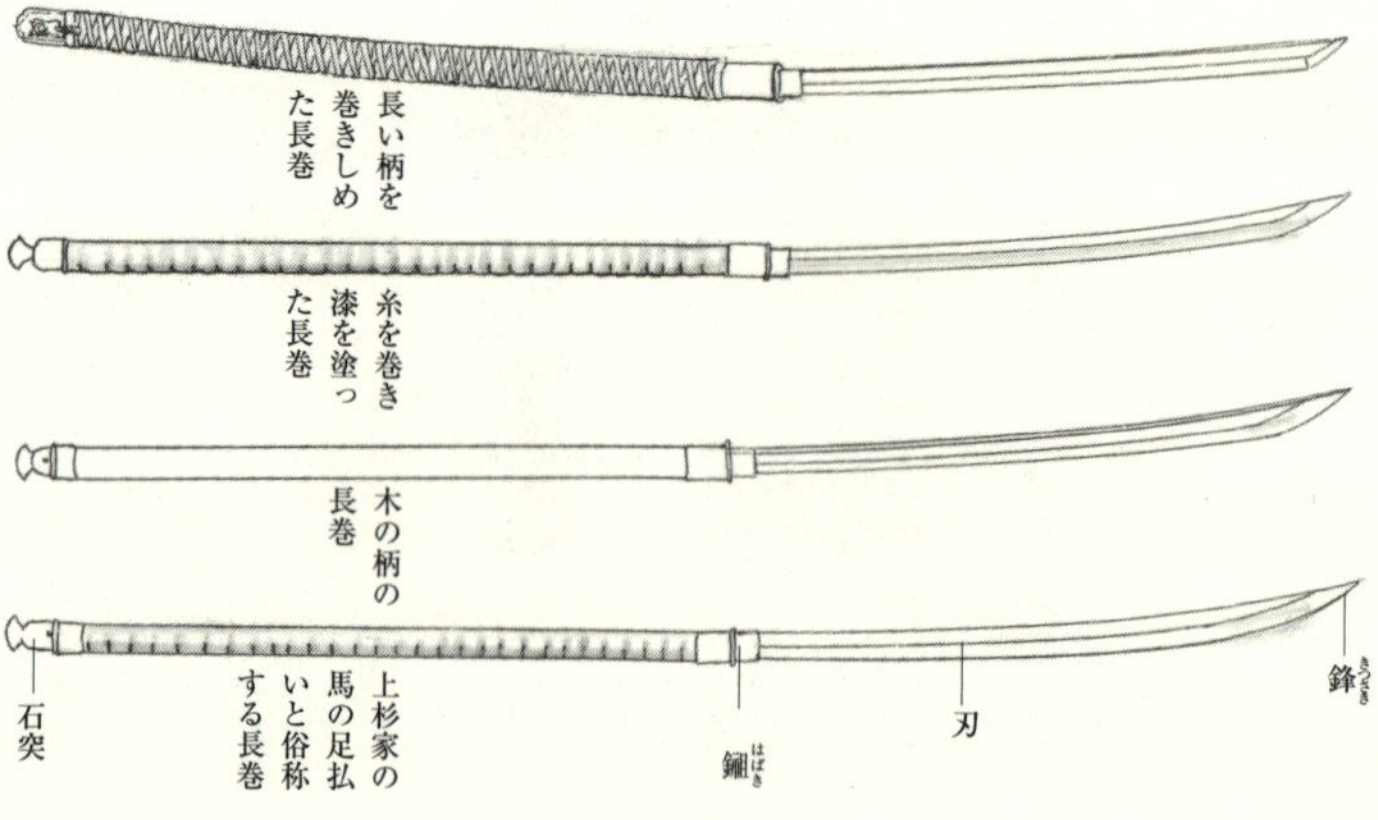

雑武器～多種多様な武器類

鈎爪の武器

熊　手［くまで］

現在では落葉を掻き集める竹熊手しか見られないが、軍用のものは三・四本の鉄の細い棒の先を尖らせて、元をまとめて先を開いた形のものを長い棒の先に取り付けたものである。先が熊の爪のように鋭いので熊手というが、龍の爪にたとえれば龍吒《りゅうた》という。ただし龍吒とは投縄の先に取り付け、形も日本の碇《いかり》形になる。熊手は塀に打掛て昇るのに用いたり、塀を倒し、また敵に引掛て倒したり、舟戦には敵船の船舷に引掛て引寄せたりするのに用いた。その起源は不明であるが、『平治物語』郁芳門軍条に平参河守を早走りの名人八丁次郎が追馳で、熊手をもって馬上から引落そうとした事が記され、参河守は太刀をもって熊手の柄を斬折っている。こうしたことから熊手の元から鉄鎖をつけて柄に絡めるようになった。万一柄を斬折られても鎖を引けば目的を達するからである。『蒙古襲来絵詞』には船軍の道具として描かれているし、『太平記』『官地論』『関八州古戦録』から『大坂軍記』等には城攻にも用いている。この種類のものに船戦用の船槍・鋒がある。

打鎰（龍吒）［うちかぎ（りゅうた）］

龍の爪のように鉄で鋭い爪形を放射状に拵え、元は鐶をつけ、それに縄を作って、縄の元は握ったままで目的物に投げ、引っかけてから縄を手繰って目的のものを引寄せる。

船戦に用いられたが、江戸時代は小型の龍吒を作り、逃げる相手を捕える道具に用いた。『和漢三才図会』巻第二十一　兵器の項に

龍爪三才図会云　以鉄作之　為龍爪之形
逐逃人投之捕　△按今有須婆流其形如鉄
矴而小四爪以鈎　以墮於井中物毎人家
亦

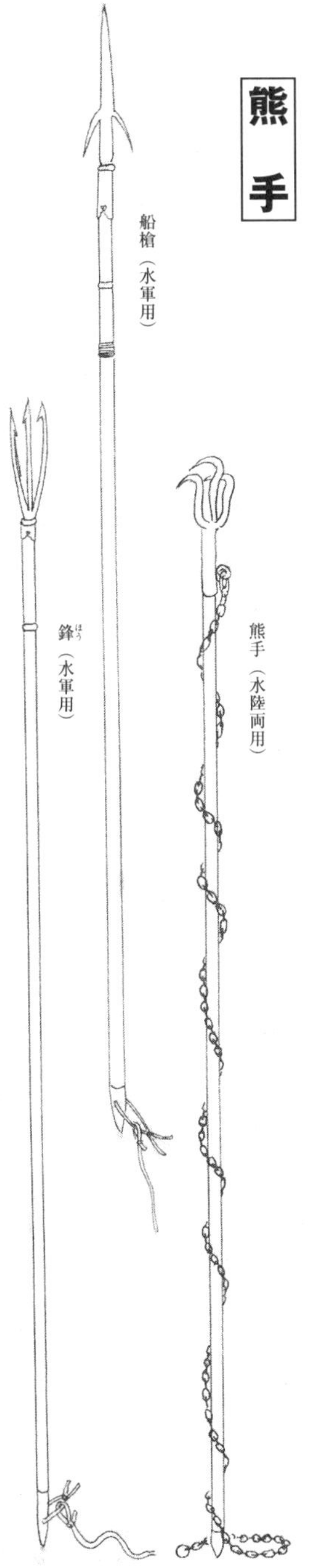

龍吒

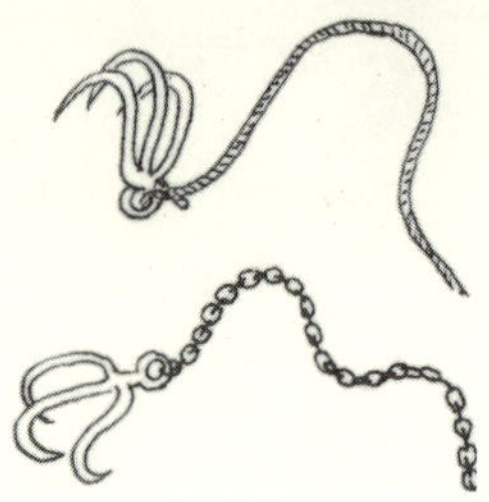

用蓋出於龍吒

とあり、後世はその小型のものが一般民家にも用意されて、井戸の中に物を落した時に取って上げる須婆流《すばる》という道具になったとしている。

船戦などの折にもこれを投げて敵船の舷にかけて引寄せたり、大船で高い場合には登る道具とし、『義残後覚』木蘇城於責ル条のように城に攻込むのに利用した。

打撃武器

棒も打つ道具として石器時代から武器・狩猟具として用いられ、威力を強力にするために先に鋭利なものをつけて刺突して鉾・槍に発達したり、棒を細くして矢に利用したが、棒本来も頑丈に作って刺突・打撃の武器として用いた。細い棒は後世いう六尺棒で、刺したり叩いたり受けたりし、頑丈に太い棒はいわゆる金砕棒《かなさいぼう》として発達した。

細目の棒は臨時の武器として杖ともいうが今日のステッキとは異なり、好みによって異るが長いものを用いた。

杖［つえ］

武器が間に合わぬ時は棒も用いたが、これを杖という。『源平盛衰記』絹笠合戦条にも

弓ヲ射ザラン者ハ七八人モ十人モ、又四五人モ徒党シテ、好ミ好ミノ杖共ヲ支度セヨ

等とあり、集団で杖で打ってかかれば結構戦力になった。後世杖を武器とする杖術が発達し、その得手によって好みがあり、長きは二メートルから、短きは一メートル未満のものもある。

金棒（金砕棒・金材棒）［**かなぼう**（**かなさいぼう**）］

細い棒では折れやすいし、打撃力も弱いので太い木の棒を用い、堅固にするために樫の木を用いた。『太平記』金崎城攻条に

樫ノ棒ノ八角ニ削リタルガ、長サ一丈二三尺モ有ラント覚エタルヲ打振テ

とあり、室町時代末期も荒武者がこれを用いている。たいてい棒の面を八面に削るので「八角の樫の棒」（『太平記』）というが、用材としてはイチイの木（『判官物語』）、柘植《つげ》の木（『東乱記』高野台合戦条）、杉の木（『太平記』頼宮心替の条）等が用いられる。

これらは木を削り作っただけでは折れたり傷ついたりするので、八角の面を一つ置、あるいは八面に鉄の延板を鉄鋲繁く打ったものもあり、これを筋金の棒（『北条五代記』三浦介道寸父子滅亡の条）とか、筋金わたしたる棒（『室町殿物語』好喧嘩徒党の条）、または黒金の棒（『曾我物語』ふじののかりばへの条）、鉄棒（てつぼう。かなぼう。『義光物語』）という。世俗にさらに強身を表現するのに「鬼に鉄棒」というのはこれであるが、本体自体すべてが鉄製であるというのは後世の想像であって、ほとんど木に鉄板を貼ったり鉄板で包んだものである。故に金棒といい、また金属まで破砕する打撃力（兜などは割れてしまう）があるので金砕棒（金材棒。『太平記』四月三日合戦条、『古今著聞集』大殿小殿が条さいぼう）などと呼んだ。

これらは鉄板を貼って鉄鋲を繁く打つが、握る所はやや細く丸く削って手溜り良くしたのが普通で『太平記』四月三日合戦条に

八尺余ノカナサイ棒ノ八角ナルヲ手本ニ尺計《バカリ》円メテ誠ニ軽ゲニ提タリ

とあり、両端にも石突を入れたものもある（『太平記』阿保秋山河原軍条）。また太い鉄の鐶を打ち込んだもの、握り部分を太い紐で巻いて装飾を兼て手溜りを良くしたものもある。

乳切木［ちきりき］

棒の武器であるが、長さがだいたい人の乳胸のあたりまでの長さのものをいう。また一説に棒の上に横木をつけて丁字形にした棒で、これは近世棒術として発達したものであるともいう。『平家物語』巻十一、志度合戦の条に

今ハ何ノ用ニカアフベキ　六日ノ菖蒲会ニアハヌ花　イサカヒ過ギテノチギリ木哉

とあり、後世「喧嘩過ぎての棒ちぎり」というのは事が済んで間に合わなかった事のたとえに用いるほど、平常でも護身用に用いられた棒である。『判官物語』伊勢三郎義経の臣下と成条に、義経を襲った三郎一党が手に手に色々の得物を持つ中に「ちきり木（乳切木）さいほう（金砕棒）」と記してある。

振杖［ふりづえ］

近世の棒の武器であるが、棒の先に鎖につけた分銅や鉄丸があり、振り廻して打ち込むと、それだけ長くなり、また敵刃などを鎖で絡めることもできる便利な武器である。乳切木と鎖鎌の鎖を合せたようなもので、これの棒の短いのは中国の携帯用武器にあるし、ヨーロッパには金属性棍棒に鎖に鉄丸をつけたものもある。江戸時代には宝山流一派がこれを用いた。

鉄杖・鉄鞭［てつじょう・てつべん］

鉄杖は長さ約一・三メートルくらいの先細の細い棒である。これも突く・打つ・受けるの操作をもって対抗し得る武器で、これを鞭くらいに小さくしたものを鉄鞭という。鍛えてあるので打撃によくしなうので危険な護身用武器であった。

十手［じって］

鉄鞭をさらに短かくした護身用武器は十手である。戸伏太兵衛はこれを実手としている。これで打てば相当の打撃を与えることができるし、握りの上に鈎が付いていれば敵刃をここで受けることもできる。江戸時代には捕物用具として用いられ、鈎付が十手の代表となり、鈎無しは無鈎十手といい、いずれも種類が多い。長さが一メートルあまりの打払い十手というものもある。

鉄刀・鉢割［てっとう・はちわり］

十手に似た用途に用いられる護身武器で、十手に鞘がないのに対し、鉄刀や鉢割は刀剣

打撃武器──一

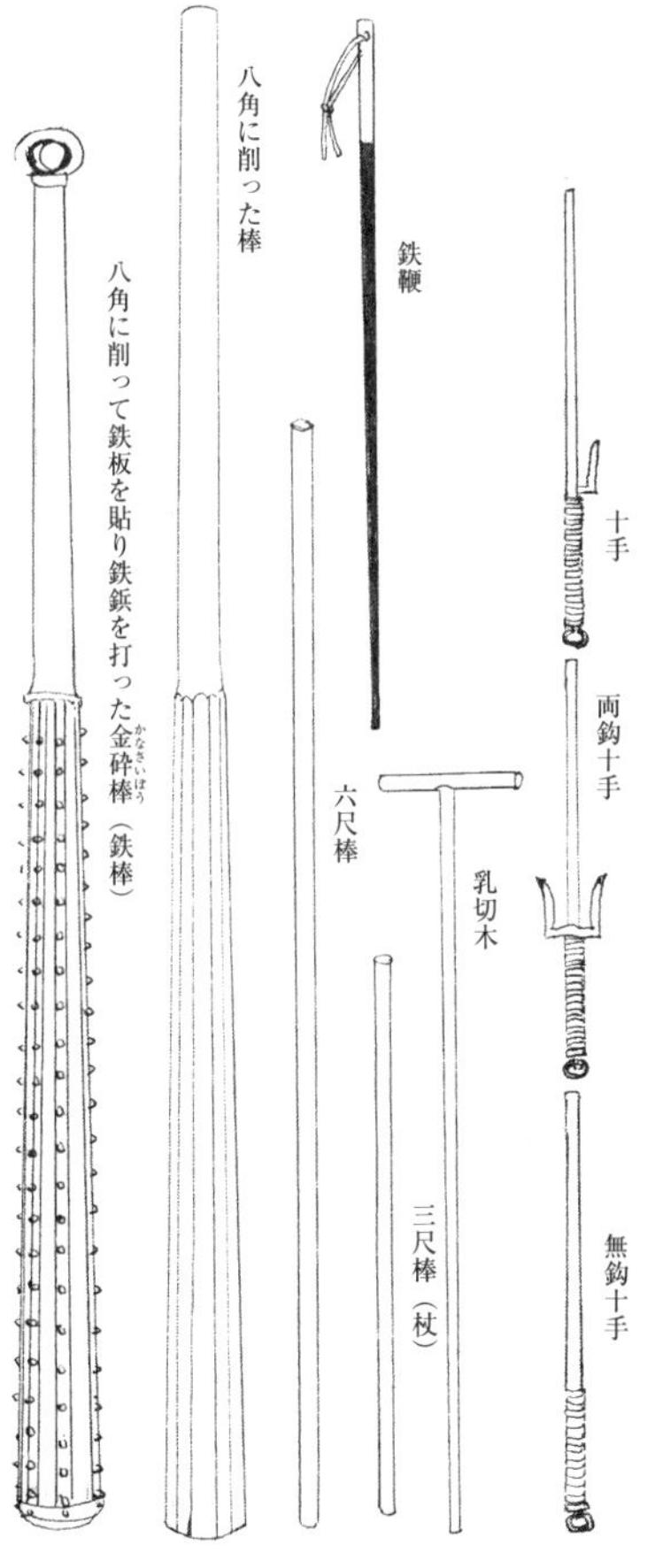

打撃武器――二

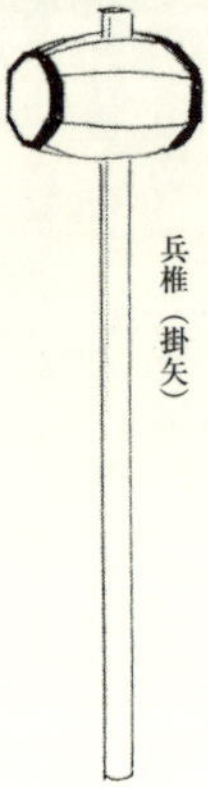

兵椎（掛矢）

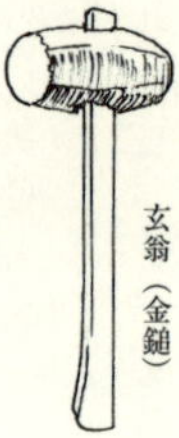

玄翁（金鎚）

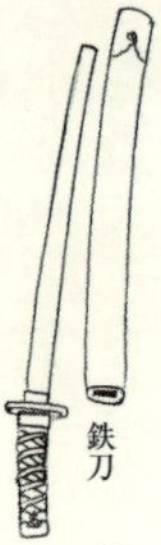

鉄刀

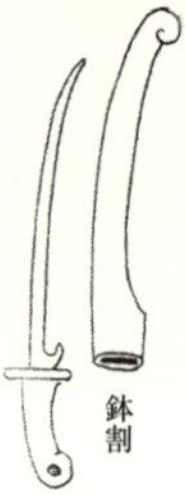

鉢割

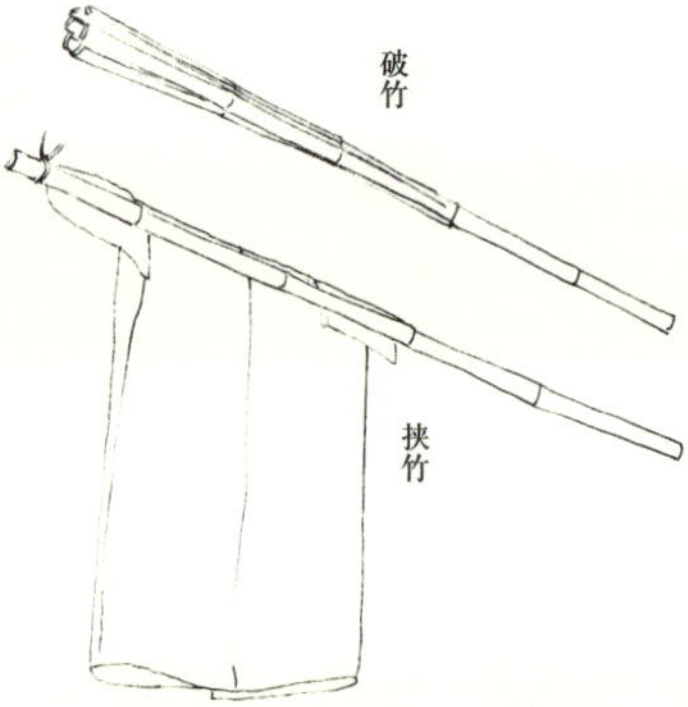

のように鞘に収める。共に刃は付いていない。鉄刀は打撃武器であり、鉢割は十手に似た小さい鈎が付けられている。『集古十種』刀剣部巻一に、楠正成卿短刀の図として、茎に「元弘元年正月吉日、五郎入道正宗造之」と鐫り、角形の刀身の棟に「楠多門兵衛正成」と鐫ってあるので、鎌倉時代末期頃から用いられていたと江戸時代は思われていたが、これは江戸時代の偽作で、大部分の鉢割がこの銘を鐫る。

一種の脇差代りの護身用武器で、これで兜の鉢を割るとこじつけたので名付けられた。

兵椎（槌・掛矢）［へいつい（つち・かけや）］

木や石の塊を棒の先に結びつけて打撃武器としたのは石器時代からであり、金属で作られたのが金槌である。金槌は重量あり堅牢なので小型でも済み、これは携帯便利なので建築用具として古くより用いられた。しかし打撃面を大きくするためには金属製の槌では重量あり過ぎて操作に不自由な為に、木の塊の中心に柄を通して打撃器とした。しかし打撃面が木であるために破砕しやすいので鉄の枠《たが》を嵌めたりして用いた。後世これを掛矢という。

掛矢は軍用にも用いられ、杭打ち、城門破りにも用いられ、もちろん打撃武器としても用いられた。『日本書紀』景行天皇紀には兵椎という用語で使用されている。土蜘蛛（異賊）退治に石榴の樹で椎（槌）を作って土蜘蛛の石室を襲って全滅させた事が記されているから石室を打ち崩す事にも用いられたのであろう。

玄翁（金鎚）［げんのう（かなづち）］

鉄槌の中で、鉄の部分が大きく頑丈な形のもので、石を砕くのに効力がある。伝説で朝廷をおびやかした三国伝来の九尾の狐が、正体をあらわして、下野国の那須野に逃げたが、害を与えるので、三浦介義明と平上総介広常が退治た所、これが殺生石となり毒気を吐いて人畜に害したので源翁（玄翁）和尚が鉄槌で叩き割った。それ故に石割槌を玄翁というようになったと伝えられる。攻城用の槌として用いられた。土木工事や倉の壁、石垣・土堤の支え板などの破壊道具で、石を割ったり砕いたりする時は鑿《のみ》も一緒に使用する。

挟竹・破竹［はさみだけ・わりだけ］

竹は有機質で古くなると弾力を失うので、過去の道具として挟竹の遺品は無い。竹を用いる点から弾力の応用の武器であろう。『甲陽軍鑑』にも

　小者十五人、挟竹を持ち、総手の跡にさがりたる敵方の馬乗三騎出、草履取を一人きる所に残る十四人挟竹にて馬乗一人うちおとし、搦取て

と記され、『見聞雑録』にも

　鬼小島（小島弥太郎）は無きか。切て入若者共は後れたか、と例の破り竹を以扣き立てぞ被忿《いかられ》ける。破竹当世に用いる事、謙信下知のわり竹より始まれり。

とあり、破（割）竹と挟竹とは少し違うようである。破竹は竹の幹を裂いたもので、これを打合ったり、地を叩くと音がするので狩猟の折の勢子《せこ》がこれを叩いて禽獣を追い出すものであるから武器にはならない。

挟竹も竹を一定の長さに裂いて、これに従者が衣服類を挟んで担いで従う時の道具である（桃山時代頃から従者の持つ衣服は畳んで箱に入れて担いだので挟箱の名が起った）。武器ではないが、大勢で囲んで挟竹で攻撃すれば武器兼捕具になる。

捕獲具

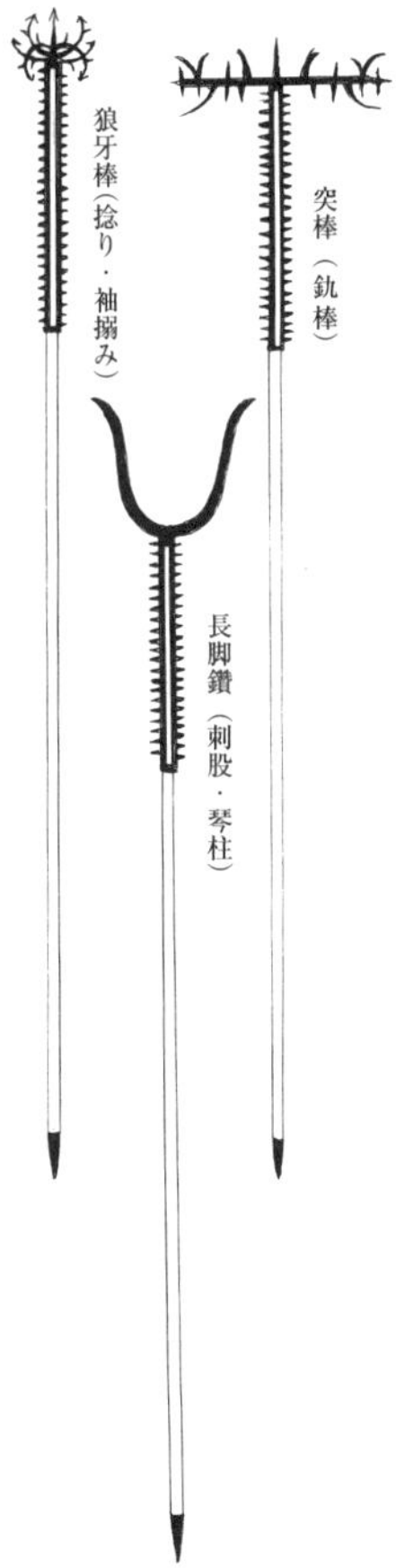

捕獲具

突棒（鈂棒）［つくぼう］

先端に鉄の棘ある横手を設け、中央にも長い棘あり、また柄の物打ち部も鉄板を貼って棘を多く植え、柄は三メートルから四メートル位ある。殺傷武器でないが、相手の抵抗を制御する長柄類の一種で、中国で用いられていたらしく『三才図会』には長脚鑽・鉄把・狼牙棒の三種があり、鉄把がこれに当り、日本では突棒と呼んでいる。安土・桃山時代頃から用いられたらしく『小畠景憲家譜』に

　去程に三月十七日の八ツ時より景憲宿のあたり人足早く、殊に突棒さすまたなど持ありく

と記されている。『和漢三才図会』には

　按（中略）鉄把今云鈂棒也

とある。実用品は敵に柄をつかまれぬように物打ちの棘の部分が長く、江戸時代の番所等に飾った突棒の物打ちの棘の部分は比較的短かい。

長脚鑽（刺股）［さすまた］

長柄の先が二股になっていて、敵を捕える時に頸や腕脚を突いて捻り、苦痛を与える捕具で、琴の絃を支える琴柱に似ているので「ことじ」ともいう。安土・桃山時代から捕

具として用いられ、『室町殿物語』『小畠景憲家譜』にも記され、突棒・長脚鑽・袖搦み（狼牙棒）を捕物の三つ道具と称している。中国で用いられたものが伝ったものである。

狼牙棒［ろうげぼう］

安土・桃山時代頃から用いられた長柄の捕物道具で、中国の『三才図会』にも記されている。『和漢三才図会』では

狼牙棒、今云鋲棒也

とあり、鋲りとも捻りともいわれ『室町殿物語』にも記されている。江戸時代には袖搦《そでがら》みとも言っているのは、抵抗する相手の袖や衣服に搦めて捻り、活動を止められるように、熊手を上下に合せて棘を植えたようにして搦みやすくした鉄が柄の先に付いているからである。

その他の武器

鉞（戉）［まさかり］

鉞は「エツ」とも訓み『説文』には大斧としている。俗に鉄鉞《ふえつ》といっているが同物で、軍用は鉞といい、樵人の用いるものは斧として、刃の広さが異なる。『和漢三才図会』には

詩大雅云　干戈戚揚之類是也　鉞、平鑾声也　作㆓斧戉之戉㆒非也　然今皆作㆓斧

鉞・鶴觜・鎌

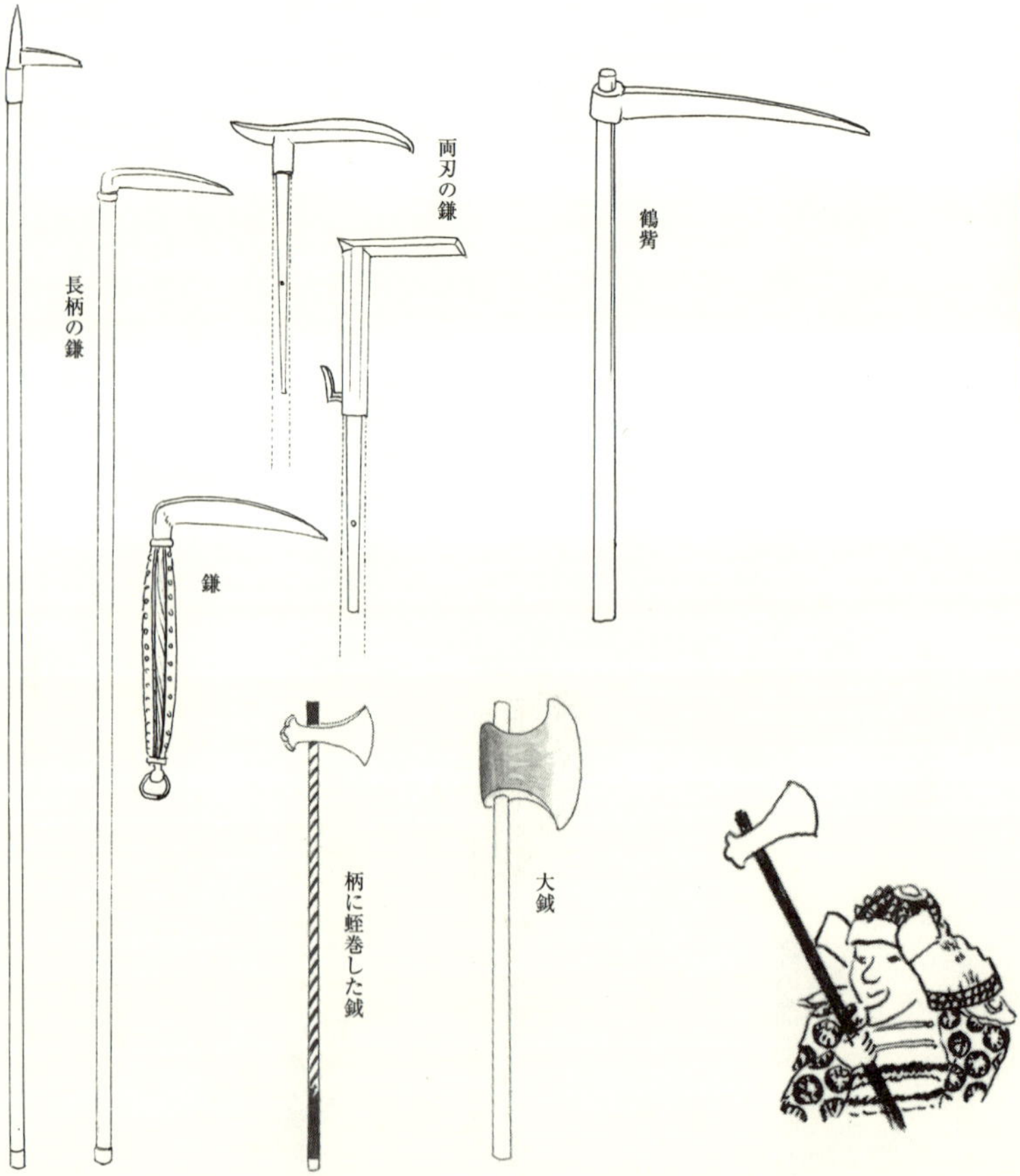

『春日権霊験記』に描かれた鉞

戊字ニ矣

とある。古くは鉄鉞（斧鉞）といって、『左伝』に「昭公十五年、疏　鉞大而斧小」と区分し、『礼記』王制篇に

諸候賜弓矢而後征　賜鉄鉞　然後殺

とあり、後には征伐に行く時に皇帝より大将に賜った（征討の全権を与える意）。日本において節刀を賜ると同じ意味を持った。

敵の城門の扉とか杭等の防御物を破砕し、また振りまわして武器ともなったから力量ある武者が用いた。「まさかり」とは真割切《まさきわり》の意ともいう。重量があるので打撃力の強い武器である。『太平記』山門攻条にも

猪ノ目透シタル鉞ノ歯ノ亘一尺計アルヲ右肩ニ振カケ

とあるのは大鉞である。小振の鉞は『春日権現霊験記』等に描かれている。

鶴　觜［つるはし］

土を掘るために鶴の嘴のように鋭い鉄具を柄にすげて打込む道具で、陣場作りや攻城用の工事道具として使用される。安土・桃山時代になって城砦、陣地構築がさかんになると、軍陣における鶴觜の使用も多くなった。

鎌［かま］

鎌は草刈や稲・麦の収穫用で、農具であるが、軍陣でも設営や施設破壊には必要な道具であるから、下部《しもべ》に必ず持たせる。乱杭に張り廻らした綱を切ったり、馬の飼料の草を刈ったり用途は広い。『源平盛衰記』高綱渡宇治川条にも平家方が宇治川に綱を張った乱杭を佐々木の郎党が、

冑脱キ置キ、禪ヲカキ腰ニハ鎌ヲサシ、手ニハ熊手ヲ以テ河ノ底ニ入リ、良久《ヤヤ》ク沈ミククリテ乱杭逆木《サカモギ》引落シ大縄小縄切捨テケリ

とあり『文正記』にも「鎌熊手」、『奥羽永慶軍記』最上勢山北出陣攻法領館条にも

一尺計ノ両刄ノ大鎌

とあり、軍陣に用いられていたことがわかる。

投　石

瓢石《ふりげんばい》（投石具）

『年中行事絵巻』に描かれた投石具

投　石［とうせき］

武器らしいものを使用せず武器として一番手軽なものは石塊である。城砦等で登って来る敵に石塊を投げ落したり、掌で握れるほどの石塊は狙い投げて損傷を与える事ができるもっとも原始的武器である。

素手で投げる場合もあるが、円心力を利用して遠距離まで投げるために、紐に結び付けたり、紐の中央に石を包むように挟んで、モーションをかけて飛ばしたりした。これらは古代から用いられ、ヨーロッパ・アッシリアでも使用された痕跡があり、後世でも未開民族が用いている。日本でも古くから用いられ、平安時代には民間の印地打《いんじうち》にも用いられ、後世の武者の合戦開始時に石投げが行われている。三方が原では武田軍が戦闘開始時に徳川軍に石礫《いしつぶて》を乱投して悩ませている。

投石器［とうせきき］

石を投げて敵を殺傷する事は狩猟時代から行なわれているが、道具を使って大きめの石を飛ばすのは、木竹の弾力を利用したものに見られる。平安時代すでに用いられていたら

投石器と火矢

しく『和名類聚抄』征戦具第百七十五に「イシハジキ(旝)」の名がある。石の大きさと、撓め方によって、石の飛翔の距離が違うから、正確に命中させる事は困難で、集団の中に落下して初めて効果がある。

大木の切株に割竹を重ねたものを結び付け、先端に投擲する石の皿受けをつくり、これを撓めるように縄で引き絞り、必要の時に縄を放つと竹や木の反動で石が飛ぶ。これを弩《いしゆみ》のように弓状のバネを利用することもあり、『後三年合戦絵詞』に描かれているように、大石を縄で吊り下げておき、敵が真下に来た時に縄を切って放す法もあった。ヨーロッパのカタパルトと同じ方法で石を飛ばすことも行われたようである。

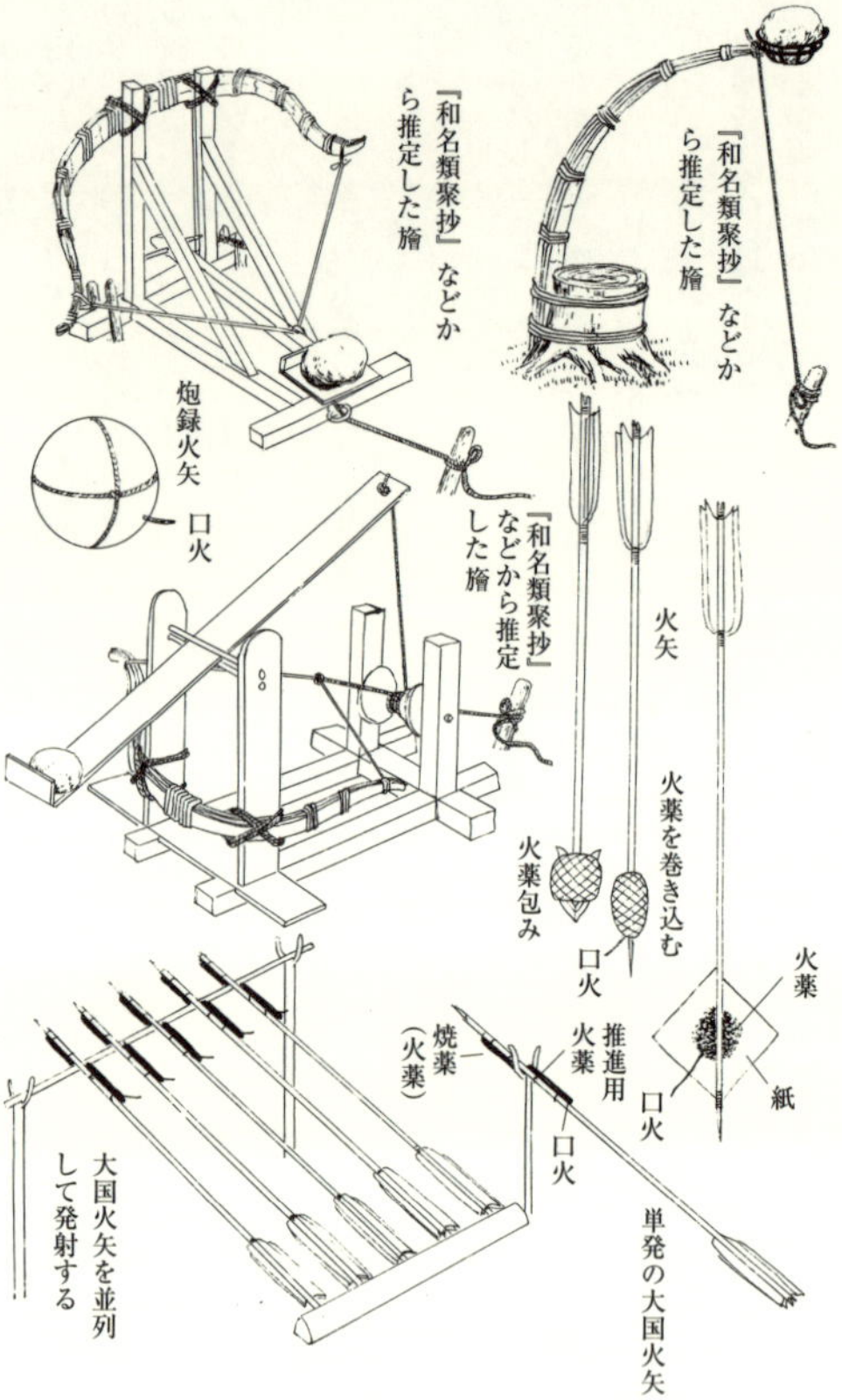

また炮録《ほうろく》火矢といって、土器の半球状のものを二つ合せて球状とし、中に火薬、小石、鉄粉を入れて紐で縛り、口火縄をつけて点火して、適当に燃えたところで前記の石はじき(旝)で飛ばす法もあったが、これは火薬が伝わってからである。

火　矢［ひや］

敵陣や建物に放火する時には、鏑矢の中に綿に浸ました油を入れて、それに火をつけて発射したが、火薬を用いるようになってから鏃の元に火薬を包んだ紙を巻き、口火を付して、それを燃して射た。

また火薬を詰めた小筒と、火薬の発火力を推進力とする小筒を大型の矢の箆に結んで、必要の角度に立てかけて、口火薬点火後推進用の火薬の爆発する力で飛ばす原始的ロケットも考案され、これを大国火矢といった。これを列べて斉射する法もある。

火矢は戦国時代にさかんに用いられたが『東遷基業』に家康方が長篠城攻略の折に

火箭を多く射掛ければ折ふし南風吹起り火勢甚熾になりて城郭盡く灰燼となる

とある。

第三章

銃砲

火薬を用いた武器〜銃砲の前身

鉄砲以前の「鉄砲」

てつはう

鉄砲という語が記録にあらわれたのは蒙古襲来の時で『竹崎五郎絵詞』にも、飛んで来たものが破裂した図があり「てつはう」と註記してあり、これは後にまで異国の驚異的武器として伝ったらしく、『太平記』自大元日本条にも

鼓ヲ打テ兵刄既ニ交ル時、鉄炮トテ鞠ノ勢ナル鉄丸ノ走ル事下レ坂車輪ノ如ク、霹靂スル事閃々タル電光ノ如クナルヲ一度ニ二三千抛出シタルニ、日本ノ兵多焼殺サレ、門櫓ニ火燃付テ可二打消一隙モ無リケリ

とある。しかしこれは室町時代末期に輸入されて以来、全国的に拡った鉄砲（火縄銃）とは別らしく、鉄球に火薬を詰めた炮録《ほうろく》火矢式のものか花火筒形式のものから発射された形式のものらしい。爆発して火が四散して焼き立てるというのであるから焼夷弾の初期的のものであったと推定される。

炮録火矢

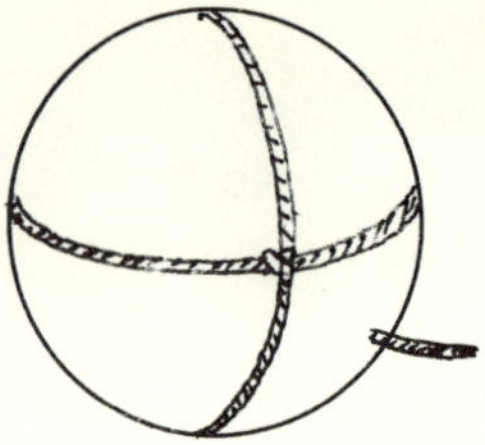

紙炮［しほう］

記録では鉄砲と称するものが中国あるいは琉球（沖縄）を経てもたらされていたらしく『塵埃壒嚢抄』巻一（一四四六）に

テツハウト云フ字ハ何ゾ。鉄炮ト書也。紙ニテ作ルヲ紙炮ト云也

とあり、この鉄砲も鉄筒から発射されたものであるが、紙で作った紙炮というのは、後世の張子筒形式ではなく、爆竹のごときもので射撃用のものではなかったのではあるまいか。それは『蔭涼軒日録』の文正元年（一四六六）に琉球国の役人が室町幕府に朝貢して退去の折に総門の外で鉄砲を放ったことが記されているが、祝意を表して爆竹を鳴らしたか、あるいは花火筒のようなもので放ったので、当時の人は元冦の記憶によって鉄炮といったものかもしれない。

火薬の伝来

これより二年後の応仁の乱には東軍の細川方が飛砲・火槍という新武器を使用した事が『碧山日録』の応仁二年（一四六八）十一月六日の条に記されているから、中国で使用されていた神機火槍や飛砲の形式が用いられていたことがわかり、火薬の製法も知っていたことになる。

また『北条五代記』の記録的裏付け云々は別として、これには、永正七年（一五一〇）に中国から伝った鉄砲を堺で作り始め、享禄元年（一五二八）には相模国小田原の山伏玉滝坊が一挺入手して、北条氏綱に献上したことが記されている。

また『甲陽軍鑑』品第二八にも大永五年（一五二五）に甲州の武田氏に鉄砲が伝わったことが記されている。

これらの点から推すとわずかの量である

が、日本においても一五世紀中頃から十六世紀初期においては火薬や鉄砲が伝わり、また堺鍛冶がこれを作っていたことがうかがわれる。

大砲から鉄砲へ

火薬の力で筒から発射する大筒（日本に輸入された頃は仏狼器《フランキ》、国崩しなどといい、それは爆裂弾や焼夷弾ではなく、鉄丸で、破壊力専門）はヨーロッパで完成され、それを手に持って発射することができるようにしたのが提筒《さげつつ》（『籾井日記』宗高卿於越前国横死条）で、これが鉄砲の異名として全国的に認識され、点火用に切火縄を用いるので火縄銃（火縄筒）ともいった。ヨーロッパで用いられたのは十五世紀の初め頃で銃身が短く、それを支える柄（銃床）が長いもので、未だ据銃するための床尾の整っていないものであったから、銃の先の方を台か物に支え、元の方を持って口火薬の孔に点火したものであった。それがやがて火縄が口火薬の上に落下して発火する装置が考案され、狙いと発射時の銃の反動による狂いを少なくするために、台株《だいかぶ》を持ちやすくし、時には上部二叉で銃身を載せやすい杖をも用いるようになったが、発火装置の改良によって後世いう火縄銃としての形式が完成し、十六世紀には日本に輸入されている。

火縄銃の各部名

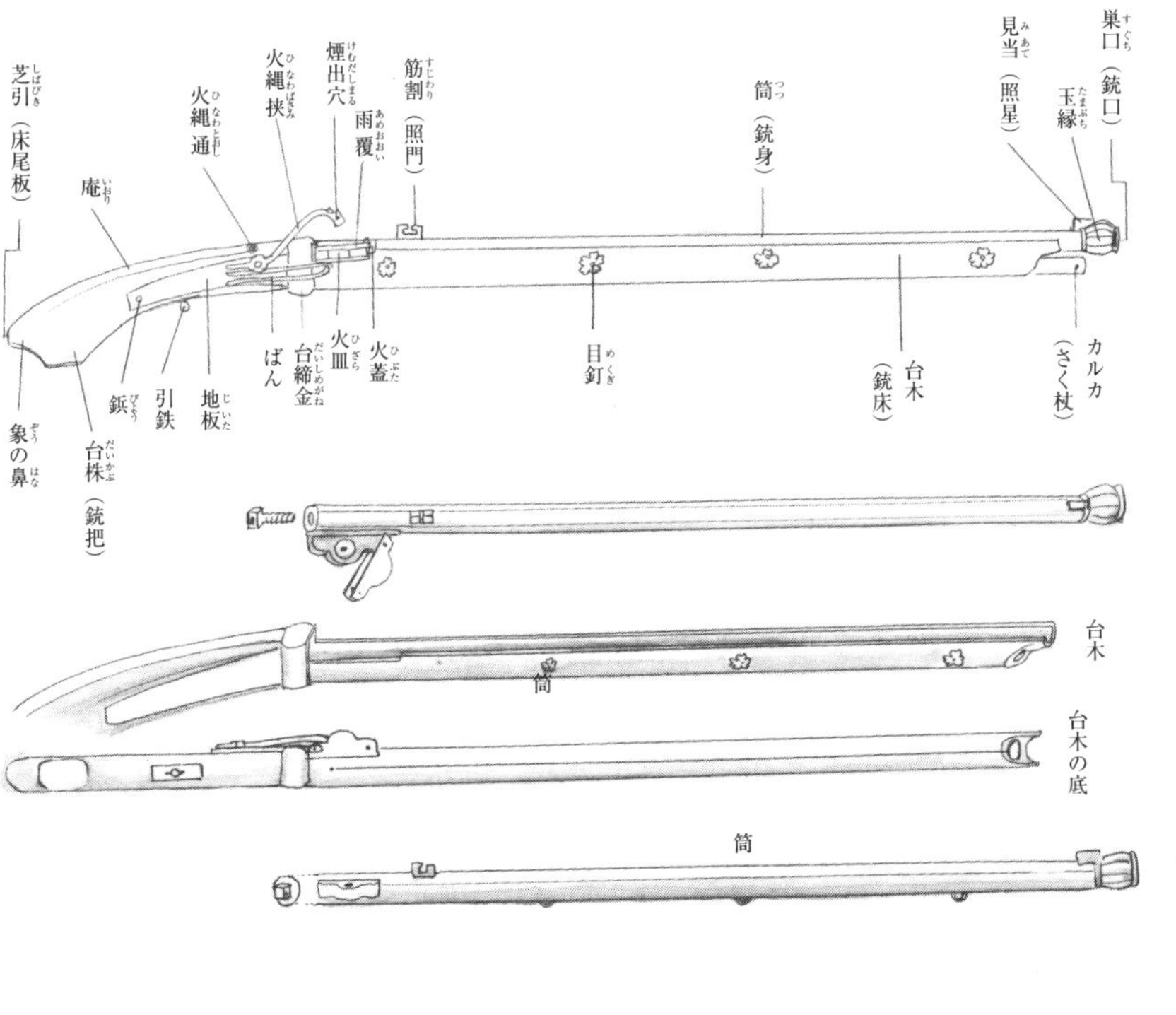

鉄砲と大砲～その伝来と発展

火縄銃の仕組み

鉄　砲

火縄銃の伝来

　火縄銃という語が定着する以前は種子島銃といわれ、これは天文十二年（一五四三）にポルトガル人が種子島に漂着して鉄砲を伝えたとされるので名付けられたが、この年代にも諸書によって異説がある。洞富雄氏の調査によると、元禄五年刊多々良一龍の『後太平記』・『中古治乱記』・『陰徳太平記』・『国友鉄砲記』等は文亀元年（一五〇一）。『国友鉄砲記』（再度・付録）では永正七年（一五一〇）。『天草郡史料』の中の『九州記』唐船着岸付鉄砲事・『通航一覧』巻一の『外国入津記』・『六本長崎記』の享禄三年（一五三〇）『後太平記』（再度）・『国友鉄砲記』（三度）の天文八年（一五三九）。新井白石の『采覧異言』巻一の天文十年（一五四一）。唐橋世済の『豊後国志』巻四の天文十一年（一五四二）。薩摩国大龍寺の和尚文之の『鉄炮記』では天文十二年（一五四三）。などと諸説があり、ポルトガル人の種子島漂着はジョアン・ロドリゲス・ツーの『日本教会史』には天文十一年（一五四二）とあって明確なところは目下不明であるが、通説では天文十二年とされている。

　この伝わった鉄砲というのはムスケット銃ともアルケブス銃ともいわれるが、島の領主種子島時堯に二挺を伝えたのを鍛冶金兵衛に作らせ、苦心して完成した由の伝来があるが、『鉄炮記』によると、この伝来を知った紀州根来寺の杉坊某が種子島に来島して一挺を譲り受け、また和泉国堺の橘屋又三郎という商人も種子島に来って製造法を学んで戻り、畿内から関東にまで次第に普及して行ったというのが『鉄炮記』による鉄砲の製法の普及経過である。

火縄銃の仕組み

　火縄銃は銃身と、それを支える木製の銃床からなっている。銃身は巻張り鍛えの筒で、底は金兵衛が苦心して教わった捻《ねじ》形の雄螺旋で、右脇に銃身底に塡《うず》めた火薬に引火するように口火薬を小量盛る火皿が付き、銃床の台株近くに火縄が引鉄を引くことによって、ここに落ちるように火縄挟《ひなわばさみ》がある。また銃身の上辺の元の方と先の方には目標を狙いやす

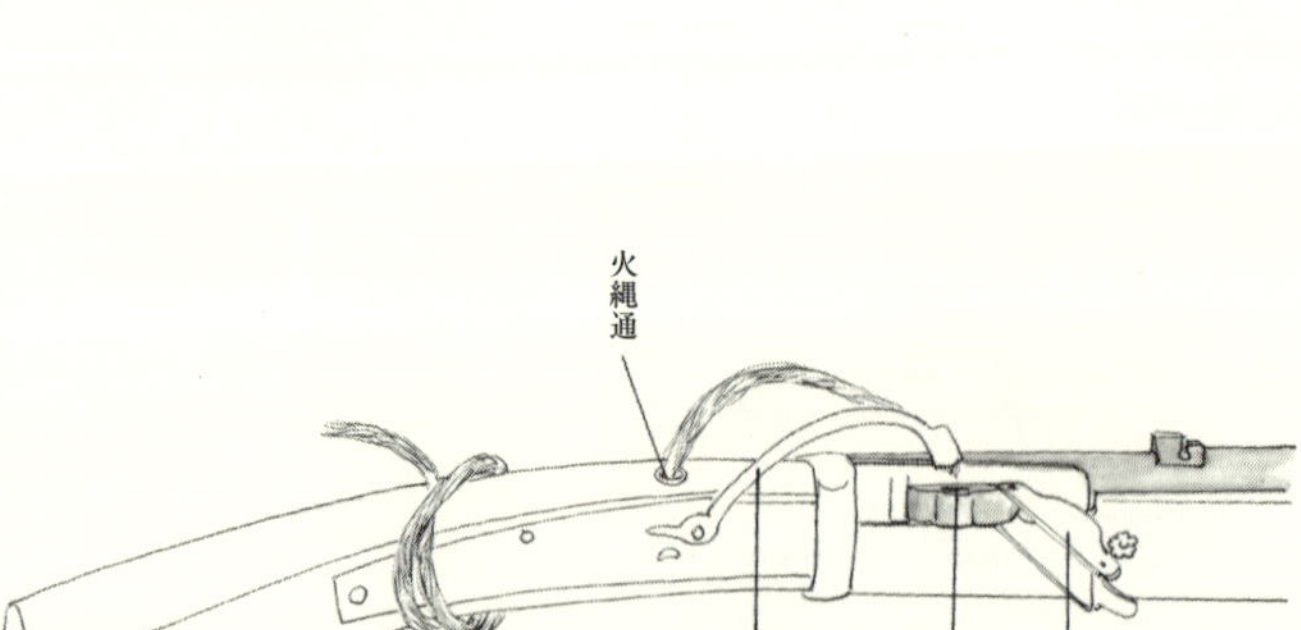

いように筋割（照門）と見当（照星）が鋳付けられている。

銃床は樫や桜の木を削り、銃身の下半分が収まるように刳り込まれ、さらに火薬や弾丸を筒底に固めるためのカルカを挿入する穴があり、元の方は火縄挟を動かす引鉄装置があり、狙うときの頬だめしやすいように台株《だいかぶ》が形作られている。

火皿には口火薬が湿ったり、こぼれたりしないように蝶番式の火蓋があり、火挟みを動作させるばねも台株内に刳り込んで入れた内からくりと右外側に装置した外からくり（外記からくり・無双からくり）とがある。

実用された鉄砲

戦闘に用いられた軍銃は大体八匁弾（鉛弾径約十七ミリ）以上で、大筒になると一貫目玉以上（約百ミリ以上）もあった。

これを大鉄砲（『信長記』『天正記』『西国発向記』『清正記』『奥羽永慶軍記』『安土日記』他当時の軍記物）といった。一般的軍銃は十目（匁）玉の鉄砲（『松隣夜話』）といった。

また口径が小さかったり、銃身の短いのを小筒（種子島小筒）ともいった（『大友興廃記』浪野十二口合戦条）。また仙台伊達家のように馬上で銃を発射する事もあるが、扱いにくく、銃身が長いのは馬に装着するのも不

内からくりと外からくり

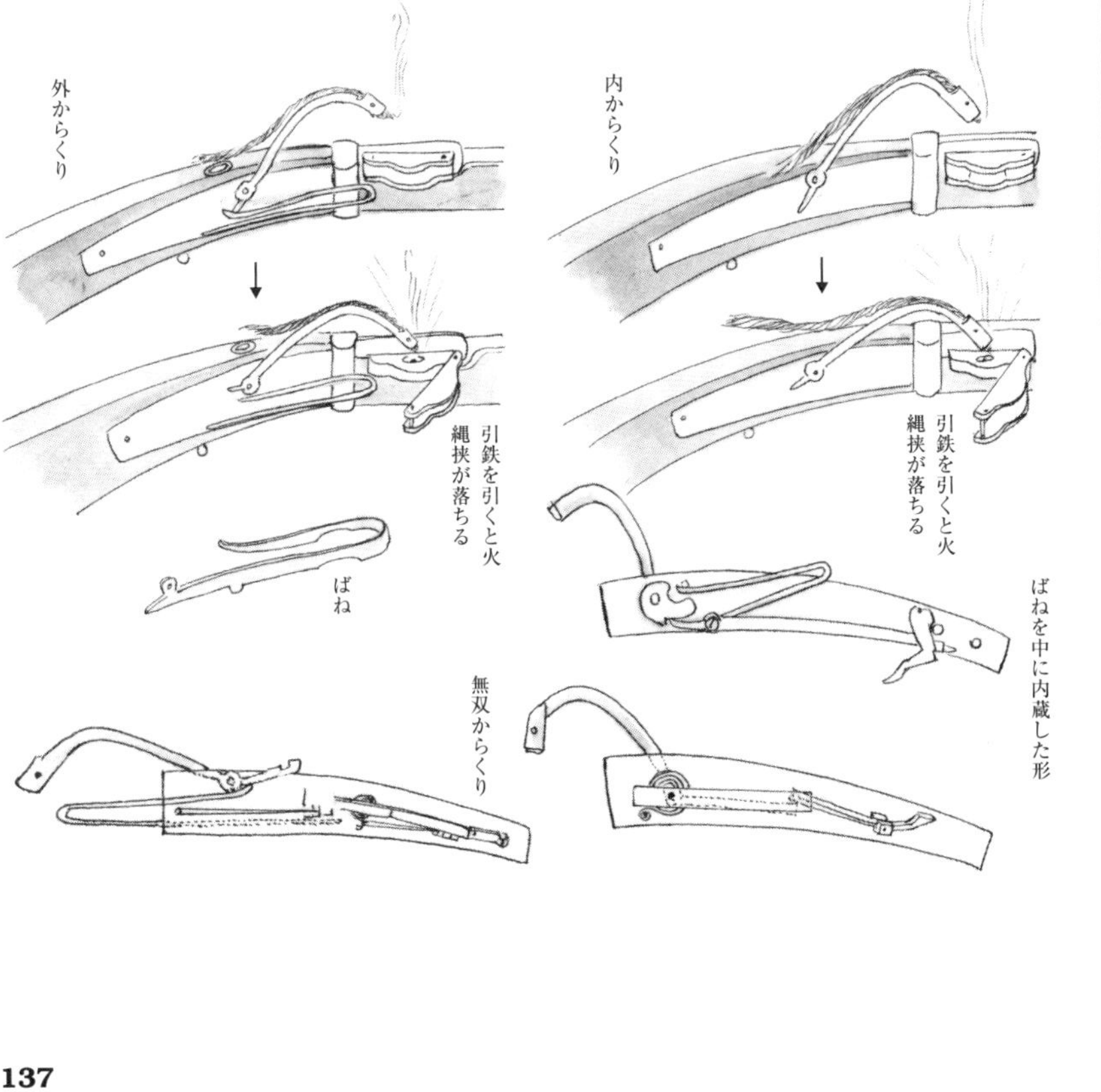

火縄銃

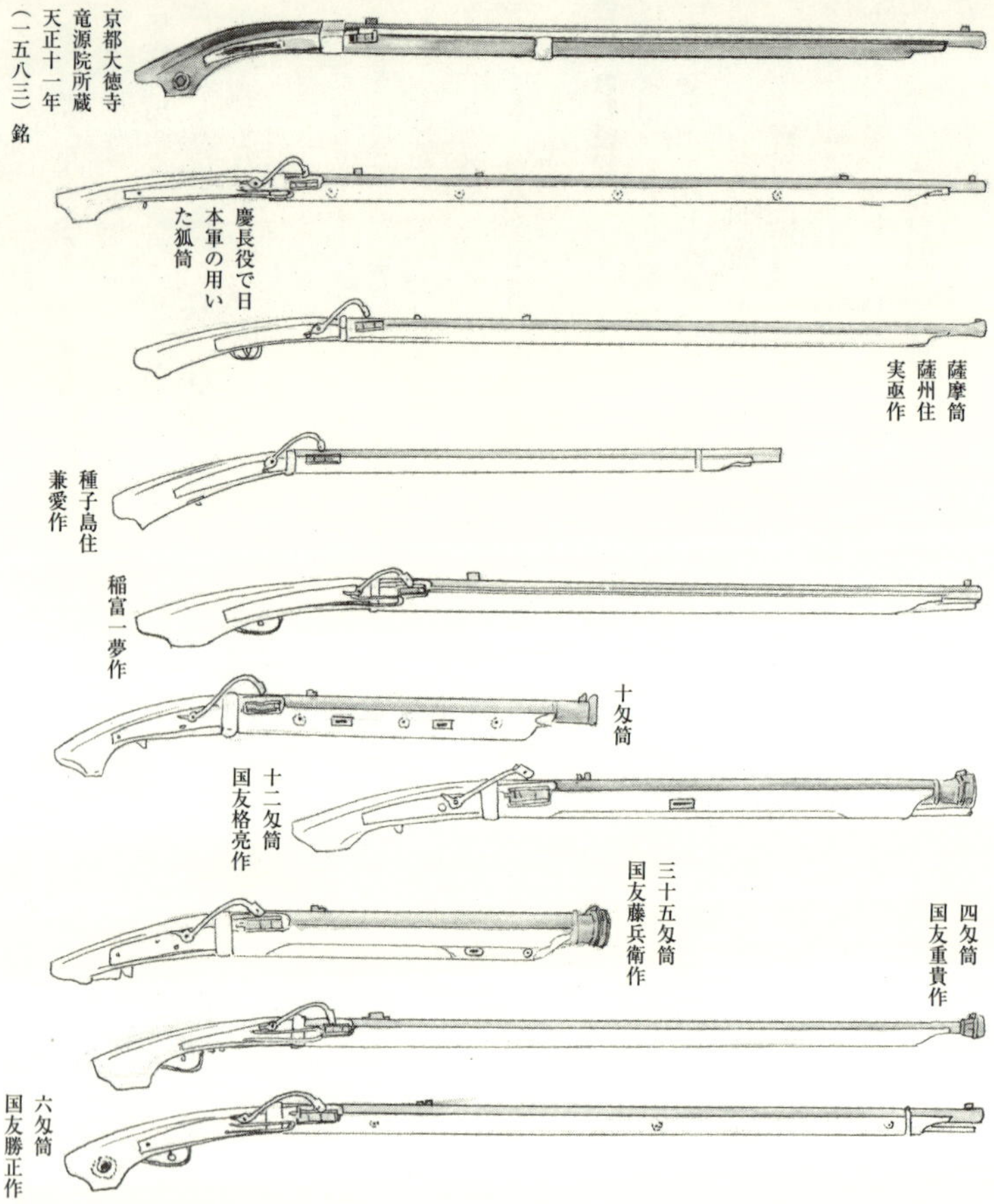

便のため、短い銃を作り、これを短筒といい、馬上筒（『武林往昔日記』）とも称して、鞍の前輪脇のケースに収めて用意した。

銃は江戸時代を通じてまで用いられたが、その間に五連発銃、二十連発銃（斉射）などが考案されたり、六連輪廻銃・三連輪廻銃が一部で作られたが、結局、火縄銃は火縄が雨湿に弱く、また不発もあり、弾丸装塡に時間がかかる不便があった。これを解決するために早盒《はやごう》という装置のものが作られた。

江戸時代中期以降にはヨーロッパ銃の構造を模倣した雷管式（どんどる）、燧石《ひうちいし》発火式等のほかに、日本的発想として、脇差に仕込んだ脇差鉄砲や、握りしめて発射する芥砲《かいほう》が考案され、異例としては国友藤兵衛一貫斎が文政元年（一八一八）にオランダ製の空気銃ウインドウルを見て工夫を凝らし、連続発射の空気銃を発明したりした。

江戸末期に至って長崎の町年寄高島四郎大夫秋帆がオランダ人について鉄砲の研究をし、私財を投じて銃砲の研究、洋式調練をし、砲隊、銃隊を編成し、ようやく幕府の認可を得て武蔵国江戸の郊外の徳丸ヶ原で演練を公開した。その時に用いた砲はモルチール砲とホイッスル砲各一門と車台付野戦砲二門、ゲーベル銃五十挺で、当時の武士はその威力に驚嘆した。これによって日本でも従来の火縄銃を改良したり、製作したが、外国銃購入の

馬上筒

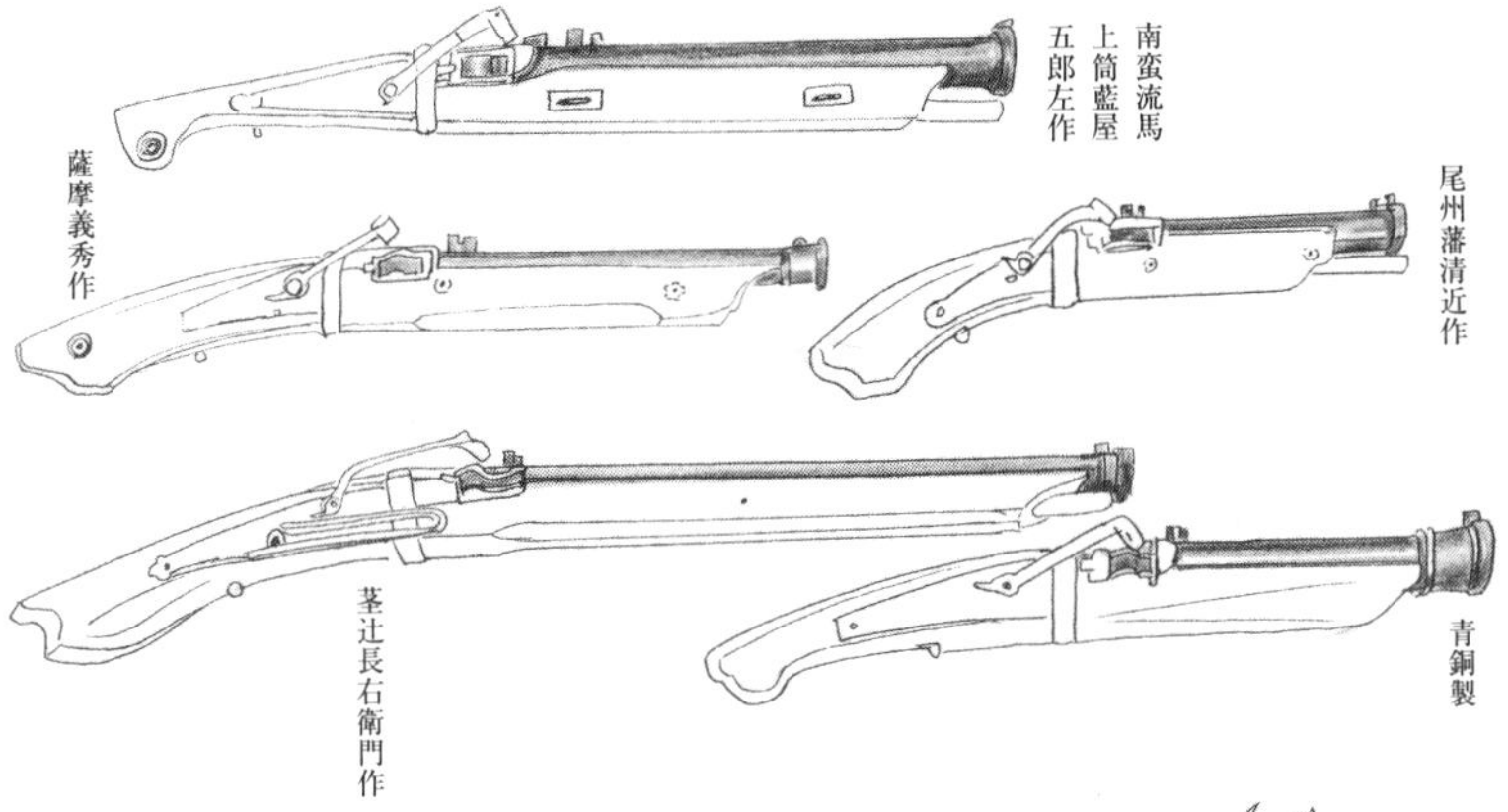

江戸時代の読本に描かれた馬上退打《のきうち》の図

『雑兵物語』に描かれた鞍の前輪の四方手に装置した馬上筒

方が手っ取り早いので幕府を始め各藩も競ってアメリカやヨーロッパから銃を求めた。

ヤーゲル銃（オランダ）、ミニエー銃（イギリス）、ゲーベル銃（オランダ）、エンピール銃（イギリス）等を購入し、明治維新はこれらの銃砲によって戦われた。

大砲（石火矢・大筒）

江戸時代以前の大砲

銃よりも大型の口径を持つ砲熕《ほうこう》を俗に火砲といい、大型の砲弾を発射して、敵陣、城砦の櫓や門の破壊に用いられたが、初期は爆裂弾ではなく、破壊力を主とした。応仁二年（一四六八）の応仁の乱に東軍が用いたという『碧山日録』に記される、「予曰レ砲也」とあるのは後に大砲とされるものと同じであるかどうかは疑問で、天文二十年（一五五一）に大友宗麟がヨーロッパ人（南蛮国人房首）から貢（火砲）を贈られたのが日本で大砲を用いた始めともいわれ、『大友興廃記』流言条の

天正四年（一五七六）丙子の夏、南蛮国より大の石火矢到来す。肥後国より修羅をもって豊後国臼杵丹生の島までひかせらるる。宗麟公御悦喜なされ、国崩と是を号せらるる

とあるのが後にいう仏狼機《フランキ》という砲であると

芥砲《かいほう》と短筒《たんづつ》

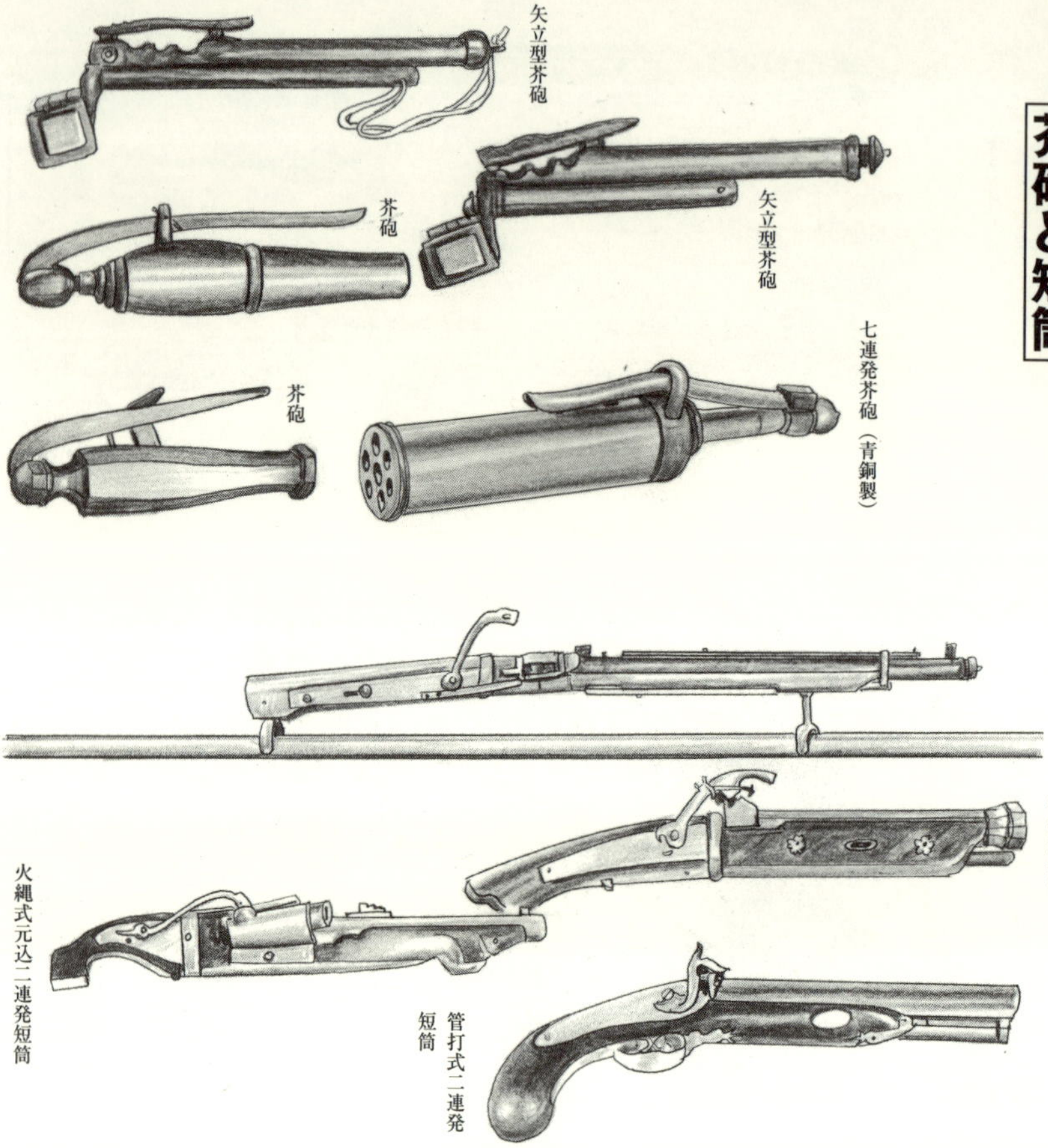

もいう。これは青銅製で、砲身の元に、火薬と弾丸を詰めた筒を合せて挿入し、火穴から点火して発射する当時としては珍しい元込め式で、これを母子砲ともいった。この形式は中国・朝鮮でも用いられた形式である。

秀吉は鉄砲を重視したが、大砲には重きを置かなかったので、文禄慶長の役には中国（明）・朝鮮の軍の大砲に日本軍は大いに苦しめられた。これに反して家康は大砲を重視し、石田三成の領内である近江国国友村の鍛冶に大砲の鋳造や鉄砲の製作を依頼し、一貫目玉（約口径八十四ミリ）砲五挺、八百匁玉（約口径六十五ミリ）砲十挺等を所有したので、関ヶ原の戦（一六〇〇）には大いにその威力を発揮した。慶長十九年（一六一四）の大坂の役では大砲の威力におびえた淀君が和議に応じたという。家康はこのほかにイギリスよりクルヴェリン砲四門・セーカー砲一門等を購入し、さらに芝辻理右衛門に命じて一貫五百匁玉の銑鉄の砲まで製作せしめている。

当時の記録にはしばしば石火矢と称したので、ロケット式の火矢と混同されやすいが、古記録にいう石火矢とは大筒（大砲）の事である。『武用弁略』備器之部六に

　弓ヲ以射発アリ。薬ヲ用テ飛スアリ。然ドモ皆一類也。共ニ鉄炮ニ属スベシ。今石火矢アリ。大国火矢アリ。或ハ炮攄《ホウロク》火矢等ノ物アリテ、又其間ニ異形別名様々

連発銃

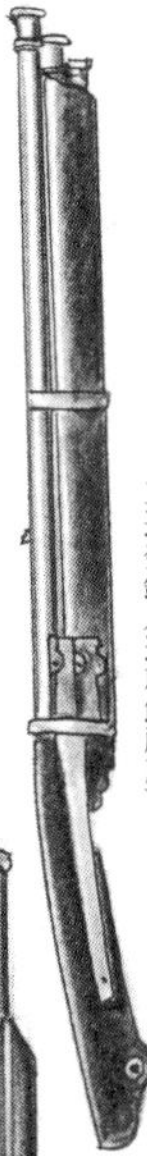

三連発銃（遊就館所蔵）

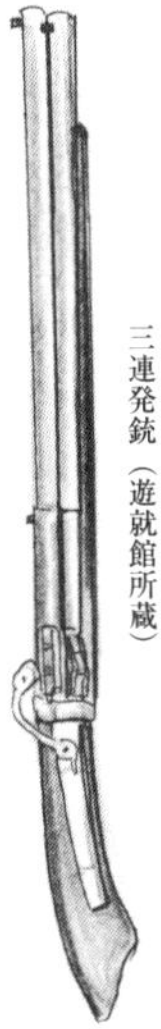

三連発銃（遊就館所蔵）

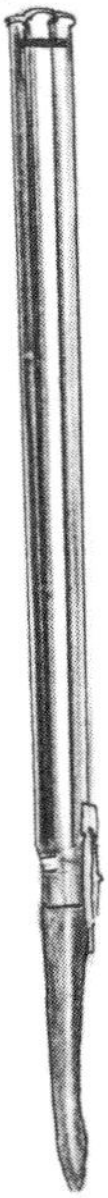

五連発であるが斉射（遊就館所蔵）

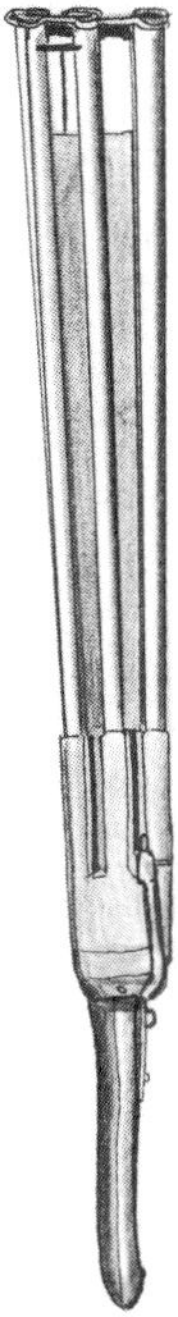

八連発であるが斉射（遊就館所蔵）

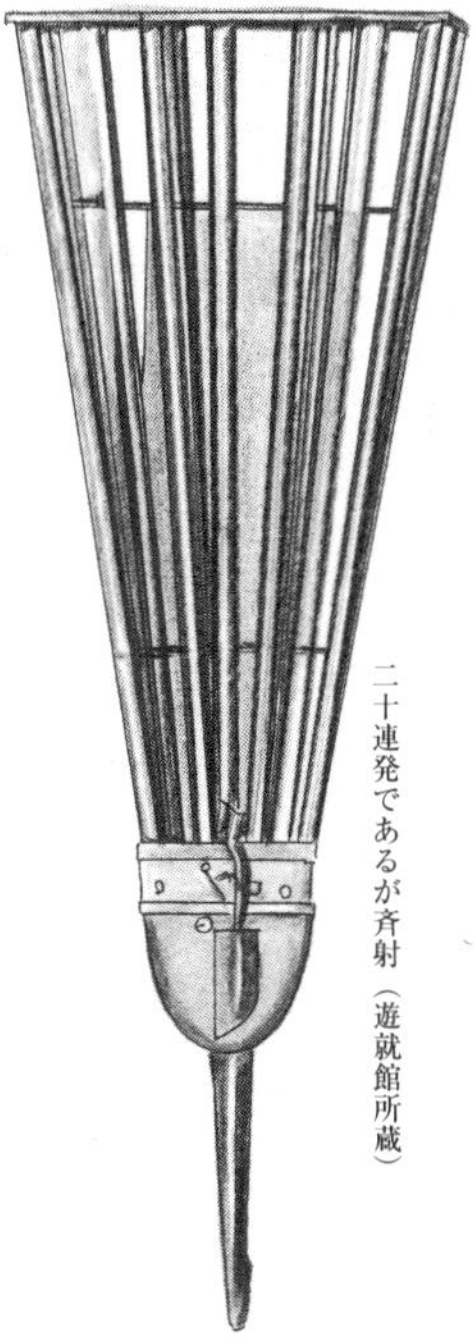

二十連発であるが斉射（遊就館所蔵）

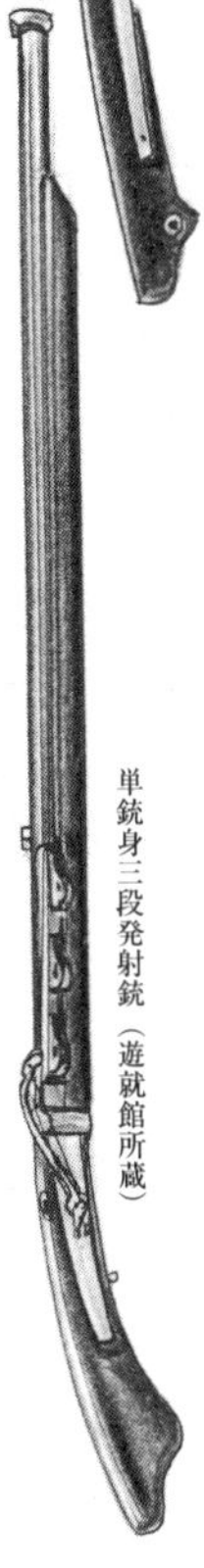

単銃身三段発射銃（遊就館所蔵）

三連輪廻銃（遊就館所蔵）

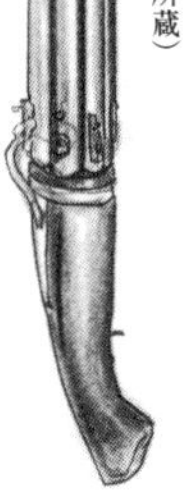

六連輪廻銃（遊就館所蔵）

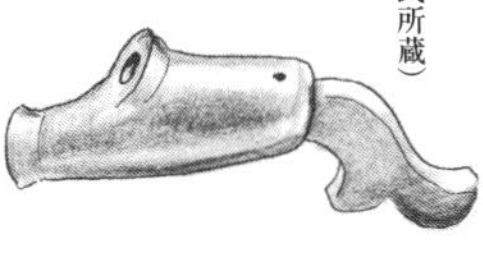

二連発ふところ短銃（吉岡新一氏所蔵）

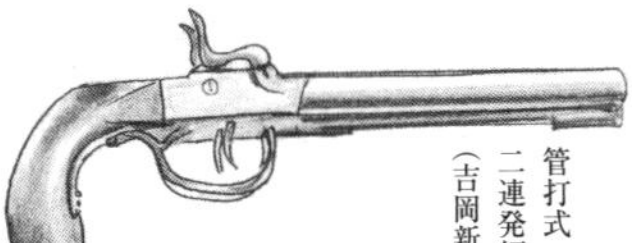

管打式二連発短銃（吉岡新一氏所蔵）

管打式三連発短銃（吉岡新一氏所蔵）

桃山時代～江戸時代の大砲

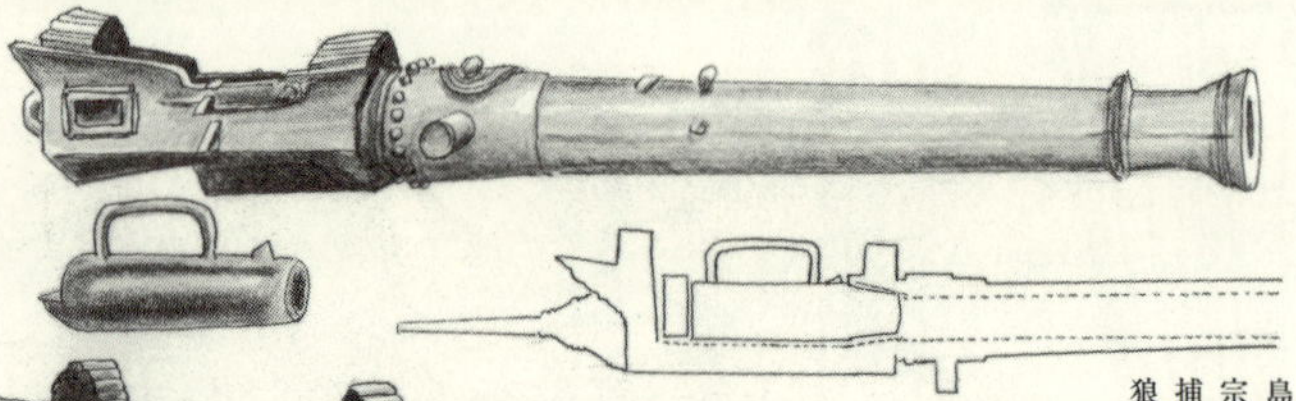

朝鮮の役で明軍が使用したのを分捕った仏狼機

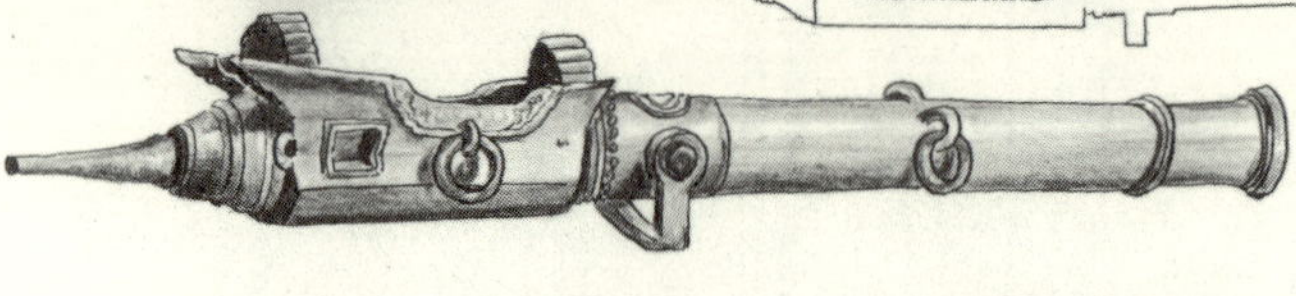

島津義久が大友宗麟と戦って分捕ったという仏狼機（遊就館）

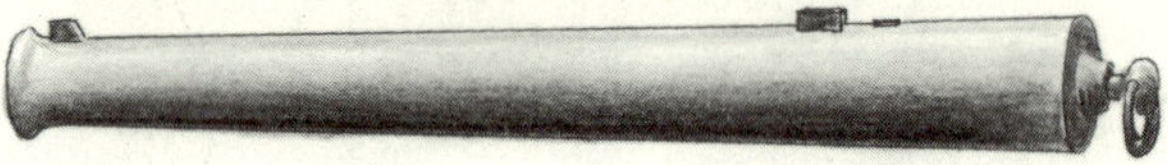

慶長十六年（一六一五）三月摂州住芝辻理右衛門作一貫五百匁目（遊就館）

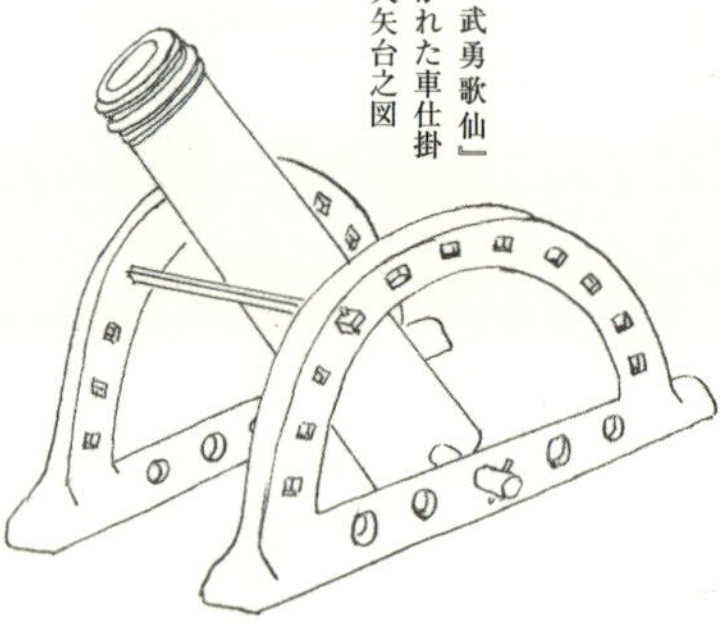

『古今武勇歌仙』に描かれた車仕掛の石火矢台之図

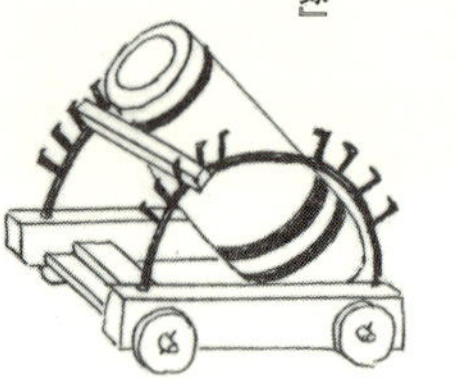

『紅毛火術録』所載臼砲図

ニ成侍リヌ。今石火矢ト称スル物ハ是発貢ノ事也。貢又熕ニ作。是モ西洋ヨリ起ル故ニ西洋砲ト名ク。西洋ハ別ノ名也。仏狼機発狼機皆一物別名ノ名リト云云

と記している。

砲は始めは輸入品であったが、鋳造法がわからぬままに松の木で筒を作って縄で巻きしめ、火薬をつめて発射した所、破裂して役に立たなかったので竹の箍《たが》を巻き列べてやっと成功したという事が『南海治乱記』に記されこれを木鉄砲と称している。

江戸時代の大砲

江戸時代初期に入ると、青銅、まれに銑鉄をもって大砲を鋳造する技術が急速に進歩して、五貫目玉の青銅砲まで作られた。

中期には大砲製造の技術的水準は一時停滞したが、それでも国友鉄砲鍛冶一族は大砲製造に優れた技量を保っていた。

嘉永六年（一八五三）ペリー来航して全国国防意識が高まり海岸防御用重砲の必要が認められ、幕末には各藩も重砲製造開発に主力をそそいだので急速に大砲は発達した。例えば阿部伊勢守の十七貫目玉一門、松平薩摩守の十六貫目玉二門、松平相模守の十五貫目玉一門。立花左近将監・立花飛騨守・松平和泉守・松平時之助等の十三貫目玉砲各一門ずつに十貫目玉二十二門という巨砲から数では津

大筒発射の図

『三破神伝流砲術伝書』所載大筒発射の図

『芸術秘伝図会』初編に描かれた大筒発射の図

軽越中守九十三門・細川越中守五十二門・小出信濃守四十門・松平内蔵頭三十六門・西尾隠岐守二十六門・松平薩摩守二十門・大岡兵庫頭と立花飛騨守の十七門・京極飛騨守・細川山城守・松平讃岐守の各十四門・酒井修理大夫の十一門・松平伊賀守・堀田備中守・松平相模守・森川出羽守・堀田備中守の各十門。など総計一千五十七門も製造され、幕臣でも三貫目玉から百匁玉までの大筒を用意する者も多かった。また佐賀藩・薩摩藩・水戸藩を始め、伊豆韮山の代官江川太郎左衛門等により反射炉が作られ、大砲鋳造が容易となり、また弾丸も鉄丸から鉄棍弾・柘榴弾・鉄殻弾・葡萄弾等の破裂弾を使用するに至った。

また幕府も中期の末頃にはオランダに加農《カノン》砲と臼砲を注文したり、砲術家の坂本天山が砲を上下左右に操作できる装置の周発台を、佐藤信淵が如意台という砲架を考案し、その他の砲術家も競って考案したが、結局砲台と車輪付の洋式のものの日本的発想であった。幕府も兵器・軍装・調練も高島秋帆の建議によって採用されたので、各藩もこれに倣い銃砲も大いに整備されたが、武士思想の頑迷さから未だ欧米には及ばなかった。

慶応三年（一八六七）将軍徳川慶喜は本格的洋式導入のためフランスに洋式武器・武具を依頼したので、ナポレオン三世は二個中隊

火矢筒

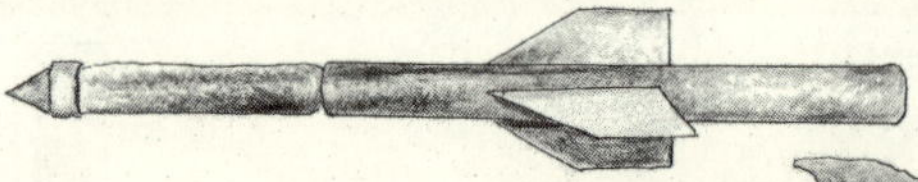

松月院棒火矢（四枚羽のうち一枚残る）

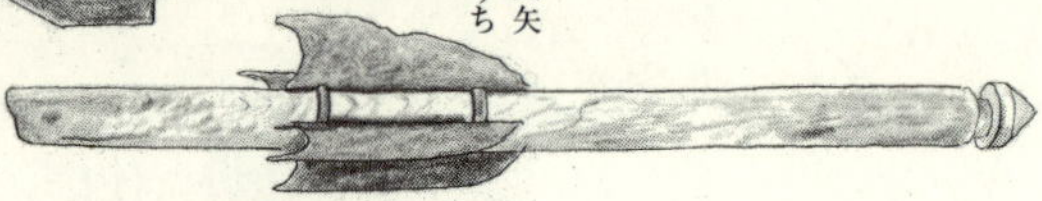

棒火矢

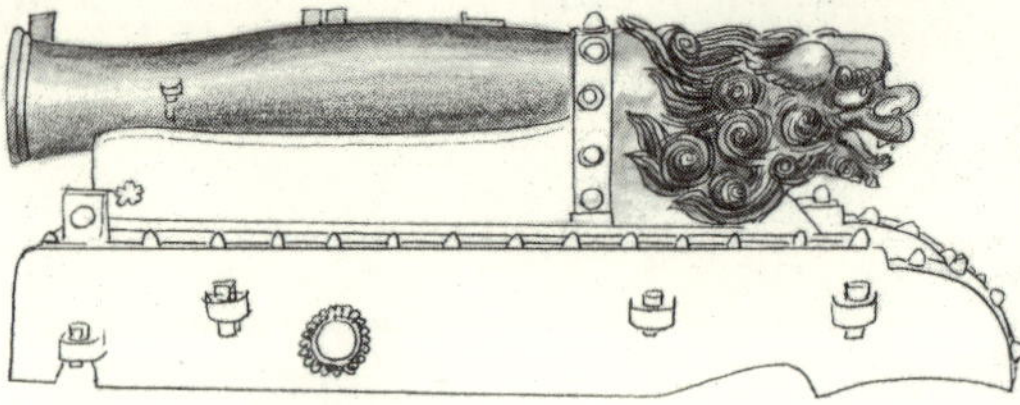

百匁玉火矢筒

百匁玉火矢筒

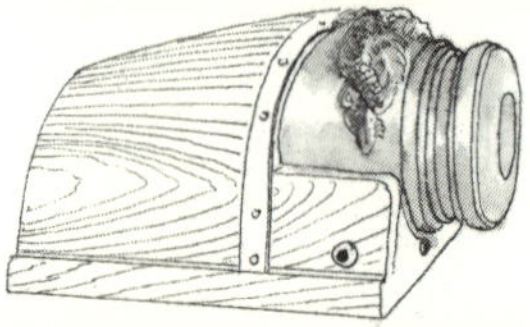

五匁玉小銅砲

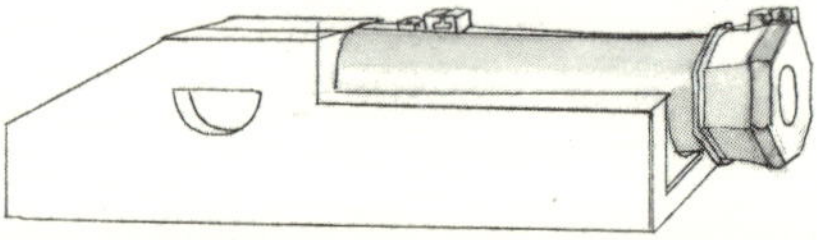

百匁玉火矢筒

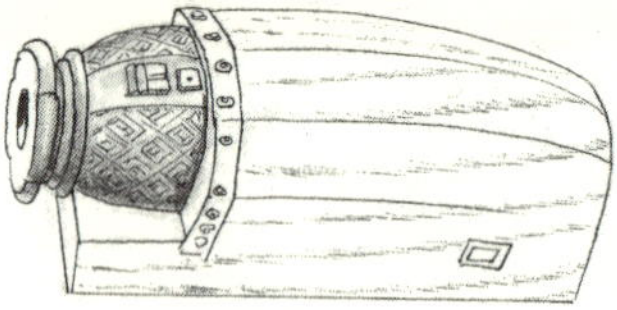

百匁玉火矢筒

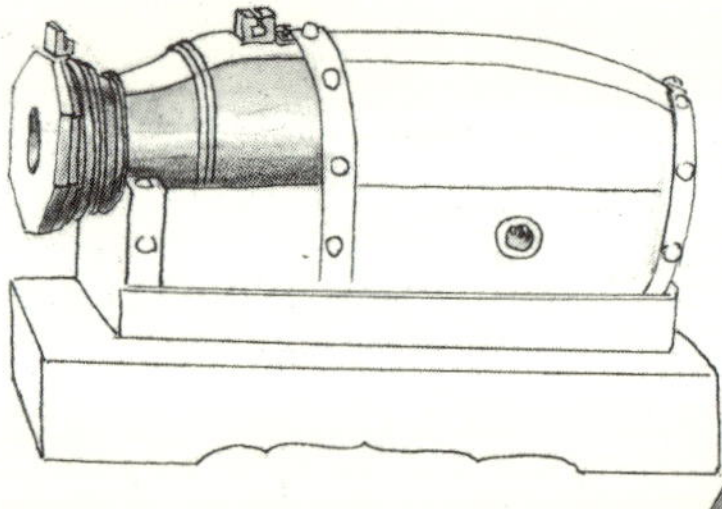

百匁玉火矢筒

中島流百匁玉棒火矢筒

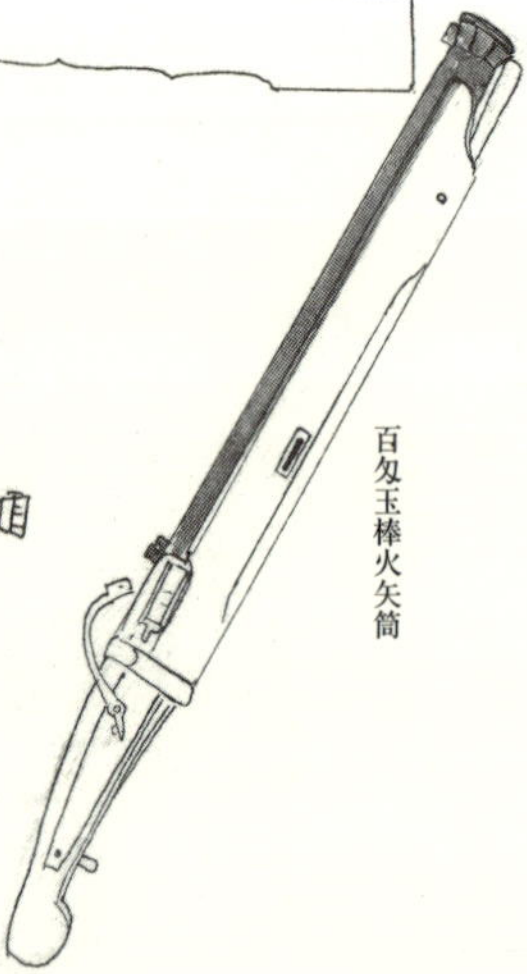

百匁玉棒火矢筒

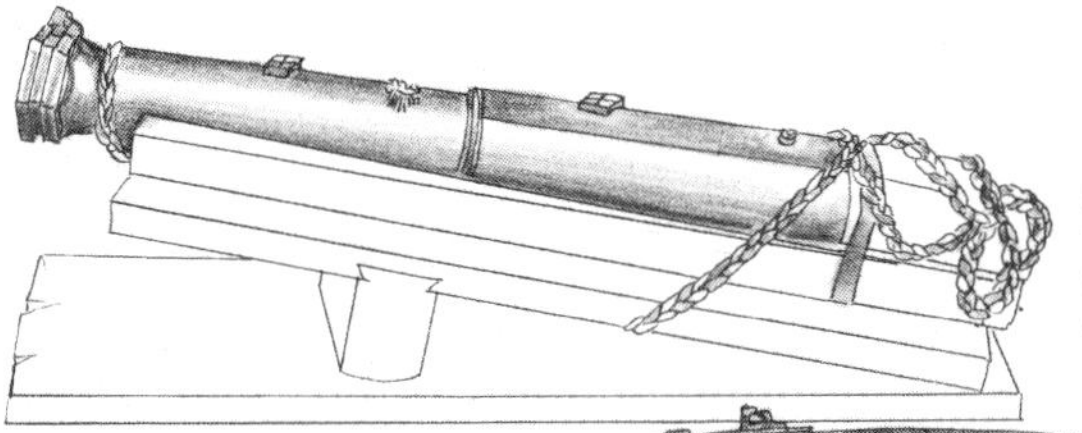
荻野流
自由台百匁玉筒

伝加藤清正使用
鋳銅製大筒

飛龍型
百匁大筒

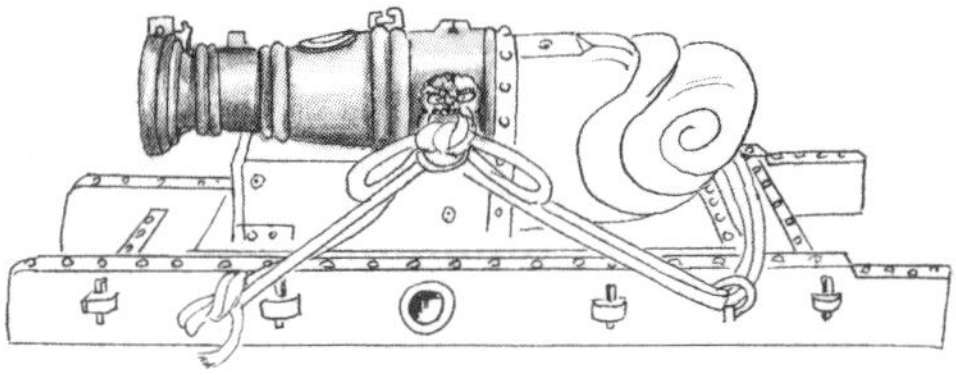
四百五十匁筒
鋳銅製

百匁火矢筒

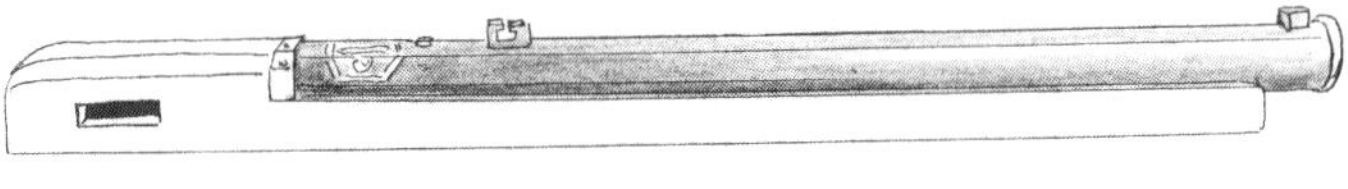
園部《そのべ》藩
鉄製大筒

ハシドモルチール鉄製臼砲口径九一ミリ

張子筒

百五十匁
張子筒

江戸時代末期の大砲

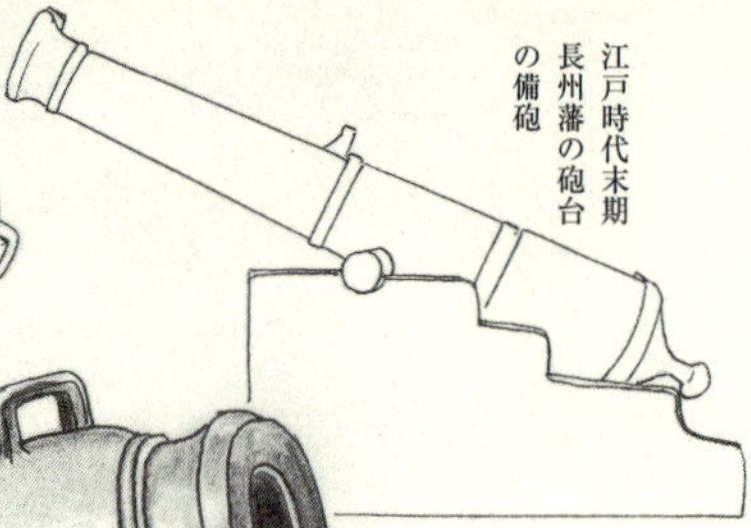

江戸時代末期
長州藩の砲台の備砲

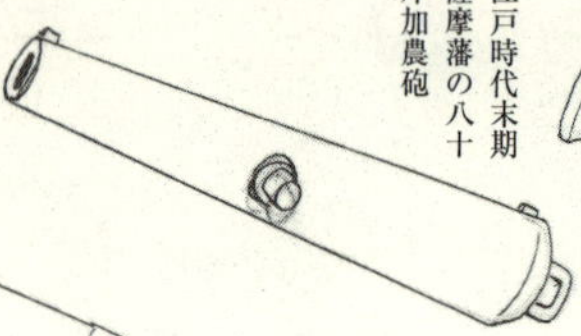

江戸時代末期
薩摩藩の八十斤加農砲

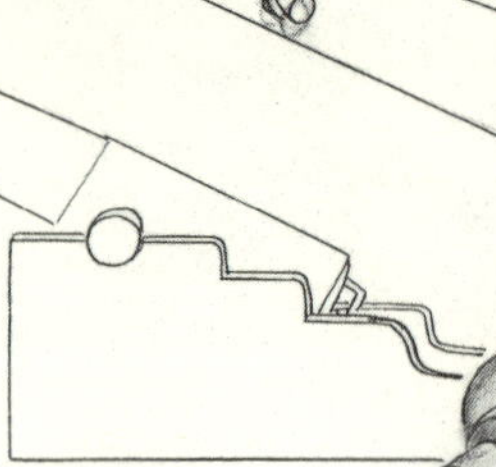

江戸時代末期
長州藩の備砲

江戸時代末期薩摩藩の二十九拇青銅製臼砲

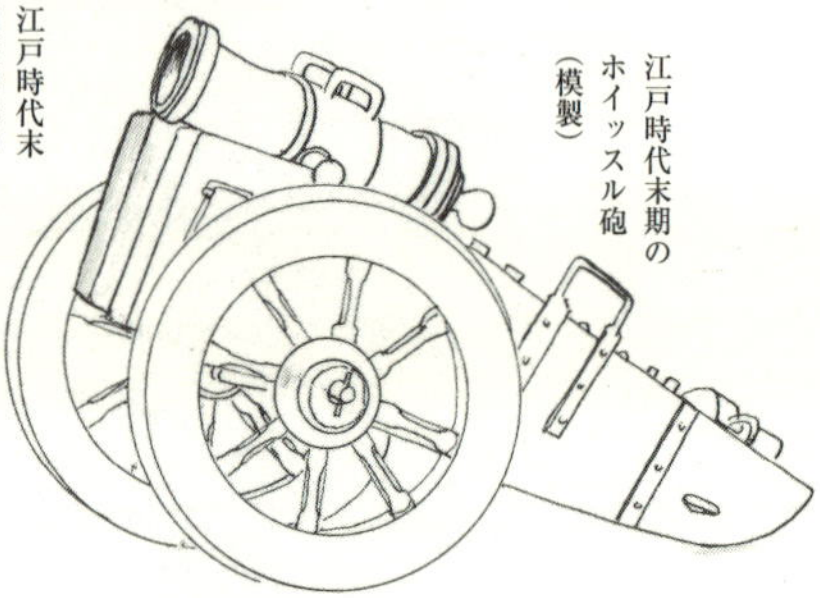

江戸時代末期のホイッスル砲（模製）

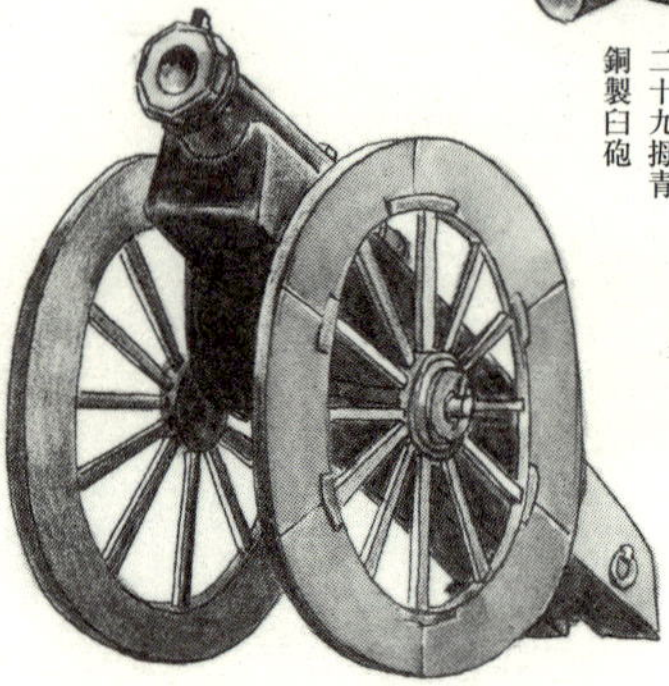

車台付百匁火矢筒

分の野砲と山砲各十二門、士官（将校）、兵の装備と軍装一式、軍服用の羅紗地、下着生地等を寄贈してくれたので、一応洋式軍備は揃い、水戸藩などはこの野砲の模倣を行ったりした。またこの年には欧米から各藩も銃砲（彼等にとっては旧式の処分品に近いものもあった）を大量に購入していた。

木砲（木鉄砲）が使用されたのは天保八年（一八三七）の大塩平八郎の乱の時で、青銅の口径一寸三分（約四センチ）と、長さ五尺二寸（約二メートル弱）の百匁筒があるだけなので急遽口径三寸九分（約十センチ）の松材に箍《たが》をはめた木砲を作って戦ったが、町屋を焼き立てるだけで、大した威力は発揮し得なかった。

自在炮架と臼砲

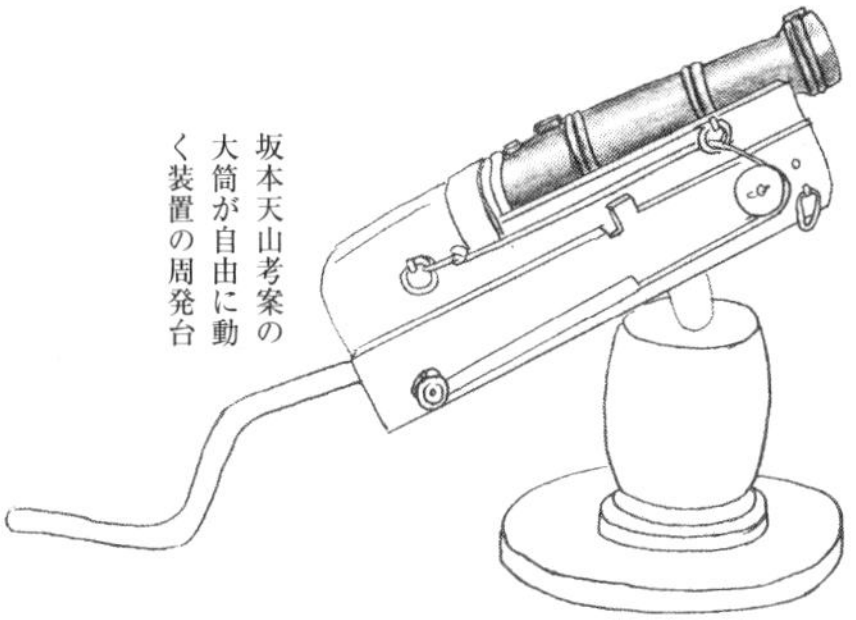

坂本天山考案の大筒が自由に動く装置の周発台

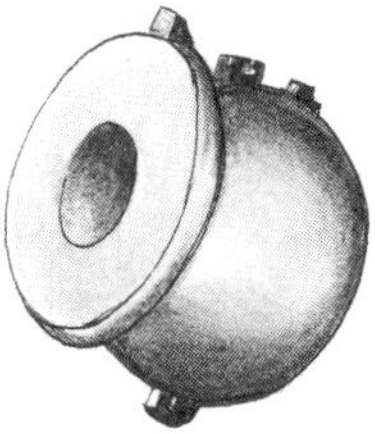

寛政九年(一七九七)坂本俊現が鋳造した九十匁二寸筒臼炮

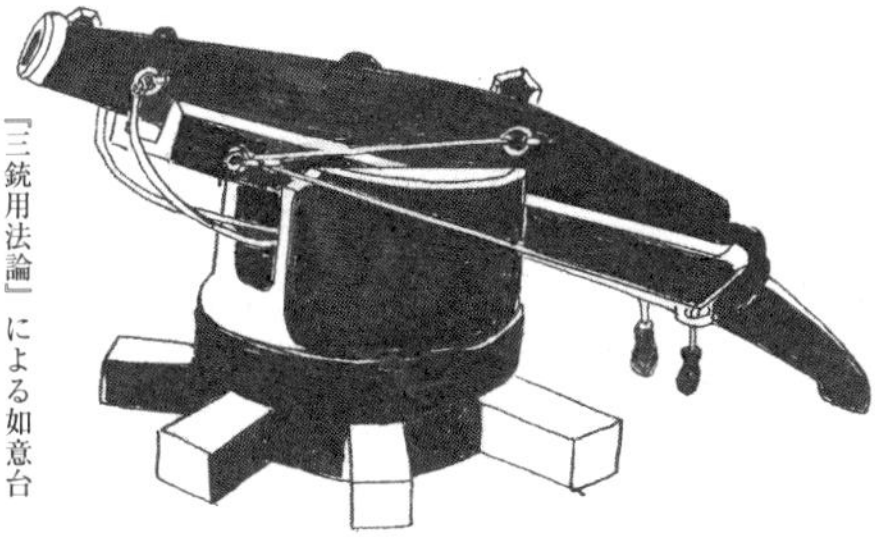

『三銃用法論』による如意台

寛永一六年(一六三九)にオランダ人が平戸で鋳造した臼砲

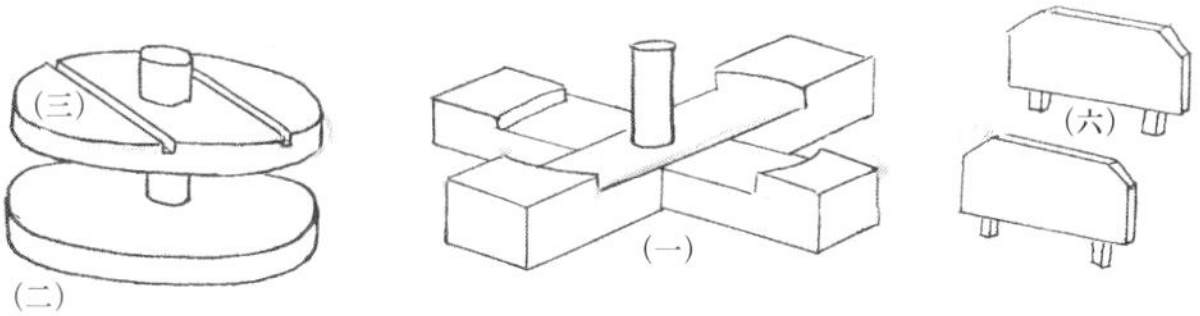

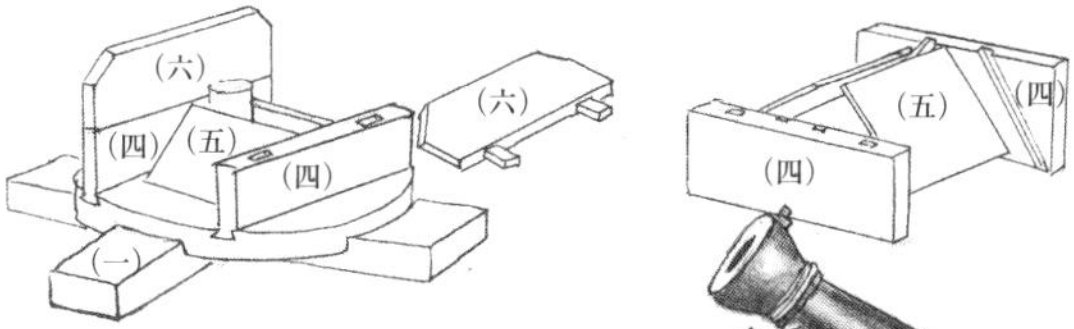

佐藤信淵考案の大筒が自由に動く如意台の分解図

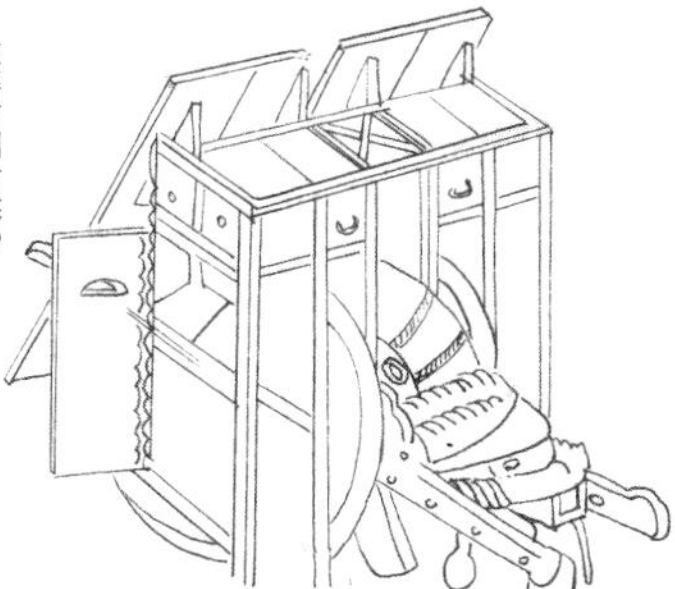

佐藤信淵考案の行軍炮戦車

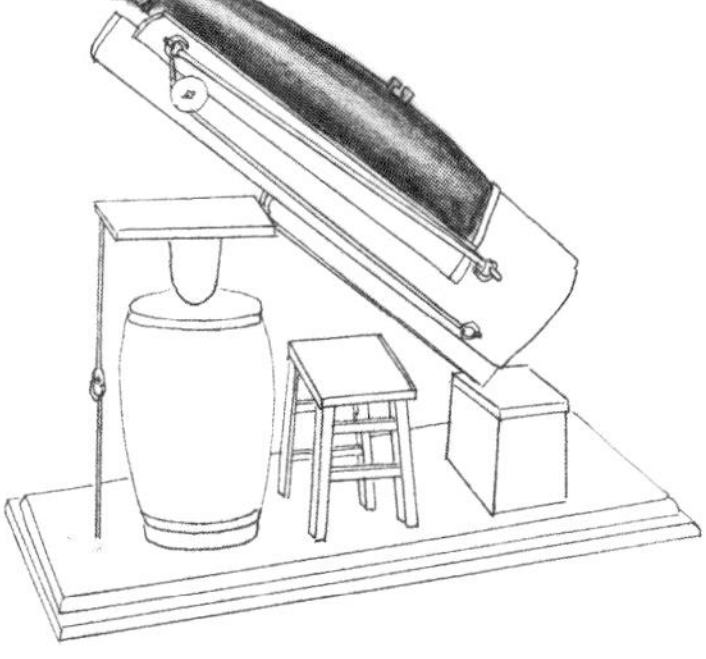

坂本天山考案の周発台の模型といわれる大筒

銃砲に付随する道具～火縄・火薬など

鉄砲隊——一

『賤ヶ獄合戦屏風』に描かれた鉄砲隊

火縄

火縄の原料

銃砲を発射するには導火薬に点火する燃えを持続する縄を用い、これを火縄といっている。『駿府記』に

慶長廿年乙卯壬六月十日。島津陸奥守献二鉄炮薬袋并火縄十筋一。件火縄者薩摩国所レ産唐竹所、綱也

とあるように竹、木綿、桧が用いられる。竹・桧を薄く細く割って干燥させて用いるが、縄状に編むので火縄という。

竹製品は一番火持が良いが、雨湿にあったり、古くなると火持が悪くなる。桧や木綿は火持は竹に劣るが、古くなっても使用できるし、湿っても乾燥すれば使用可能である。

火縄の捻り方は砲術家によってそれぞれ工夫され、通常軍用はほとんど紺色に染めてあるが、伊勢関産の火縄は鉄漿《かね》で染めるから黒ずんでいる。

水火縄［みずひなわ］

火縄の弱点は雨湿で、これに逢うと点火しないので、湿度にも強い水（雨）火縄というものも考案された。『見聞雑録』に

早道之透波一人窹《ひそか》に招き、変化六平方へ下知しけるは、今晩夜中に謙信の陣へ火を懸、何とぞ大縄を湿す才覚いたし、弓弦を切て放せと下知しけるは、六平心得たりと兼て用意の水火縄を取出して、忍びの名人なれば、日暮て後、先手々々の火縄の分を摺替置、弓弦を切はなし、勝頼の寄るを相図に待懸け、騎馬の小八を途中へ出し、勝頼の来るを注意せよとぞ計らいける

とあり、銃に用いるだけでなく、闇夜に目印としても用いた。水火縄は一般の火縄に漆を塗ったり、火持が良いように硝石を溶かして煮たものに浸してしみ込ませたものなどがある。

切火縄［きりひなわ］

火縄は通常、腕が通せるくらいに巻いて、先端に火をつけて用いるのと、短く切って火縄挟みに挟んで用いるのとがあり、これを切火縄といった。戦場では多く切火縄が用いられる。『大友興廃記』原田親種とうすき新助と合戦条に

少高《こだか》きところにかかりをおき、そのまへに大つなの火二三百ほとみゆるはら田、これに陣をとりたるとおぼえたり。そのとき抜刀にて雑兵どもに廿余人一面にかかりてみれば、敵は一人もなし。かがりをたきすて、ひなわきり火をつけ、ゆ竹にはさみ二三百ばかりみちの左右谷峯立おきたり

とあり、闇夜に切火縄をたくさん竹に挟んで立て、多くの人数が忍んでいるように見せかけたのであるから、戦場では銃砲にのみ用いたのではない。

この切火縄というのは銃隊が射撃する前に傍に割り竹や木の枝にいくつも挟んで用意するもので、長さは五寸から七寸（約十五センチから二十センチくらい。火縄挟みに挟んでちょうど良い寸法。先端が火縄挟み内まで燃えたら、また先へ伸して、いつでも燃えている所が火皿に落ちるようにする）で、大筒の点火にも用いる。火縄は途中で立ち消えしないように、時々吹いて火勢を強めたり、振り廻したりして消えぬように心掛る。

雨覆い［あまおおい］

火縄銃や当時の砲の欠点は雨湿で火縄や口火薬が湿ったら効果を発揮できないことであるため、戦陣では色々と苦心したが、江戸時代初期には雨覆いという箱が考案され、火縄挟みと火皿に当る所を覆ったりしたものがある。

火薬（玉薬《たまぐすり》）

火薬の発明

火薬は当時は硝石・硫黄・木炭等を粉にして混ぜたものである。硝石は中国では古くより薬として用いていたが、唐の憲宗の元和元

鉄砲隊——二

『長篠合戦屏風』に描かれた鉄砲隊

鉄砲足軽と射撃

『雑兵物語』に
描かれた弾箱持
持筒持の足軽
鉄砲足軽

腰放し
立放し
居放し
火皿に口火薬を詰める
弾薬を装塡

年（八〇六）に清虚子の著した『鉛汞甲辰至宝集成』にある「硝石二両、硫黄二両、馬兜鈴《うまのすずくさ》三銭半」を加えた処方は爆発物として可能であり、これらが次第に利用されて火箭利用になったらしい。

『宋史兵志』によると十一世紀初頭にはすでに唐福という者が、火箭・火毬・火《か》蒺藜《しつれい》の火薬を用いた兵器を宋の太祖に献上し、咸平五年（一〇〇二）には

知寧化軍劉永錫製二手砲一以献

とあり、仁宗皇帝に編纂された『武経総要』にも火薬に関する記述があり、火箭、火薬鞭箭、火毬、煙毬等の名が挙げられている。

やがて筒から火薬をもって発射される火槍が発明され、アラビアにも伝わったが、ヨーロッパにも別のルートから伝わったらしく、そして十四世紀には大砲としての原型が発明され、また青銅製の手銃まで生まれた。これに用いる火薬はベルトルト・シワルツという僧による発明とされているが確かでない。

玉薬［たまぐすり］

火薬の材料は現代以前までは硝石五・硫黄・木炭各二・五の割合をそれぞれ粉末にして混合したもので、口火薬はこれをさらに細粉にしたもので、これは火皿に盛るのである。

この銃砲に用いる火薬を玉薬といい、時には弾と火薬を含めて玉薬といった事は近世の軍記物に見るところである。これは弾があっても火薬が無ければ役には立たず、火薬だけでは効果が無く、弾と火薬は一セットに見ていたのである。ただし通常は弾と火薬は別々の袋と容器に入れて持参し、必要の時に火薬を銃底に詰めて突き固め、次に弾を押込んで火薬に接しせしめるが、これはカルカという木の棒を銃口から突込んで作業する。

火縄を用いない鉄砲

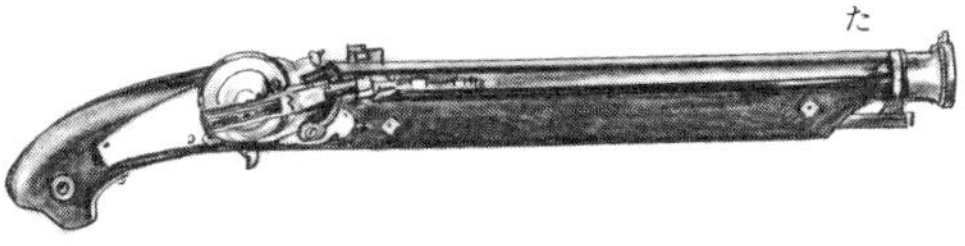
久米通賢の作った鋼輪式馬上筒（歯車式短筒）

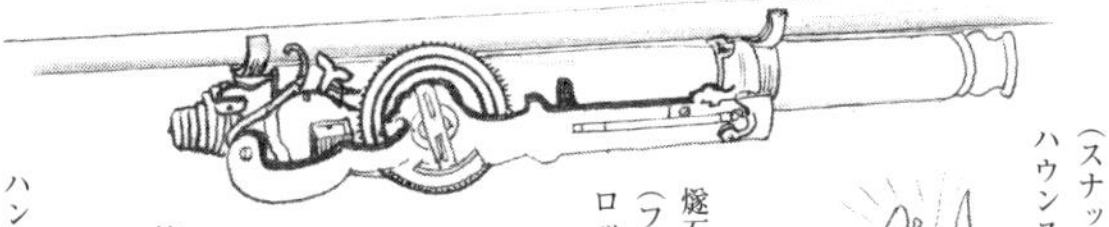
久米通賢考案鋼輪仕掛槍付銃図

燧石式《ひうちいしき》銃（スナップハウンス）
燧石式銃（フリント・ロック）
管打式

火薬入れは金属製もあるが、木、皮、竹製の筒に漆を塗って外気を遮断し、使用時に必要以上出ないように加減するための細い筒状の口と蓋をする。口火薬も同様であるが、火薬入より小型である。

　蓋は火薬を必要量入れられる容積を持つかぶせ蓋である。

　この火薬入れを鉄砲薬袋といった事は『駿府記』に記される。（『甲陽軍鑑』以下当時の記録）

玉（弾・弾丸）

　火縄を発火道具とする銃砲の目的は、弾を発射して、それを目的物に命中させて効果を上げる事になるから、他の武器と違って、その効果を上げるものはすこぶる小さい物質で、その装置の方がメカニックで大きいのである。

弾の製造

　砲熕類や火毬類は殺傷力が拡がるように鉄の小片や石を詰めたが、銃砲は丸い小球状のものを激しい勢いで命中させて打撃を与えるので、小さくても良かった。特に手に持って発射する銃においては直径十五ミリから二十ミリ程度の丸弾で、大筒はもっと大きいのを使用する。弾は鉄をも用いたが、素人にも製作しやすいのは鉛弾で、これはヤットコ形の鋳型に鉛を流し込み、冷えたところでヤットコを開くと弾ができるので、鉄砲の口径に合せた鋳型を用いる。

　この弾は鉛弾の重さによって、火縄銃を何匁筒といい、大筒大砲も弾の重さで名称とする。

弾の種類

　弾も二丸詰める二つ玉や、半球の面に紙を

弾と早盒

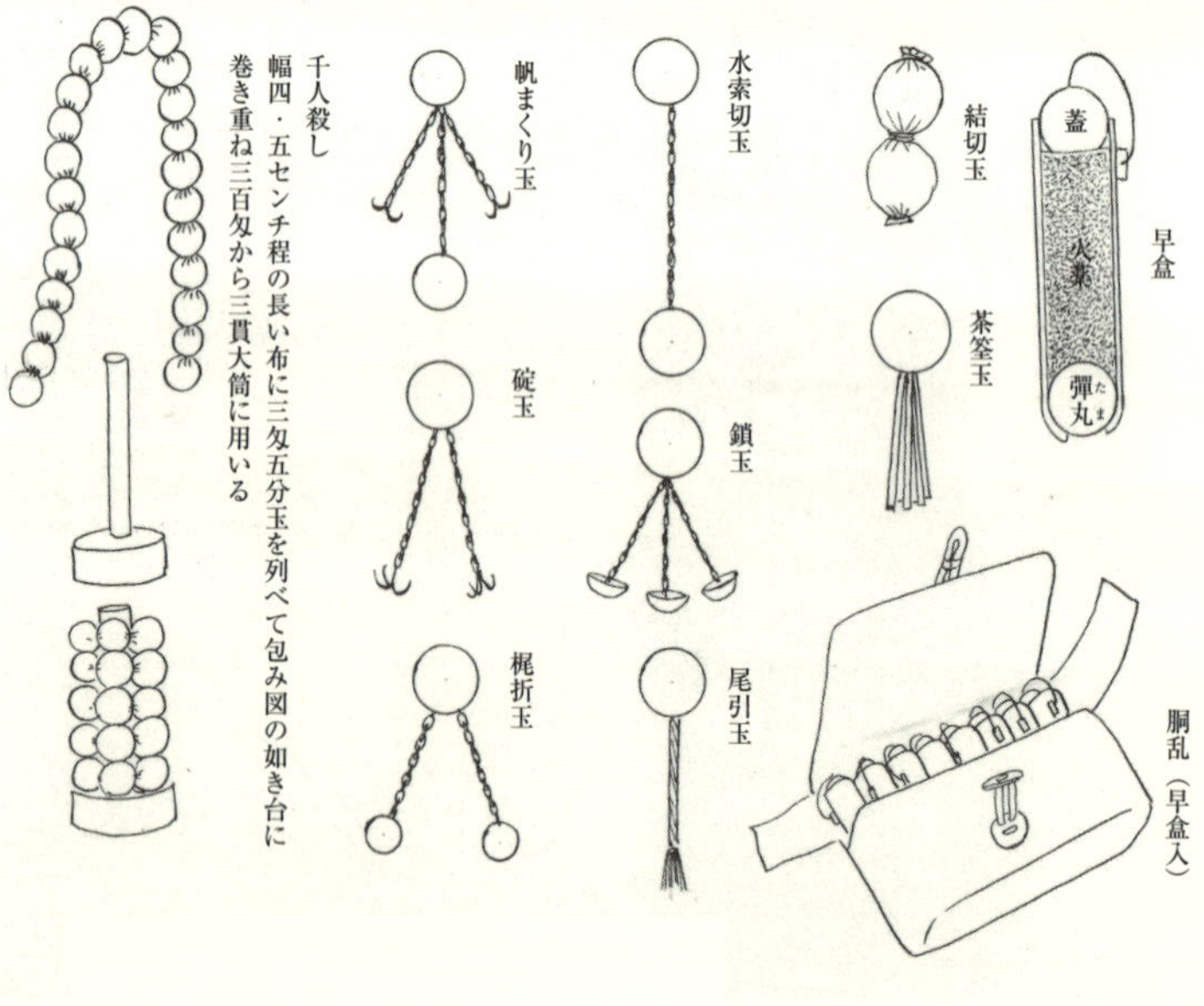

幅四・五センチ程の長い布に三匁五分玉を列べて包み図の如き台に巻き重ね三百匁から三貫大筒に用いる

合せて一球として二つ玉の効果を狙った割玉、この割玉を二重に詰めた四つ玉、二つ玉を紙に包んで両端と二つの中央を結んだ結び切玉、二つの玉を二三寸の鎖で繋いだ繋玉、玉に細い串を四五本刺し込んで、飛翔力の狂いを少くした茶筅玉、これと同じように丸に孔をあけて絲束を通した尾引玉、玉の口径に近い鉛の棒を、厚さ三ミリ位に切り重ねて、丸二つ位の長さになめし韋を各段挟んで外側を韋で巻いて散弾とした切り玉などがある。

火縄銃の付属品

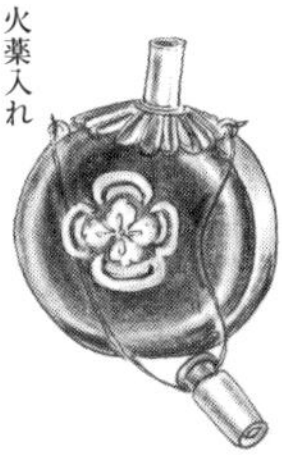
火薬入れ

火縄

口火薬入れ

百匁玉型

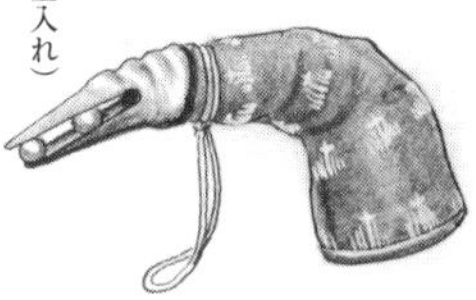
烏口《からすぐち》（玉入れ）

玉型

厚板などを打抜く時には鶏卵の白味を塗っては乾かし、これを繰り返した玉を用いれば良いという。

また、鉛玉で水鳥を撃つのに用いる玉で、刃物で玉に十文字に刻み目をつけると、水面をはずまずに命中するという。矪《くるりや》矢と逆の発想で水玉という。

鉛玉の代りとしては紙を水に溶して固く丸めた紙玉や、味噌を紙に包んで固めた味噌玉もあるが、これらは殺傷力は弱く、射撃練習用である。

また玉不足を補うときは粘土を固めて乾燥させて海藻《ふのり》を塗って乾した土玉を使う。古瀬戸地方で多く作られた土玉に自然釉のついた焼物の陶玉等がある。

口径の大きい大筒や大砲には鉄玉もあるが、多数殺傷用として散弾が用いられ、これを散らし弾ともいっている。

散弾は、竹の筒の中に小筒の弾をたくさん詰めたもので、大筒には五十匁筒で四十粒ぐらい、百匁筒で九十粒ぐらいを詰め蓋をつけて発射する。

また幅一寸五分（約四十五ミリ）の長い布に三匁五分玉（径約十三ミリ）か同大の小粒石を列べて包み、これを底のある芯棒（底は口径に近い径）に巻き重ねたものを弾とする。二百匁筒（約四十九ミリ）から三貫目筒くらいの大筒に使用する散弾で、これを俗に千人殺しといっている。

このほかに大筒では棒火矢も発射するが、『続雑兵物語』ではなかなか目標に命中させたり、焼立てるように効果を上げる事が難しいとしている。

弾は袋や小箱から一発ずつ出して詰めて発射するのであるが、玉袋の口に角で鳥の嘴の開いた形になって一発ずつ滑り出るのを取る装置のものが用いられた。

早盒［はやごう］

火縄銃の欠点は雨湿に弱い事と弾薬装塡に時間のかかる事である。

まず火薬を詰めて突き固め、それから弾丸を入れて火薬に接するように突き固める。それから火皿に口火薬を入れて蓋をし、火縄挟みを上げて火縄を装着し、火蓋を開いて据銃して狙いを定め、引鉄を引いて発射する。第一発はあらかじめ準備してあるから射撃に時間はかからぬが、第二発目からは、これの繰り返しであるから、かなりの時間がかかり、近接してきた敵に攻撃される弱点がある。特に戦場で気持が動転している時はうろたえて動作が狂ってしまう。

この操作を少しでも短縮し合理化しようとしたのが、原始的薬夾である早盒である。

これは木を刳り抜いて銃の口径に合せた筒や竹筒にあらかじめ火薬と弾を詰めたものをたくさん作っておいて、その一つを銃口に当ててカルカで突き、火薬と弾を一度に詰込む法で、この容器を早盒といった。それでも早い人で発射までに二十秒はかかるといわれている。

これの普及によって火薬入れ、弾入れは必要なくなり、早盒をたくさん納れた胴乱という鞄を肩から吊り、口火薬入れだけで良いようになった。早盒はまた帯状のものに列べて挿入し、肩からさげる襷《たすき》早盒という形式もあった。

その他の道具

セセリ

鯨の髭か針金で作ったもので、火皿の火口が数多く発射して火薬の残滓で詰った時にこれをもって孔掃除用に用いられる。

カルカ

火薬と弾を装塡し突き固める樫の棒で、普段は銃床にあけられた長い穴に収められている。弾薬の装塡、特に早盒では絶対必要の道具であるが、戦場で慌てた場合によく折ってしまうので、鉄砲足軽は予備のカルカを腰に挿し、小頭は数本持っている。

玉　箱［たまばこ］

鉄砲の玉をたくさん収納する箱であるが、鉛弾が大量に入るので重量がある。後に弾だけでなく早盒を入れるようになったが、それでも相当に重いので天秤棒の両端につけ一荷として担ぐが手代りが一人付く。

弾は銃の口径より小さいと筒先を下に向けると転がり落ちるし、火薬が爆発しても威力は無い。そうした折には鉛丸をかじって少しへんぺいにしたりして使用する事が『雑兵物語』に記してある。また口径よりも大きいと筒に詰めにくくなるから、これもかじる。

鉄砲は数度発射すると膨張して口径も縮まるから、順時、径が小さくなっている弾も利用した。『雑兵物語』にあるように迫合が始まると忙しく射撃するようになり、ろくに狙わず射撃するようになり「がいに捨て」る（無駄玉を撃つ）ので、玉箱持も一荷でなく、二人で一箱ずつ背負て運ぶ。

玉　箱

玉箱

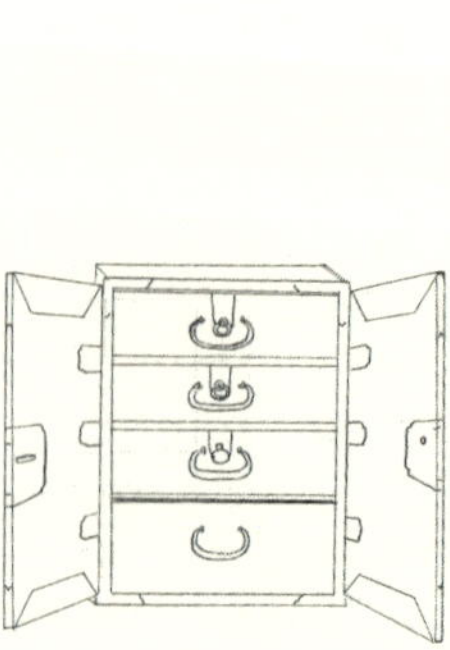

鉄砲簞笥

第二部

陣営具

第一章

陣の設備

基本となる設備〜陣を張る

陣

野戦において陣を張る時には、攻撃・防御に適した地形を選ぶから、たいてい小高い八方を見おろす事のできる土地に布陣する。そして仕寄道といって、姿を露出しないで攻撃が発進できるように塹壕を掘ったり、敵の攻撃を妨害するための乱杭《らんぐい》・逆茂木《さかもぎ》・虎落《もがり》を設備し、宿泊の設備の外郭には柵や、竹矢来・垣・埒《らち》を設ける。移動中の宿泊でも柵か矢来ぐらいは作り、その内側に幕を張ったりして中が見透されないようにする。

陣は長陣（戦さが長びく）と短期間の滞在とでは準備が異なり、長陣の場合には戦闘開始までの間に少しずつ強固な設備をし、砦形式に補強していくが、たいていの場合は柵か竹矢来で囲う。これらは容易に材料が入手できるからである。ただし、初めから強固な柵を必要とした時には信長の設楽が原（長篠）合戦の時のように出陣に当って、あらかじめ各自一人に一本の柵用の丸太を持参させる事がある。

布陣する場所が決定した場合には、その土地の地形・状況によって、警備兵をつけた大荷駄陣が先発して設備をする。

宿陣［しゅくじん］

陣を張る時は宿営地に寺社・屋敷・民家があれば、それらを利用して分宿するが、家々にも味方の陣のしるしとして幕を張り、庭に幔や帟《ひらはり》（現代でいう天幕）を張ったりし、その一郭の外側には柵や竹矢来を組んで囲む。従ってその土地の人は否応なく他へ避難退去する。

それを宿陣・留陣（『文禄清談』『謙信家記』）という。

また建物もない場所では急遽臨時の小屋を作る。『板坂卜斎慶長記』にも

左和山の南野なみと云村、東の山に野陣、いかにもかろきこや二間に四間ばかりに、わらぶき垣根もわらにていたし、入口に戸をなし、入口のわきにまと中れんじ半分はたたみ。此たたみは左和山よりとりて来、半分たたみのなき所は、わらをちらし候。こやの外に芝原かたさがりに此所に畳三十畳計敷、其上に御目見えの奉公人三十人計入かはり出かはり草履

前九年合戦絵詞に描かれた私邸の陣所

取はめん〳〵うしろに置候（中略）御本陣へちかき所は御旗本衆やどをとり申候故三十町四十町もある所に在々の家在次第おもひ〳〵にやどる

とあるのが実情で、徴発された農民や軍夫の中には器用な者もいて、宿陣ときまるとたちまち仮小屋を作ってしまう。大荷駄の中にも組立建築の用材が含まれているから、何処そこまで進出して布陣と決まると、先兵（先発隊）に付随し、地の理を選別するとたちまち宿陣の設備をする。

『続式家閑談』にも

直孝五月五日の陣場は、砂の先の在家を陣場に御請取被レ成候処に御申付候様は在家の家をこわし三備分之陣具つませ取候て小屋を懸居申候得と御申付候

と記されるように、中には敵地の民家を壊して、それを用材として宿営地に運んで仮小屋を建てたりすることもあった。すなわち戦場となる付近の民家は占領されるか、用材徴発として取壊されるか、戦略上焼かれるかするから、戦に関係ない民家は大変な迷惑である。

その上に食糧の徴発まで行なわれる。『簑輪軍記』蓑輪落城条にも大きい寺に武田方が押しかけて、代金は後で支払うからと強引に米二、三百俵を運び出した事が記されている。

こうした被害を与えることは、たとえ戦に勝っても後の治安に悪い影響を与えるので、

宿陣の材

細川越中守考案の組立陣小屋の材料（二間に四間）

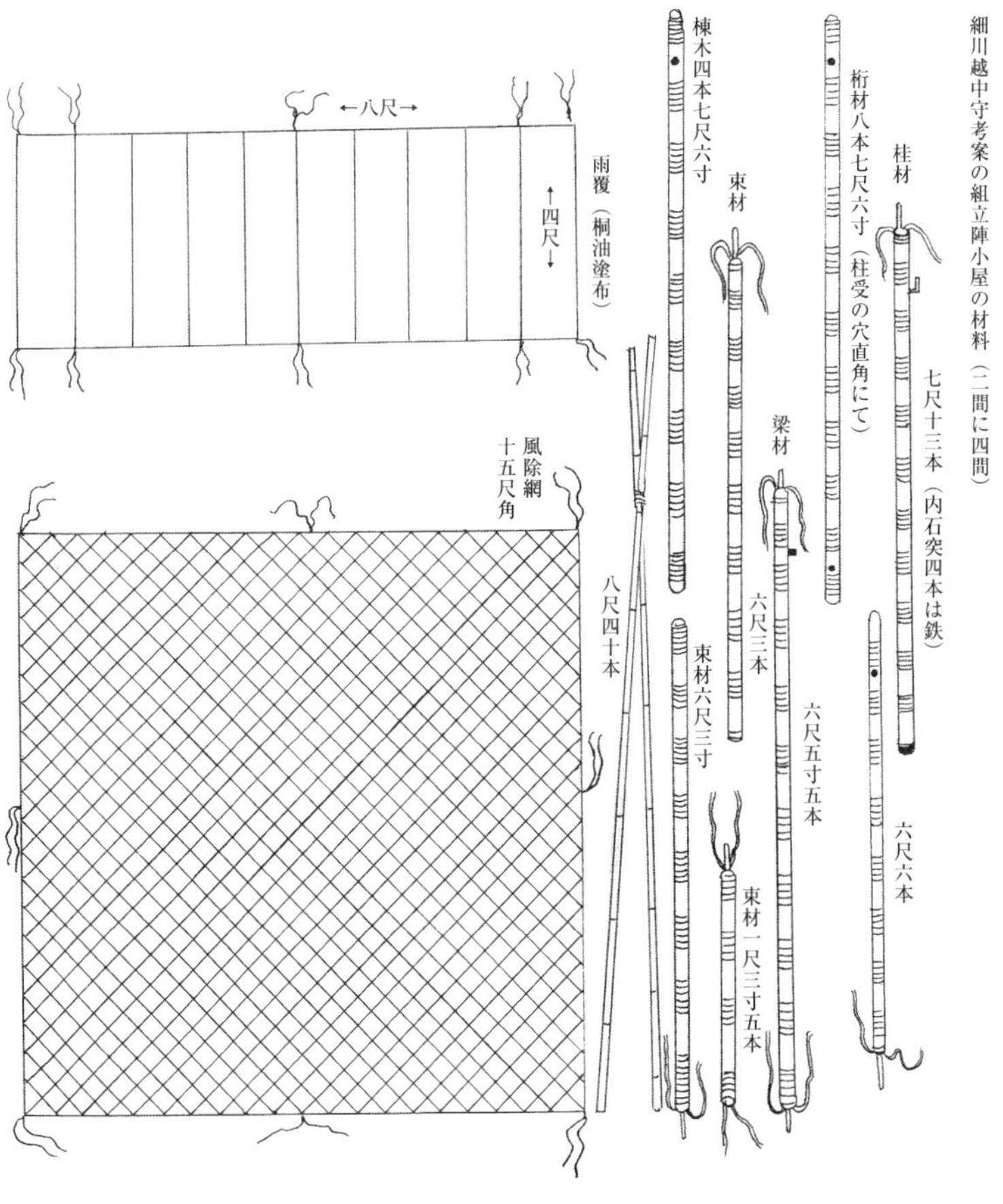

戦地における臨時の仮小屋用の用材をあらかじめ用意した大名もあった。『老人雑話』に

細川越中守陣小屋を取置にし、馬二駄に積む事を初む。一間半に五間なり。柱は樫木細く造り石突を入る。上四方は桐油布也

とあり、平安朝期の朝廷の儀式の折に庭に張る幔と帟《ひらはり》の少し進歩したものを考案したが、雨を避けるには三十人くらい入れるが、寝るには十人そこそこであった。この用材を運ぶだけでも千人宿営するのに二百頭以上の駄馬を要するから、軍の行動するには大変な準備が必要であった。

江戸時代には色々と仮小屋用の設計が考案されているが、これらは用材を運ぶだけで大変な量になり、移動激しい戦場には効果的でない。

農漁猟民の徴集

戦国乱世の頃になると、敵国侵入にも領内防衛に対しても領民まで徴集して協力させた。領民は武士並みの武器・武具を持っていることもあったが、ほとんどが生産用具を武器代りに持って集まり、集団戦力として戦に協力したが、ほとんどは陣地作り、城砦・防御設備の構築・大荷駄への協力等をして戦力の裏方的仕事をした。室町時代末期頃はどの大名でもこうした徴集軍夫（陣夫）は大体一日に米五、六合（玄米）支給の報酬を与えられ、危急の折は武器の代りに道具をもって戦ったりし、手柄があれば武士に取り立てられたりしたが、敵に殺されても保証はなかった。徴集は老人・子供を除いて領内に住めば強制的であり、敵地に侵入した場合には、その地域の農漁猟民すら否応なく狩り集められた。

こうした非戦闘員を強制的に徴集した事は古くより行われていたが、記録上に記されないのが常である。文治元年（一一八五）に源頼朝が、叔父新宮十郎行家と義経を追捕するために全国の御家人を守護・地頭としてその領地を認めた折に、軍事費として一段歩（九・九一アール）につき米五升（約九十リットル）を税以外に徴収する事を認めたが、後世は戦毎に徴収が増加して農民は苦しんだし、さらに陣夫としての徴発がさかんとなった。

陣夫の費用は大名が支給するのであるが、これは地頭に命じて集めたものであるから、陣夫の費用は地頭の負担ということになる。

天正十七年（一五八九）十一月の徳川家で定めた規定に

一、陣夫者二百俵に一疋一人充《あて》可㆑出㆑之。荷積者下方升可㆑為㆓五斗目㆒。扶持米六合、馬大豆一升宛。地頭可㆑出候。於㆑無㆑馬歩二人可㆑出　夫免者以㆓請負㆒一札之内一反に一斗引㆑之可㆓相勤㆒事（『一話一

『関が原合戦屏風』に描かれた民家を利用した宿陣と物資の調達図

言』所載）

また

備へ

一番　津島　堀田宮五郎　恒川久蔵　大
橋清兵衛

寄合　野々村又右衛門　中村弥助　館沼
高平

人数三十外出夫共二

守山村　大永寺村　大曾根村　井田村

伊納村　稲葉村　瀬戸川村　赤津村

右八ケ村之内　三千五百四十三名分之出
ル（以下略）

元亀三年（一五七二）申（『塩尻』所
載）

とあり、わずか八村で三千五百余人が狩り出され、合戦前の土木工事を強制されている。これらは徴集時において職業による道具を担いで集まるもので、農民なら鋤鍬・鎌・棒・竹槍、漁猟民なら熊手・鋸・大切包丁、狩猟民・山間部の民なら、大鋸・鳶口・鍬・鎌・鉈・鉞等を持って集まり、陣地構築・設営・仕寄道・道路作り・柵結い等に駆使される。

近世では高松城・忍城の水攻めの時のように築堤作りに突貫工事の大動員もし、一人あたり米一日五、六合、夜間に及ぶと一升位の支給があったから、その負担は膨大なものに及んだ。

一度戦争があると勝っても農漁猟民等の生

領民の得物

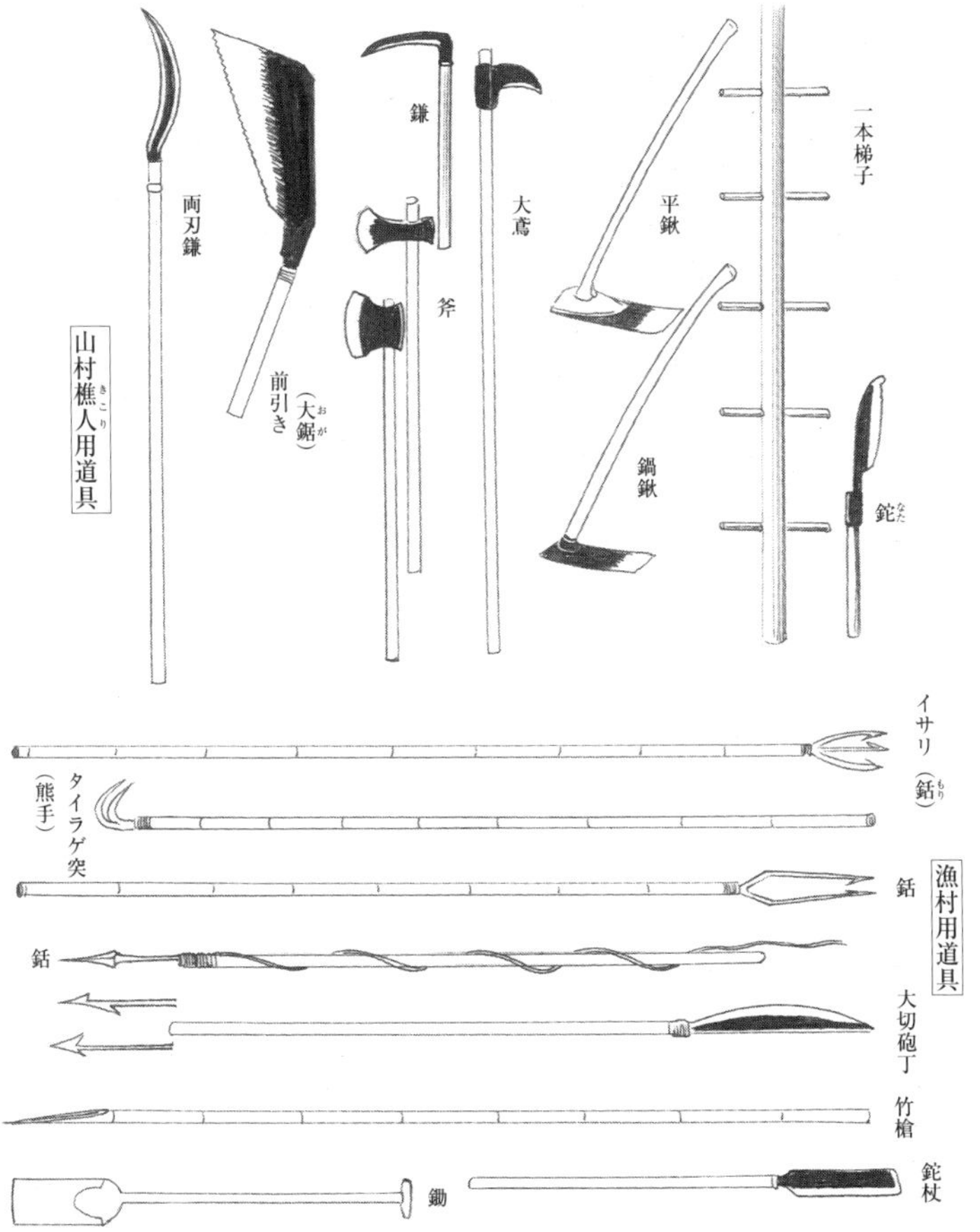

産者は物資と人員の徴発により疲弊するのが常であった。戦場で生命のやりとりをする武士の事のみ華やかさと悲惨さを表現したものをもってわれわれは興味を持つが、その裏方である陣夫の苦労については注目していない。

　そこで土地の人々も戦争が起ると逃散《ちょうさん》が多くなり人手不足になる。軍制が整備されてくると、そうした折には請負人夫業が現れ、他国の浮浪人等をまとめて使用する。その費用として地頭（土地の所有者）から百石につき二五石分を金納させたのが右記載の四分一である。また百貫文の土地（秀吉以前は米を貫文の表準で見積った）からは陣夫二人、二百俵（二百石取りと同じ。米納税は四公六民を平均とすると地頭の取り分は八十石、俵に直すと二百俵になるから二百石も二百俵も同じ）で駄馬一頭に陣夫一人、馬無しは馬の代りに二人、計三人が出なければならない。これを金納か米納にし徴発を免れ、その分を陣夫請負人が人数を出すのである。

幕《まく》・幔《まん》

　陣を張る時は宿営地に寺社の大きいものや、屋敷・民家があると、それを本陣（本営）として占拠し、部下も民家等があれば分宿するが、それらを占拠し陣としたしるしに幕を張り廻らす。また野陣の場合にも軍の根拠地として幕を張り廻らして陣地とする。幕は通常幔幕《まんまく》と俗称するが、幔と幕では目的は同じでも構成法が違う。幔は上下が横幅布で、その間を縦幅を連ねて縫い繋いだもの。幕は、横幅に五段を縫い繋いだもので、日本独特の形式である。

　日本で古代より帷幕《いばく》を用いた事は『古事記』応神天皇の項に「帷幕を立て」とあり『日本書紀』継体紀にも「尽焼帷幕」の語があるから陣地に軍用の幕が用いられ、また「張紺幕」の語からは紺染の幕も用いられていたことがわかる。また奈良時代の『軍防令』にも

　凡兵士毎火紺布幕一口　著裏

とあり、徴発の兵士も各自が裏付（袷）の幕を用意すべきことが規定される。中世流行した長い幕でなく一人用の幕と思われるから、大日本帝国陸軍が健在の頃、兵士は各人が天幕一枚を畳んで備品としたのと同じである。もちろんこの幕は繋ぐと数人用の仮住居となり、また雨風避けになる。

幕と陣

　中古の軍陣用の幕は長さ一反分を横に五幅縫い繋ぎ、上端に縄を通す乳を所々につけ、これに縄を通し、縄は幕串という棒の上部に結ぶ。幕串を地上に突き立てれば幕は張られたことになり、これをいくつも繋げれば長く

幕と幔

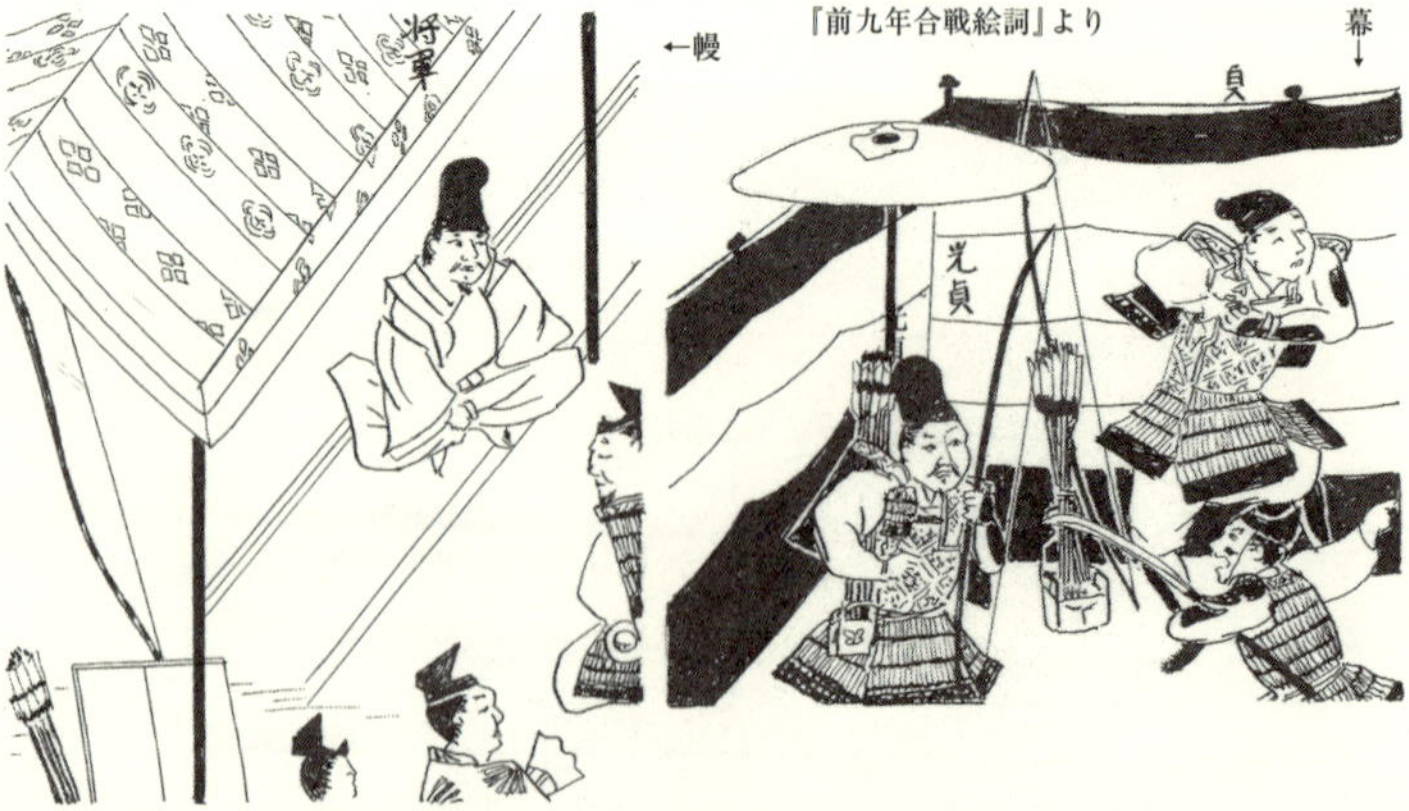

『前九年合戦絵詞』より

なり、囲めば陣を形成する。もちろん外側に柵や竹矢来を組んで、外部からの侵入を防ぐ。

この幕で囲んで主将や重臣が集まるところが帷幕で、ここで作戦を練る事を「帷幕に謀《はかりごと》を廻《めぐ》らす」という。陣地が家屋であっても慣例として室内にも幕を張った。屋外の場合、主将は多くは幔を張り、平士は幕を張ったことは鎌倉時代に描れた『前九年合戦絵詞』や南北朝時代に描かれた『後三年合戦絵詞』に見られる所である。このほかに宮中で盛儀のあった場合に庭中に幔を張るが、天井にも幔を棟形に張り、これを帟《ひらはり》と称したが、今日の行事などの折に張る天幕と同じである。

幕の規則

幕は『軍用記』第六によると

長さ三丈六尺、三十六禽を表す。又二丈八尺二十八宿を表す。又三丈一尺三十日を表す。布はば一尺二寸十二月を表す。五幅は地水火風空の五体木火土金水の五行を表す。乳の数廿八二十八宿を表す。九ツの物見は九曜星を表す

とし、『武用弁略』では

布ハ凡十二端也。十二月ヲ表スト云リ。扱ニ張ヲ合テ陰陽ノ幕トス。六端ノ内長キヲ取テ四ニ割、三繰《ミツグリ》ニ縄ニナヒ合テ手縄トスル也

等、江戸時代は陰陽五行説や天宿に結びつけた説をもってこじつけているが、中世はこうしたやかましい規則はなく、幕は五幅、乳の数も適当であった。また張った幕は強風に吹き倒されるために縫目を所々綻ばせて風抜きにしたのを後世は物見と称して外部を覗き見る隙間とし、上中下九か所に設け、『軍用記』では上部二つは大将が覗きに使用する隙間、中段の三つは侍大将が覗く隙間、下段の四つは一般武者の覗く所などと『軍用記』では規定しているが、古くはそんな区別はなかった。『武用弁略』もこの九つの物見を九曜にこじつけている。

『軍用記』によるとさらに幕の紋の大きさ、位置によって上下の身分、肉親の序列をきめたりしている。古くはそんな区別は無いが、外部から望見した時にはわかりやすい。

手綱は幕の長さにもよるが、張った場合に両端が七尺五寸（約二・二七メートル）ぐらい余らせるとし、布を青・白・黒三色を左縄になひ、右の端は白のままとして九字を書く。

幕串は勝軍木《ぬるで》か桧で幕よりも六十センチ長くする。これは土中に突き立てるからで、上端は切子頭黒漆塗とし、ここより十二センチ程下に渡した手縄をからげ留める鍵をつける。下方は鉄の尖った形にして土に突立やすくする。などとよろず規則がやかましくなった。桃山時代にはこの幕串の上端が槍鞘代りになり、これを外すと中に槍身を仕込んだも

『後三年合戦絵詞』より

各種の幕

『武用弁略』備器之部六による内幕と幔幕の図

乳ノ数八十六・十八又ハ二十五也（最モ好ニヨルベシ）竪ノ幅五尺二寸手縄ハ長サ一丈五尺

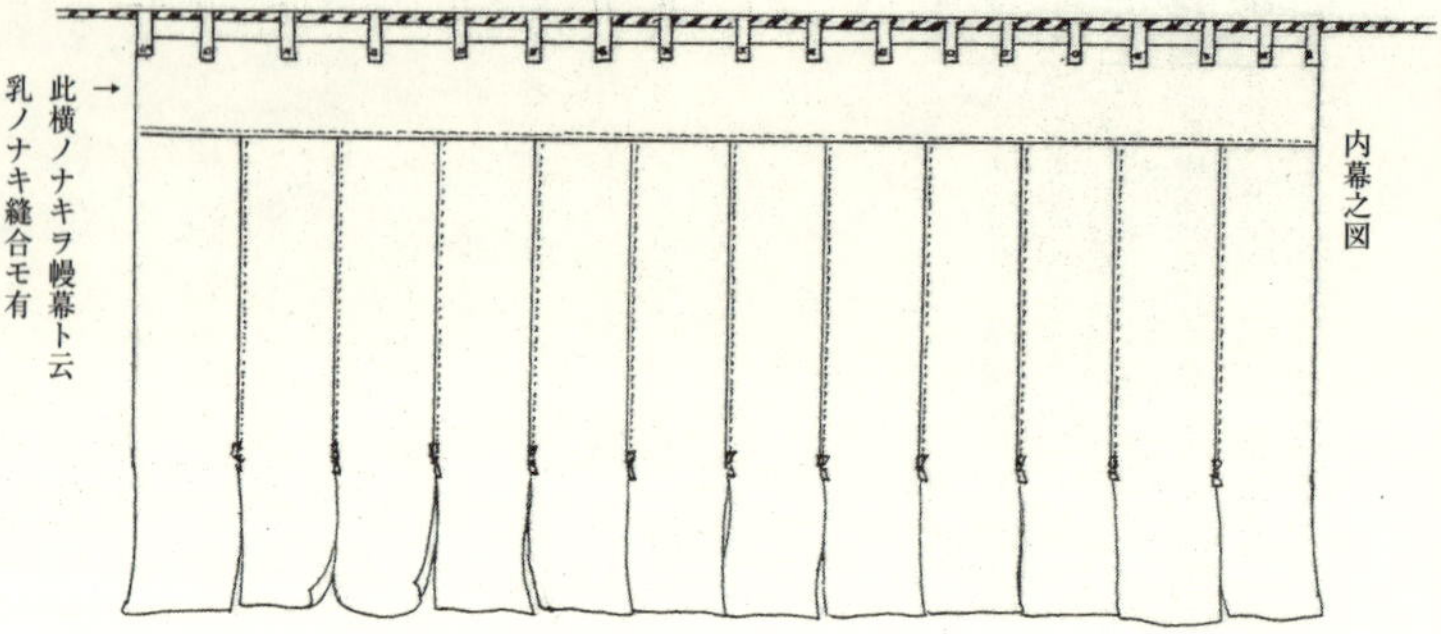

『年中行事絵巻』の賭弓《のりゆみ》の時に宮中の庭に設けられた幔と幕と帟

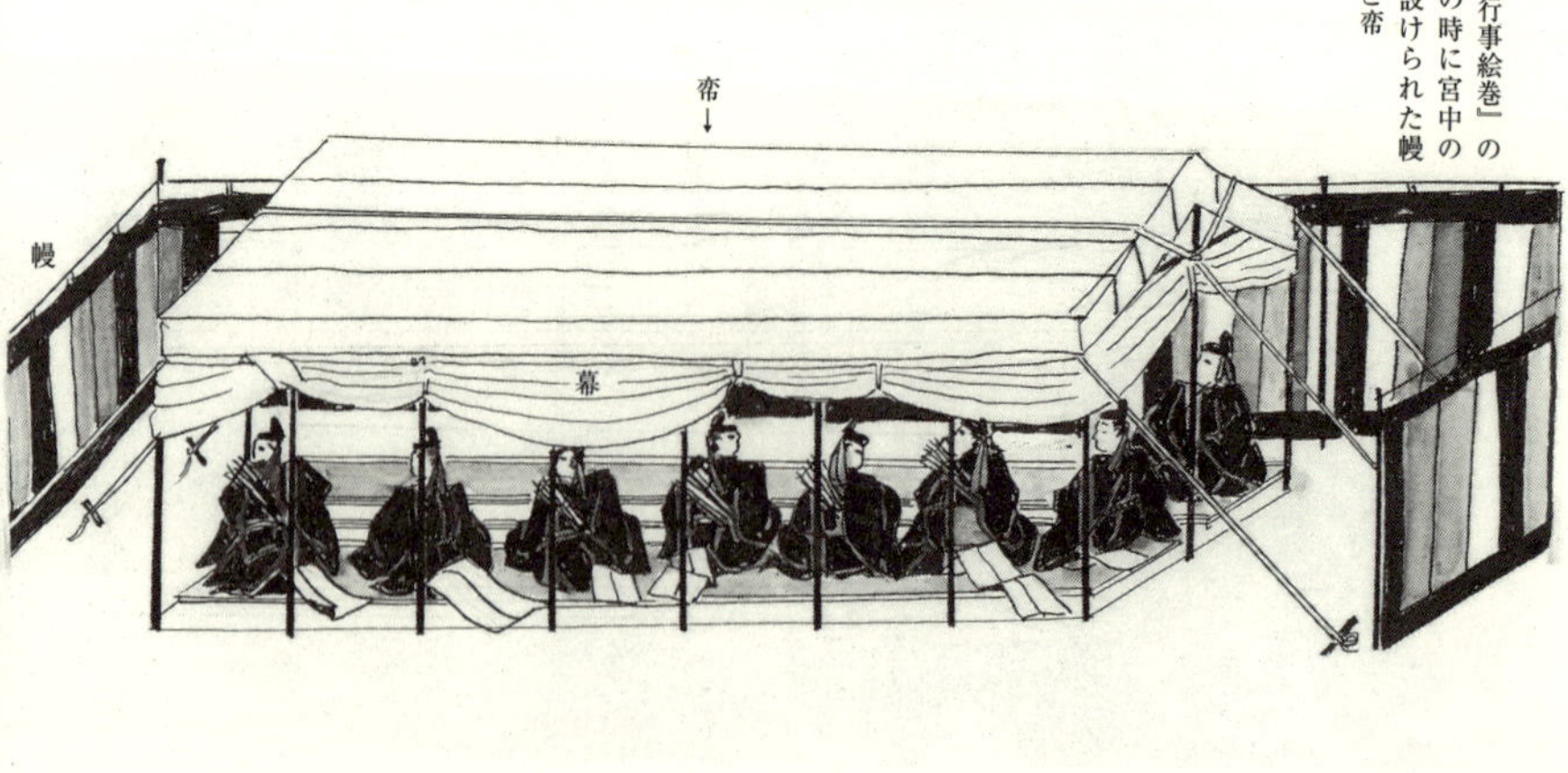

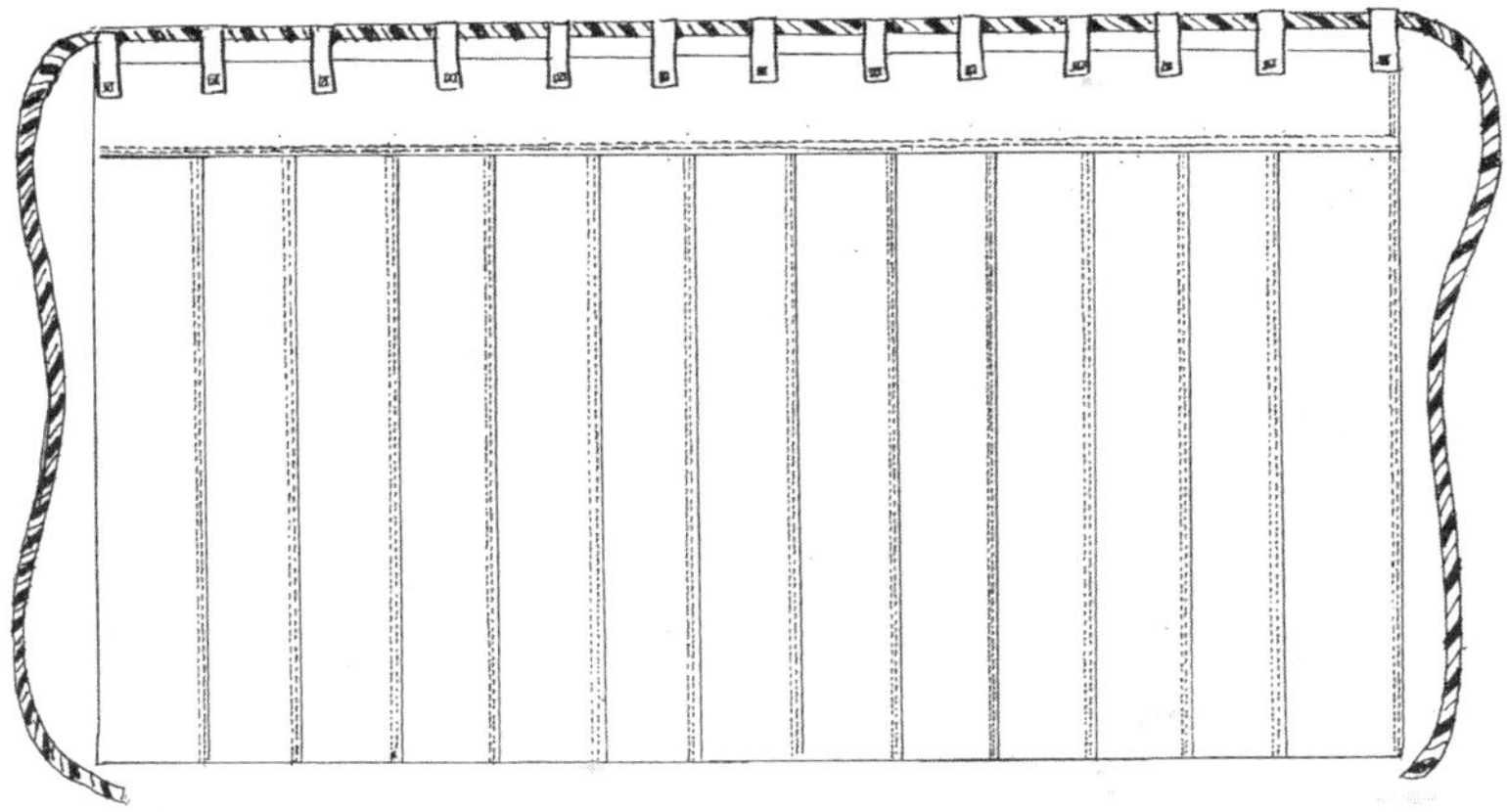

『軍用記』に記された幔幕の図

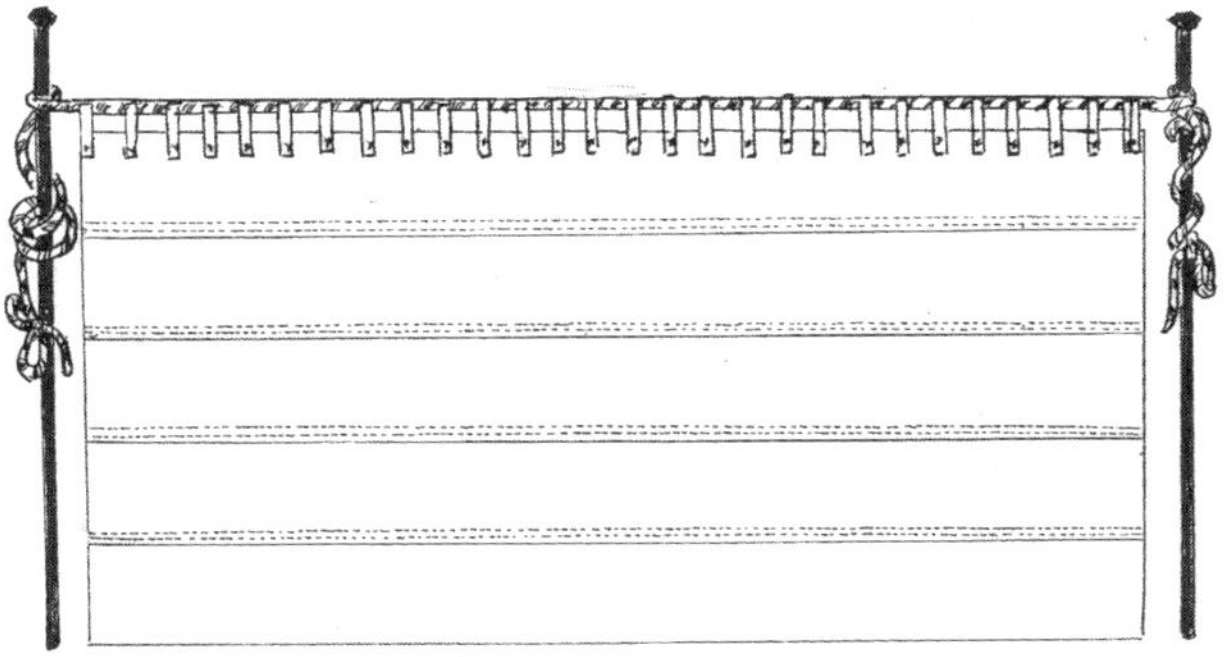

幕の長さ三十六尺（地の三十六禽に象る）
乳の数二十八（天の二十八宿に象る）
布幅一尺二寸（十二月を象る）

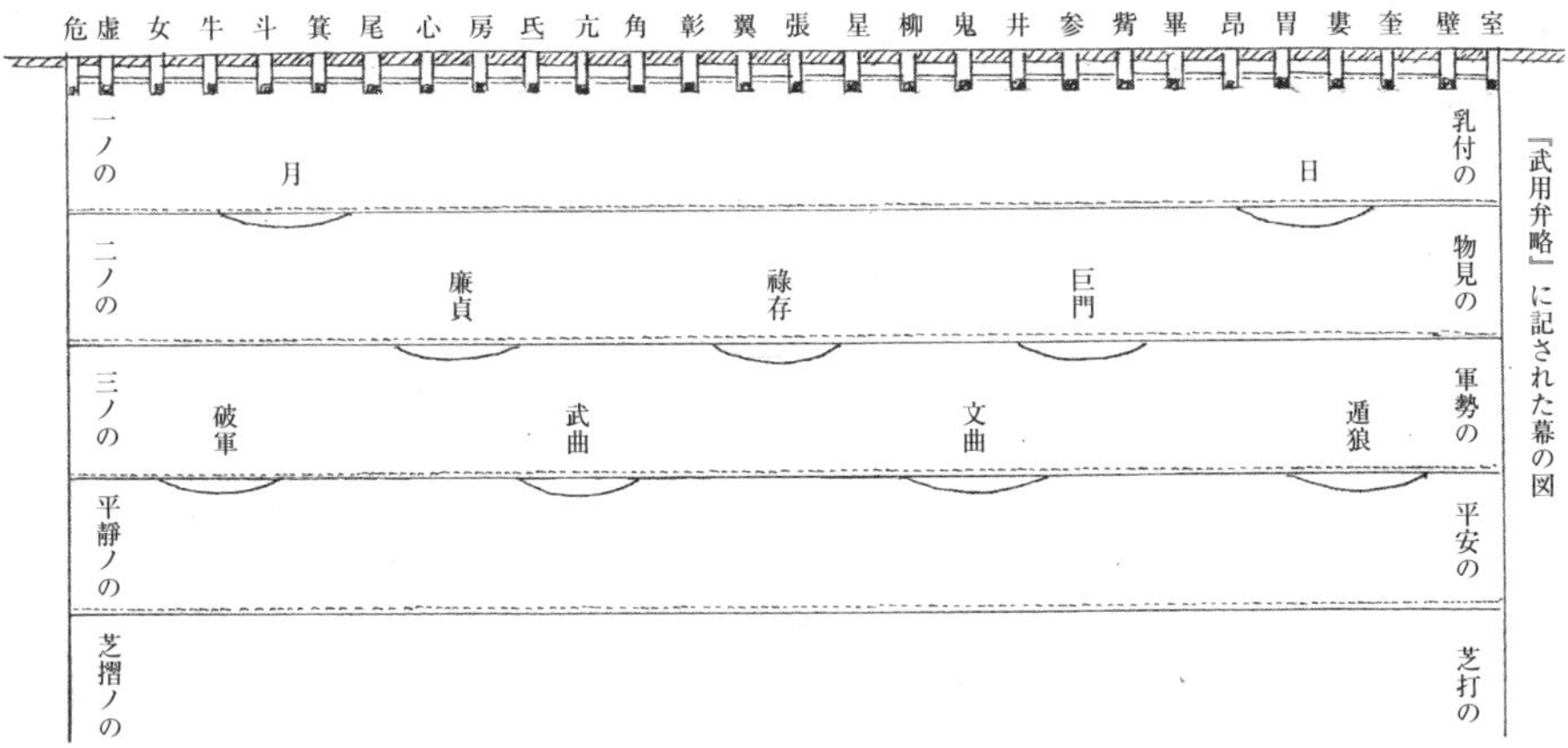

『武用弁略』に記された幕の図

のもある。

幕は一帖、二帖（一張、二張）と数えるが、一帖というのは六丈四尺（約十三・五メートル）くらいである。かなり長いので、少人数では囲んだ形になれる。

幕の出入

江戸時代には幕の出入の作法まで考えられ、『軍用記』によると

幕出入の事。上の幅に物見二つあり。是れを日月の物見といふ。此物見の通りの下より出入すべからず。其の処をよけてまん中の通りより出入すべし。（若し其の所に貴人居給はゞ何方よりも出入すべし）出づる時はたゝみ上げて入る時は前へまくる心也。紋の間を出入るなり。又何帖も打つゞけたるその時は打ちがへたる間をば通らぬものなり。幕にこまるを付くる事。こまるとは紙を五分ほどに細くたたみて手綱に結び付て置きて幕をかかげてこまるにてむすぶなり。こまる付く所は日月の物見の上に一づつ、真中に一つ以上三所につくべし。日月の下は大将の出入し給ふ所なり。中は諸軍勢出入すべし。一説に中を大将の出入の所と云ふはあやまりなり。こまるにてむすぶを身方にてはかゝぐると云ふ。敵の幕をばしばるといふべし

とあるが『武用弁略』では

日月ノ物見ハ天子ノ外ハ作ベカラズ、子細アリト云云

とあり、また『軍用記』欄外註に補として

扇鏡に曰く昼は日の物見（の下）より出入なり。夜は月の物見より出入なり。弓法私書に曰く、幕をうち上て内へ入る時は、まくのすみを外へ一つつまぐり返して両方の手にて、まくをあげて内へ入りてあとをよく直しておくべきなり。内より出る時も同前なり。いづれもまくのすそ内へまくり入らぬやうにするなり。また紋の付きたる間を出入するといふ説あり

幕串

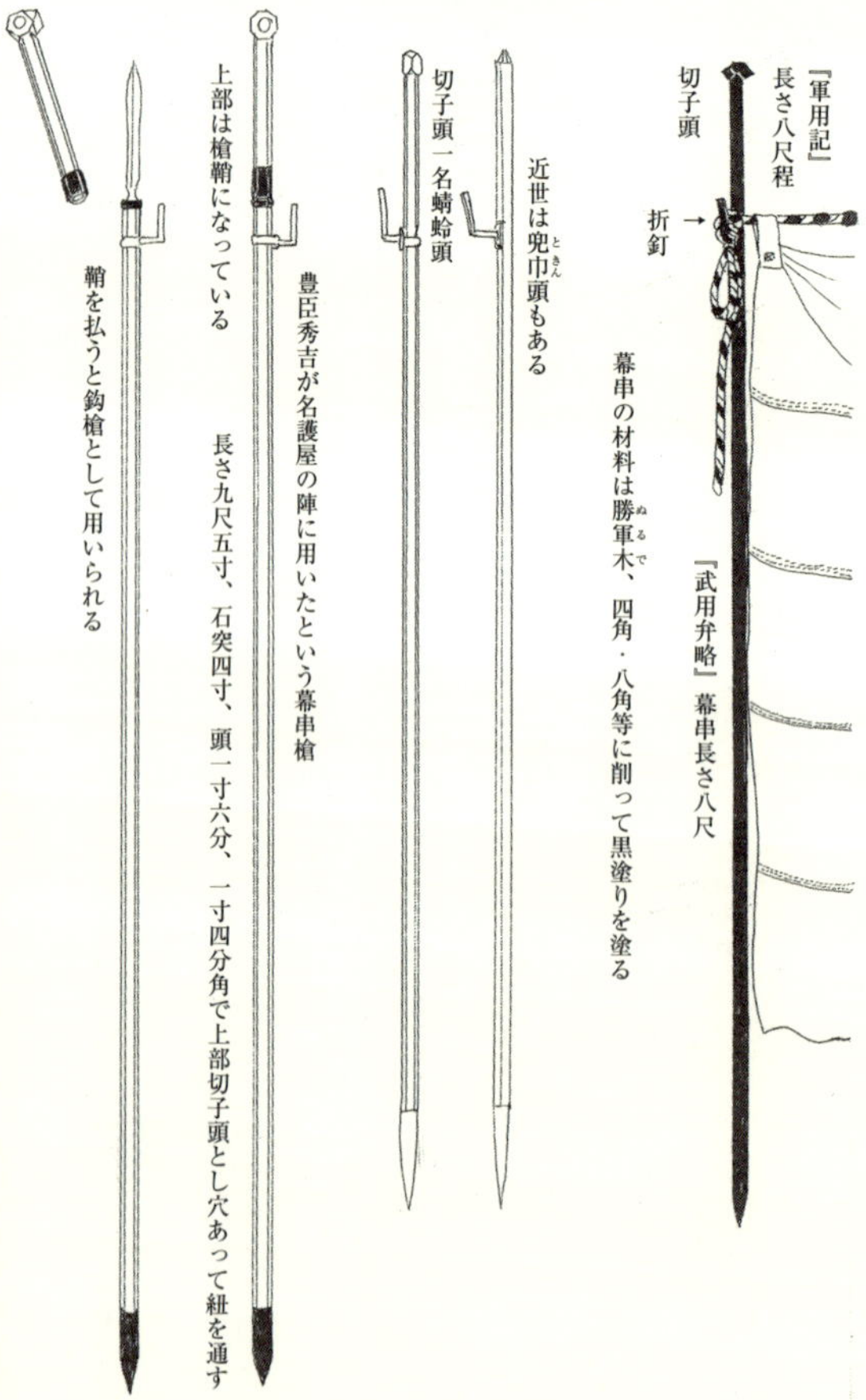

幕串の材料は勝軍木《ぬるで》、四角・八角等に削って黒塗りを塗る
近世は兜巾《ときん》頭もある

豊臣秀吉が名護屋の陣に用いたという幕串槍
上部は槍鞘になっている
長さ九尺五寸、石突四寸、頭一寸六分、一寸四分角で上部切子頭とし穴あって紐を通す
鞘を払うと鈎槍として用いられる

幕の作法

『軍用記』大将は幕の真中より出入すべし。まくり上げた幕を手縄に結ぶ紙紐をこまるという。

『扇鏡』幕に入るときは、すみを外へ一つまくりて返して両方の手にて幕に入り内に入り、あとをよく直しておくべきなり。

大将は日月の物見より外を見る
中の物見は侍大将用
下の物見は一般武者用

『軍用記』物見の位置は身分によって異なる。

幕の紋の置き方

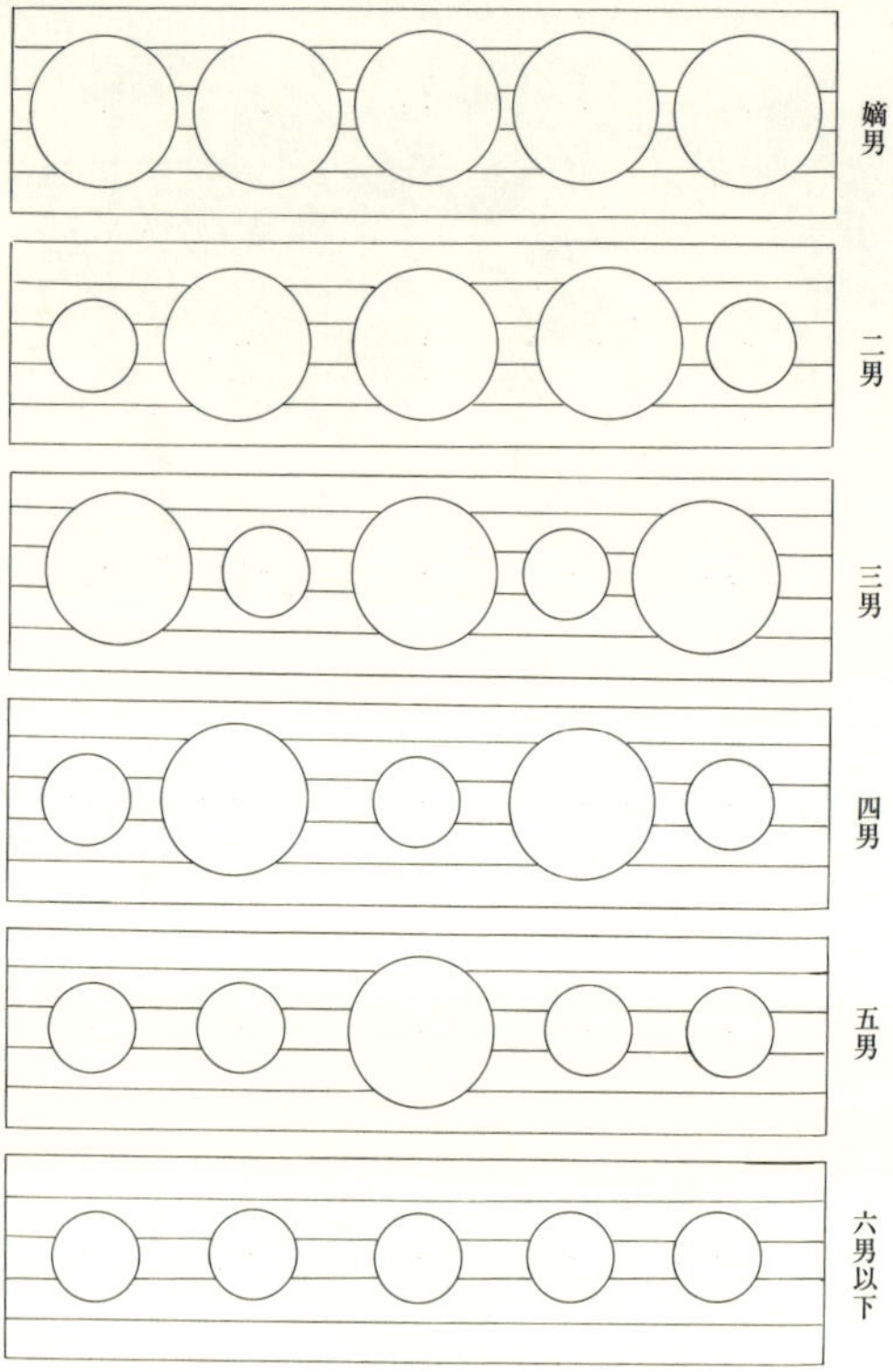

と、夜と昼では出入口が異なるやかましい作法が述べられているが、源平争覇の頃から室町時代末期頃までに果してこんな作法で行われていたかどうか疑問である。

幕に家紋をつけるようになったり、将軍・大名家の幕が使用される過程で、次第に作法が付加されていったのであろう。緊急の戦場ではこうした事は通用しないと思われる。

幕の保管と種類

以上のように中世より幕は大切にされるようになったので、収納にも幕は唐櫃に収めて保管するようになるばかりか、畳み方まで方式が作られ、『軍用記』には補注で詳記している。

まくも唐櫃に入るべし。唐櫃の大き幕一帖入るほどにつくるべし。（本陣などに数多くの幕を張ったら、唐櫃の数も大量になってしまう）すべて箇様の物は皆唐櫃に入る物なり。

軍道具をばあらわぬものなり。殊に幕をあらふべからず。あたらしけれども大将うち死の時は、かならずあらふものなり。しかる間堅く洗ふ事を忌むなり

と記しているが、刀槍銃矢で破れたり、血や泥で汚れたらどうするか。常に新調して用いていたのか、その間の説明はない。

また『武用弁略』では

物見アルヲ幕トシ、無キヲ幄トス

とも述べているが、こうした僅細な区別は平和になってからである。また使用目的によって幕の呼称が異っていて、外幕《とまく》・内幕《うちまく》（この語は現在でも日常語に用いられている）・楽《らく》幕《まく》・屋幕《やまく》・船幕《ふなまく》・天幕《てんまく》・花幕《はなまく》・野幕《のまく》・死幕《しにまく》（くじら幕ともいう）・暖簾幕《のれんまく》・几帳幕《きちょうまく》・斗《と》帳幕《ちょうまく》等と区分しているが、現代でも祝い事には紅白の幔、不幸の時は白黒の幔（くじら幕）を用いている。

照明具

篝（篝火）［かがり（かがりび）］

武家が戦陣用に用いた照明具で、焚火の一種である。鉄の棒三本を組んで、その上方中央に鉄の籠を置き、その中に薪を入れて燃す。

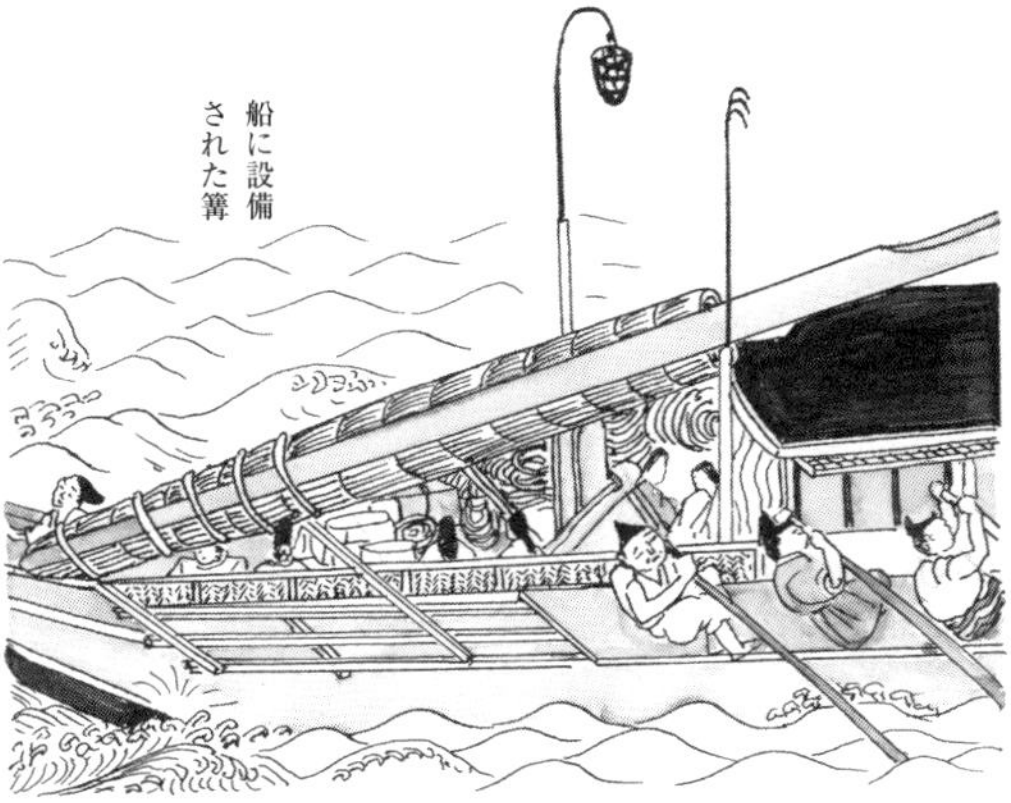

船に設備された篝

篝火

篝火

船舶用の篝火は鉄籠を鎖で吊って用いる。軍陣で篝を燃すのは闇に紛れて敵が侵入しないようにするのと、数多く燃くと大人数のように見せ、軍容を誇るためである。

軍陣で篝を用いるのは、燃す材料が容易に入手できるからで、多くは薪を用いる。

敵の侵入を警戒するために、陣地の外にまで篝を燃くのを捨篝といい、近世の合戦にまで用いた。

『築城記』に

カカリ焼ハ干《タ》タル木ヲ長クツミ、風面ヨリ火ヲツクル也。又生木ヲバ多ツミテ消サルヤウニ焼也

とあり、篝を燃く鉄籠を「篝火の台」（『大内問答』）という。

なお篝は軍陣に限らず、中世の京都市内は道の要所々々に毎晩火番の者が篝を燃いた。

『百練抄《ひゃくれんしょう》』に

暦仁元年（一二三八）七月九日壬午　摂政宇治入也。人々見物云云　近日一条大路　大宮等大路　要害所立二兵士屋篝火一是為レ防二禦群盗一也

とあるのがこれで、当時の関所も終夜篝を燃しつづけた。

「かがり」とは赫りで、夜闇にかがやくことからきた語で「かがり火」ともいう。

松明［たいまつ］

焼《た》き松の音便で、『資治通鑑《しじつがん》』唐粛宗紀の註に「松枯而油存　可二燎之以為一レ明」とあり、『正字通』にも「濵人以二松心一為炬、号曰二松明一」とあり、中国でも古くから、松脂の含まれている松の木を一時の燈火代りに用いていたのであるから、日本での発明でなかったことがわかる。

篝火が一定の場所に固定して燈火としたのに対して、松明は手に持って燈火としたので、後世の提灯や、現代の懐中電灯の役をつとめた道具である。松の樹脂が含まれているので燃えやすく、平常・軍陣にかかわらず移動性ある燈明具として広く用いられた。

大体二尺五寸（約七十六センチ）くらいの長さに松を切って細く截ち、これを一握り半ぐらいの太さに束ねる。そして火付が良いように油に浸し、先の方は焦がしておく。また硫黄を塗ったりしておくとよく燃え、約一時間くらい燃え続ける。竹製・葦の束・苧殻《おがら》・樺の木を代用することもあるが、大体は松を用いる。

夜間旅行・行事には欠かせぬ道具で、手に持てるし、その明りの振廻し方によって、合図用にも用いられたりした。『籾井日記』桂川合戦条に記されるごとく、「松明ヲ一人シテ五本三本持ニシテ」とあるように大人数に見せかけることもでき、『源平盛衰記』に記

されているように牛の角に結び付けて追い落し大人数の襲撃に見せかけることもできた。

　火薬が使用されると、松明や焼草に火薬を混ぜて、放火用にも用いられた（『紀州発向記』）。片手に持つので手続松（『賀越闘諍記』一揆等攻溝江大炊允館条）ともいい、中には人の背よりも長くて太い大続松（『大友興廃記』和談の使をうつ条）等がある。

松明

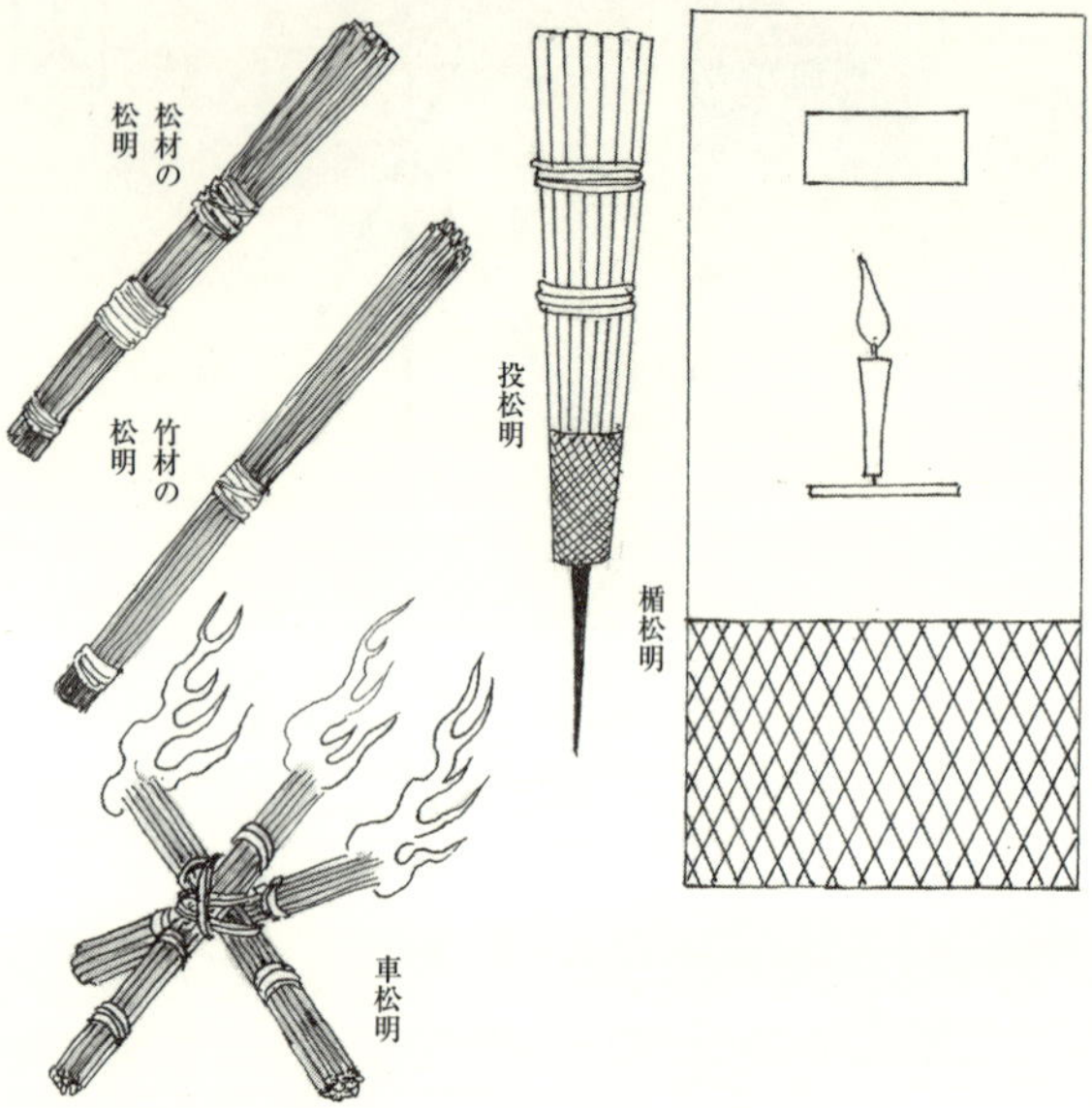

投松明・車松明［なげたいまつ・くるまたいまつ］

投松明は松明を投げ捨てても燃え続けているように、投げても地上に転って消えないようにしたもので、松明の下部を重くして鉄串を刺しておく。投げると串が地上に刺って立っているので燃え尽きるまで明るさを保つ。『太平記』三角入道謀叛の条以下軍記物に散見する。

　車松明は松明と組み合せて車菱のようにしたもので、投松明のごとく上手に投げぬと地面に倒れるということはなく、また二・三か所が同時に燃ているので、一本の松明より明るい。

楯松明［たてたいまつ］

　室内の取籠り者を襲撃するときに、楯の前面に蠟燭を立てて進む。楯松明というが、松明でなく蠟燭であるから、楯蠟燭というべきであろう。『軍侍用集』に記されるが、安土・桃山時代に用いられた記録はない。

提灯・龕燈［ちょうちん・がんどう］

　蠟燭が燈火に用いられるようになったのは奈良時代の仏教伝来からで、蜂の巣で作った蜜蠟燭であるが、これは貴重品であるから、宮廷や一部の寺院が用いただけで、ほとんどが燈油を用い、江戸時代でも燈油であったから、携帯用の灯りというのは松明、紙燭以外は用いられなかった。

　後に漆や櫨の実から蠟をとることが始まり

木の実蠟燭が用いられるようになったのは室町時代末頃からであるが、それでも高級品で一般には普及しなかった。

蠟燭は藺草の芯や紙捻などを用いて、その廻りを蠟で固めたもので立ち消えすることが無いので重宝がられたが、風圧によって消えてしまうので、風の影響を受けぬように手持の行燈式のものが考案された。これが提灯である。

提灯は竹弓胎《ひご》で形を作って紙を張って、折り帖みを便としたので江戸時代には蠟燭提灯は急速に普及した。そのために提灯も用途によって多種類となったが、これらは室町時代末期では未だ高級品で、提灯も作られ始めた頃であるから、提灯の差物まで行なわれた。

これは蠟燭を用いるのではなく、形が当時としては珍しかったからである。

『北条五代記』に民部左衛門、三好孫太郎、『甲陽軍鑑』の市允等が提灯の差物を用いたとあるのはそのデザインが当時珍しかったからで、江戸時代のように旅人・馬子・駕籠かき等が毎夜使用できるほど普及していなかったからである。

『細川亭御成記』には将軍御成りのために御門に提灯二つ燭したことが記録されるくらい未だ珍しかった。

提灯は江戸時代に入ると寺社や武家が門口に掲げる高張提灯・傘提灯と、手に持つ長提灯・小田原提灯・足元提灯・馬上提灯・弓張提灯等の種類ができ、一般に普及したが、夜襲用に用いる龕燈という異式もある。これはどの角度にもってても蠟燭が垂直に立つように工夫したもので、薄い鉄の桶状の箱の中で、蠟燭を立てる所がジャイロコンパス式になっている。持つ所は桶状の底に取手が付いたものである。

陣中で提灯を用いた記録は『太閤記』因幡国取鳥落城条に、陣中夜廻りが松明と共に使用されたことが記されているが、後世の形式と同じであるかどうかは不明である。

龕燈

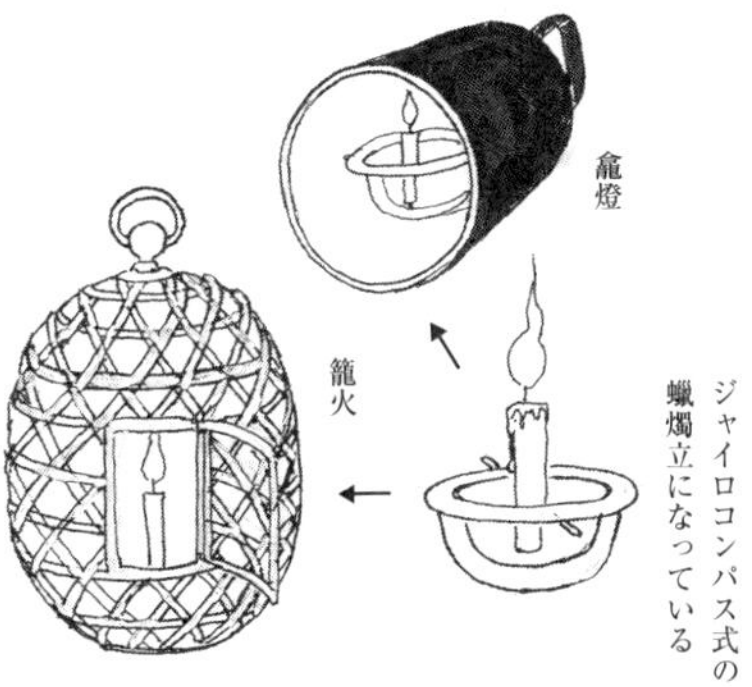

また『見聞雑録』に謙信の本陣に総赤の高提灯を用いていた事が記されている。

夜分は暗くて、旗印・馬印が確認しにくいから提灯を用いたものと思われ、竿の先につけるか、竿の上方に枠をつけた高提灯式のものであったろう。

『蜷川記』には

ちやうちんはかこちやうちん本也。へいせい持候ちやうちんは古実にて候也。

とある「かこちやうちん」の「かこ」とは籠《か》籃《ご》の事と推定される。これは竹を細く削って編んだものの称であるから、室町時代末期すでに提灯の原型は作られていたものと推定される。

『見聞雑録』に

正月廿二日夜薩摩峠分取之品々強盗提灯八十張

とあり、強盗提灯の語があるが、これは龕燈提灯のことで、龕燈は強盗の当て字である。江戸時代に強盗の文字を嫌って龕燈としたもので、夜襲用にしばしば用いられ、地上に伏せれば光を見せないで済むので「しのびちょうちん」ともいわれている。

篭火《かごひ》も龕燈と同じで、外側が細い鉄で籠編みになっており、中の蠟燭に点火して、敵の前や室内に転がし込むと、その明るさで敵を攻撃することができる。

防御と攻撃〜壁・罠と梯子など

柵と垣——一

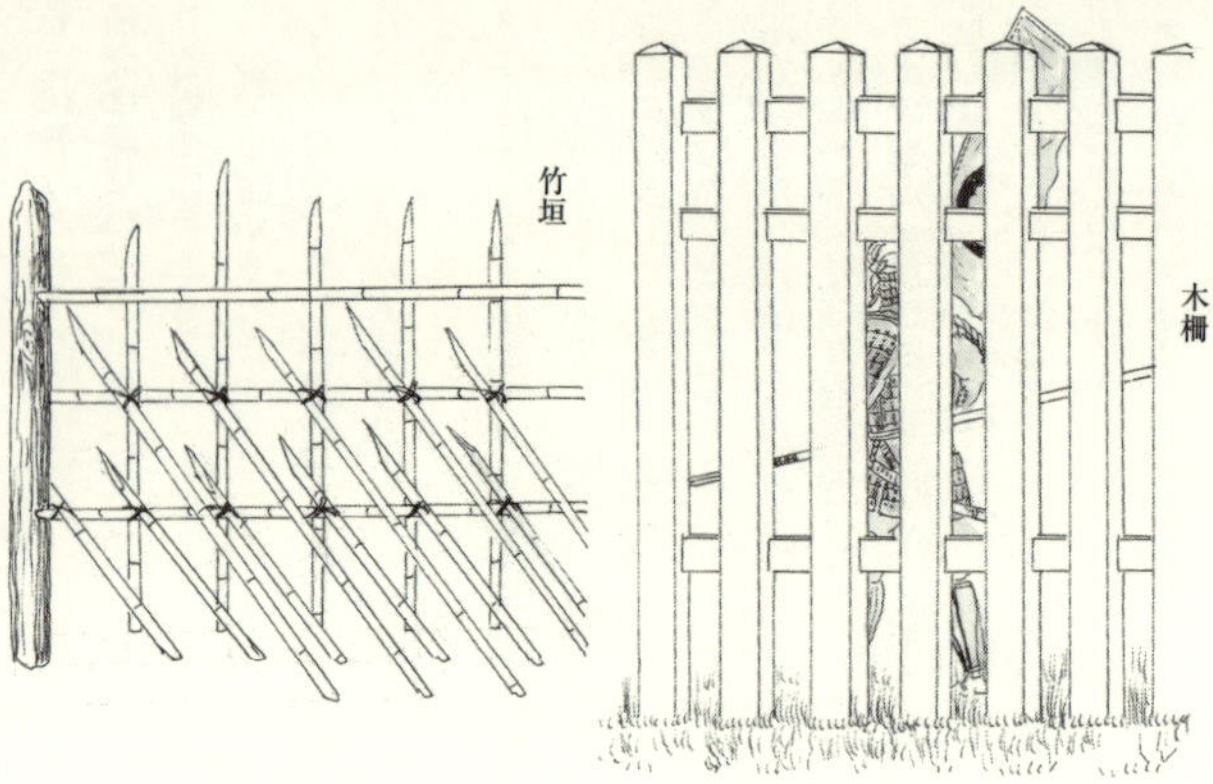

木や竹の囲い

柵［さく］

柵は一般的な布陣の囲みで、太い用材・丸太・現地で集めた樹木の幹などを土に埋め立てて、横木を渡して縄で結えて作る。奈良時代から行われ、柵で囲んだ防御地点や拠点も柵と呼んだ。安土・桃山時代まで利用され、これらは合戦屏風にも見られている所である。柵で囲んだ事を俗に「柵を振る」という。『小畠景憲家譜』にも

　侍衆一人に土俵二俵三俵づゝ土手の如くに重、細き杭、細竹成共柵を振、鉄砲を御揃

とある。柵は敵の侵入を防ぐために細かく打つ事もあり、また馬防柵のように人は杭の間を出入できるが、騎馬隊は侵入できぬものもある。またこの柵を利用して所々に組櫓を作って敵の来襲や状況を観望する柵楼を築いたりする。『東遷基業』にも

　身方の兵、土山を起し柵楼を構て、これより弓、鉄砲を放かけて

とあるように城攻めの折も、城の周りに柵を結い、所々に櫓を組んで城内を狙撃したりした。このように柵は守備にも攻撃にも必要な道具であった。

矢来［やらい］

矢来とは遣の意で、竹や木を縦横に組んだ垣であるが、通常木を組んだのを柵といい、竹を組んだのを竹矢来と呼んでいる。日本においては竹藪があって容易に入手でき、また竹は真直であるから組みやすいので、即製の垣が作りやすかった。

埒［らち］

木を建て、腰のあたりの高さに横木を渡して縄で結んだもので、古くは流鏑馬の折の馬の走る道の境としたが、軍陣においては馬を繋いだり、旗竿や槍を立てかけたり、鉄砲を列べて置く場所に利用された。

以上のような木や竹の囲は破壊されやすいのに何故用いられるかというと、比較的容易に入手できるのと、敵が破壊作業にかかって武器を振えない間に、内側の至近距離から弓・鉄砲で攻撃する機会があるからである。

柵と垣――二

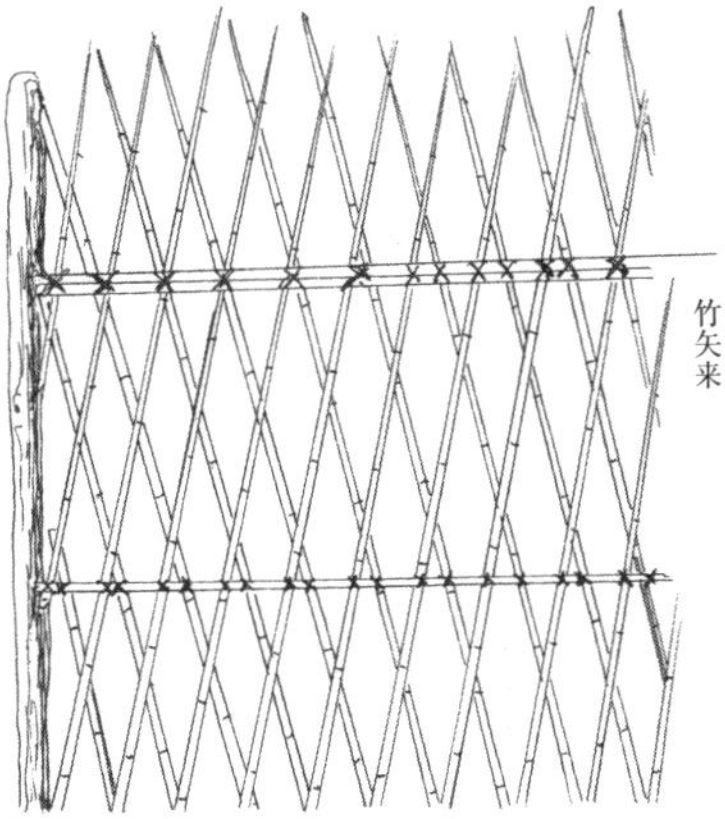

竹矢来

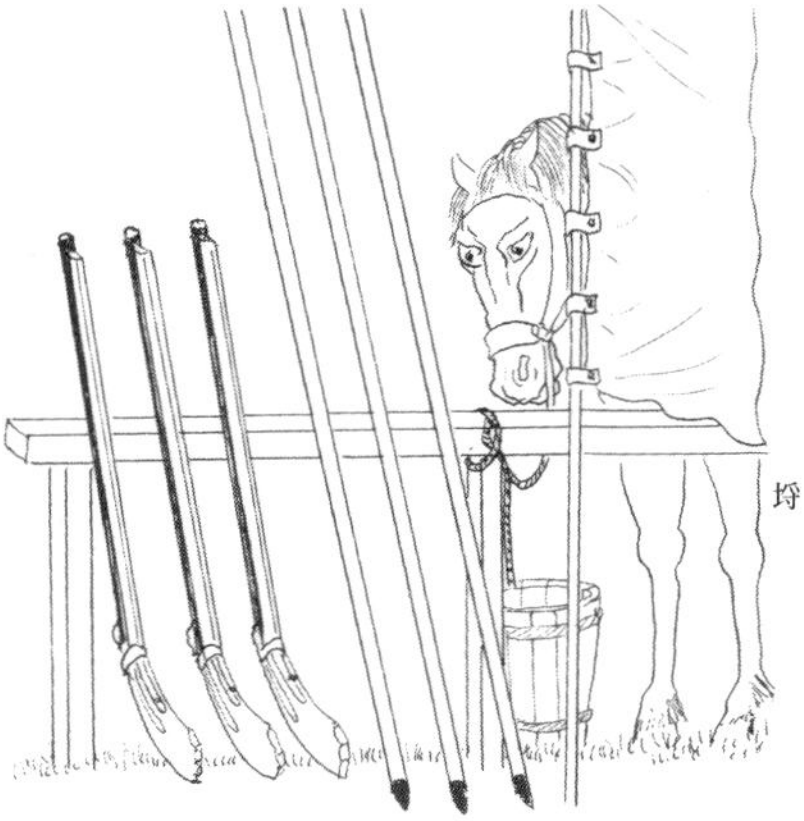

埒

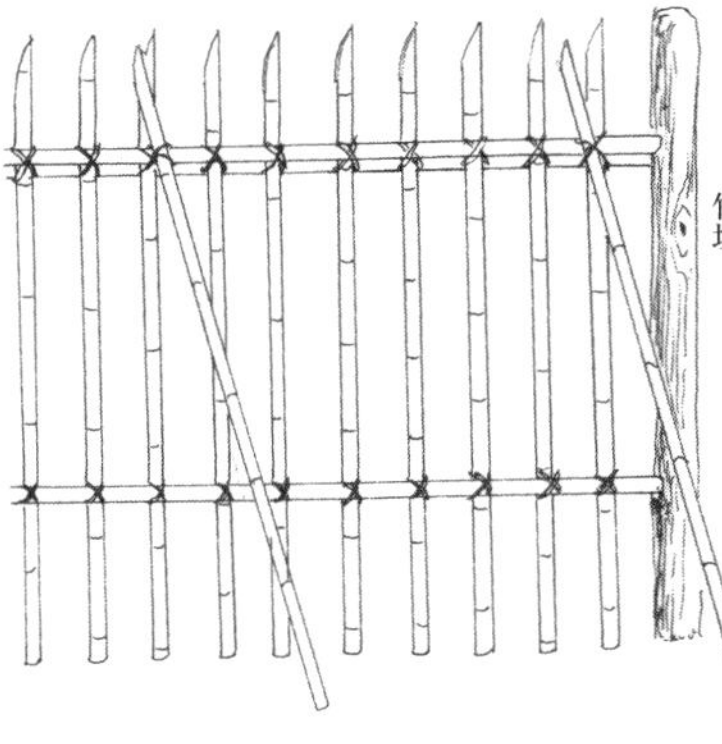

竹垣

木柵

陣の防御

我屈洞（楽の堂）［がくのどう］

布陣した時に敵が直接陣を攻撃できないように、陣から外方数町先の要所々々に見張の分硝を作って置き、敵襲があった時にここで合図して知らせるようにしたのを外張といった。『甲陽軍鑑』末書にも

陣場前左右五町十町十五町迄モ外張ト云也。アンチキウチモガリカグノドウニテ辻々ニ番アリ

とあり、前線の分硝は、敵に襲撃されるのを防ぐために逆茂木《さかもぎ》や虎落《もがり》を配置して接近できぬようにし、交替で休憩する仮眠所の楽堂《がんのどう》を作った。『武用弁略』備器之部六巻第六には、要害の六具として

乱杙《ラングイ》・鹿砦《サカモギ》・菱・勢楼・竹束・楽堂《ガクノドウ》等也。乱杙ハ場ニ因テ其品アリ。人馬ノ歩行ヲ障《サマタゲ》連散シテ杙《クイ》ヲ地ニ打込置也。橛《ケツ》椿《ソウ》橛《トク》皆共ニ同。鹿砦ハ棘木《イバラノキ》ナリ。故ニ鹿角砦ト云シ（中略）我屈洞ハ仕寄先ニテ番人雨ヲ除ルノ器ナリ。竹ヲ搦テ洞ニ作ル

とあって竹を曲げて枠組し、それに油紙で覆った現代の歩哨《ほしょう》小屋のようなもので、楽の堂ともいった。布陣した折の分哨小屋にしたり、敵城攻撃の前線での看視小屋代りに用いられた。

我屈洞

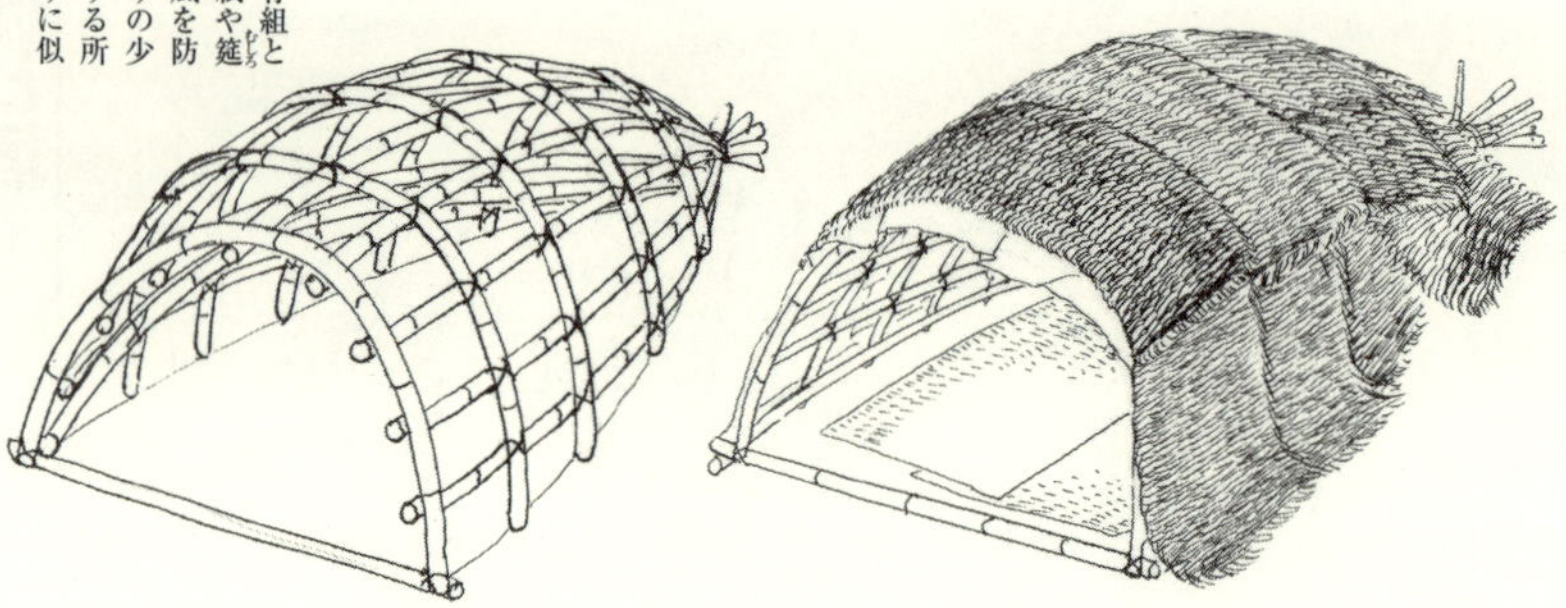

竹を曲げて骨組とし、上に油紙や筵《むしろ》を重ねて雨風を防いだ天幕代りの少人数の屯《たむ》ろする所山窩《さんか》の瀬降りに似ている。

土　俵［どひょう］

空き俵に土を詰めてこれを攻城の折の堀を埋めたり、土俵で周りを囲んで矢の防御地点とした。安土・桃山時代の銃砲使用の時代になると弾避けに積重ねた。『室町殿物語』には、

爰《ここ》に備後の国の住人に山田飛騨守五百の勢を引まはして東西をかせきけるが、この内二百をつかはして土俵を支度させて在家をうちこはして搦手の堀を一処にうめさせんと用意しけり

とある。また銃砲防御のトーチカとして土俵を積上ることは近世多く、銃隊の射撃拠点、砲筒の砲座としても土俵は多く用いられ、時としては敵城水攻の時に川の水をせき止めるにも土俵の載積が行われた。

竹把（竹束）［たけたば］

安土・桃山時代頃からは火砲（特に火縄銃）が一斉射撃をして戦端の火蓋を切ったり、また遠距離狙撃用に用いられたので、並の楯などでは効果が薄くなった。そこで考案されたのが竹把である。『甲陽軍鑑』『見聞雑録』等によると、竹把を楯の代りに用いるよう考案したのは、武田晴信の臣米倉丹後守であるとされている。当時の鉄砲の弾では竹把を貫通せず、時には弾き返してしまうことと、竹は何処でも大量に手に入れる事のできる便利さがあるので、これの利用はたちまち全国的に拡まった。ただし竹は比較的燃えやすいので、焼崩されることもある（『増補家忠日記』慶長五年十一月十七日条）

竹把は楯の全面に並べて立てかけるか、丸太で枠組して並べて立かけたのもあり、竹把を並べたまま前進できるように、枠組に車輪をつけたものもある。これを車仕掛の竹把という。当時の戦記物を見ると竹把は守備用よりも、むしろ攻城・前進用の防御具として用いている例が多く、車仕掛の竹把には所々銃眼が付いているものもある。

櫓（井楼・栖楼）［やぐら（せいろう）］

敵陣の様子を探るために高い位置を作ってそこから遠望して偵察する設備をいう。

櫓は中古以来、武家の門の上や敷地の角に、囲った建物を建てて外界の様子を望見する場所で、そうした場所を櫓というが、語源はそうした高所の建物から矢を射る座《くら》の意からきている。これは恒久的に使用するために本建築として組んだものと、合戦の折に臨時に組み上げたものとあり、臨時に組んだものを井楼（勢楼・栖楼）等と書く。必要の場所にいくつも建てることができ、攻城用にあらかじめ組めるように刻んであるものもある。

近世の城では曲り角などに本格的櫓を作って、これを角櫓《すみやぐら》といった。火砲が発達して板

土俵

『大坂合戦屏風』に描かれた土俵造りの図

『大坂御合戦図絵巻』の土俵で固めた砲座

『大坂合戦屏風』に描かれた土俵の銃座

竹把

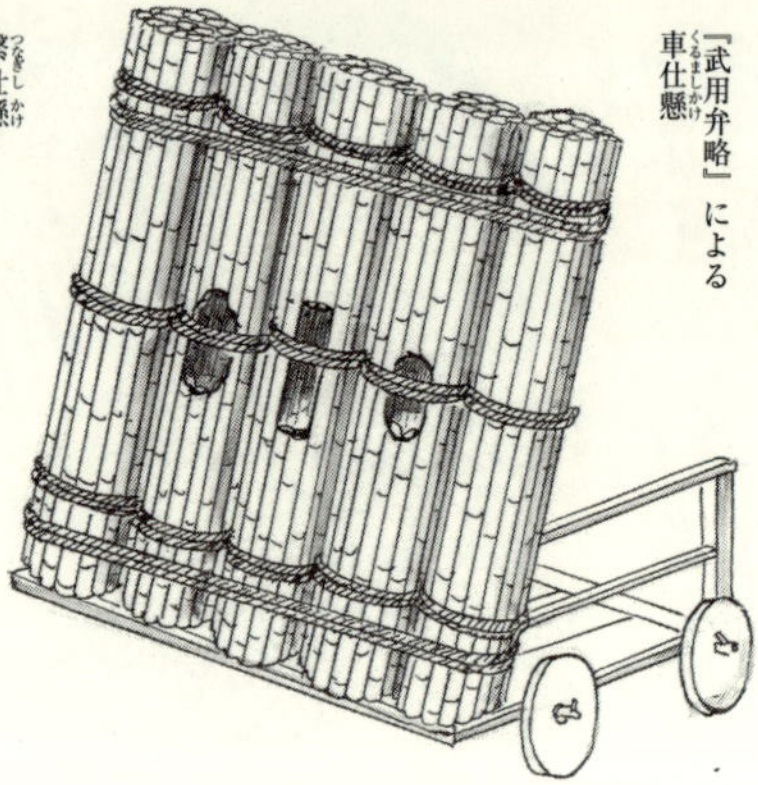

『武用弁略』による
車仕《くるまし》懸《かけ》

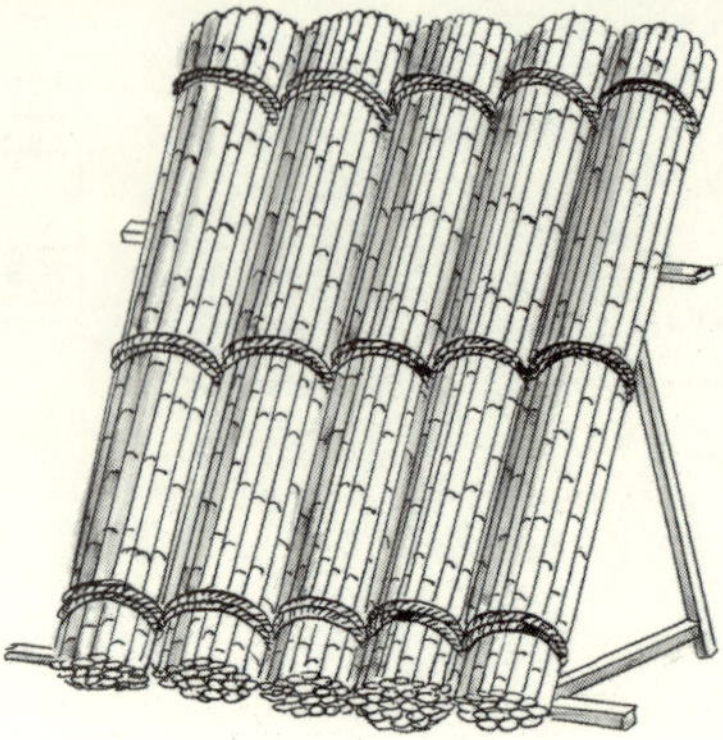

繋仕《つなぎし》懸《かけ》

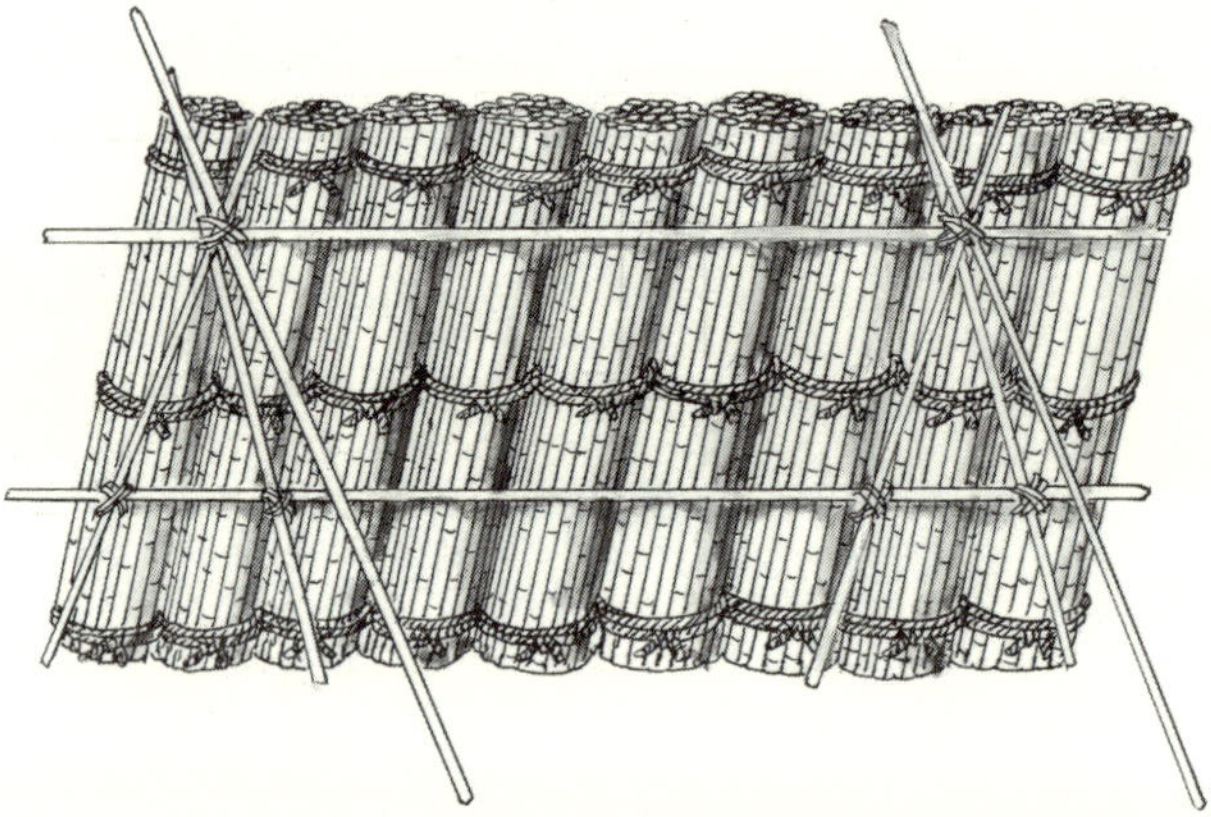

『甲製録』による
竹束《たけたば》土番

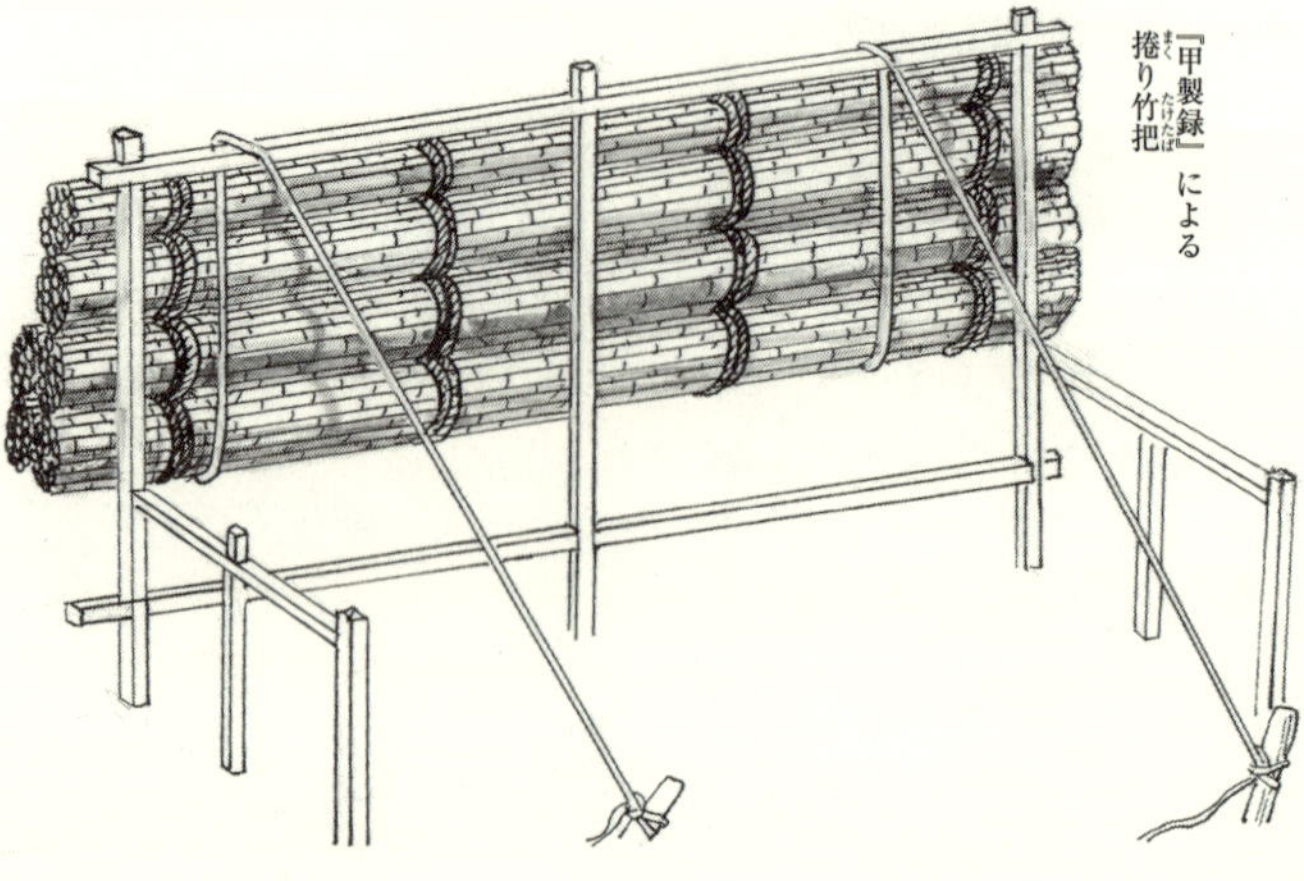

『甲製録』による
捲《まく》り竹把《たけたば》

囲いでは破られたり燃やされたりするので、壁を土蔵式に土で厚く塗り固め、さらにその上を下見板を張って堅固な櫓となった。敵を観察するために小窓をあけたり、弓や鉄砲で来襲する敵を狙撃する矢狭間や鉄砲狭間があけてあるので、こうした櫓は攻撃しにくい。

攻める方は城内を偵察するためには城よりも高い位置から観望するが、そうした地勢のない所では、丸太を組んで櫓をつくる。ただしこれは城櫓のように防御壁が作れないので、最上部だけ厚板や竹束で囲って防ぐ。

『武用弁略』備器之部六、要害の六具の項に

又栖楼ハ遠見ノ用器、今又是ニ品アリ。登栖楼トテ下ニテ取組、扱押立ル也。仕様口伝多シ。踏留ノ楔《クサビ》、或板ヲ打事アリ。登下スル栖楼。又引栖楼ト云アリ。或之ヲ釣栖楼共云。厚板ニテ箱ヲサシ、物見ノ挟《サ》（狭）間ヲ明、上ノ方ニ綱ヲツケ帆柱ノ如クナル木ヲ立、此綱ヲ仕掛、城ノ壁際、又ハ筑（築）山ナドヨリ城内ヲ見分スル也。（中略）右柱ニ本立テ車ヲ仕掛、車勢楼ト云有。柱斗《バカリ》立テ楔ヲ間ナク打廻テ大風ノ為ニモ翻倒セザルヤウニ張、綱ヲ仕掛タルアリ。又組上勢楼トテ櫓ノ如ク組上テ三角四角ニ造テ間ナク貫ヲ入テ傳登《ツタイノボル》モアリ。所詮軍家ノ諸抄ニ譲テ茲ニ省略スル也

櫓

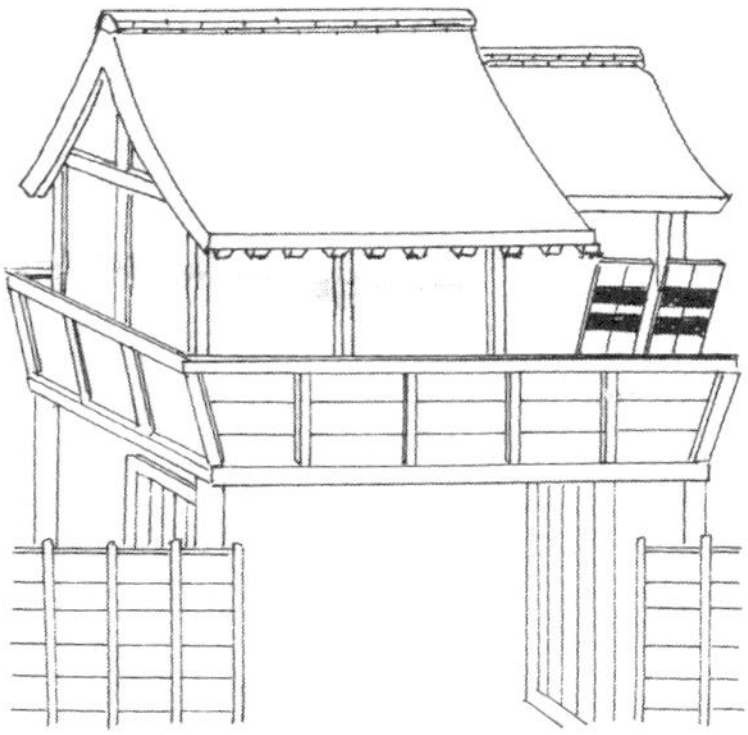

『一遍上人絵伝』に描かれた館の門の上の櫓

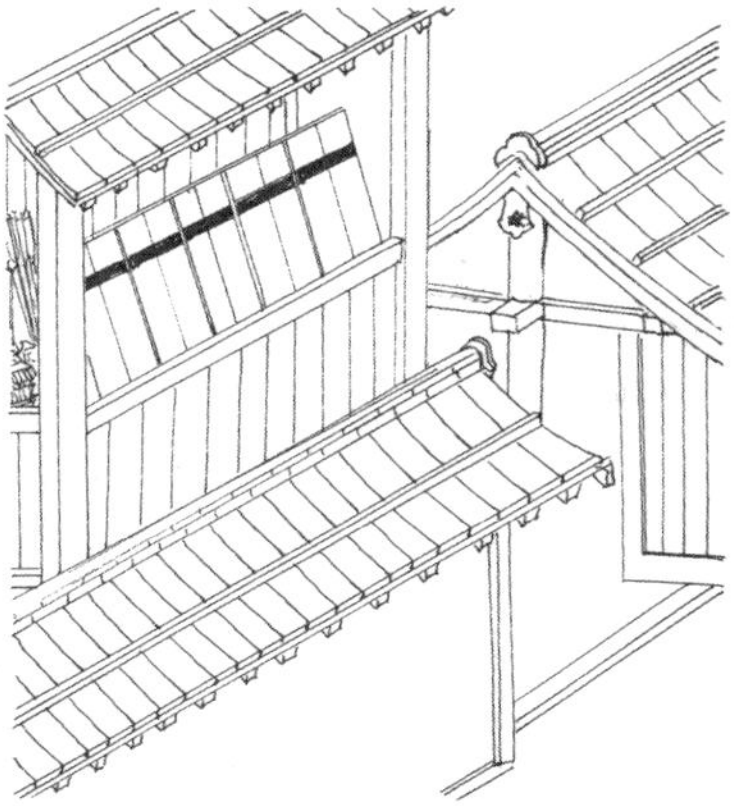

『先進繡像玉石雑誌』に描かれた門の脇の櫓

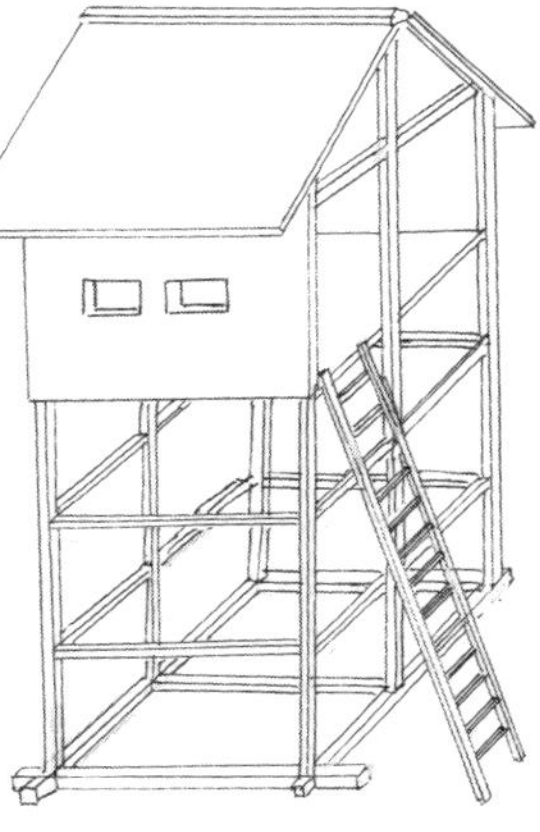

臨時の見張櫓

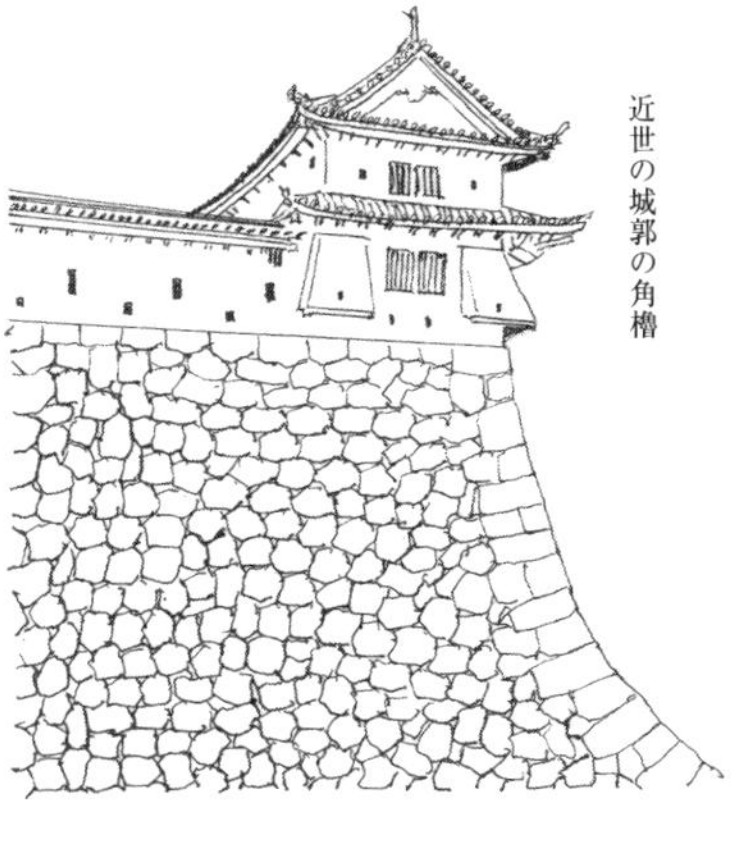

近世の城郭の角櫓

井楼

組上井楼《くみあげせいろう》

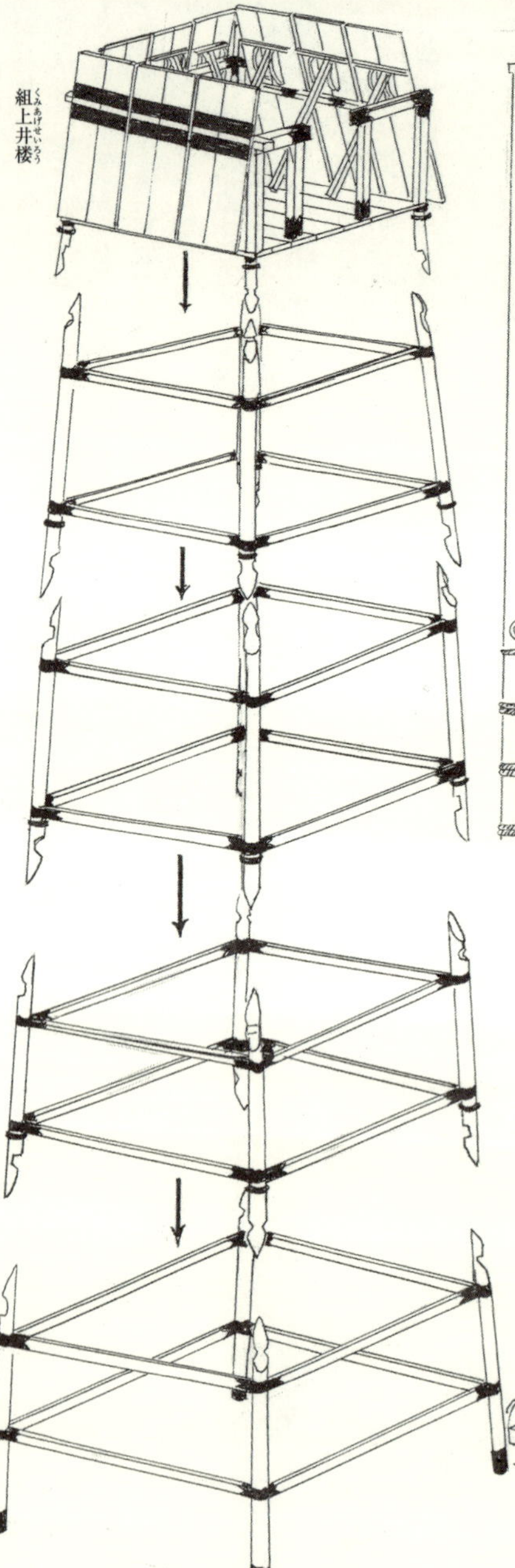

釣井楼《つりせいろう》

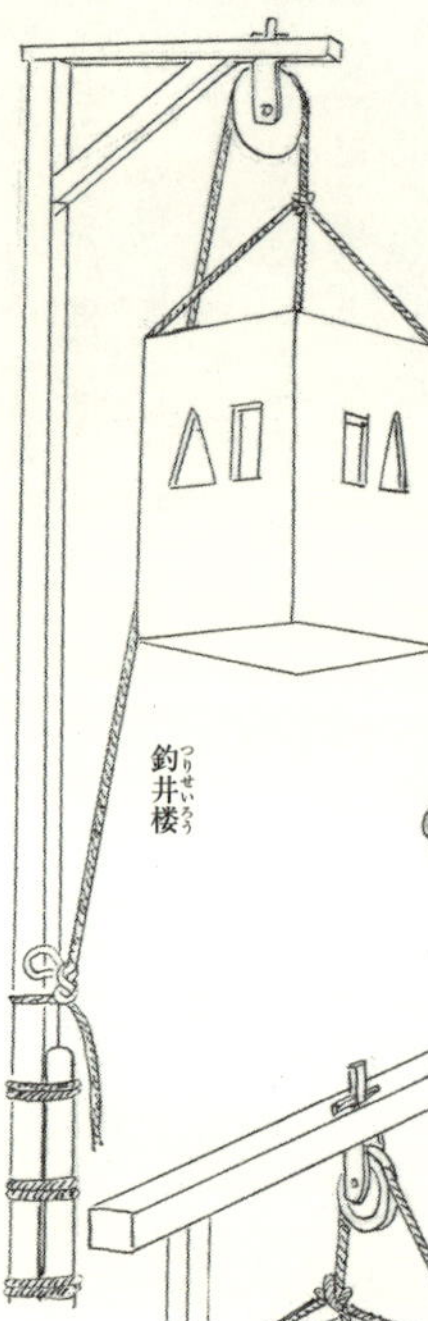

釣籠《つりかご》

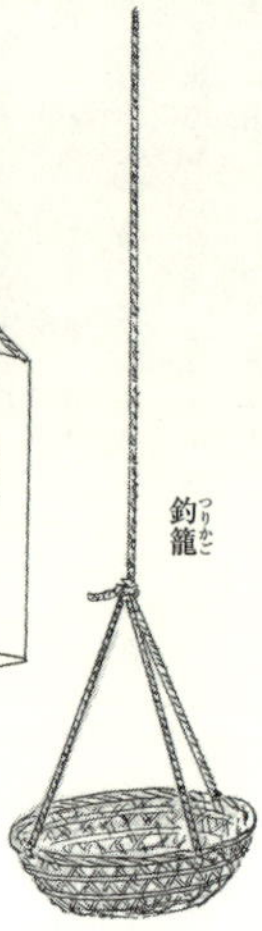

車井楼《くるませいろう》（移動可能）

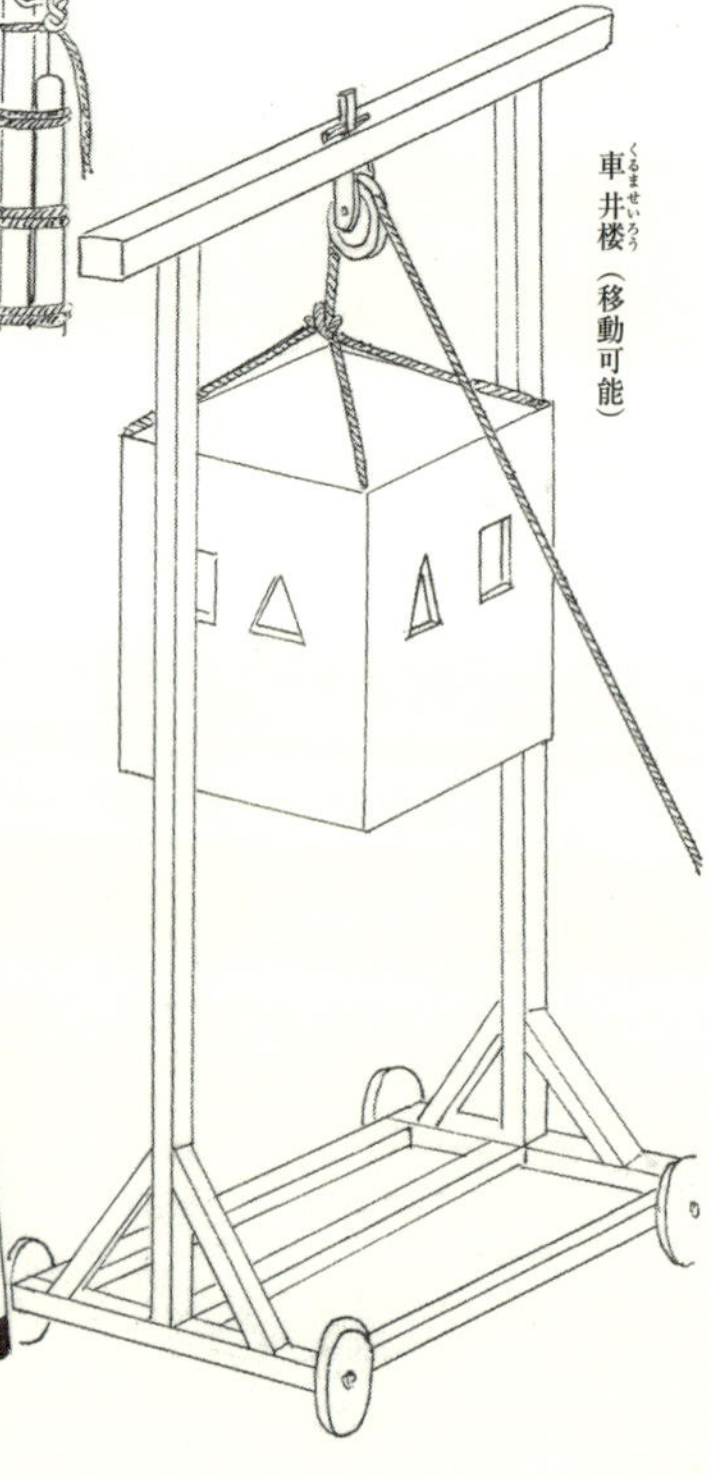

城の守り

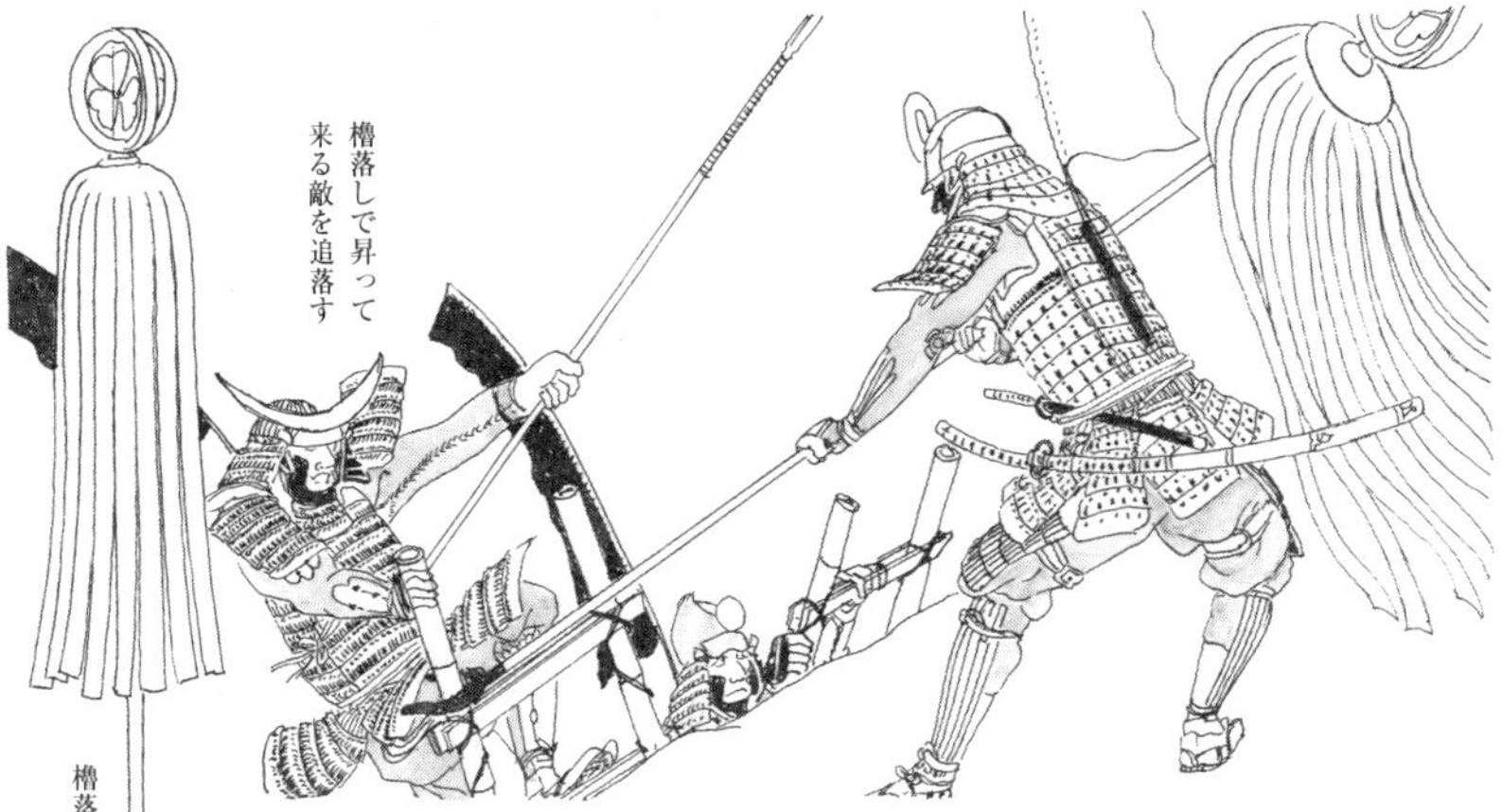

櫓落しで昇って来る敵を追落す

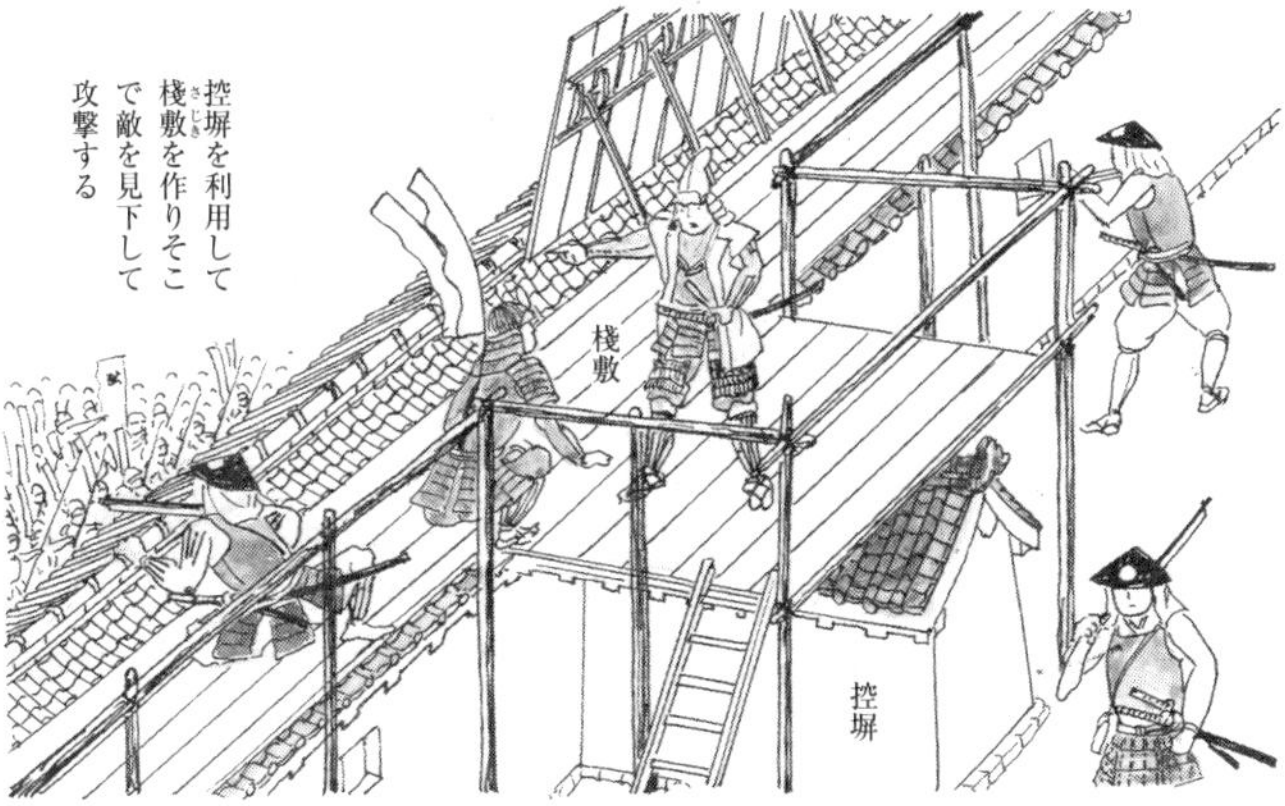

控塀を利用して桟敷《さじき》を作りそこで敵を見下して攻撃する

『築城記』による城の守り

水弾

水弾きの記録あっても遺物が無いが当然水鉄砲形式であろう

と記して、車台付釣勢楼の図がある。起重機やエレベーターの初歩的のものであるが、あらかじめ用意しなくてはならぬ面倒な品である。

櫓の骨組である枠を数段積み上げる組上げ井楼は、あらかじめ枠が組み合うように刻まれたもので、これも分解可能である。

一番簡単なのは釣籠で、畚《もっこ》状の竹編みの笈を高い柱の先端の車によって綱で引き上げてもらう釣籠であるが、これは露出しているので狙われやすい。

水　弾　［みずはじき］

水弾とは水鉄砲のことで、喞筒、水銃ともいう。古くから用いられ『保元物語』巻二一、新院左大臣殿落給事条に

血ノ走ルコト水彈ヲ以テ水ヲ彈クニ異ナラズ

とあるように、筒の中に詰めた水を圧して水を噴出させるので、太竹の筒をもって作り、消火用に使った。『太平記』赤坂合戦条に、関東の大軍が小さい山城の赤坂城を攻めて

火矢ヲ射スレバ水彈ニテ打消

と記されるように小火なら水鉄砲で充分に消火できた。『奥羽永慶軍記』奥州太平落城条にも

在家二三軒消失ス。于レ時城ヨリ武頭五六騎足軽雑人五百人出テ大水ハジキヲ手々ニ持出熊手長柄鎌ニテ消サントス

とある。手押ポンプができたのは江戸時代からで、以前はもっぱら水弾（水鉄砲）であったので陣中や城内には水弾が用意されていた。

ただし江戸時代以前の品で、水弾に使用したと推定される遺品は無い。

楯（盾）［たて］

楯は敵の攻撃を防ぐ板状の防具で、手に持ったり設置したりし、古代から用いられ、かつての未開民族も片手に楯、片手に攻撃武器を持って戦い、ギリシャ・ローマの軍士も同様で、形こそ異なるが世界的に用いられた防具である。

日本においても『日本書紀』神武天皇紀に

至二草香津一植レ盾而為二雄誥一焉

とあり防御線には必ず用いられ、後代武家が戦闘を行う時には必ず用意され、形式が発達して種類がある。

楯はたいてい支えの足が付けられるが、この足を支えるために横に二本桟を打ち、二本を縦に繋ぐために縦板を打って、その中央に足を支える撞木《しゅもく》状のものをつける。この二本の横木を算という。

楯を雌鳥羽に突くとは、『平家物語』弓流しの条、『太平記』大塔宮熊野落条に記される語で、「めんどりばにつく」「めとりばにつ

世界の楯

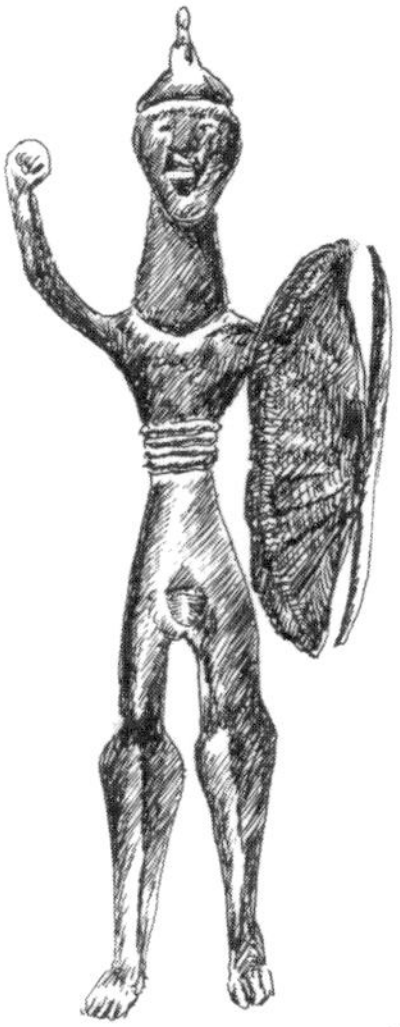

紀元前五世紀頃テッサリヤで発見された青銅製の戦士の楯

紀元前五世紀頃 ギリシャの楯持つ戦士の青銅像

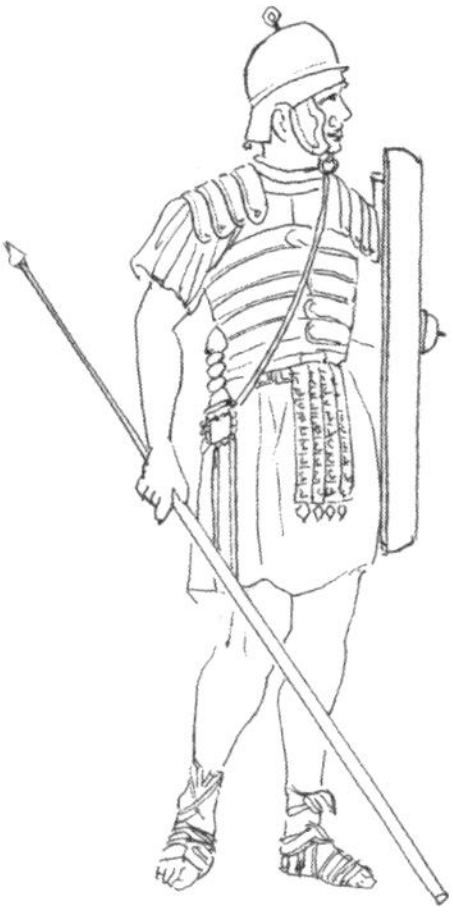

紀元一〇〇年頃のローマの戦士の楯

六世紀頃の敦煌の壁画 西魏時代の戦士の楯

十三世紀頃のモンゴル戦士の持つ楯

十三世紀頃のサラセン戦士の楯

近世東南アジア民族の持つ皮楯

群馬県出土狩猟文模様鏡面に彫出された楯持つ人物

日本の楯

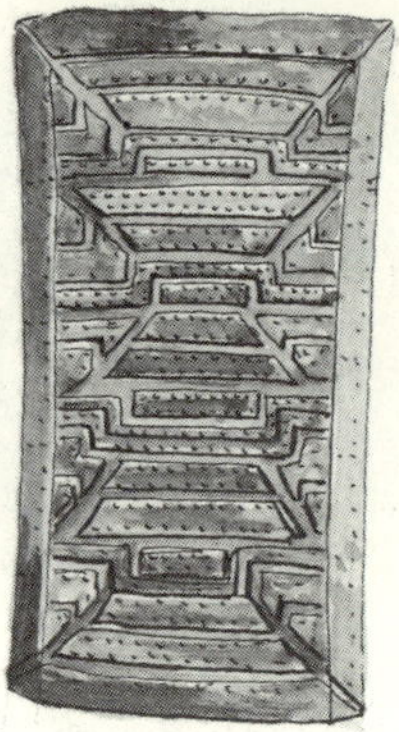

石上神宮神宝の鉄楯　長さ一・四メートル、幅〇・六三メートル

『平城宮展図録』長さ一・五メートル、幅〇・五メートルの木楯

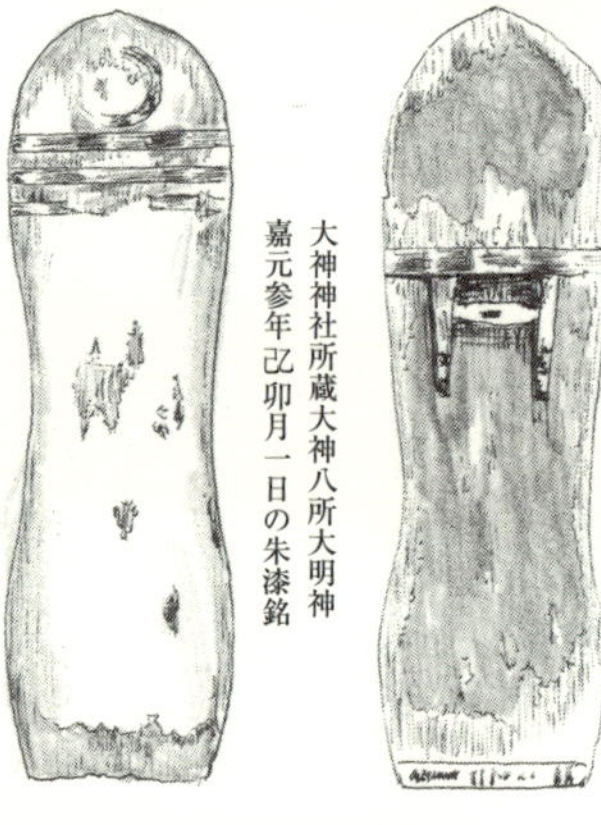

長さ一・五八メートル、幅〇・三九メートル

大神神社所蔵大神八所大明神嘉元参年乙卯月一日の朱漆銘

遊就館所蔵黒漆塗楯

日光東照宮所蔵近世舞楽に用いる楯

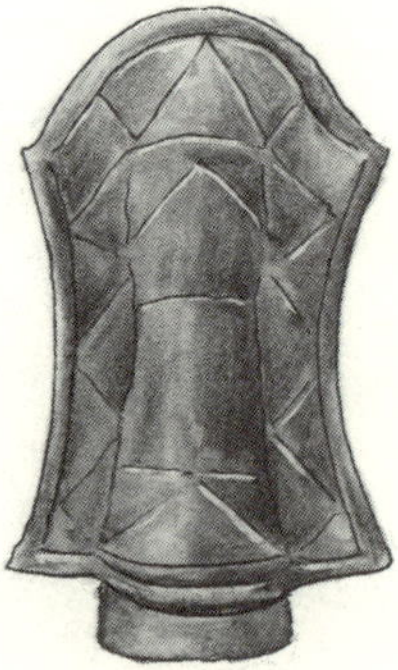

群馬県出土の埴輪の楯

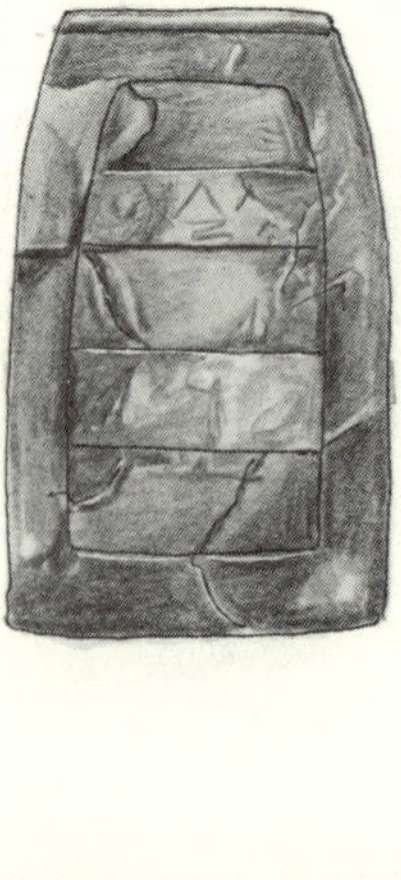

奈良県出土の埴輪の楯

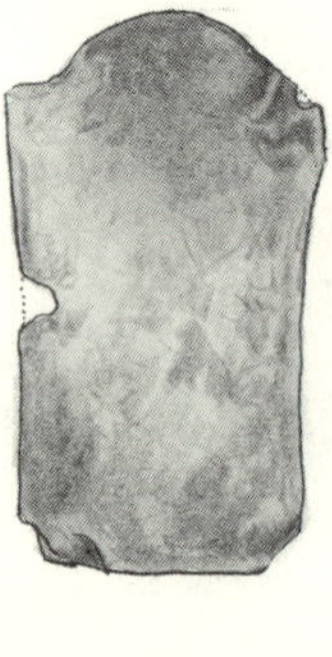

栃木県横川村発掘の石製楯の横型

楯の利用

車楯

陣中では楯を敷板として座席とする

渡河には楯を列べて船代りとする

『今昔物語』源頼義朝臣討安倍貞任等語に貞任を討取って楯に乗せて担いだ話があるように、楯は死傷者を運搬する道具にも用いた。

一般的楯

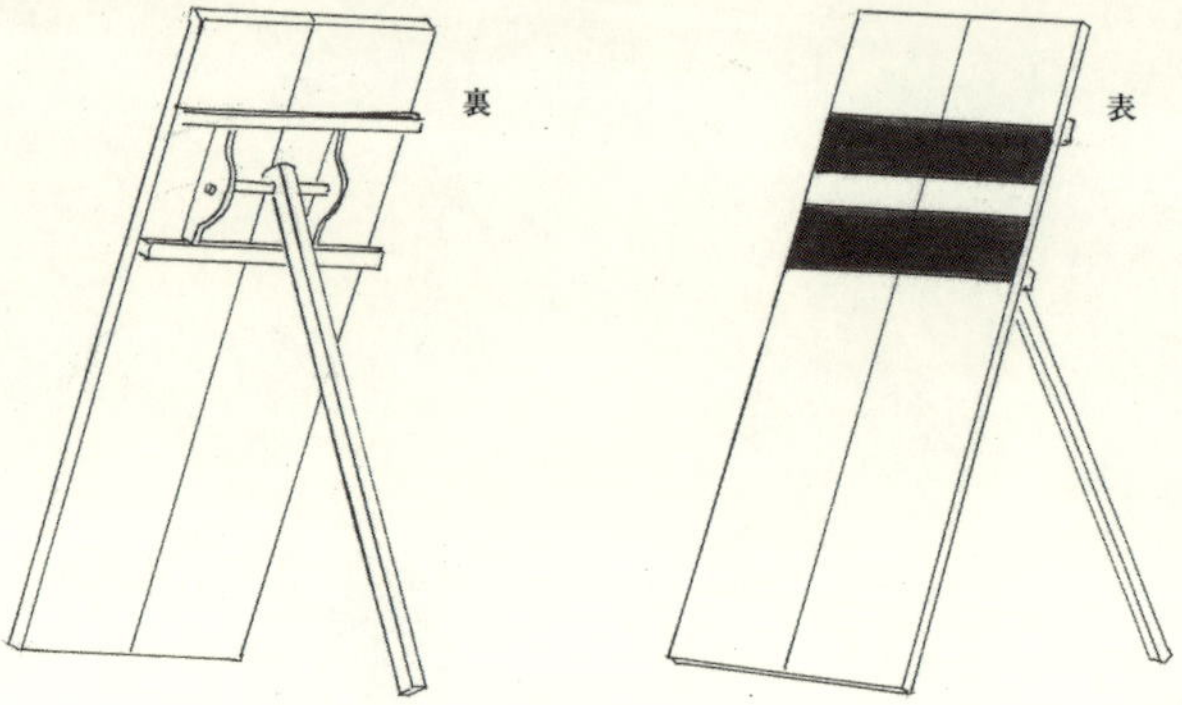

く」と読み、雌鳥は左翼をもって右翼を掩うといわれるので、重ねる意になるから楯を二重にかさねる、楯を厳重に重ねて防御する意に用いる用語である。

また『太平記』巻第十一筑紫合戦事の条に

楯ヲ矯《ハガ》セ、鏃ヲ砺《トクレ》最中也

という語は楯の板を綴付る、装置するの意である。

また同書建武二年正月十六日合戦条に

小松ノ陰ヲ木楯ニ取テ

とある木楯は樹木を楯代りにする事をいう。

また楯は陣中では地上に敷いて敷板として座席とし、渡河には筏の代用とし、時には死傷者を運ぶ担架代りにも用い、塀を乗り越るときは裏側の桟を用いて梯子代りにもするという、陣中には欠かせない要具であった。

各種の楯

神　楯［かみたて］

神が破邪のために武力を振う時に用いられる楯として神宝として奉献された楯で『旧事本紀』に橿原宮に奉献された記事がある。

天磐盾［あまのいわたて］

『日本書紀』神武天皇紀に、東征の折に熊《くま》野神邑《のみわのむら》に至って天磐盾に登った記録がある。この場合の天は美称、磐盾は楯のようにそそり立った頑丈な岩の形容である。また『釈日本紀』には

天磐盾　盾玉篇云、殊尹切　周礼司兵掌二五盾一盾干櫓之属　櫓玉篇云　力覩切城上守禦望楼　説文云　大盾也　案之天者例文　磐者常磐堅磐之義、盾者干櫓之属云々

とあり、堅固な城砦の形容でもあるが、そうした所には当然楯も配置されている。

百八十縫之白楯［ももぬひあまりやそぬひのしらたて］

『日本書紀』神代下、一書云に高皇産霊尊《たかむすひのみこと》の項に見られる。百八十縫とは皮張りの楯で百八十（繁く細かに）縫い重ねた楯のことである。

赤楯・黒楯［あかたて・くろたて］

『日本書紀』崇神天皇の九年春三月の項にある。丹塗、黒塗の楯の事である。

皮　楯［かわたて］

『日本書紀』用明天皇紀に大伴毗羅夫連《おおとものひらぶのむらじ》が用いた記事がある。木や竹の枠に獣皮を貼った楯で古代よく用いられ、近世まで未開民族も用いた。前記百八十縫之白楯もこの類である。

楯使用の様子

『後三年合戦絵詞』に描かれた楯　十四世紀

『前九年合戦絵詞』に描かれた楯　十三世紀

『春日権現霊験記』に描かれた楯を持って前進の図

『春日権現霊験記』に描かれた楯を持って前進の図

大楯［おおたて］

『日本書紀』推古天皇紀十一年十一月の項に「大楯及靫」を作るとある。大型の楯をいう。『扶桑略記』に康平五年九月十七日阿倍貞任戦死して大楯に載せて担いだ記録がある。

また『源平盛衰記』実平自西海飛脚条にも「船中に大楯を組む」記録があり、一般の楯より大型の楯をいう。

小楯［こたて］

手に持てる程の小型の楯のことであるが、物を楯代りに利用することも小楯という。

『紀州発向記』に

傾レ鍪《かぶと》、簪《かざし》ニ鎧袖一取ニ死人一為ニ小楯一

とあるように楯代りに使うことを小楯といった。

鉄楯［てつだて］

『日本書紀』仁徳天皇紀十二年秋七月の項に高麗国より鉄楯を献上した記録がある。木楯に鉄板を貼った楯で矢が刺さらない頑丈な楯である。鉄楯の遺物は石の上神宮の神宝に見られる。近世は鉄砲が用いられたので鉄楯も盛んに用いられ、『北条五代記』『関八州古戦録』『難波戦記』『当代記』『増補家忠日記』等に盛んに記されている。

船と楯

『蒙古襲来絵詞』に描かれた九州武者の船に備えた楯

『松崎天神絵詞』に描かれた瀬戸内輸送船に備えた楯

平　楯［ひらたて］

『扶桑略記』天慶三年二月十四日下に将門軍を撃破した戦利品の中に記されている。板楯の事である。

帖楯（畳楯）［たたみたて］

『太平記』に散見するが、数多く並べた楯をいう。楯の両側に折金と壺金をつけ掛外しできるようにして屏風のように立て列べる楯をいう。

ヒシギ楯［ひしぎたて］

『太平記』巻第十七隆資卿自八幡被寄条に

持楯ヒシギ楯を突寄々々かつき入て攻ける程に

とあり、その形式は不明であるが、新井白石の『本朝軍器考』巻十鹵楯類に

ヒシギ楯トイフ物ハ（太平記ニ見ユ）竹ニテ作レルヲヤイフ近キ比鳥銃ノ始マレルヨリ竹ヲ束縛テ楯ノ類トナス物ヲ竹束トイフハ甲斐ノ武田ノ家ニテ作リ始メシトゾイフナル（甲陽軍鑑ニ詳ナリ）

と記している。ひしぎとは丸い竹を押し挫いたものをいうから、竹を潰して並べて作った楯をいうのであろうか。それであれば、竹の丸い筒のまま並べて作った方がより堅固であるが、竹の並びの隙間に矢が入れば棘る。いづれにしても竹を利用して楯代りにしたもの

各種の楯——一

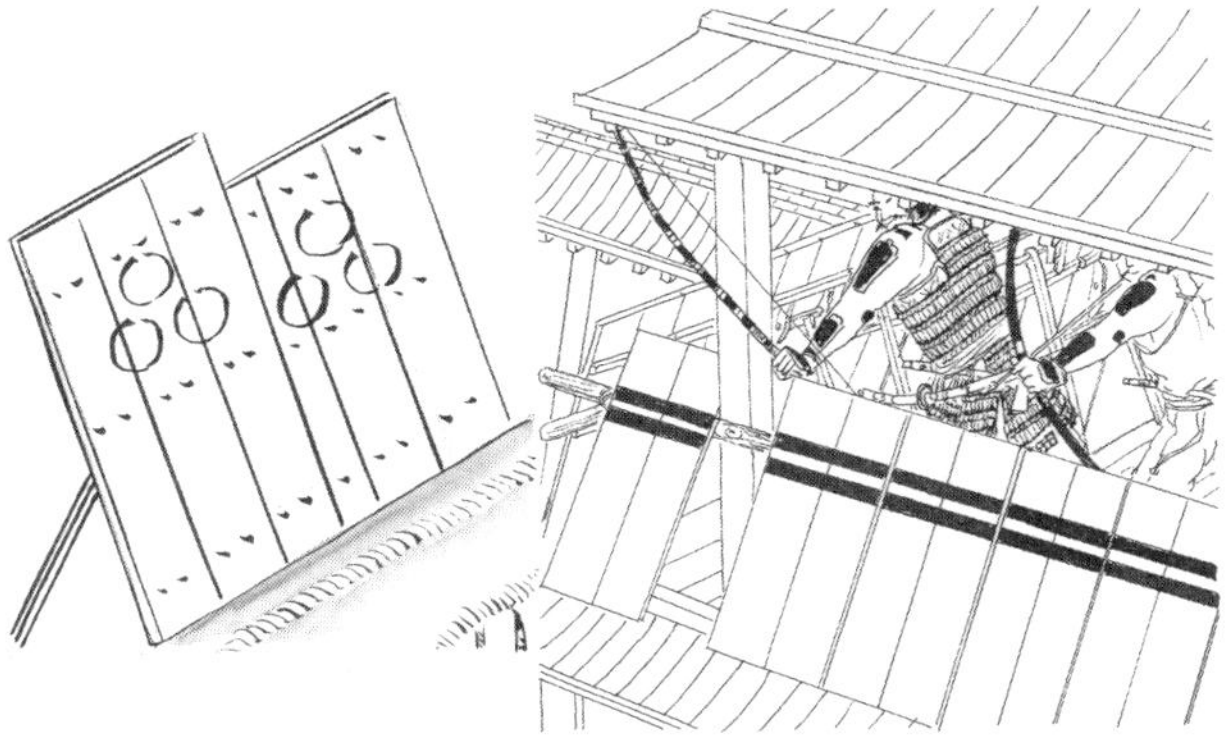

櫓掻楯

『男衾三郎絵詞』に描かれた三枚楯

と思われ、矢より破壊力の強い鉄砲攻撃の時代には、このヒシギ楯をヒントに竹束を列べた楯が出現した。

一枚楯［いちまいたて］

『太平記』巻第八　三月十二日合戦事の条に「一枚楯ノ陰ヨリ引攻」とあり、巻第十五正月二十七日合戦条にも「一枚楯ノ軽々トシタルヲ」、巻第三十四　平石城軍事付和田夜討事の条「一枚楯引側めて」等散見する。一般的楯は細長い板を二枚突き合せて一枚とするのであるが一枚楯は一枚板で作った継ぎ目の無い楯をいう。樫の大木などから作るので丈夫なので後世まで用いられ、『播州佐用軍記』『関東兵乱記』等にも散見する。

一枚嬌の渡楯［いちまいはぎのわたしたて］

『なかおちのさうし』群書類従巻第三百八十六に「一まいはぎのわたしたて」とあるのは一枚楯のことであるが渡し楯の意味不明。

椎四枚楯［しいのよんまいたて］

『判官物語』忠信吉野山合戦条に

しゐの木の四枚たてをつかせ

とある。椎の木で作った四枚突き並べた楯。

十八枚ノ重楯［じゅうはちまいのかさねたて］

『ささこおちのさうし』群書類従巻第三百八十六に

そのやかはしりきたつて十八枚のかさねたてをはらり〳〵とやぶりのけ

とある。十八枚を重ねた楯の意ではなく、十八枚を並べ重ねた意であろう。

ツノ楯・箱楯・シナイ楯

［つのたて・はこたて・しないたて］

『ささこおちのさうし』に

つのたてはこたて、しないたてもつたてかいたてをとりのはかいにつきしぼり

とあるが、形式不明。

鐽楯・馬楯［やりたて・うまたて］

『応仁私記』に

於二武具甲冑一手楯鐽楯畳楯馬楯

とあるが不明。

手　楯［てだて］

『源平盛衰記』以下軍記物にしばしば記され、手に持って攻撃を防げる楯はすべて手楯である。上半身を防ぐ小型のものもあれば、支え棒のある大型のものも、支え棒を持って歩行できるから手楯になる。『本朝軍器考』巻十鹵楯類には歩楯と書いて「テダテ」と読ませ、「後世ニ持楯トイフ物歩楯ノ制ニシテ」とある。

各種の楯——二

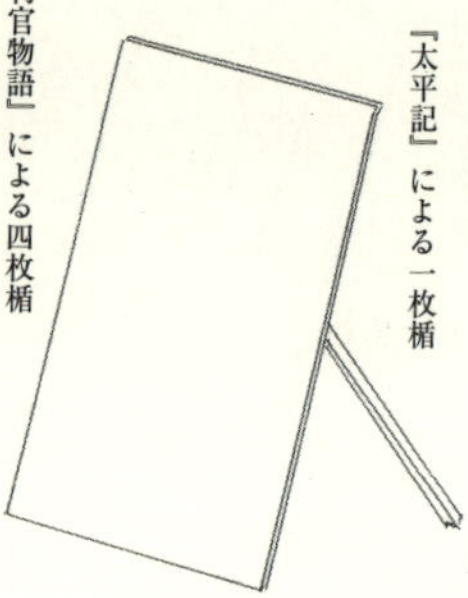

『太平記』による一枚楯

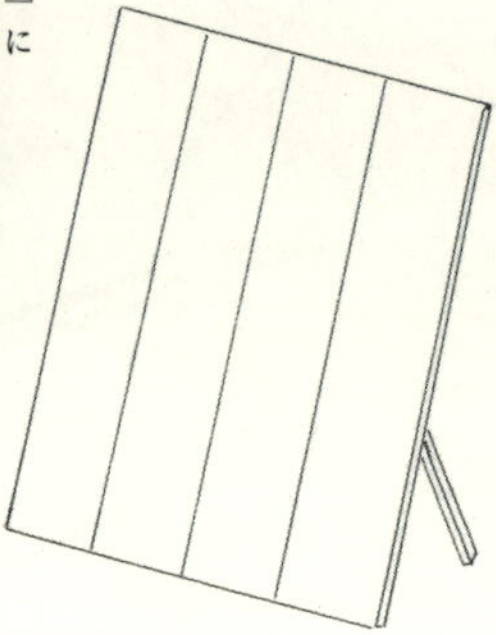

『判官物語』による四枚楯

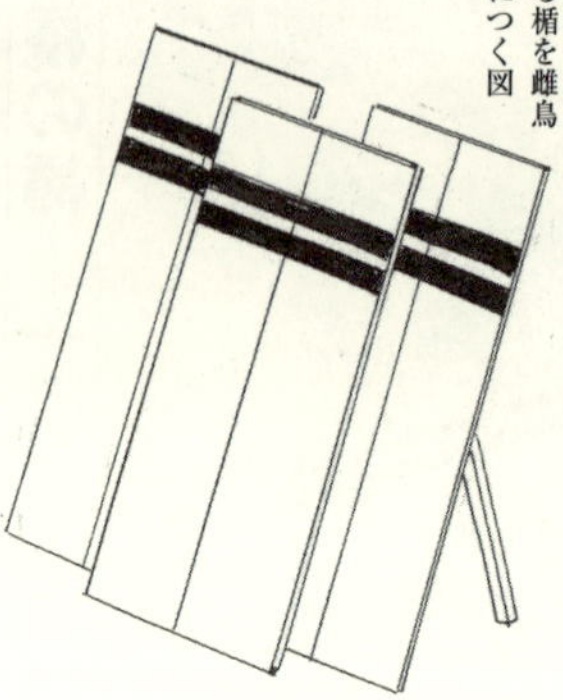

『太平記』による楯を雌鳥羽につく図

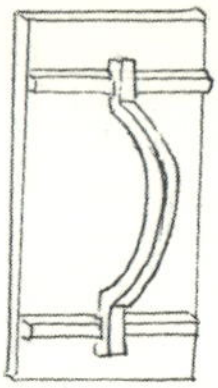

『源平盛衰記』による手楯

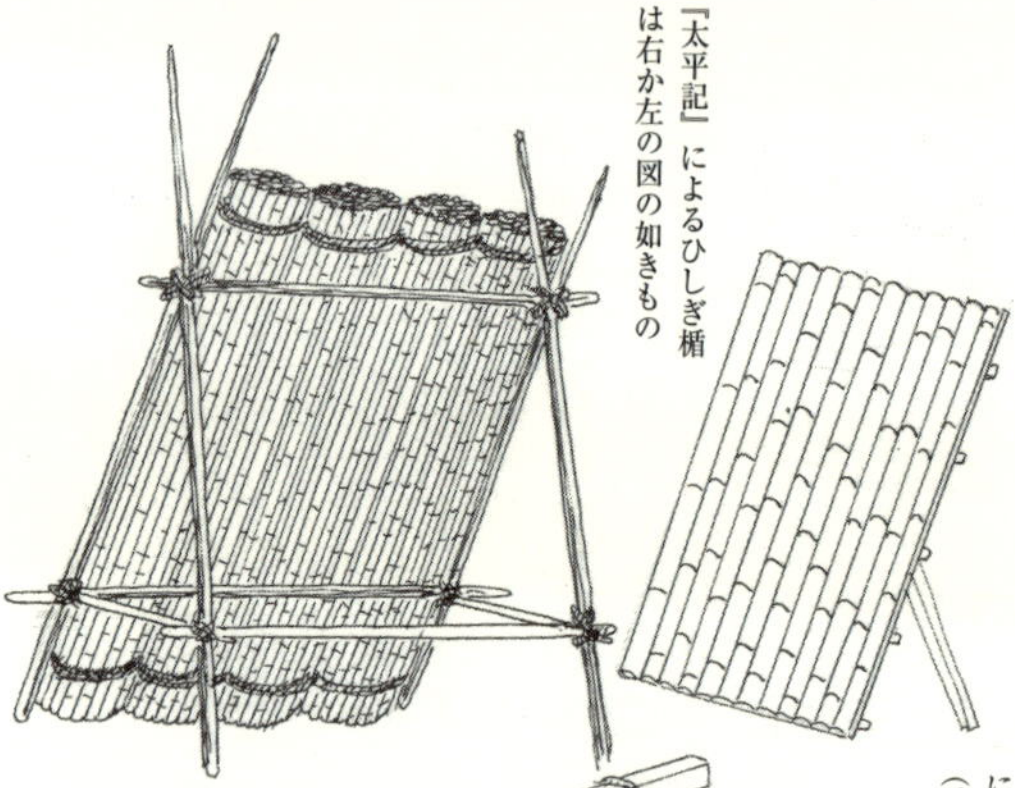

『太平記』によるひしぎ楯は右か左の図の如きもの

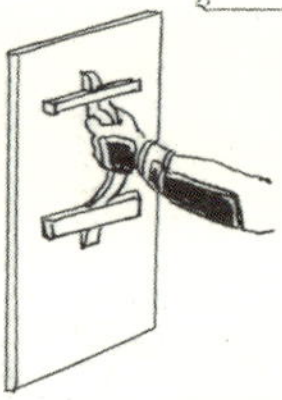

『十二類合戦絵詞』に見られる小楯（手楯）

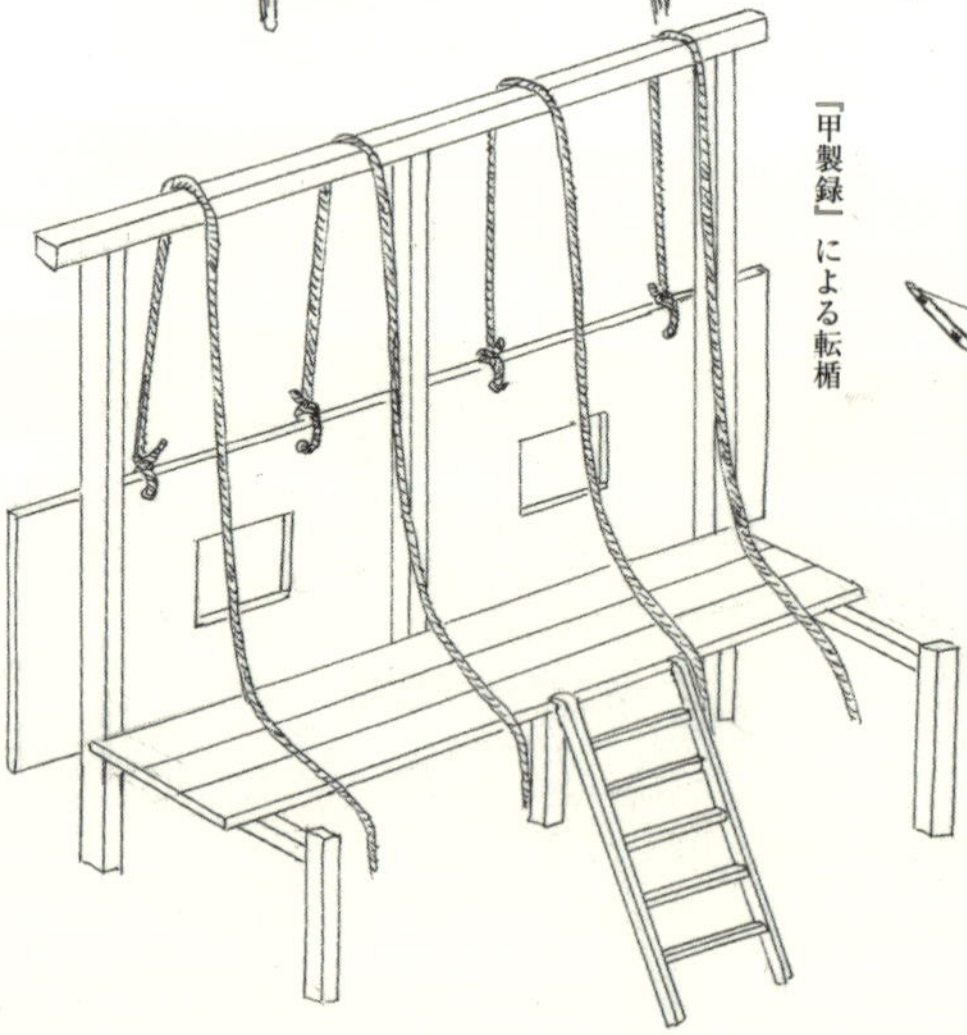

『甲製録』による転楯

持楯［もちだて］
『平家物語』以下後世の記録に散見する。これも手楯の類で一般的支え棒のある楯である。

掻楯［かいだて］
『平家物語』以下軍記物によく散見するもので『本朝軍器考』に
　掻楯トイフハカキナラブベキ物
とあるから、普通の楯を列べたもの、掻き列べた楯の形式をいう。

櫓掻楯［やぐらかいだて］
井楼、櫓等に掻き並べた楯で『梅松論』『応永記』等に記される。掻楯と同じ。

転楯（まくり掻楯）［まくりだて（まくりかいだて）］
異本『太平記』左中将義貞討死条に
　マクリカイ楯堀ノ埋草
とあるが、一般の『太平記』には記載されていない。まくりとは縄をもって引くと楯が上に上り、突撃しやすくなる戦国期考案の掻楯状の板であるから、これに類した楯の利用法であろう。

作楯［つくりたて］
『松隣夜話』に
　先作楯ヲ造リ其翌日河田直江北城荒尾上村一万余兵ニテ城攻
とあるから攻城の折に、城方からの攻撃を避けるために臨時に楯状のものを作ったものを称したのであろう。

罠《わな》

虎落［もがり］
竹片の先を鋭く尖らせて、これをたくさん敵の方に向けて地に植えたもので、仕寄道の濠内や、敵の寄せそうな土地に設備する。
虎落とは中国で行なわれた防御具で『漢書鼂錯《ちょうそ》伝』に
　者以レ竹蔑相連遮落之也
とあり、踏込むと足に刺り、転り落ると身体に刺る危険の道具で、穴を掘って底に鋭い竹を無数に並べ、虎が落ると捕える仕掛であるので虎落の名が付いた。『海国兵談』巻四に「虎落は竹を筋違に組合せて埋立て、繁く縄をもって結びかたむるなり」と説いているが、これでは塀の上に設ける「忍び返し」や「竹矢来」になってしまう。『大友興廃記』宗麟公御出馬の条に
　豊後勢を鋒矢の陣に心得て、次第々々に備へかへもがりおとしに立なおし
とあり、戦国期には盛んに用いられた。

罠—一

虎落
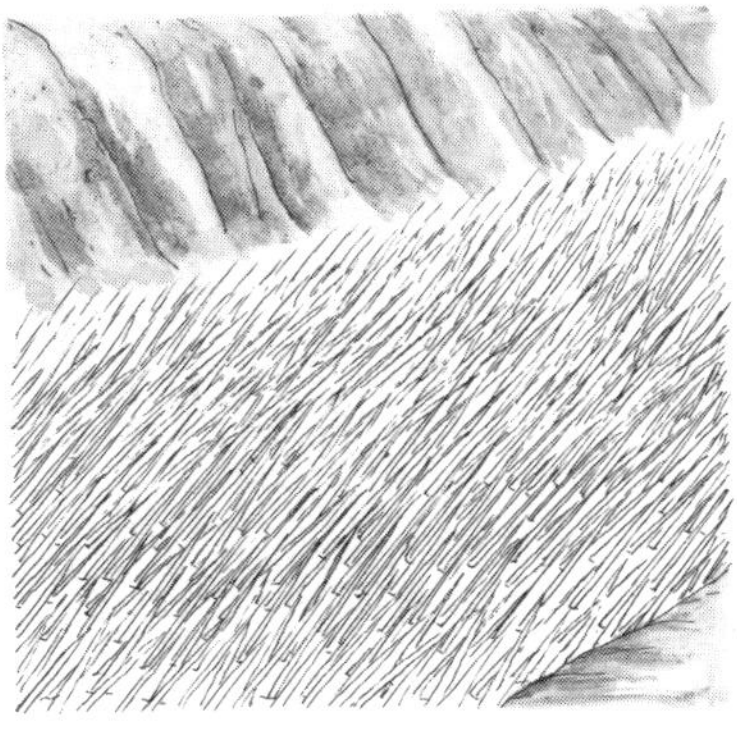

乱杭《らんぐい》

乱　杭［らんぐい］

杭をたくさん不規則に土中に打ち込んで、それに縄を張り廻したものをいう。今日では有刺鉄線を張り廻らした鉄條網となっている。

また渡河して攻撃されそうな所には水中にこの乱杭と綱を張りめぐらす。『源平盛衰記』伝巻三十五高綱渡二宇治河一事の条に

常陸国住人鹿島与一とて無雙の水練あり。鎧脱置、褌をかき、腰に鎌を指、手には熊手を以河の底に入、良久く沈みくぐりて、乱杭逆茂木引落し、大綱小綱切棄けり

とある。乱杭は水中に装置されると前進を妨げられ、狙い撃される。

逆茂木（鹿砦）［さかもぎ（ろくさい）］

樹を切って枝が敵の方に向くように元の方を土中に埋めたものを無数に列べたもので、敵が押寄せてこれに引っかかっている時に狙い撃ちをするという一種の防御具で、源平時代から用いられたらしく『源平盛衰記』巻二の額打論の項に

陣ノ口ニハ雑役ノ車ヲ以逆茂木ニ引

と車を集めて逆茂木代りにしたことが記されている。『武用弁略』備器之部六には

鹿砦ハ棘木《イバラノキ》ナリ。故ニ鹿角砦ト云ヒ

とある。今日の鉄条網兼バリケードに当る。

罠—二

菱［ひし］

菱とは水草の菱の実のことで、これを乾燥させると尖った所が鋭いので踏んだ時に足を傷める。それで防御上必要の所にたくさん撒いて敵の侵入を防ぐが、植物であるからすぐ砕けてしまうので、鉄で作ったものがあり、

撒き菱

逆茂木

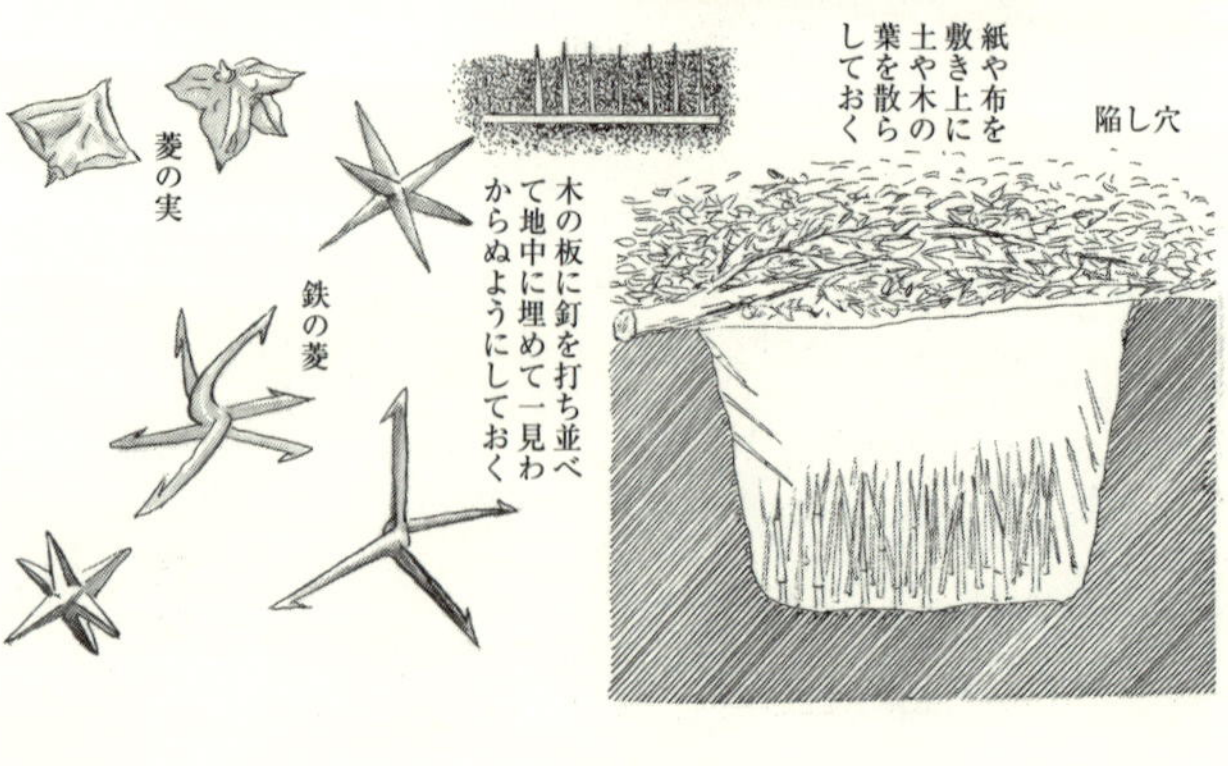
菱の実
鉄の菱
木の板に釘を打ち並べて地中に埋めて一見わからぬようにしておく
紙や布を敷き上に土や木の葉を散らしておく
陥し穴

これを次第に用いるようになった。『源平盛衰記』鷲尾三郎一谷案内者条や『承久軍物語』降っては『義秋公方記』等には「箘《ひし》を植て」「ひしを埋て」とあり、また「四五だんほどひしを引抜き」とある点から、これは撒き菱ではなく虎落のように鋭く尖ったものを土に突き刺したものを言ったとも思われる。『太平記』巻第十三北山殿謀叛事の条に

其襄場《アガリ》ニ板ヲ一間蹈メバ落ル様ニ構ヘテ、其下ニ刀ノ簇《ヒシ》ヲ被植タリ

とあるように刀の簇とはどうも鉄の刀を逆さに立て並べた、虎落の一種であるように思える。また『嘉吉物語』『別所長治記』丹生山夜討淡河軍条、『太閤記』秀吉於敵国成要害之主条等に記されているのは金米糖のように四方八方に棘のある竹や鉄で作った菱もあり、これを俗に車菱といっている。

これは退却のときに道路に撒いて去ると追撃の兵が足を傷める。

さらに不明なのが『見聞雑録』に記される棒菱で

武藤喜兵衛は身繕ひして俯待と間もなく鼻の先へ白地に日之丸旗持来ると等しく横にしたる鑓菱を声を掛て立切ると旗に当て人影する兼て申付たればくるくると鑓菱に巻詰れば、一人の男旗を持て来るにぞ有ける。此ときより鑓菱を仕出し、只今棒菱と云も是より出たる物なり。

とあり、『別所長治記』にも車菱とあるのは、どう撒いても、くるくる車のように廻って尖った部分が上方に立つ菱や、槍身のように長い菱をいったものであろう。「マカセル」とか巻詰るは撒くの借字であろう。

陥し穴［おとしあな］

陥し穴は古代から動物を捕えるのに用いたもので、穴を掘って底に刃物や尖った竹木を植え、上部は蔦、布をかぶせ、落葉や土を薄くかぶせて他の地面と紛れるようにしてある。戦場では敵がうっかり踏むと穴に陥ちて下の尖ったものに刺される。一般に這い上れぬ程に深い穴を埋る。

陣や城への攻撃

巖石梯子［がんぜきばしご］

敵が崖上の砦であったり、石垣を築いた城に拠っていたら侵入しにくい。そうした場合には巖石梯子を立てかけ、登って攻撃する。『太平記』に記されているように、敵が高所に拠っている時には雲梯を用意して攻め入るが、こうした用意が間に合わぬ時は竹製の長梯子を立てかけて登る。ただし梯子は敵方に押し倒されることもあるので、梯子の先端に鋭い龍吒や熊手状の鉤が取り付けられ、これが塀や土に食い込んで倒されないようにしたものもある。これを巖石梯子といっている。

継梯子［つぎばしご］

竹梯子には長さに限度があるが継梯子は組み合せて行くといくらでも長くなる。一間位の長さであるが、上下に継ぎ足しの装置があるので分解して持ち運びにも良いが、あらかじめ製作して用意し、大荷駄で運ばねばならぬから大規模の攻城要具である。

焼草［やきくさ］

敵城の建物・櫓を焼落すためには火矢を用いるが、時には用意した焼草を櫓の下に積み上げて放火し、その立ち上る焔で櫓や柵などを焼立てる。焼草という特殊の草があるわけではなく稲・麦の茎や葦・薄・その他の雑草を干らして束にしたもので『太平記』山門攻条などに

堀ヲウメ、焼草ヲ積デ櫓ヲ落サントス

とあり、これらの材料は『室町殿物語』に記されるように「領分の百姓ことごとくかり立焼草を用意させ」とある。安土・桃山時代の火薬使用時代には煙硝を混ぜたりするが、古くは乾草に油をそそいで燃えやすくした。

焼草や埋草は時には土嚢代りにも用いるので、当然その土地の農民等が強制的に徴発されたりした。

攻城用具

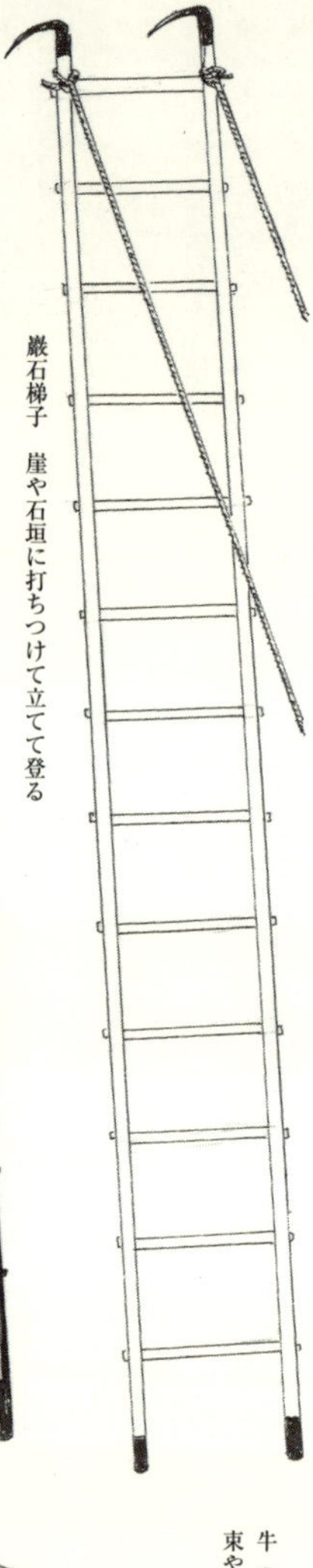

巌石梯子　崖や石垣に打ちつけて立てて登る

継梯子　二重に重なっていて上に伸ばす

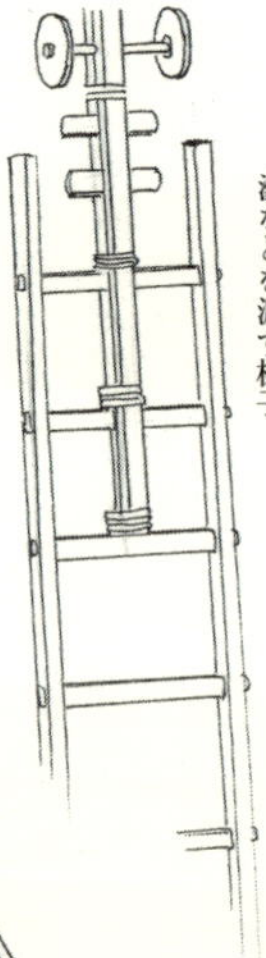

濠などを渡す梯子

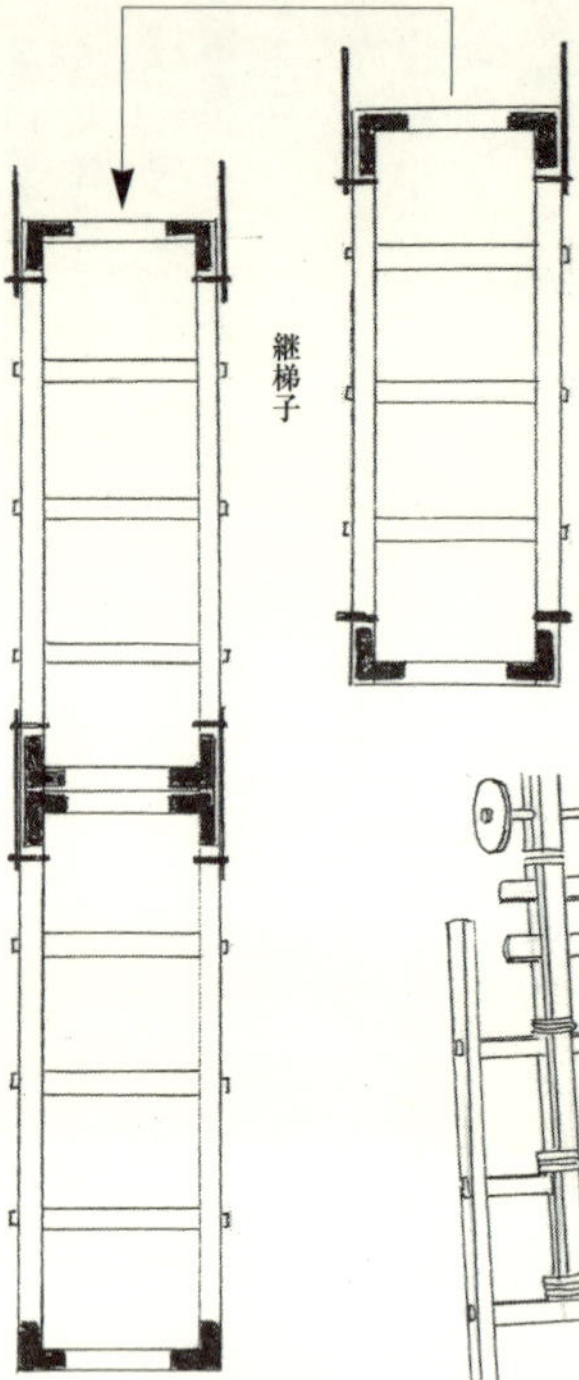

継梯子

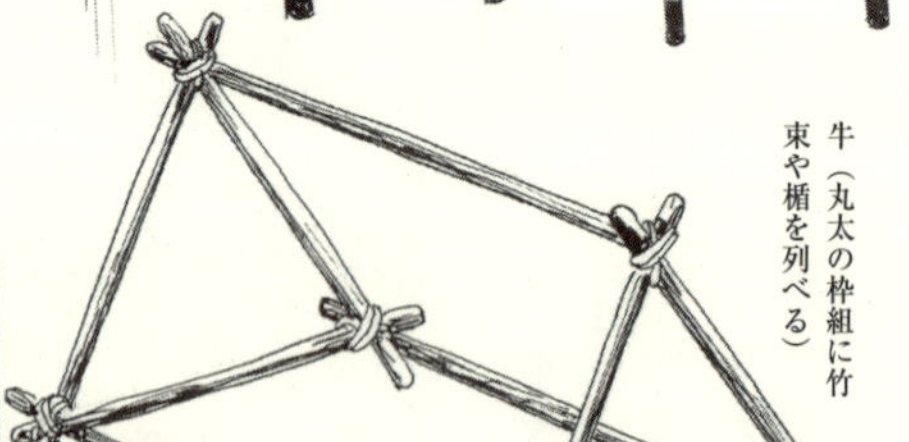

牛（丸太の枠組に竹束や楯を列べる）

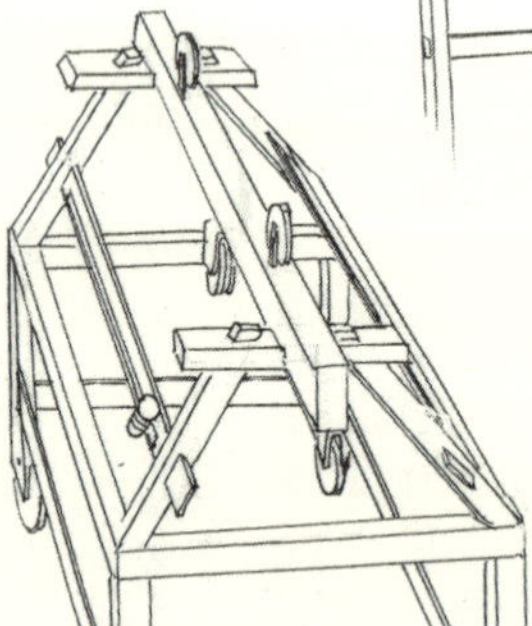

亀甲車（加藤清正が朝鮮の役で考案したという。牛の生皮で覆って矢弾をよけて進む）

埋　草［うめくさ］

敵城の堀濠を渡るために刈った草を束にしたものをいう。たくさん草束を投込んで足場とする、こうした作業もするために、従軍した軍夫（陣夫）などは鍬や鎌・斧・鋸・掛矢等まで持参する。今日の工兵である。『太平記』宸筆勅書被下於義貞条に

既ニ来廿一日ニハ黒丸ノ城ヲ攻トルベシトテ堀溝ヲウメン為ニウメ草三万余荷（一荷は天秤棒の前後につけた荷をいう）ヲ国中ノ人夫ニ持寄サセ持楯三千余帖ヲハギ立テ

とあり、『鎌倉大草紙』以下安土・桃山時代の戦記物で攻城の折に埋草を用いる例が多く記されている。

このほかに戦場付近の民家・農家等を解体して堀を埋めたり、時には畚《もつこ》で土を運んで埋めたりした。

焼草と埋草

焼草

埋草

陣内の用具～陣での休息

敷皮《しきがわ》

　陣営具の一種として敷皮がある。敷皮は陣中において地上に敷いたり、楯を横に置いた上に敷いて休息したり、また櫃や床几の上にかけて腰を下したり、時には紐をつけて腰の保温・防護にする引敷《ひっしき》代りにも用いた。

　古代は毛皮を敷いて座ったことは『日本書紀』神代巻一書に「鋪二設海驢皮八重一」とあって毛皮をたくさん重ね敷いて歓待のあらわしとした記述があるから、日常生活に動物の毛皮を敷物として用いていたが、陣中でも使用され、それが後世いう敷皮という形式に定着したのである。

　武家が台頭した頃には、すでに敷皮という用語があり、『吾妻鏡』建仁元年（一二〇一）正月十二日の御的始めに

　相二分弓場左右一候二敷皮一

とあり、『吾妻鏡』には行事ある毎に敷皮が用いられ、これが軍陣においても用いられるようになっていき、南北朝時代頃から敷皮の用い方や作法を生じるようになった。

『今川大雙紙』に

　御供の時、小者に敷皮をかけさする次第。左のうでに切目を前にして、すはまを左へして、大ゆびにまとひてかくるなり。革を二つ竪に折也。さてしかせ申時は横にも竪にも主人の好によるべきなり。扱又横に敷候時はすはまを左へ敷也。若又同道の人有はすその方に客人をなほすべし

等とあり、また

　しようし（床几）にかくる敷皮は前へむけて、くしかみを後へなすなり。仏詣などの敷皮はくしかみを前にしてかくるなり

『高忠聞書』には「皮のくびかはをばくしかみともいひ」とあるから、動物の剝いだ毛皮の上を「くしかみ」といった。「すはま」も同じである。古くは剝いだ毛皮のままであったろうが、武家が多く用いるようになると毛皮の背通りを中央として矩形に截り、裏に白布を当て、縁を菖蒲韋で小縁をつけた。

　その大きさは『佐竹宗三聞書』によると、縦二尺九寸広さ一尺六寸五分とし『軍用記』では長さ三尺計、幅二尺あまり。『幕打様記』では長さ二尺二寸、広さ二尺二寸。『甲陽軍

敷皮と引敷

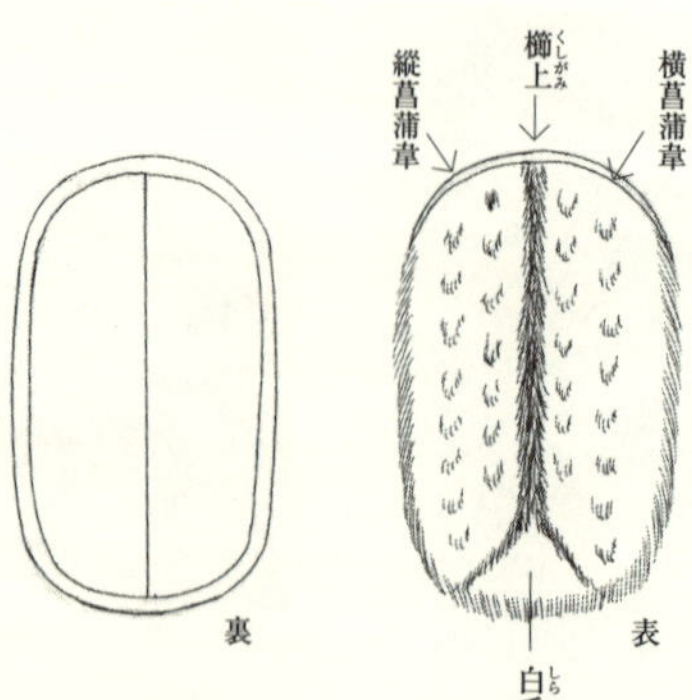

『軍用記』付図に描かれた敷皮

『武用弁略』に描かれた引敷

鑑』では長三尺一寸五分、横二尺一寸として家々流儀によって色々であるが、だいたい長さ一メートル前後、幅〇・六六メートルくらいの大きさであるから、『今川大雙紙』にあるように、その裾の方に客人を座らせるという事は無理である。

『高忠聞書』『随兵日記』『射礼私記』『幕打様記』では武家はだいたい鹿皮を用い、それも「秋二毛たるべし」とあるように、鹿の秋毛が好まれた。これは脱毛が少ないからであるのと斑が明瞭で視覚的にも良いからである。

こうして室町時代頃から敷皮の規定がやかましくなると、『武雑記』に記されるように

豹虎のかはをは平人は斟酌の事、三職は御用候ひつしきは寸法も候まじく候歟。羢の皮たるべし、又熊の皮をむかしは弾正官の人ならでは御用無レ之候

とし、『軍用記』巻第四にも

豹虎の皮将軍并三職（太政大臣・左右大臣・参議）の御衆被レ用レ之、熊の皮弾正官の人用レ之

とあるような定めまでできた。床几に敷皮を敷く時は「くしかみ」を床几の奥にし、白毛（鹿の尻部の白い毛）を前に垂らして地上にかかるように敷く。

腰掛る人は、その白毛あたりを踏む形となる。主将は首実験の時には白毛を踏まえて立

敷皮・引敷の使用

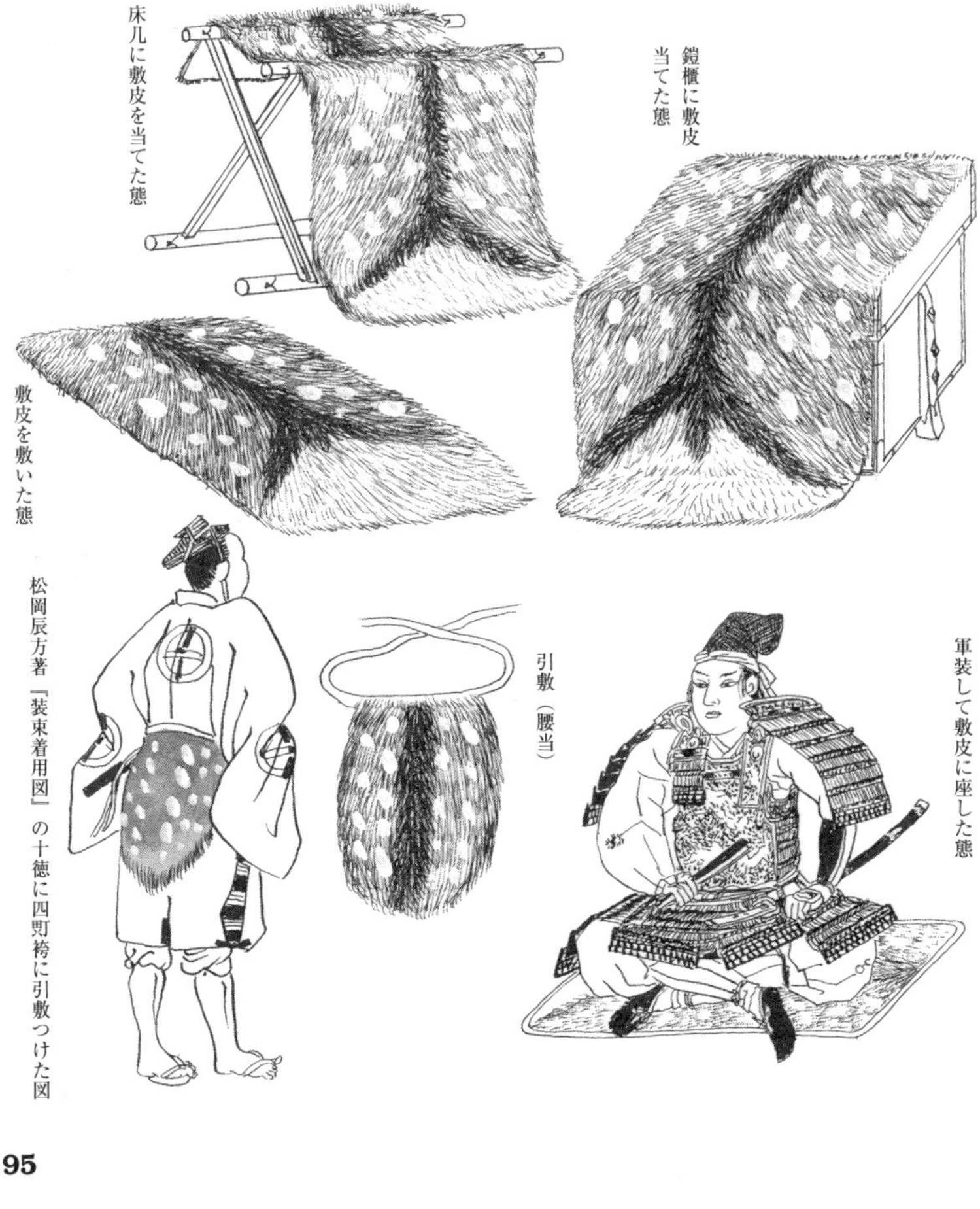

床几に敷皮を当てた態

鎧櫃に敷皮当てた態

敷皮を敷いた態

軍装して敷皮に座した態

引敷（腰当）

松岡辰方著『装束着用図』の十徳に四幅袴に引敷つけた図

ち上つ。

屋内の板の間や地上に敷くときは敷皮を横にして、くしかみを自分の右にする。

また出陣においては敷皮を鞍覆いにすることもある。

引《ひつ》敷《しき》

敷皮によく似たものが引敷で、これは敷韋の縦上部の両端に紐をつけて腰に結び付けたもので、小者に持参させるのではなく、初めから腰に装着してある。腰を下すときに前にめくれば丁度敷いたようになるが、裏地が腰に当る。『宗五記』に「緒のついたる敷皮」とあるが、これが後世まで腰にまとう引敷といい、江戸時代には腰当と呼んだ。

古くはほとんど毛皮であったが近世は繻子《しゅす》などを用いたりした。

床《しよう》几《ぎ》

床几は腰掛の一種であるから、『記紀』や『旧事本紀』にも見られ、宮中の儀式等にも床子・胡床・呉床・床几等の名称で用いられ、武家が台頭してからも軍陣用にも用いられた。

『吾妻鏡』『源平盛衰記』以下記録・軍記物には軍陣で床几を用いたことが随所に記されているが、古画では床几は見られず、『蒙古襲来絵詞』には大宰小貳景資が床几代りに鎧櫃に腰をおろしていて、他の武者はすべて地上に胡座《あぐら》をかいている。『平治物語絵巻』『前九年合戦絵詞』『後三年合戦絵詞』を始めとして室町時代の『十二類合戦絵詞』に至るまで、甲冑武者はすべて、屋内、屋外においては胡座をかいている態が描かれているのは、その姿の方が絵画的に見てくれが良いのと、一般武者はほとんど胡座をかくのが普通であったからであろう。床几は儀礼的行事に多く用いられ、『普光院殿御元服記』等晴れの時に用いる程度であった。

『蒙古襲来絵詞』に描かれた大宰小貳景資が床几代りに鎧櫃に腰を下している図

床几が軍陣に広く普及したのは室町時代末期から安土・桃山時代にかけての戦陣であって、この頃から部将・物頭まで床几を用い、特に畳《たたみ》床几《しょうぎ》が用いられるので利用者が増えた。『軍用記』に

軍陣にての床几の高さは一尺八寸なり

とあるのは当時の成人男性の身長を考えると少し高すぎる。『随兵日記』には

床木の高さ一尺二寸、上の広さ人によるべし。但し黒く漆るべし

とあり、『出陣聞書』も同じ寸法であるがこれではちょっと低すぎる。

ただし甲冑武装した時には、胡座をかくより、床几に腰掛た方が立ちやすく、また床几に敷皮を当てておくと、立つ時に草摺が引っかからないで済むから便利な腰掛である。

『軍用記』付図には高さ「一尺五寸ホド、幅二尺ホド、奥行一尺五寸ホド」とあるのは何に拠ったか不明であるが、これに敷皮を当てると白毛が地上に敷かれ、腰掛てもちょうど良い。『軍用記』付図には

形ツクエニ似タル故机ト云フナリ、カタ木ニテ作ル

とあるが、ちょうど牛車の乗り降りに用いる踏台用の榻《しじ》に似ていて、使用しない時は下部が担いて従うように、床几も郎従が担いで従ったので不便であった。そこで考案されたのが畳床几で、畳むと平たくなり持ち運びに便であった。これは大いに流行して、『仙台秀久戦陣影』『本多忠勝戦陣影』を始めとして『合戦屏風』にも描かれている。

江戸時代の楠公の図には楠木正成が畳床几に腰掛け、また、高野山赤松院蔵赤松円心木像、栃木県足利市鑁阿寺《ばんなじ》所蔵足利尊氏木像等は皆畳床几に腰かけているが、これらは机床几が用いられなくなり、畳床机全盛の江戸時代の作品だからである。

畳床几は　枠を二つ、縦枠の中央で組み違え、上方の横木二文の間に馬韋・皺韋・羅紗等を渡して綴じ付け、拡げると腰掛となり畳むと二重の枠組の平らない形となり軽便なので随分流行し、江戸時代ではその枠を赤樫・花林・紫檀・黒柿・漆塗・蒔絵・青貝未塵等にした上等の品もある。

打《うち》板《いた》

床几を低くしたもので、これは主将でなく平士の用いるものとされ、『佐竹宗三聞書』に、

　打板の長さ広さ敷皮にしたがひてすべきなり。是は板をえりて脇よりさすべきなり。三所もあるべし。板うすきはえる事ならぬ間くきにて打付たるもくるしからず

とあり『軍用記』にはその図があるが、足は四か所でなく、二行に俎板の足状に打ち付けた態があるが、「える」とは足上部をくさび形にけずり、腰掛る板も厚くして、その裏にくさび状の頭の足板を嵌めるようになっている。ちょうど俎板状であるが、こうした打板を用いた態を描いた古画も、記録も見当らない。

『軍用記』第四にも

　打板の事法式なし。敷皮のはば程にして

畳床几

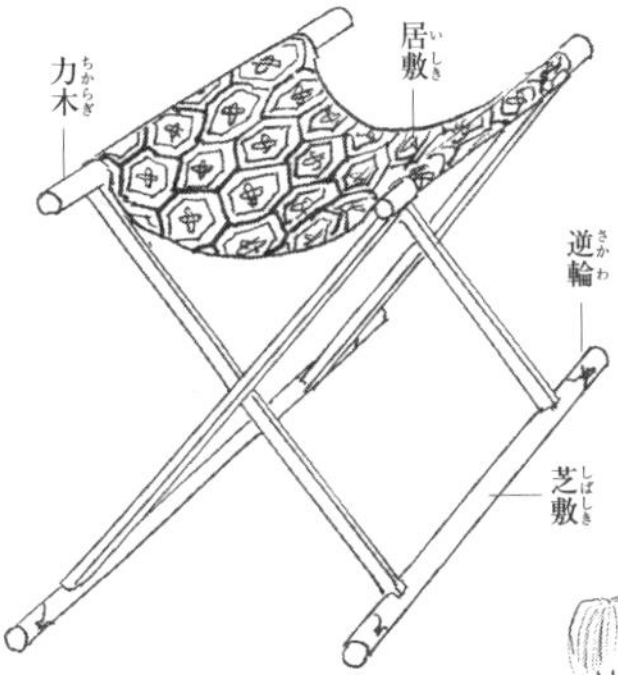

『武用弁略』による畳床几の名所

『仙石秀久画像』による畳床几式曲禄《きょくろく》

床几と打板

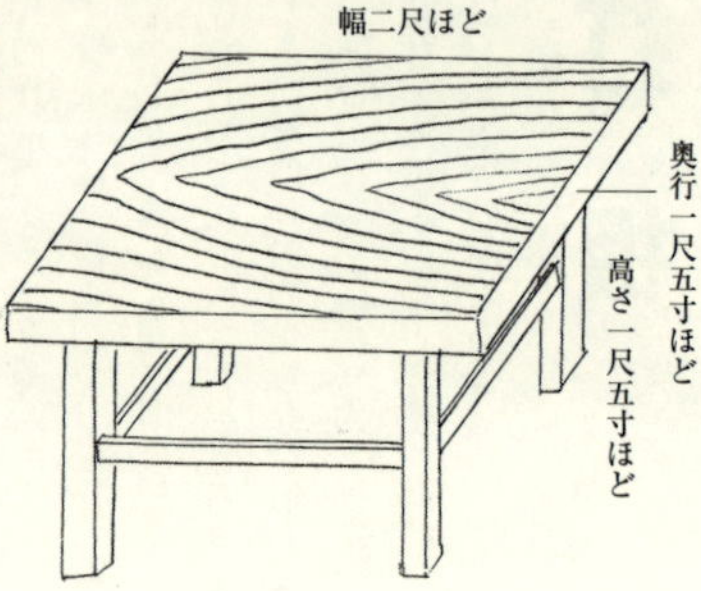

『軍用記』付図に描かれた床几

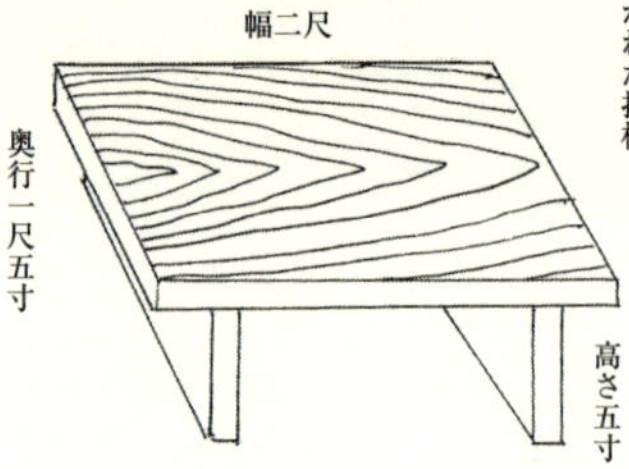

『軍用記』付図に描かれた打板

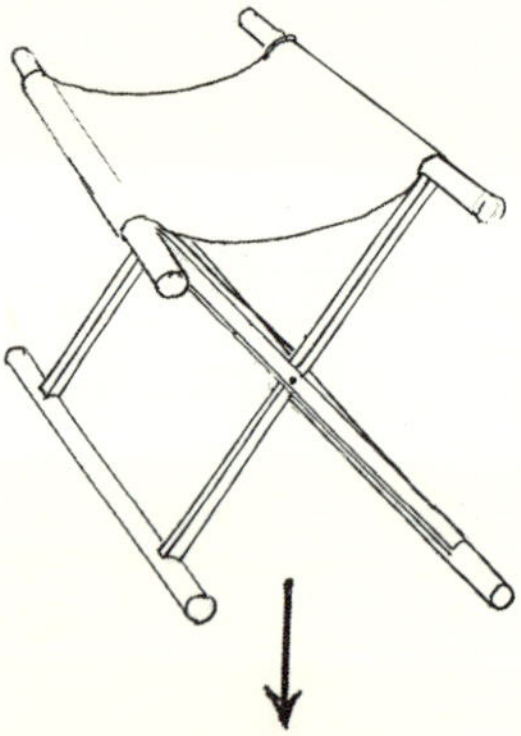
畳床几を拡げた所

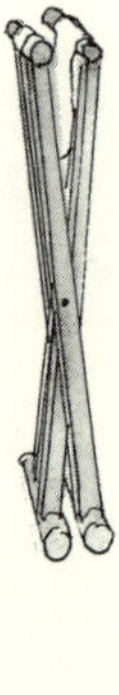
畳床几を畳んだ所

　うらに二所さん（桟）を打つなり。高さ
　五寸計にもすべし

とある。大将の腰掛る床几が大体一尺五寸（約四十五センチ）であるが、威儀的にも階級的にも差をつけるために高さが五寸（約十五センチ）であるから、これを用いると大将を見上げる位置になる。

　甲冑着用して床几からは立つのに楽であるが、打板の低さであると胡座をかいたのとあまり変りがなく、立つのに努力を要する。

　そういった点で打板は流行しなかったのであろうし、平士が出陣にあたって打板まで持参するのは、状況にもよるが、余分な持物であるから普及しなかったのであろう。ただし俎板のように厚板であるから手に持つ手楯代りにはなる。

第二章

軍用の小物類

軍団の指揮1〜音響による合図・指揮

螺《ほら》

螺は一段に法螺貝《ほらがい》と呼ばれ、仏教用具であったので山伏が吹奏したが、武家が台頭してから山伏を徴用して合図の音響用とした。そして次第に武士も吹奏に熟達し、やがて上級武士が携えて時には自ら合図として吹奏した。

音響をもって合図用具としたのはすでに奈良時代の『軍防令』に大角・小角の規定があり、大角は「はらのふえ」、小角は「くたのふえ」と訓むが、これはおそらくアジア大陸の騎馬民族の用いた角笛的のものであったと思われる。このほらの笛が仏教用具の法螺貝に代ったもので、法螺または略して貝ともいっている。

『和名類聚抄』僧坊具第百七十一には

宝螺　千手経云若シ為レ召ニ呼一切諸天善神ニ者当ニ手宝螺

とあるごとく仏神を呼び求めるための音響具であったが、『源平盛衰記』都波山戦条に

樋口次郎兼光ハ搦手ニ廻リタリケルガ、三千余騎、其中ニ大鼓法螺貝千バカリコソ籠タリケレ

とあり、また熊野新宮軍条にも

那智新宮ノ大衆軍ニ勝テ貝鐘ヲナラシ

と記されるように大衆（衆徒・僧兵）などが、仏教用具の太鼓・鐘・法螺貝を用いて合図としたり気勢を上げるのに用いていたのを武家の軍団が彼等を利用して次第に軍用の道具となって行き、後世は兵道家がそれぞれの流儀を生じた。『武用弁略』備器之部六にも

楚《ホン》（梵の誤りと思われる）貝也。之ヲ宝《ホウ》螺《ラ》ト云。千手経ニ曰。若一切ノ諸天善神ヲ召呼《ヨビヨバ》ントセバ、当ニ手カラ宝螺スベシト云云　俗ノ云保字良加伊貝《バイ》ハ背《ハイ》ナリ。背ヲ以用テ之ヲ貝ト云。殼也。皮甲也。蟲介ヲ甲トス。六書正僞ニ曰。俗螺ニ作ハ非也ト云云　蠃ノ字也。音《コエ》羅器録ニ曰螺ノ物タル命令ヲ下事ヲ触、変ヲ告、鼓ニ合テ衆ノ聞ヲ明ニスル器也。将トシテ用ズンバ有ベカラズ。貝ノ最大ナルヲ男貝ヲ用ユ。吹口ヲバ銀ニテ張、上ニ紅ノ網ヲ懸、緒ヲ付ル也ト云云　勿論生貝《イキガヒ》ヲ用ユ。生貝トハ紅美ニシテ色甚勝リ。旧

合図の法螺貝（貝）を吹く図

遺考録ニ曰。上代ノ軍戦ニ貝太鼓ヲ用ル事所見ナシ。源平ノ合戦ニモ其説是ナシ。元暦ノ頃九郎義経ハ木曾退治ノ為ニ上洛シ、宇治川ニ臨デ諸軍皆川端ニ込相ケルヲ義経軍謀セラレ共大勢轟《トドロキ》テ物ノ分モ聞ズ、平等院ヨリ太鼓ヲトリ寄テ打セラレシカバ諸軍勢鎮テ大将ノ仰ヲ承リシト云リ。此時迄ハ軍中ニ貝太鼓ノ無シ事明シ。建武ノ乱世ヨリ始レリト聞タリ。異朝ニハ周武ノ時ヨリ鐘太鼓ハ有トカヤ。天竺ニテハ敵軍対戦ノ時、是アリシト也。経ニ多見ユ。法鼓ヲ打、法螺ヲ吹、幢《ハタ》ヲ建、法剱ヲ取ルト云ル、是魔軍退治ノ表示ト云云

法螺貝

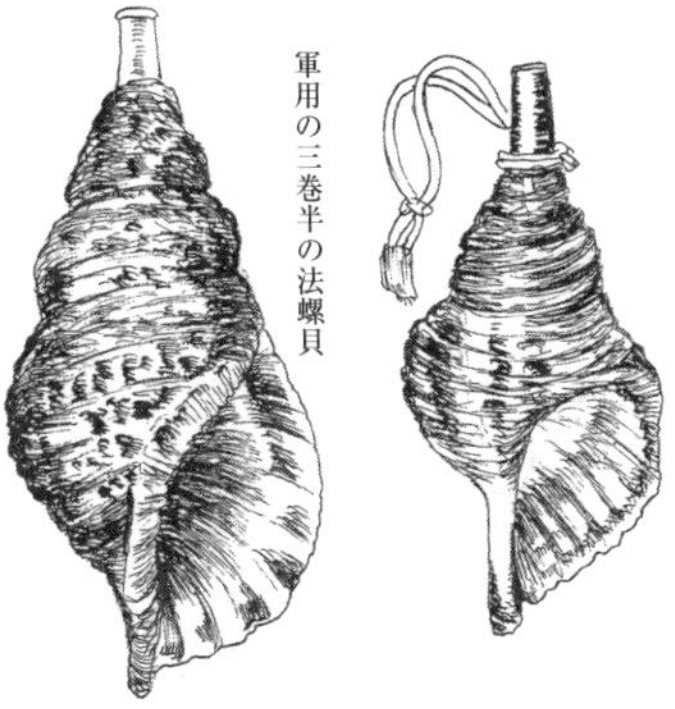

山伏の用いる三巻の法螺貝

軍用の三巻半の法螺貝

とあるが、『源平盛衰記』都波山戦の条、熊野新宮軍条その他随所に合戦に螺が吹奏されて居り、一度にたくさん吹奏して多勢がいるように見せかけている。「寄せ貝」「退き貝」といって攻撃・退却の合図に用いられ、音響によって様々の合図とした。大型の貝なので大貝とも呼んだことは『北条五代記』北条家の軍に貝太鼓を用いる条に「相模大山に学善坊と名付山臥、薩摩と号す大貝一ツ持たり」とあり、『大友興廃記』ひひ野合戦条、『清正記』等に散見する。

螺は前述のように生貝を仰向けに置くと足を長く出すので、これを紐で縛って吊して置くと身が貝から離れる。これの尻の細い先端を鑢《やすり》でこすって穴をあけ、伊予砥で滑らかにする。そして銀の口金をはめる。貝は雄貝が良いとされ、雄貝は広口のところに鰭があるという。口を擦り方によって三巻半と三巻の貝ができる。三巻半は軍用、三巻は山伏用というが、古くは山伏を利用して吹かせたからほとんど三巻であったと推定される。貝には紅絲の網袋を着せ、長い紐をつけ、肩からさげる。安土・桃山時代に貝を許されるというのは一軍の将として指揮権を持つということをいうのである。

軍《ぐん》鼓《こ》

太鼓が軍用にされた形跡は古代から見られ、『日本書紀』神功皇后の条に金鼓・鼓吹の語があり、孝徳天皇紀にも

凡兵者人身輸二刀甲弓矢幡鼓一云云

天武天皇紀にも

元年七月甲午　近江別将田辺小隅越二麻深山一而巻レ幟抱レ鼓詣二于倉歴一以二夜半一之銜レ梅穿レ城劇入二営中一

と、軍陣にはすでに鼓が用いられていたことがわかる。どういう形式の鼓であったかはわからないが、鼓が合図もしくは士気を鼓舞する方法として用いられたことは確かで、これはおそらく古代中国の軍容の移入によってであろう。『令義解』には

凡軍団各置鼓二面　大角二口　小角四口、通用兵士分番教習

と規定され、鼓吹の教習まで行なわれていたことがわかる。そして

凡私家不得有鼓、鉦、弩、矛、矟、貝装、大角、小角及軍幡　(義解曰謂鼓者皮鼓也。鉦者金鼓也)

と、軍団でないものが、軍団の武器・武具・甲装類・大角・小角等を所有してはいけないと下達され、鼓とは胴に革を貼ったもの、鉦は金属で作ったものとしているから、後世用

いられた銅鑼の類であろう。

鼓は当時儀式等にも用いられているが、『令義解』等に記される軍用の鼓とは別物であったらしく、また軍団の制がすたれてからは武士の台頭と共に、その集団が鼓や螺を利用し始めたらしい。そして音響が遠方まで届くように鼓も大型となり、胴も深くなったので太鼓の語が生れ、これはもっぱら寺社で用いたのを軍用に借用し、やがて軍用専門の太鼓が生れ後世はこれを陣太鼓といった。

『源平盛衰記』は鎌倉時代の成立であるが、合戦の度に太鼓・法螺貝を用いて合図したり軍容を張ったりしたが、義経の宇治川合戦の時などは平等院から太鼓を担ぎ出して合図とし、『前九年合戦絵巻』にも描かれている太鼓も後世の陣太鼓と違って寺社用の太鼓のデザインである。しかし武家が政権をとり、また武家同士が軍を動かして争う時には法螺貝とならんで太鼓は欠かせない合図用具となり、それ専門の太鼓が作られてくる。

法螺貝は合図の符をきめた時には熟練を要するが、太鼓は簡単な音調をきめただけで、誰でも使用しやすいのでもっとも効果的であった。腹の底まで響く音は士気昂揚にも役に立ち、後世押太鼓（攻撃前進の合図と振い立たせる効果）ともいわれ、これに対して退却の合図の鉦を引き鉦などともいった（もちろん攻撃前進の折には鉦も乱打して人心を掻き

太鼓

『前九年合戦絵詞』に描かれた軍用の太鼓

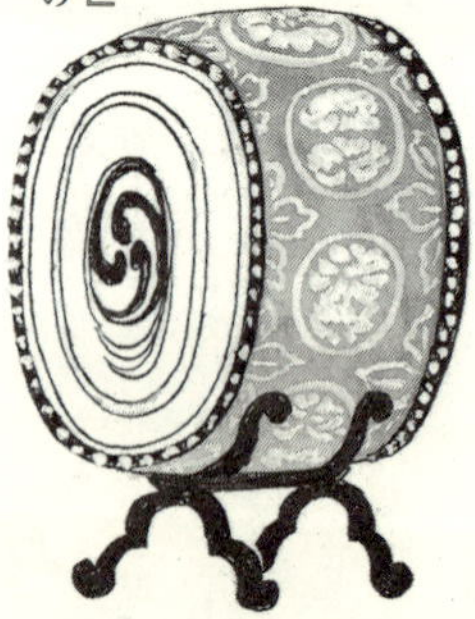
『前九年合戦絵詞』に描かれた軍用の太鼓

『長篠合戦屏風』に描かれた軍用の背負太鼓

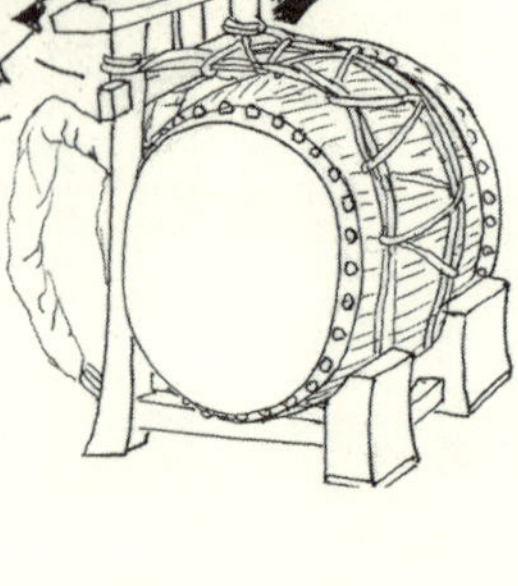
鳥居家伝来の軍用の背負太鼓

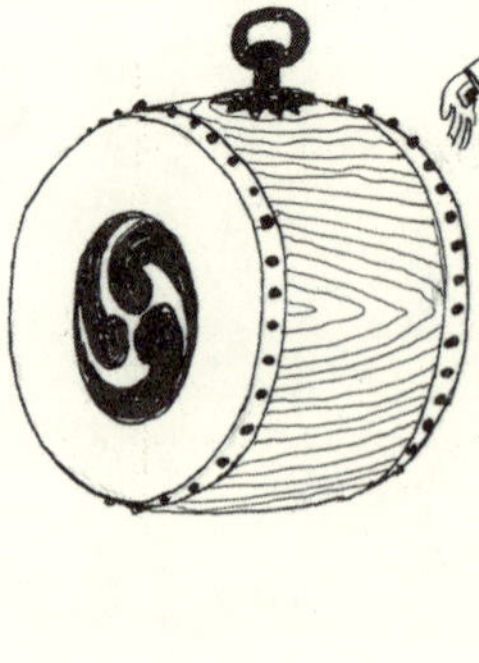
『武用弁略』に描かれた軍用の太鼓

立てる）。

鎌倉時代以降は太鼓は軍用として欠かせないものとなり、移動可能のように太鼓の鐶に横木の棒を結び付けて両端を二人して担ぎ、歩きながらでも太鼓を打てるようになり、城中でも太鼓櫓といって太鼓を吊った建物も設けられた。安土・桃山時代の各大名の集合軍団も、それぞれ太鼓・貝を用意し、本陣からの合図によって一斉に応じた。そのために軍団・部隊毎に太鼓も用意され、太鼓を枠の中に納めて所役が背負って行動するようになった。これらの様子は軍記物に散見するが、やがて軍学者によって貝と共に音響合図にそれぞれ取り極めがなされやかましいものとなった。太鼓は小型や、胴の奥行が浅いものは響きが少く大きい音響は出ない。歌舞伎で忠臣蔵の時大石内蔵助の打つ山鹿流の陣太鼓と称するのは片手で吊して右手で打つもので、このような薄胴の軽い太鼓では、音も軽く、腹にこたえるようには響かない。

軍用の太鼓は背負い太鼓で、少くとも胴長五、六十センチ、口径四、五十センチであるが、これでも八、九十センチ口径、長さ約一メートルの太鼓の音響にはかなわない。背負太鼓が合戦場で用いられている図は『長篠合戦屏風』に描かれている。

こうした太鼓が『新田由良家伝記』に記される小太鼓に当るのであろう。

鉦《かね》（鐘・銅鑼）

鉦・鐘・銅鑼等金属で作られた叩いて音響を発する合図道具をすべて金《かね》といっている。『日本書紀』神功皇后紀にも金鼓の語があるから金属製の鼓が古代に用いられていたことがうかがえるが、その形式はわからない。

『釈日本紀』に

鐃（鐃字未詳）私記曰　愚案此四字之注早可二削弁一委解別私記　説文曰鐃小鉦也。軍法卒長執レ鐃

とあって中国では鐃即ち小鉦を用いていたことがわかり、また『和名類聚抄』音楽部十鐘鼓類第四十六に

鉦鼓　後漢書云　鉦鼓之声　鉦音征　鉦鼓俗云常古　兼名苑云鉦一名鐃　女交反金鼓也　越王勾践造也

とあり、また銅鑼についても

銅鈸子　律書楽図云　銅鈸子　今按鈸鉢字也　出レ自二西域一無レ柄以レ皮為レ紐相撃以応レ節　今夷楽多用レ之

とあり、鉦は吊鐘のようであり、銅鈸子は銅鑼のようである。西域より出づるとあるが、『蒙古襲来絵詞』を見ると蒙古軍の船上で、左手に紐で吊りさげた円盤状のものを右手の棒で叩いている図があり、これは明らかに銅鑼である。その後に面を縦に台に据えたもの

鐘

梵鐘《ぼんしょう》

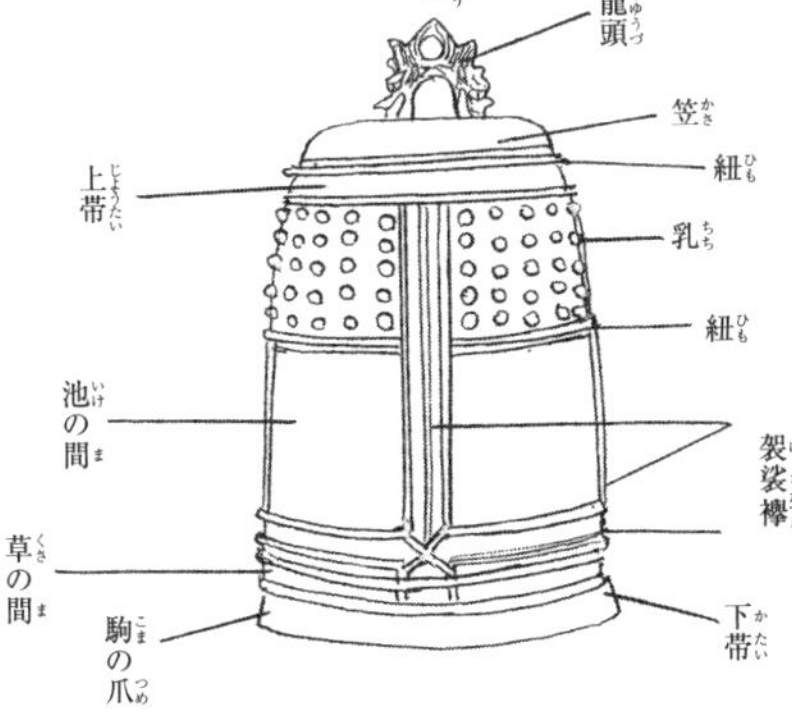

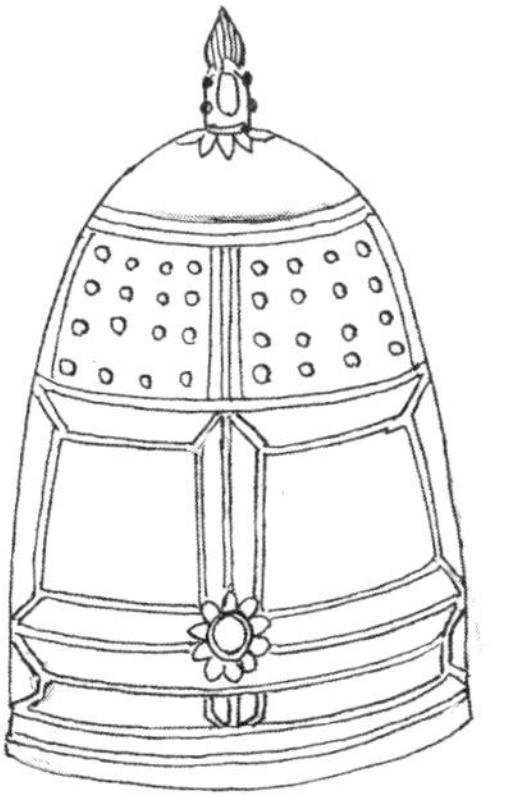
『武用弁略』に描かれた陣鐘

を打っているのは明らかに太鼓で、面を上に向けて据えているものを打っているのも太鼓であろう。また上陸して馬上で攻撃して来る図にも太鼓があるから、日本古代の鉦鼓も確かに中国からの移入で『令義解』で規定した軍団の鉦は金鼓であるが、これが銅鑼形式か吊鐘形式かわからない。

平安時代末期頃から奈智の大衆が蜂起したときには鐘貝を鳴らしているから僧兵が法螺貝や鐘を利用するのは当然で、この風が武士の軍制にまで及んで陣鐘が作られるようになった。その過程では寺院の梵鐘が用いられていた事は軍記物を見ても明らかである。

寺院の梵鐘は大きくて撞木も太い棒を吊って当てるから、早打ちはできない。陣鐘が早打ちできるようになったのは今日見る半鐘のような小型の鐘となり撞木も片手で持てるような小型になってからである。

寺の吊鐘は反動をとって撞くから時間がかかるが、それでも合図には役に立つので『太平記』にも「西坂に軍あらば、本院の鐘をつき、東坂本に合戦あらば生涼寺の鐘をならす」と、互いに急を告げる合図に用いる程度であった。鐘の音は割合遠方まで届くので、小型化した陣鐘が作られると、早打ちや、速度に緩急の調節がとれるようになり、合図の種類が増えた。『信長記』『賀越闘諍記』『播州征伐記』『播州佐用軍記』『籾井日記』『松隣夜話』等には太鼓と共に、進撃、緊急招集等に用いられるが、音が陰気なせいか「退き鐘」などといって引あげの合図に用いると思われがちで乱打すると人心を湧き立たせ慌ただしい気持にさせる。江戸時代は半鐘といって火の見櫓や火の見梯子に装置し、近火はスリバンといって慌ただしく打ち、やや離れている所は三ツバシといって平均した間隔を置いて打つように合図によって状況を認識させた。

銅鑼は朝鮮の役の折に黒田長政が中国軍より分捕ったが、軽便で音律が良いというので使用し、それが各軍に拡まったといわれるが、奈良時代の鉦もこれに類したものであったのではなかろうか。

銅鑼は棒で叩くのではなく、木綿糸を三センチ程の太きに捻って作った棒状のもので叩くと音がよく響くという。

『和漢三才図会』巻第十八楽器類の項に

按銅鑼本二於鉦鼓一作レ之。今民家亦毎用為二夜戎守之具一與蓋互角矣　其形如二銅

軍陣用の半鐘

盥一以二唐金一作

とあり、奈良時代の軍団で用いた鉦と同じであるかどうかは不明である。

拍子木《ひょうしぎ》

堅木を四角い細長い棒の長さ三十センチ程にしたものを打ち合わせて音響を発する道具で、鋭い冴えた音を発するので拍子をとるために古くより、仏教で読経の時に用いた。略して拍子・柝《き》ともいうが、大きい音でないにもかかわらず遠方まで届くので軍用に使った大名もある。『大友興廃記』なすみ松合戦条にも「ある時は拍子木をたたきかけ引の下知に勝利有って」と記されているが、広く行なわれなかった。ただし江戸時代にあっては将軍家が鷹狩の折にこの拍子木をもって合図とした。鷹狩は一種の軍事調練の体勢で行なうから拍子木を用いたのである。貝や太鼓では鷹が驚くので拍子木を用いたのであろうが、拍子木役は名誉の役であった。泰平になってから拍子木は江戸町内の夜番が用いて火災の警戒を通告して歩いたり、芝居で開始・終了の合図に打ったり、板を叩いて調子をとるのに用いられ、それらの道具であるような認識が強いために、軍用の合図道具とは思われなくなってしまった。

銅鑼

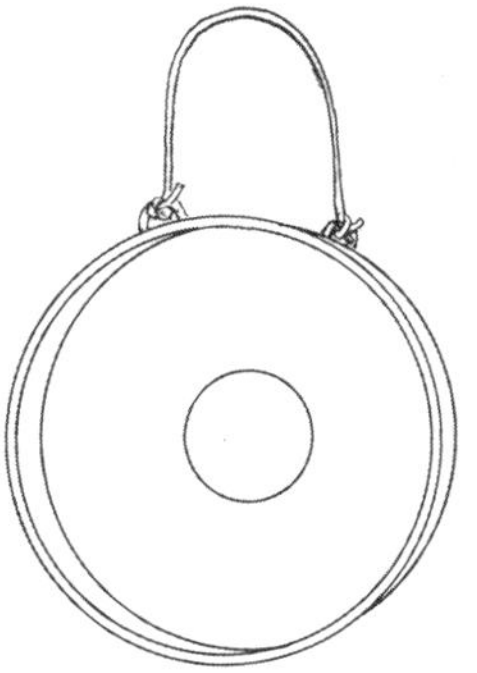

『蒙古襲来絵詞』に描かれた蒙古軍の銅鑼

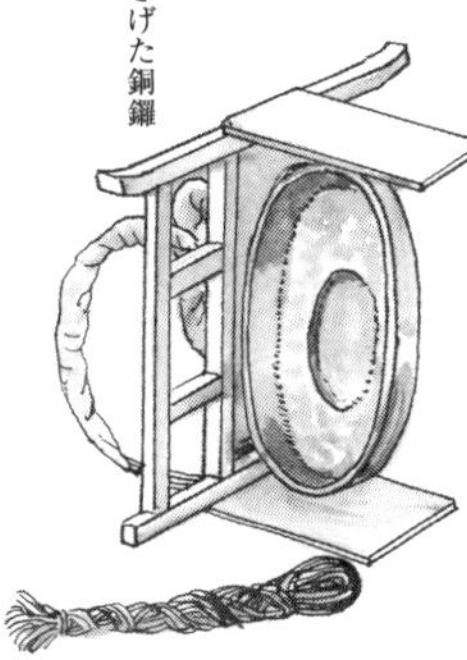

枠にさげた銅鑼

拍子木

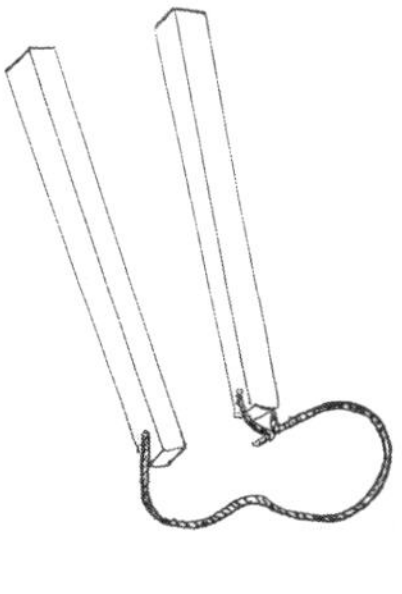

軍団の指揮2～視覚による合図・指揮

軍《ぐん》扇《せん》

扇は暑さを払う携帯用道具で古くより用いられていたが、軍用にも携帯されたので、江戸時代にはその由来をやかましい道具として説いた。『武用弁略』着具之部五　礼に

扇　俎談ニ曰。扇ハ本《モト》暑ヲ避斥候《モノミ》ニ便アリ。変ニ逢テ兵ヲ招馬印差物ニ用事《モチイルコト》アリ。上下共ニ用ル要器也。楊雄方言ニ曰、関ヨリ東、之ヲ箑《セウ》ト云。関ヨリ西之ヲ扇ト云。世本ニ曰、武王翣《セツ》ヲ作。事物紀原ニ崔《サイ》豹ガ古今注ニ云、舜廣ク視聴ヲ開、賢人ヲ求テ以テ自輔《タスク》、五明扇ヲ任《ツクル》。黄帝内伝ニモ亦五明扇ノ起《オコリ》アリ。五明ナルヲ以制スル也。陸機ガ扇ノ賦ニ曰。昔武王玄覧扇ヲ前ニ造。然バ則今以涼ヲ招者ハ周ノ武王ノ作所ト云。故ニ伝ニモ亦武王腸《ケツ》ヲ扇ノ事アリ。一ニ曰夏ノ禹也。或書ニ云。和朝ニテハ神功皇后三韓征伐ノ時ニ作給。蝙蝠ノ羽ヲ見テ巧《タクミ》給ト云云凢陣中ノ扇ハ尋常ノ如ト也。或一尺二寸、別ニ伝ナシ。片面ハ地ヲ朱ニシテ金ノ月輪ヲ出、又片面ハ地金ニシテ朱ヲ以日輪ヲ出也。何モ漆ヲ以之ヲ製ス。雨露ノ為トゾ。要ハ丸要《マルカナメ》、中ニ腕貫通ノ穴アル也。緒ノ寸ハ六寸、口伝アリ。八本骨アリ、十六本アリ。陰陽ノ伝アレバ也。両ノ上骨《ウワボネ》ハ平骨ニス。八本ニ製スル扇ハ陽ニ属シ、十六本ノハ陰ノ扇トス。地ヲ銀ニシテ朱ノ丸ヲシ、又地ヲ朱ニシテ銀ノ丸ヲスル事也。或書ニ云。丸ノ大サ五寸ト云云。口伝ニ丸ハ初飯櫃ニ画バ後ニ折テ丸ク見也。一家秘本ニ云、当代扇ノ長一尺二寸八分、広サ一寸此時ハ緒ノ長六寸四分也。色品上位ハ紫糸、中位ハ白皮黒革、下位ハ薫革等也。但家ノ法ニ因ベシト云云。黄石公張子房ニ傳《ツタウル》所ノ策《ムチ》ハ右ノ扇也。霞ノ策共蒼海ノ策ナド云リ。或又相界ノ字ニ作。又云扇ニ日ヲ出ス事ハ魯陽ガ日ヲ招シ事ヨリ起ト云云

と軍扇には色々と故実を示されている。これは江戸時代の軍学者流の物体付けであるが、こうして軍扇の規矩は定まっていったらしく、『軍用記』なども同様で、

扇の長さ一尺二寸

紙長さ六寸

骨は黒塗十二本　上骨はねこまをうけ彫りにして漆で金箔を入れ、上の方には所持者の生年の八卦を彫る。

要《かなめ》は金の鵐目《しとめ》を両面につける

緒は手抜入れて総は一寸五分

地紙は一寸二分幅に折る

表は地白に端々を朱として日輪を金箔で置き、所々金泥でかすり置く、つま紅の扇という。

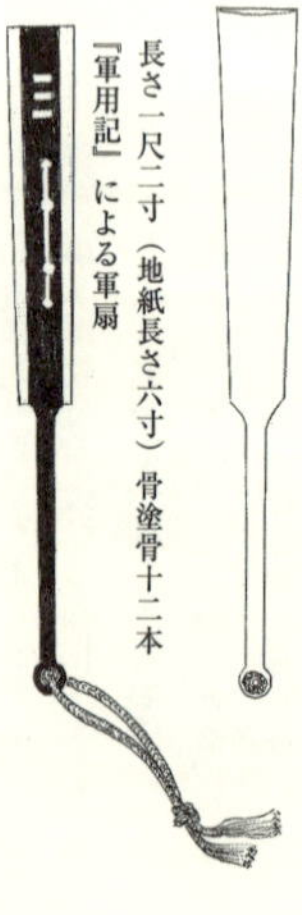

長さ一尺二寸（地紙長さ六寸）骨塗骨十二本
『軍用記』による軍扇

裏は紺青で塗り、月輪九曜星を銀箔で置き所々銀泥でかする。

これは大将軍の扇である。

また一説に金銀箔を置く前に大日勢七曜九曜の梵字を書き込んでおくともいう。扇が仕上ったら神主か真言僧に頼み祈禱してもらう。という縁起担ぎであるから軍扇を持つ作法まで事細かく記しており、一般に用いる扇と格段の厳粛さを増してしまった。

こうした作法は室町時代末頃から言いだしたらしく、これらの故実のもとは『射御拾遺抄』『随兵日記』『弓法私書』等から始まったものらしい。

『伊勢兵庫頭貞宗記』にも

みがきつけの扇子の事、おさあいものは
十四五迄もち候も不苦也

古くは普段用いている扇を軍陣にも用いるようになったのであろうが、損傷少くするために親骨が幅が広くなって軍扇の体裁ができたもので、この系統は鉄扇に及んでいる。

采《さい》

采は一般的に采配と呼ばれ、采を一定の約束事の振り方によって軍・部隊の陣形を動かし指揮することから名付けられた道具で、形の始まりは鷹に用いる旄《さい》から始まったといわれる。『武用弁略』鷹犬之部八、信の項に

軍扇

『武用弁略』による八本骨軍扇

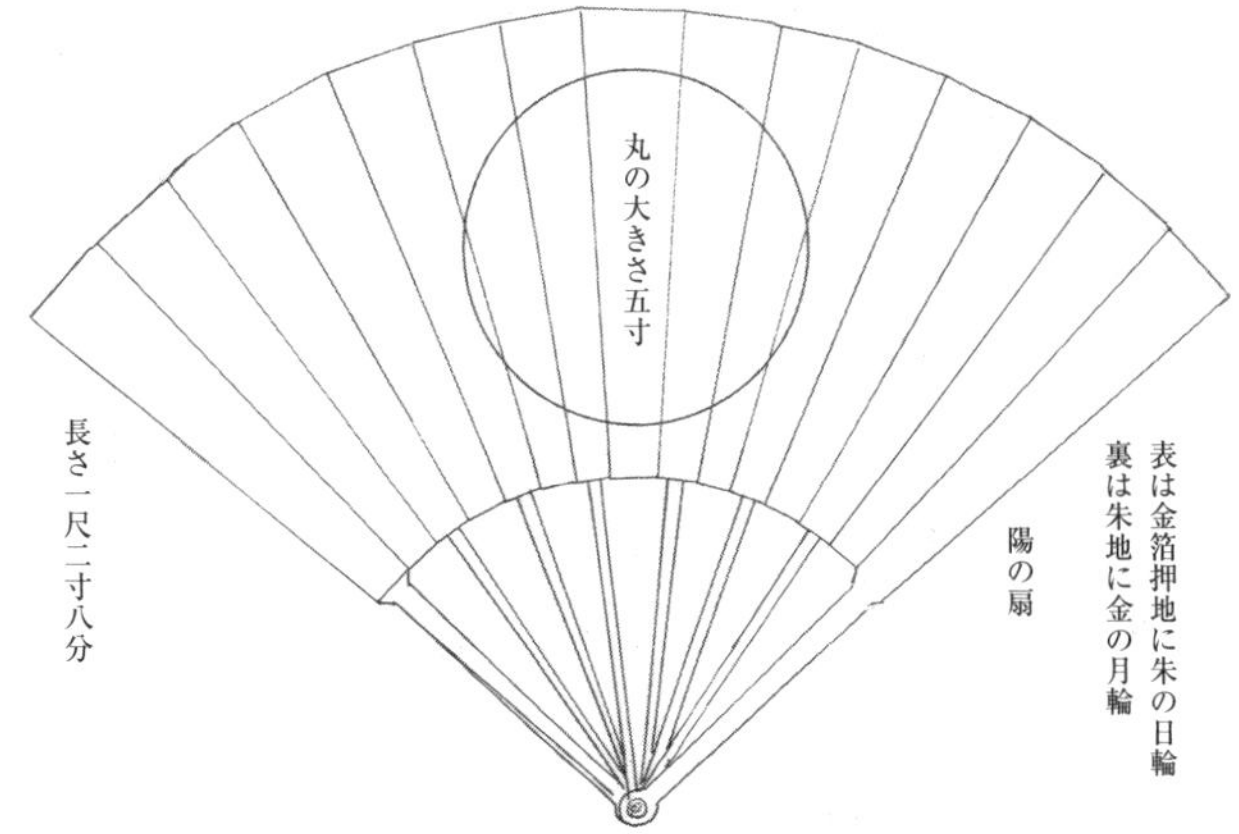

表は金箔押地に朱の日輪
裏は朱地に金の月輪

陽の扇

『武用弁略』による十六本骨軍扇

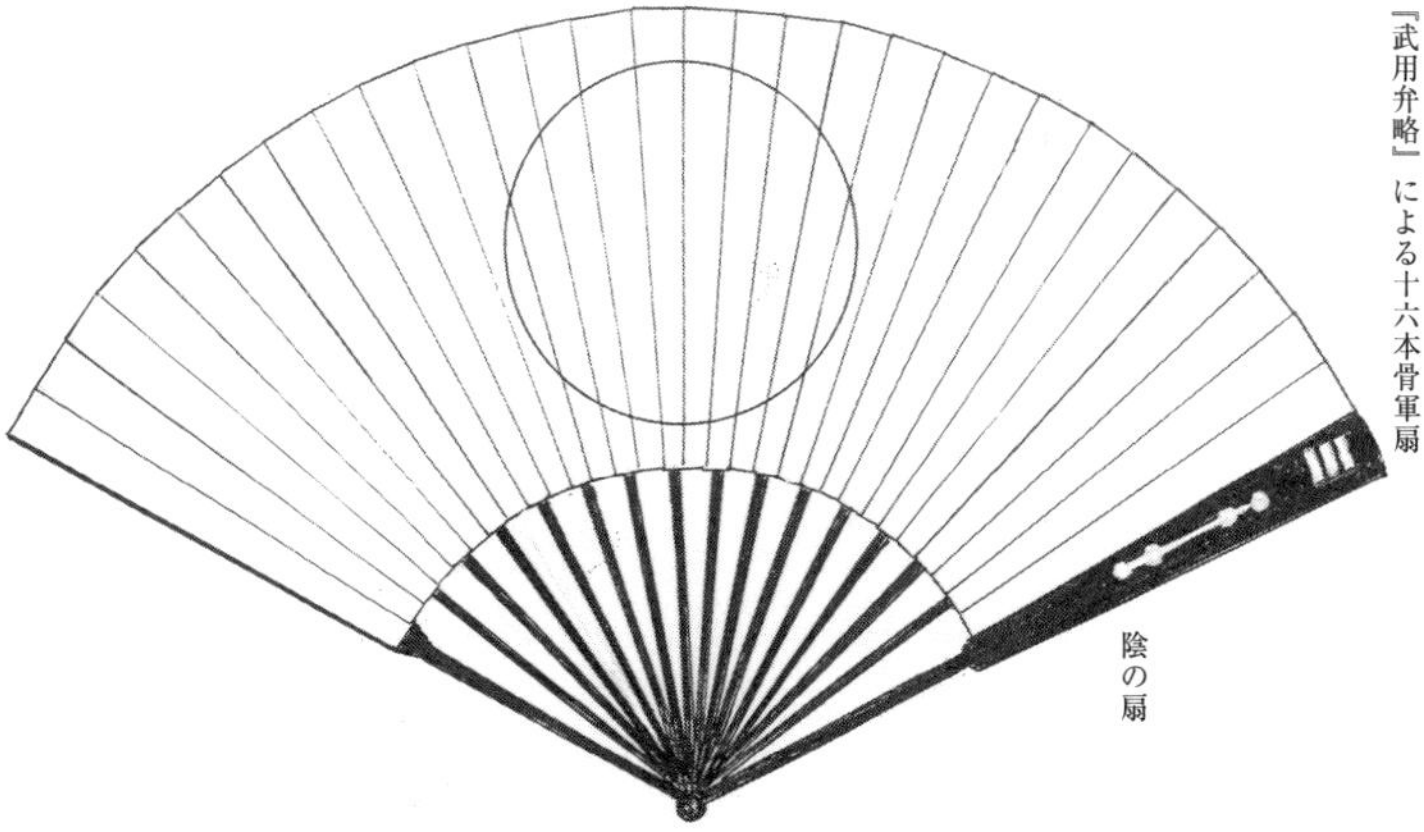

陰の扇

軍扇の種類

『軍用記』所載

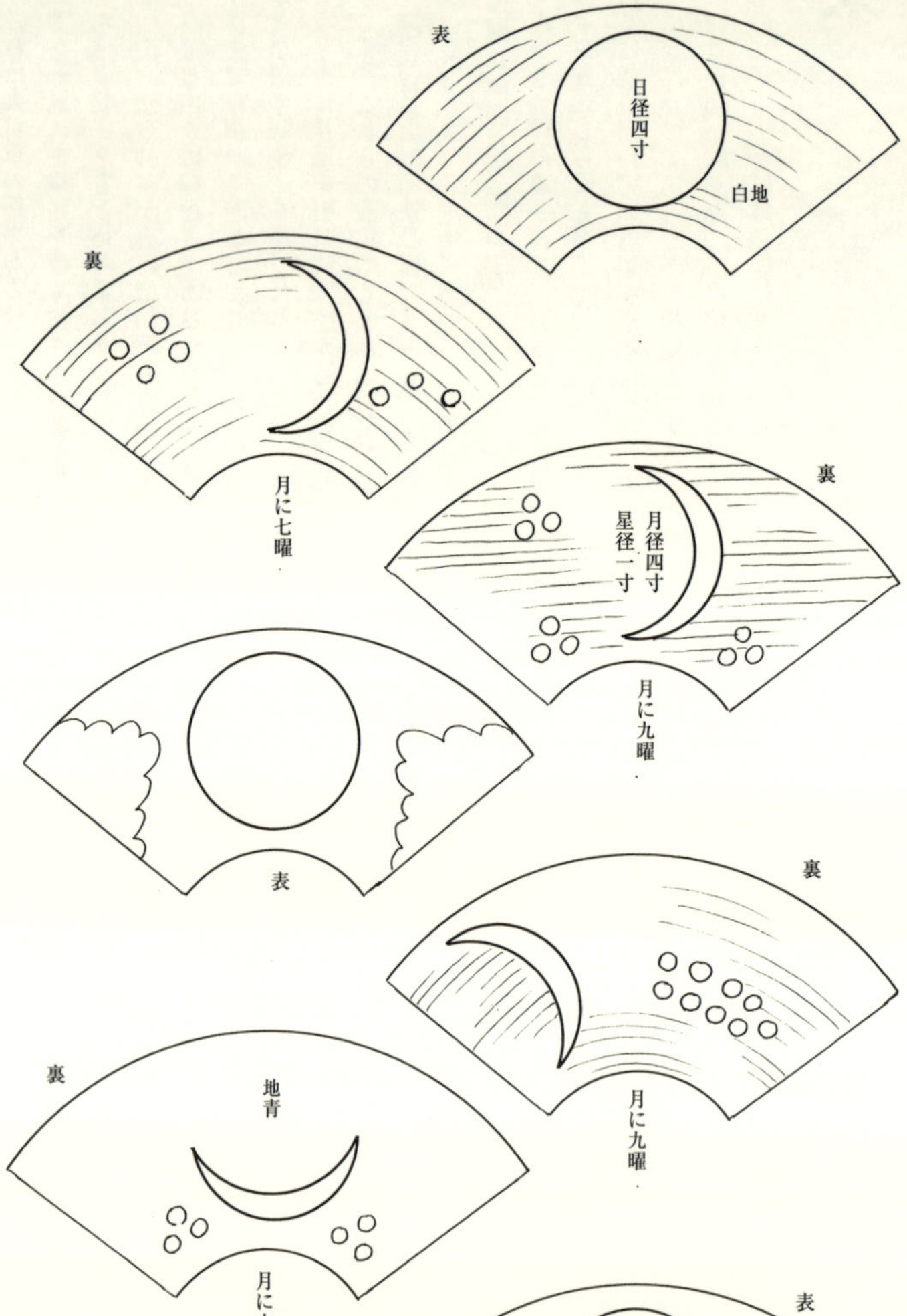

『弓法私書』に拠る軍扇

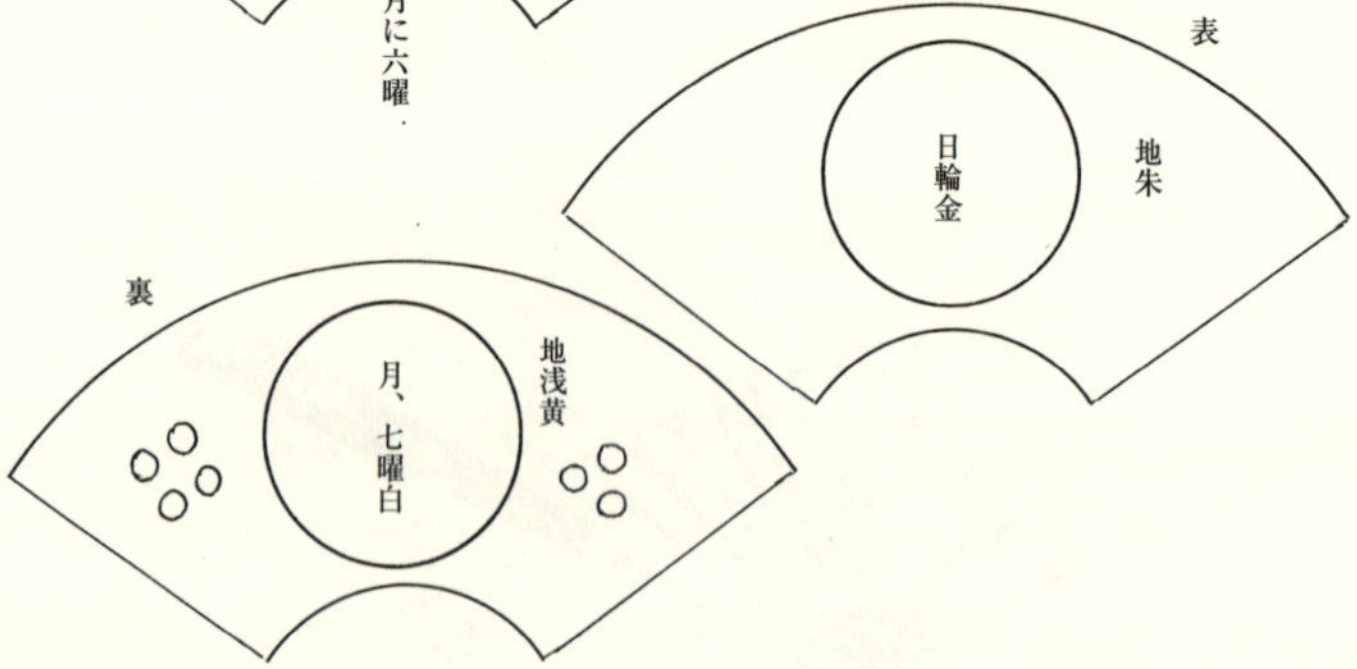

業《ザイ》 或旄ニ作。其拠トコロハ采幣也。然共業《ギョウ》ノ字ヲ用事伝アリト云リ（中略）小鷹ノ志《シ》餌《エ》ナキ時ノ為ニ業ヲ以喚付《オキツク》ル事トゾ

とあるように飼い馴らした鷹を呼び寄せる合図に用いた道具であったのが軍陣用の指揮用具になったという。

『軍用記』巻五、麾の事の条には

麾も是を以て（馳引の）指揮したる事古書にはかつて見えず、是も信玄謙信の頃より用ひはじめしなるべし。近代の書に源頼義朱さいはいを新羅三郎義光に賜ひしよし、しるしたるもあれども古書に是なく偽説なり。とるにたらず、ざいといふ事鷹をつかう道具にざいといふものあり。竿の先に切先紙を付たる物なり。軍にもちふるものも鷹のざいに似たる故ざいと名付けしなるべし。又さいはいといふさいはいは裁配なるべし。人数を裁配する器故の名なるべし。采幣・采牌・再拝などと書くは詞に付きてのあて字なるべし

と記し、さらに采の作り方については

ざいのこしらへ様色々説ありて一定なし。然れども多くは朱紙と白紙の二品なり。細く切りさきて作る。又金紙などを用ふるもあり。柄は一尺二寸、上下に金のさかわを入れて柄本に緒を付くる。右

采

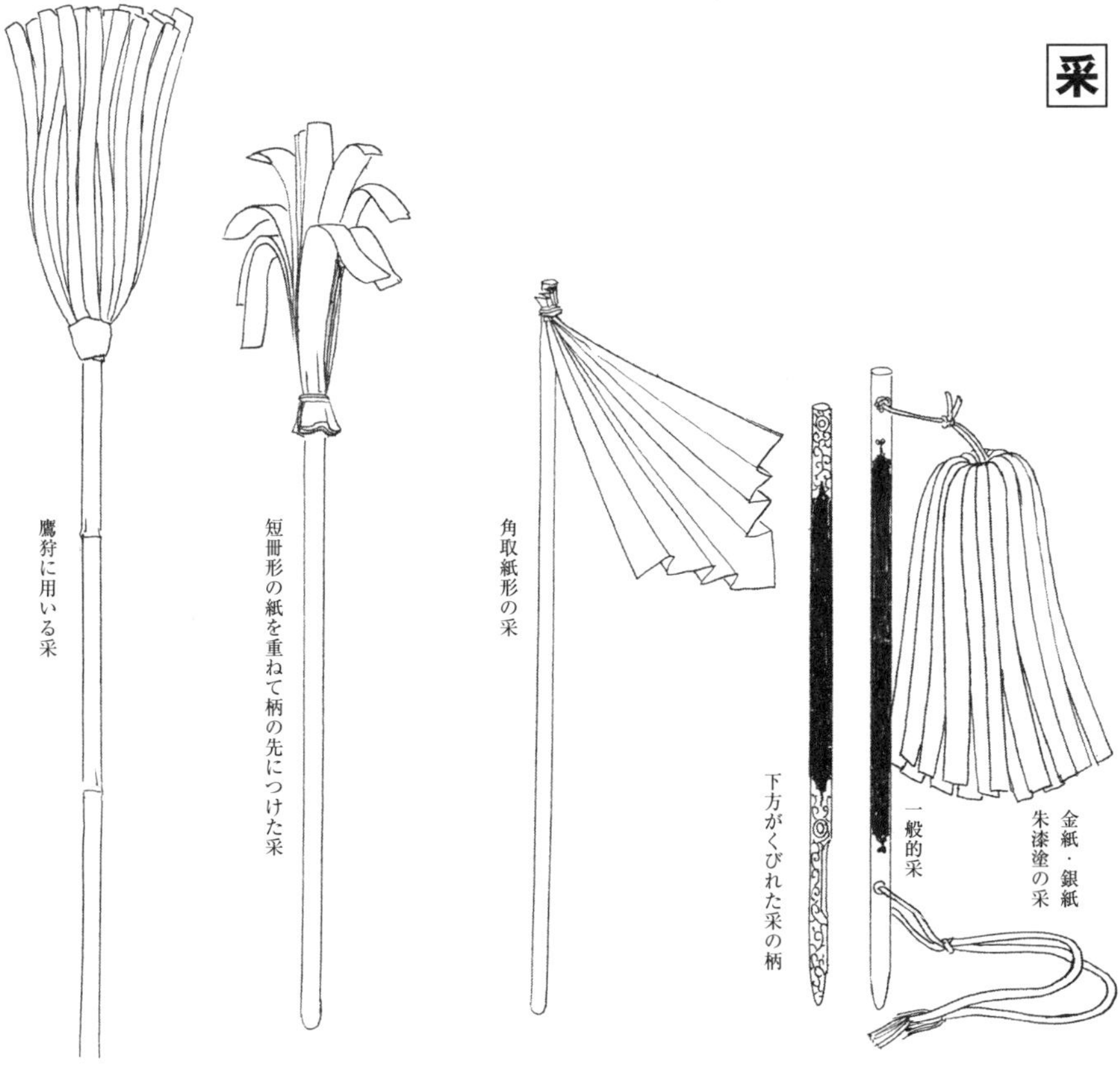

の類愚意に叶はず、予が親戚の家に東照宮の取らせ給ひし御麾を持ち伝へたり。それを拝見したるに近代世に用ふる物とは大に違ひたり。愚意に感心せり。（家康の用いたという采は付図にヤクの毛の采として描かれている）

軍陣に勝軍木《ぬるで》を用ふる事　日本紀元享釈書等に見えたり。昔聖徳太子守屋の大連と戦ひ給ひし時、ぬるでの木を削りて四天王の像をきざみて頂の上において戦ひ給ひければ、太子軍に勝ち給ひしによりて摂州四天王寺を建立し給ひしなり。其の吉例を以てぬるでの木を勝軍木とも勝木とも名付て是れを軍陣のとき用ふるなり。勝軍木本名白膠木《はくきょう》と云ふ。ぬるでともぬりでともいふ木なり。

あげまきを用ふる事。あげまきの一名とんぼうむすびと云ふなり。あげまきもとんぼうの形に似たる故なり。

麾のつかひ様定法なし。大将の定によって違ふべし。常に軍勢をつかひ馴らし置くべきなり。たとへていはば、左のごとし。扇団扇同じ心なり。すすめと云ふ時は右脇より左のかたの上へふり上ぐるなり。三度計ふるなり。止れといふ時は左脇より右のかたの上へふり上ぐるなり。数同前。

左よりかかれといふ時は左の手に持ちて左へつき出してふる。右よりかかれといふときは右の手に持て右へつき出してふる。新手を以て横を入るるには廣く一文字にふる。敵のうしろへ廻れと云ふには手を高くさし上げ、上にて輪にふる軍勢をまとひて、人数をあぐるには前にて輪をふる。

物に手本なければ学びがたき間、大方をしらせんが為に記すなり。右の趣定法にはあらず、大将の心次第にていか様にも相図あるべし。

とある。采の振り様の合図は家々によって異なるが、指揮者が合図に振ったところで、味方は全部大将の方を見ているわけではないから、指揮者の側近が合図の動作を見ていてそれを使番などが、各隊に伝達するのであるから、結局指揮者の側近への合図である。

采を許される（所持することを許される）

一般的紙采

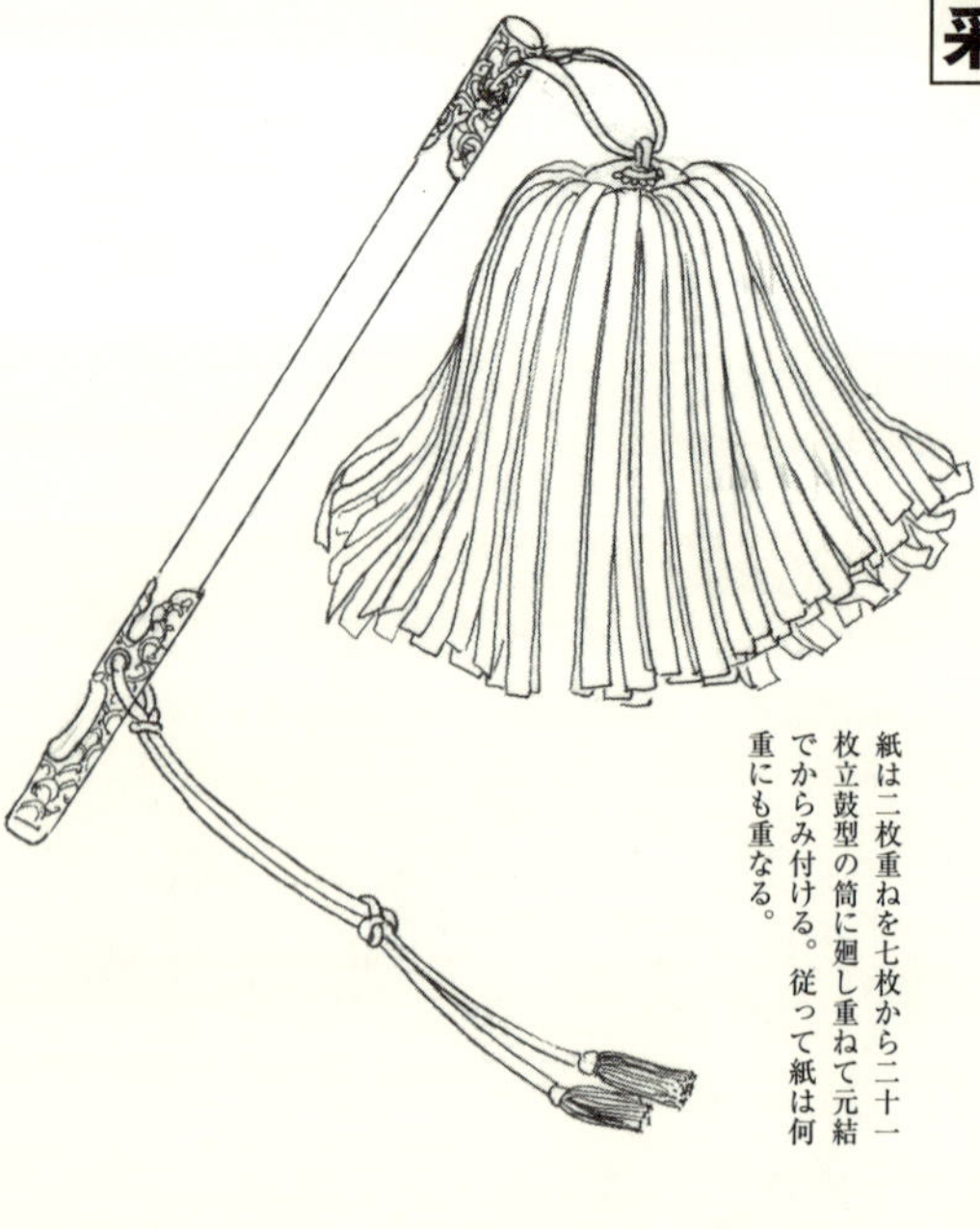

紙は二枚重ねを七枚から二十一枚立鼓型の筒に廻し重ねて元結でからみ付ける。従って紙は何重にも重なる。

采の作り方

（『武具考』による）

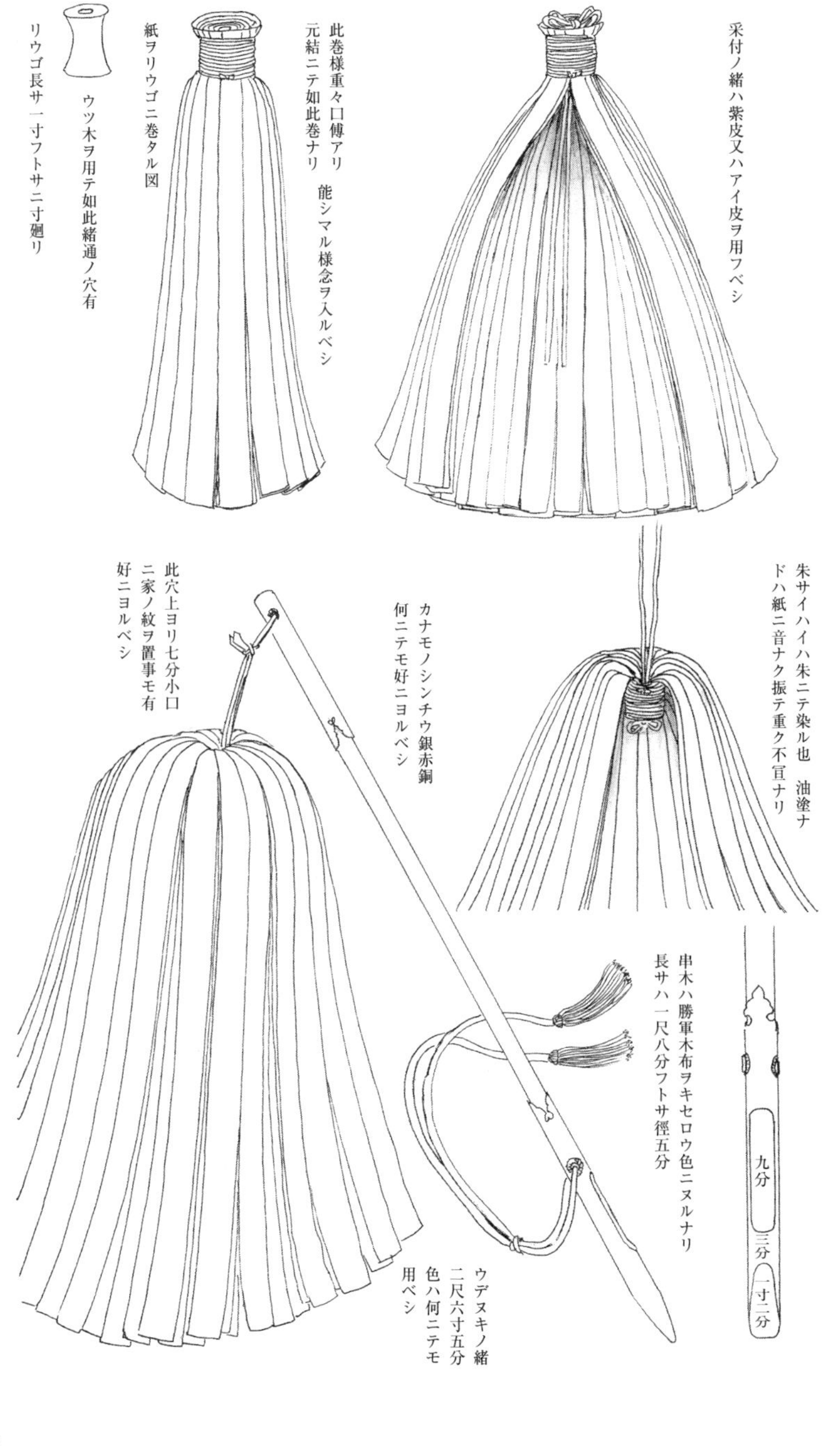
采付ノ緒ハ紫皮又ハアイ皮ヲ用フベシ
此巻様重々口傳アリ
元結ニテ如此巻ナリ
能シマル様念ヲ入ルベシ
紙ヲリウゴニ巻タル図
ウツ木ヲ用テ如此緒通ノ穴有
リウゴ長サ一寸フトサ二寸廻リ
朱サイハイハ朱ニテ染ル也　油塗ナドハ紙ニ音ナク振テ重ク不宜ナリ
カナモノシンチウ銀赤銅何ニテモ好ニヨルベシ
此穴上ヨリ七分小口ニ家ノ紋ヲ置事モ有好ニヨルベシ
串木ハ勝軍木布ヲキセロウ色ニヌルナリ長サハ一尺八分フトサ徑五分
九分
三分
一寸二分
ウデヌキノ緒二尺六寸五分色ハ何ニテモ用ベシ

というのは指揮権を与えられる事であるから、部将、物頭にまで采を持つようになる。

采は一般的には紙采と、ヤク（犛牛）の毛の采とがあり、紙采は白紙のままのものと朱漆で塗ったもの、銀箔を押したもの、金箔を押したものとがあり、ヤクの毛は徳川家に限られていた。

徳川家は武田家が朱采を用いたという伝承から、重要視され、次いで白采を重んじた。

采は繊維質の強い和紙を細く裂いて、棒の先端に端を囲って紐で縛りつけたちょうどハタキのような形であったが、後に小さい管状のものに紙束の端で包んで紐で縛りつけ、その形を逆にして、管から紐を通して、それを棒の先端に結び付けるようになった。

『武具考』によると

紙ハ程村ヲ用。古法ノ紙枚七枚カ九枚カ十一枚カ十三枚アレドモ、二十一枚程ツケザレバスクナク見ユルナリ。末ヲホソクタツテ広サ五六分バカリ、長サハ紙ノタケ次第　但シ何モ定好ニヨルベシ

とあって、その製作法は詳細に図示されているが、朱采・金銀采は別として紙采は可成厚く重ねている。

家康の用いたヤクの采は『武辺叢書』に

東照神君御麾、水野氏所賜、（中略）御麾は払子（僧侶の持物）のごとしくし、その毛の尾を丸き筒金物にて取纏め、その尾筒に革の紐を通し柄に結び付るなり。その毛は犛牛《やく》の尾也（ヤクの毛は当時輸入品で高価であった）。直に尾筒より切て軸を入たる様に見ゆる也。毛細くして縮みあり。長さ二尺七寸、毛の本の方を捻り見るに尾筒の茎三寸許あり。牛角の如く少し曲りあり。犛牛の尾、俗にからのかしらという。緒、杉立菖蒲革、組通しの穴、鵐目あり。銀。細詰め外へ見えず。尾筒の茎軸を冠らしむ。軸赤銅ななこ。ふち金焼付。上に御紋、両方に日月あり、日は金、徑五分。月は銀、径五分半。軸上の径八分、麾の柄長さ二尺一寸五分、黒ぬり。木は勝軍木より重し。鯨髭又はくま柳の類か、上下逆輪銀かなもの、柄下より七、八寸ばかり上より少し太く見ゆ。紐ふさまで四尺一寸、へびぐち不計、色紫ふさ三寸

家康の采

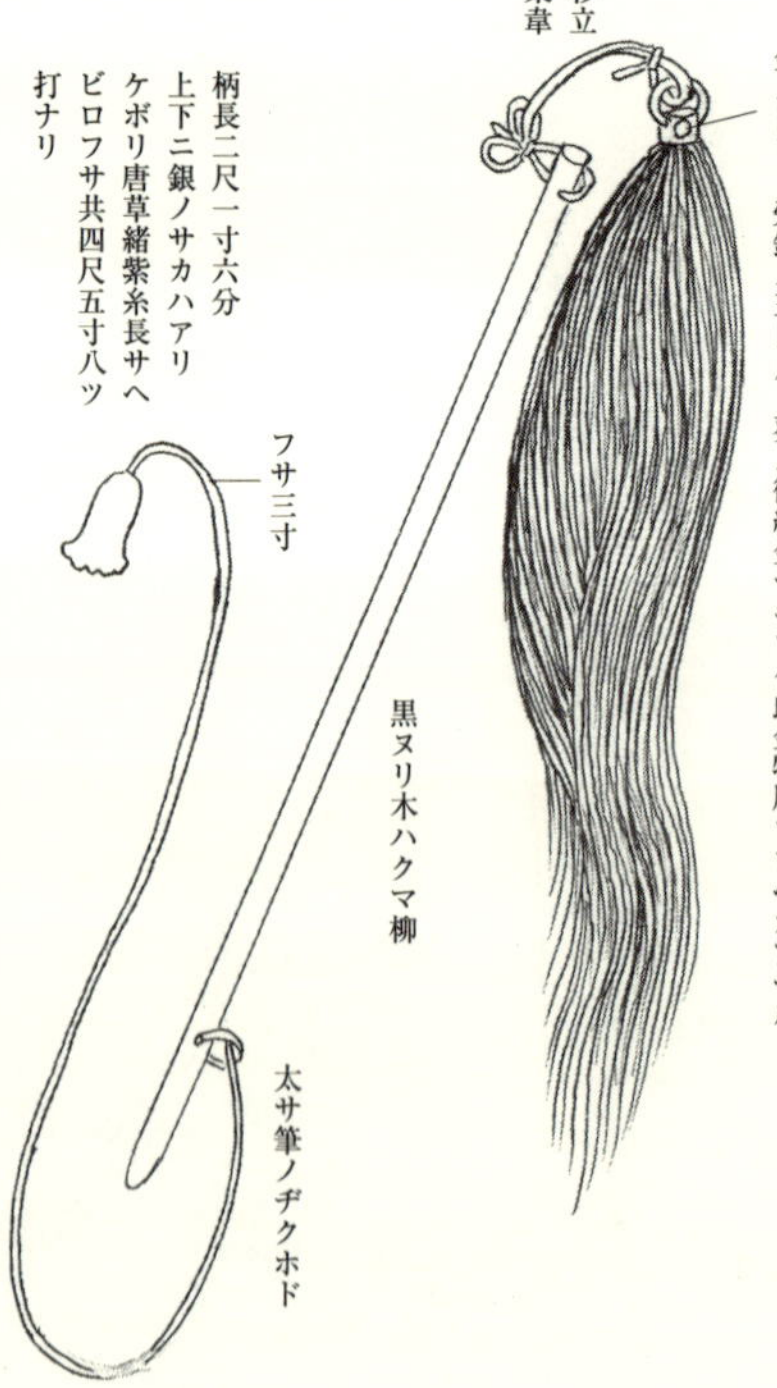
金ノ日リン旁銀ノ三日月　葵ノ御紋金ヤキツケ此金物尾ヅツヘカブセル
此ノ緒杉立
菖蒲ノ染韋

『軍用記』所載、東照宮御麾之図
此ノ毛ハ髦中ト云フ獣ノ尾ナリ色白シ、尾ヅツ共ニ切リテ
切口ニ金物ヲハメタリ
長二尺七寸アリ毛多ケレドモ甚ダ軽シ、俗ニ云唐ノカシラ
ナリ

団扇―一

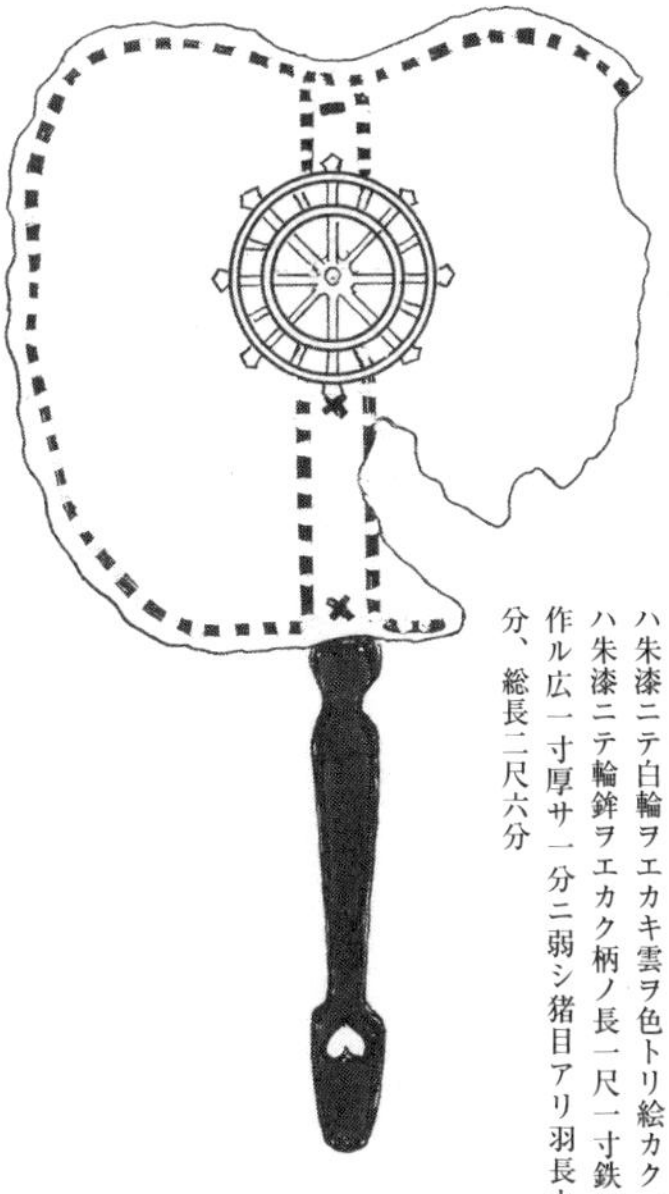

『本朝軍器考図』一凡
太秦廣隆寺蔵上宮太子團扇
革二枚ヲ似作ル辺并柄ヲ挟所革ヲ以縫如図一面ニハ朱漆ニテ白輪ヲエカキ雲ヲ色トリ絵カク一面ニハ朱漆ニテ輪鉾ヲエカク柄ノ長一尺一寸鉄ヲ以テ作ル広一寸厚サ一分ニ弱シ猪目アリ羽長九寸六分、総長二尺六分

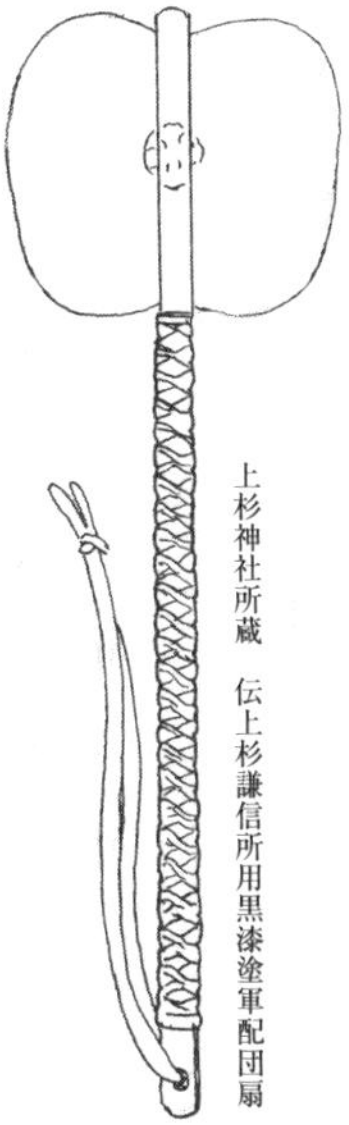

上杉神社所蔵　伝上杉謙信所用黒漆塗軍配団扇

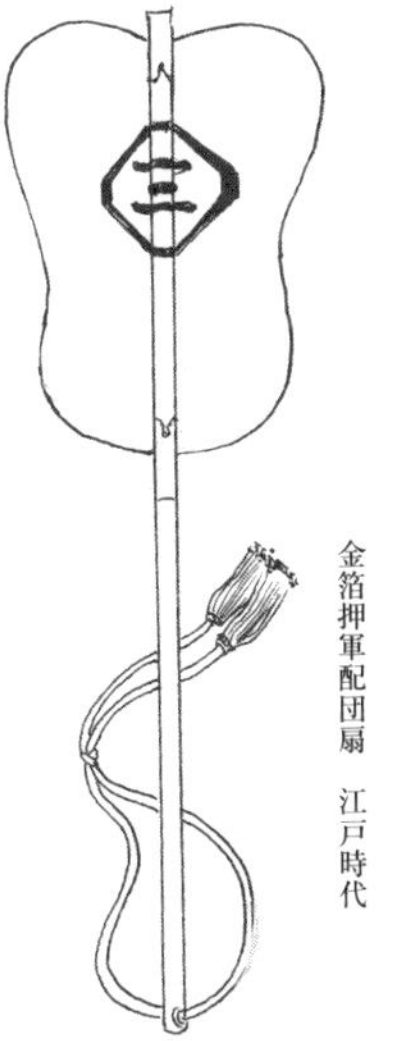

金箔押軍配団扇　江戸時代

とあり、『軍用記』付図の図と同じである。また船戦用にも采を用いたようであるが、俗に船采配と称するものは柄が長く、先端は折返さずに紙の端を結びつけたもので、銀箔押にした紙を末拡がりに畳んだものが多い。

団《うちわ》（団《だん》扇《せん》）

団扇は俗に「うちわ」という。団扇は中国が起源らしいが、日本にも古くから伝わり、色々の材料で作られ、涼を入れるために広く普及したが、軍陣用にも用いられるようになったのは室町時代頃からであろう。

『武用弁略』に

団《ウチワ》　唐令ニ団扇方扇アリ。事物紀原《ジモツキゲン》ニ朱団扇《ダンセン》ノ事ヲ云。宋朝会要ニ曰。本漢ノ世ノ長柄扇《チヨウヘイセン》、宋ノ孝武ノ時王候ニ詔シテ鄁《ショウ》扇《セン》雉《チ》尾《オ》ヲ用ル事ヲ得ズ、故ニ王公ヨリ以下朱団扇アリ。疑ハ此ヨリ始也。爼談ニ曰、団ハ戦陣ニ具スル器也。暑ヲ避器ニ非。是惟《タダ》矢玉ヲ避要器也。将ノ用ル所意アルベシ。然ニ古昔ノ秘スル所後世ノ惑トナル故ニ竹板ヲ以シ、或紙縑《シケン》ヲ以之為。偏《ヒトエ》ニ本器ノ意ニ違《タガウ》也。永禄四年川中嶌ノ合戦ニ謙信公ハ信玄公ノ旗本迄突崩打寄ラレシニ信玄公ハ牀机《ショウギ》ニ腰懸ナガラ謙信公ノ打ヲ懸レル太刀ヲ団ニテ請《ウケ》ラレ三刀迄事ナカリシハ団ノ徳ト謂フベシ。或書

団扇——二

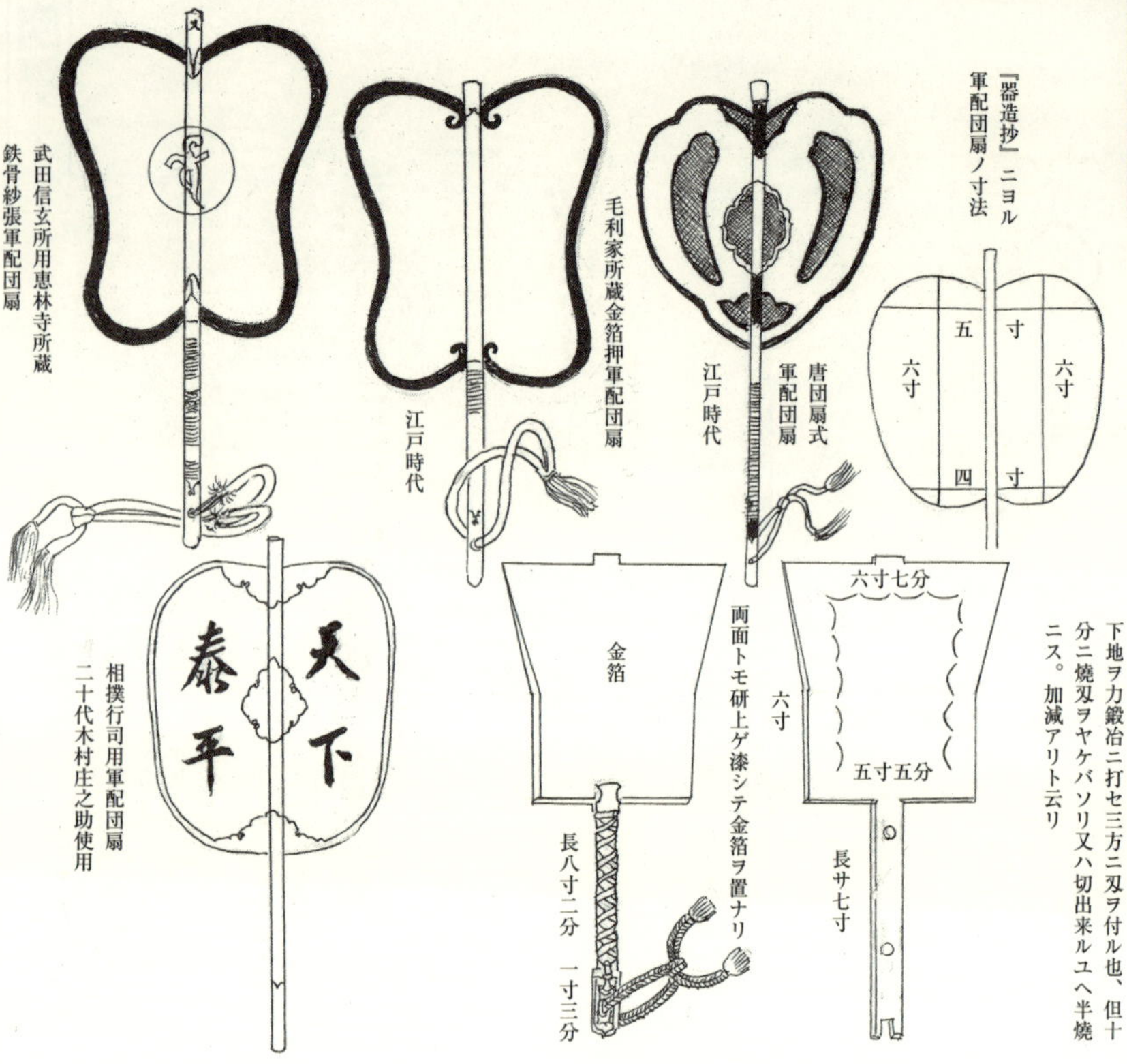

『器造抄』ニヨル
軍配団扇ノ寸法

唐団扇式
軍配団扇
江戸時代
毛利家所蔵金箔押軍配団扇
江戸時代
武田信玄所用恵林寺所蔵
鉄骨紗張軍配団扇
『武具考』所載鉄団扇
下地ヲ力鍛冶ニ打セ三方ニ刄ヲ付ル也、但十分ニ焼刄ヲヤケバソリ又ハ切出来ルユヘ半焼ニス。加減アリト云リ

両面トモ研上ゲ漆シテ金箔ヲ置ナリ

相撲行司用軍配団扇
二十代木村庄之助使用

ニ云、団ハ軍監ノ持所、源頼義朝臣、安倍ノ貞任ヲ攻ラレシ時、俄ニ雨降テ旆《サイ》ノ萎《シオレ》シカバ団ヲ持テ軍謀セシニ軍ニ利アリシヨリ団ヲ用ユ。後代ニ其制法ヲ立テ軍監ノ用トセリ。自《オノツ》理ニ通ジテ誠ニ軍法ノ利ニ助ト成スト云云。鉄ヲ薄能錬《ウスクヨクキタエ》又板目革ニテ作地ヲシテ能塗、表裏ニ金銀ヲ延テ円ク作モ好。猪ノ目、或卍字等ヲ透事アリ。猶家々ノ習口伝アルベシ。柄ハ勝軍木ヲ用。又弓ノ折ヲ用義アリト云リ。渋革ニテ縫含テ黒ク塗也。長ハ一尺一寸貳分　柄ノ頭ノ上ヘ三分余出ル也。但是ハ高位ノ人御所持ノ団也。平人ハ長八寸貳分トゾ。武備器録ニ曰。柄ノ長一尺八分、中ハ桧木、四方真鍮ニテ包。幅八六分、厚四分、但柄尺ノ外也。柄先ヨリ五寸置テ穴ヲ明ニ腕貫ノ緒ヲ付ル也。緒ノ長二尺、但輪ニシテ一尺ノ積トス。或書ニ曰、団ハ畢竟暑気ヲ払ハン為ナレバ、常ノ団ノ風雨ニ損ゼヌ様ニシテ諸卒ニ下知スルニモ用ト云云。団ノ上ニハ朱ヲ以片面ニ十二星、或日取ノ図、又ハ潮汐ノ干満ノ時刻等ヲ書付、軍謀ノ秘術ヲ知ベシ。家々秘密ノ義アルベシ、又云軍配三六寸ト云事アリ。或書ニ六根六識六境ノ義ト

あり、『軍用記』では

団扇は形丸し。径りかねの尺にて八寸二

分なり。中の所は上下ともに五分。丸みを内へ入る。うすきいため革二枚にて合せまはりを縫ひ、柄をさしたる所の両方をもぬふべし。細き革にてぬふなり。柄は鉄なり。長さ一尺三寸。厚さ一分五厘。広さ七分。柄の末は羽の外へ五分出づ。先を丸くする。本の方は径一寸程丸くして其の内に穴をあけ、緒を通し、柄は黒くうるしにてぬる。柄末羽の先へ出づる所、羽の付きは三分ほど籐をまく。羽の下五分計籐をまく。緒は細き組緒長さ一尺二寸、ふさあり。長さ一尺五分、緒に手をぬき入れよきほどにして、かなふ結にするなり。

羽の表は朱うるしにぬり、金泥にて九曜星をかき、中に梵字をかき、うらの方は金にてだみてまん字をかくなり。

右の趣伝来の説なる故しばらく記之

按ずるに軍には団扇を用ひし事古書には見えず、弘治永禄年中の頃信玄謙信などの時代より用ひはじめしなるべし

とある。団扇は采配と同じく指揮用具であるが、布陣した全軍が主将の団扇の動きを見て動くのではなく、主将のまわりを固めている側近が団扇の動きを見て、御使番などが各隊に伝達するのである。従って命令の言葉も発するのであるから、団扇の動かし方による約束事があるわけではない。指揮棒のような威儀的のものである。

古くは小型の円形・または南瓜形のものであったが、江戸時代にはやや中くびれの大型の板になり、木製も作られ、その形式の名残りは相撲の行司が持っている。

鉄の団扇が果して用いられたかどうかは本来未詳であるが『甲陽軍鑑』などに武田信玄が南蛮鉄で鍛えた団扇を持って上杉謙信の太刀先を受けたという話が流布し、その態は江戸時代に描かれるようになってから有名であるが、果してこうした鉄鍛えの団扇が用いられたかどうかは疑問である。

ただし江戸時代は鉄鍛えの団扇の作り方まで秘伝として通用し『武具考』にはその形式製法が記されている。

それによると扇面の縁は鋭く薄くし焼刃が付けられ、武器としても用いられるように工夫されている。

『兵具雑記』にも

団子《だんす》之大事、此団を拵て具足唐櫃に入て置、総面は梵字を書て可レ持。裡の様はまん字を書べし。四州の悪き星をまんしのあついに書べし。此は摩利支天の四州の星をからめたる形なり。団扇の長は八寸二分千金莫伝

とあって、軍学者流によって色々の形式が考案されていたらしい。軍配団扇を用いた記録は『北条五代記』『上杉憲実記』『上杉輝虎注進状』『伊達日記』『清正記』『松蔭私語』『蜂須賀家文書』『武蔭叢話』『大友興廃記』『会津四家合考』『増補家忠日記』等に散見する。

鞭《むち》

鞭は乗馬時において、馬に合図をし励ますための道具であるが、時には軍用に用いて方向を指したり指揮をとる時にも用い、部将や乗馬者が威儀的に携帯する事もある。『武用弁略』着具之部五　礼に

事物紀原ニ曰。説文ニ遅《オソキ》ヲ駆《ハス》事ヲ為所《ナストコロ》ノ者也。古ハ革ヲ用テ以馬ヲ駆。左伝ニ曰。鞭ノ長シテ馬ノ腹ニ及ス、是ナリ。後世是ニ代ニ竹ヲ以ス。故ニ或ハ之ヲ笠《スイ》ト云。蓋《ケダシ》ヲ策《ムチ》。以テ馬ニ箠《シチユウ》大王馬箠《スイ》ヲ杖テ邠《ブン》ヲ去。是也。虞書曰。鞭ヲ以官刑ヲ作。則名ヲ堯舜ノ代ニ得始テ以薄刑ノ用トス。和名鈔ニ曰。鞭ハ馬筴《バサク》也。筴ハ策ニ作。馬ノ檛《ムチ》ハ音和也。馬ニ箠テ《ムチウツ》遅ヲ駆所以也。俗ニ無遅《ムチ》ニ作。又棟《サク》ハ又耳ノ際ヨリ手先ノ間ニ一尺一伏ニ切也。是等ヲ鷹秤ノ秘事ト云リ。下学集ニ曰。鷹ハ猛悪ノ鳥也。子ヲ生デ巣アリ。其子生長スル時ハ親ヲ食ノ義アリ。父之ヲ畏ニ居巣《モトス》ヨリ一尺枝ヲ去テ子ヲ養故ニ一尺ノ量ヲ呼ンデ鷹秤《タカバカリ》ト云伝ト云云。木ハ勝軍木又ハ

『武用弁略』所載 鞭之図

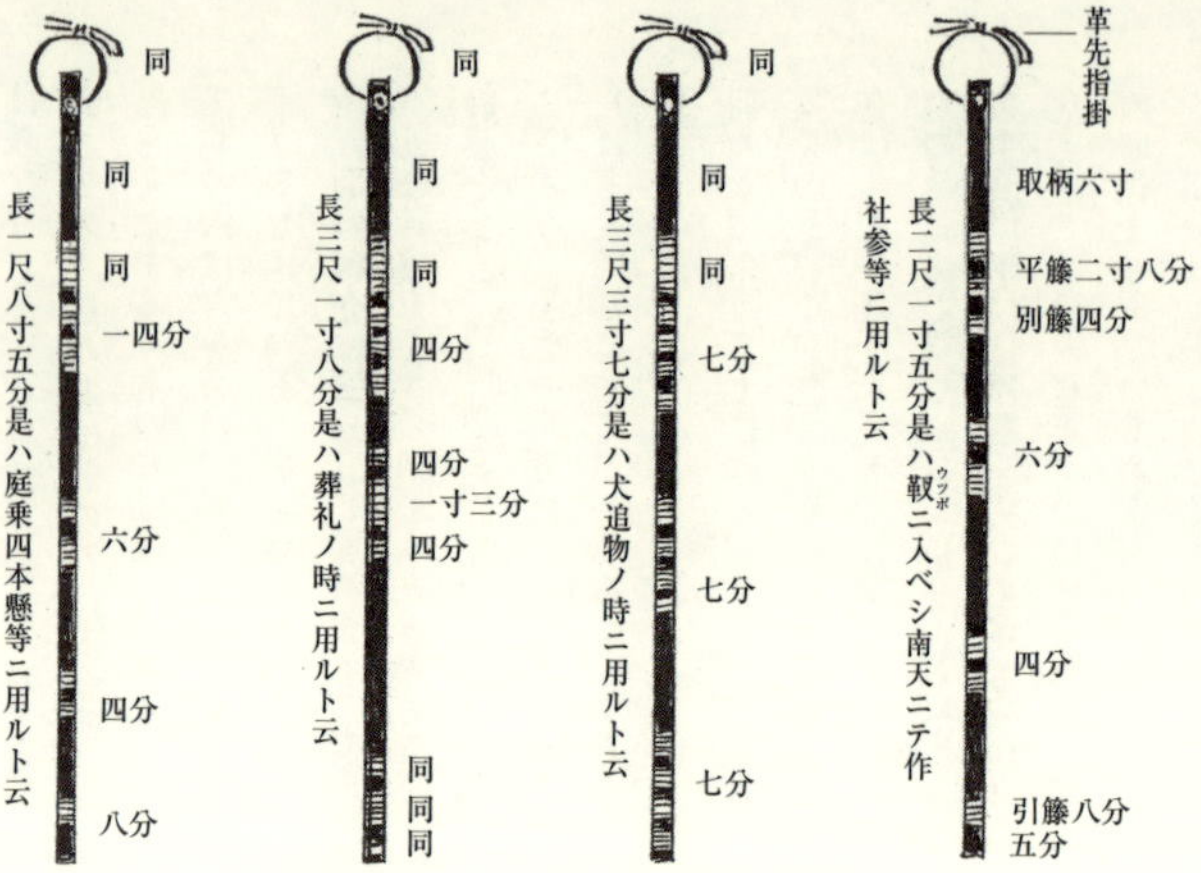

長二尺一寸五分是ハ靫《ウツボ》ニ入ベシ南天ニテ作
社参等ニ用ルト云

熊柳ヲ好トス。然共今樫ノ木、梅ナト用ル伝アリ。勝軍木和名迦津貴又奴流手、竹ノ根ハ軍中ニ忌、略用也。初学記ニ曰。古ハ鞭ヲ以テ人ヲ打。又馬ヲ駆ヲ以革ニ従。後竹ヲ以之ニ代、故ニ策箠竹ニ従也。字彙《ジイ》ニ箠馬ヲ撃ノ策也。漢ノ景帝箠ヲ定テ諸笞ノ者ニ命ズ。箠ノ長五尺、本ノ太サ一寸、末薄シテ半寸、皆節ヲ平ニス。允陽《オヨソ》ノ鞭ハ劔先也。陰策ハ先丸ト云云。古来世ニ七本鞭ノ制アリ。後ニ之ヲ備。伝ハ礼家ニ明ムベシ

と記し、『軍用記』第六　馬具の事の条に

軍陣の鞭も常の鞭にかはる事なく、只けしやう籐をつかふばかりの違ひなり。籐の巻どころ数定法なし。（定法ありといふ説もあり。然れども古伝の書にも如此）主の好にまかすべし。三所又五所又七所又九所巻くべし。黒塗鞭にて籐は白し。竹の根鞭は略儀なり。依之軍陣には不用なり。木ノ塗鞭本儀なり。

鞭にする木はくま柳なり。一名いそ柳ともいふ。もし熊柳なき時はぐみの木にてもするなり。長さは二尺七寸五分なり。此の寸尺はかねの尺にあらず。又竹計（『武用弁略』でいう鷹秤のこと）の尺にもあらず。我が手の定なり。是をおのがたかばかりといふなり。人さし指と大ゆびをひろげて是を五寸と定め、中指をかがめて中のふし間を一寸と定め、其の半分を五分と定むるなり。ふとさは法量なし。大概本の方かねの尺にて二寸廻り、末の方一寸五分廻り程にすべし。本の方の木口をば十二刀に削りて末の方は五刀に削る。如此すれば本の方はまるく、末の方は少しとがるなり。布をきせて黒漆に塗るべし。籐は細くわりてまくべし。籐の巻たる長さ定まらず、よき程にすべし。

とつつかの事　二尺七寸の内我が手にて六寸、とつつかにすべし。とつつかの下には竹をわりて膠にてふせて中程に少ししじれのあるやうに削りて、その上に紙にて巻き、其の上を革にてぬひくくむ也。ぬひ糸は紅のから糸なり。緒を通す穴は端より五分置きてあくるなり。くけめの通りなり。この五分の所をひな先といふなり。

とつつかの革の事。何の革をもする也。ただし師子の丸の革おもて革しやうぶ革などにてはせぬ也。おもてがはとはにしきの革の事也。むらさき地に白く紋を出だしたる革なり。紫革にてもする也。但平人は斟酌すべき事歟。

鞭の緒の事。とつつかと同じ革にてする也。中に麻糸を入れて革にてつつみくけて用ふべし。腕の入る程にゆるゆるとし

各種の鞭──一

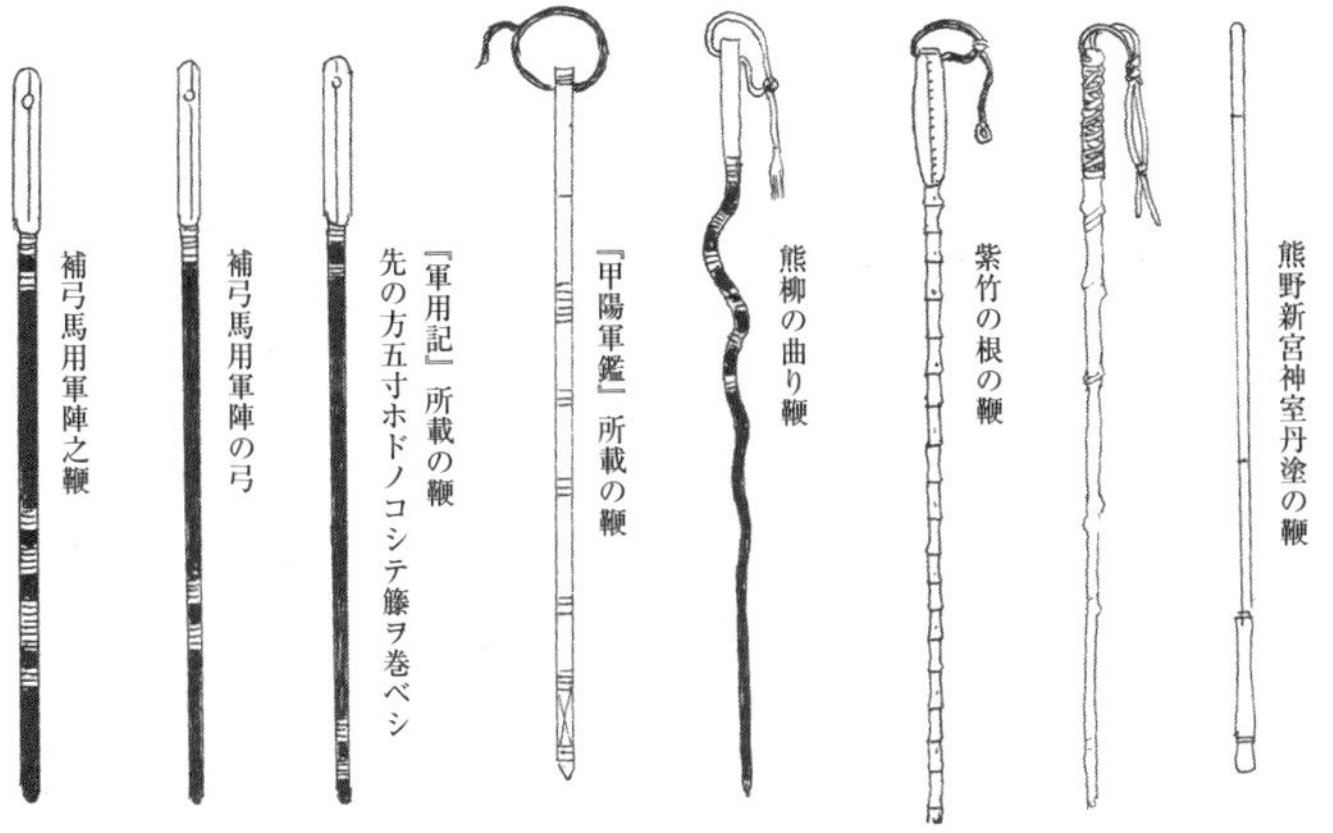

てむぢ結びに結ぶべし。其のあまりはかたかたを一寸程かたかたを五分計のこして切りてくけべし。
鞭むすびの事。常に物をむすぶ如く一むすびして又一むすびして其の端を本へ一もどしづつももどすなり。むすびたるくけめの方を少し切り上げの革をのこし折りかへして結びめの下へおし入れて置くべし。それをそくひにて能くおしかふべし（補　むぢは馬を打つ具なり。然るにある説に馬を打つにあらず、人を打つにもあらず、別に伝受の鞭といふ作りやうありて、其のむぢを以て悪魔をはらひ病を治し、其のほかさまざまの秘法ありなどといふはわらふべき事なり。用ふべからず）

とある。鞭の記録は『日本書紀』神功皇后紀にすでに見られ、以降軍記物語や記録に散見するが、ほとんど刑政の策ではなく軍陣に用いる鞭である。そしてその形式種類はすこぶる多い。

鞭の種類

蒔絵鞭［まきえのむち］
『餝抄』に記され、武官の儀礼用に用いる、柄に蒔絵があり銀柄に茜の緒。

塗　鞭［ぬりむち］
『出陣聞書』に「熊柳を黒くぬりて三所に籐を巻く、とつつかの長さ六寸」とある。

籐巻鞭［ふじまきのむち］
『餝抄』『布衣記』に記されている。塗鞭・蒔絵鞭にも籐を巻く。

三所籐鞭［みつところのむち］
『長享元年江州御動座在陣衆著到記』にも記される。三か所に籐を巻いた鞭。

籐　鞭［ふじむち］
『今川大雙紙』『鎌倉年中行事』等に記されている。

熊柳鞭［くまやなぎのむち］
一般的に用いられ、『軍陣聞所』では二尺八寸、『犬追物手組』では二尺七寸という。

紫竹鞭［しちくのむち］
『犬追物手組』では紫竹の根の鞭は公方家のみの所持とある。

竹　鞭［たけむち］
竹材の鞭で『今川大雙紙』によると節は十揃えるとか、色々やかましい規定がある。

各種の鞭——二

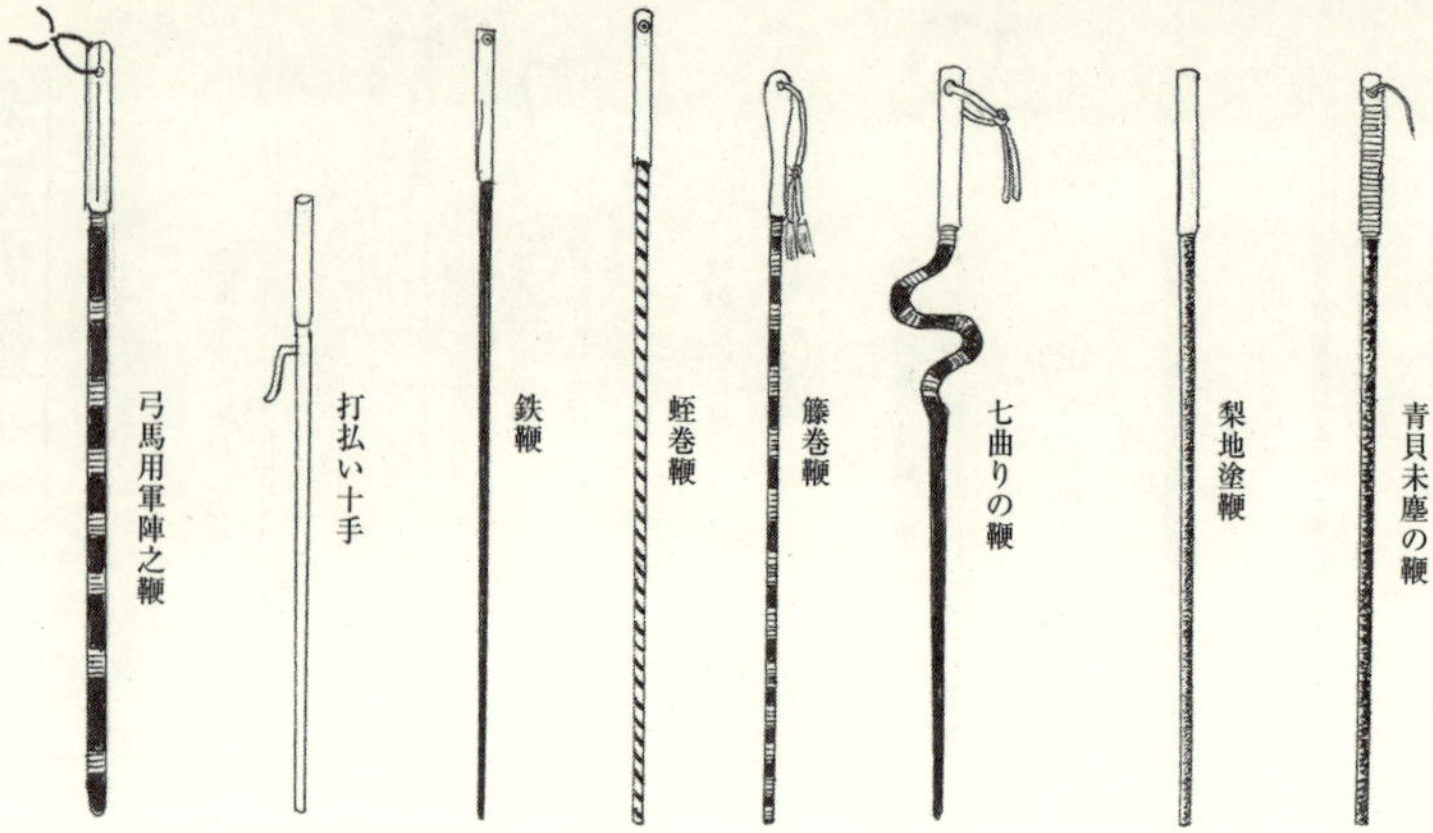

犬射鞭［いぬいむち］

犬追物の時に用いる鞭で『高忠聞書』『犬追物手組』によると拵えに規定がある。

馬屋鞭［うまやむち］

『風呂記』では三尺六寸、『馬具寸法記』では三尺五分とし、馬屋に用意する鞭。

責　鞭［せめのむち］

『今川大雙紙』によると二尺五寸・二尺六寸・二尺七寸・二尺八寸五分・二尺七寸五分・取束は六寸とあり、馬事訓練に用いる。

八寸の鞭［はっすんのむち］

『大坪流馬書』しざり（後退）馬に用いる秘伝の鞭。

入部鞭［いるべのむち］

『岡本記』に記され、竹の根の鞭という。

検見鞭［けんみむち］

『百手次第』検見故実可覚悟条に二尺七寸で、細部は口伝とある。

軍陣鞭［ぐんじんのむち］

『馬具寸法記』に記され、とつつかに化粧韋を用い籐巻に定数は無いとしている。

横手一尺の鞭［よこていっしゃくのむち］

『今川大雙紙』に記されるが口伝。

六寸横手の鞭［ろくすんよこてのむち］

『幕打様記』にある。

鞭の長さは『今川大雙紙』によると六尺五寸から二尺五寸まであり、『馬具寸法記』では二尺七寸五分、とつつか六寸、端より手首の緒の穴まで五分とあり、『高忠聞書』も同様であるが、『甲陽軍鑑』では十二束三ツかけ、大体矢の長さとしている。

金　鞭［かなむち］

鉄鞭《てつべん》ともいい、鉄製の棒状で、室町時代すでに用いられたらしく『走衆故実』にも記され護身用にも用いられた。

曲れ鞭［まがれむち］

熊柳の材でとつつかのすぐ上がいくつにも曲って、その先が真直になっている。鞭打には強力な打撃は発揮し得ないが洒落ているので、箙などに挿に添えた。黒漆塗にして所々籐を巻き、とつつかは韋を巻く。籐の蔓を用いたりする。七曲《ななまが》りの鞭も同じ。

軍用の服装1〜下着と保侶

褌《ふんどし》

南方民族と同じく日本人の男性は古来褌を使用していた。故に軍陣にも褌は使用する。

『和名類聚抄』衣服類第百六十三に

褌　スマシモノ・チイサキモノ
方言注云、袴而無跨謂㆓之褌㆒　音昆。和名須万之毛能　一云知比佐岐毛乃
史記云、司馬相如著犢鼻褌　韋昭曰今三尺布作之　形如牛鼻者也　唐韻云䘳　職容反　与鐘同　楊氏漢語抄云　松子毛乃之太不佐岐　一云水子　小褌也

とある所から見ると中国でも一部の者は用いていたようである。

後世いう三尺褌（俗に越中褌）は近世の考案のように思われているが、右に拠れば平安時代すでに用いられ、小褌といわれていたことがわかる。しかし相撲が裸になって競技するために、褌をしっかり締めないと外れたり露出してしまうので、その倍の長さの六尺（約二メートル）になったらしく、相撲を武技とする武人は六尺をもっぱら用いたらしい。

ただし用便を済すたびに緩むので、三尺布の先に首に掛ける紐綰《ひもわな》を作り、他端に腰に締める紐をいけたいわゆる三尺褌が考案された。

この武用の褌は細川越中守考案と伝えられたので越中褌といわれるが、軍用の褌は村井昌弘の『單騎要略』被甲弁に記されるように長さ五尺であって、旧帝国陸軍で奨励したような三尺褌ではない。

六尺褌は腰帯のようにしっかりと締めるので安定が良いが、締め方がある。

三尺褌は腰紐によって装着する。五尺褌は綰《わな》を頸にかけるので胸・腹まで覆い、緩んでも頸の綰を引き上げれば締まるので便利であった。『單騎要略』によると

褌はさらし布さらし木綿を佳とす。又ちりめん等も其好にまかすべし。繪縑《きぬ》の類ハわろし。長さ五尺（此書中尺寸をいふもの各曲尺なり。下是にならへ）ばかり。寒中は八袷《あわせ》にすべし。常に八禪《ひとえ》にし、幃《さがり》を袷にしたるがよし。前後の端に袋乳を設《しつらえ》て紐を通すべし。是を簀《もつこ》（畚）ふどしと云。其緊《しめ》やうは、先《まず》後の紐を左右より前へ廻し、幃の表にて花束に結び、空

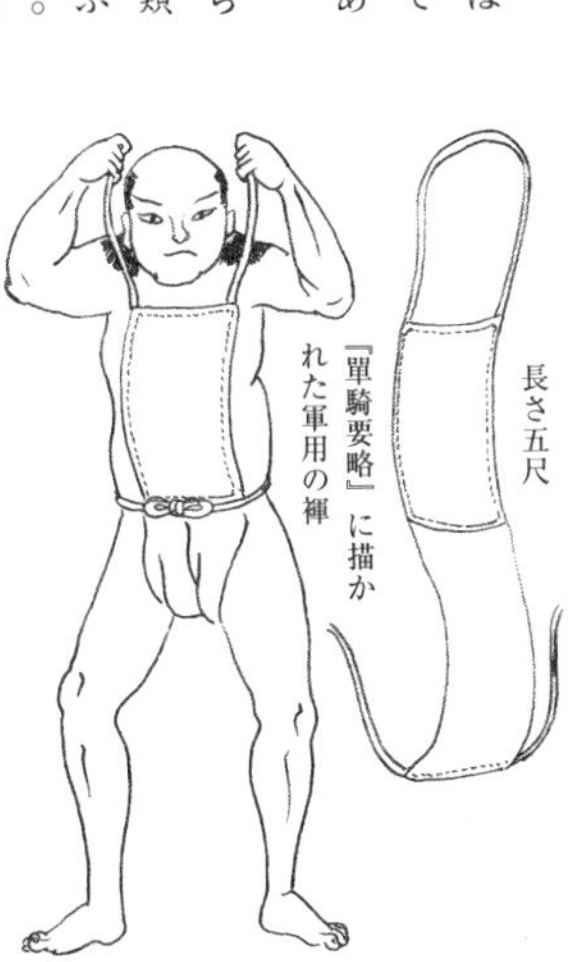

『單騎要略』に描かれた軍用の褌

『相撲絵巻』に描かれた褌

褌

六尺褌の締め方

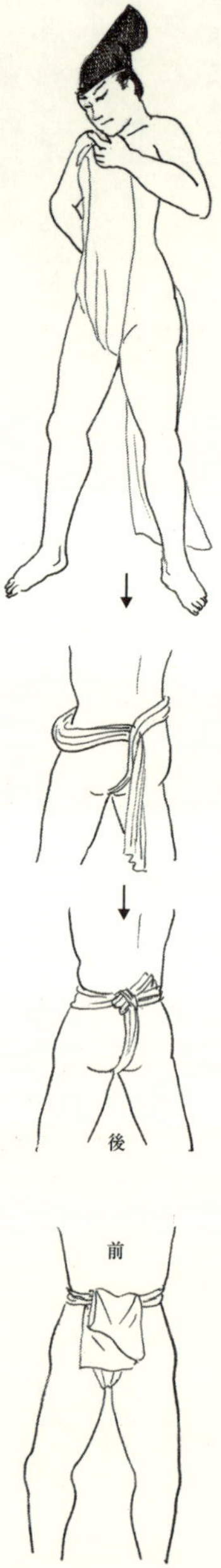

解せざるやうに紐の余を結目の締の内へ引とをす。扱幛を胸上まで引あげ輪紐を頚に懸て程よくするなり。前紐引通しならバ、右の領下《えりもと》にて卒度《そと》花結に結び置たるもよしと云。

とあり『甲冑着用弁』では、上端は紐の綰ではなく、左右の紐を首の後で結ぶようにしている。この方が褌の緩んだ時に引上げやすいが空解けして衣類の中に落ちた時に引上げられない。

また越中褌起原の異説には『守貞漫稿』(近世風俗志) 第十四編　男服下に

松平越中守執政の時、倹約を専とし製之と云は、大坂新町の妓越中と云者片袖を裁て鄙客に贈て餞とす。客これを褌に製て家に帰る。是此褌の始とす。片端を筒

各種の褌

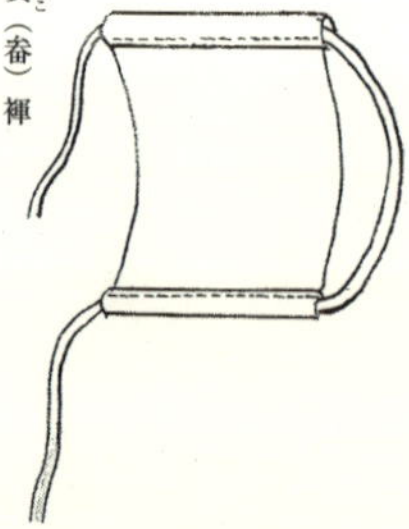

簣《もっこ》（畚）褌

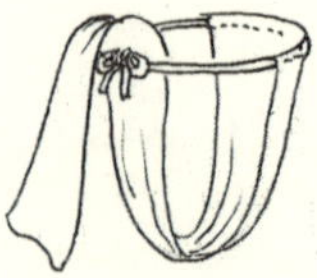

越中褌

『甲冑着用弁』に描かれた軍用の褌

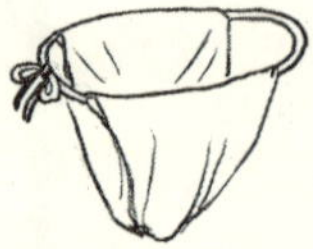

簣褌

に縫ひこれに韈紐を通す。僧医等等専ニ用之一、士民も老人往々用レ之、壮年には稀也

とある。

甲冑武装の下着

直　垂［ひたたれ］

直垂のもとは平安時代頃から用いられていた下級者の労働着である袖細《そでぼそ》（垂領《たれくび》で筒袖状の袖、四幅袴）であったので、甲冑武装の下着として武家が着用するようになったのが始まりである。

それに加えて寝具の方領広袖の衾直垂や、水干の形式が加味され、やがて水干代として武士が公私共に着用するようになった。

江戸時代においては武家間の礼装としては最高のものとなり、同形式でこれに準じたのが大紋・素襖《すおう》である。

平安時代末期以降、甲冑着用時に用いる直垂（鎧直垂《よろいひたたれ》）は、腕の運動に支障ないように平常の直垂より袖口の幅がやや狭くなり、裂地も綾・織物・錦などを用い、さらに片身替り、襟と鰭袖《はたそで》を別の裂地を用いたり、摺染、型染の模様を用いたりして次第に派手になって行った。

直垂は水干に倣って胸紐・菊綴をつけたが、武装時の直垂は軍記物に記されるように菊綴繁くつけた装飾的なものが多い。

室町時代末期以降の軍装においては、上級者を除いては鎧直垂はあまり用いられなくなり、筒袖の簡単な具足下着や、平常の衣を工夫して着用するようになった。

直　垂

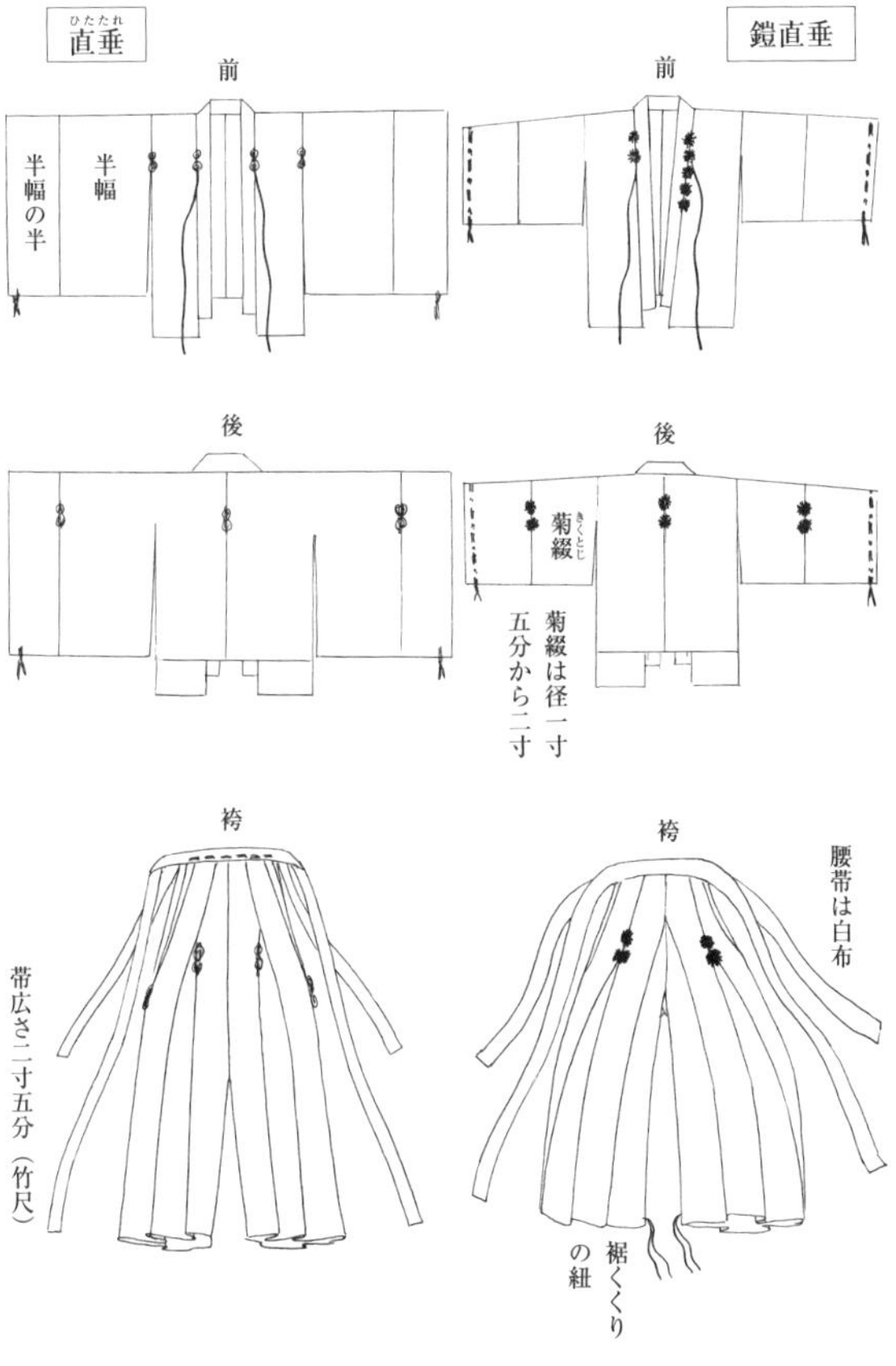

具足下着（具足襯衣）［ぐそくしたぎ］

当世《とうせい》具足《ぐそく》流行の時代になると、鎧直垂より平常の衣類や労働の折の裁付袴や、小袴（股衣）、ももひき等をつけるようになった。

平常の衣も軍用の場合には筒袖状にしたり襟元のゆるみを防ぐために裡掛《ボタン》にする等の工

袖細と直垂

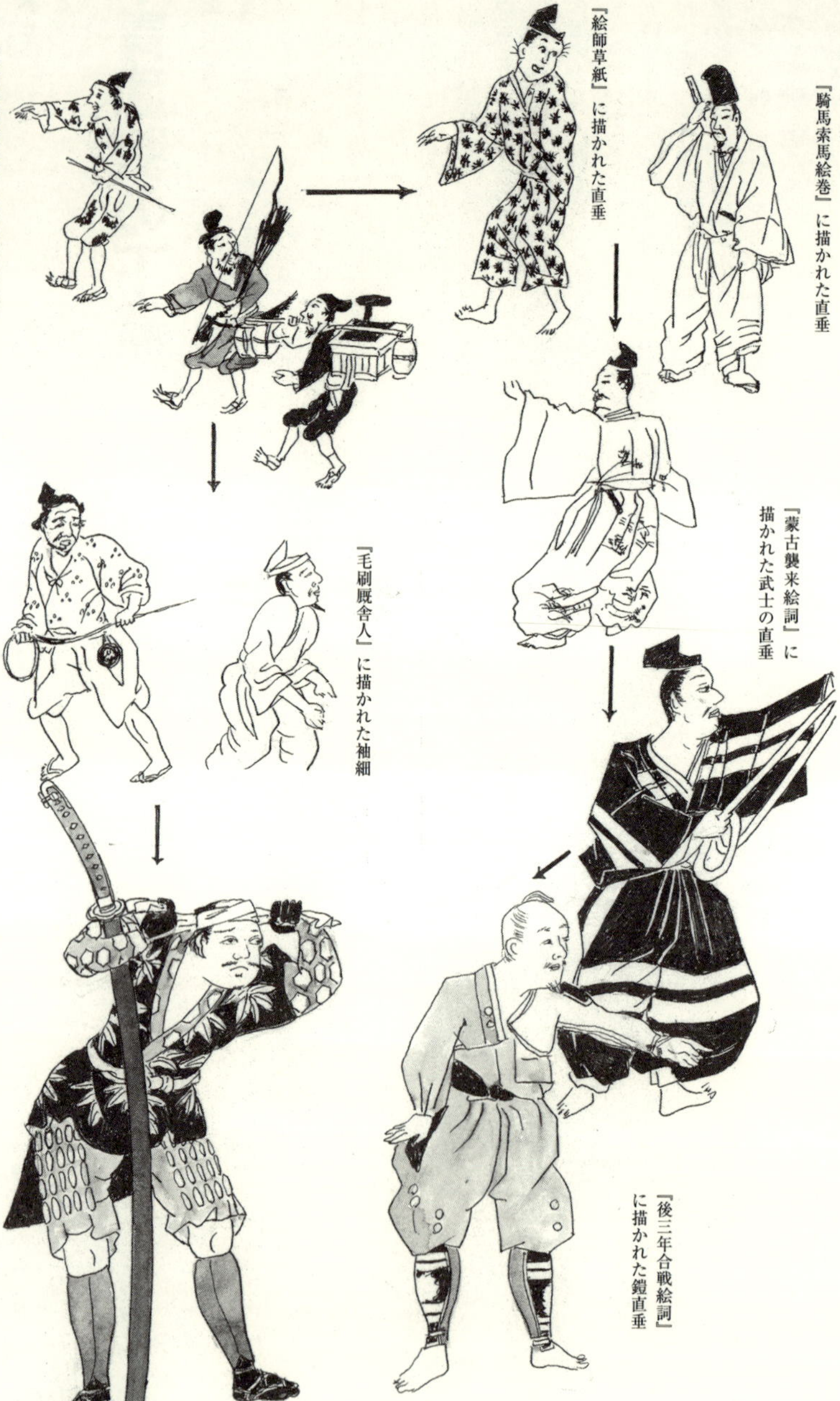

『騎馬索馬絵巻』に描かれた直垂

『絵師草紙』に描かれた直垂

『粉河寺縁起絵巻』に描かれた袖細

『蒙古襲来絵詞』に描かれた武士の直垂

『毛刷厩舎人』に描かれた袖細

『調馬絵巻』に描かれた袖細

『後三年合戦絵詞』に描かれた鎧直垂

『伝大塔宮護良親王出陣図』に描かれた袖細

夫が施こされた。村井昌弘の『單騎要略』被甲弁には

襯衣《したぎ》は雑製多けれども、単騎の用ハ一涯に常服を住とす。異儀を好むべからず。不レ得レ止して其体に及ばば、茲に一製法在。其恰好ハ大概 服の如し。身巾《みのはば》すこし狭。身尺《みのたけ》すこし短く。袖は筒袖にし。胸に裡す。腰に紐すべし。着法ハ常の衣服の如く、領《えり》を取て打被き、左の手を徹し、次に右の手を通す。扱胸の裡を懸然してのち、腰の紐を右の後腰にて軽く結びをくなり。下着の表に別に衣帯《おび》を設て結ぶときハ、下着の腰紐なかるべし。

と記され、井上翁著のいう『甲冑着用弁』にも

下着ハ常服ヲ被《キ》ル如クシテ衣帯《ヲビ》ヲスルナリ。帯ハ前ニ云如ク細帯ヲ用ユベシ。長サハ二重廻リ、三重廻リニモスル也。如レ此時ハ直ニ大小ヲ指テ便利ナリ。但結目ノ大ナラザルヤウニ帯ノ先ヲ細ク制スベシ。結目ハ前ヨリ少シ右ノ方ニヨセテシカト結ビ、両端ヲハサミ置クベシ（中略）下着夏ハ麻布ヲ用ユベシ。一説ニ夏冬トモニ木綿カ絹ノ袷ヨシト云リ。若《モシ》寒気強キ時ナラバ別ニ木綿ノ道服ヲコシラヘ厚綿ヲ入レ小夜着ノ如クシテ持スベシ。夜着ノ代ニモ用ヒ、又仕寄《シヨリ》働キノ時矢玉ヲイトフ盾ニモ用ユ。攻城ニ頭上ニ戴キテ矢石ヲ禦《フセ》グ事アリ。其利多シ

とあり、江戸時代末期には甲冑着用の機会無いので、武士たる者が正しい甲冑着用法を知らず、たくさんの甲冑着用指南書が発刊されたが、ほとんど同様の事が記されている。

復古調のさかんになった江戸時代中期頃は、鎧直垂も作られたが、故実研究家達によって、それぞれもったいつけた故実流儀を押付けるので、往古の鎧直垂着用はほとんど廃れ、簡便な具足襯衣が考案された。

袴は下袴・股引でもよいが『單騎要略』などでは化粧袴か奴袴か校衫《かっさん》形式でも良いとしているが『甲冑着用弁』では股引でも良いとしている。足軽級の御貸具足を用いる連中は股引で、下肢は脚絆をつけたように上下の紐で結んだりしている。

当世具足時代の襯衣

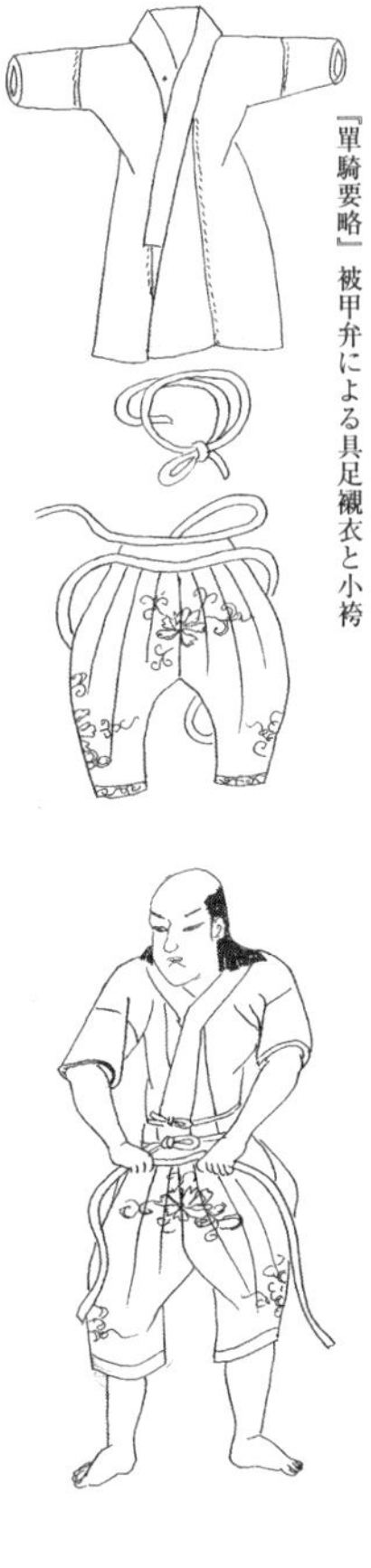

『單騎要略』被甲弁による具足襯衣と小袴

『甲冑着用弁』による具足襯衣と小袴

保侶《ほろ》

日本で軍用に用いた保侶は、本来は甲冑着用の折に背部を覆うマント状のもので、多少矢の攻撃を弱めるための衣裳的防具と、その姿が軍容を増すために用いたが、防御としての充分な効果を生じないままに次第に虚飾化し、良質の裂地を用いたりして着用者の存在を示す標識化した。やがて安土・桃山時代の差物流行時代には保侶を球状の籠に包んで差物の一種となってしまった。

保侶の起源

江戸時代の木下義俊は『武用弁略』着具之部五　礼の中で

母羅《ホロ》　旧記ニ曰母羅ハ後漢ノ代ヨリ初ト云リ。王陵ガ母敵国ニアリ。別ル時形見ニ衣ヲ与。果シテ殺《コロサ》ル。王氏兼テ知ガ故ニ衣ヲ鎧ノ上ニ着テ勇猛ヲ奮。其ノ体洋々タリ。後人学デ此器ヲ作ト云云　下学集ニ曰。母衣言ハ孩児母の胎ニアル時頭ニ胞衣ヲ戴、以諸毒ヲ防グ也。今ノ武士戦場トハ生死ノ時也ト云云　或胎内ニシテ胞衣トシ陰陽和合ノ当躰五行相応ノ表示共云説アリ。又ハ漢ノ蘇武胡国ヲ攻時大将軍タリシニ後ニ羅《ウスモノ》ヲ掛出シカバ、此ニ擬テ武羅《ホロ》ニ作ト。或又漢ノ樊噲《ハンカイ》赤色ノ絲ヲ掛シニ日ニ映ゼラレテ耀《カガヤ》ケル故準テ緥《ホロ》トス共云リ。吾朝ハ神功皇后異域ヲ攻給時、住吉大明神造給ト。蓋半臂《ケダシハンピ》ナラン歟。赤白ニセシハ胎金両部ニ表スト也。又四姓分ヲ源家ニ武羅《ブラ》トシ、平家ニ神衣《ホロ》ニ作藤氏ニ綿衣《ホロ》トス。橘氏母衣《ホロ》ト書トソ

等と、色々のこじつけが行なわれているが古代のギリシャ・ローマ時代でもマント状の外套をつけ、騎馬民族もマント状のものをつけているから、古代においても中国文化の流入と共に保侶の形式が入ってきたものと推定される。

『扶桑略記』に寛平六年（八九四）九月五日の条に

対馬島司言、新羅賊徒四十五艘到着之由（中略）所レ取雑物（中略）保侶各一具

とあり新羅の賊徒来寇の折の分捕品の中に保侶があったことが記されているから、中国や朝鮮半島の戦士は保侶を着用していたことがわかる。おそらく防寒と僅かであるが矢石攻撃に対する防御のためと、裾のひるがえったりする事で軍容を増したので用いたのであろうが、日本でもこれ以前から異国の風俗をまねて保侶を用いていたことは確かである。

これより二十四年前に『三代実録』清和天皇の貞観十二年（八七〇）三月十六日の項に対馬島司小野春風が上書して、軍旅に保侶を支給するように願っていることが記されているから、一部ではすでに保侶が用いられていたことがわかる。

ただし後世のように背中だけを覆った形式のものであるか、中国等で流行したマント状のものであったかは不明である。

アジア大陸で広く用いられた甲冑の系統が日本古代及び奈良時代・平安時代初期まで、日本的特色を持ちつつ発達して行ったが、中期頃から日本的発想による独特の形式として鎧・胴丸（腹巻）の形態の完成を見たように、保侶も日本的発想によって独特のものとして発展していったと見るべきであろう。

意匠・指物としての保侶

挂甲・短甲・綿襖甲《めんおうこう》の時代であれば保侶はマント状にすっぽりと身体を包むことができ、ある程度の矢石攻撃の威力を弱まらせる事ができた。

しかし鎧の形式が完成すると、大袖を用いるので、身体を覆う事ができても、大袖の動きを妨げ、従って手の運動に支障をきたすので、大袖を露出したまま着用する事になる。

こうした事から鎧時代の保侶は大袖の内側からまとうようになり、咽喉下で合せて紐で結んだ方式から、肩上に紐で結び、背面のみ覆うような形式となり、日本独特の保侶として後世まで続いたものと推察される。

従って背面だけ覆う形式となるに及んで、

世界の保侶

ギリシャ時代のカイトンを覆う戦士
ギリシャの古画

アレクサンダー大王の青銅像　ナポリ博物館

紀元前後のゴール武人のマントル

ギリシャのクレーミスを覆った戦士

記録から推定した中世武者の保侶

中世ヨーロッパのヨハネス騎士団

上質の絹や錦地を用いるようになって軍容の装飾化に用いられ、さらに保侶を用いて騎馬で走ると保侶が靡いて壮観さを増すための意匠となった。ただし靡く保侶は時には戦闘上、物に引掛ったりして不便であるために、裾に近い位置の布を武装の上帯（腰）に挟んだり、紐を付けて上帯に結び、保侶を短く用いた。

この態で馬を走らすと、保侶の内側に風をはらんで、丸く見えこれは壮観で衆目をひくので、この式の保侶が鎌倉時代以降に用いられた。『軍用記』付図に描かれている「保侶カケタル図」がこれに当る。

このように武士は軍容を増す意匠として保侶を好んで戦場に用いたので、『本朝世紀』永久年間（一一一三〜八）及び久安三年（一一四七）の項に保侶武者の事が記され

甲冑之上纒数幅之布世俗号え保侶（中略）見者足驚眼也

とあるように数幅縫い合せた幅広い保侶を纏った行装は人目を驚かす行装で、平安時代初期（寛平・貞観頃）の保侶とは用い方が少し異って注目を浴びた事がうかがわれる。

そして、参考『保元物語』には

重盛（中略）紅の絏まつふくらにかけて

とあり、また『東鑑』『源平盛衰記』『太平記』『梅松論』等の武者が白母衣・紅母衣・薄紅母衣・濃紅母衣・薄紫母衣・二引両母衣等の色々の母衣を用いた記事が見られるが、これらは軍装を飾るために用いたものと推定され、矢石を防ぐために用いたものではないようである。

初めの頃はマント状であったためか五幅位であったが、装飾的意匠に移ったために八幅・十幅等の幅広となり、従って上方はカーテンを縮めたように縮め、裾は末拡がりに広くなった。またマント的意味は失われたので長さは八尺（約二・六メートル）から一丈（約三メートル）というのも用いられ、馬上で靡いてこそ壮観であるが、徒歩になると裾を引きずって形が悪いので、その途中は端折って鎧の上帯に挟み込むという方法になる。

このように幅広い保侶は馬上で疾走してこそ風をはらんで壮観であるが、停止したり、徒歩になると布で甲冑の背部が見えないので、常に風をはらんで膨らんでいるように工夫された。これが安土・桃山時代に行なわれた鯨の鬚や竹胎《たけひご》で膨んだように丸い籠を編んで、これを保侶で包んで背中に背負う方法である。

これは当時指物《さしもの》が流行し、具足背に指物装置の合当理《がったり》・受筒・待受（あるいは骸持《むくろもち》）が用いられたので、指物同様に竿に保侶を結び付け、完全に指物の一種として活用するに至ったのである。この形式の保侶はだいたい、大将・主君から使用を許可された身分の高い士や豪勇の士・お使番が用いる事が多い。

『武者物語』には毛利右馬頭元就の三男小早川左衛門尉隆景の臣楢崎十兵衛が小田原城攻めに参加した時に十八端（反）の武羅《ほろ》を用いて、遠望する秀吉の目に留ったという。

布と竹胎製の指物であるから、さ程の重量ではないが、大きすぎるので他人《はた》迷惑の存在であり、働きも不自由であったと思われる。

このように背中の装飾化の品になってしまった保侶は初期の矢石を防ぐ助けとなるという目的から外れてしまったが、伊勢貞丈は矢石防ぎの効能に固執して『軍用記』第五に

鐙のかこ（鉸具）の下の方に穴あり。ほろ付の穴といにしへよりとなへ来れり。前に記すごとく矢をふせがんとて、ほろ

保侶

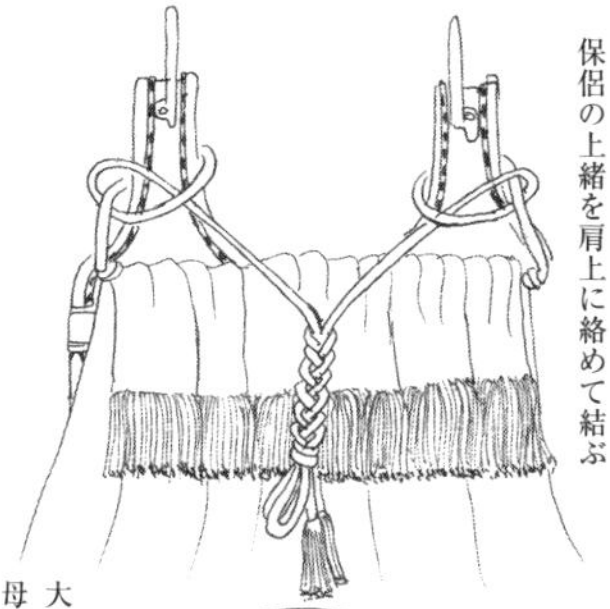

保侶の上緒を肩上に絡めて結ぶ

『軍用記』付図保侶カケタル図ホロノ内へカゴニテモ何ニテモ入ルルコト無之

大塔富
母衣絹

『集古図説』巻上和州三輪社蔵

馬を走らせないと保侶は背に垂れさがる

保侶の裾の紐を腰にしめて馬を走らせると保侶は膨らむ

江戸時代に描かれた保侶

伝矢野三郎兵衛筆『一の谷合戦屏風』の保侶つけた熊谷次郎直実

『大坂合戦屏風』に描かれた保侶武者

『大坂合戦屏風』に描かれた保侶武者

『賤が嶽合戦屏風』に描かれた原勘兵衛の保侶姿

『関が原合戦屏風』に描かれた保侶武者

をかぶりたる時、ほろのすその緒を鐙のほろ付の穴に結び付け置く事もありしなるべし

と記し、その付図に騎馬武者が、馬の首あたりから保侶の裾から被って、裾紐を鐙の鉸具の孔に結び留めている図を示している。

これでは前方が見えないばかりか、弓も引けないし、大刀も振えない。当然そうした用い方に対する疑問に答えるべく、註に

母衣ハスズシ又ネリ又シヤナドノルイ薄キモノニテ作ル故、スキ通リテ行先モ見ユルナリ

と断っているが、透きとおるような薄絹で矢が防げるはずもなく、自ら行動を不自由にした方法で、まったくでたらめの想像説である。

江戸時代は保侶に対する想像上の秘伝着用法がさまざまに考案され樊噲《はんかい》流・張良流・蘇武流・神功皇后流・鬼一流・熊谷流・平山流などがあるが、近世の保侶は天文や仏説に結び付けた寸法で、こじつけに終始しており、指物としての保侶となってしまっている。

また『軍用記』では兜の上から保侶をつけた図が描かれ、これは

古画義家朝臣ノ図ニ見エタリ　此古画ハ狩野探幽同永真等見粟田口法眼ガ筆ナリト定メシ画ナリ。此絵ノホロヲ見テ母衣ニハアラズ笠ジルシナリト云ヲ人アリ非ナリ

保侶の規矩

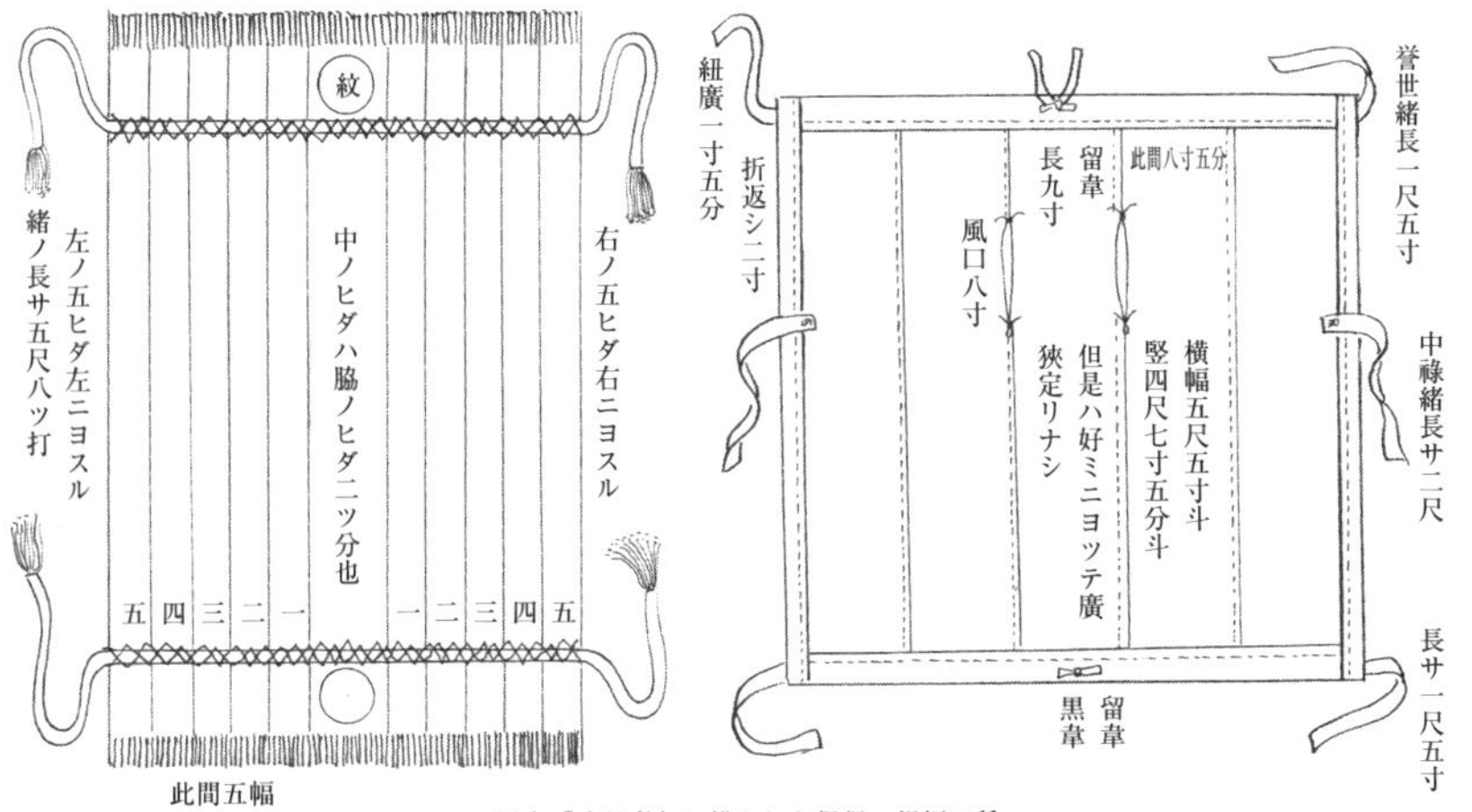

写本『武具考』に描かれた保侶の規矩四種

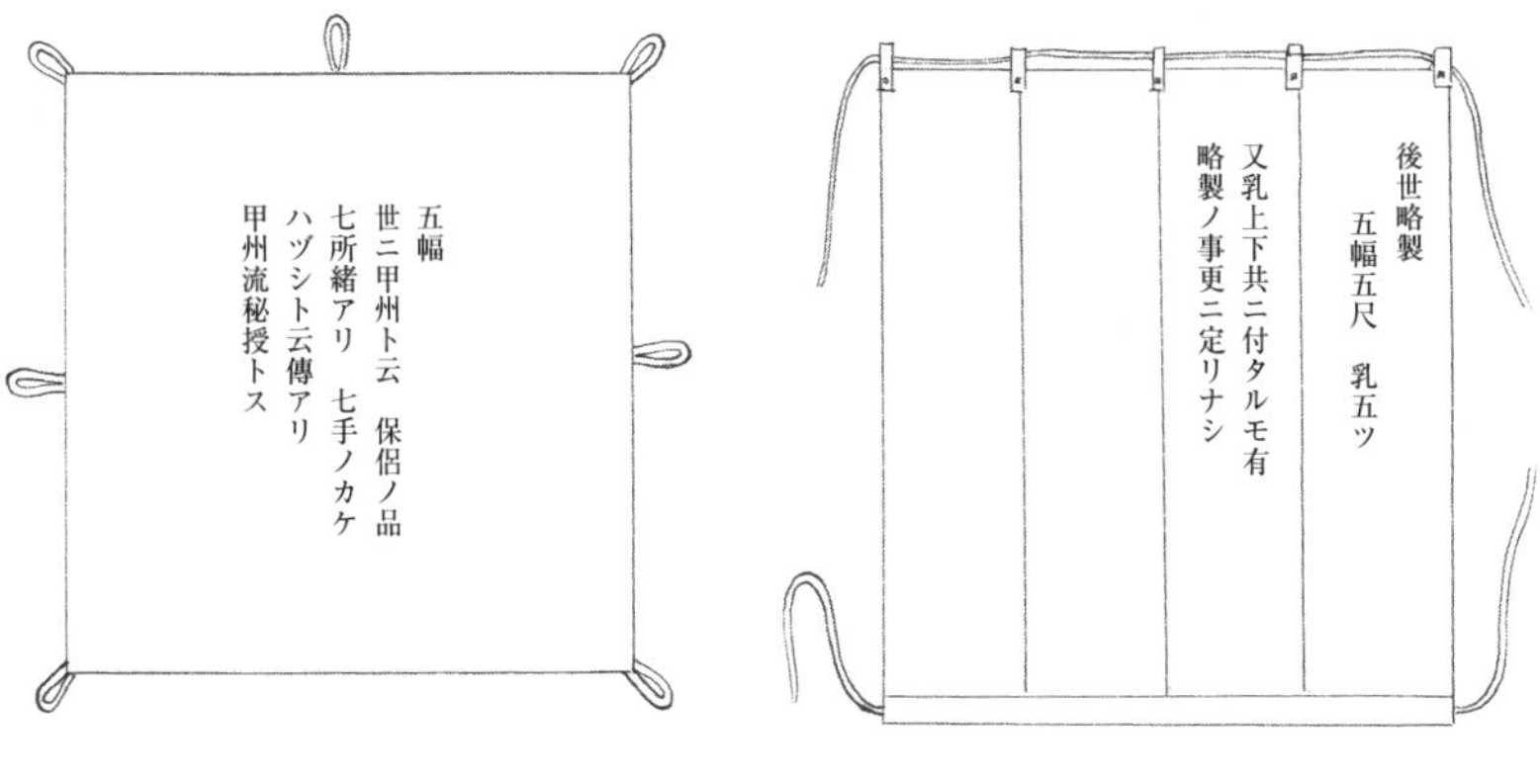

と強調しているが、保侶を冠った馬上図と共に誤りであると判断した方が穏当である。貞丈の兜に保侶をかけた図というのは旗のように横手が付いており、こうした旗状のものを兜の天辺から後に垂れて何の効果があるというのであろうか。兜に保侶をつけるとしたら、首の運動に不便である。やはり大笠験《かさじる》しを誇張した図と見るべきであろう。

また『軍用記』には「保侶袋之図」というのが描かれているが、これは古記録にないから、室町時代、武器の故実が急にやかましくなった頃からの発明であろう。旗袋や、矢保侶が用いられるようになってから、それらと同じようなアイデアで作られたものであろう。

写本『武具考』による保侶串は指物としての受筒に竹か鯨の鬚で籠状につけて、その上に保侶を被せるが、色々の形式があるのを図示している。註に

籠ハ定レル古法ナシ。其人ノ好ニヨルベシ。此故ニ近代品々巧ミナル仕様多シ。就中《ナカンヅク》記置ノ籠手廻シ宜キ也。記置ノ仕様モ又品々有。今ココニ[三]ヲアラハス。能利害ヲ考、一事ニ偏着スルコトナク利ノ宜ニ順テ巧ヲナスベシト云リ

とあり、別に保侶籠に古来より故実も法式も無かったようである。

誤った保侶の考案

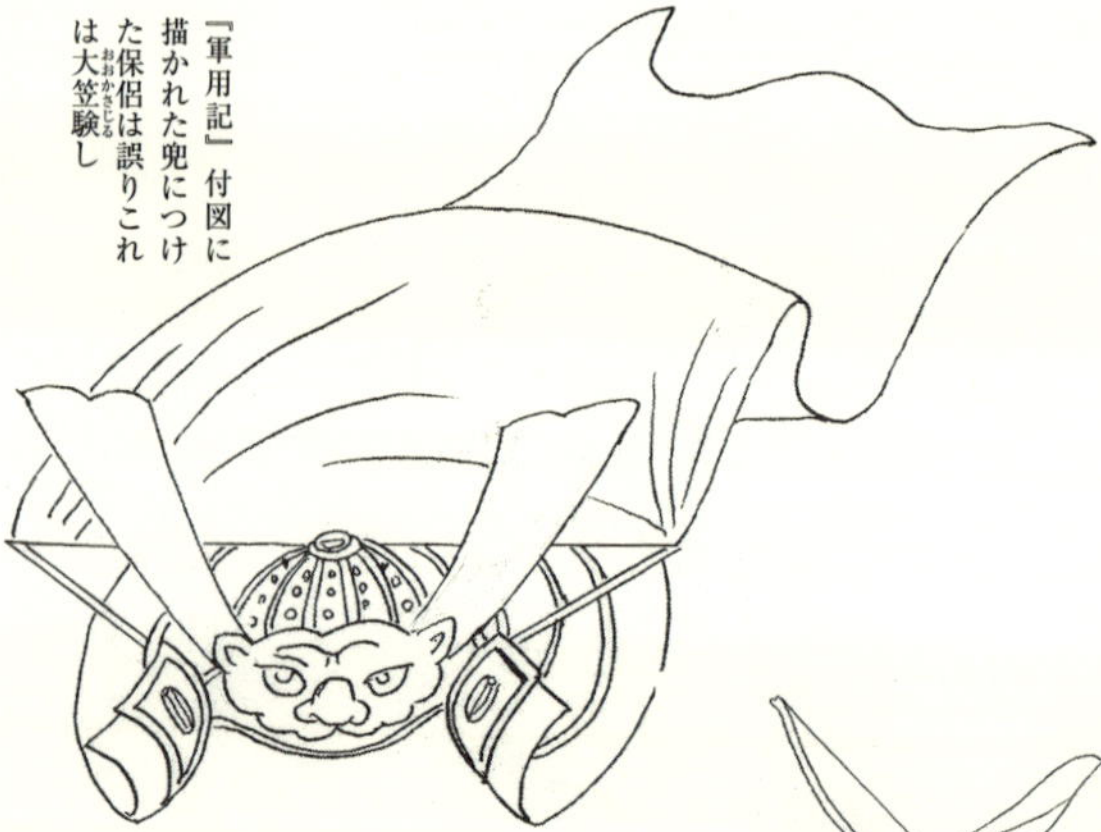

『軍用記』付図に描かれた兜につけた保侶は誤りこれは大笠験《おおかさじる》し

貞丈の考案による保侶の用い方。正しくない

伊勢貞丈『軍用記』付図の母衣ヲカブリテ矢ヲフセグ図

母衣ハスズシ又ネリ又シヤナドノルイ薄キモノニテ作ル故スキ通リテ行先モ見ユルナリ

保侶と保侶袋

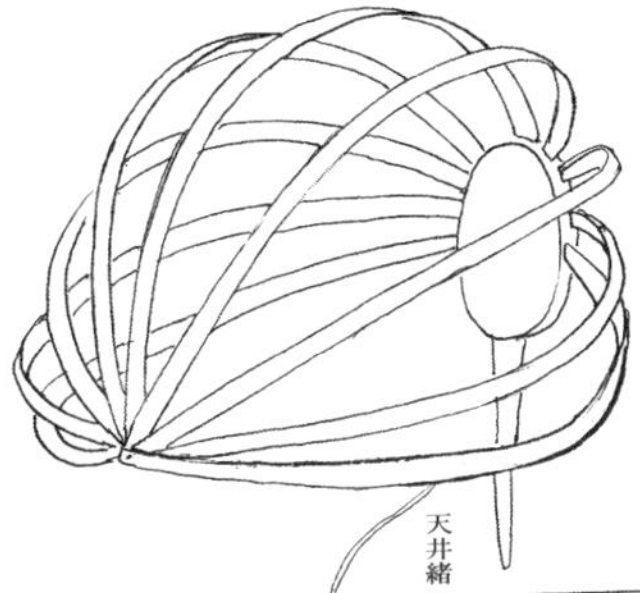

指物に用いる保侶の串

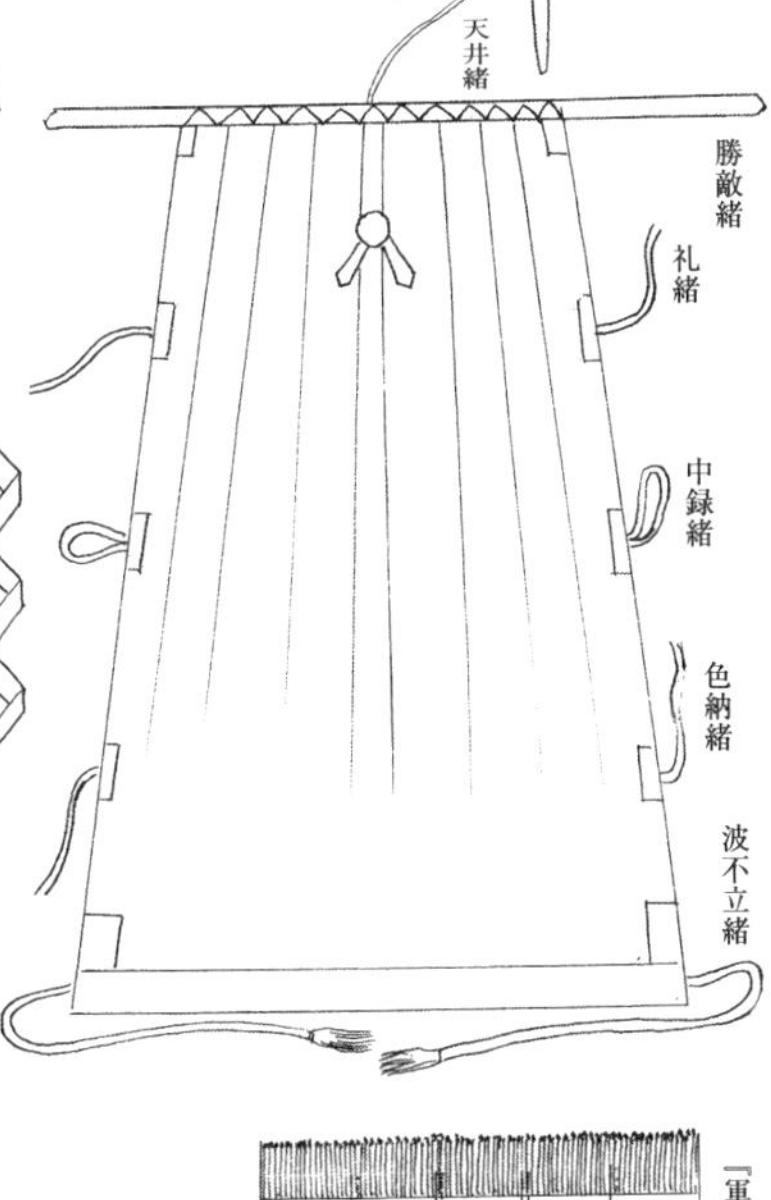

『日本造兵史』に描かれた保侶

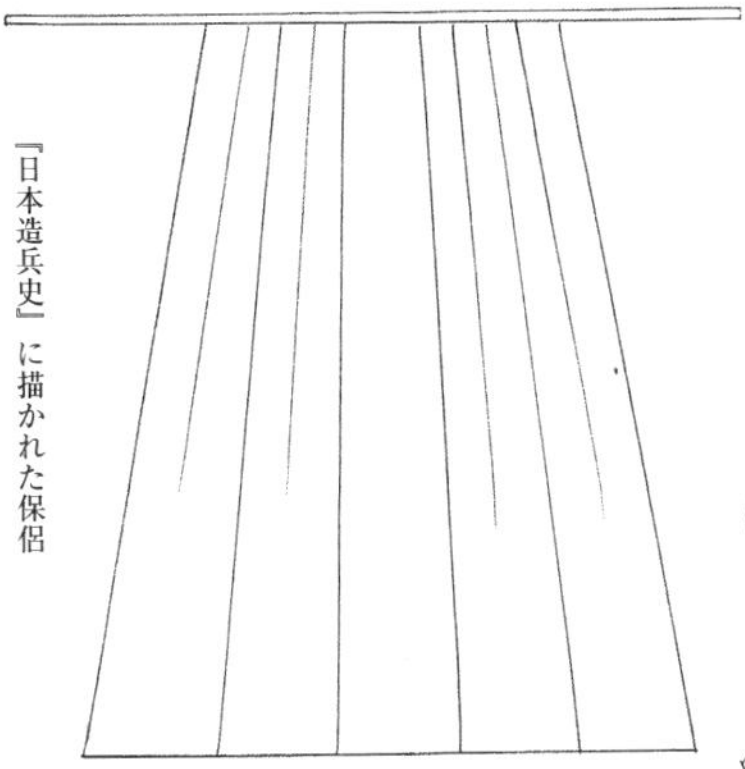

『日本造兵史』に描かれた保侶

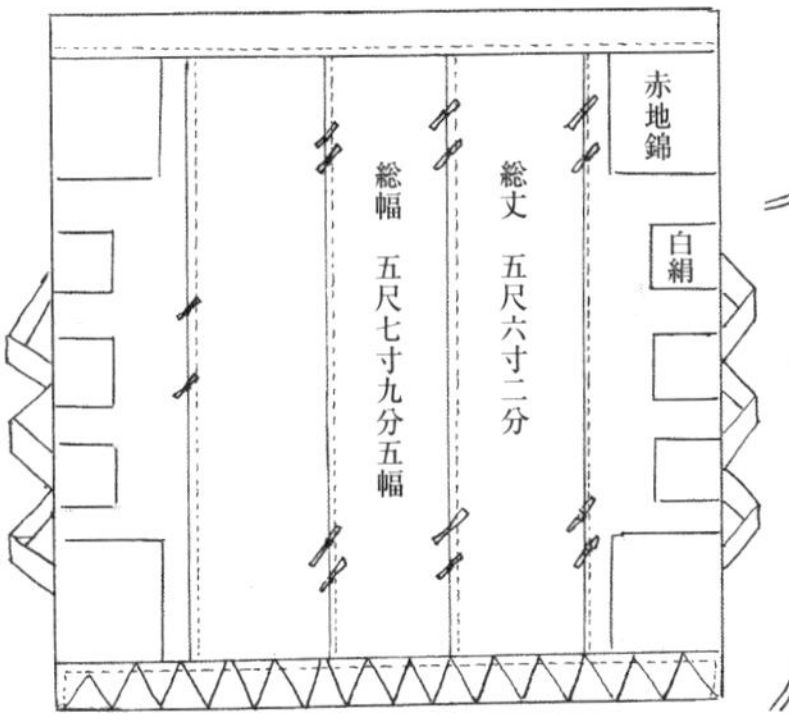

関口五左衛門尉義苗所用保侶元祿十二己卯年二月三日の書銘あり

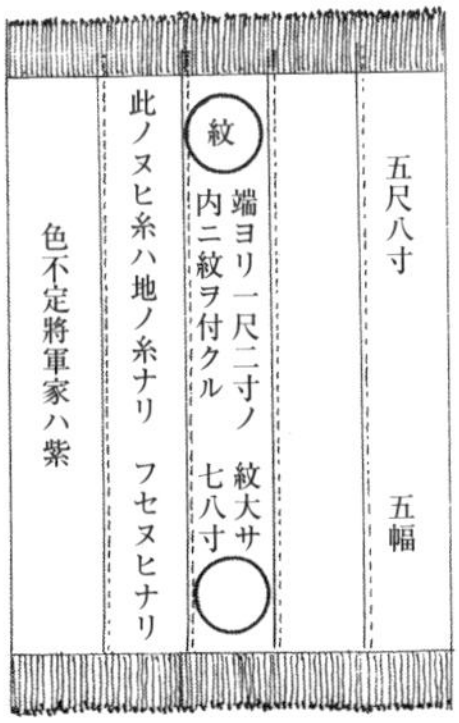

『軍用記』付図に描かれた保侶

保侶袋

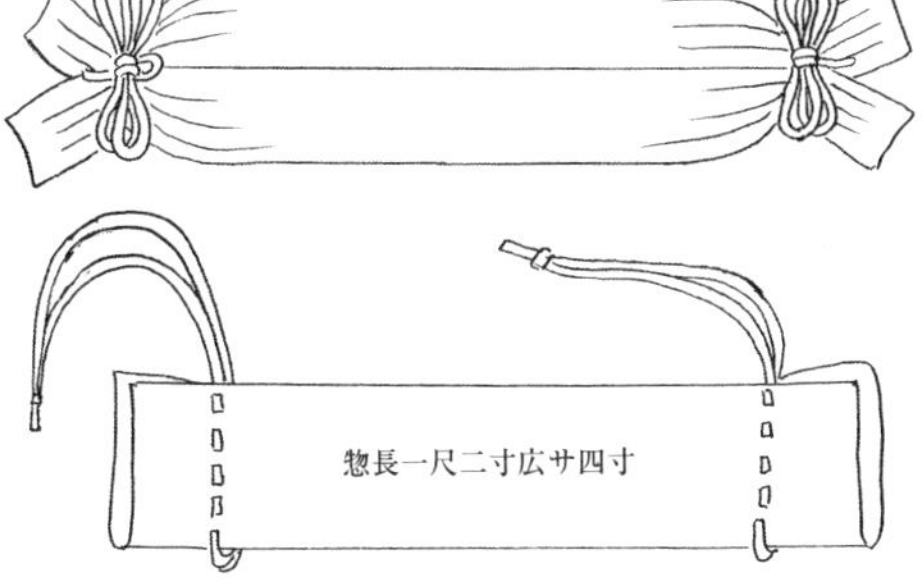

保侶串

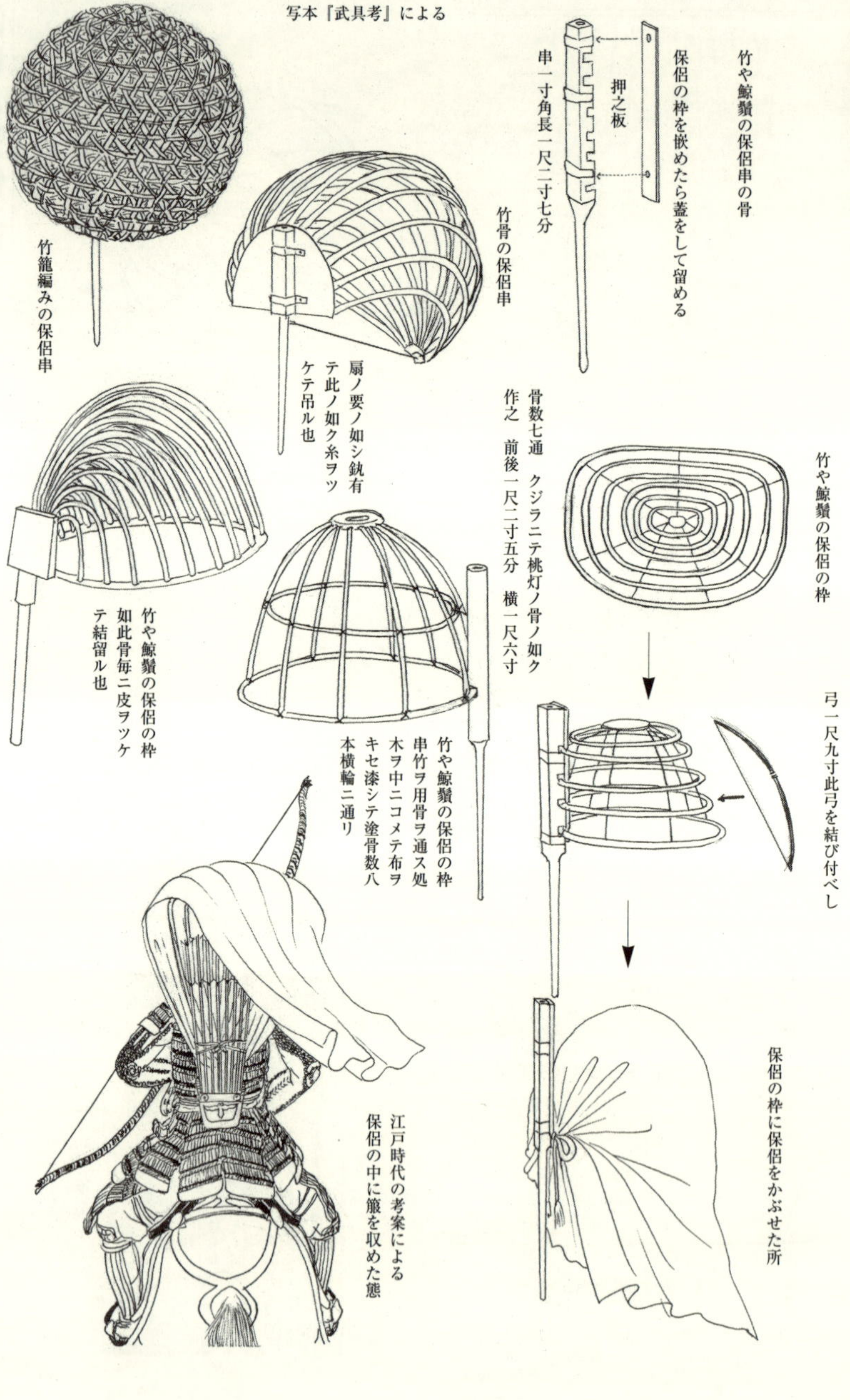
写本『武具考』による
竹や鯨鬚の保侶串の骨
保侶の枠を嵌めたら蓋をして留める
押之板
串一寸角長一尺二寸七分
竹骨の保侶串
竹籠編みの保侶串
扇ノ要ノ如シ鈨有
テ此ノ如ク糸ヲツ
ケテ吊ル也
骨数七通　クジラニテ桃灯ノ骨ノ如ク
作之　前後一尺二寸五分　横一尺六寸
竹や鯨鬚の保侶の枠
竹や鯨鬚の保侶の枠
如此骨毎ニ皮ヲツケ
テ結留ル也
竹や鯨鬚の保侶の枠
串竹ヲ用骨ヲ通ス処
木ヲ中ニコメテ布ヲ
キセ漆シテ塗骨数八
本横輪ニ通リ
弓一尺九寸此弓を結び付べし
保侶の枠に保侶をかぶせた所
江戸時代の考案による
保侶の中に箙を収めた態

軍用の服装2～履き物と被り物

軍用の履き物

中世武士が甲冑武装して馬に乗る時に履く靴で、古くは馬上沓（物射沓）を用いたが、やがて毛皮、または鞣韋《なめしがわ》の短靴に代り、さらに草鞋《わらじ》が流行した。

馬上沓・物射沓［ばじょうぐつ・ものいぐつ］

乗馬用の靴で、半長靴状の上に立挙が付いた。物射沓と称するのは、狩猟・戦の折に弓を引くときに、「鐙踏張り突立上り」というポーズで馬上に立つときに臑が鐙の鉸具頭に触れて、臑を痛めるのを防ぐために立挙《たてあげ》という部分を設けた。これは武官が儀仗用の折に履く靴《かのくつ》の形式と同じであり、また一種の装飾化でもあった。

立挙は絵韋や錦地、他の鞣韋や裂地を用い、前方に合せ目を作って囲んだもので、今日の乗馬用の靴と同じように用いられ、軍陣・行旅の折には馬上沓として男女の区別なく用いたことは『伴大納言絵詞』『志貴山縁起絵巻』『粉河寺縁起絵巻』に見る所である。

後世軍陣にはこの馬上沓が廃れて毛皮の短靴になり、江戸時代に再び装飾的意味で短靴の貫《つらぬき》に立挙を用いるようになった。

狭義の馬上沓は物射沓に当り、これは牛の滑韋で、爪先辺を十三の切れ込みを作って、これを合せ縫いとして先端を上方に反らせて尖らし（鼻高《びこう》という）、足首後部は折り合せて当韋して韋緒で綴じ合せ、足を入れる上方に立挙で囲んだものであるが、藺の莚《むしろ》を用いたものは流鏑馬・笠懸・犬追物などのときに履いた。

貫（頬貫）［つらぬき］

貫は馬上沓が半長靴状なのに対し、これは短靴状のものである。ほとんど馬上の武士が

物射沓

古画に描かれた物射沓

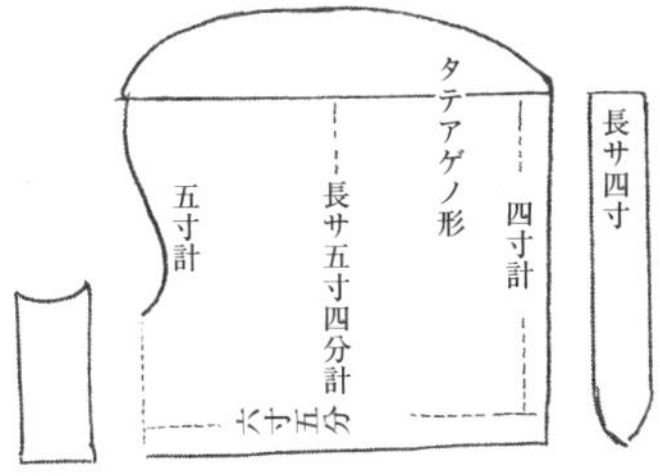

古書に示された物射沓の寸法

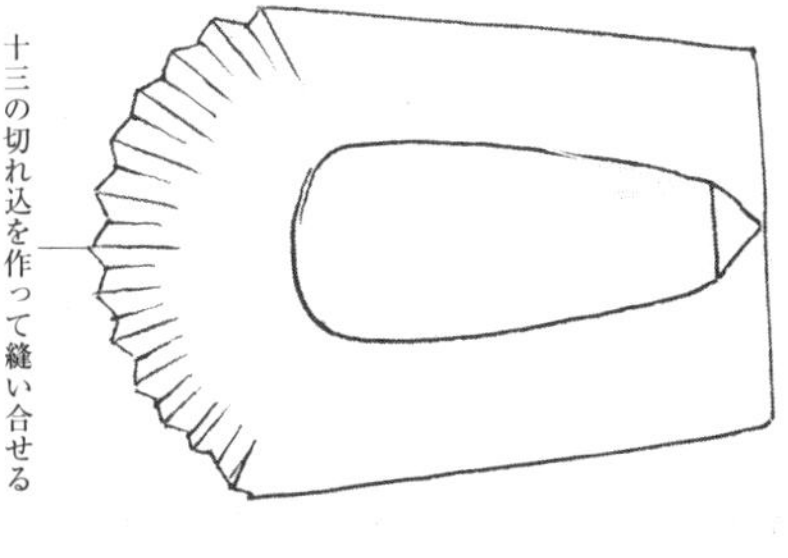

物射沓の切型図

馬上沓

『粉河寺縁起絵巻』に描かれた狩衣に馬上沓

『信貴山縁起絵巻』に描かれた尼公の旅行中の馬上沓

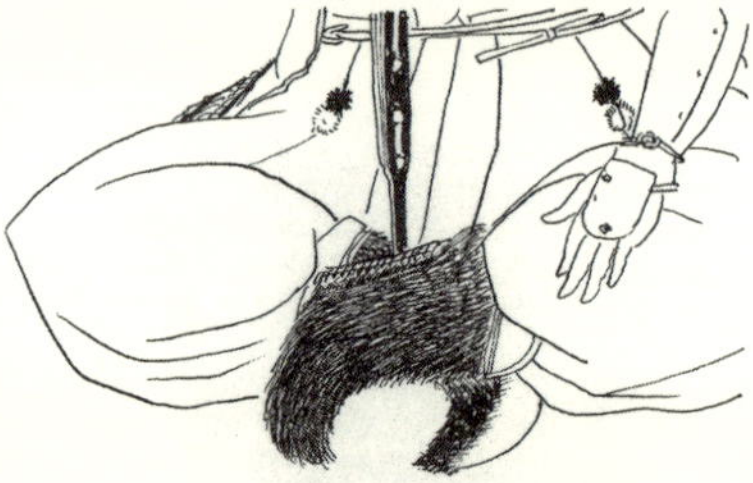
安田靫彦筆『黄瀬川陣屏風』に描かれた源頼朝の馬上沓

軍陣用に履き、草鞋が流行した時代でも一部の武将が履き、戦争の無くなった江戸時代でも高級武将は威儀的に用意し、馬上沓に倣って立挙をつけたり、足先を尖らせて上方に反らさせたりした。

軍陣用の貫が半長靴状の馬上沓でなく短靴になったのは、臑当を用いるために臑に鉸具が当っても傷まないので、歩行に便利な短靴になったのであろう。

『伴大納言絵詞』に描かれた随兵の履く馬上沓

立挙が前合せ　藺《い》の莚《むしろ》編《あみ》

立挙が後合せ

武家が台頭してから貫は戦場用の履き物としてさかんに用いられ『平家物語』『古事談』『奥州後三年合戦絵詞』『太平記』その他軍記物にも記され、古画にも散見する。

靴に用いる毛皮としては古くは馬上沓と同じに牛の皮（『源平盛衰記』）・熊の皮（『判官物語』）等が一般的に多く用いられたが、高級武将はまれに豹の皮（『長享元年江州御動座記』）も用いられ、水豹《あざらし》の皮（『相国寺供

貫

『前九年合戦絵巻』に描かれた藤原茂頼の貫

『平治物語絵巻』に描かれた貫

『後三年合戦絵詞』に描かれた源義家の貫

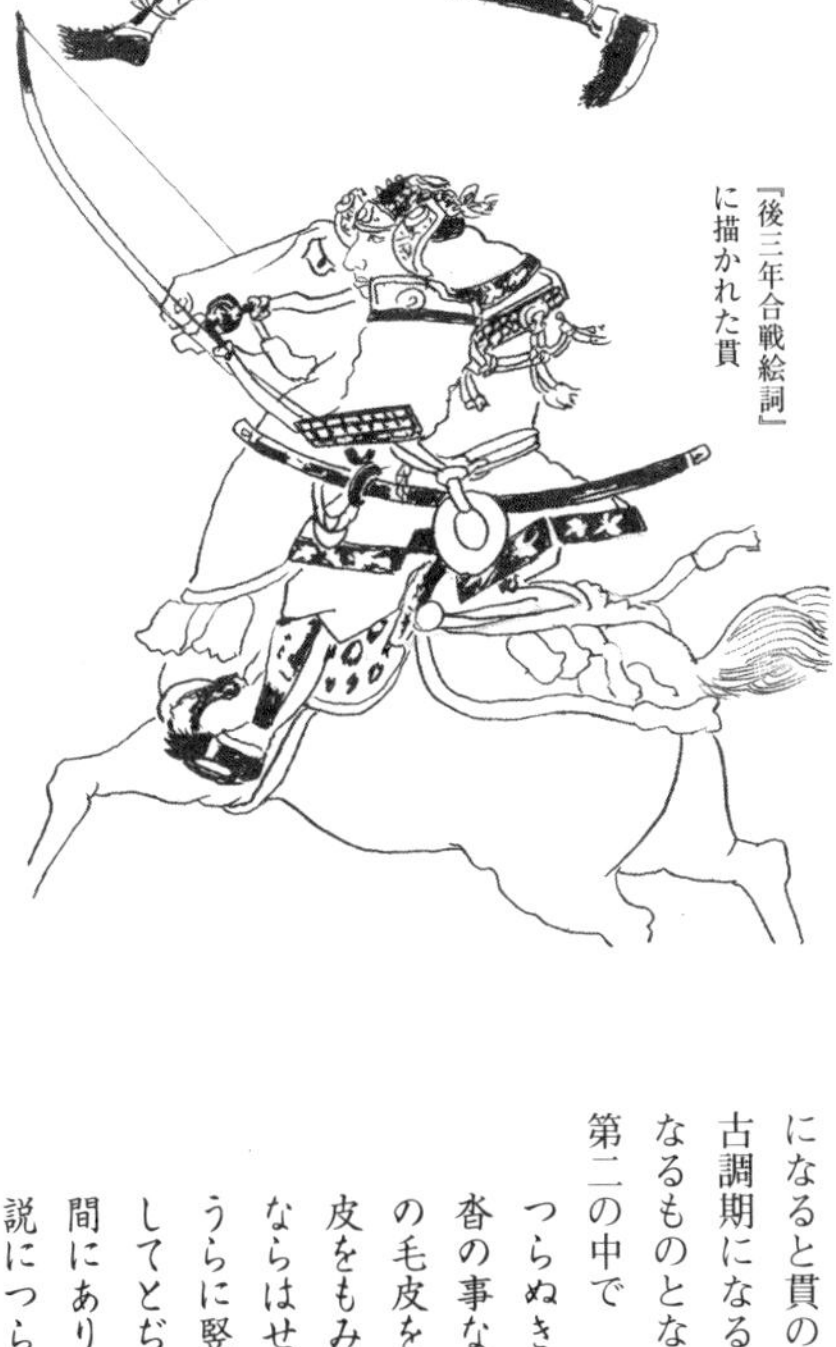
『後三年合戦絵詞』に描かれた貫

養記』）、獺猢《かわうそ》の皮（『相国寺供養記』）や鹿の皮等が用いられ、また毛皮でなく皺韋漆塗《しぼかわうるしぬり》韋《かわ》も用いた。

中には一枚皮で、足先から足の甲にかけて襞を取って絞って縁に緒を通した巾着沓もあり、緒を通したことから「つなぬき」と称したともいう。

『随兵日記』に

つなぬきの長さ一尺二寸、おもての広さ四寸二分、足のなかゆびにかけ緒をすべし。同つなぬきの皮、とらの皮、あざらしの皮、熊の皮を用べし。こしらへ様条々口伝あり

とあり、鎌倉時代頃から草鞋が流行し始め、戦国時代にはかなりの武将も草鞋を履くようになると貫の形式も失なわれ、江戸時代の復古調期になると貫の形式も古体とはかなり異なるものとなった。故に伊勢貞丈も『軍用記』第二の中で

つらぬきの事。又つなぬきとも云ふ。毛沓の事なり。熊の毛皮にて作る。又牛馬の毛皮をも用ふ。熊の毛本なり。和かに皮をもみて作る故、近代もみたびといひならはせり非なり。足の甲のあたる所のうらに竪に細き鉄のすぢがねを三つわたしてとぢ付くる。此のかねは表と裏との間にあり。かねを入れざるもよし。ある説につらぬきの毛皮の下に仁王経一部を

各種の貫

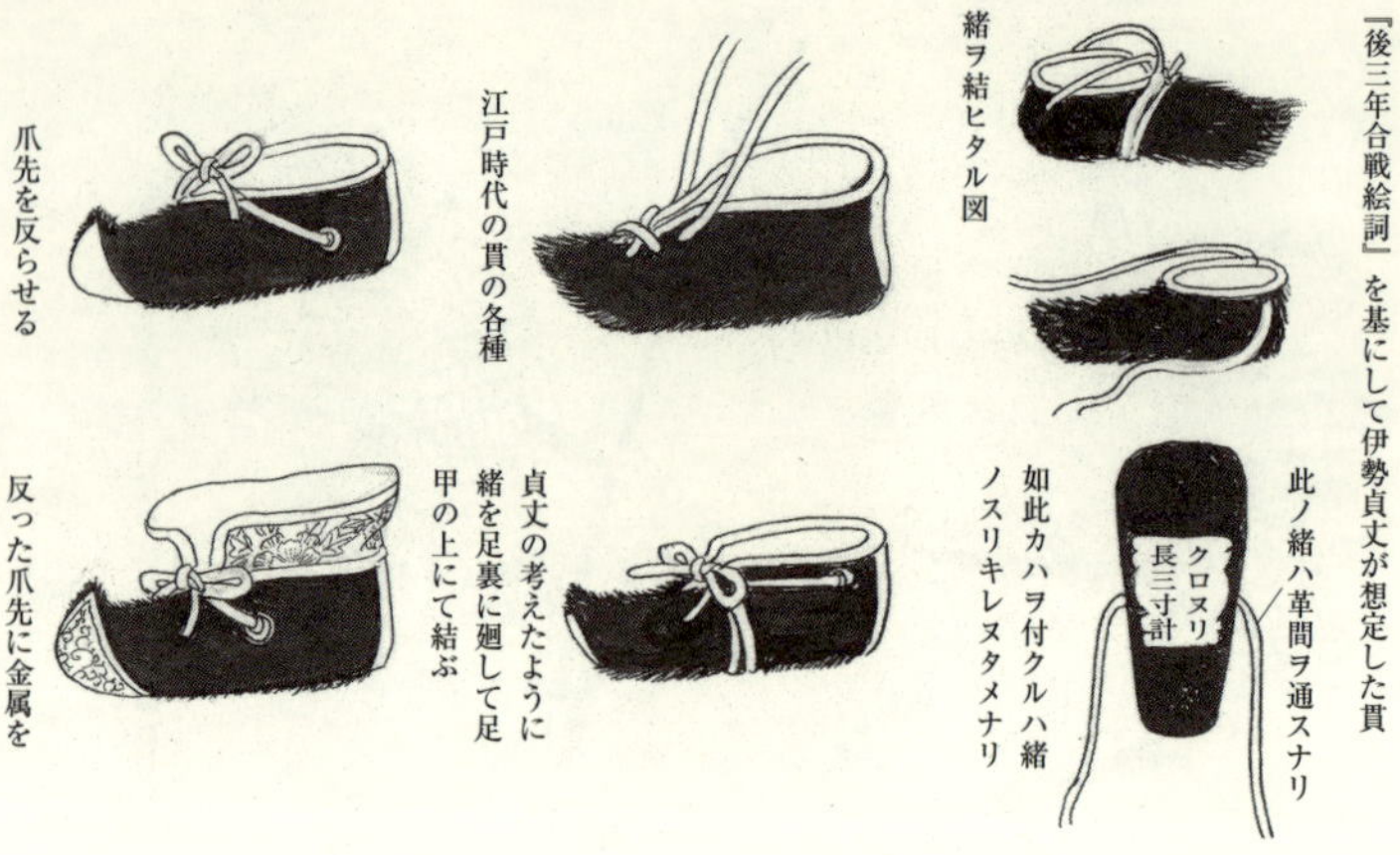
反った爪先に金属を当て立挙をつける

二つに分け、小き紙に黒くなる程書きかけかけ書きて入るといへり。かやうの事は人の好によるべし。法式にはあらず。沓は左よりはきて、ぬぐ時も左よりぬぐなり。緒のむすびやう緒を前へとり、足くびの処にて左右を打ちがへ両方の緒を足の裏へ廻して又上へとり上げて足の甲の上にてむすびてひねりておしかひ置くべし。つらぬきは長さ一尺二寸、足のなかゆびかけの緒あるべし。へりは白銀にてするなり

などと記し、沓の底裏に当て皮をし、足の甲で取り違えた緒を、この当て皮と沓の底板の間に引き違えに通して足の甲の上で結ぶ図があり、この緒を底に貫くから「つらぬき」というのであるとこじつけている。栗原信充などはこの説を認めているが、古画から推してもこうした履き方はおかしい。

また江戸時代の貫は、足を入れる靴のめぐりを金属で覆輪したり、爪先を上に上げて尖らし、その底面に金属を当てたり、低い立挙をつけて装飾したものもある。

草鞋［わらじ］

草鞋は稲藁で編んだ履き物で、足裏が靴のように固くなく馴染みやすく、費用も廉く、また製作法も馴れれば容易に作れるので、広く普及した履き物であるが、固い繊維質の材料のため損傷が早いので、常に予備を用意しなくてはならない。徒歩者には必要の履き物であったが、鎌倉時代頃には軍用にも多く用いられ、南北朝時代にはかなりの武将も韋足袋をつけた上から履いていたことは『伝足利尊氏馬上野太刀画像』に描かれていることによってもわかる。

草鞋は農民の労働や、行旅にも広く用いられ、軍用に用いる時は永持するように材料にさまざまな工夫がなされている。

その形式は『甲冑着用弁』によると

> 草鞋ハ尋常ニ用ユル物可ナリ。但其制ヲ丈夫ニシテ長クコタユル心得アルベシ。或ハ今云鷹野草鞋、又ハ切レ草鞋トテ絹・木綿ノ切レニテ作リ、俗ニ火事場草鞋ト云物最可ナリ。又一説ニ茗荷ノ茎ヲトリテ六月土用中ニ陰乾ニシ細ニサキ、是ニテ草鞋ヲ作レバ鉄ノ菱ヲ踏、釘叉物等ヲ踏デモ通ラズト云リ。

とあり、『單騎要略』被甲弁には

> 草鞋ハ麻ノ苧、蘘荷《みょうが》の茎、棕櫚《しゅろ》の皮、木綿糸、さらし藁等をもて作るを可と云。是皆久しきに堪る物なるに依てなり。然れども五日七日を限とする。旅行のごときは利あらむか。月をわたり年を経て毎《つね》に急変に居るべきにハ、其用少からん。所詮時に臨みて製するの利には如《し》くべからず。又蓄てもって不時の用を待も、害あ

草鞋と足半《あしなか》

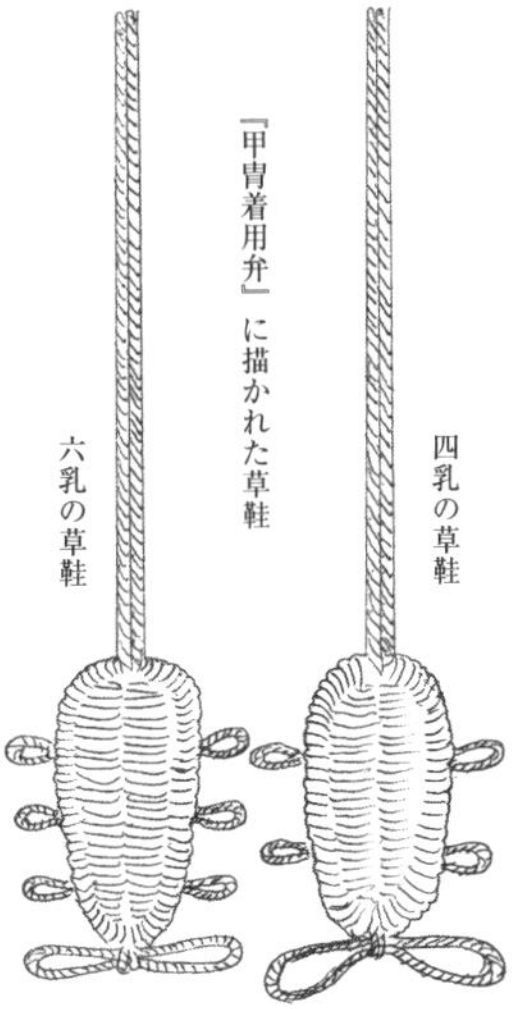

六乳の草鞋

四乳の草鞋

『甲冑着用弁』に描かれた草鞋

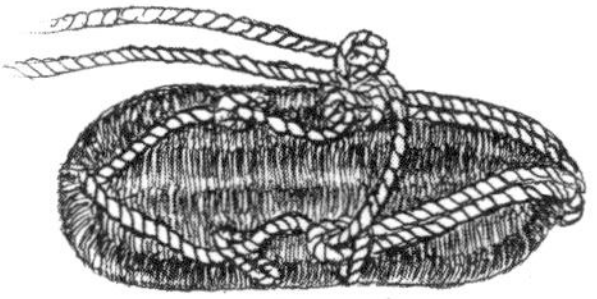

麻の繊維で編み紺染にした軍用の草鞋

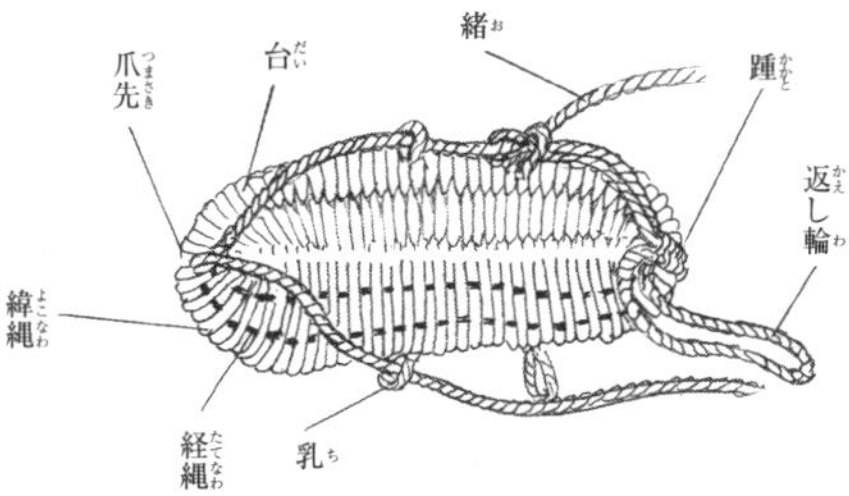

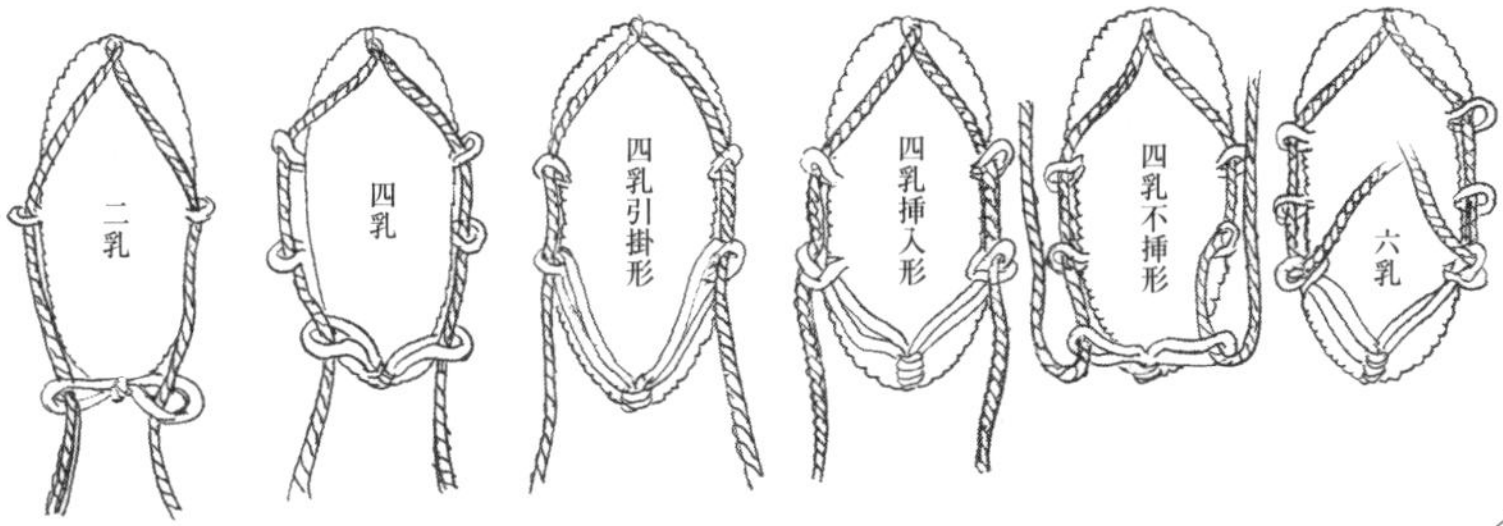

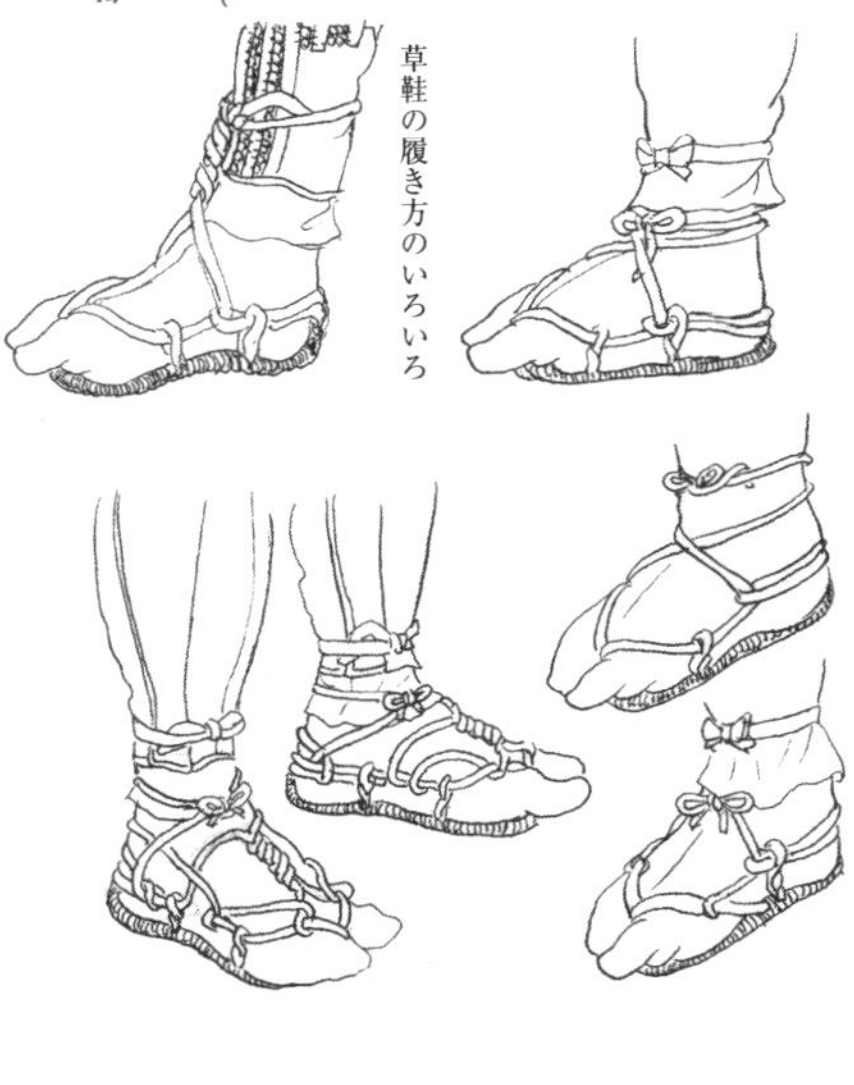

草鞋の履き方のいろいろ

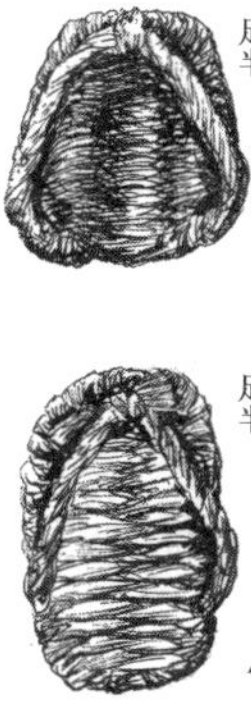

足半

足半

『蒙古襲来絵詞』に描かれた足半履いた武士

りとせず。好にまかすべし。穿《はき》やう品々あり。中乳ぬき四乳掛・両乳《もろぢ》わけ。鷹野掛等是なり。各《おのおの》鄙夫《ひふ》のよくしれる所なれバ、尋《たづね》試ミてのち、其宜しきを用べし

等と記され、江戸時代には武士でも旅行・主人の供以外に草鞋を履かなくなったので懇切丁寧に述べている。

草鞋は農民・労働者が馴れていて、また地方によって形式・履き方に種類があり、二乳・四乳・六乳・乳無、また縄草鞋・草履草鞋及びごく簡略された足半があり、天台宗僧侶の用いた特殊の結び方がある。

足半［あしなか］

草履の一種で、足の裏前半分ぐらいに履く小型の藁草履で、下級の徒歩者が用いた。

平安時代頃から用いられたらしく『伴大納言絵巻』にも描かれ、鎌倉時代には流行したと見えて『一遍上人絵伝』『蒙古襲来絵詞』『法然上人絵伝』にも描かれ、安土・桃山期にはかなりの部将も履いたらしい。

草鞋のように足に厳重に結びつけるのでなく、足裏前半分にだけ履くので、軽便で走る者には良く、踵が土に接するので地上の感覚がわかり、滑り留めの役もするので、現在でも岩場で釣をする者が履く事がある。

あしだか・とんぼぞうり・やまぞうり等の異名がある。

被り物

烏帽子［えぼし］

奈良時代の制以来、成人男子は公式には帽子を冠ることが規定され、その形が日本的独特の形となった。平安時代には冠に倣って黒漆を塗ったので、その色が鳥の濡羽色に似ているので烏帽子というようになり、公家・武家の区別なく用いたが、武家はこの烏帽子の上から兜をかぶるようになったので軟かい萎烏帽子が作られ、これを髻《もとどり》を中心として帖んでかぶり、髻と烏帽子の先は兜の天辺の穴から出した。

一般には立烏帽子であるが、軟かいのは途中で折れたので折烏帽子ともいい、また形よく折り畳んで、髻を入れるようにしたのが侍烏帽子という形式である。

当時は露頂（頭を露出すること）を他人に見せる事を恥としたから、上級の武士は立烏帽子、以下は活動しやすいように侍烏帽子をかむった。侍烏帽子の後部上には外から内にかけて紐の絹があり、これに髻を通して、外部で緊めて結び、烏帽子が頭から外れぬようにしたが、この紐は後に形式化し、後には烏帽子の山から頂頭掛という紐を通して顎下で結んだ。

このように侍烏帽子も塗り固めとなって形

烏帽子

『平治物語絵巻』に描かれた兜の天辺から髻を包んだ烏帽子が出ている態

『伴大納言絵詞』に描かれた烏帽子

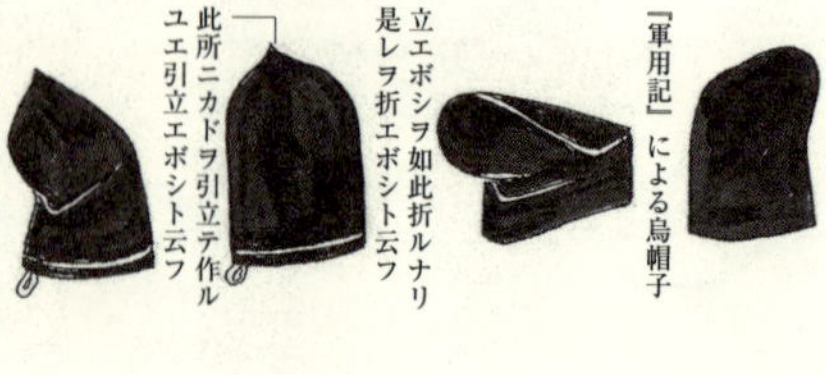
立エボシヲ如此折ルナリ是レヲ折エボシト云フ
此所ニカドヲ引立テ作ルユエ引立エボシト云フ
甲ヲカブル時ノ折リヤウハナシウチニ淮ジ知ルベシ

『軍用記』による烏帽子

式化したので、折り方・帖み方にも流儀を生み、さらに室町時代は儀礼化の装飾的のものとなった。

萎烏帽子［もみえぼし］

萎烏帽子は多く軍陣用に用いるが、後世は故実化して形式をやかましくいうようになった。『軍用記』第一にも

萎烏帽子の事。もみえぼし鎧ひたたれの古（故）実今の世には公家衆をはじめ知りたる人少し。貴ぶべし。珍重すべし

ともったいつけて

もみえぼしに三つの品あり。一つには梨打えぼし、二つには引立えぼし、三つには折えぼしなり。いづれも甲（兜）の下にかぶるえぼしなり。萎えぼしといふはえぼしをもみて作るにあらず。うすく和かにして折りてかぶり、それを又引立てなどしておのづからもめる故もみえぼしと云ふ（或は精好を用ふ）

梨子打えぼしは地は綾なり（或は精巧を用ふ）。ふしがねにて（五倍子鉄醤なり）染めうらはうすやうを二三枚重ねてかきを（かきしぶなり）上に引きて、うるしにてぬり、裏に付くるなり。少しやはらかにこしらへて緒あるべからず。鉢巻に付けやうあり。是れは甲（兜）の下に着すべきためなり。甲をとる時もとどりのみゆるは、もとどりなしとて（髪を乱すを云ふ）天のおそれあるによって是れを用ふ。殊に合戦のあらん日は大将軍是れを用ふ。軍陣の時、犬・笠懸を（春城云ふ。犬追物・笠懸・流鏑馬なり）、射る事あり。其の時えぼしの（常のえぼしなり）代に用意あるべし。返々をり様は口伝有り。これを着するは兵衛督三位なり。へんぬり（是は引立えぼしなり。梨子打には入らぬ事なり）の事をよく心得分くべし（中略）

甲をかぶる時はえぼしを折りひらめて甲をかぶるなり。其の折様はえぼしのうしろをふかく前の方へおし入れ、扱前のかたより頭の形に後へなでやり、えぼしの丸みの所は左へ折りふせておくなり。甲をぬぎ給ふ時は右の如く折りたるえぼしの丸みの所を取りて立引つれば本のごとく亦えぼしになるなり。（古き物語などに折えぼしを引立とあるは此の事なり。折りたるを引立つるなりと）

と記されているが、これは鎌倉時代以降の軍

烏帽子と兜

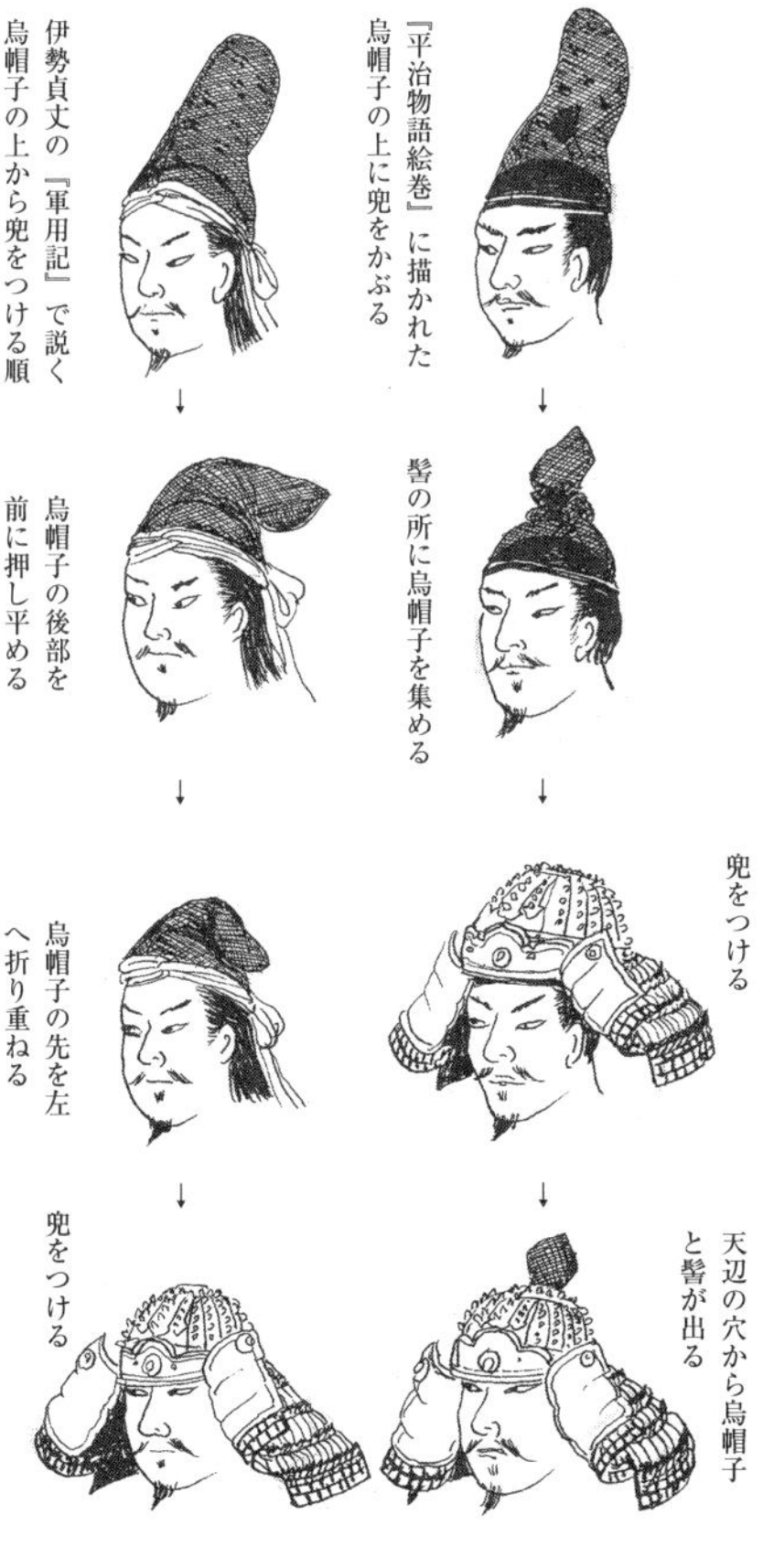

『平治物語絵巻』に描かれた烏帽子の上に兜をかぶる
兜をつける
伊勢貞丈の『軍用記』で説く烏帽子の上から兜をつける順
髻の所に烏帽子を集める
天辺の穴から烏帽子と髻が出る
烏帽子の後部を前に押し平める
烏帽子の先を左へ折り重ねる
兜をつける

装に兜をつける前に髻を解いて乱髪となってからの烏帽子のつけ方で、鉢巻を用いるようになったのも烏帽子がずれるのを防ぐためである。それ以前は頭上に髻を立てていたので髻を烏帽子で包むようにして兜をつけ、烏帽子の先と髻は天辺の穴から出るようにしたのである。

編　笠［あみがさ］

軍陣・行旅において、兜の代りに編笠を用いる例がある。一番多く用いられたのが綾藺笠である。

綾藺笠［あやいがさ］

綾藺笠は藺草の繊維で編み、裏に綾を貼った笠で中央頂上に巾子《こじ》のように突出した形とし、その根元に紫韋・紅韋を重ねて結んで風帯をつけ、縁りは小桜韋や菖蒲韋で小縁をつける。行旅の際に日除にかぶるが、『後三年合戦絵詞』に描かれているように、鎧を着用しても合戦の折でない時は、軽いこの綾藺笠をかぶる事があるから、古くは陣中の備品でもあったのである。

後世は狩装束や流鏑馬装束にも用いた。

笠中央の巾子状のものは髻を納める所といわれるが、古くは烏帽子をかぶった上から綾藺笠をかぶるので、烏帽子と共に髻が納まる。

笠

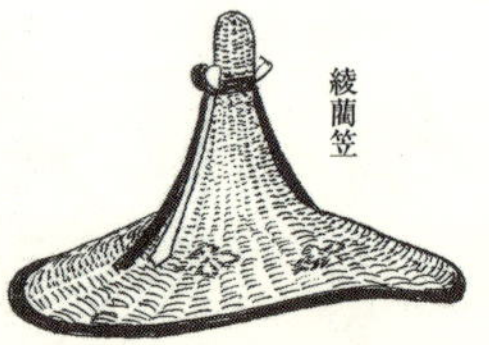

綾藺笠

『後三年合戦絵詞』に描かれた綾藺笠の武者

『伝大塔宮護良親王出陣影』の供の武者の編笠姿

竹　笠［たけがさ］

古くは行旅・軍陣に竹笠をかぶった事もある。『古今著聞集』『曽我物語』かはづうたれし条等に記されているが、竹の甘皮を薄く細く裂いて、それを網代編みにした笠で、日除用である。

『曽我物語』すけつねをゐんとせし条には曽我五郎が「ひようもんの竹笠」をかむっていた表現があるから漆塗りの平文の竹笠もあったことがわかる。

猩々緋の笠［しょうじょうひのかさ］

『見聞雑録』に信長が信玄に贈り物した中に猩々緋の笠がある。猩々緋とは猩々の血で染めた鮮やかな赤色をいうが、多くはヨーロッパから輸入された赤羅紗をさしていう。当時としては高価なものであったので、それを笠に貼った笠をいう。信玄は土屋平八にその笠を信長にあやかれと与えている。

この他平笠《ひらがさ》（『明月記』）、走笠《はしりがさ》（『走衆故実』）、小麦藁笠《こむぎわらがさ》（『氏郷記』）、菅笠《すげがさ》（『走衆故実』）、菅《すげ》の小笠《こがさ》（『甲乱記』）、南蛮笠《なんばんがさ》（『安土日記』）等がある。

その他の小物類～身の回りの備品

手拭

手拭は汗を拭ったり、顔・手を洗ったあと拭う布切れで、軍陣においてはさまざまに役に立つ。古くは柄の長い馬《ま》杓《びしゃく》柄の桶の下に手拭をつける鐶または、小さい横手をつけて、これに掛け扈従《こしょう》や従者が馬杓柄を担いで主人に従った。

上杉謙信は軍陣中でも手拭で面《おもて》を包んだ（覆面）事は有名で、時には京都の桂女のように桂包みにした。『甲陽軍鑑』小田原押詰条に

景虎三月中旬に相模の小田原へ押込既に蓮池まで乱入に、心もしらぬ関東侍大将衆に少も機《き》（気）遣《づかい》なく甲を脱、白布の手巾をもって桂包と云物に頭をつつみ朱さいはいをとりて、諸手へ乗まわり下知し

とある。謙信は好で桂包みをしたらしく、現在でも上杉神社稽照殿に遺品がある。また『謙信家記』景虎公関東勢被催小田原発向条にも

其日景虎出立ニハ、サビ色ノ総萌黄絲ノ

桂包み

『甲陽軍鑑』による上杉謙信の手巾（手拭）での桂包み。江戸時代以来では謙信は裏頭包（袈裟頭巾）であるが誤り。手拭包みが正しい

京都桂女の桂包み

上杉神社所蔵　上杉謙信所用の烏帽子形白綾頭巾（桂包みをつける）

『七十一番歌合せ』に描かれた働く女性の桂包み

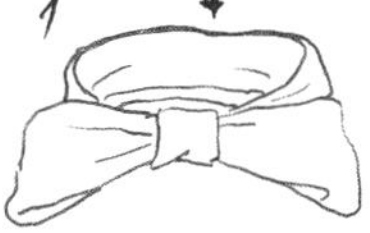

桂包み

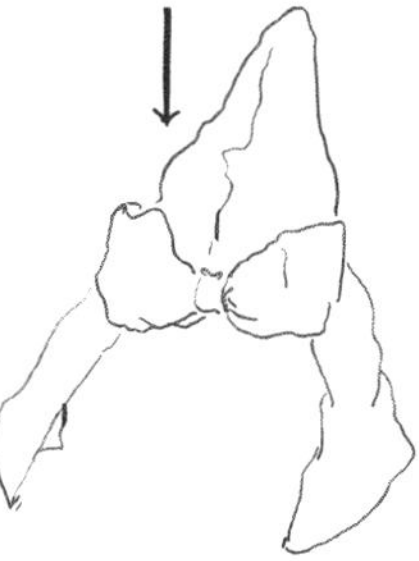

鎧ヲ着シ甲ヲバ不レ着シテ、白キ手拭ニテ頭ヲ包ミ采配ヲ取テ総軍ヲ乗廻シ下知シケル

とあり、信州川中島合戦条にも

謙信只一騎モエギノ胴肩衣ヲ着シ、白手拭ヲ鉢巻シ、剣ヲヌキ直ニ進ンデ信玄ヲ切事三度ナリ。

とあり、後世川中島決戦の絵はほとんど謙信が裹《か》頭《とう》包（僧侶が五条袈裟で顔を包む、袈裟頭巾ともいう）にした態を描いているが、事実は、鉢巻や、頭を裹《つつ》み手拭をしていたのである。鉢巻は武将でも行ない、烏帽子留めや、烏帽子つけなくても鉢巻する事は室町時代頃からの流行で、前で結び留めるのを向う鉢巻、後で結ぶのを後鉢巻といい、後世は庶民も多く用い、手拭を細くするために捻って捻り鉢巻、また頰かむり等色々工夫された。

この手拭は俗に三尺手拭（約一メートル）といって、現在まで手拭の基準（タオルを含めて）とされているが、三尺手拭は軍用の基準でもあったのである。『藤葉栄衰記』盛隆公高倉城攻落条にも大学が鉄砲で撃たれ

血流レケレバ、手所ヲモ能不レ見三尺手拭二筋ニテ其侭結包ミ

とあり、包帯代りにも用い、当然汗も拭いたので汗拭（『伊勢貞順記』）ともいった。

それでは汗拭いを軍陣では何処に着けたかというと『岡本記』に

鉢巻

『蒙古襲来絵詞』に描かれた手拭いの後鉢巻

ぐんぢんにてあせのごひのもちやうの事なし。然共ゆんで（弓手・左手）のいた（左側の脇板）のあひ（間）へ入てもちても可然《しかるべし》といふき（記）あり。さだまる法儀にあらざれば

とあり、故実、作法のうるさい室町時代でも汗拭いはどこに所持しても良いとしている。

『長篠合戦屏風』に描かれた前結びの鉢巻

安土・桃山時代には具足の前立挙のいずれかに鐶を打って采配付の鐶としたが、江戸時代の威儀的にこだわった頃は鐶が片側だけだとバランスが悪いので両側につけ、采配付の鐶に対して、もう一つを手拭付の鐶といった。

江戸時代の軍学者はそれをこじつけて、戦時にはこの鐶に濡れ手拭を下げて、戦で緊張

して咽喉が乾いた時にこれを噛みしめて湿《うる》おすと記してあるが、こんな軍装では不体裁で、こうした記録も古画もない机上の空論である。室町時代末期の『岡本記』では手拭は何処につけても良いとしてあるが、腰に付けるのも品が悪いから、汗拭いが左側の間に入れてしかるべきであるように、手拭いも左側の脇板の内側か、右側の引合せの中、または胸板の内側へ入れるようにしたら良い。また上帯に巻き付けたり、太刀の帯取りに巻きつけ、あるいは上帯に列べて巻き込むのも方法である。汗拭いは今日のハンカチと同じで、主人の汗拭いは馬杓柄の鐶に通して吊り下げておけば、馬上の主人が取りやすいので、馬上の主人に従う従者が馬杓柄を持つ時に必ず汗拭いを吊りさげた。その態は『春日権現霊験記』等に描かれている。『寸法雑々記』や『蜷川記』には

　あせのごひの事、長一尺二寸なり。亦色の事、只白が能候。あさぎか又梅などに染て用る人あり、是は昔の事にて候なり。今は白きが可然候也

とあって長さは一尺二寸（幅は一反の布幅であるから一尺約三十センチ）であるから今日のハンカチくらい。色も古くは浅葱色（薄紺）か紅梅（薄桃色）という洒落たものもあったが、白は清潔感があるので一般的である。

　また今日のように手拭や雑巾で、足を拭くのではなく足拭いという布も用意された。江戸時代までは身分の低い者は裸足であったか

馬杓柄につけた手拭い

『春日権現霊験記』に描かれた馬杓柄につけた手拭い

ら、主人に呼ばれて縁側などに上るときや、また身分が低くなくても郊外を歩いたり、旅行の折は屋内に上るのに、足を拭ったり、足を洗って拭った。これも手拭いや汗拭いと区別してその布を用意したのが足拭いである。

足拭いは『寸法雑々記』に二尺四寸（約六十五センチ）とある。

携帯用小道具

鉄鋏［かなばさみ］

現在いう「やっとこ」（焼床鋏《やきとこばさみ》の略音便で鉄箸《かなばし》ともいう）と同形式のものである。矢が刺った時にすぐに抜かないと鏃が肉に食いしめられて抜けなくなる。そうした折に、この鉄鋏をもって力をこめて抜けば取りやすいので、往古は戦陣には矢抜用に用意された。『後三年合戦絵詞』には二か所程鉄鋏で矢を抜いている図がある。鉄鋏は矢抜用だけでなく、固く結んだ縄紐を解くにも用いられ、よろづ便利な挟み物であったので、戦陣の武士はこれを用意し、時には箙《えびら》に納めたりした。近世まで用いられたらしく『続撰清正記』に

晋州の城に乗入れ候時、矢木八右衛門と申者、具足の綿上（肩上）に矢を射付られけるを取て引抜ければ矢柄（篦）計抜て根は止りけれども事急なる時故、其侭城へ乗入、偖《さて》其夜に入て陣屋へ帰り、矢

鉄鋏と火打袋

『後三年合戦絵詞』に描かれた鉄鋏みで鏃を抜くところ

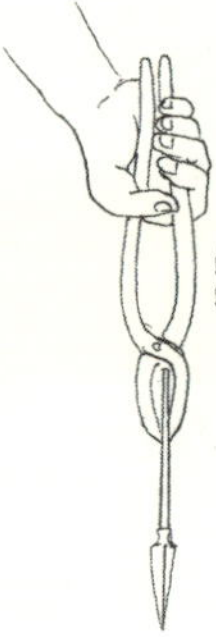

鉄鋏

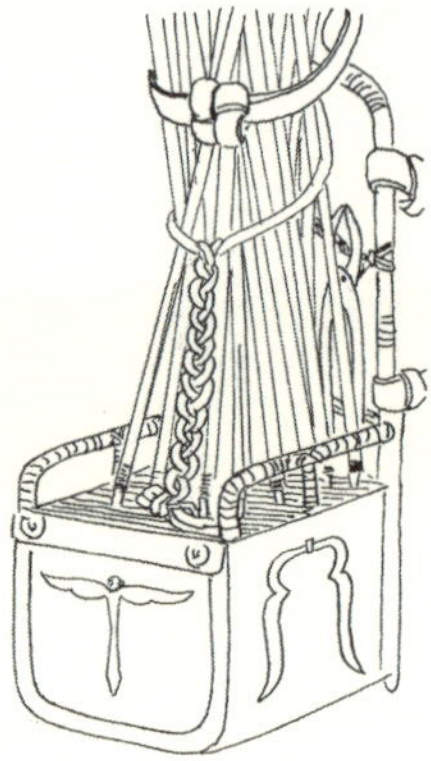

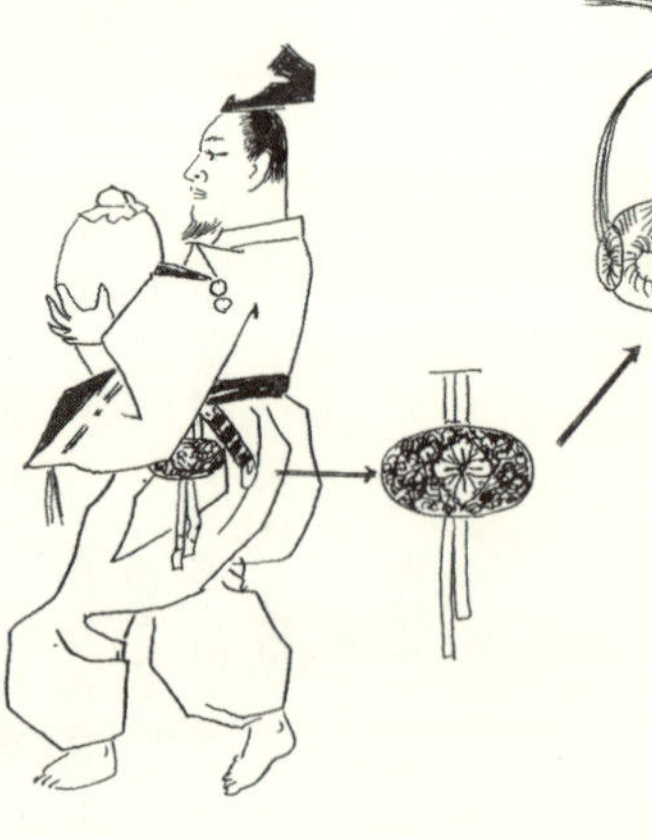

『後三年合戦絵詞』に描かれた火打袋を腰にした図

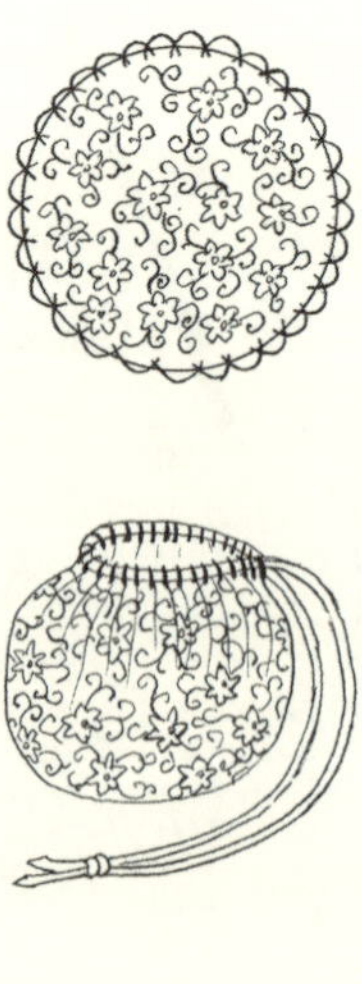

『後三年合戦絵詞』に描かれた火打袋を『軍用記』付図が想定して描いた図

の根を抜に骨肉に喰しめ一円抜さる故、
手負を足にて踏つけ鉄鋏を以て矢の根を
はさみ漸々抜たり。此時老功の者云しは、
何時も当座にぬかねば肉喰しめ後は抜ぬ
物とぞ

とある。

火打袋（燧袋）［ひうちぶくろ］

古代より江戸時代末期までの発火道具で、日常生活にも、軍陣にも欠かせない品である。石英の粗なる石で堅いので鋼石と打ち合せると火花が出る。その火花と火口《ほぐち》（茅花《つばな》又は斑枝《バンヤ》花に焼酒と焔硝を加えて煮たものを干し、又は茼麻《いちび》の幹を焼いて消し炭としたもの）に移し、それを吹いて火勢を強め燃すものの元をつくる。打ち合せる鋼材は火打鎌ともいう。

この石英と鋼と火口を一組として小袋に入れ、口を紐で締って根付などに繋いで腰につける。火は日常必要品であるから、一般の人は常にこの袋を腰にさげていた。主将以外は戦陣でも火打袋が必要であった。その袋も一種の腰の装飾の意味もあって『太平記』公家武臣栄枯易地条に「虎ノ皮ノ火打袋ヲサゲ」とあるように輸入品の贅沢な火打袋もあった。『武雑記』『伊勢貞助雑記』『宗吾大草紙』等には四十歳を過ぎたら、火打袋をさげなくても良いとか、火打袋のくすり（火口）を他人に分けてやる時の作法（『伊勢貞順記』）まで生じた。今日のマッチ・ライターのように日常生活の常備品であったから、戦場にも欠かせないものであった。

挟箱

挟竹・挟箱［はさみたけ・はさみばこ］

丸竹を途中まで割って、予備の衣類を挟み、先端を紐で結んだものを、供の者に担がせたのを挟竹といった。衣類を風呂敷や袋に入れて持参するのではなく、竹に挟んで持つということは不態《ぶざま》であったので、後に箱に収め、それを棒に通して供が担いで従うようになり、これを挟箱といった。

『続武家閑談』に

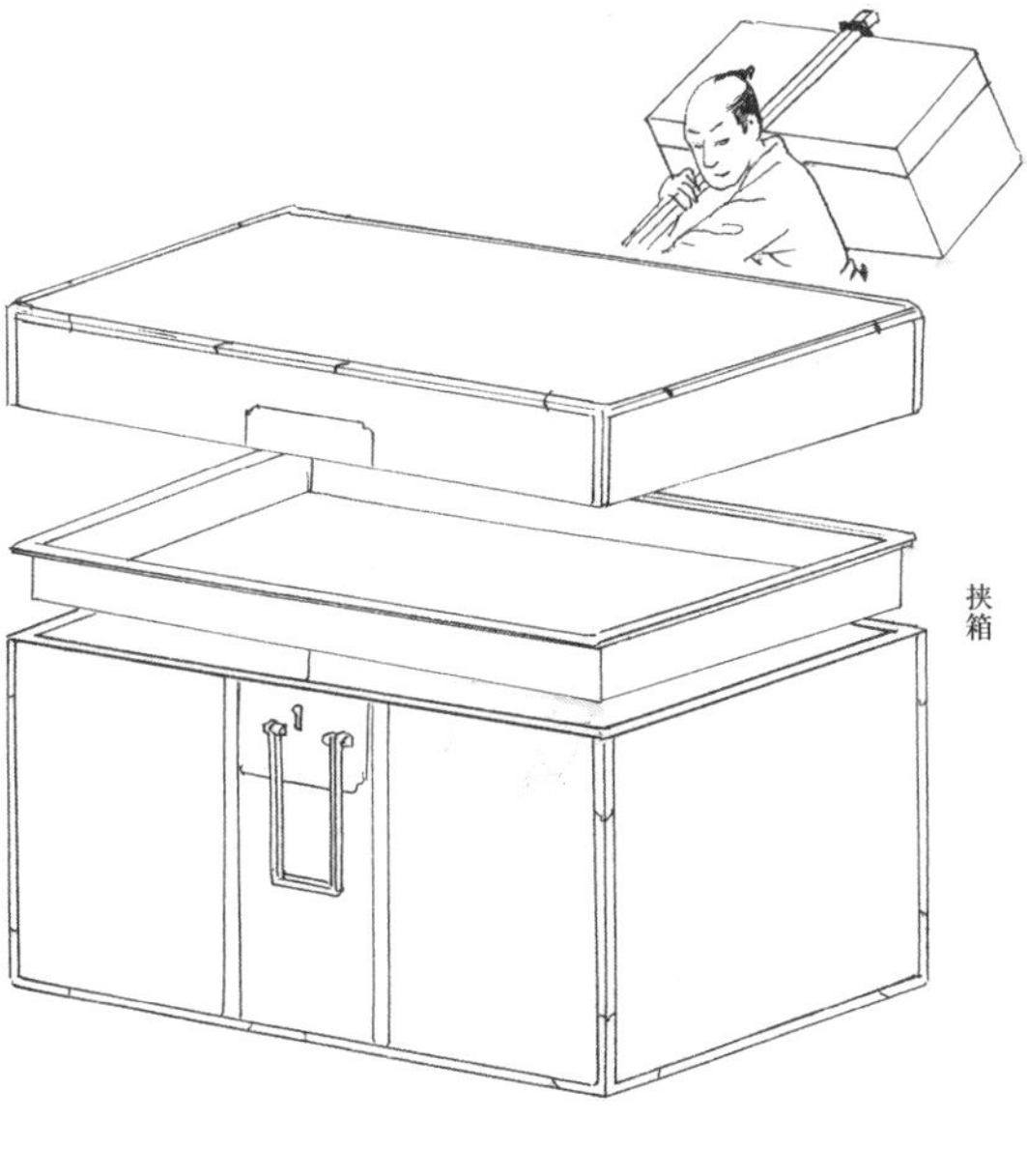

挟箱

矢立

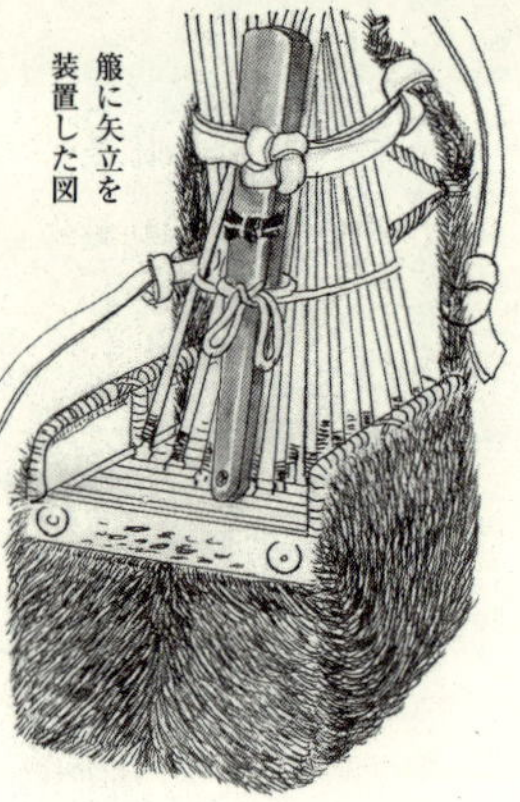
箙に矢立を装置した図

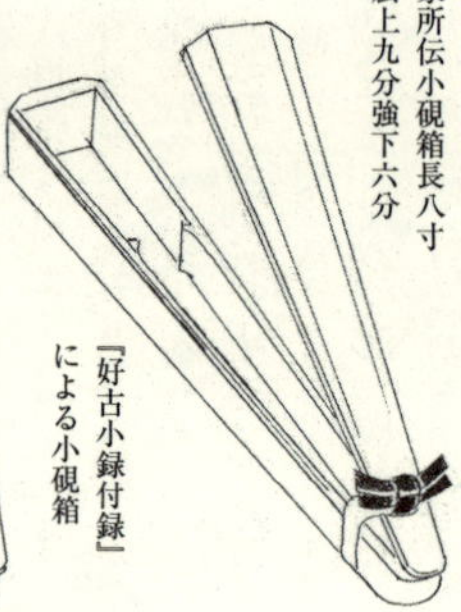
一故家所伝小硯箱長八寸九分広上九分強下六分

『好古小録付録』による小硯箱

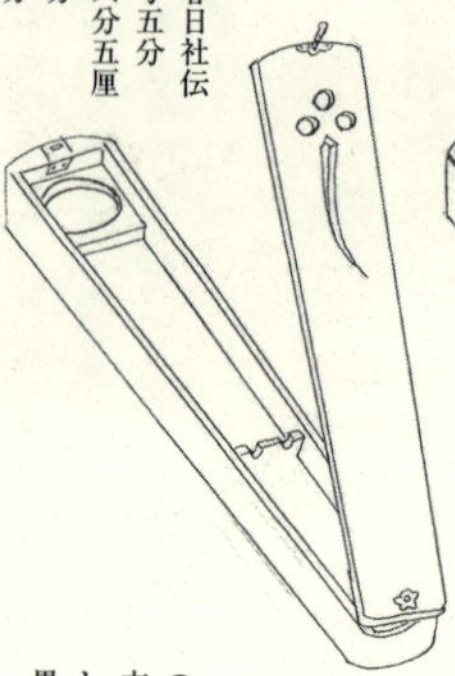
硯箱乃楽春日社伝
長一尺一寸五分
広上二寸六分五厘
下二寸二分
側一寸二分

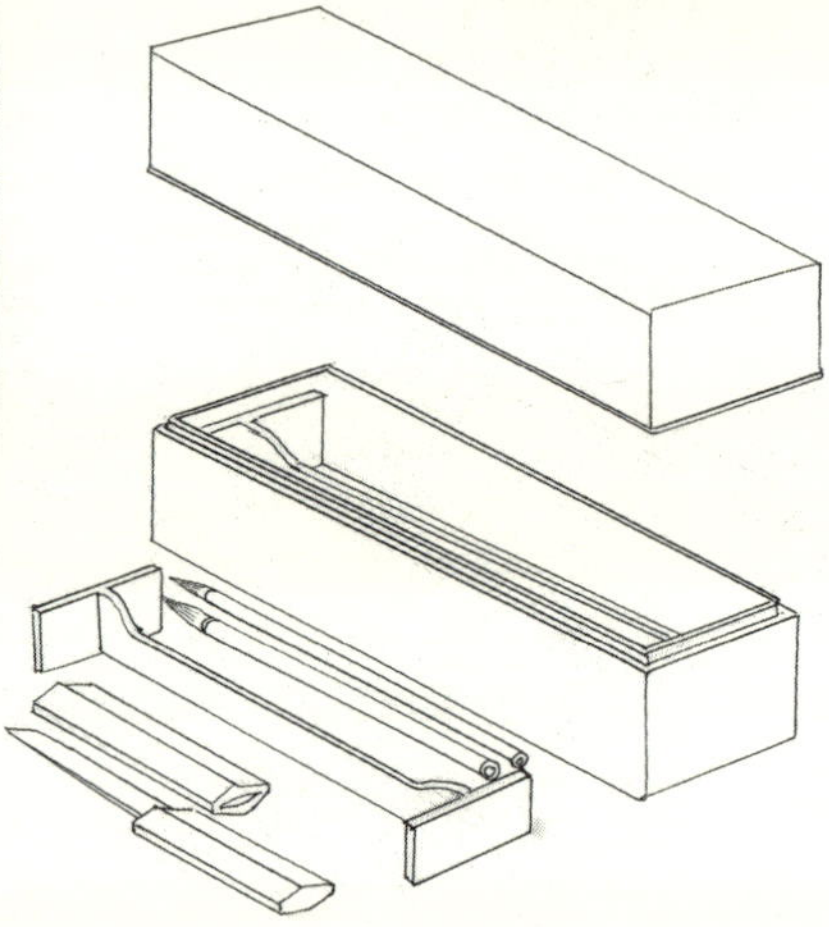
調度懸の下方に引出しをつけ、小硯・墨を入れ下図のような箱に小刀・筆を入れる

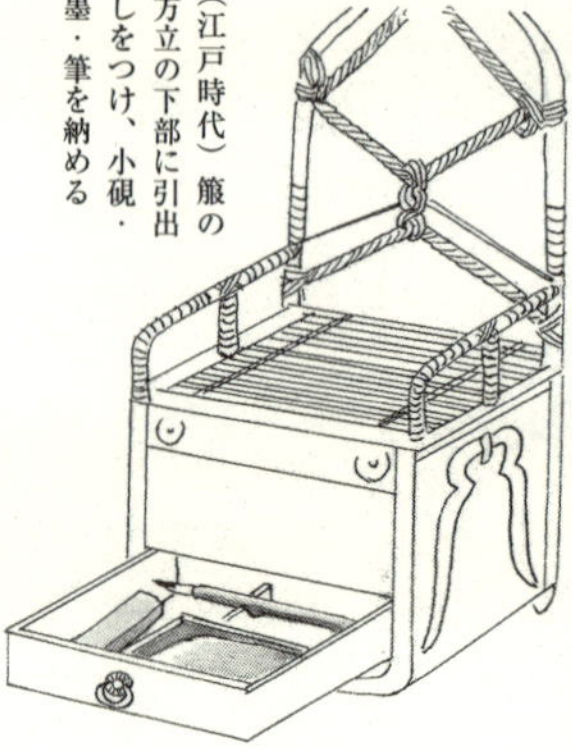
（江戸時代）箙の方立の下部に引出しをつけ、小硯・墨・筆を納める

挟箱は漸寛永の末に於二江戸一出来す。其前は挟竹といふものを用ふ。是さへ慶長の頃津田長門守始而制し畢《おわん》ぬ。つづらも稀にして、当番（城中に詰める勤番、特に泊番）の諸士寝巻を木綿袋に入、是を番袋と名付持せつかはす

とあるが、室町時代末期の『宮参次第』や『太閤記』前関白秀次公条『賤ケ嶽合戦記』等にも散見し、衣類だけでなく兜・具足をも入れて供の者に持参させた事が記されている。挟箱は挟竹よりも便利であるから、普及が早かったらしい。

矢立（矢立の硯）［やたて（やたてのすずり）］

筆と小型の硯と墨を小さい容器に一セットとして揃えた道具をいう。陣中でも報告、消息文を書く必要のため懐紙と共に用意するのが常であったが、これを帖んだ軍扇型の本を凹まして収納し、箙に盛った矢と列べ、上帯などで固定して携帯したので、矢立と称した。『源平盛衰記』三箇馬場願書条にも木曾義仲が大夫房覚明に命じて白山妙理権現に願書を奉るために覚明が矢立を取り出したことが記されている。

有力の武将の出陣とか、余裕あっての出陣であれば、筆・硯・墨等は硯箱に収めて調度係りが持参したであろうが、個々の武士等はそうした用意はできかねるので、超小型の筆

硯具とし、また外見も形よく、箙の中に同居できるように帖んだ軍扇形の硯箱とし、矢と並んで立てられたので矢立という名称となった。扇形であるが、親骨が蓋の役をし、要《かなめ》を軸に親骨をずらせて開くと、上方の凹みに小形の硯と墨、下方細長く刳られた所に軸を短くした筆が収められていた。

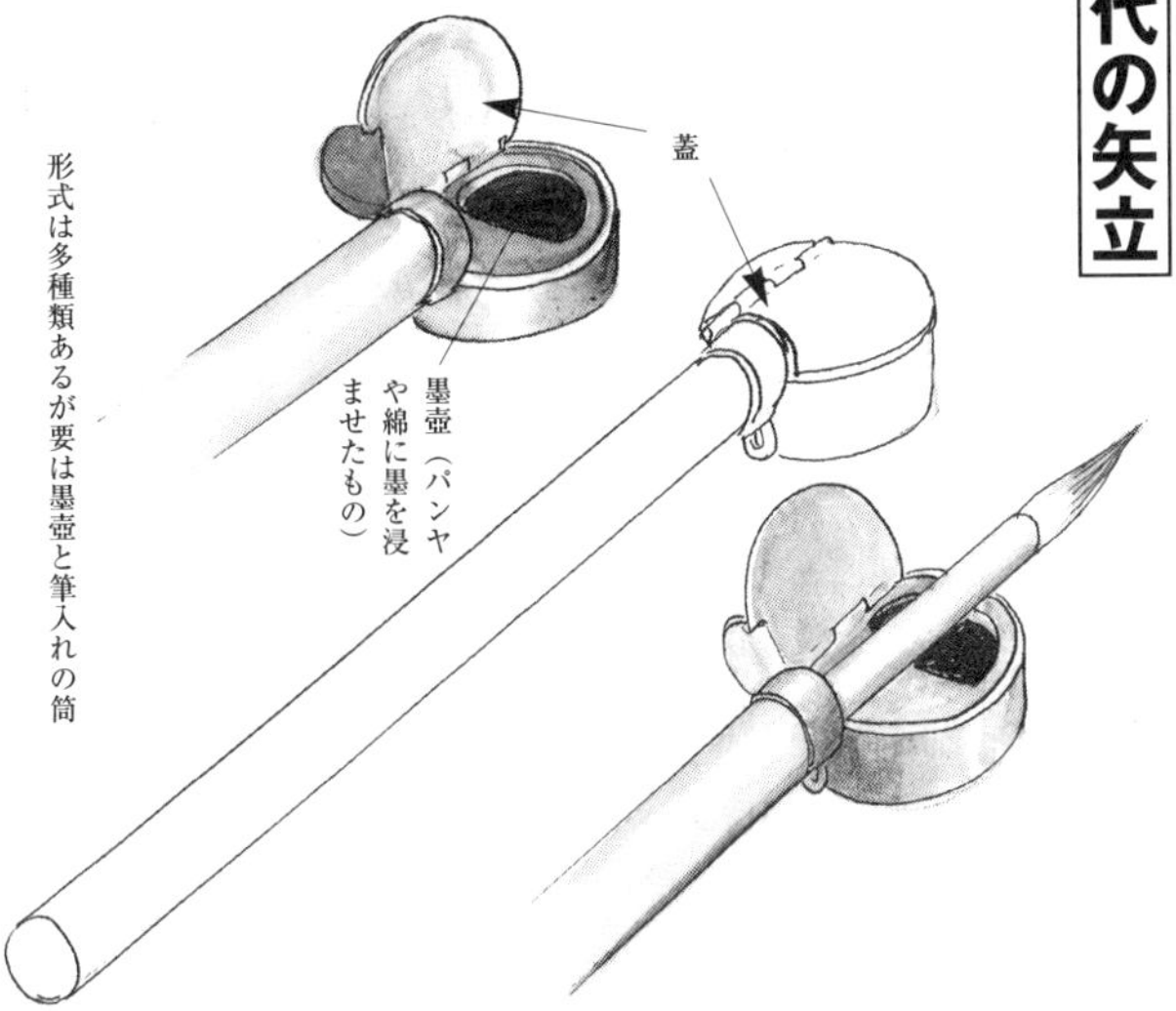

形式は多種類あるが要は墨壺と筆入れの筒

江戸時代の矢立

『源平盛衰記』義経範頼京入条にも

　矢立の硯を取寄せて

とあるから、古くは硯が仕込まれていたのであるが、やがて硯の代りに墨を浸した綿（後世はパンヤ）を凹ました部分に詰て墨壺とした。

　そして墨壺と筆入の筒があれば硯まで用意する必要が無くなり、蓋付の墨壺と蓋付の筆入筒が接続して、これを腰に差す形式として江戸時代末期まで広く用いられた。

　軍陣における矢立（の硯）がどういう形か不明であるが、軍扇形であった事は古図によってもうかがわれるが、箙に矢と共に置いただけでなく、腰の上帯に挿したり、『太平記』高氏被籠願書於篠村八幡宮条に記されるように、「鎧の引合より矢立の硯を取出して」とあるごとく懐中にしたりした。

　また『同書』俊基被誅条には「矢立ヲ御前に指置は硯の中なる小刀にて」とあるように紙を截る小刀（ナイフ）も用意されていたらしい。

　江戸時代には箙の方立の下方に引き出しを設け、その中に小型の矢立の硯と墨と短い筆を納めたものもあり、また身分の高い者が用いる調度掛の下段を引き出しとし、その中に小型の硯・墨・筆・小刀・鋏・料紙一切を収めるようにしたものもあるが、これらをすべて矢立の硯と称していた。

　江戸時代に士庶を問わず携帯して利用した墨壺と筆入の筒の付いた矢立という形式はいつ頃から行なわれたか不明であるが、これは腰に差す軽便のものであるから、広く用いられ、身分や富裕によってはすこぶる上等な細工が施されていた。

戦場での物売

永陣になると物売や女性が集ってきて金がかかる

袋・容器類

内　嚢［うちぶくろ］

戦争が数日続いたり長陣になるとよろず日用品も必要となり、用意していったものだけでは足りなくなるので戦場にくる物売から物を買うようになる。従って戦場でも金銭が必要で、これが無いとその土地の住民から略奪する事になる。江戸時代の藩によっては甲冑武者一人に付き金十両を具足櫃に納めて、藩の武器庫に保管させる所もあり、大勢の家来や武家奉公人、徴発軍夫を抱える主人は相当の金額を用意しなければならなかった。

戦争には個人々々も金がかかったのであるし、また盗みも流行するから金の保管にも心得が必要であった。故に江戸時代の『單騎要略』（單（単）騎とは馬に乗って馳けつけねばならぬ身分の武士をいう。そうした身分は一人二人と数えずに、一騎二騎と数える。江戸幕府では二百石、二百俵取り以上をいうが、藩によっては十五石位でも乗馬を許されている）によると、こうした金銭はしっかり腹巻に納めていると必要の時に具足を脱がなければ取り出せない。故に当座の必要の小銭は小さい袋に入れて、いつでも取り出せるように袋に紐をつけて首にかけ、袋は胸板の裏に納めておく。これを内嚢と称している。

『大坂合戦屏風』に描かれた戦場での物売

『單騎要略』被甲弁によると、

内嚢は腰に纏い、頭に掛るといえ共、皆勝手によからず、方金（一歩金）を糊にて厚紙に付、下着の襟に縫帖《ぬいくるみ》たるに如くはなし、但し出納しやすきやうにはからひて持べきなり

とあり、『甲冑着用弁』下には

内嚢ハ金銀薬物等ヲ入レ紐ヲ首ニ掛テ腰ニ下、発手ノ限、帯ノ上ニ置テ其上ニ胴甲ヲ着スルナリ

とある。紐の付いた財布のようなもので、胸板の下に納めたり、発手のところに下げたりした。とにかく身につけて取り出しやすいようにしたもので、江戸時代以前の記録には見えないから、戦国期にはこれに似た何らかの財布状のものを用意したに違いない。行軍中に宿営したり滞陣した折には色々の物売が来る。鉄砲使用以前には弓の弦売り、乾魚・饅頭・酒・食物売から遊女まで集って来たが、鉄砲使用以後はさらに火縄売り、傷薬売、煙草売なども集ったから、明日知れぬ生命でも金銭は必要であったのである。

用　嚢［はながみぶくろ］

用嚢は鼻紙袋、内飼《うちかい》袋ともいう。一説には具足の内側につけるのを内飼袋といい、具足の上に装着するのを鼻紙袋といったともある。打飼袋は兵糧又は焼飯、餅等を入れて、甲冑着用後腰に結び付けるともいう。その形式は袋縫いの筒状にした兵子帯のようなもので、たくさん物が入れられるので、米・食糧のほかに鼻紙・楊枝・石筆・磁針・水呑・糸針・箸・匙・櫛・剪・削刀等日常の必需品を入れるとしている。桃山期から江戸初期の具足の左脇胸に装置した鼻紙袋に小銭と鼻紙程度しか入れられないので、前草摺裏にも用嚢をつけて、これを宰丸隠しとも呼んだ。

結局日常の備品は打飼袋に入れて、後腰に当て、前で結び合せるのが一番大量に入り、これは安土・桃山期には一番流行した、『武徳雑話』『武家故事談』等に朝鮮の役（文禄・慶長の役）の折に密陽城に入城した加藤清正は座敷に上る時、緋緞子の打飼袋を解いて投げ出したが、中に米三升、干味噌、銀銭三百が入っていて両手で持つ程の重さであったという。

打飼袋と同型式は明治の建軍以後西南の役から日清・日露の戦争に背嚢不足に代用されてかなり用いられた便利な道具であった。

印　籠［いんろう］

印籠は古くは印章・肉池を納めた小型の飯櫃型の重箱を重ねた形で腰に下げ、これは江戸泰平の時代に入っても武士の備品になったが、印章はほとんど入れず、傷薬や飲薬を少量入れた救急箱代りとなった。戦場で用いる事はまれで、必要の救急用品はたいてい用嚢（内飼袋）に入れた。

巾着

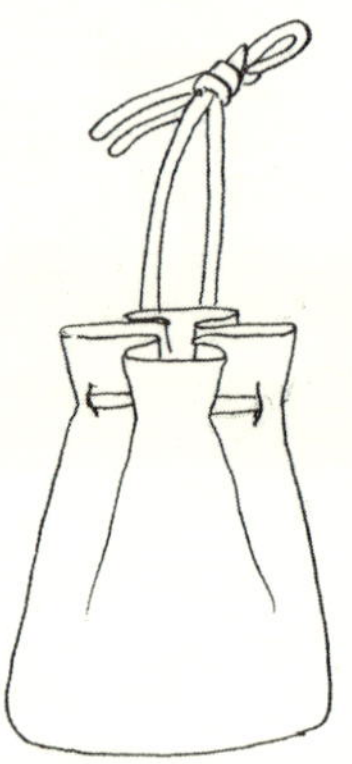

火打袋から発展したものと思われる

巾　着［きんちゃく］

火打袋の遺製ともいわれるが、近世は小銭・印判・薬などを入れて腰にさげた。江戸時代には火打袋に代って流行した。近世は甲冑武装の折には内嚢を巾着代りに用いたが、『深秘筐底録』『続武家閑談』『清正記』等には軍陣にも腰にさげ『続武家閑談』では腰部の装飾として贅沢な切地や皮で巾着を作っている。

腰　苞［こしづと］

米・味噌の類でなく炊いた飯を握り飯にし、あるいは腰桶・面桶・骨柳《こり》（柳または籐の細いもので編んで作った、かぶせ蓋式の弁当箱）等に飯菜を詰め、これを風呂敷に包むか、腰苞に入れて腰にさげる。これを腰弁という。（明治時代下級の勤め人を腰弁といったのは腰に弁当箱をさげて通勤する身分の者といった侮称）

この腰苞の作り方は『單騎要略』被甲弁によると、

細き紙撚《こより》（日本紙を細く裂いて、左手の親指と他の四本指を合して、その紙を擦り上げるようにすると細い紐状に捻れる。これを観世捻りとも覔政捻とも書く、臨時の紐を作る方法で、書類を綴じたり、簡単に物を結ぶに用いた。）を合せて、経《たて》とし、間を一寸ばかりづゝ置て、同じく紙撚をもて緯《よこ》とし、簾のごとく編むなり、経八寸余、緯一尺余にす。竪の両端をば簣《もつこ》のごとく折返して紐を通し緊《しめ》るやうにし、偖《さて》柿渋を数遍加て固くす。然して兵糧を入るるにハ。別に麻の布巾のごときものにつつみて、彼苞に引くるみ、右の腰にさげ、紐をハ左の腰にて結び置なり

とある。つまり観世捻り編み、渋染の網袋である。

頸　袋［くびぶくろ］

『單騎要略』に

細き苧《を》（麻の繊維を細く裂いたもの）

軍用の備品――一

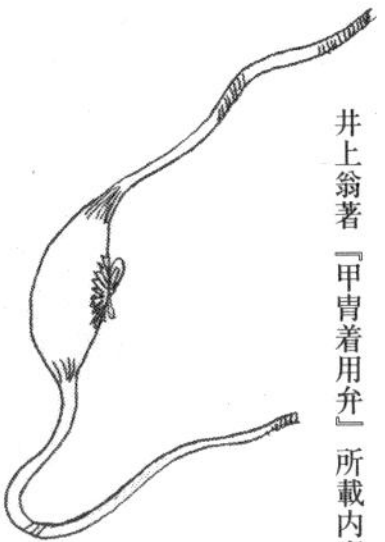

井上翁著『甲冑着用弁』所載内嚢

『雑兵物語』挿図所載
打飼袋・食料袋・葛籠《つづら》行李《こうり》

打飼袋

葛籠行李

米一食分ずつ球結び

胸の手拭付の鐶に濡手拭を掛けるという江戸時代の考案

この様な記録も例も無い

鼻紙袋の図

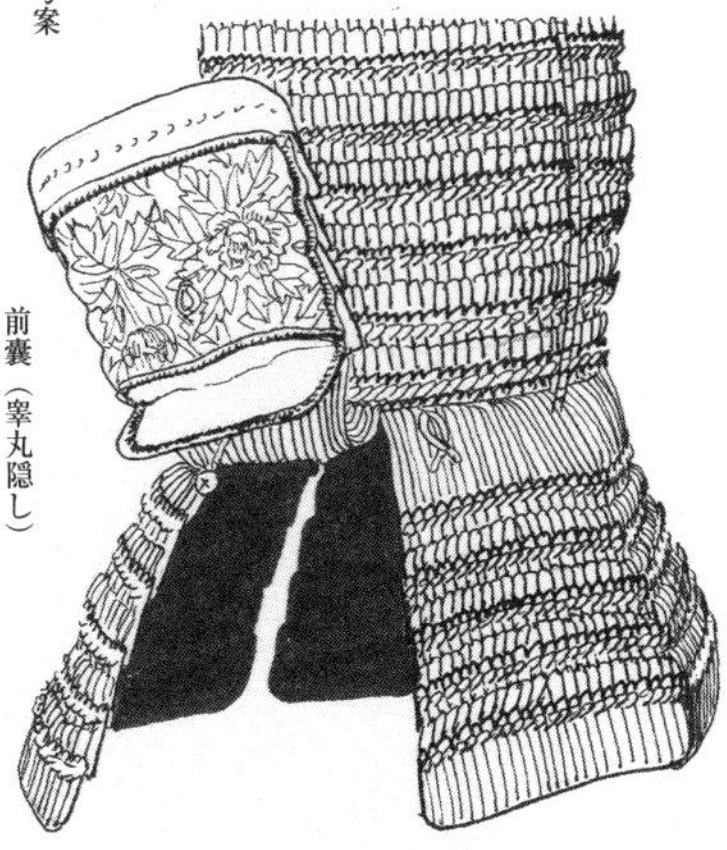

前嚢（睾丸隠し）

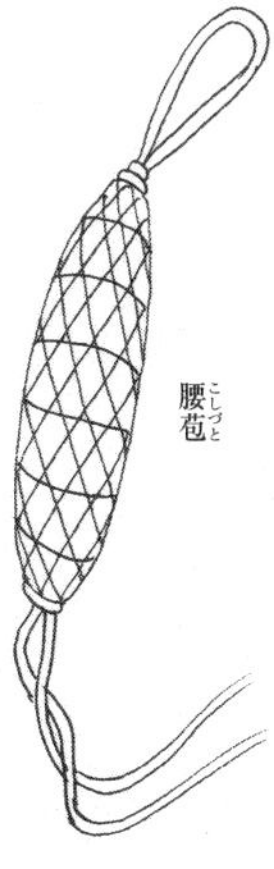

腰苞《こしづと》

軍用の備品——二

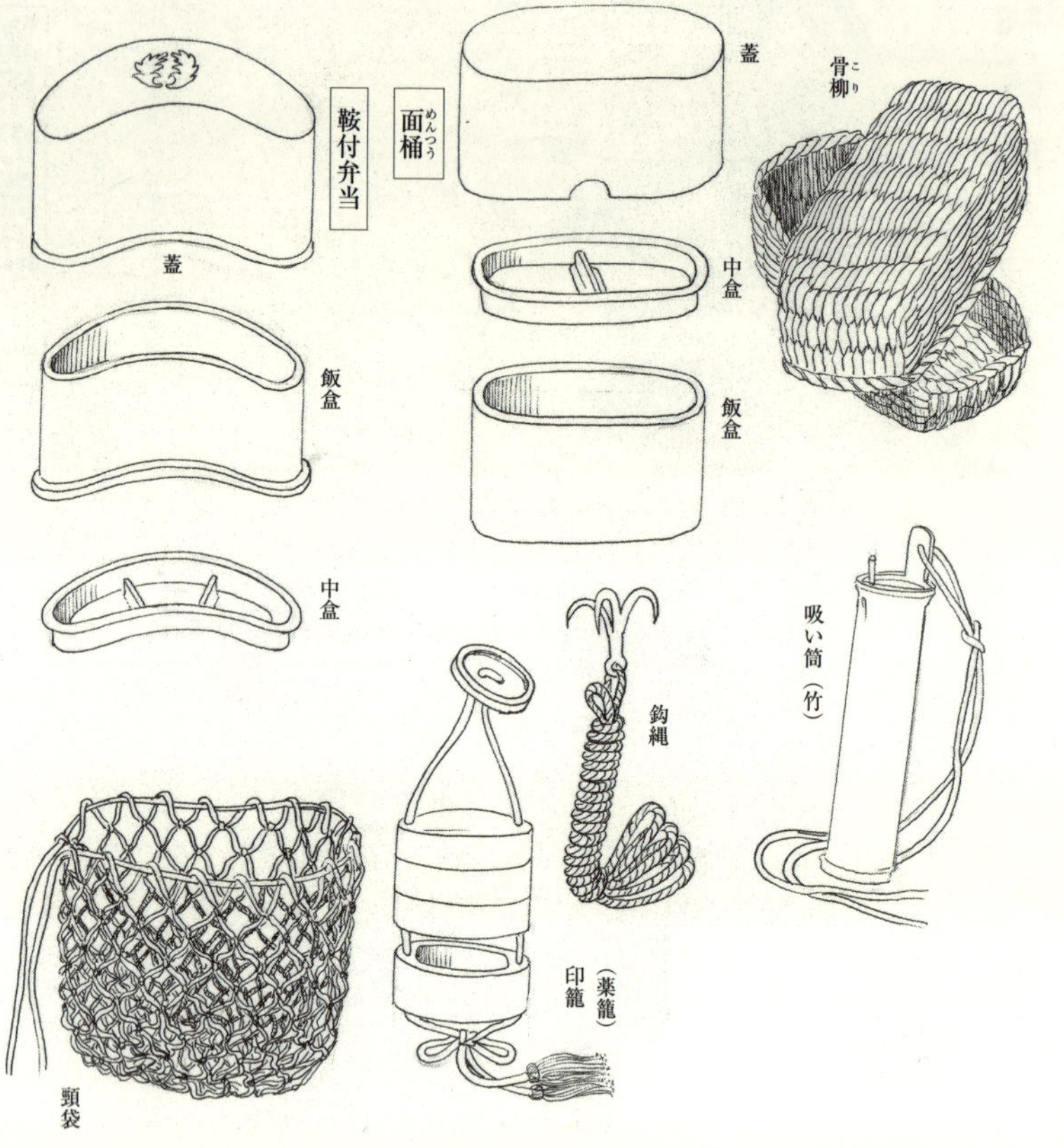

縄の網をもてす。歩立《かちだち》（徒歩）の時ハ腰に挿ミ、馬上の時は取付（四方手）に付べし、然れども鳴呼《をこ》がましく頸袋を携てもし首級《くび》を取獲《とらえる》事なからむハ、他の見る目も懶《ものう》かるべし。よく心得て目に立ぬやうに計ひ持べし

とある。獲った敵首を入れて持参するための網袋であるが、戦国期では聞かない物である。敵の首を持つ時はたいてい、髪の毛で結び付けるか、紐で口を割ってからげるか、布に包んで持つかする。頸袋などというのは江戸時代の考案である。

江戸時代の軍用書の中には首札すら用意するという。首札は何年何月何日、誰某、なにがしを之を討取ると書いた札で、これを敵首の髻に結び付けるための用意であるが、結局「取らぬ狸の皮算用」で滑稽な事である。首札は本人が用意しなくとも本陣で討取首を確認した時につけてくれるので、本人が用意すべきではなく、首札を用意して働きが無かったら反って冷笑されるだけである。

鈎縄［かぎなわ］

『単騎要略』に

鈎縄ハ細き苧縄よし。長さ一丈ばかり（約三・〇三メートル）の片端に締を設て三股の鉄鈎を付べし。十余貫目（四十キロ以上）の重目を釣て鈎も縄もも手強

さをためすべし。其用ハ大概腰縄の用に均し。第一は屏《へい》を乗《のる》に用ひ、また八舟軍《いくさ》、川越に用ひ、或ハ営中にて具足を釣に用ひ、或は手綱の代とし、つるべ縄の替とす。此類の用挙て尽がたし。推てしるべし。但随身の器械おほく持にくくば、鞍の塩手（四方手・取付）に結ひ付て持も佳と云。宜に任すべし

とある。鈎縄は色々の用い方があって戦場では便利であるが『單騎要略』被甲弁では鈎縄を腰にさげたり、馬の四方手に取り付けたりするが、近世の武装は腰のまわりにごてごてと備品を取付て不便この上ない状態で、結局机上の考案である。

救急備品

『甲冑着用弁』下によると

早血留秘方　石灰《イシバイ》ヲ寒水ニ浸シ日々水ヲ換アクヲ流、三十日過テ水ヲ去、日ニ乾シ、明年三月三日、五月五日、此両日ノ内ニ右ノ石灰ヲ韮ノ汁ニテ能煉《ヨク》、日ニ乾シ粉ニス。是ニ焼明礬ヲ少シ加フベシ。又一方土竜《ムグラモチ》ノ首足腸胃《ハラワタ》ヲ去リ、腹中ヘ欵冬《ヤマブキ》ノ花、又ハ紅花ヲ一パイ入レ口ヲ縫合セ、其ノママニ黒焼ニス。血ノ走ル時耳カキニ一ツ程舌上ニ点ズレバ血忽止ルナリ。世ニ是ヲ舌上散ト云。

健歩散

防風・細辛・川鳥頭・竜骨少シ、右細末ニシテ水ニテ練、足ノウラニヌルナリ、一説ニ此薬ヲ糊ニテネリ紙ニノバシ内腂《クロブシ》ヘハルト云トモ、足ノ裏ニヌルヲヨシトス。

息合薬

人参・辰砂・白茯苓《ブクリヨウ》・甘草《カンゾウ》各一両・桔梗二分、射香一分、右細末蜜ニテネル。人馬共ニ息合ニ用ユベシ。此法一ノ宮丹波ヨリ今川家ニ伝ヘタリト云伝ノ故ニ是ヲ今川ノ赤薬ト云ナリ。

兵粮丸秘方

陣中ニテ一時ノ飢ヲ救フ法ナリ。山蕨ヲ濃煎《センシ》、此汁ニテ黒大豆ヲ能煮、日ニ乾シ、儲《タクワ》エ置、飢ニ及ブ時五七粒ヅツ食スベシ。又方、小麦ノ粉一合上酒一升ニ浸シ、日ニ乾ス。如此スル事数辺ニシテ雞子《タマゴ》ノ大サニ丸シ、一日ニ二ツ三ツヲ食スレバ飢ル事ナシ。

とあり、果して効果の程は不明であるが、軍学者流の秘伝であった。

道具の用意

『單騎要略』被甲弁に

腰挿

笠印と袖印

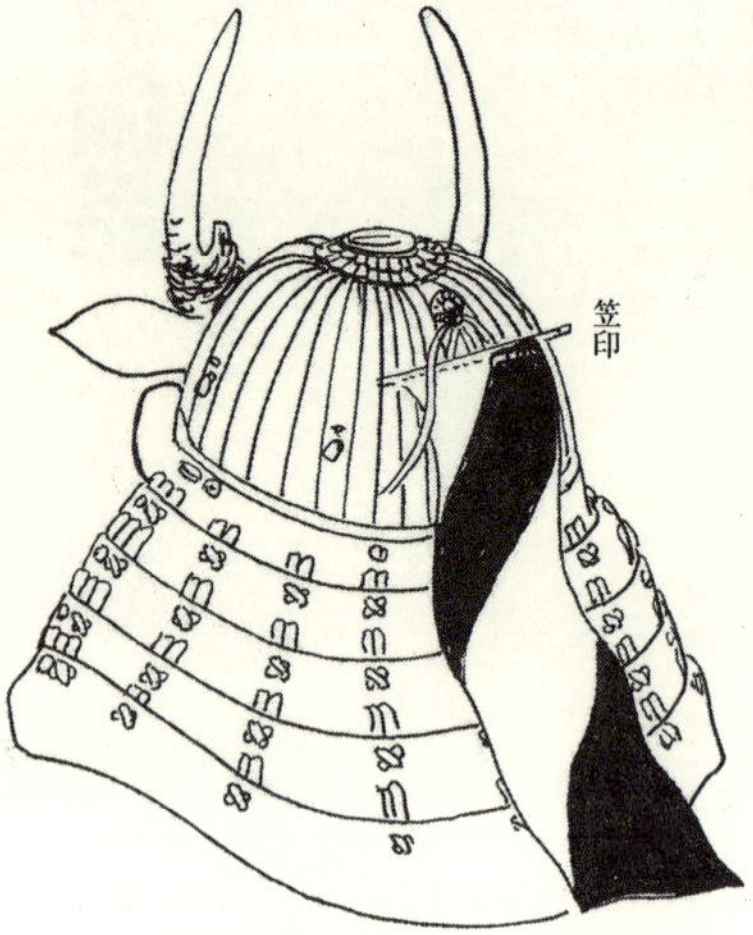

笠印

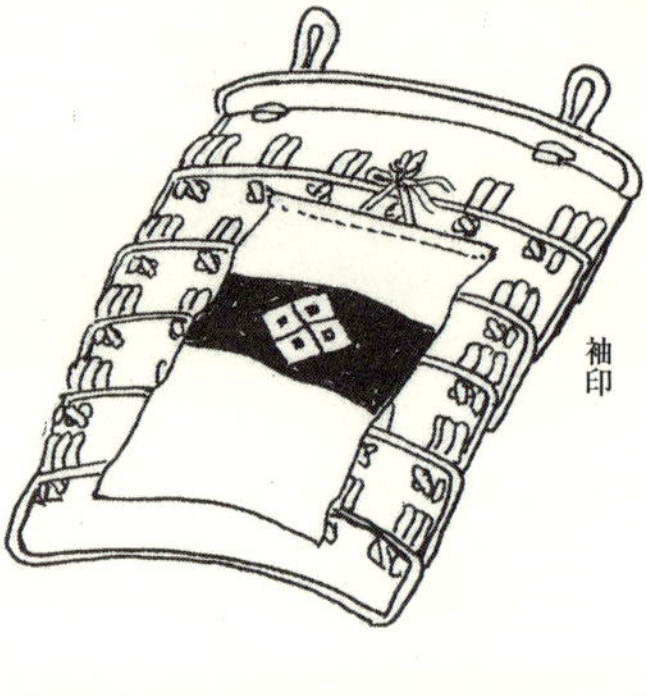

袖印

鼻紙ハ五三枚づゝ、引しごきて、表帯《うわおび》に挿置事よしといふ。決拾《ゆがけ》をつけし小手を着してのちは、指の先自由ならず、薄紙ようのものは別て取扱いがたしという。

救急薬

乳隠の鐶、又は相引の緒にハ、気付薬・毒解・虫薬・血留等、急用の方薬をつけ置て、不時の用に備ふべしと云、妨げなくバ心に任すべし。

水筒の用意

水一合あまり二合ばかりも入べき程なる水入筒をこしらへて、細き苧の網袋に入、腰につれて渇をやむるの備とすべし。また梅干の肉を布の綩《きれ》につつみ、紐をもて綿嚙《わだかみ》の端よりさげおき、喉渇する時ハ口にふくみたるが佳と云。惣じて軍中にてハ渇に苦しむ事おほし

濡手拭の用意

軍中にてハ常ニ帨《てぬぐい》を水に漫し、胸板に設けたる手拭付の鐶にくくり付置、折々口中に含で、咽喉をうるほし、又面体を拭べし。大に気力におぎなひありといふ。

陣中に於ける蚤虱の予防

薫陸《くんろく》の入たる合香《あわせごう》、かならず膚につけべし、山野通行のとき等、毒虫のおそれなし、また臭気を消し、蚤虱の類ひを不生と云

等と、戦争の無くなった江戸泰平の時代には色々と戦場生活の不便を補う考案がなされた。

このほかに腹巻・満智羅・陣羽織・胴服・半被・袖印・笠印・腰挿・水抜・浮嚢《うきぶくろ》・床几・敷皮等まで用意するように記されているが、少なくとも馬上の士であれば武家奉公人を連れるから良いが、槍一筋の徒歩の士では、こうした備品を身の回りに装着したら、活動もままならない。

もっとも戦う身分の者は最低でも一人位は供を連れるから、それらが櫃や両掛を担いで備品を持つからある程度の必要品は間に合う。

軍神に守護を頼む護符

兵を動かすという事は、国の存亡の道に繋かる程の大事であるから、二千数百年前の中国の孫子も兵法書の冒頭に

兵者国之大事　死生之地　存亡之道　不可不察也

護符

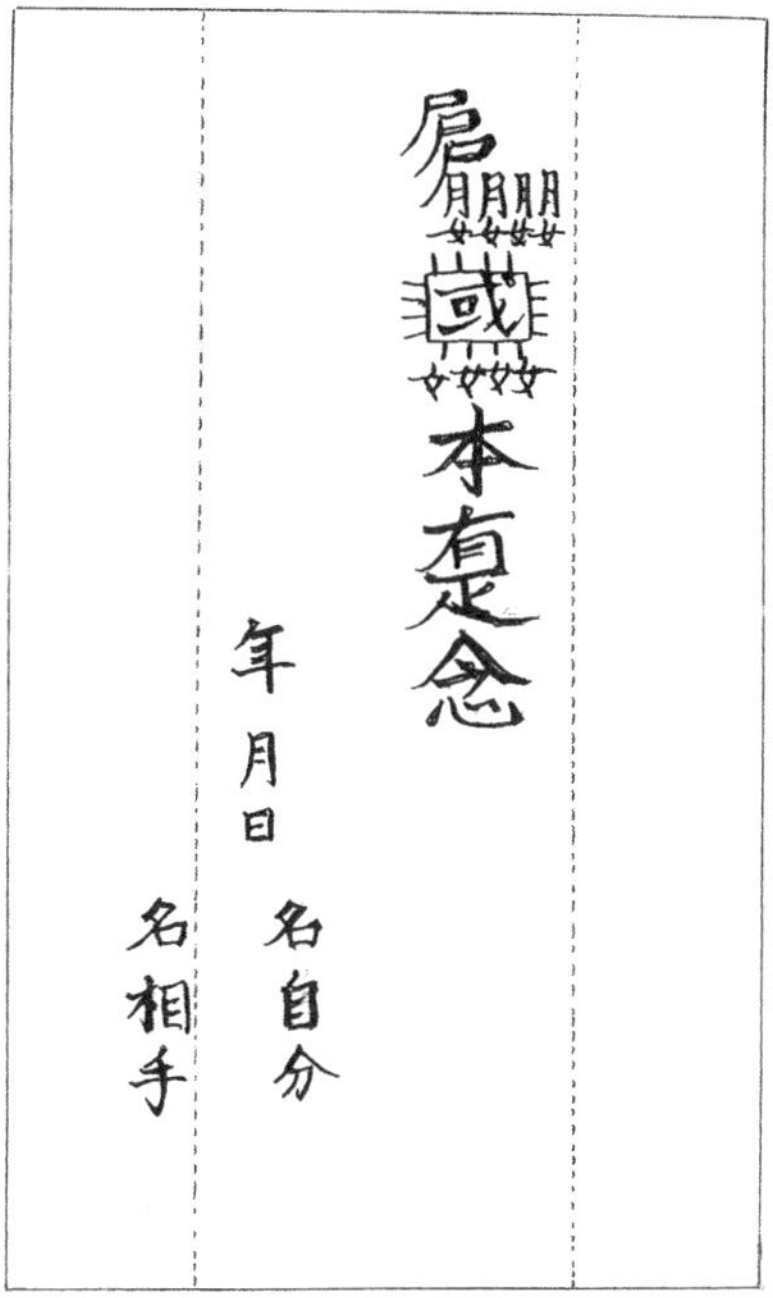

自分の名と相手の名が重なるように帖んで懐中すると不和も解消す

七寸四方の厚紙に書いて斎戒沐浴して深夜東南の方に貼る（戦勝）

愛宕山大権現のお札を身につける（戦勝の守り札）

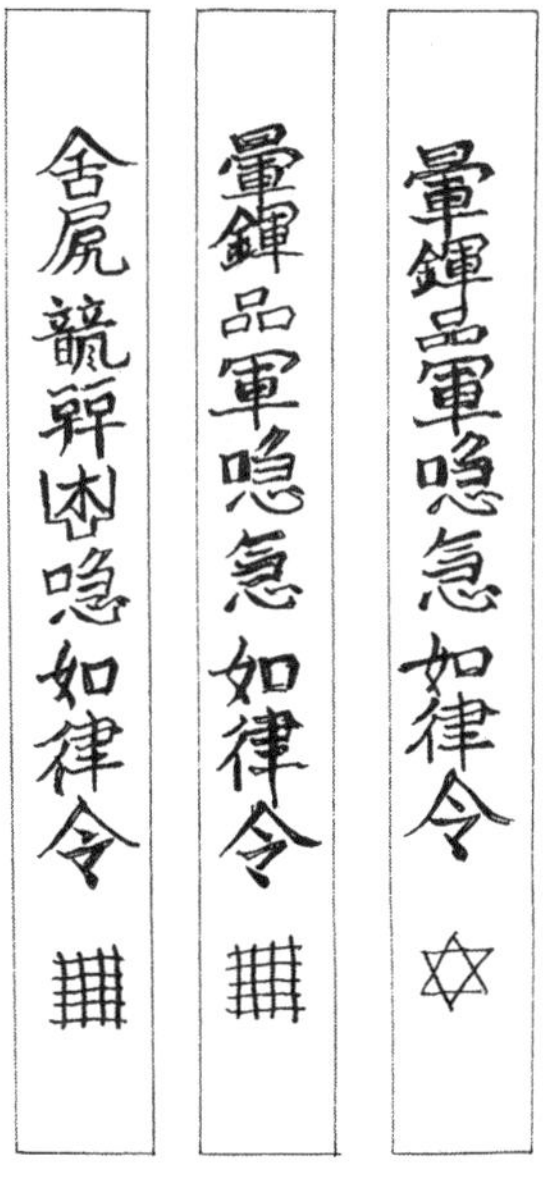

戦勝の守り札

兜の受張の中に入れる戦勝の守り札

身の危険をまぬがれる

と喝破し、たとえ勝戦でも損害を生じ、敗軍となれば多くの人命が失われるうえに国を滅ぼす結果を生じるから、窮極でないと軍《いくさ》を起してはならない。出陣は生死のわかれの道途《かどで》であるから、古来武運長久を神仏に祈って、加護を願う心境となる。

そこで守護を頼む軍神思想が起り、古来多くの軍神に擬せられる神仏を生じた。

日本では古来軍神と目されている神はすこぶる多い。須佐鳴尊、健雷雄命、日本武尊、神功皇后、坂上田村麻呂、八幡宮、住吉明神、諏訪明神、不動明王、大威徳明王、摩利支天、弁才天、大黒天、飯綱権現、勝軍地蔵を始めとし、家々で信仰している神仏は武家にとってはほとんど軍神である。『曾我物語』では九万九千の軍神あるとし、伊勢貞丈は『軍神問答』の中で、九万八千の夜叉神を軍神としている。故に出陣に当っては軍神に祈ってその加護を求め、また犠牲を捧げるために軍神への血祭りを行なったりする。

このほかに武者個人々々も加護を求めるために、守護仏や護符を身につける。一種の縁起かつぎであるが昭和時代の出征軍人すら、村の鎮守社や、八幡宮、成田不動の御守りをもって、結構御利益あったという話まで流布している。昔の武士も当然護符や、念持仏の小型のものを用いていた遺品があり、兜仏といって小さい仏を厨子に入れて兜の中に入れたと伝えられる。上杉神社には厨子入持仏があり、これは紐をつけて頸からかけたと伝えられ、また小さい厨子を兜の受張の中に納めたといわれるが、兜の中に納めることは適当でなく、護符であれば納めやすい。毛利家旧蔵の腹巻に付属する兜の受張の裏には手書の宮崎八幡宮の護符が入っていたし、伊達家の臣の具足の兜内には愛宕山大権現のお札が入っていた。また陰陽道系信仰の武士には特別の呪《まじない》の文句を書いた護符があったり、また中国の影響かと思われるが「擒拾擒抬（擒抬擒搯）」と書くと危険を逃れるといって、この文字の護符を兜の中に入れたり、受張に墨書したりした。

これは梵語の「サンバラ」（三跋羅）を作字したもので、神道界では「ジャクコウ、ジャクカク」また「カンタイカンキ」等と無理に訓ませているが、山伏流の真言である。

太刀・刀の帯し方

古くは太刀を帯取で釣った紐を腰に結んで

刀を帯びる

『單騎要略』被甲弁の腰当用いた図

『甲冑着用弁』の刀を太刀状に佩く図

刀を太刀状に差す法

用いたが、剣法が発達してからは刀を脇差（小刀）と共に帯に挿すようになった。大小刀は刃を上に向けて挿すが、太刀を吊った場合には刃は下向である。いずれにしても抜刀の時は刃をやや外側に向けて抜くが、刀は鞘が抜け落ちる事があり、それを防ぐために室町時代頃から刀の鞘にも反り角が付けられ、鞘が抜けるのを防ぐようになった。

しかし甲冑武装をした時に大小刀に挿すより、太刀のごとく鳥居反りした挿し方の方が外見が良いので、当世具足流行の時代でも太刀佩用が好まれ、太刀のように鳥居反りの方法で挿すことが好まれ、これに用いるために腰当という、草鞋状の革板に大小刀を装着するようになった。ただし腰当が用いられたのは安土・桃山時代からであるかは疑わしく、むしろ腰当は江戸時代の考案であったとも思われる。

その理由として大小刀を腰当に固く装着すると抜刀に不便であり、緩いと大小刀が移動したりする。つまり腰当は刀を太刀状に見せ

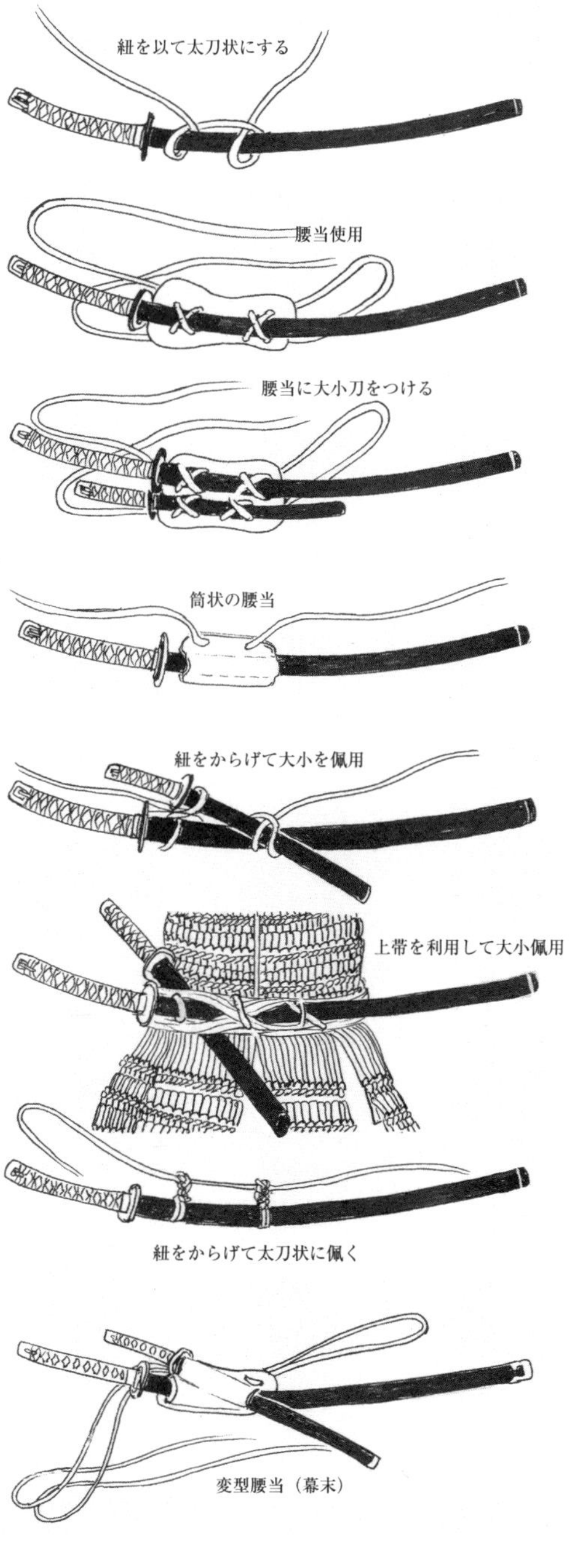

腰当

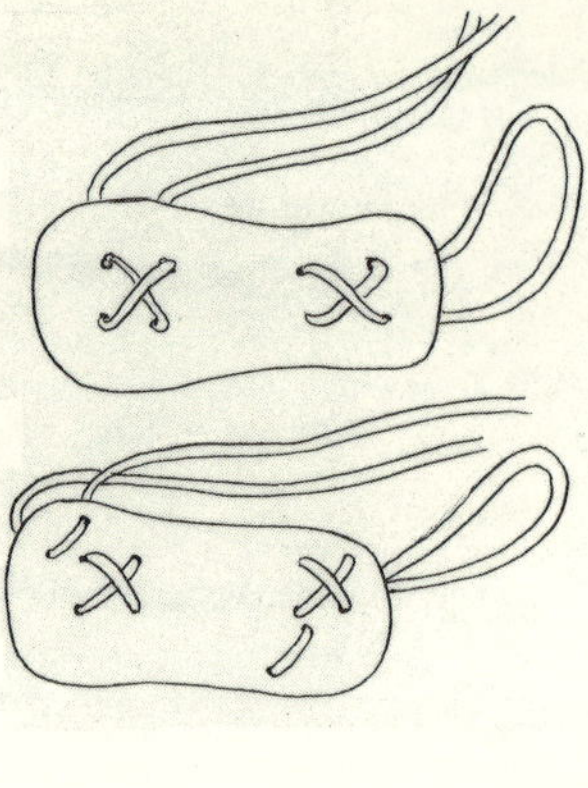

るための外見だけの体裁に過ぎないから、実戦時代に用いられたとは思われぬし、また古画・記録からはうかがえない。

故に江戸時代には腰当がいろいろの形で考案されたが、ほとんど抜刀に不便で、刀を太刀式に佩用いる外見だけの形式に過ぎない。その方法は草鞋状の革板の前後二か所に刀を安定して挿し込む、韋紐の縮があり、その両端に紐があって腰に廻して結び固定する。

『單騎要略』被甲弁によると

佩刀《かたな》の剖《そり》を反し腰当にはさみ、扱細腰にほどよく推当て、紐を前後より引き廻し、右の発伝《ほって》の表にて治定とむすび留るなり。またいはく、腰当の緒を前後共に長く設けて、左方へ引戻し、鞜間《あしあい》によく搦ミて置も佳《よし》と云。面々よろしきに従べし

とあるが、泰平の見てくれだけの佩用法である。また腰当を用いないで太刀状に佩用するには鞘を帯取間の長さの革の筒状に挿入して、これを紐で腰に結ぶ法、紐を帯取状に絡んで佩用する法、上帯をX状にした部分に挿入する法等色々と考案されているが、腰当を用いないで紐をからげて太刀状に吊る法が一番抜刀しやすい。

短刀（腰刀）は古くより刃を上にして挿すが、反り角がないと、抜刀する時に鞘ごと抜けてしまう場合があるので、必ず反り角を必要とする。軍記物によると腰刀で敵首を掻き血糊を拭わないで納めたために、次に用いる時に刀身が鞘に粘着して鞘ごと抜けて不自由したとあるから、反り角は必要であった。

第三部

馬

第一章 日本の馬

馬の始源〜馬の祖先と乗馬の発生

古墳時代の轡

馬の始源

馬の祖先

馬の始源については小学館の『大日本百科事典』の馬の項によると、馬の祖先は一九世紀後半に、ロシアのニコライ・M・プシバルスキー大佐によってモンゴル草原で発見された草原型野生馬と、東ヨーロッパにおける草原野生馬のターバン馬の二種であるという。これらの野生馬の家畜化は牛・犬・羊より遅れ、およそ紀元前三〇〇〇年頃に中央アジアの高原地帯に定住したアーリア民族の間で飼い馴らされたと考えられる（今泉吉典）と記されている。

また安田徳太郎は『人間の歴史』四巻、光は東方からの九七頁にかけて、森為三著『朝鮮馬の系統（日本畜産雑誌、第四巻、第二号九〇〜一一二頁、昭和五年刊）の論文を参考として馬の歴史に触れて、馬の祖先について述べている。

それによると、十九世紀後半に北アメリカのオズボーン（Henry Fairfield Osborn　一八五七〜一九三五）と、その弟子マッシュー（William Diller Matthew　一八七一〜一九三〇）が馬の祖先にあたる骨の化石を発掘したことによって、後世への馬の進化の様子が明瞭になったと記している。

それによると始新世の頃の馬は地球の表面が未だ充分に固まらないために沼地が多く地面が軟らかいので、他の動物のように趾が分れ、前肢は四本趾、後肢は三本趾であった。三千五百万年前頃の漸新世に入ると、前肢の第一趾が無くなり中趾が発達した三趾となり、植物が繁茂し始めたのでこれを食用とするために咀嚼に便利なように臼歯が発達したという。二千五百万年前頃の中新世には肢はますます発達し、一千万年前の鮮新世に入ると、前・後肢の中趾がさらに変化して発達し、その左右の趾は地に着かなくなった。こうした馬をエオヒップス（Eohippus　あけぼの馬）と称した。鮮新世の終り頃に南米にまで繁殖し、プリオヒップス（pliohippus　プシバルスキー大佐発見によって名付けられた）として化石で発見されたのである。

またその原産地である北アメリカは南米と繋っていたばかりでなく、アジア大陸ともアラスカで繋っていたので、アジア大陸にも当

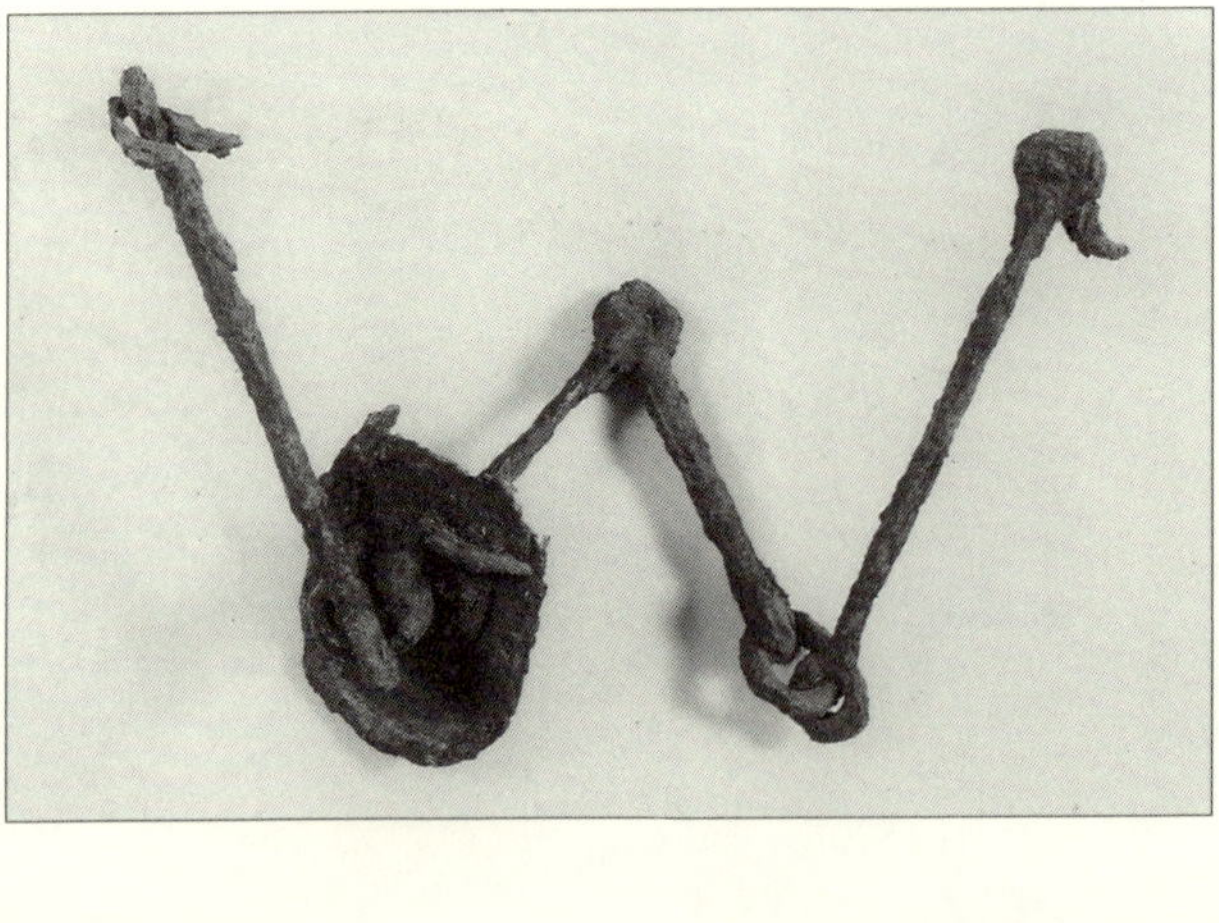

鉄地金銅装鏡轡
靖国神社遊就館所蔵

然分布したはずであるが、アジア大陸からは、この種の馬の化石は発見されていないから、おそらく分布しても絶滅したのであろうといわれている。

　約百万年前の洪積世に入ると北アメリカの馬はいよいよ進化して、今日の馬の体形を見るように一本趾、つまり馬蹄型の爪となり、エクス（Equus）となったが、北アメリカが氷河期に入る頃にアラスカから再びアジア大陸に移動し、繁殖していったのが、現在の馬の祖先に当る。その形はアフリカ大陸に棲む野生馬ゼブラ（縞馬）に似たものであったという。

野生馬から家畜馬へ

　こうした野生馬は近世までアジアやアフリカに残存していたといわれ、プルセワルスキー馬（Equus Przhevalski　プルセワルスキーの発掘した化石によって名付けられた）や、ターバン型は牛よりも速く走り敏捷なので捕え難く、牛や羊のように家畜化される事が遅かったが、青銅器時代に入ってようやく飼い馴すようになった。しかし未だ乗馬の利用法は考えられず、もっぱら荷を運ぶ駄馬として用いられていたらしい。

　やがて馬の駿足を利用する事を思い付き、車輪付台を装置して、それに荷を乗せて物を運んだり、人が乗って走らせたりして、ギリシャの戦車として機動性を戦に利用した。

　このように引馬にしろ、車上から操縦するにせよ、馬を制御し、合図をするために、口辺に紐を結び付け、手綱が考案され、さらに手綱の先に金属性の轡《くつわ》をつける事が始まった。

　轡は手綱を引く事によって馬の口内に強制的刺激を与えて命令をきくようにした方法で馬を操縦するためには大発明であり、これによって馬はさらに人の命令に服するという飼育法の進歩となり、やがて荷を積んで歩かせたり、車をひくだけでなく直接人が乗って馬を操縦するようになった。

　古代ギリシャ人も紀元前五世紀頃には乗馬の風が行なわれたが、未だ鞍や鐙《あぶみ》は考えられていなかった。

　下エジプトの紀元前六世紀頃の焼物に女性が馬の上に横坐りで乗っている絵があるが、鞍は無く布状のものを背に敷いているだけである。但し面懸《おもがい》が用いられているから、轡の定位置に固定する法と、轡を効果的に活用するために、手綱と連結する原理、つまり馬を自分で操縦する装置として普及していたことを物語るものである。

馬具の考案

腹帯と鞍

このように乗馬して操縦することはスピードがあって機動性を持つことで、旅行にも戦闘にも大いに効果的であったが、後世の鞍・鐙装置の乗馬と比べるとその不便さはかなりのものであったであろうし、乗馬術としての熟練が必要であったであろう。

　おそらく裸馬同然の馬に乗るときには両脚で馬腹を抱くようにして落馬を防いだであろ

手綱

移鞍

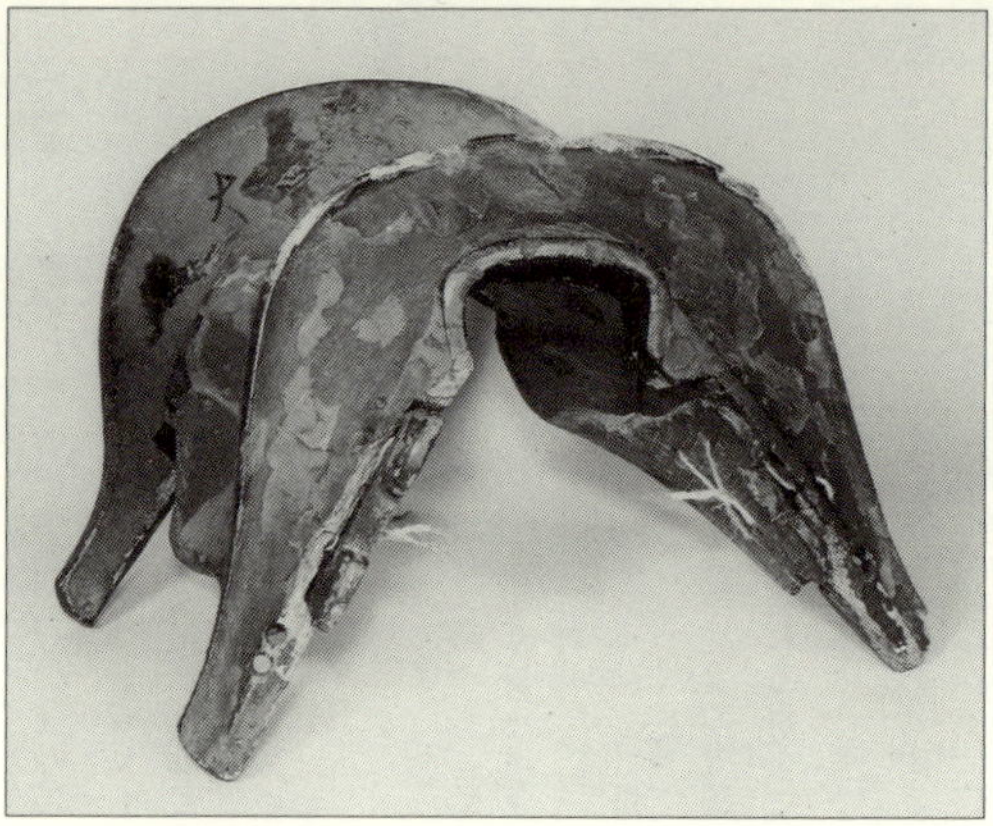

靖国神社遊就館所蔵

うが、こうした乗り方で長時間であると、人間の脚も疲れるし、馬も緊められて苦しく、また毛並が乱れたり擦れて損傷を起すので、背に布などを覆ったりしたのであろうが、布がずれ落るのを防ぐために馬腹にかけて紐で布を結び付け、これが後世の腹帯の始まりである。

腹帯も初めは馬の太腹あたりに廻して緊めたであろうが、これも馬には苦痛であるので色々と工夫され、前肢の後部あたりが無難ということになり、やがて跨りやすいように鞍が工夫された。

鞍が考案された年代は不明であるが、敷物から乗り心地良いように少しずつ改良され、それを腹帯で固定したが、それでも前後に移動しやすいので、胸懸《むながい》と鞦《しりがい》が工夫され、これで鞍の位置が不動となり、乗り心地良く操縦できるようになった。しかし、未だ鐙は考えられてなかったから、戦闘などで踏張る行動はとれず熟練を要するものであった。

鐙の発明

騎馬はスピーディな機動性を持ち、徒歩兵より高い位置から攻撃できる。遊放民のフン族などは、中国文明の豊かな土地を欲しがり、騎馬をもってしばしば中国に侵入した。秦の始皇帝を始め、後代の皇帝が万里の長城を築いてフン族の侵入を防いだのも騎馬軍団の機動性に脅威を感じた結果からである。

フン族は西方ヨーロッパに侵入し、また南に下ってアフガニスタン・インドにも侵入し、また蒙古族は鐙を発明したことにより、馬上で踏張る事が可能となって、戦闘の行動力が増した。後世の馬術は鐙をあてにせず、膝の内側で緊めて乗る、いわゆる脚《きゃく》を緊める法であるが、日本はもちろん、世界中の乗馬法の古式は鐙をしっかり踏みしめて腰を落着かせて安定した乗り方であった。輪鐙式に足をかけて足首近くまで入れて乗ると、万一落馬した時に鐙に足首がかかって引擦られる事があったり、下馬に不便のために鐙に踏張らないようになったのである。ただし鐙が作られた始めは輪鐙式であった。

こうして鐙に踏張れるようになった事により、矢を射る事も刀剣・鉾・槍を用いる事も便利になったので、鐙の発明は馬上戦の効力をすこぶる増強した。

ただし、蒙古・中国を始めとして、この時代の馬は今日見るような大型の馬でなく、アラビアで改良された馬以外はほとんど小型の馬であった。

日本の馬～源流と馬牧

日本馬の源流

日本馬はどこから来たか

日本本土にいつ頃から馬が棲息していたかという事は正確にはわからない。

しかし新石器時代の遺跡とされる、愛知県熱田高倉貝塚から馬の下肢骨、鹿児島県出水貝塚から馬の門歯六個、臼歯二個、大阪府の国府、熊本県の宇土轟塚等から馬の骨の化石が出土しているから、古くより日本にも馬が棲息していた事は確かであるが、これらの馬はどういうルートで日本に来たか、また野生馬であったか飼育馬であったかは一切不明である。

北アメリカ大陸が氷河期に入った時に、アラスカを経由してアジア大陸に移動した折に日本列島にも移ったのか、アジア大陸から何かのルートで渡来したか、また新石器時代にアジア大陸や南方ルートで日本に上陸した人々が伴って来たかも不明である。

ただし貝塚から発掘された点から考えると、食用に供されたとも考えられるし、これらの発掘地が黒潮海流の通る沿岸部に近く、内陸部でない点から、黒潮海流によって北上した大昔の民族が伴って来たとも考えられる。

だが新石器時代に馬を乗せて運ぶだけの舟運の設備が可能であったかどうかという点になると、これも疑問である。

最近沖縄列島の島々の海底に人工的石塁の痕跡が発見され、これはかつて沖縄諸島が中国の南方大陸と繋っていたとの説もあるから、こうした地続き時代に浙江省あたりの野生馬あるいは原始的飼育馬が九州を経て本土にも棲むようになったとも推定できる。

日本古代の馬は蒙古族の飼育した蒙古馬が北支方面から朝鮮半島に入り、それが日本に渡来したというのが定説であるが、安田徳太郎著『人間の歴史』によると、朝鮮に蒙古馬が入ったのは有史時代からで、それ以前は日本を含めて、南方の海洋民族が、四川馬の系統の馬を黒潮海流に乗ってもたらしたものであるという。

中国・朝鮮半島の馬と日本

古代日本の馬の具体的記録は無いが、朝鮮の高麗《こま》馬については『三国志』にすでに記されており、「扶余の地、果下馬を産す。高さは三尺、これに乗って果樹の下を行くことができる。故に果下馬とよぶ」とあり、『吉林通志』にも「高麗馬はロバぐらいの大きさである」と記された二種類の小馬がいたから、同じ黒潮海流圏の日本もこれらの小馬と同じ種類のものであったと推定される。

朝鮮の高麗馬・果下馬は山地に適した小馬で、後に中国東北部から鴨緑江を越えて北朝鮮に入った蒙古馬は草原馬である。

この蒙古馬は古代日本に朝鮮半島から渡来しなかった事は森為三著『朝鮮馬の系統』（日本畜産雑誌、第四巻、第二号、昭和五年刊）に詳しく述べられている。

また蒙古馬については、許振英の『中国的畜牧』に

頭大額凸、頸弱鬣低、肩直臂傾、肢短骨粗、性順耐労　体高各地不一　大致在一二五～一三〇　公分左右

（頭は大きく額が出っ張っていて、首が弱く鬣《たてがみ》は短い。肩は真直で尻は傾斜し、肢は短く骨が粗である。性質は温順で堪久力がある。体高は一二五センチから一三〇センチである）

と記され、果下馬によく似た四川・雲南・貴州に分布した川馬《せんば》（四川馬）については、

　体尺頗不一律、大致在一一〇～一二〇公分左右、体型与蒙古馬截然不同、弓頭小額凹、頸呈形、尾根高、無距毛、体円骨細、性急燥、適於山区、乗駄它的来源、無従稽攷

馬形埴輪

行田市郷土博物館蔵

（体の高さは一定していないが、一一〇センチから一二〇センチである。蒙古馬とは著しく違う。頭が小さく、額いはやや凹み、首は弓形の曲線で、尾根は高く、足元の毛は短く、身体は丸胴で骨が細く、性質は気短であるが、山岳地帯の乗馬や荷馬に適している）

と記されるように約一〇センチほど蒙古馬より低い。また高麗馬によく似ているが、高麗馬はさらに一〇センチほど低い。

　つまり川馬も高麗馬も山岳地帯に適した馬で、これらは南方から海洋民族に続いて農耕民族の北上によってもたらされたものと考えられる。

　つまりこれらの馬は四川馬の系統の馬が南支に分布し、その一部が浙江省あたりから黒潮海流によって北上し、朝鮮や日本に渡ったものと安田徳太郎は推定している。

　現在でも沖縄久米島には一三〇センチ以下のロバのような小馬が飼われているが、これは他の血統の混ざらないままの同種同士で改良されたもので、おそらく四川馬の系統が、日本に北上する過程で沖縄にも定着した馬の名残であろう。

　アジア大陸の馬が西にも分布して、アラビア方面で改良され、背の高い汗血馬を生じても東洋方面ではあまり改良されなかったよう

である。日本においても奈良朝時代に朝鮮・中国より優れた馬が輸入されるまでは高麗馬・四川馬・蒙古馬程度であったようである。

馬の普及

古墳時代以前

日本の馬の記録については『記紀』による神話に馬の話が散見するが、もちろん史実としての内容は持たない。神代巻に保食神《うけもちのかみ》が死んで種々の穀類を生じ、頭から牛や馬ができたと記してあるのはもちろん信じるに足りないし、素戔嗚尊《すさのおのみこと》が天斑駒《あまのぶちごま》の皮を逆剝ぎにして天照大神の機《はた》屋に投げ込んだというのも何かの比譬の神話であるが、果下駒や四川馬であれば、豪勇の力自慢の者なら投げられないこともない。古墳時代には馬具は出土するが馬骨は出土せず、記録としては『応神天皇紀』に

　十五年（記録が正しいとすれば紀元二八四年）秋八月壬戌朔丁卯百済遣二阿直岐一貢二良馬二匹一

とあり、良馬《よきうま》二匹を貢物として百済から贈られているが、その馬が果下馬か、蒙古馬かわからない。

繁殖の始まり

奈良朝時代に入ると馬はかなり普及し、武人や身分の高い者は乗用とし、また白村江の敗戦の経験によって騎兵の必要も認めたので諸国に令して牧を作らせ、馬の繁殖に力を入れた。

『続日本紀』文武天皇紀　四年（七〇〇）三月の項に

　丙寅令下諸国定二牧地一放中牛馬上

とあり、牛馬を強制的に養育させた。牛は牛車・荷車用であり、馬は騎乗用に供するためである。こうして日本の馬がかなり普及したことにより、また中国より輸入された馬をかけ合せて改良した事などで馬質はかなり向上した。『日本書紀』雄略天皇の十三年（史実とすれば四六九年にあたる）甲斐より産した黒駒は駿秀をもって聞え、聖徳太子（五九三～六二一の間摂政）の乗用の甲斐の黒駒も伝説的名馬として後世にまで伝わるほどである。その全貌はわからないが甲斐・信濃・上野・武蔵の山間地の牧馬は古くより著名（『年中行事歌合』）である。

諸国の馬牧

平安時代に諸国の牧で著名なものは『延喜式』兵部省式によると

　駿河国　岡野馬牧　蘇弥奈馬牧
　相模国　高野馬牧　（牛も共に）
　武蔵国　桧前馬牧　（神崎牛牧）
　安房国　白浜馬牧　鈴師馬牧
　上総国　大野馬牧　（負野牛牧）
　下総国　高津馬牧　大結馬牧
　　本島馬牧　長洲馬牧　（浮島牛牧）
　常陸国　信太馬牧
　下野国　朱門馬牧
　伯耆国　古布馬牧
　備前国　長島馬牧　（牛も共に）
　周防国　竈合馬牧　（宜島牛牧）
　長門国　宇養馬牧　（角島牛牧）
　伊予国　忽那島馬牧　（牛も共に）
　土佐国　沼山村馬牧
　筑前国　　（能巨島牛牧）
　肥前国　鹿島馬牧　庇羅馬牧　生属馬
　　牧　（柏島、檍野　牧　早埼等牛牧）
　肥後国　二重馬牧
　日向国　野波野馬牧　堤野馬牧　都濃野
　　馬牧　三原野馬牧
　右諸牧馬五、六歳　牛四、五歳毎年進左
　右馬寮　各備梳刷剉　其西海道諸国送太
　宰府　但帳進省

とあり、また『延喜式』左馬寮式に

　御牧甲斐国　柏崎牧　眞衣野牧　穂坂牧
　武蔵国　石川牧　由比牧　小川牧　立野
　　牧
　信濃国　山鹿牧　塩原牧　岡屋牧　宮処
　　牧　埴原牧　大野牧　平井手牧　笠

原牧　高位牧　新治牧　大室牧　猪
鹿牧　萩倉牧　塩野牧　長倉牧　望
月牧
上野国　利刈牧　有馬島牧　沼尾牧　久
野牧　市代牧　大塩牧　拝志牧　新
尾牧　塩山牧

右諸牧、駒、毎年九月十日　国司与二牧監若《モシクハ》別当人等一　信濃、甲斐、上野三国、任二牧監一武蔵国任二別当一

（これらの牧の監督は国司と牧監か別当によって毎年九月十日に徴馬を選ぶ。信濃・甲斐・上野の三国は牧監が手掛けるが武蔵国は別当が担当する）

とあり、左馬寮だけで三国から毎年貢馬を集めるのであるから、平安時代の馬の使用は相当のものであったらしい。

品種改良と体高

また『扶桑略記』承平四年（九三四、平将門の叛乱の前年）に

七月十七日薩摩国唐馬一疋葦毛牝馬　牽二進左大臣家一

とあるように奈良時代から平安時代にかけては中国から次々と優秀な馬が入って来て、改良され、武家が興起してくると、その機動性を戦力とするため、強く逞しい馬が要求され、各牧で改良されたので、古墳時代以前の馬よりも著しく進歩した。

それでも現在の馬から較べると一尺（約三〇センチ）は低く、ようやく四尺（約一二一センチ）を超す程度で、これより大きいのを良馬とした。『壒嚢抄』に

馬ヲ一寸二寸ト云ハ何ト定ル事ゾ。凡ソ馬尺ト云ハ四尺ヲ定テ其上ヲ一寸《キ》二寸三寸四寸五寸六寸七寸八寸ト云。八寸ニ余ルヲバ長《タケ》余ルト云。長ニ余ル大馬モ多キニヤ。生食《イケヅキ》ハ五尺二寸アリケル也。四尺ニハ不足ヲバ駒ト云。是曲尺《カネジャク》ノ尺也。四尺ヲ一尺トスルニハ非ズ。四ノ音ヲ忌ム故ニ都《スベ》テ尺ト云也。毛詩ノ注ニ六尺以上ヲ曰レ馬。又五尺以上ヲ曰レ駒ト云シ是ハ周ノ尺ナルベシ。周ノ一尺ハ曲尺八寸二分トヤラン云ハ毛詩ノ六尺ハ日本八寸ノ馬ニ当ル歟。五尺以上ヲ曰レ駒トハ此方ノ尺ニ足ルマデヲ駒ト云也。ウルハシクハ曲尺ヲバ、マガリガネト云ベキヲ略語ニカネト云ナリ

とあり、日本では中世以来曲尺で馬の高さを四尺が最低基準としたのは、奈良時代以来牧で馬を漸次改良した結果であるが、優秀な馬と優秀な馬をかけ合せて、古代より約一尺（約三〇センチ）も高い馬になり、さらに五尺（約一六〇センチ）に及ぶ馬までできたのである。八寸《やき》の馬は四尺八寸（約一四五センチ）は大馬の方であり、軍記物に特記して表現されたから『平治物語』内裏勢汰条に「八きばかりなる馬」（藤原信頼の馬）、『平家物語』宇治川条「八寸の馬とぞ聞えし」（佐々木高綱の生唼《いけづき》）等と記される。軍記物に一般に記されるのは五寸（『曾我物語』）、七寸（『平家物語』）、七寸八分（『源平盛衰記』）等で、『太平記』に佐々木塩谷判官高貞が竜馬として朝廷に献上した馬は三寸（約一四〇センチ）であるから当時の軍馬は大体五尺から四尺の間（約一五一～一二一センチ）が一般であった。今日の馬より小さいが、犬ぐらいの大きさの馬が人が飼うことによって、このように発育が良くなったのである。

このように四尺（約一二一センチ）以上が当時の馬であるが八寸以上を大馬とし、一、二寸は小馬としたが、小馬は小廻りがきき、温順のものが多いので軍陣にも用いる事がある。（『源平盛衰記』『武具要説』等）

『太平記』巻第二十　義貞馬属強事の条の義貞の馬は「水練栗毛とて五尺三寸有ける大馬」（約一六〇センチ）と当時としては異例である。

中国では『周礼』に「凡そ馬八尺以上を龍とし、七尺以上を駃とし六尺を馬とす」とあり、『壒嚢抄』に記される毛詩の註に六尺以上を馬といい、五尺以上を駒というとあり、日本の馬と約一尺（約三〇センチ）の差があるが、これは尺度の基準の違いからで周代の一尺は、日本の曲尺の八寸二分であるから一

尺につき一寸八分の差がある。故に中国で六尺以上といっても大体八寸（四尺八寸以上）、五尺以上で四尺一寸以上にあたるから、身長としては中国も日本も同じである。

乗馬埴輪

小松市教育委員会

軍馬に向く馬

軍馬は癇が強くて、下手な乗手を受付けぬくらいの駻馬が戦場向きであるから『武具要説』にも

大馬の一曲《ひとくせ》あるならでは戦場にて用に立《たた》不《ズ》中候（中略）一寸二寸の小馬にては大勢（敵の大軍）の中を駈破事候中々成間敷候

と記されるごとく、大きくて暴れる馬が良いのである。

勝負いまだしれざる時馬を入れ下りて立て敵相を仕、又馬に乗て働などと云事は不穿鑿の中分成べし。五寸余の大馬に乗たる敵に一寸二寸の小馬に乗ては、いかに覚の人（戦場馴した人。腕前に自信ある人）成とも、敵を仕ふせる（仕留る）事成まじく候

とあり、馬の背の高い方が優利である事を述べている。たとえ一寸（約三センチ）高ければ、それに伴って馬体も大柄になるから、四尺一寸（約一二四センチ）の馬と四尺五寸（約一三六センチ）では痩肥は別としても図体がすこぶる大きくなり、力も差を生ずるほど強くなる。故に源平争覇以来、戦国の世まで、太く逞しき大馬を名馬として欲しがったのである。

馬の毛並〜文献に現れる毛並の名称

馬の毛並の区分

日本の馬は古来毛並の色で区分した。白・黒・茶・斑を、その微妙な色で分けて呼ぶが、その色名はなかなか困難である。

白色系でも青馬・月毛（鴾毛《つきげ》）・葦毛《あしげ》に区分され、白葦毛・桃花馬・赤葦毛・泥葦毛・尾花葦毛・腹葦毛・鴾毛・紅梅鴾毛・柿鴾毛・黒鴾毛・黄鴾毛等といい、灰色がかったのを糟毛《かすげ》と呼ぶが、青糟毛・猿毛・鹿毛《かげ》糟毛、茶色系統では鹿毛・栗毛・赤栗毛・濃栗毛・白栗毛、黒系統で大黒・小黒等に分けられるが、黒栗毛・黒・黒糟毛は見る人の受取り方による。

斑《ぶち》（駮・駁）も青駮・葦毛駮・栗毛駮・鴾毛駮・鹿毛駮・糟毛駮・黒糟毛駮・鶴駮・鶏毛等の名称が軍記物や『記紀』に記されるので毛並の種類として用いられるが、黒栗毛と黒は区分し難く、栗毛系統と鹿毛系統は区分し難い。

以上古記録による馬の毛色の区分もはなはだ不明瞭の点がある。たとえば青毛であるが、白色に青みを帯びたという説と、黒が青みを帯びた毛並という二説がある。『和名類聚抄』にも

　驄《ミタラオノムマ》、説文云驄　音聡漢語抄云　驄青馬也
　黄驄馬葦花毛馬也　日本紀私記云美太良
　乎乃宇万　青白雑毛馬也

とある点から白毛と青毛の混ざった馬と思われるから同書にある騅《すい》（蒼白雑毛の馬）と同色系である。

しかし昔の青に対する定義がはなはだ曖昧で青（碧）空、青海といった時はブルー系をいい、緑の黒髪といって黒の光沢にグリーンがかったのも青と表現し、これに似た表現が青葉若葉等といって、緑《グリーン》も紺《ブルー》も青で表現される。故に青白雑毛というのは青み（ブルー系）を帯びた白毛か、緑がかった光沢のある黒毛に白が混ざった馬かということになる。これは騅と同じであり、また驄と騅との区別はどうつけるかという事も難かしい問題である。

『釈日本紀』には「白馬《アヲウマ》」と訓み、『公事根源抄』にも「白馬の節会」を「青馬の節会」ともいうとあるから、この例からは白は青とも表現され、これは緑《グリーン》がかった白でなく、紺《ブルー》がかった白の意である。

また鴾毛（月毛）の馬については『和名類聚抄』に

　赭白馬　毛詩注云騢　音遐　漢語抄云
　赭　白馬鴾毛也　赭黄馬赤鴾也　今按鴾
　字未詳　彤白雑毛馬也。爾雅注云騢今
　之赭白馬也

とある点からわずかに赤みを帯びた白馬であるが、一般的にいう鴾毛とは別に赤鴾毛・紅梅鴾毛・柿鴾毛というのもあり、赤系《レッド》の濃淡による白毛のものもあるから白馬にすべきか、他色の薄い色の馬に含めるか、その区分ははなはだ難しい。白鴾毛と白馬とどう違うかなどとは詳細に観察しなければ判定し難いのを古人はどうやって区分したか。かなり主観によって区分されていたであろうことが推定される。

黒馬

黒い毛色を黒馬・黒駒といい、産地の名を冠する事もある。

『和名類聚抄』に

　驪馬　毛詩注云　驪音離　漢語抄云　驪
　馬黒毛馬也　純黒馬也

とある。

黒馬

甲斐黒駒［かいのくろこま］『日本書紀』雄略天皇十三年の条。『釈日本紀』柯彼能矩廬古摩。『夫木抄』文治二年五社百首。『異制庭訓往来』厩戸皇子甲斐黒駒。『東遷基業』瑞立山塞陥樫原兄弟戦条。『北条五代記』清水太郎左衛門太刀の条。『太平記』藤房遁世条…以下諸書。

奥州黒［おうしゅうぐろ］『甲乱記』勝頼新府中落条。

信濃黒［しなのぐろ］『大友興廃記』志賀道擇御馬拝領といつはり取かへる条。

山口黒［やまぐちぐろ］『大友興廃記』志賀道擇御馬拝領といつはり取かへる条。

薩摩黒［さつまぐろ］『大友興廃記』方々御手遣条。

河越黒［かわごえぐろ］『平家物語』はまいくさの条。

井上黒［いのうえぐろ］『平家物語』はまいくさの条。

沢井黒［さわいぐろ］『吾妻鏡』文治五年六月十五日条。

高楯黒［たかたてぐろ］『吾妻鏡』文治五年八月十日条。

塩津黒［しおつぐろ］『太平記』畑六郎左衛門条。

一部黒［いちぶぐろ］『太平記』関東大勢上洛条。

一　黒［ひとつぐろ］『平治物語』内裏勢揃条。

大　黒［おおぐろ］『源平盛衰記』東国兵馬汰条。

三　黒［みつぐろ］『源平盛衰記』御随身清房が馬の条。

三日黒［みかぐろ］『吾妻鏡』建久六年六月廿八日条。

会津黒［あいづぐろ］『甲陽軍鑑』永禄十一年六月上旬の項。武田家より織田信忠に贈った馬。

高井黒［たかいぐろ］『北条五代記』物見の武者ほまれ有条。

鳴戸黒［なるとぐろ］『三好記』三好長治見家中之馬条。

砂山黒［すなやまぐろ］『奥羽永慶軍記』岩崎政条。

巌石黒［がんせきぐろ］『安土日記』天正三年十月十九日条。『増補家忠日記』慶長五年九月十五日条。

小　黒［こぐろ］『続武家閑談』秀吉柳が瀬の戦に乗用した二歳の馬。

霞　黒［かすみぐろ］『見聞雑録』上杉謙信の馬。

青　黒［あおぐろ］『和名類聚抄』に

青驪馬唐韻云騆　火玄反漢語抄云鐵驄馬久路美度利能宇麻　青驪馬今之鐵驄馬也

とあり、黒毛で緑色に光った馬をいう。『吾妻鏡』寿永元年正月廿八日条。高場次郎献ずる神馬。

河原毛《かわらげ》

河原毛とは白馬で鬣《たてがみ》の黒い馬をいい、駱といっている。『和名類聚抄』に

毛詩註云　駱　音落　漢語抄云　駱馬川原毛也　白馬黒髦之馬也

とある。また、河原毛に斑文《ぶちもん》があるのを鏡紋と呼び、芦毛に限って連銭という。

大河原毛［おおかわらげ］『明徳記』に足利将軍乗用の丈五尺の馬とある。

鬼河原毛［おにかわらげ］『甲陽軍鑑』永禄十一年六月上旬の項に武田家より織田家に

河原毛

音物《いんもつ》として贈った名馬。

星河原毛［ほしかわらげ］　『織田信長譜』天正七年四月に多賀谷修理が信長に贈った名馬。『安土日記』にも記されている。

多胡川原毛［たごかわらげ］　『北条五代記』に物見の武者ほまれの項に上州多胡郡の牧から出た馬とある。

黄河原毛［きかわらげ］　『保元物語』『平家物語』白毛に黄を帯びた馬。

黒河原毛［くろかわらげ］　『吾妻鏡』『太平記』白毛の黒味帯びた毛並の馬。

白河原毛［しろかわらげ］　『太平記』『武蔭叢話』純白の毛の馬。

鼠　毛［ねずみげ］　河原毛の一種とされる。

糟《かす》毛《げ》

糟毛は葦毛に似て、毛並の地色は白であるが、灰色毛に白が交った感じの馬。『和名類聚抄』に

　油馬　弁色立成云油馬

とある。霞毛ともいう。

青糟毛［あおかすげ］　総体に黒みを帯びている。

糟鹿毛［かすかげ］　地毛と頭が褐色で、鬣、尾、下肢が黒。

前黒糟毛［まえぐろかすげ］　『江談抄』にある。

後黒糟毛［うしろぐろかすげ］　『江談抄』にある。

小糟毛［こかすげ］　『源平盛衰記』三位入道入寺条。

目糟毛［めかすげ］　『平家物語』一二掛条。長門本『平家物語』熊谷平山城戸口寄条。参考『源平盛衰記』東国兵馬汰条。

龍造寺糟毛［りゅうぞうじかすげ］　『大友興廃記』志賀道擇御馬拝領といつはり取かえる条。

黒糟毛［くろかすげ］　『小右記』『源平盛衰記』。

青鷺糟毛［あおさぎかすげ］　『吾妻鏡』建久二年十一月廿二日条。

鹿毛糟毛［かげかすげ］　『相国寺供養記』『蜷川親元記』。

刺《さし》毛《げ》

糟毛に似て暗色の地毛に白毛の混じったものを「刺毛」といい、青刺毛、栗刺毛、黄刺毛、刺鹿毛がある。

葦《あし》毛《げ》

葦毛は青色が混じって、年をとるとますます白く、肌が青くなる。『和名類聚抄』に

　騅　毛詩注云　騅蒼白雑毛馬也　爾雅云
　菼騅　青白如菼色

とある。蘆毛とも書く。

黒葦毛［くろあしげ］　浅黒い毛に白毛の混じった馬。『明月記』正治二年十月廿七日の項。建暦二年八月卅日の項。『安土日記』天正七年十月廿九日の項。

尾花葦毛［おばなあしげ］　黄褐色に白毛が混じり、鬣、尾が灰白色か黄白色の馬。『夫木抄』嘉保二年御宴歌合の条。『吾妻鏡』建久二年十一月廿二日条。『明月記』正治元年九月廿四日条。『散木集』歌。

山鳥葦毛［やまどりあしげ］　白毛に褐色、

赤色、黄色のいずれかが混じって鬣、尾が暗色の馬をいう。

鬼葦毛［おにあしげ］『平家物語』木曽最後の条。

大葦毛［おおあしげ］『古事談』御随身兼武の条。

藤葉葦毛［ふじのはあしげ］『判官物語』判官秀衡が許に着給ふ条。

高山葦毛［たかやまあしげ］ 参考『源平盛衰記』東国兵馬汰条の畠山重忠の馬。

六葦毛［ろくあしげ］『続古事談』宇治左大臣所有の暴れ馬。

白葦毛［しろあしげ］『保元物語』『源平盛衰記』『太平記』『梅松論』。

泥葦毛［どろあしげ］ 葦毛に灰色がかかった色の毛並の馬。『源平盛衰記』小坪合戦条で畠山重忠の乗った馬。

葦毛

連銭葦毛［れんぜんあしげ］『和名類聚抄』に

連銭按爾雅注云　色有深浅斑駁謂之連銭　驄漢語抄云　連銭驄虎毛馬也　一云騅馬　音余　又云薄漢馬　今按俗云連銭葦毛是

とあり葦毛の馬が年とって毛並に薄黒い斑を生じたもので中国では驄虎といったらしいが、日本では薄黒の輪の連続状に斑ができて、銭を列べ連ねたように見えるので連銭の語を用いた。『平家物語』『源平盛衰記』『曽我物語』『桂川地蔵記』『賀越闘諍記』『三好記』等戦記物に多い。

腹葦毛［はらあしげ］『今昔物語』平維茂罰藤原諸任語の条に記されている。

青　馬［あおうま］ 白毛と青毛の混った毛並の馬。『和名類聚抄』に

説文云驄　音聰　漢語抄云驄青馬也　青白雑毛馬也

とある。『続日本紀』天平十一年三月癸丑馬飼連乙麻呂の獲た馬。『公事根元記』白馬節会の馬。『明月記』建永元年十月廿六日兵衛清野の童の乗った馬。『蜷川親元記』文明十五年八月十二日神前又五郎貞行の献上した馬。『伊勢守貞忠亭御成記』御進物の馬。『光源院殿御元服記』『大館文書』献上馬。

桃花馬［とうかうま］『和名類聚抄』に

桃花馬弁色立成云桃花馬　葦花毛之紅色者也

とあり葦毛は白色に青みを帯びたものであるが、桃花馬は白色に薄く紅色を帯びた微妙な毛並の馬。

赤葦毛［あかあしげ］ 白色に赤みを帯びた毛並の馬。『吾妻鏡』建保元年九月十二日条の将軍の上覧に入れた馬の中にある。

鹿《か》毛《げ》

鹿の毛並の色に似て鬣が黒毛の馬をいう。『和名類聚抄』に

毛詩注云　騮　音留　漢語抄云　騮馬鹿毛也　赤身黒鬣馬也　又云爾雅注云騧　音花　漢語抄云　騧　馬鹿毛馬也　浅黄色馬也

とあるが、浅黄色馬は不審。一般的には鹿の毛色の馬をいう。『続日本紀』を始め軍記物によく記される馬の代表的毛の色である。全体褐色で、鬣、膁、尻と四肢下端は黒。

黒鹿毛［くろかげ］ 全身黒色で唇、鼻、頬、腹は褐色。

白鹿毛［しろかげ］ 鹿毛の白みを帯びたもの、長毛は黒。

紅鹿毛［べにかげ］ 唇、鼻、股の内側はやや淡褐色、他は赤褐色。

金鹿毛［かねかげ］ 褐色が金色の艶ある毛、

黒鹿毛

足は暗黒。

鏡紋鹿毛［かがみもんかげ］　鹿毛に斑文のあるもの。

飛鹿毛［とびかげ］『平家物語』自熊野清盛引返条。

大鹿毛［おおかげ］　鹿毛の馬の大型のものをいう。『源平盛衰記』文覚勧謀叛条。『会津陣物語』。

油鹿毛［あぶらかげ］　長門本『平家物語』高倉宮被討条。『源平盛衰記』宮中流矢条。三位入道秘蔵の馬とあるが、毛並の光沢でいうか。

小鹿毛［こかげ］『吾妻鏡』建久二年十一月二十二日条。

白石鹿毛［しらいしかげ］　産地の名をとってつけられたものか。『安土日記』天正三年十月十九日条。

嵐鹿毛［あらしかげ］『増補家忠日記』弘治三年正月、柳原某の馬。

海老鹿毛［えびかげ］『安土日記』滝川左近が拝領した馬。『関八州古戦録』にも記されている。

橡内鹿毛［とちうちかげ］『奥羽永慶軍記』南部利直が小屋敷某に下賜した馬。

胴白鹿毛［どうしろかげ］『蘆名家記』金上遠江守討死条。遠江守の馬。腹の方が白毛故の名称か。

薩摩鹿毛［さつまかげ］『大友興廃記』志賀道択御馬拝領といつはり取かえるの条。

箕輪鹿毛［みのわかげ］『増補家忠日記』天正十年三月一日。長坂血鑓九郎の拝領馬。

越前鹿毛［えちぜんかげ］『大坂軍記』水野日向守の馬。

鴾《つき》毛《げ》

『和名類聚抄』に

爾雅註騢　音遐　漢語抄云　赭白馬鴾毛也　彤白雑毛馬也

とある。赭色を帯びた白毛の馬という。槻毛、月毛とも書く。

小鴾毛［こつきげ］『源平盛衰記』高綱渡宇治川条にある畠山重忠の馬。『吾妻鏡』文治元年三月六日の条。

鴾毛

更科鴾毛［さらしなつきげ］『見聞雑録』仁科盛信の馬。

岩手鴾毛［いわてつきげ］『北条五代記』笠原新六郎氏直へ逆心の条。

染鴾毛［そめつきげ］『武蔭叢話』柴田因幡守の馬。

紅梅鴾毛［こうばいつきげ］『難波戦記』増田兵部の馬。

柿鴾毛［かきつきげ］『大坪流馬書』では紅梅月毛・あかほうたる月毛等とはいわず、柿月毛というとある。鴾毛に赤みを帯びた毛並をいうか。

白鴾毛［しろつきげ］『平家物語』熊谷一二駆の条。熊谷小二郎直家の馬。平薩摩守忠度の馬。『吾妻鏡』建長二年正月一日の条。『文正記』甲斐千菊丸の馬。

黒鴾毛［くろつきげ］『平家物語』倶利加羅落条の木曾義仲の馬。長門本『平家物語』の熊谷次郎の旗差の馬。

宿鴾毛［やどりつきげ］長門本『平家物語』義経西国下向条の義経の馬。

泥鴾毛［どろつきげ］長毛が灰白色か白で、蹄が暗色なのをいう。

黄鴾毛［きつきげ］『平家物語』侍賢門軍条の佐衛門佐の馬。

佐目鴾毛［さめつきげ］『相国寺供養記』虹彩の色素の欠けた馬、魚目ともいう。

栗《くり》毛《げ》

『和名類聚抄』に

唐韻云騮　羊朱反弁色立成云紫馬栗毛
紫馬也

とある。紫は現代の鮮やかな紫色ではなく、赤黒みを帯びた色を昔は紫といったから、栗の実の皮の赤黒味に似た馬の毛を紫馬といったのであろう。これにも橡《とち》栗毛・黒栗毛・白栗毛・紅栗毛・尾花栗毛等濃淡によって複雑な区分があり、また栗毛に斑紋のあるのを鏡紋栗毛という。

大栗毛［おおくりげ］『源平盛衰記』北国諸所合戦条の今域寺太郎光平の馬。『吾妻鏡』建久二年十一月廿二日条。『大友興廃記』長尾口合戦条の皆木弥平次の馬。

近江栗毛［おうみくりげ］『江談抄』。

別栗毛［べつくりげ］『江談抄』。

黒栗毛［くろくりげ］『和名類聚抄』に「赤身黒鬣也」とある。『平家物語』佐々木高綱の馬の生唼。『吾妻鏡』『竹崎五郎絵詞』『判官物語』『室町殿日記』。

白栗毛［しろくりげ］長門本『平家物語』『太平記』六波羅攻条『古今著聞集』。

紅栗毛［べにくりげ］『和名類聚抄』。

濃栗毛［こくりげ］『三好記』三好玄蕃の馬。

柑子栗毛［かんしくりげ］『庭訓往来』『奥羽永慶軍記』太閤洛陽出陣条。最上義安の馬。

紅栗毛

駁《ぶち》馬《うま》

『和名類聚抄』に

駁馬　説文云駁　補卓反駁馬　俗云布知
無万　不純色馬也

とあり、斑散《ふちり》の略語で、二色以上でまだらになった毛色の馬をいう。二毛ともいって、後世は二色（二君に仕える）といってこの色の馬は嫌ったが、中世はさほど嫌わなかったらしく、絵巻物には描かれている。

駁［ぶち］長門本『平家物語』富士川条に「にけの馬にや」などと記され、『明月記』建仁二年八月十一日の項にも「仁毛馬」と記されている。

青駁［あおぶち］『吾妻鏡』建久二年八月十八日条、武田五郎の献上した馬が青駁である。

黒駁［くろぶち］『泰衡征伐物語』工藤行光の馬。『源平盛衰記』東使戦木曾の条、勅使河原有則の馬。『吾妻鏡』文治五年八月十日の条、金剛須房太郎の馬。建久六年七月十二日の条、千葉介常胤の献上した馬。『梅松論』細川頼尚の馬。『御幸始部類記』文永十一年二月七日条の御随身の馬。『蜷川親元記』文明十年八月廿一日条に献上された馬。

駁馬

栗毛駁［くりげぶち］　『吾妻鏡』元久元年九月二日の条。将軍家より伊勢に奉献した馬。

鴾毛駁［つきげぶち］　『吾妻鏡』建長三年九月廿五日の条、幕府御厩の馬。『蜷川親元記』文明十年十一月一日の条、多賀四郎右衛門が将軍に献上した馬。

鹿毛駁［かげぶち］　『吾妻鏡』文治三年十一月五日の条、宇都宮朝綱が将軍に献上した馬。

糟毛駁［かすげぶち］　『御幸始部類記』文永十一年二月七日の条。御随身の馬。

黒糟毛駁［くろかすげぶち］　『相国寺供養記』、今川貞秋の馬。

葦毛駁［あしげぶち］　『吾妻鏡』文治二年十月三日の条。藤原秀衡より頼朝に贈った馬。

鶴　駁［つるぶち］　『夫木抄』源仲正の馬。『鴉鷺合戦物語』に鶴紀伊守の馬とあるが、鶴ぶちの意は不明。

アヒサウ駁［あひさうぶち］　『安土日記』天正九年八月六日の条に、

会津ノ屋形モリタカヨリ御音信アヒサウ駁ノ御馬奥州ニテ無二其陰一希有之名馬ハルバル上セ

とあって織田信忠に献上された馬。「アヒサウ（あいそう）」のあいは会津の意か。不分明である。

その他の毛並の名

足　駁［あしぶち］　『和名類聚抄』に

騚　爾雅注云四骹皆白曰レ騚　音曽　俗云阿之布知　駁謂二膝以下一也

とあり、『元良親王集』にも「あしぶち」とあり、『賀越闘諍記』加賀越中能登一揆乱入越前条にも財町之円正が驄駮《あしぶち》の馬に乗ったことが記されている。下肢が不揃いで白い馬をいう。

四　白［よつしろ］　蹄近くの下脚が白い馬で、『和名類聚抄』には

爾雅注云四蹢皆白　曰騚《セン》　音前蹢蹄也
俗呼為踏雪馬

とあり、四肢の下方が揃って白毛の馬をいう。『水鏡』に崇峻天皇六年に甲斐の国より黒馬で四の足白い馬を聖徳太子に献上した記録がある。太子乗用の甲斐の黒駒がこれである。『宇槐雑抄』保延三年九月二十三日仁和寺の競馬の中に信濃馬の四白の記事がある。『異制庭訓往来』の馬の毛色を上げた中踏雪とあるのは四白のことである。『岡本記』には四ツ白としている。身体が何色でも脚の下肢四ツが白いのを四ツ白といった。

小雀目馬［こがらめのうま］　小雀の目の色に似たとも、小雀は頭黒く、頸・頬白く、背腹・翅・尾も白いので、これに似た斑の毛並の馬をいう。『岡本記』には

こがらと申鳥のめににたる馬の事也

とある。

落星馬［ほしづきのうま］　『和名類聚抄』に

落星馬　揚氏漢語抄云落星馬　保之豆岐之宇万

とあり、額に星が流れたように白斑のある馬のこと。

載星馬［うびたいのうま］　『和名類聚抄』に

載星馬　爾雅注云　白顛《テン》一名的顙《テキソウ》　俗呼為二載星馬一和名宇比太非能無麻

とあり、額上に白星のような斑のある馬をいう。『異制庭訓往来』の馬の毛色の種類の中にもあげられている。

額　白［ひたいじろ］　いずれの毛並にせよ額の部分が白毛の馬をいう。『吾妻鏡』文治

五年八月十日の条に金剛須房太郎の馬が黒駮額白であったことが記されている。『弓張記』には

　ひたいのしろき馬を大しやくと当世云せ

とある。

月　額［つきびたい］　『大塔軍記』に色々の毛並の馬の中に月額の名がある。

小　額［こびたい］　『吾妻鏡』建久二年十一月廿二日帰洛の武士に下賜した馬の中に小額の名がある。小額が白毛の馬。

きめ額の馬［きめびたいのうま］　『吾妻鏡』建久二年十一月廿二日条にあり。

鶴毛馬［ひばりげのうま］　雲雀《ひばり》毛《げ》馬と読む。『吾妻鏡』建久二年八月十八日条に諸臣より将軍に献上した馬にある。

鶉毛馬［うずらげのうま］　『吾妻鏡』仁治元年二月廿九日条に将軍より大宮大納言に下賜した馬の毛並。

猿　毛［さるげ］　『大内問答』に猿毛の馬は祝儀に用いるべきでないと記してある。茶色がかった灰色の毛並か。『宗吾大雙紙』にも同じ事が記されている。

青鷺毛馬［あおさぎげのうま］　『大木抄』に記されている青鷺の羽色に似た毛並の馬。

鶏毛馬［とりげのうま］　鶏の羽色に似た毛並の馬というが、色目は微妙である。

下尾白馬［したおしろのうま］　『源平盛衰記』法住寺城郭合戦条に

　蔵人ノ乗タルケル栗毛ノ馬ノ下尾白カリケル

とあり、『承久軍物語』にも

　黒栗毛なる馬の八寸ばかりもあるらんとおぼしくて、したをしろかりける

とあり、尾の先の白い毛の馬をいう。

腋白馬［わきしろのうま］　『古今著聞集』に柏助信の馬は「わきしろ」という馬に乗ったとある。前肢の脇の白斑の馬の事か。

馬の印～産地・牧場の目印

古くより馬の産地や牧を示す印として、馬の腰の辺にそれぞれ区別のつくような図案の焼印を押した。これを馬の印《かね》という。

『厩牧令』に

在レ牧駒犢、至二一歳一者、毎レ年九月、国司共二牧長一対、以二官字印一、印二左髀上一。

とある。これは中国の制に倣ったもので、『唐六典』に「印二右膊一以二小官字一、右髀以二年辰一尾側以二監名一」とあるのにのっとり、『続日本紀』の慶雲四年（七〇七）三月甲子条に

給二鉄印于摂津・伊勢等廿三国一、使レ印二牧駒犢一

とあるように国で管理した牧の牛馬に毎年二歳になったものに焼印を捺させたが、平安時代末期頃からこの制は廃れ、各牧でそれぞれ勝手のデザインの焼印を捺した。

これを金焼といい、参考本『源平盛衰記』東国兵馬汰条に

生唼《イケヅキ》トハ黒栗毛ノ馬高サ八寸太ク逞ガ尾ノ前チト白カリケリ。当時五歳猶イテクヘキ馬也。是モ陸奥七戸立ノ馬、鹿笛ヲ金焼ニアテタレバ、少シモ紛ベクモナシ

とあり、腰に鹿笛の形の焼印を捺した馬故に他の馬と紛れる事が無いと記されている。これは産地の符号で、後世まで行なわれたが、右の琵琶股にも、左の方にも捺すようになったので『岡本記』では

本かねという事は、馬の左の事、これをほんかねとも「おもてのかね」とも申也。ゆめゆめもとかねとことばにいうべからず

とあって左側に捺すのが「表の金」「本金」で

右のかたをばうらのかねともうちこしとも申也

と、右の琵琶股に捺すのが打越または裏の金ということしている。

また、牧の名を添えるのを『宗吾大雙紙』には

馬をよそへ遣わし候状に毛付印などの事常のごとく書べし。或はおろしかね、須弥たらいなどあるをば別状に可レ書、先づ本印を書て同じく下印《おろしかね》を書べし。太刀なども同前、彦間、田鎖、須弥たらいなど一段の事をば内状に可レ載也

とあって、馬進上の折紙に毛付と馬印を記載するが、産地の名を書き添えるのを下印といった。

この焼印で古来有名なものとして、雀目結《すずめゆい》（『蜷川親元記』『家中竹馬記』『奏者記』『御内書引付』）・両目結《りょうめゆい》（『家中竹馬記』『御内書引付』）・重雁《かさねがり》（『家中竹馬記』）・三引両《みつひきりょう》・丸《まる》（『蜷川親元記』）・琴柱《ことじ》・菴《いおり》・輪違《わちがい》・丸引《まるひき》両《りょう》・四目結《よつめゆい》・丸下山《まるしたやま》・遠雁《とおかりがね》・松皮《まつかわ》・三日月《みかづき》（以上『伊勢備後守貞明覚書』）・飛雀《とびすずめ》・羽折《はおり》雀《すずめ》・小雀《こすずめ》・引量丸《ひきりょうまる》・有文字《ありもんじ》・大輪違《おおわちがい》（以上『尺素往来』）等がある。これらはやがて廃れたが、江戸時代中期享保頃から復活し、享保十九年（一七三四）に安房国（千葉県）嶺岡の牧で、安の字の印を捺し、翌年に奥州仙台方面で目結の印が行なわれた。

元文四年（一七三九）には南部藩領で飛雀の印、明和四年（一七六七）には磐城の三春で結び雁の印を用いたが全国的には及ばなかった。

千鳥

遠雁

菴に筋違

菴に筋違

牛車

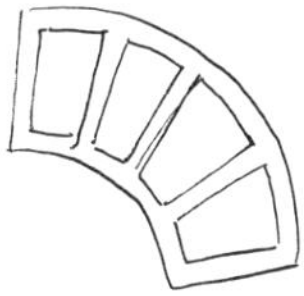

桧扇

輪貫

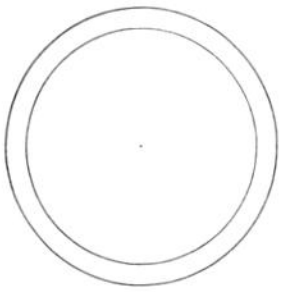

輪違

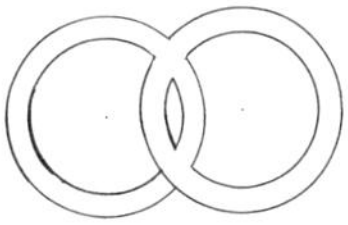

二引両

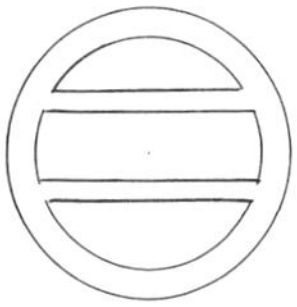

松皮

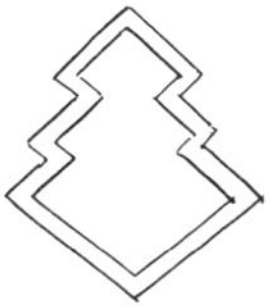

三目結

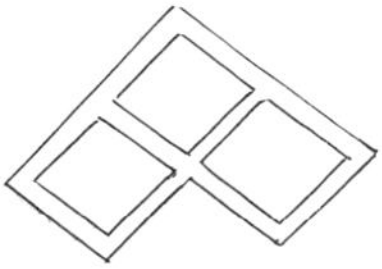

四目結

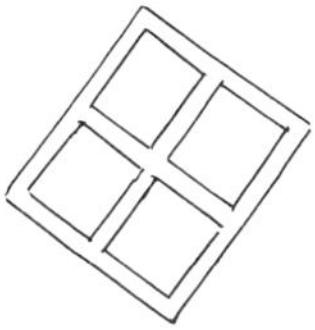

飛雁

羽折雀

雀

目結

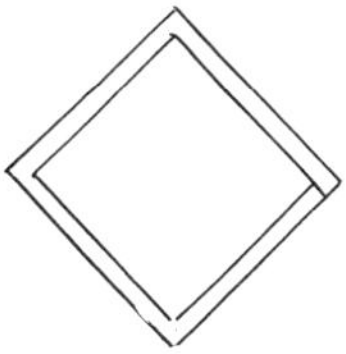

大文字

文文字

王文字

有文字

未文字

長文字

十文字

鹿笛

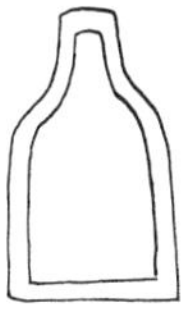

馬の名所〜『武用弁略』における名所

昔の馬の名所

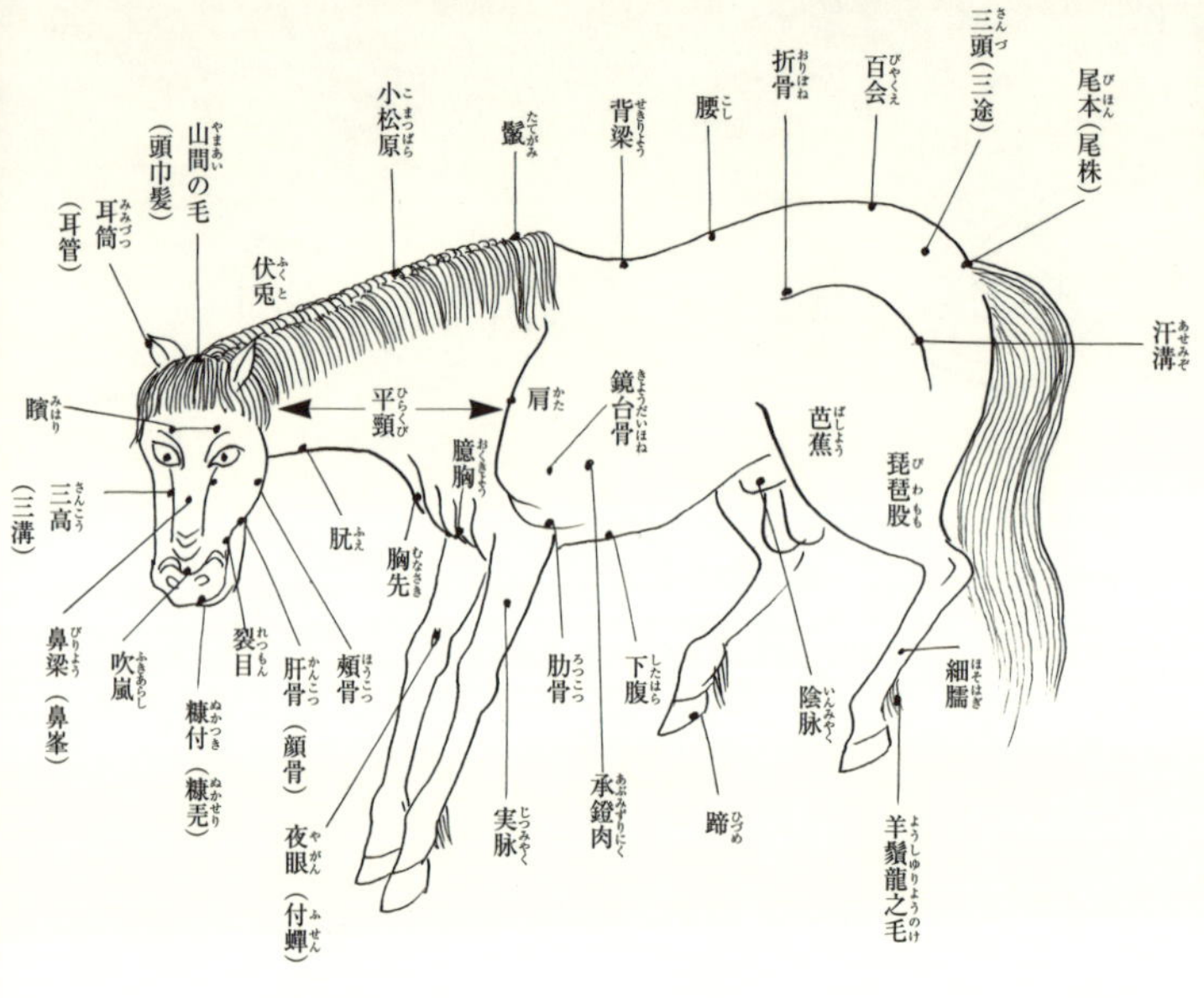

馬の名所は昔と今とでは異なるので木下義俊の『武用弁略』馬事之部七の挿図の馬の名所と、現代の馬の名所の違いを列べて図示したから参照されたい。

なお『武用弁略』における解説を以下に引用する。

肩上ノ分

平頸《ヒラクビ》ハ相馬録《サウマロク》ニ曰、頸ハ高峻《コウシユン》ナラン事ヲ欲ト云リ。肉少シテ長ヲ良トス。頭上《カシラ》肩ノ間ノ惣名也。面ハ竈馬頬《カウロキツラ》ナルヲ好トス。痩テ少肉ナランコトヲ欲《ホツス》ト云リ。

山間《ヤマアイ》ハ双耳《フタミミ》ノ間也。頭髪《ズガミ》トテ高毛《タカゲ》ヲ残山間ノ毛共、頭巾髪《トキンガミ》共云リ。作ザルヲ野《ノ》髪《カミ》ト云。眼隠《マカクシ》ナド云也。

耳筒《ミミヅツ》ハ両耳管《クダ》ノ如シ。故ニ耳管《ジカン》共名ク。李緒《リシヨ》ガ相馬経《サウマキヤウ》ニ耳ハ短ヲ上トス。或云。人ヲ見テ耳ヲ伏ハ悪相ト云リ。之ヲ耳竚《ミミスマイ》ト云。

矉《ミハリ》ハ両ノ目《メ》上小高《カミコダカキ》所也。或見張ニ作。骨高ヲ矉角《ヒンカク》ノ骨ナド云リ。異本ニ見晴《ミハレ》ニ作。眉八連《ミハレ》別也。額ノ骨八字《ハチジ》ニ似タリ。故ニ八関《ハチシク》共云。是又八字具也トゾ。

現代の馬の名所

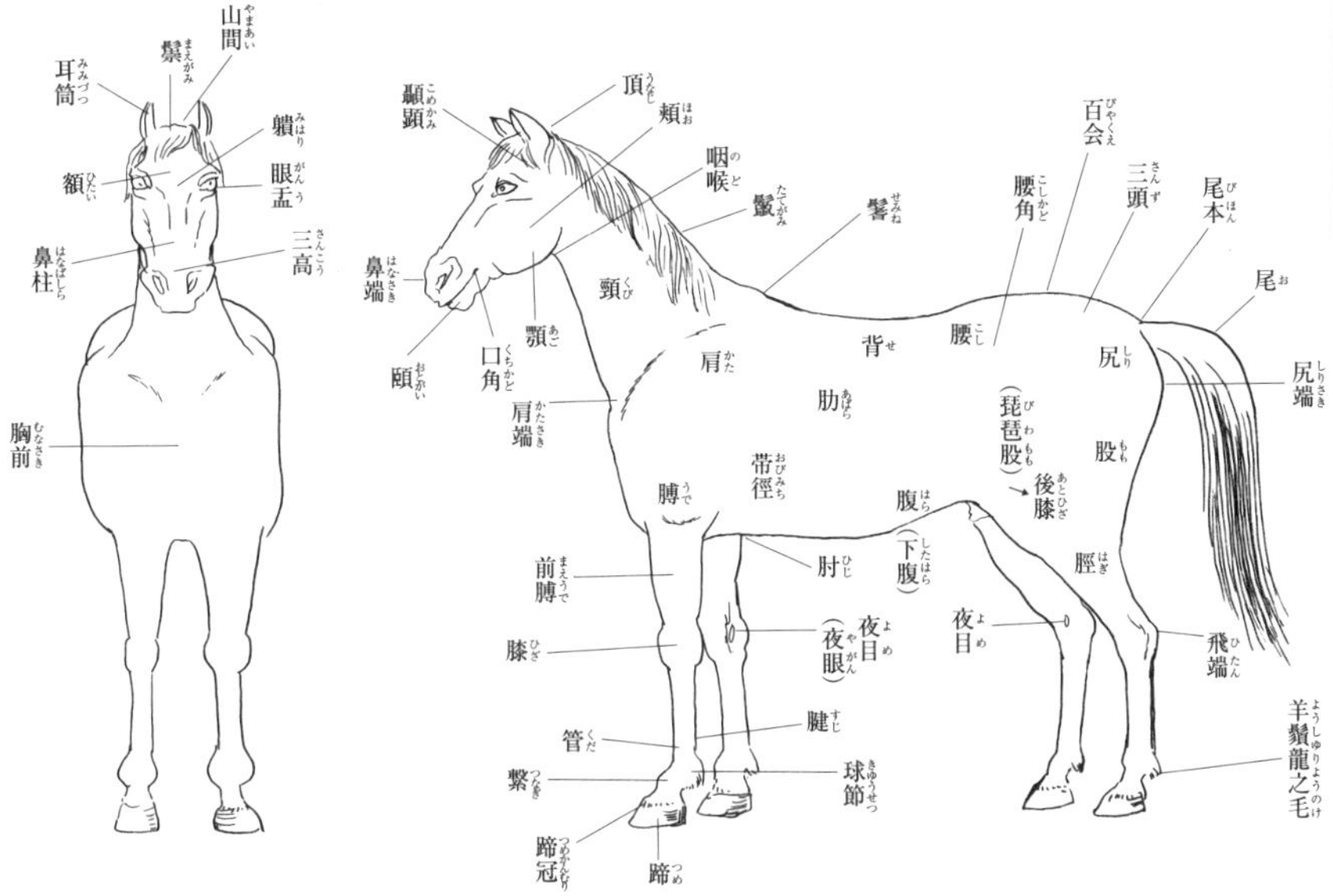

顔骨或眼骨ニ作。目ノ前ノ䯒《イ》也。眼前ノ骨ト云リ今中略シテ眼骨共云。肝骨ハ異也。

三高《サンコウ》或三溝ニ作。面中《オモナカ》ノ溝ヲ云。三ハ其高シテ連長ナル皃《カタチ》ヲ云。異本ニ三行共書リ。理等《シトシ》ク通用シテ之ヲ書。一本ニ三高之ヲ三鞋《ケイ》ト謂。然ラバ溝ニ作ハ非也。

鼻梁ハ鼻ノ中道鼻骨也。弁色立成ニ俗ニ云ル波奈佐祢《ハナサキ》或鼻峯《ハナミネ》ニ作。

吹嵐、鼻ノ穴両ノ前、或《アルイワ》鼻ノ惣名トス。吹嵐ハナノ辺《ホトリ》トイフ、春ニ除テゾ通《トオル》三子《ミネ》ノ浮雲。

糠附《ヌカツキ》、或又糠弄《ヌカセリ》共云リ。上口也。吹嵐ノ下ノ端也。又糠振《ヌカフリ》共云。

肝骨《カンコツ》或云食槽《シヨクソウ》、李緒カ相馬経ニ食槽寛《ユタカ》ニセント欲ト云リ。下頤《オトガイ》ナリ。和名ニ宇《ウ》末乃岐保祢《マノキホネ》又頬骨ハ頬車ノ骨也。或之ヲ三ケ月骨ト云リ弓象《キウシヨウ》ノ骨ト云モ此事也。

裂目《レツモク》。口ノ裂目也。浅ヲ以良トス。或今轡掛ト云。

伏兎《フクト》。頭髪ノ後ニ指上テ小高所也。或福討《フクトウ》ニ作。

鬣鬐《タテガミ》。髾騣騌《ソウソウ》共ニ鬐ニ作。唐韻ニ鬐ハ馬ノ項上ノ長毛也。多識編ニ鬐毛多伝加《タテガ》美《ミ》、和多鈔ニ俗ノ云、宇奈加美《ウナカミ》鬃《シユウ》又同馬ノ繁鬣《ハンシウ》也。文選ニ曰。軍馬髦《タテガミ》ヲ弭《トリ》テ仰テ秣ト云云。髦音毛多知賀美《ケタチカミ》。今云斗里加《トリカ》美《ミ》。今鬐甲《キコウ》ト云。又須弥ノ髪ト云ルモ皆取髪《トリカミ》也。又童取《ワラトリ》ノ髪トモ。

小松原。伏兎ト鬐甲ノ間ヲ云。山間ヨリ続テ山辺ニ先スレバ此名アリヤ。山間ニ兎身《ウサギミ》ヲカクス。小松原風音モセデ吹乱哉。

背後《セナカ》ノ分

背梁鞍下也。今云居敷・乗敷ナリ。背音積背脊ナリ。李緒ガ相馬経ニ云。鞍閃《クラシタ》ヲ排シテ成《タイラニカ》ニセント欲。順曰、久《ク》良《ラ》於《オ》幾《キ》度《ト》古《コ》哈《ハ》釈名ニ背ハ積《ツモル》也。骨節《コッセツ》脉絡《ララク》上下ヲ積続スル也ト云云　背梁弁色立成ニ世都《セツ》加《カ》世《セ》美祈《ミスノ》。騎馬トハ曲脊《キヨクセキ》ノ兒局《カタカホヨクバ》馬也。今云脊《セ》撓《タラ》ノ馬。

百会ハ後ノ高キ所也。鞍端《クラハシ》ノ通ニアリ。馬経ニ曰。百会低キヲ良トス云云

三頭《サンツ》。或三途ニ作。又三通共書リ。骨相ノ三行《コウ》ナルヲ以云トゾ。最肥痩ニ因テ正クセズ。惟順《シタガツ》テ名ク。故ニ三山《ミヤマ》骨共。又三峯《サンボウ》共云。李緒ガ相馬経ニ云。三封齊《ヒトシク》　一ナラン事ヲ欲ト云云。以三封ニ作。両辺共骨ノ高ミヲ目形ト云リ。骨顕テ今所骨《フリコツ》ト呼也。汗溝《カンコウ》ノ上ニアリ。

接脊骨。或之ヲ桂川《ケイセン》トモ云リ。三頭ハ高ミ桂川ハ其凹《クボミ》ナリ。三ノ峯流テ洛《ヲツ》ル桂川小船ノトモニ結ウタカタ。

尾本《ビホン》。今云尾口、尾株也。李緒ガ曰。尾株鹿《ヲヒ》ナラン事ヲ欲。麁ハ酋《ナオ》大ノ如シ。弁色立成ニ尾柱。一ニ曰。尾根指尾ヲ以良トス。説文ニ倒毛。後ニ在ニ従ト注セリ。

汗溝《カンコウ》　後尻《アトシリ》ノ両骨凹ナル所之ヲ汗溝ト云リ。李緒ガ相馬経ニ汗溝深カラン事ヲ欲。和名順ノ曰。阿世美蘇《アサミサソ》。

琵琶股《モモ》。後足ノ上股根。肉高ク広平ナル所ヲ云。其下狭所之ヲ二ノ股ト云リ。又云。烏帽子形。内股ハ裏ノ方也。

前下《ゼンカ》ノ分

高胸《コウケウ》。或胸堂共胸骨共云。異本ニ入海《ニウカイ》ノ骨。入海ハ浪分《ナミワケ》ニ対応シテ名ク。乂比形アル所ト云云。肒搦《フエガラミ》ハ其上咽ニアリ。

臆胸《オクケウ》。両ノ股根ノ前ニ有。襟合《エリアイ》ト云也。案スルニ右ノ入海是也。然バ高胸ハ臆胸ノ上ニ並畢竟《ヒツキヤウ》ハ相等ト云云。

下腹ハ腹ノ惣名トス。臍《ホソ》ヨリ後《アト》ヲ肚下《トカ》ト云。臍ノ上、胸ノ方ヲ胸寄ト云リ。

肋骨ハ前脚ノ附根也。鏡台骨ノ下ニ連《ツラナ》ル。或云鏡台骨ハ鏡ノ節《フシ》ニ擬テ名トス。或之ヲ流《ナガシ》ノ骨共云者アリ。

前脚。外ニ実脉《ジツミヤク》アリ。裏《ウチ》ニ夜眼《ヨメ》ト云物アリ。其形蝉ノ如シ。故ニ附蟬《フセン》ト云。左右ノ節ヲ鏡ノ節ト称ス。疑ハ屈《カガミ》ノ節。屈伸前ニアルノ理也云云。一名夜眼《ヨメ》ノ節、夜眼《ヤガン》ニ付テ称スル也。弁色立成漢語鈔等ニ夜眼与米《ヨメ》ト云云。

後脚ノ中ノ節ヲ珠持《シユジ》ノ節ト云。又鵞鼻《ガノハナ》ノ骨共云也。又烏頭《クハエギ》　李緒ガ曰。烏頭《ウトウ》挙《アゲン》ト欲。今云曲池曲肘《キヨクチキヨクチウ》。弁色立成ニ曰。曲肘俗ニ云久《ク》波《ハ》由《ユ》岐《キ》。蹄ノ後ノ毛ヲ半鬚龍《ヨウシユリヨウ》ノ毛ト云。是ヨリ上節迄ノ間ヲ細臑《ホソハキ》ト云也。負重《フテウ》ハ二腕又股《モモ》ノ附根ヲ芭蕉ト云ナリ。

四之節《ヨノフシ》。四足ノ節也。口決《クケツ》ニ曰。今馬足ヲ洗ヲ裔《スソ》ヲスルト云。四足洗ト書リ。或今跖茹《スソスリ》ニ作。又四十《スソ》共云云。

蹄ハ即馬蹄也。蹢躅《ヒツメヒツメ》亦共ニ同。獣ノ足ヲ蹄ト云。弁色立成ニ曰。護杵《ゴショ》。和名比《ヒ》豆米《ツメ》。相馬経ニ曰。高コトヲ欲。馬ノ奇ナル也ト云云。孫愐《ソンメン》ガ切韻ニ云。畜足ノ円ナルヲ蹄ト云。岐《チマタ》ヲ甲ト云。順ノ云。甲案ズルニ爪甲也。和名豆米《ツメ》。

承鐙肉《アブミズリ》。李緒ガ相馬経ニ曰。承鐙垂《セウトウタレ》ント欲ス。順ノ云阿布美須利《アブミズリ》。

陰脉《インミヤク》。和名鈔ニ曰。伯楽ガ相馬経ニ陰脉ハ俗ニ云。麻良佐夜《マラサヤ》。

此外和漢異字、御家《ギヨカ》ノ相違、声音ノ誤悉《コトゴトク》正《タダシ》カタシ。故ニ用捨シテ右ニ記《シルス》。世誤間《セイゴママ》アレバ也。

馬相～馬の良否の見分け方

頸と頭の形

馬相

馬の頭顔・頸には種類があり、これを馬相という。『相馬経』にも

凡そ馬を相するの法、先づ三羸《るい》五駑を除きて仍ちその余を相す。大頭小頸は一羸なり。弱背大腹は二羸なり。小頸大蹄は三羸なり。その五駑とは大頭緩耳は一駑なり。長頸不折は二駑なり。短上長下は三駑なり。大胳短脇は四駑なり。浅髄薄髀は五駑なり。

とあり、羸は羸で疲れる弱いの意で、駑は鈍い馬をいう。三つの羸馬や五種の駑馬は避けるべきで、それは馬体の相にあらわれているとある。

また頭、頸、鬣、背、胸、肋、四肢の形の在り方についても数種を挙げて区分している。鼻梁が凸形の半兎頭。額が凸形の羊頭。鼻梁が凹んでいる犀頭。鼻梁が凹んで頭長方形の駮頭または魚頭。額が広く鼻や口の厚い牛頭。頭の下端が著しく狭窄の楔頭。額と鼻梁の凹んだ豚頭等で、この中で牛頭・豚頭は良くない。額が広く、前が直なのは形も良く

体形

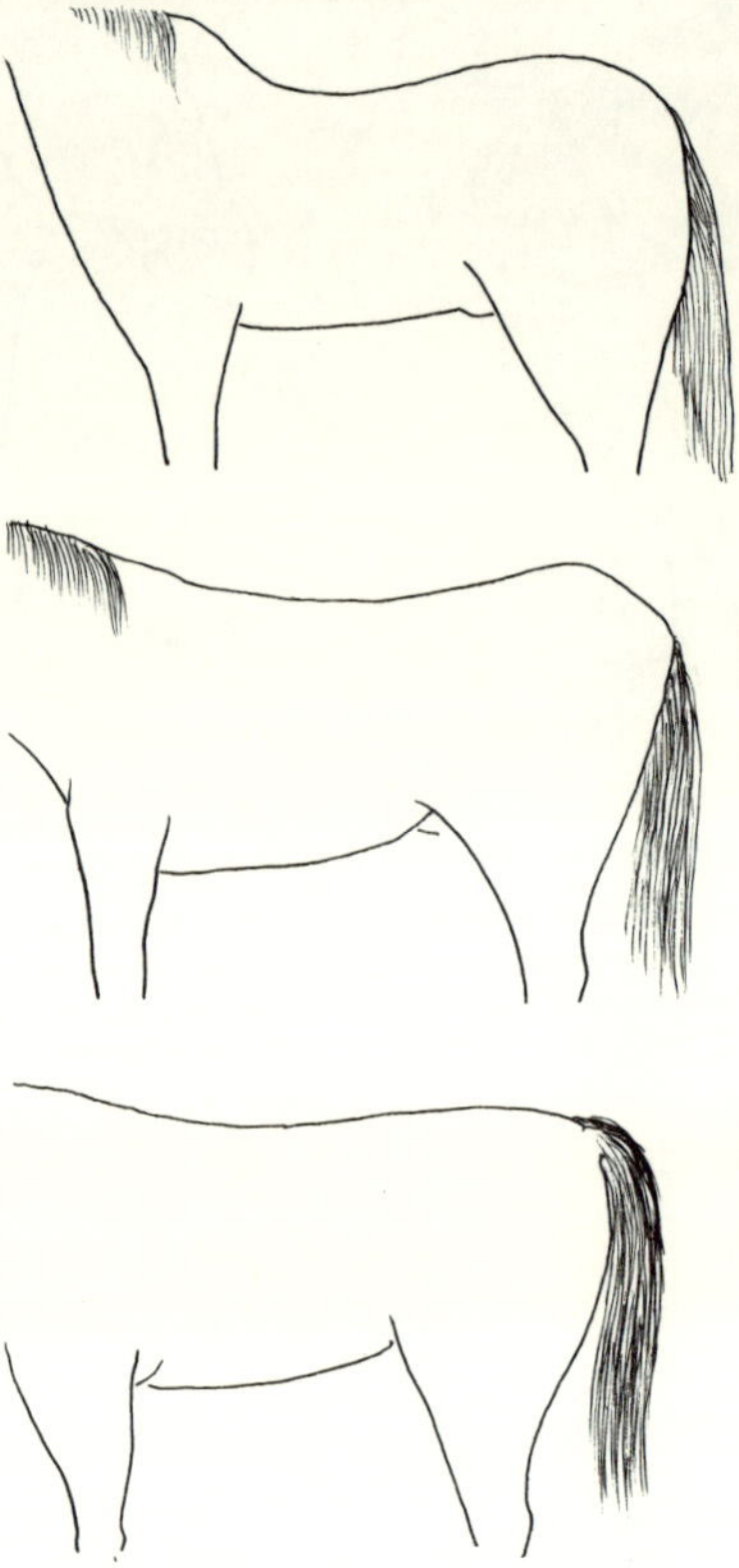
高鬐甲短背円尻
低鬐甲長腰斜尻
水平尻巻腹

上等であり、現在のサラブレッドやアラブ馬がそれである。

頚は筋肉の発達した長頚が良く、短くて肉に厚みのある馬は良くない。

短厚の頚は強力であるから輓馬には良いが乗馬には不適当である。厚頚で上頚部に脂肉多いのを脂頚といって上等でない。頚の幅が薄く長い頚を長頚というが、細ければ良くないが、筋肉が発達していれば走るに有利である。

頚の付着が低く、曲線をなしているのを鶴頚というが、四川馬などがこれである。鹿頚ともいう。

これに似て鵠の頚のように曲線を持ったものを鵠頚という。

鬣は頚や背の高低、肩の位置によって異なる。

背の形は短背は駄馬には良いが、走った場合に後蹄が前蹄に衝突したりするので乗用には不適。長背は鯉背（凸骨）で反撞《はんどう》が強いから速力が出ず、駄載用で、凹背も同様である。複背、円背が良い。

腰は発育した筋肉の弾力あるを良しとし、短腰は腰に力あって良い。

尻は長く幅広く背骨筋正しいのが良く、尻が長ければ歩幅も広くなる。乗馬には尻の長さ、大きさ、筋肉の発達したのを正尻という。円尻は腰に力あるが速力は遅く、尖尻も良くない。斜尻も良くない。水平尻も後肢が後退し飛節の角度が開いて歩法が不確実である。

尾は尻と同じ高さで、体から僅かに離れているのが良く正尾といい、尻よりやや高いのも良い。尻より低いものや、斜めに曲った一斜び、後肢の間に入るような挿尾は良くない。

胸は肺臓・心臓を収める大切な部分であるから大きい方が良いが、上方が平の方が速力があり、胸前の広すぎる獅子胸は輓馬に適している。

肋は外下方に湾曲して肋骨の付き方が強いのが良く、また胸廓も広いのが良い。

腹は胸よりもやや上った方が良く、巻腹・垂腹は病的馬や、多量の粗食馬、分娩の多い馬は下腹が下垂しやすい。巻腹つまり後上方に巻き上ったのは、現代の競走馬は別として、これも不健康の馬である。

四肢も尻から後膝までの膊・肘・前膊・管・腱・肢・脛等は筋肉発達し、膝・飛節・球節等強靭で、関節の傾斜が大き過ぎぬのが良い。

以上は現在の馬の表準であるが、江戸時代までは大豆飼料を多くして太く逞しきという力ある馬が好まれた。

馬相と吉凶

江戸時代までは馬相によって吉相・凶相に分けており、これによって良否が区分されたが現在では信じられていない。

尻の形

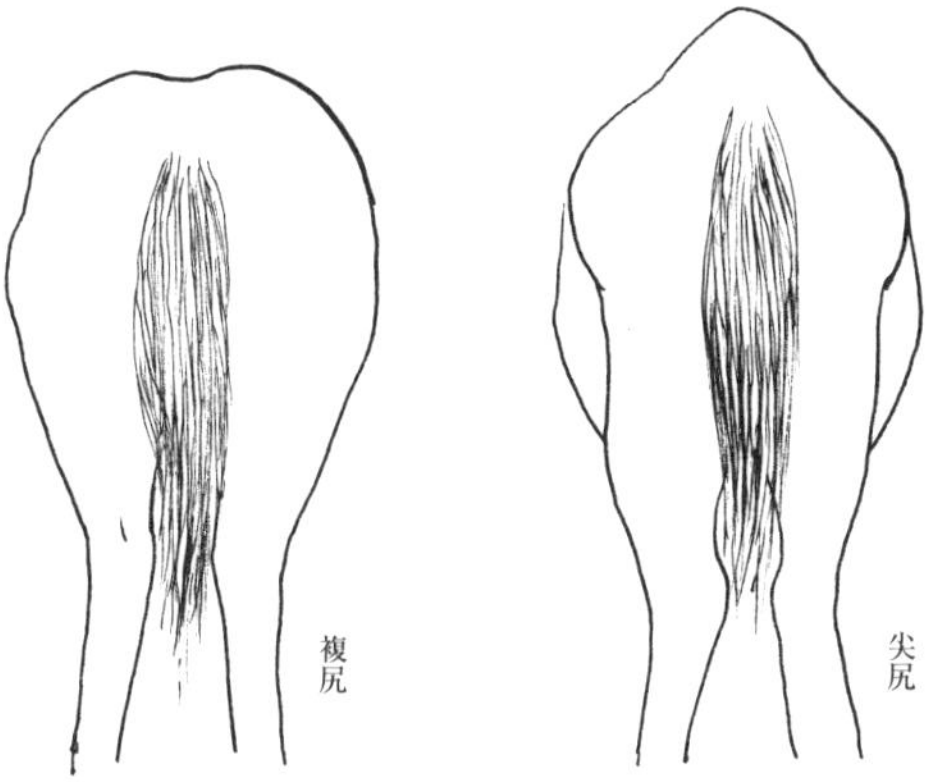

吉相の馬

木下義俊著『武用弁略』馬事之部七による と吉相の馬は

蓬莱《ホウライ》ノ旋《ツジ》ハ珠目ノ旋ノ上ニアリ。二ツアルハ日月ノ旋、三ツアルハ三光ノ旋ト云。最上ノ吉相トス。主人繁昌シ人ニ尊敬セラレ、如意安楽ニシテ珍財ヲ得ルトゾ。

珠目《シュモク》ノ旋ト云ハ額ニアリ。何タル悪旋《アシキツムジ》アル馬ナリ共、コノ旋アレバ凶ヲ転ジテ吉ト成。家富デ吉トス。漢ニハ寿星ノ旋ト云云云。今世ニ眉円ノ旋ト云是也。

愛相《アイソウ》ノ旋ト云ハ鼻ノ上ニアリ。主人勝利ヲ得テ能兵　卒思付也。必酒宴ス。

富門《フモン》ノ旋。或冨来門ニ作。貨福ヲ得テ家富也。口脇ニ在。

愛憐《アイレン》ノ旋。面側ニ在。神馬奉納誓願等ノ節大吉トゾ。

見受《ケンジュ》ノ旋。胸ニアリ。良馬ノ友ヲ引。軍馬ニ好。靠相《カウソウ》ノ旋共。

入府《ニウブ》ノ旋。喉ニ在。所願円満国土長久帯纓《タイアマリ》ノ旋是也。

昌門《シヨウモン》ノ旋。章門ト書ハ非也。友馬ヲ引テ子孫延年也。

福相《フクソウ》ノ旋。鐙下ニ在。五穀屋内ニ聚リ乗鐙ノ旋是也。

訓寄《ナレヨリ》ノ旋。心和ニシテ主人ニ馴付テ、人ヲ嚙コトナキ也。

尾嚴《ビゲン》ノ旋。物ニ驚ズシテ四足強、落馬ナシ、尾懸《ヲガカリ》ニ相並。

骨正《コツシヨウ》ノ旋。山路能得タリ。膁花《ケンクワ》ノ旋是ナリ。災難ナシトゾ。

五之目ノ旋ハ腹ニアリテ五ツ連。七ツアル時ハ七宝ノ旋。其七星ノ旋ナト共云。

吉相の旋毛

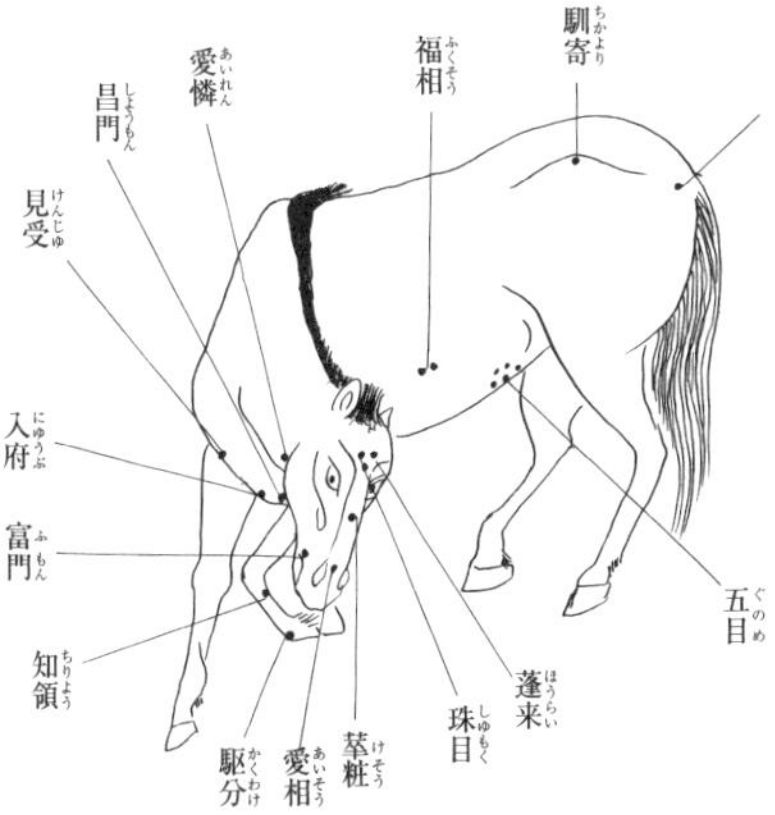

珍宝家ニ来リ火災ヲ除。

知領《チリヨウ》ノ旋。所《ショ》知《チ》入《イリ》ノ旋ト云是也。俸禄ヲ得、名誉ノ相トス。一本ニ曰、夜目ノ節ノ上ニ脉ノ通ノ外ニ在。必《カナラズ》所《ショ》知《チ》ストス云云。

駆分《カクワケ》ノ旋。鼎分ト書ハ非也。朔分《サクブン》ノ旋ト云モ同。勝負前ニ吉ト也。但向爪《ムコウツメ》ノ上ニアリトシテ右ノ分ハ吉相トスル也。

半相の馬

血酔《ケッスイ》ノ旋。上熱スル事アリ。然共大概上間ノ馬ニアリ。面ノ髪際ニアリ。

竹葉ノ旋。耳ニアリ。人ヲ威《オドス》相トス。声ノ荒キ多トナリ。

破勢《ハセイ》ノ旋。夜行悪シ。然共別事ナシト云リ。異本ニ芭蕉ノ辻或ハ云別也。是馳《ダ》屍《シ》ノ旋トゾ。

猿登《エントウ》尻股ニアリ。足ニ同名アリ。同字ニ非。不時ニ後足ヲ悪事《ハヌル》アリト雖、必トセズ。是後帯《コ》門《ソウ》ノ旋ナリ。

大見《タイケン》或退見ニ作。物ヲ見。然共逸気有。本字ハ帯劔也。

轡搦《クツワガラミ》両口ノ少上ニ在物ニソフ心有。或銜禍《カンカ》ノ旋ト云リ。

津守《ツモリ》糟セセリニ在。頭ヲ振テ動《ヤヤモスレ》バ立タガル心アリトゾ。

帯囲《ヲイ》ノ旋。頤《オトガイ》ノ下ニアリ。水ヲ得ヌ馬ト云リ。


肬搦《フエガラミ》ノ旋。肬ノ所ニアリ。息相ノ心アリト云リ。

波分《ナミワケ》或波切《ナミキリ》共云。水ヲ能遊《オヨグ》故ニ大概善相トス。然共遠路ニ行ニ悪トゾ。又浪門ト一所也ト雖異也。

鐙端《アブミハナ》。鐙ノ鳩胸ノ通リニアリ。主人位ニ昇ト雖廻シロノ悪キ馬トテ嫌フ人アリ。踏出《フンダシ》ノ辻共云リ。

乳元《ニウゲン》馬能大抵也。早ク労《ツカレ》ヌルト云傳タリ。

蹄通《テイトウ》。足強シ。然レ共人ヲ蹴タガル心有。挟屍ノ旋是也。

地境《チキヨウ》遠行スル事吉。然共嫌也。是拖褁《タソウ》ノ旋ナリ。

沙流上《サルノボリ》。出水ヲ得タリ。乗相ノ悪キ心アリトゾ。サレバ右ノ分ハ半吉半凶ノ馬トシテ心々ニ用ユト云云。

凶相の馬

面山《メンザン》ノ旋。足ヲ見入テ後足安クナラズ。悪キ馬ト云リ。血酔ノ旋ノ少下ニアリ。

散《サ》連《レ》毛《ケ》ノ辻共云トゾ。

見上《ケンジヨウ》ノ旋。眉眼ノ又目囲ノ旋、遅滞ノ相アリテ眼ヲ昏《クラマ》ス。

眼水《ガンスイ》或涙痕《ルイコン》又滴泪《テキルイ》涙旋。妖災アリテ患《ウレエ》絶ズ。眼下ニアリ。

被門《ヒモン》ノ旋。物ヲ見テ危ガリ、且狂動ノ心アリ。

半相の旋毛

頸中《キヨウチユウ》ノ旋。或勝蚫ノ旋。大ニ悪シ。尋常ニモ好ラストゾ。
髪中《バツチユウ》ノ旋。長ヲバ蜈蚣《トカラ》ノ旋ト云。心悪シ。或聴哭《トカコク》ノ旋。大ニ悪。
破門ノ旋。能人ヲ踏。或岸壁木原草原ニ馳入テ奔驚ス。平頸ニアリ。
役門《ヤクモン》ノ旋。髪際ニアリ。山中ニ望ンデ

物ノ気《ケ》ニ成トゾ。

奔狂《ホンキヨウ》ノ旋。水火ニ悪シ。人ヲ蹴テ動ズル心アリトゾ。或又絶流ノ辻共云。患アリトス。穿鬃《センソウ》ノ旋是也。

無門《ムモン》ノ旋。又笠ノ无《ハゲ》ト云。或笠ノ端共云リ。風雷天ノ時忽ニ動シ出テ大難アリトゾ。

凶相の旋毛

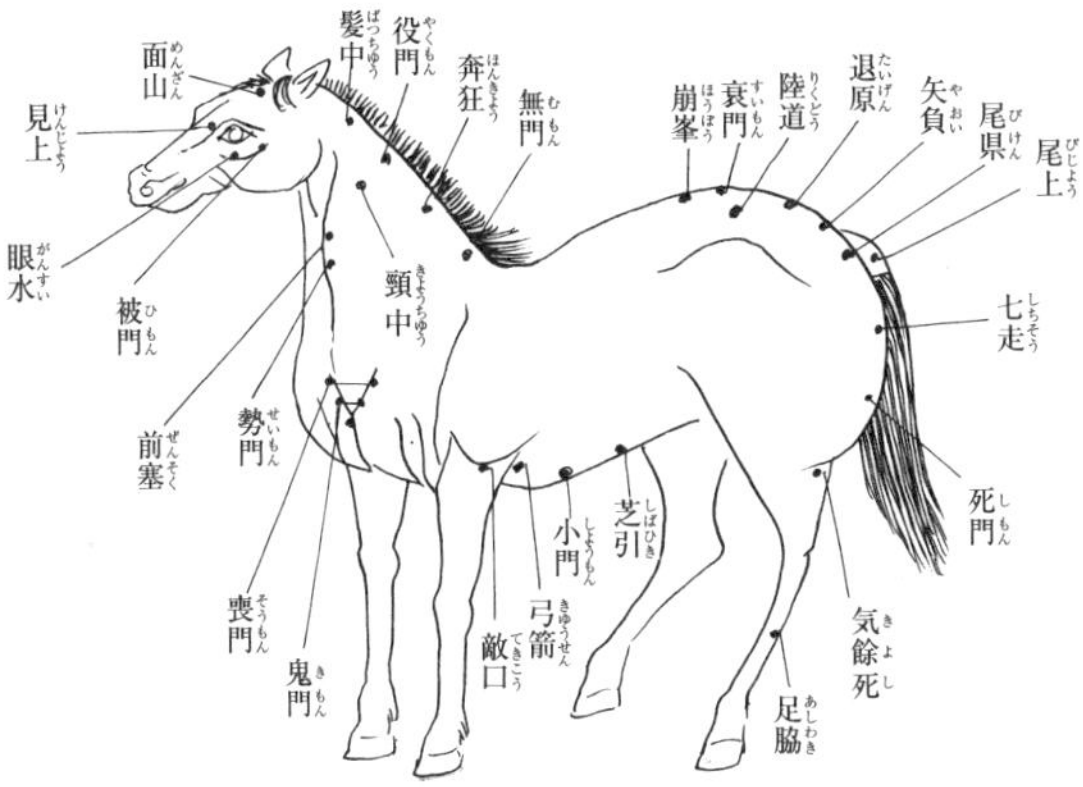

崩峯《ホウボウ》ノ旋。下坂ニ膝ヲ折。船川ニ望テ大ニ悪シ。

陸道《リクドウ》ノ旋。旅へ能出ル。主人殄労《チンロウ》絶ズ。下人ニ口説アリ。

退原《タイゲン》ノ旋。山賊海賊ノ者ニ出逢刀戦難ノ相ト云リ。

矢負《ヤオイ》ノ旋。軍用ニ利ヲ失フ。凢《スベ》テ勝負ニ悪シ。百会ニ在。

尾県《ビケン》ノ旋。又雙門ノ旋共云。尾口《ヲクチ》ノ両ノ脇ニ在。道端ノ虫ヲ嫌毒虫ニ因テ卒病ヲ発スト也。腫病ヲナス。

尾上《ビジヨウ》ノ旋。或尾辻共云。結馬ノ相アリ。又卒倒ノ馬トス。

七走《シチソウ》ノ旋。旅行多ハ落馬ノ相トス。七度道ニ走テ狂驚スルトハ此馬ノ事ト云リ。尻股ニアリ。

死門《シモン》ノ旋。卒病ニ死ス。或主ヲ見ズト云テ嫌フト也。

気餘死《キヨシ》ノ旋。讒罪死ノ相ト云リ。

足脇《アシワキ》ノ旋。沼堀ニ入事アリ。或林中ニ駆入テ悪ト云リ。

押《オサエ》ノ旋。常ニ凶難アリ。故ニ是モ涙ノ辻ト云一名アリ。妻ニ離ル災アリ。髪際ニアリ。或之ヲ盛泪《セイルイ》ノ旋ト謂ナリ。

芝引《シバヒキ》ノ旋。或柴引ニ作。皮腹ニアリ。痛ヲ成トゾ。最疾病常ニ絶ズ。臥テ起兼ル事ヲン虫馬也。

小門《シヨウモン》ノ旋。行路安シ。旅ニテ吉。然共船ニ乗コトヲ嫌。水ノ中ニ飛入事アル故ニ悪相トセリ。胸腹ノ間ニ在ト云云。

弓箭《キユウセン》ノ旋。戦場ニテ大ニ悪シ。狂動シテ主人ヲ害ス也。

敵口《テキコウ》ノ旋。足根ニ在。驚騎ノ相トス。火難来トナリ。

浪門《ロウモン》ノ旋ハ同士討ノ相トス。尾口ニアリ。

衰門《スイモン》ノ旋。貧乏ノ相トス。或ハ盗賊ニ逢ト云。百会ニアリ。

鬼門《キモン》ノ旋。所願何事モ成就スル事ナシ。

妻子ヲ失大悪相。

喪門《ソウモン》ノ旋。或双門ニ作。嫡子ヲ見立ル事ナシ。胸ニ在。

勢門《セイモン》ノ旋。誓文ト書ハ非也。心動ジテ用馬ニ悪シ。

前塞《ゼンソク》ノ旋。軍戦行路旅等一切悪シ。鎖喉ノ旋之也。

右此分凶相也。凢六十有余ノ旋出取正カラズ。唯是馬商ノ辞《コトバ》ニ起者歟。


として、馬を売る者がもったいをつけて、以上のような旋《つむじ》の位置によって吉凶の相を作っただけであるから「凶相ノ馬ニ災ナシ、吉相ニモ災アリ」と述べているが、古来、宝鏡、大白などといって額の白いのは歓迎され、後肢一本だけ白毛は片白といって好まれない。

馬の役割〜用途ごとの名称

飾馬《かざりうま》

平安時代に輦輿《れんよ》と共に索馬《ひきうま》として唐鞍をつけて独特の装飾をつけた馬をいうが、後世は廃れて祭礼の行列にその名残をとどめた。

近世では大名が旅行などの折の行列に鞍の上から毛皮・毛氈・紗などの覆いをかけ、三鞦を厚総にして飾って索馬としたものをいった。『九暦』に天慶九年（九四六）十月二十八日大嘗会御禊の騎馬装束を参議以上は「昌蒲形銀面・尾袋・雲聚、皆具也」とあって、非参議以下五位以上は「只倭鞍付二杏葉一也」と規定されていた。

このほか蕃客入朝の折にはこの飾馬を用い勅使として春日祭・賀茂祭に派遣される時にも飾馬に乗った。

また御祭神の乗る馬として神幸には飾馬を用いたので、熱田神宮や奈良の手向山神社には唐鞍に飾り道具が現存している。

『物具装束抄』に唐鞍具事として

橋（唐鞍の居木の端、四緒手付）、表敷、表腹帯、鐙、力韋、轡、銀面、角袋、尾袋、雲珠、頸総、大滑、革鞦、杏葉（胸懸に七コ、鞦に十コ、面懸に十コ）、摂蝶（三鞦の面に装飾として蝶型の金具を打つ。胸懸に十三コ、鞦に十八コ、面懸に十コ）、餉付に十。手綱、差差縄、引差縄、鞭、韈負搦、鞍覆い

と記され、表敷は一般乗馬用の馬氈で、鞍褥ともいうが、唐鞍では綿入の錦包みで幅が広い。表腹帯は白布。鉄の輪鐙であるが後に壺鐙になった。力韋は牛の生皮を洗韋で包んだもの。轡は翼状や猪目形双輪唐草透しの蒺藜《うばら》銜《くつわ》である。馬の鼻面から額にかけては銀の鏡地とした銀面をつける。銀面は上端を菖蒲の葉を列べたように切り、その下に金属の造花を据る。角袋は面懸の耳間の真中に立てた木製の角（龍の角を象る）を包む錦の嚢である。尾袋は尻尾を入れる金銅装の筒か、韋製金箔押で上方は錦で縁に小さい乳を多くつけて紐を通し、鞦に結び付ける。尾袋が出た尾は三つに分けて片羂結《わな》びにするが、これを唐尾結びという。

雲珠《うず》は鞦二条の腰中央あたりに立てる装飾で、『和名類聚抄』巻十五調度部下　鞍馬具第百九十一に

雲珠　辨色立成云　雲珠　宇須　今按雲母之一名也。爲二馬飾一未レ詳

とあり、これは歴然たる装飾であるが、何故宝珠を集めた形を用いたかわからない。宝珠形から仏教に関係あるものと思われる。

この雲珠も騰馬《あがりうま》には反って危険なので外したり、木製金箔押の宝珠を一個据えたりした。面懸の両脇の総《ふさ》も、元を金銅唐草透かしの椀を伏せた形の縁に縒絲を列べて垂らして総としたり、よろず虚飾的であり、馬自身にとっては煩わしいので、やがて雲珠とこの付総《つけふさ》は手振が持って供奉するようになった。

こうした飾馬の装飾具はすでに古墳時代に行なわれていたらしく、群馬県一ノ宮発掘の金銅装の馬具部品の中に、轡の一部（曲玉型）、鳥が両翼を拡げたような杏葉形の飾り金具、や菱型金具、辻金物、馬鐸等があり、また大阪府誉田八幡宮蔵の応神陵付近発掘の木鞍に貼った金銅装絡龍紋透かし金具等などから推定すると王候、大豪族はすでに飾馬ではなく乗用の馬にすでに飾馬的装飾金物を多用していたことがうかがわれる。

飾馬の古い記録では『日本書紀』欽明天皇紀に

大伴金村居二住吉宅一称レ疾不レ朝　天皇遣二

飾馬

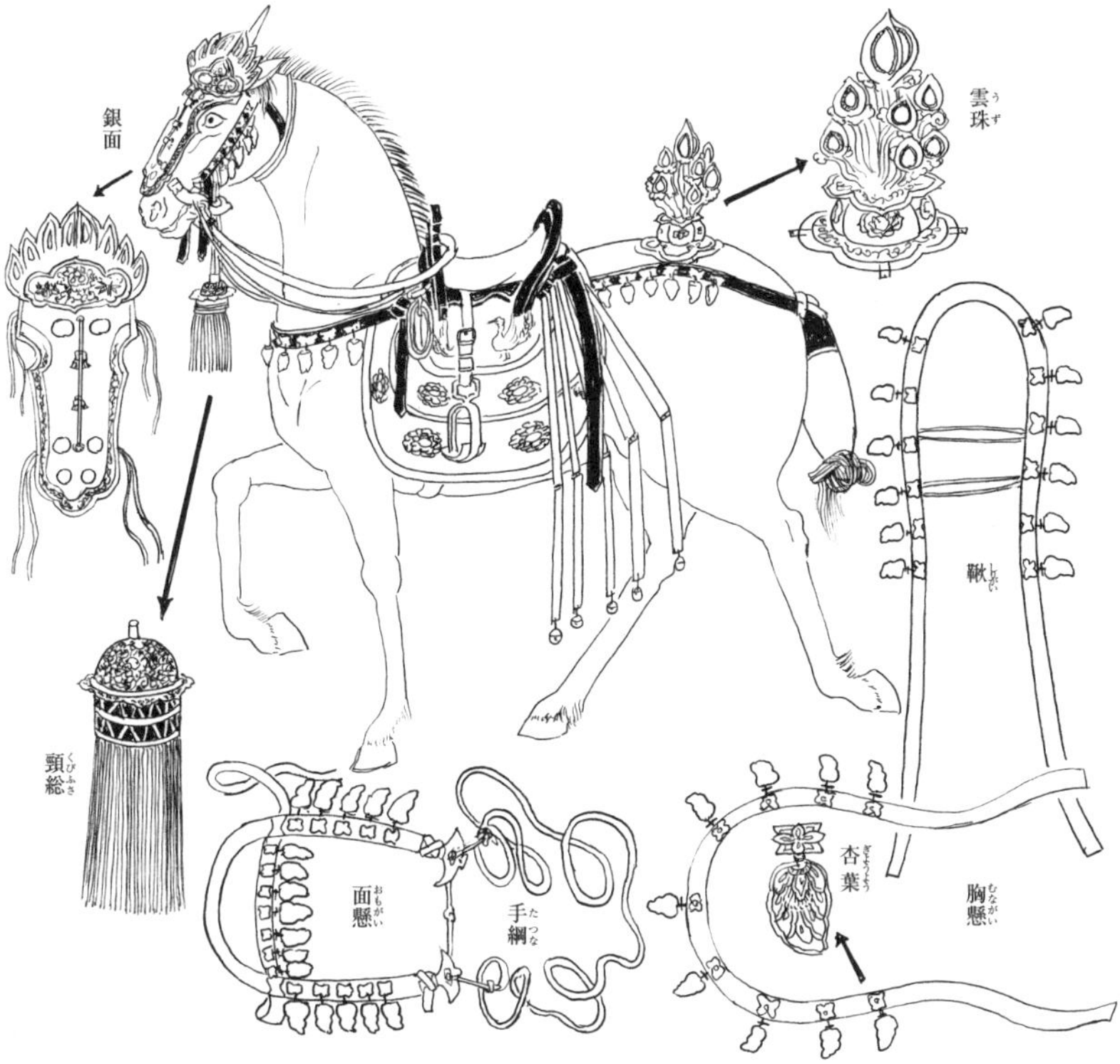

江戸時代の飾馬

大名行列時等に引馬とする。

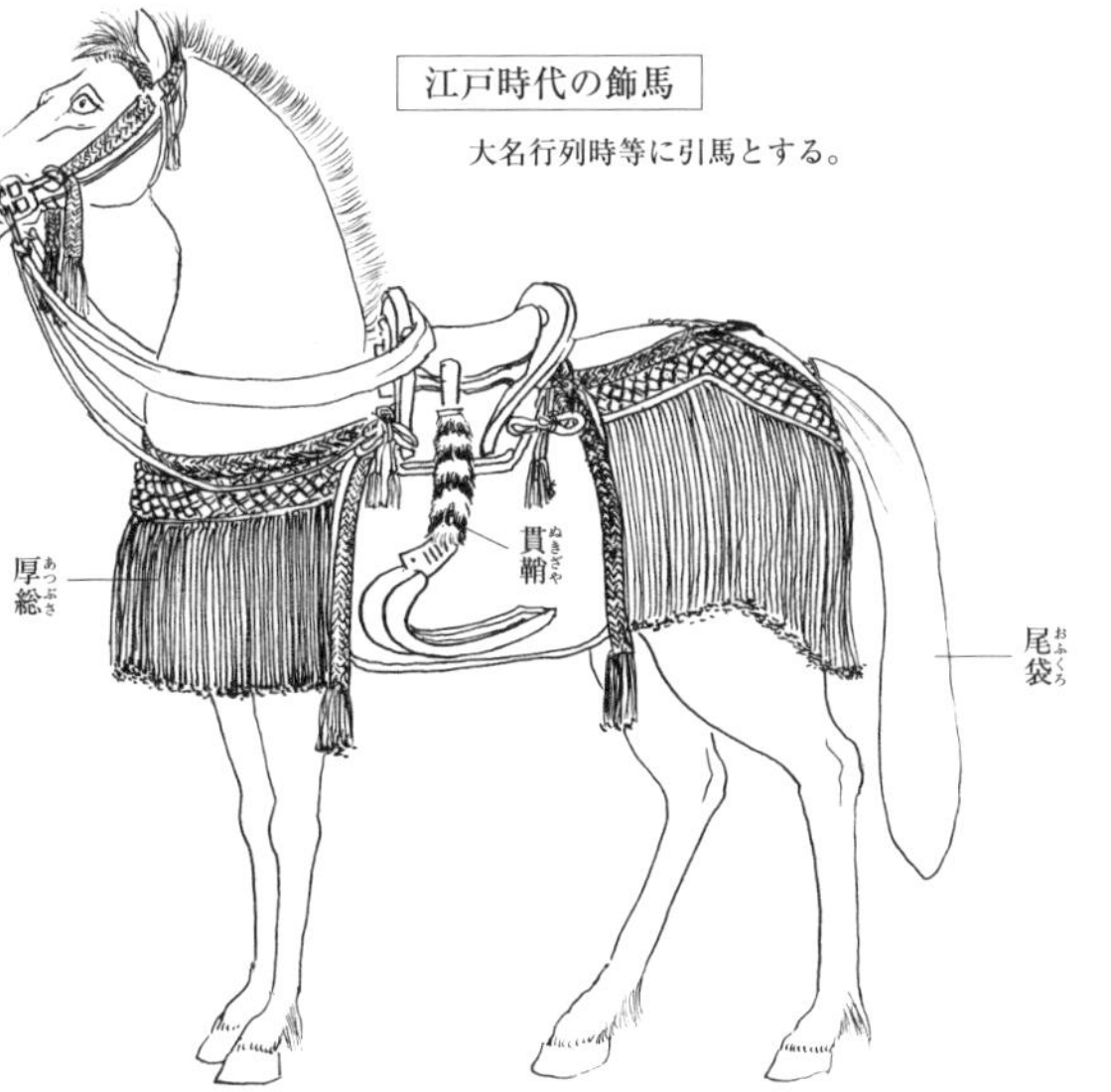

馬装具

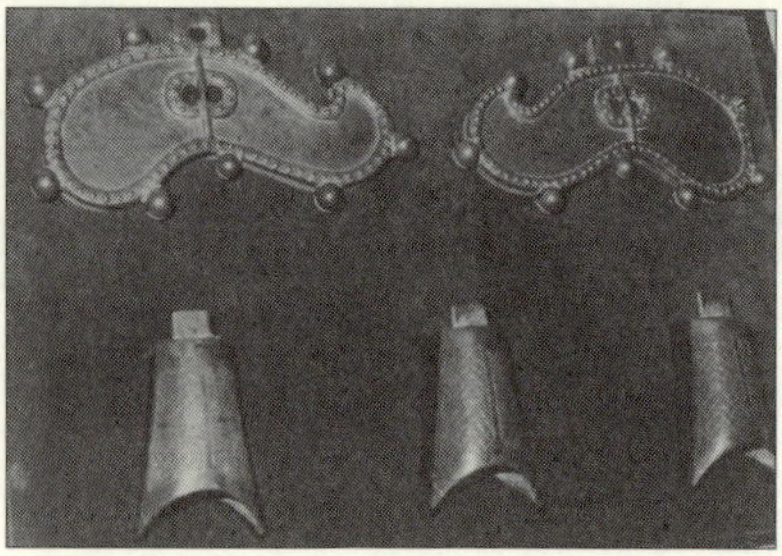

青海夫勾子㆒慰問慇懃　大連怖謝曰　臣所㆑疾者非㆓余事㆒也。今諸臣等謂臣滅㆓任那㆒故恐怖不㆑朝耳。乃似㆓鞍馬㆒贈㆑使厚相資敬

とあり、この鞍馬には「カザリウマ」と訓が付けてある。また推古天皇紀十六年（六〇八）秋八月辛丑癸卯の項に

唐客入㆑京。是日遣㆓餝騎七十五疋㆒

とある餝騎も「カザリウマ」の事で、この記事は『扶桑略記』にもあるが餝騎は七十五疋としてある。随の国使が来た時に飾馬に乗せて迎えたのである。また『続日本紀』の神亀四年（七二七）五月の項、『釈日本紀』にも記され、降っては『吾妻鏡』元暦元年（一一八四）六月一日、文治五年（一一八九）十一月八日の項、『百練抄』の文治三年（一一八七）四月十四日の項、『御禊行幸服飾部類』貞応元年（一二二二）十月二十三日の項等に記されているが、武家が政権をとってより宮中の盛儀も衰えてか、以降は飾馬の記事は見られなくなる。

移《うつし》馬《うま》

平安朝以来左右馬寮《そうめりよう》に納められ、諸衛府・馬寮の官人が公用で騎乗する馬をいい、ここで用意された鞍を移鞍《うつしぐら》とよんだ。

行幸・御幸・行啓に供奉する武官や召具の随身、また祭儀の折の舞人や騎射の折の射手等が用いた。

三鞦は辻総を用いたが盛儀には杏葉《ぎようよう》をつけ、尾は唐尾に結び、神事の索馬には額に鈴をさげた。『西宮抄』にも

大嘗御禊公卿唐鞍　四位五位和鞍付㆓杏葉㆒尋常行奉五位已上和鞍結㆓唐尾㆒近衛次将移馬結㆓唐毛㆒

とあり『御禊行幸服飾部類』にも内舎人《うとねり》、随身は「移馬狩胡六（簶）」とあり、こうした低い身分の者でも移馬を用いたのである。『山槐記』『禁秘御抄』『世俗深秘抄』『明月記』『次将束抄』『花営三代記』『永享九年十月行幸記』等には随身・舎人・将曹・将監・随兵・番長等下級官人が多く移馬に乗っている。それらは私物の馬がなかなか飼えなかったからであろう。江戸時代でも町奉行所与力は二百俵高であるから騎馬の資格があり、一人二人と数えずに一騎二騎と数えたから当然私用の馬を飼うべきであったが、馬を与力で持つ者は少なく、公用の折には奉行所そなえ付けの馬に乗ったのと同じである。

乗《のり》替《かえ》馬《うま》

いかなる名馬でも乗り詰めでは乗り潰して役に立たなくなるから、長途の旅行でも出陣でも乗替馬が必要であった。長門本『平家物

語』浮島ヶ原著陣条にも

　いかなる郎等も一人して強き馬四五疋づ
　つのりかへに持たぬものは候はず

とあり、一人の騎馬武者でも、少なくとも四、五匹の馬を用意するのが常であった。従ってこれらの馬一頭につきそれぞれの馬の口取りが付き、さらに時には武器、武具持、糧食、戦場用具持ちが付くから、十人前後になる。

　軍記物に一騎・二騎と記されているのは、それだけの人数ではなく数倍の人数と見なければならない。また馬の糧食として草も喰ませるが、健康で行動してもらうためには桃山時代でも馬一頭につき大豆一升の割合であり、武者が弁当を使って、馬に何も食べさせないというわけにはいかない。水も塩も馬には必要であった。こうした点をよく予備知識として軍記物を読まねばならぬ。敗走する場合は不眠不休、飲まず食わずという事も有り得るが、追撃戦や連続戦闘においては交替したり休息したり飲食の補給が必要であるから、馬上の士は必ず乗替馬がなくてはならないのは当然である。

　故に働いてもらうために馬を下賜することは受ける方でも、軍事力の強化の意味になると共に下賜された馬の世話係りをまた選ばねばならぬ。『太平記』足利殿御上洛条に

　相模入道（北条高時）是ニ不審ヲ散ジテ喜悦ノ思ヲ成シ、高氏ヲ招請有テ様々賞翫共有シニ（中略）乗替ノ御馬ニトテ飼タル馬ニ白鞍置テ十疋白幅（覆）輪ノ鎧十領、金作ノ太刀一副テ被レ引タリケリ

とあるように褒美に馬を与えるにも乗替馬を添えるのが心得であった。数頭の馬の中の一頭が本格的働きの折の乗馬で、乗替馬は予備であり、普段の乗用で、名馬は必要の時以外には働かせず牽馬としていた。

　これを『百練抄』仁安三年（一一六八）四月十八日条にあるように引馬といっている。

引副馬《ひきそえうま》

　馬を献上・進物・下賜する場合は特別の状況でない限り、複数の馬とすることがしきたりとなっていた。この中で代表的馬には鞍をつけ、馬装一切をつけてすぐに使用できるようにし、他の馬は裸馬を副えるのが常で、こうしたスペアの馬を引副馬といい、馬装が無いので裸馬《はだかうま》、膚脊馬《はだせうま》ともいった。

　引副馬は鼻革と引綱としての差縄だけである。『源平盛衰記』康定関東下向条に

　兵衛佐ノ館ヘハ向ハス。五間ノ萱屋ヲ理テ垸飯《オウバン》ユタカニシテ厚絹ニ両小袖十重、長櫃ニ入テ傍ニ置キ、其外宿所ヘ十三疋ノ馬ヲ送ル。其中ニ二疋ハ鞍ヲ置キ、十一疋ハ裸馬也

とあって、これは豪華な馬の贈り物である。一頭が乗用で、もう一頭は乗替用の馬であるから馬装完備、他の十一頭は予備であり、時によっては従者達が利用しても良い馬である。このように代表的一頭は完全馬装し、共に副えた裸馬を引副馬とするのが、進物または下賜する時の一般的儀礼である。『了俊大草紙』にも

　武家に御引出物を進《すすめる》事は鎌倉之宮将軍（鎌倉六代将軍宗尊親王）之御時正月垸飯の御引出物より始る事

とし、その時には

　鞍置馬一疋、裸馬一疋引副と号《なづく》なり

と記されているが、この習慣はそれ以前から行なわれていた事は『源平盛衰記』に記されている通りである。

　ただしこれは献上馬の時は数頭の馬であるが、下賜する時は鞍付馬（馬装一式つけた馬）と裸馬の二頭であるのが普通で、時には引副馬をつけない場合もあった。

　また神社に奉納する時も鞍置馬と裸馬の二頭を奉献するのが習いであったことは『吾妻鏡』文永三年（一二六六）正月十二日の項に、泰山府君祭に二頭を献馬している記事によってもわかる。神馬として奉納する事は、神の乗る馬であるから飾馬としての装飾がすこぶる費用がかかるので、大概一般的馬装に引副馬をつけたが、やがて裸馬一頭を奉献するようになった。馬を持つということは、馬は生

き物であるからその世話係りや食糧の面倒を見なければならない。故に奉献される神社でもその係りを設けねばならないから大変なので、近世はもっぱら、馬代としての金額と、板に馬の絵を描いた絵馬を奉納した。これが絵馬の始まりで、後には馬の絵でなく、霊験あった場面や英雄豪傑、物語にちなんだ絵を奉納するようになり、神仏混淆の思想から願い事をあらわす絵を奉納したりして、神馬奉納の思想とは全く異質のものとなった。

室町時代頃には引副の裸馬には鞍置馬同様に轡だけは乗馬の時と同じ乗轡を用いたらしい事は『家中竹馬記』に

　はたせ馬をも乗轡にて引也。洗轡は内々のもの也

とあり、乗轡を用いるから当然手綱も付いている。この「はたせ馬」は『伊勢貞助雑記』に

　はたせ馬をはだか馬とも申哉、はたせははだか馬同事にて候

とあり『弓張記』には

　はだか馬と云が能き也。去ながらはたせともいひはすれ共、同じくはだか馬というがよきなり

と正確には裸馬といった方が良いとしている。「はだせ馬」の語は室町時代頃から用いられたらしく、『信長記』輝元取囲播州上月城条にも「皆はたせ馬に打乗て馳ける」と記され『秀頼事記』にも

　去二月五日申剋ニ大阪城殿主ヨリ黒気龍鳴立登テ天ニ覆ヘリ。殿中伺公ノ衆ハ嘗テ不レ知処ニ外様ニ有シ人々ハハヤ殿主コソ焼失トテ皆膚背馬ニ乗テ御城ヲ指テ馳セ付ケリ

と記され「はだせ馬」は膚背（脊）馬の字を当てている。肌付・切付・鞍を置かぬから背膚の見えている馬だから膚脊馬というのは理に叶っている。馬装を馬の衣裳と見るから、それをしていない馬は裸馬というのも同じである。こうした裸馬を引副馬として添えるが、鞍をつけないでも緊急の折には乗る事があるから、轡だけは乗轡を用い、従って面懸・手綱はつける。『今川大雙紙』や『家中竹馬記』には裸馬に乗る作法まで記されている。

引《ひき》馬《うま》

予備の馬である事は引副馬と同じであるが、引馬といった時には身分の高い者が乗替馬（『今昔物語』『平家物語』『源平盛衰記』『吾妻鏡』）として数頭、あるいは十数頭を引き連れた馬で、これらは引副馬と違って、すべて馬装をしている。軍容・威勢を誇るために連れるので、時には下賜して恩賞用とする。乗替馬（『吾妻鏡』『太平記』『出陣聞書』）ともいい、一頭に付き一人ずつ牽夫として馬の世話係りが付く。『太平記』ではこれを舎人といい、『吾妻鏡』では疋夫といっている。俗に「疋（匹）夫野人」というのは卑しめた言葉で、身分が低い者をいうが、馬の係りで、後世の馬丁・別当（別当は権威ある称であったが、後に馬丁と音が似ているので馬丁を別当と呼ぶようになった）にあたる。

引馬は威容を示すために馬装は華やかにするのが常で『太平記』畠山道誓上洛条にも

　中ニモ河越彈正少弼ハ余リニ風情ヲ好デ引馬三十疋、白鞍置テ引セケルガ、濃紫薄紅萌黄水色豹文色々ニ馬ノ毛ヲ染テ、皆舎人八人ニ引セタリ

とある。また主人は輿に乗るが、乗馬する時の用意のために馬装した馬を前に進ませる事もあり、『宗怨聞書』や『宗五大雙紙』にも見られるが、近世の大名も駕籠乗物の前に引馬を一頭飾り立てて歩ませたので、これを飾馬ともいった。身分の高い者が行旅に輿・駕籠に乗るが、時折気晴しするために引馬に乗るのであるが、その引馬も鞍覆いによって格式を示すようになった。

荷《に》鞍《ぐら》馬《うま》・荷《に》掛《かけ》駄《だ》

荷を載せて運ぶ馬は重量の負担力さえあれば駿足でなくとも良いので、これを駄馬という。『和名類聚抄』　牛馬部十六、牛馬類第

大名行列の引馬

百四十八に

鴑馬《おそきむま》　駄付　唐韻云　駘音台。鴑馬也。
野王曰鴑　音奴　漢語抄云　於曾岐宇万
馬　之最下也。郭知玄曰　駄　唐音佐反
負レ物馬也

とあり、駿足を主眼とする乗馬用の馬を良しとする点から、速力の遅い馬はもっぱら荷を載せて運ぶ馬として利用され、荷鞍をつけるので、荷鞍馬といった。

荷鞍とは荷物をくくり付ける鞍で前輪・後輪共に山のあたりが三角に尖っていて、居木に腰に馴染むような刳りが無い。荷物をくくり付けるだけの装置としての居木である。

だいたい左右平均に重量がかかるようにして積む。腹帯で鞍は固定し、簡単な胸懸・鞦、面懸を装着するが、轡は用いず、従って手綱はなく引き縄だけである。

故にこうした馬を荷掛駄ともいった。長門本『平家物語』頼朝将軍宣旨の条に

其日は宿へ罷かへり候しに追様に荷掛駄廿足送たびて候き

とあり『甲乱記』武田之一族并家僕の面々生害条にも

或《アルイハ》商人姿ヲ替、連雀《レンジヤク》（連尺）ヲ肩ニ懸、荷懸駄ニ鞭ヲ打行人モアリ

とある。これを荷鞍馬ともいった事は『一柳家記』に

三左衛門殿名代とて家老之伊木清兵衛、

荷鞍馬

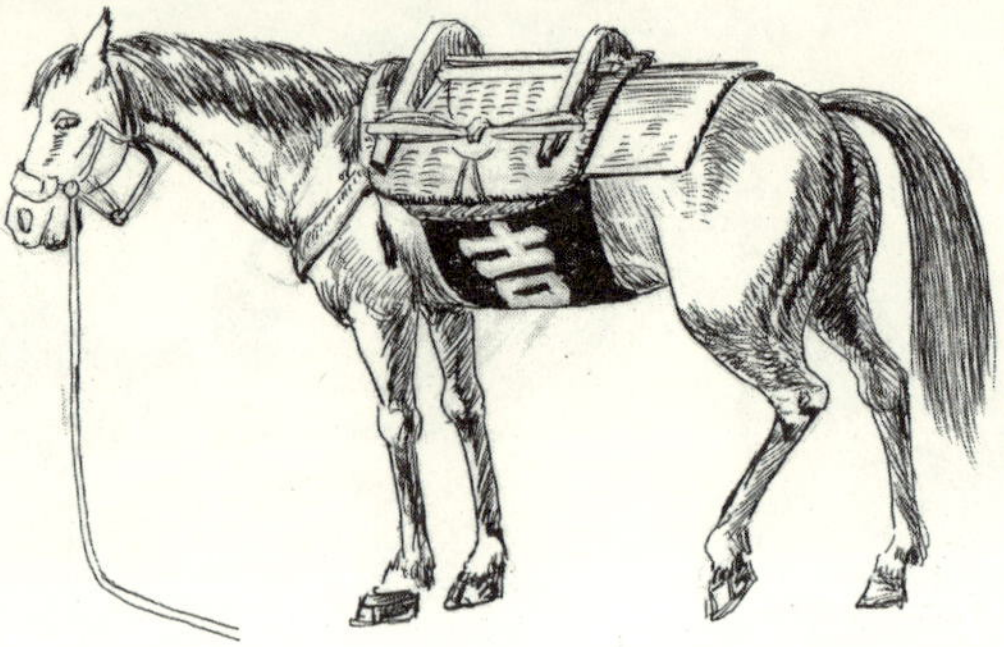

シーボルトの『日本』に描かれた駄馬

廣重画『東海道五十三次細見図』の駄馬

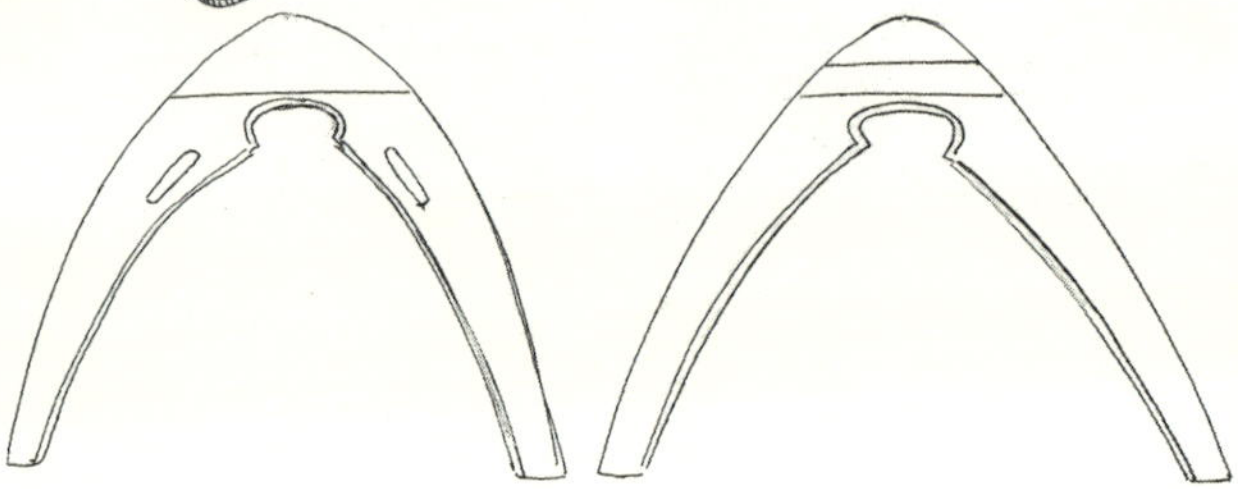

『集古十種』馬具巻一の古模本による鞍の前後輪

人数少々にて先川を越せ、其次に監物殿御越、其跡三左衛門殿御越可レ然ト被レ申候。其時互に同心候て、監物瀬踏。大野戈兵衛荷鞍馬に打乗、川を越其外手勢続候て一瀬之川を渡、中洲へ乗上候

とある。荷運び用の馬であるが、荷鞍をつけてあれば、鐙は無くとも操縦上手であれば乗用することもある。近世では軍用に用いて荷を積んだ馬を俗に小荷駄といっている。

駑馬は馬の中の最下の級とするが、重量負担の耐久力あれば荷馬として役目を果すのであって『戦国策』斉策・閔王の項の

麒麟之衰也　駑馬先レ之　孟賁之倦也、女子勝レ之

からきた麒麟も老ゆれば駑馬にも劣るの諺は正しくない。駑馬は初めから荷掛用の馬であるからである。

中《なか》馬《うま》

江戸時代宿場から宿場へと中継に用いる馬でなく一定の区間数日を通して雇われて荷を運ぶ馬を中馬といい、また岡船ともいわれた。問屋筋が契約して使用する荷馬である。

片《かた》馴《な》付駒《つけのこま》・さかない馬

未だ良く飼い馴れていない、調教不充分の

中馬

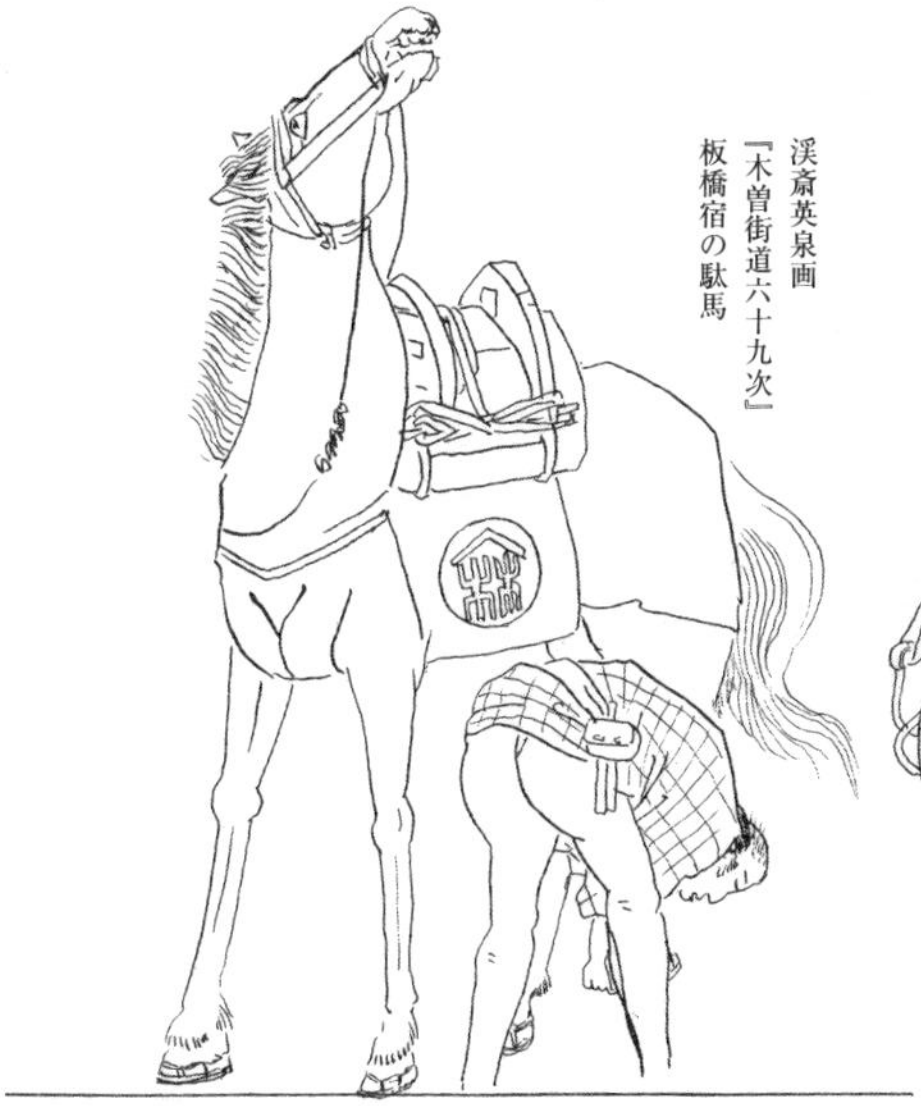

渓斎英泉画『木曽街道六十九次』板橋宿の駄馬

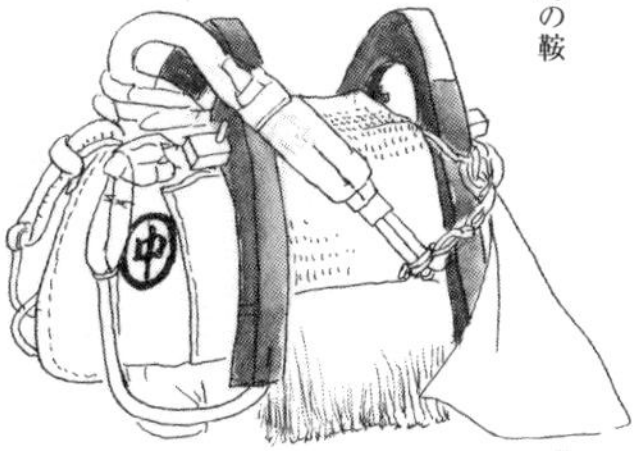

中馬の鞍

馬のことをいう。『平治物語』巻二　待賢門軍条に

悪源太の馬は片馴付の駒にて材木に驚きければ、鎌田十三束とって交ひ

とあり『笠掛記』にも

狩かへりのは山の麓なかに野筋のすくなる所にむらがりひかへたる射手とも、かたなつけ駒馬どものりはしたて

とあり、片飼駒ともいう。『大塔軍記』『尺素往来』等にも記されている。

また若駒を「さかない馬」ともいう事は『弓張記』に

さかない馬というは、こま馬の事なり。是はかりの時にかぎりたる事なり。常にはゆめ〳〵いふまじき事なり

といって、狩の時の若駒に対しての用語としているが、『高忠聞書』では

さかない馬にのりておどしかけてなどといふ事、さかない馬とは駒馬をいふなり

『家中竹馬記』には

年の若き馬を駒ともこま馬とも云はわろし。さかないの馬といふ也

とある。さがの意不詳であるが性の意か。未だ若くて調教不充分で、癖の無い意か、善悪《さが》未だ見定められないの意か。とにかく若駒の異称に使われている。

馬の呼び名～好まれる馬と好まれない馬

馬の美称

馬の美称は『日本書紀』神代巻に出てくる駿馬で、後世までも用いられているが、上馬（『日本書紀』孝徳天皇紀）、名馬（『吾妻鏡』）、龍馬（『太平記』『万葉集註釈』）、龍蹄（『平家物語』）等の美称があるが、『扶桑略記』には、寛治二年（一〇八八）三月一日の項に

　辰刻出御　別当法師慶信賜二花騮一疋一

とあり、花騮の騮は鹿毛の事であるが、『淮南子』主術訓に

　華騮録耳、一日而至二千里一

とあって、一日千里を走るほどの駿馬で名馬に対する美称である。

細馬「くわしうま」

『日本書紀』天武紀八年（六七九）八月の項に

　自二泊瀬一還レ宮之時　看二群卿厩細馬於二迹見駅家道頭一、皆令二馳走一

とありまた朱鳥元年（六八六）四月戊子の項にも

　新羅進調従二筑紫一貢二上細馬一疋狗一頭、犬二狗鍕金器及金銀霞錦綾羅虎豹皮及薬物之類并百余種一

また『釈日本紀』に

　細馬一疋　ヨキウマヒトツ
　騍一頭　ルイヒトツ

また『延喜式』左馬寮式に

　細馬十匹

『厩牧令』に

　凡厩　細馬一疋　中馬二疋　駑馬三疋

『文徳実録』仁寿元年（八五一）九月庚辰の項に

　遣二使者一向二伊勢大神宮一奉二細馬八匹一以充二神御宝幣具一

とある。

鎌倉時代頃までも良馬を細馬といった事は『吾妻鏡』や『太平記』にも見られるところである。

細は糸の細いことからきて精密な意となり、反応の良い、つまり優秀な馬という意で「さいば」「さいま」といった。これに対して鈍い馬が駑馬で、荷駄用の馬である。

神馬「しんめ」

また駿秀の馬を神馬ともいったことは『続日本紀』慶雲元年（七〇四、文武天皇の頃）五月甲午の項に

　備前国献二神馬一

とあって、これによって天下に大赦を行なっているし、天平三年（七三一）十二月丙子には

　甲斐国献二神馬一黒身白髪尾

とあって黒毛で鬣《たてがみ》と尾が白いという特異な毛色故に神馬として敬されたのであるが、神護景雲二年（七六八）九月肥後国より青馬白髪尾の馬が出たのでこれも神馬とした。

こうした馬は神の騎《の》る馬として神社に奉献したので、中世以降は、神社に奉献する馬をすべて神馬の称を用いるようになった。

天馬・汗血馬「てんば・かんけつば」

また非常に駿秀の馬を天馬という。中国では天上界の上帝が乗る馬とされたから神馬と同じであるが、アラビア産の汗血馬がこれに当り、烏孫馬、大宛馬ともいった。『史記』の大宛伝に

　得二烏孫馬一名曰二天馬一及得二大宛汗血馬一益壮、更名二烏孫馬一曰二西極一名二大宛馬一曰二天馬一

とあり、アラビヤ馬（アラブ）の事で、俗に一日千里を駆り、血の汗をかくというので汗血馬ともいって、中国でも貴重な存在の馬であった。

逸　物［いちもつ］

『太平記』巻第十七、隆資卿自八幡被ㇾ寄事の条の土岐伯耆守存孝の嫡子悪源太の奮戦振りに

　かけあし逸物の馬に打乗り

とあり、『明徳記』にも

　逸物ノ馬共二乗リタリケレバ

とあって駿足頑強の馬をいう。

強　馬［きょうば］

強き馬ともいい、逸物に同じ。『源平盛衰記』石橋山合戦条にも、

　（佐奈田）与一が乗りたる馬は本より強き馬なり

とあり、『北条五代記』犬也入道弓馬に達者の条にも

　伊藤兵庫助と申て馬鍛練の勇士有しが、或時口ずさひに大旗や大立物につよき馬このまん人は不覚なるべしと詠み候

とある逞しい馬は戦場では充分に働いてくれるが、馬の操縦が上手でなければ何の役にも立たない。

勘良き馬［かんよきうま］

敏感で物事にすぐ応じる馬。あまり勘が良いと乗手には反って操縦（御《ぎょ》す）しにくい事がある。『甲陽軍鑑』信玄公御時代諸大将之条に

　馬もかんのよきはねすなきにかゝり人に賞翫せらる物に、驚をほめた事にいたす

とある。

乗一馬［のりいちのうま］

『平家物語』競条に

　是はのり一の馬で候ぞ。夕に及で陣外より傾城の許へ通はれん時用いらるべしとてつかわさる

とあり、乗用には絶好のよく訓練された馬をいう。

骨強馬［ほねつよきうま］

頑強な馬をいう。『判官物語』判官吉野落条に

　これ程に心ざしを思ひまいらせば、毛良き鐙、骨強き馬なんどを給わりてこそ御恩のようにも思いまいらせ候べきに

とある。

駿　馬［しゅんめ］

『和名類聚抄』に

　駿馬穆《ぼく》天子伝云　駿　音俊　漢語抄云　土岐宇万　日本紀私記云　須久礼太留宇万

とあり『日本書紀』神代巻にも「唯我王駿馬」とあり『旧事本紀』皇孫本紀以降しばしば記される表現である。

好まれない馬

下　馬［かば］

『延喜式』左馬寮式に

　凡細馬十疋中馬五十疋下馬二十疋牛五頭
　毎年四月十一日始飼㆓青草㆒十月十一日以後飼㆓乾草㆒

とあり、上中下の三種に分けた馬のうち最下位の馬をいう。痩せた馬、発育の悪い馬、癖のある馬、病身の馬がこれにあたる。

駻　馬［かんば］

『和名類聚抄』に

　駻馬　孫愐曰駻　音旱　今按此間云波禰無馬

とあり、やたら後足ではねる癖のある癇の強い馬で扱い難い馬として嫌われる。

騰　馬［とうば］

駻馬と同じで、人を乗せるとはね落す癖のある馬。こうした馬を乗りこなす人にとっては戦場で役に立つ馬とするが一般では好まれ

ない。『吾妻鏡』文永二年（一二六五）十月廿六日条に左京兆の進献した騰馬を合田四郎がたびたび落馬しながらついに乗りこなし、逆に龍蹄と称されたが、一般向きでない。これを荒馬ともいう（『官地論』）。

下かんの馬［げかんのうま］

勘の悪い馬をいう。『大坪道禪鞍鐙記』に

是を生得下馬の馬には第一追風には不レ可レ用弖。馬堪能の人は縦追風と云とも用ゆる事あり。初心の人は斟酌あるべし

として扱かいにくい馬である。

蟷螂［とうろう］

かまきりのように痩せこけた馬の異名。また他人に馬を進呈するときに謙遜していう表現でもある。『尺素往来』に

蟷螂二十疋牽ニ進之一候

とある。痩せたる馬ともいう。

駑馬［どば］

『和名類聚抄』に「最之最下也」とあって荷馬にしか用いられない。

博労馬［ばくろうば］

荷馬にしか使えない馬と、けなした表現でいう。長門本『平家物語』浮島が原着陣条に斉藤実盛の言として

馬は博労馬の京出、四五丁ばかりこそかしらもちあげ候へ。くたりつかれて候はん

と、始めの四、五丁ぐらいは頭を上げて元気であるが、すぐに首を低くして疲れが出るような弱い馬。乗馬には適さず、せいぜい荷馬にしか使えないと蔑視される馬をいう。

老馬［おいうま］

元は駿馬であっても年老いて耐久力や速力を失った馬は役に立たない。『職人尽歌合』に

おい馬のおくれはてたるわれなれや　とりつきかたきこひもするかな

と揶揄されている。

頑馬［やだうま］

身体に欠陥のある馬。頑健でない馬。『雑兵物語』馬取彦八の言として

大切の馬の筋（脚の筋）を切放して頑馬にしなさる。

とあり、よく調教されて温順しい馬に見せかけるために脚の筋を切って馬の活動を殺いでしまった馬を頑馬という。山道・長距離には絶対向かない駑馬になってしまう。

第二章

馬具

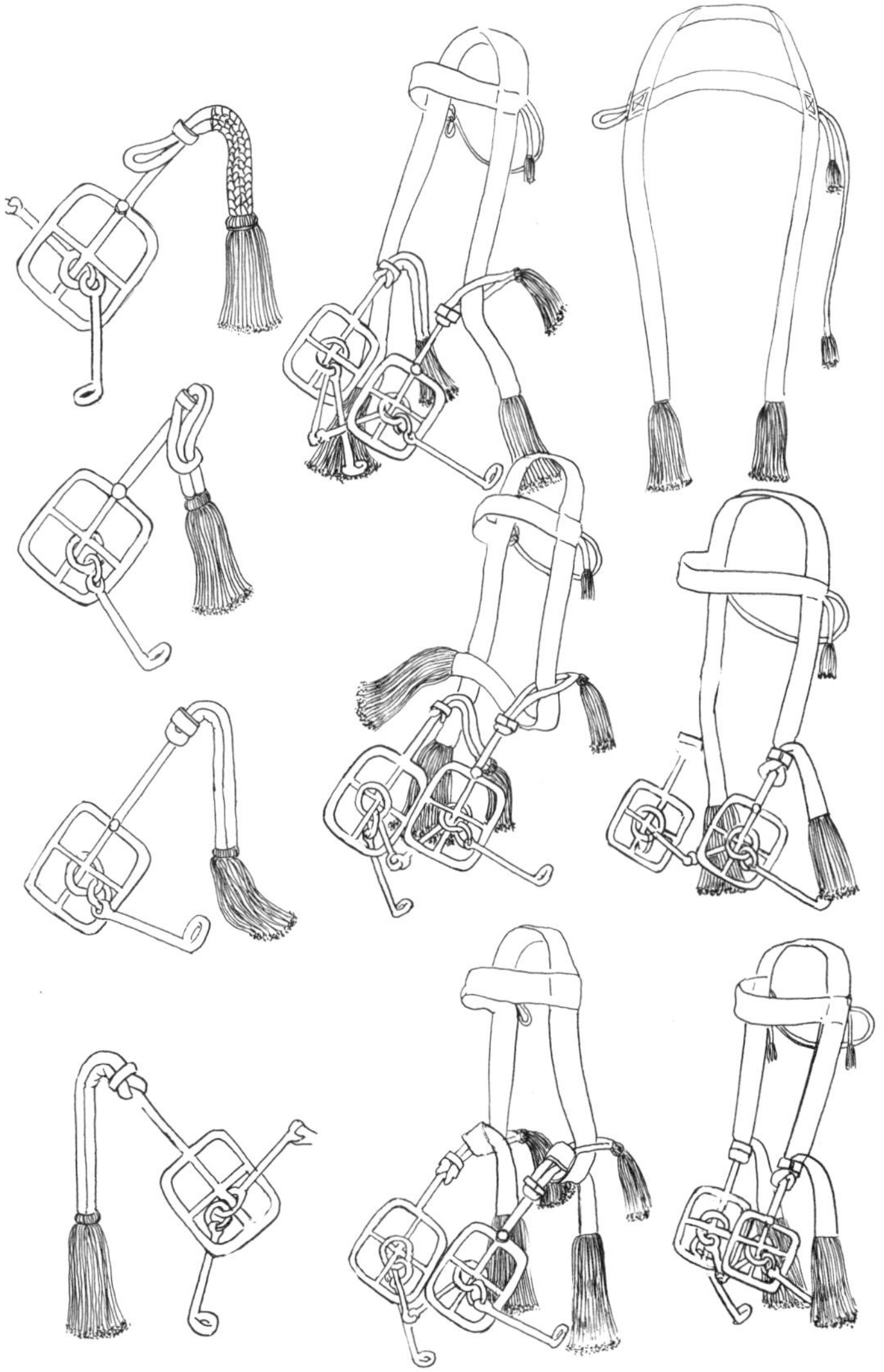

意思を伝える〜面懸・手綱・轡

人間が馬の背に物や人を乗せて、人間の要求に従うように考案した最初はおそらく馬の首に紐をつけたことから始まったと思われる。ちょうど散歩犬の頸に紐をつけて牽いて人間の意思を伝達する法と同じであったに違いない。

しかし頸に紐を結び付ける事は損傷を伴い馬の顔部の形からいって不便であるためにその手綱はやがて顔面に装置する事が考えられて面懸に改良され、面懸の先が手綱になった。

面懸の始まりは丈夫な太い紐を用いて、前額部と、耳を挟んで頸部とをその紐が顎下に結び、さらに両頬から鼻面と顎にかけて結んで外れないようにしたものであろうが、さらに方向転換の意思を伝えるために口中にも一本の紐を通すことを思い付いた。ただしこの紐は往々にして嚙み切られるので、金属時代に入ってから、口中に含ませる紐は金属で作られ、これは轡として発達していき、轡の両端に紐をつけて手綱とした。

馬を操縦するたもの手綱はこうして面懸と轡の三部から成り、これらの三部は乗馬の風が起るにあたってますます発達していった。また民族によって特徴を持つが、原理はすべて同じである。

面《おも》懸《がい》

轡の位置を所定の位置に固定するための面懸は額に当てる面連《おもづら》と、両耳の後の項《うなじ》に懸ける首掛《かしらかけ》、そしてこれを顎頸に廻して固定する鞖《おもがい》と、轡の位置を固定するために結ぶ大紐によって構成され、これを総称して面懸と呼んでいる。

古くは革製であり、現代でもほとんど革製の紐を用いるが、日本では平安時代頃からは厚みのある太い平組紐を用いたので、轡との連接に合理的なように轡の部分が独特の形式を生じた。この面懸に用いる太紐は、胸懸、鞦《しりがい》共に同じ組紐・同色のものを揃えて用い、三鞦といっている。

面懸は『和名類聚抄』に

韀　音籠　漢語抄云韀頭於毛都良　韀頭也

羈音基　馬絡頭也。今按絡頭即韀頭也

とあり、『武用弁略』でも

絡頭即韀頭《オモヅラ》

として釈名にも絡は

其頭ヲ絡テヱヲ引也

と説き、また

御《ギョ》有ヲ勒《ロク》ト云。無ヲ羈《キ》ト云。檀弓ニ羈《キ》靮《テキ》ヲ執ト云。羈ハ以馬ヲ絡《マトヒ》、靮ハ以馬ヲ控《シク》也

とあるように馬を操縦するための装置で、一番大切の部分である。

面懸の太紐は羈付《おもがいつけ》（立聞の輪・紲《たすけ》の輪・総《ふさ》搦《がらみ》・響鉄《ひびきかね》・鮹頭《たこがしら》）に通すが、太紐は幅があって厚く、その先が総になっているので通し難い。それで羈付は古くは約三ミリほどの隙間のある喰み合せ式になっていて、その隙間から太い平紐を通して中に入れ、四緒手《しおで》結びとしたが、時代降るとこの喰み合せの隙間が狭くなり、太紐を通し難くなった。

助け（手助・紲）［たすけ］

そこで考案されたのが「助け（手助・紲）」である。この助けは室町時代頃から用いられ始めたが、助けの考案によって羈付の喰み合わせが狭くなったのか、喰み合せが狭くなったことにより助けが考案されたかはわからない。

助けの意味は面懸つまり太紐を轡の羈付に

面懸

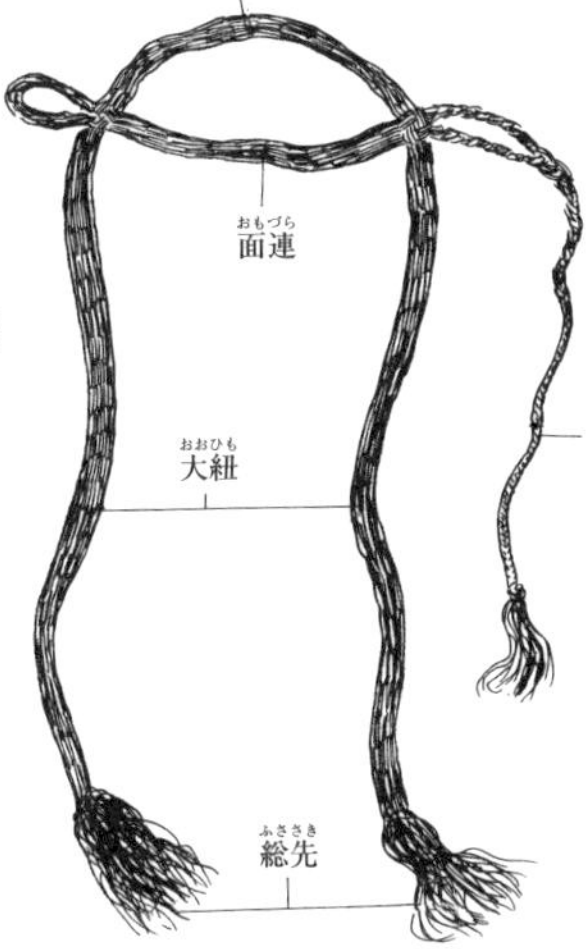

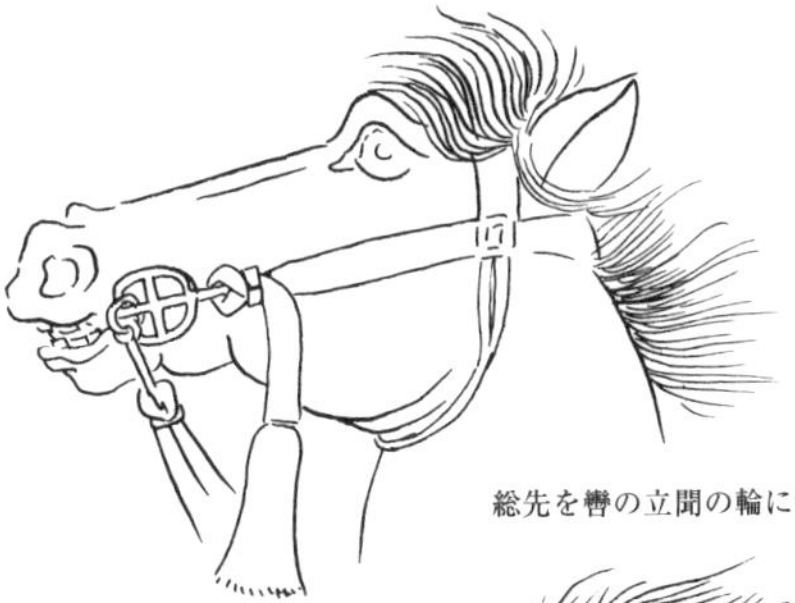
総先を轡の立聞の輪に装置

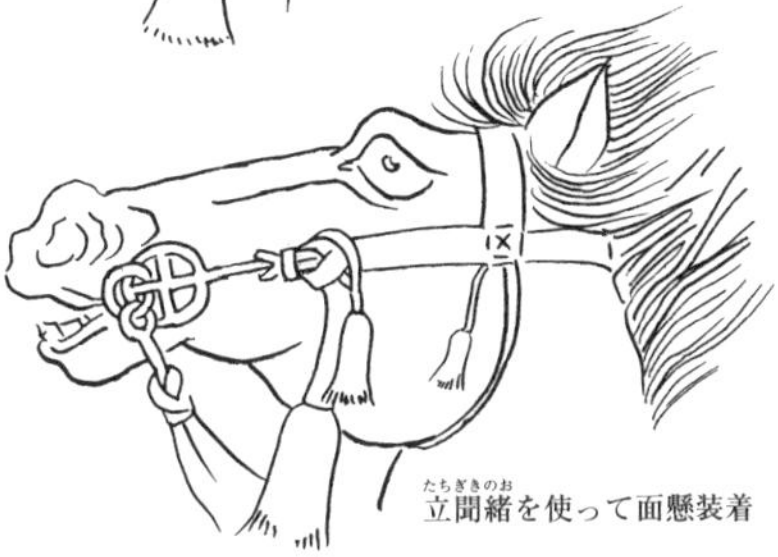
立聞緒《たちぎきのお》を使って面懸装着

装着する手助をする意味で用いられたものである。これは総付の長さ三寸（九センチ）前後の丸紐の綰で「アキワ」とも呼んでいる。この綰を羈付の上から差し込み、出た綰に総の方を上から差し込んで締める。そして総と羈付の間の二条の紐に面懸の太紐を入れて四緒手結びにすれば操作が簡易である。

各種の助け

鎖助け

管助け

房助け

結助け

面懸と助け

面懸の名所

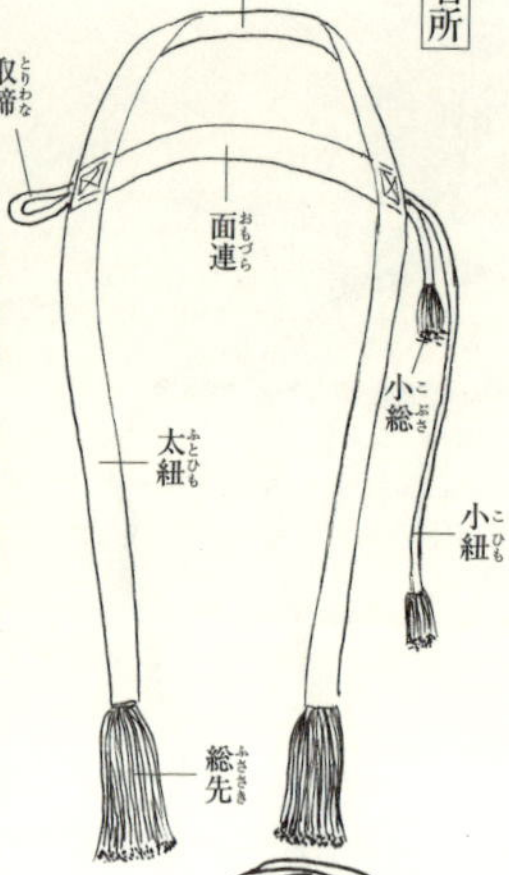

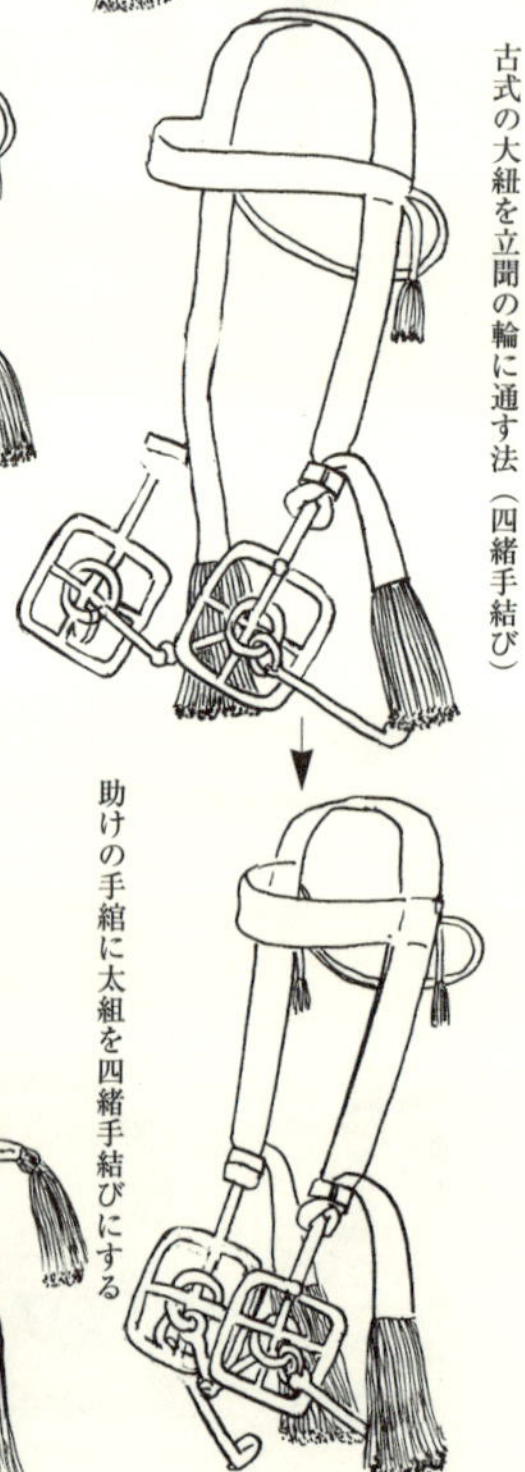

古式の大紐を立聞の輪に通す法（四緒手結び）

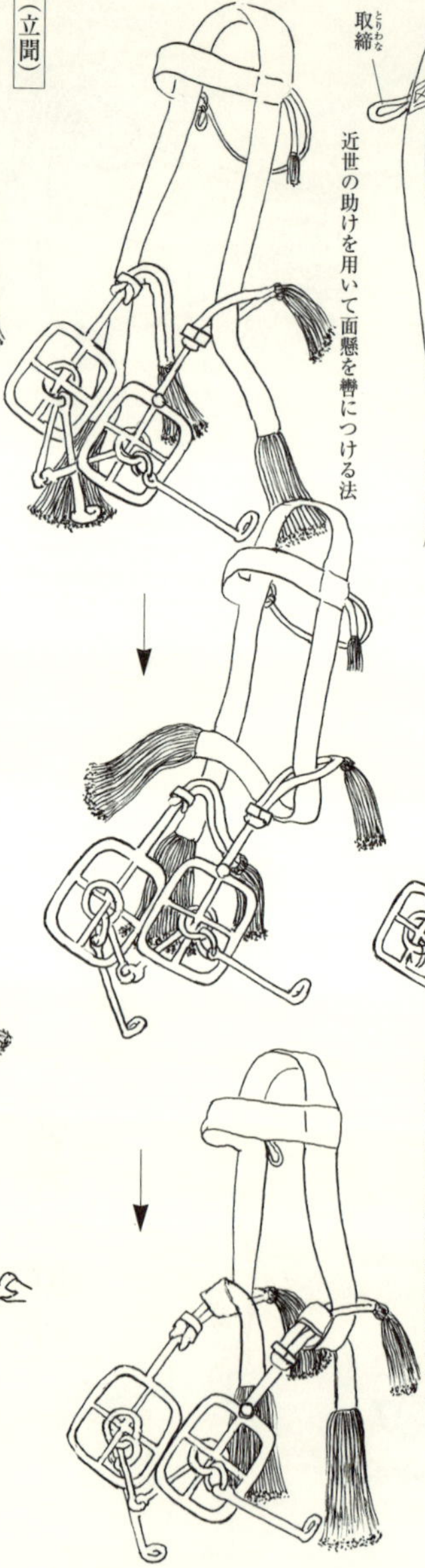

近世の助けを用いて面懸を轡につける法

助けの手綰に太組を四緒手結びにする

助け（立聞）

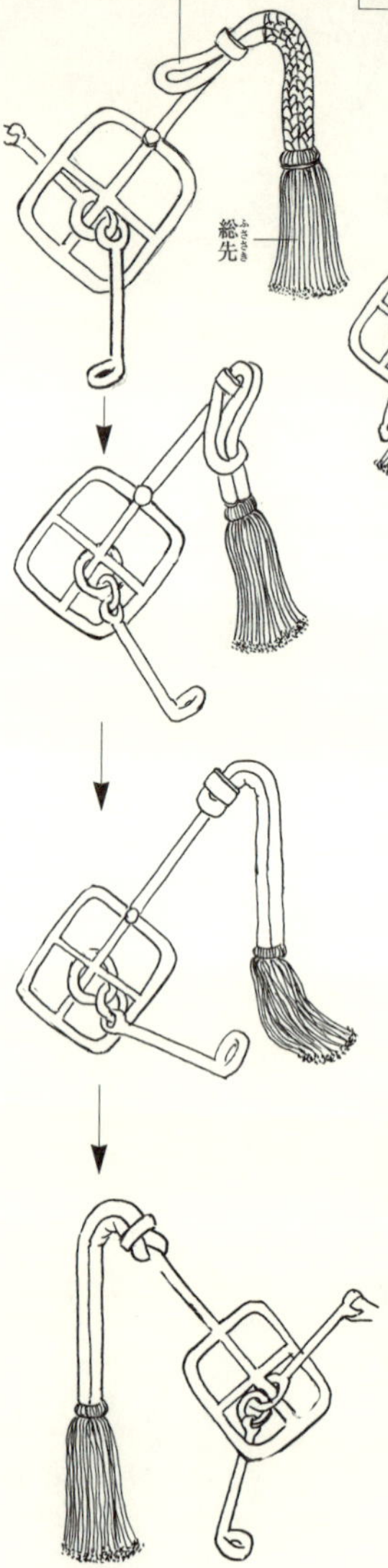

この助けには丸組紐に茱萸金物のような管を通した管助け、鎖で作った鎖助けと前記の総の付いた総（房）助け、麻芯を韋で縫い包んだり、太めの紐を用いたりした結助けとがある。また面懸に用いるために面懸助けとも呼ばれている。立聞《たちぎき》とも呼ばれている。

三尺革［さんじゃくがわ］

日本の馬装では古くは差縄をもって面懸に添えたが、近世は三尺縄をもって面懸の補強とした。『武用弁略』に

　韊　サン尺ナワ　韄《ボク》ハ補《ホ》目《ボク》ノ切音ト絡《ボクラク》也。晋灼ガ曰、牛馬ノ頭ヲ絡フ縄也。今之ヲ三尺索《ナワ》ト云リ。俎談ニ曰、馬ヲ御スル人ハ必《カナラズモチツ》用。不意ニ驚走シ、頭ヨリ飾ヲ脱《ハツサ》レマジキ為ノ利ヲ以ス。其制ハ好ニ因ベシ。是ヲ一筋、二筋、或一首《カシラ》ト云

とあるが、韊や韄の文字は江戸時代の御流儀秘伝のための作字であって、おそらく韄（ボク・モク）の文字から考えたものであろうが、韄の文字すら現在中国でも用いられていない。「牛馬ノ頭ヲ絡フ縄也」とあるから縄の面懸的役をするものであり、差縄に似ているが三尺索《なわ》というように短い縄で、馬が驚走した時に、面懸が頭部から脱れるのを防ぐために用いたものである。

　近世ではこれを革で作って三尺革と呼んでいる。

革を皺韋や鞣韋で縫い包めたもので、長さ約二尺四・五寸（約七五センチ）くらいで、中央は凹み、梭形を二つ繋いだ形で、両端に麻紐が出ている。これを面懸をつけた上の首掛の上あたりに置き、顎から頸下にかけて、やや大紐に添うように掛て、両端の紐を頸下で結び、その先を轡に通して顎下で結ぶ。三尺革の中央に紐があって首掛に結び付ける。面懸の首掛と面連が頭部から外れるのを防ぐのと装飾的意味があるので金箔押にしたり、家紋を描いたりする。

装着法は図によって参照されたい。

『和名類聚抄』巻十五　調度部　鞍馬具第百九十一に

　韊頭　ヲモヅラ

とあるのは後の面懸にあたるが、これの補強用のもので、紐の場合は三尺縄、革の場合は三尺革という。

手《た》綱《づな》

手綱は馬を操縦する紐で革製が多いが、日本では平安時代以来布を畳んで用いた。ただし駄載や荷車に用いる手綱は麻の捻り組縄である。手綱で操縦するために轡や面懸が装着されるのであって、手綱の使用は重要な意味を持つ。『武用弁略』によると走綱《はづな》（張綱・紲）ともいうとあり、『今川大雙紙』では、

三尺革

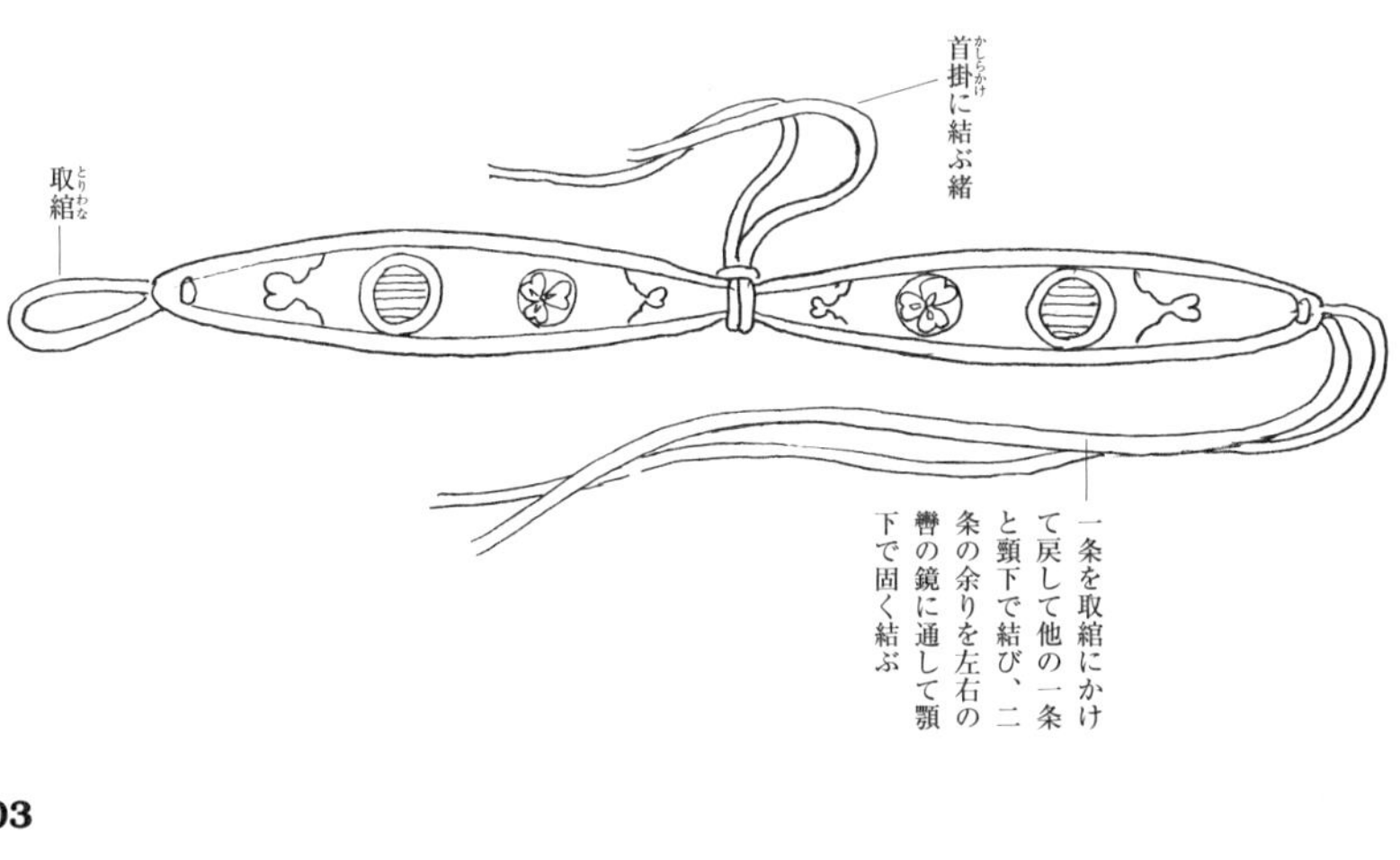

三尺革の取付け

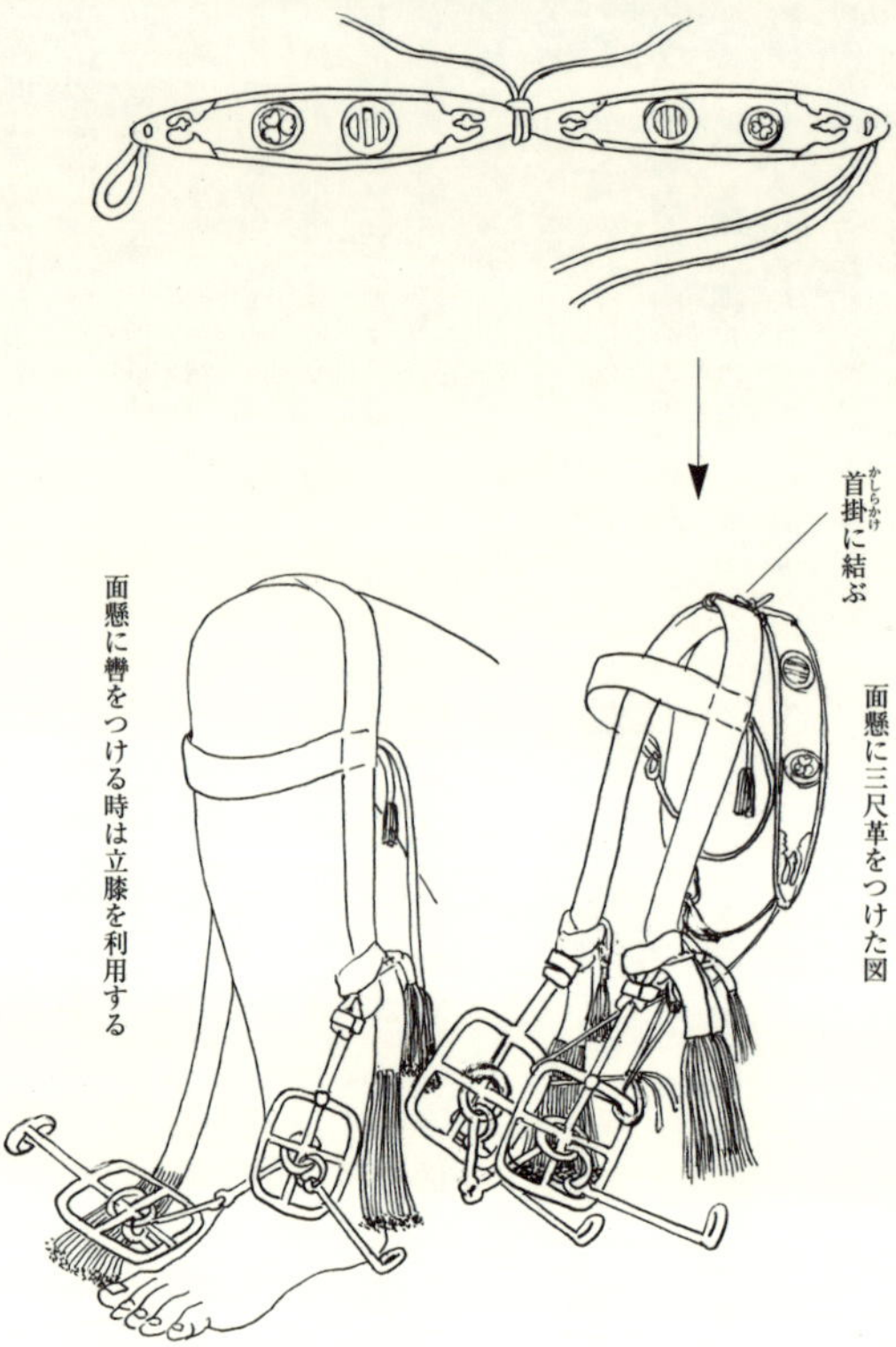
首掛《かしらかけ》に結ぶ
面懸に三尺革をつけた図
面懸に轡をつける時は立膝を利用する

大名家の手綱の寸尺九尺三寸（約二八二センチ）とし、『弓張記』では七尺五寸（約二二七センチ）『馬具寸法記』では五尺三分（約一五二センチ）『甲陽軍鑑』では八尺三寸（約二五一センチ）とし、好みによったらしい。

手綱は絹布を軍用に用いては利少ないというが、一番多く用いられたのは絹で、近世は縮緬、曝布《さらし》も用いられ、手綱染という言葉があるように段染めにし、この模様は腹帯と同式にするのが常である。この段染を緂《だん》という。

蘇芳緂の手綱［すおうだんのたづな］

『飾抄』に四位以上とある。

楝緂の手綱［おうちだんのたづな］

同書に四位以下青緂《あおだん》とある。

緋染手綱［ひぞめたづな］

『吉部秘訓抄』に祭使が緋染手綱を用いた記録がある。

櫨染手綱［はぜぞめたづな］

『餝抄』に永治元年十月御禊の前駆が櫨染手綱を用いた記録がある。

紺染手綱［こんぞめたづな］

『曾我物語』河津討れし条に河津三郎が用いた記事がある。

絞染の手綱［しぼりぞめのたづな］

『弓張記』に加賀の絞り染の手綱を用いた記録がある。

取染の手綱［とりぞめのたづな］

所々斑《まだら》のように染めた手綱で『甲陽軍鑑』にも

取染之手綱と云事有。是は一寸まだら也。色赤し。有㆓口伝㆒

と記されるが、『伊勢貞助雑記』には

とりぞめの事は仔細ある事にて、れうし
には染められまじく候

とあり、取染には古来もったいつけられていた。

加賀染の手綱［かがぞめのたづな］

加賀国は友禅染めで有名で派手やかな染の国産品として全国に聞えていた。『東武実録』寛永五年十月廿八日の条にも

是日加賀中納言利常、加賀染ノ手綱百筋ヲ（将軍家に）献上ス

とある。

唐絲の手綱［からいとのたづな］

唐絲とは中国より輸入された絹絲の事であるから唐絲で組んだ布の手綱。普通の人では日本製の絹布かどうかはわからない。

軍陣手綱［ぐんじんたづな］

『甲陽軍鑑』に

軍陣手綱、長は弓の弦程候はん歟。但大馬小馬にかかはりつ、むべきか。口伝有之

と記され、『甲陽軍鑑』では甲州流は一般に八尺三寸（約二五一センチ）を基準としている。

四手綱［よつたづな］

『手綱秘書』に

あかり馬の事は、ほそし差縄をもて縄のさうに付て、むながひより引とおして、はるびにつりて　のりをなおすべし。同二くつわ四手綱と云事、差縄を二重に折りくびにからみ、須弥に付て　くつわのさうのとちがねに通し、前足二のあひより通し、わらはかみの本にむすびて其後手綱を打かけて、さし縄をつめあわせ乗べし。

とあり、『大坪流馬書』にも

四手綱の事、強くそれ物に是吉也。口伝

手綱の結び方

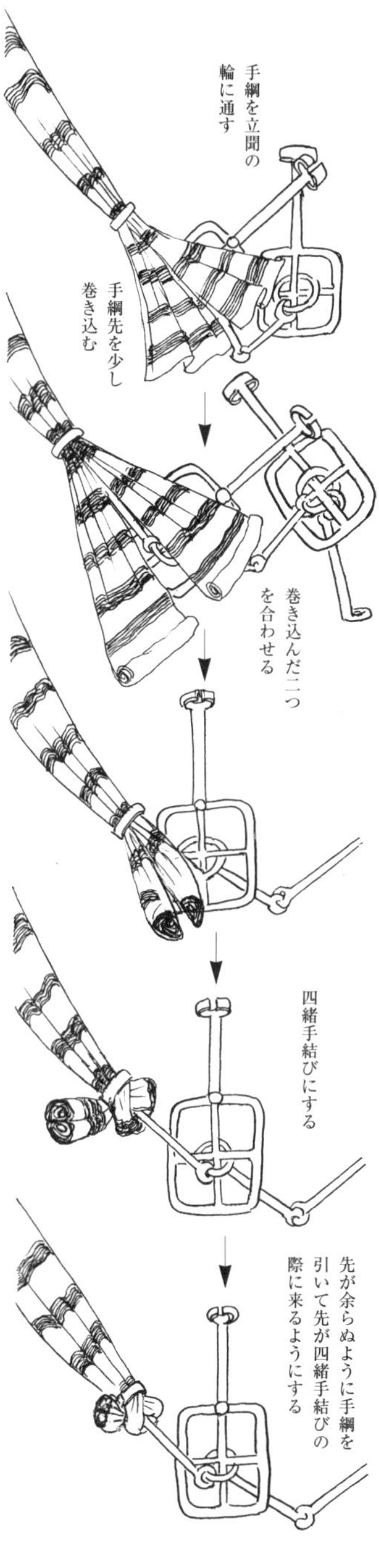
手綱を立聞の輪に通す
手綱先を少し巻き込む
巻き込んだ二つを合わせる
四緒手結びにする
先が余らぬように手綱を引いて先が四緒手結びの際に来るようにする

とあるが一般の差縄と同じで、馬が強く反るのを防ぐためのものである。

手綱の曲り［たづなのまがり］

轡の両蛇口に四緒手結びにした手綱を手元に引いて二つ折にした部分をいう。『弓張記』『武蔭叢話』に記されている。

手綱の輪［たづなのわ］

手綱の中央に当る、握って輪になる所をいう。『今川大雙紙』に

主人の御前にて馬を引立てのり候へとあらば、馬の左にてあらば、尾の方へ廻りて乗べし。但し馬の跡つまり、又ほりなど有て通る所なくば、馬の首の方より寄て乗る事も有。乗様は有㆓口伝㆒。先あゆみよりてひかえたる人の左の手綱、同馬の右の方の水付手綱の輪より上乗るべき人の右の手を先出してひかえたる人の左の方の馬の水付を執て……

とあり、この時乗手の執った手綱の輪をいう。

手　縄［てなわ］

手綱の役はしないが、馬が首を高く反らすのを防ぐ差縄で、手縄が切れた時には前の四緒手から解いて手綱の代りにする。『岡本記』『小笠原入道宗賢記』等に、白・黒・浅葱の布を縄状になうのが一般で、茜色は略儀、軍

馬具

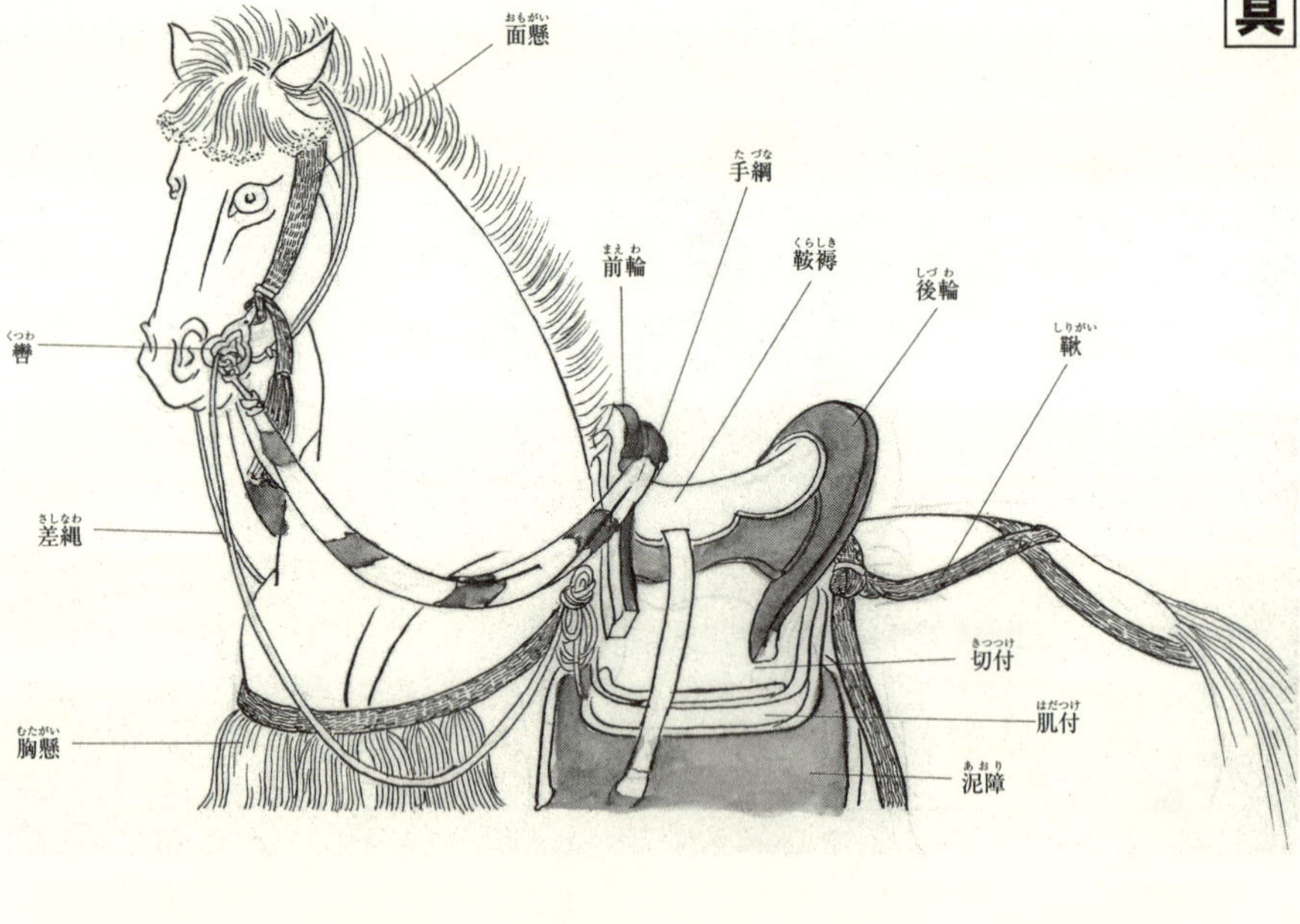

陣は白とあり、差縄と同じであるが『甲陽軍鑑』では手縄二丈五尺（約七五七センチ）とあり、これは長すぎれば前輪の四緒手に綰にして調節する。

白手縄［しろてなわ］

『三好義長亭之御成記』にも記され、『武雑記』では軍陣中の用とある、これを「軍陣手綱」という。『小笠原入道宗賢記』にも記され、『馬具寸法記』では二丈八尺（約八五〇センチ）としている。

差縄《さしなわ》

差縄は乗馬の口に付けて牽馬のときに引く縄で、乗馬している時は前輪の四方手に結び付けておく。古くは調布を縫り合せて縄状にしたが、後世は麻布二筋を綯《な》って用いた。

『武用弁略』に

　俎談ニ曰。馬ヲ御スル人ハ必用。不意ニ驚走シ、頭ヨリ飾ヲ脱セマジキ為ノ利ヲ以ス。其制ハ好ニ因ベシ。是ヲ一筋ニ筋或一首ト云。

とあり、古墳・奈良時代は不明であるが、平安時代にはすでに行なわれていたらしく、『飾抄』にも「公卿師差縄《モロサシ》・四位已下庁差縄」と規定され、牽馬の時の取り縄にも用いたが『今昔物語』では悪戯狐が女の童に化けて馬に乗せてくれといった時に滝口が後方に乗せて差縄で縛ってしまった話や、『古今著聞集』に近江国かいつの遊女金は力持ちで、暴れ馬が差縄を引擦って来るのを足駄で縄を踏んで馬を留めたという話や、落馬せぬために差縄で鞍に縛り付けた話はかなりある。

『甲陽軍鑑』には

　馬に縄さす事。三尺縄あれば轡の韁より縄のみつをとほしてひつてのみつの中よりとをす。縄者にひかする也。是は軍陣の用也。仏詣社参の時は、ひつてのみつへはいれぬ也。けにもならかすへきため也と云云。

とある。『飾抄』『物具装束抄』等には、棟（棟のことか）緂差縄、綾打差縄、布打差縄、白差縄、布差縄、差差縄、引差縄、白差縄等がある。

『武雑記』には

　陣中にては白手縄を用候。是をかまさしなわ（鎌差縄）と申候。布にて三くりに仕候也。大形三色かたわきばかりに仕候歟

とある。

また『武用弁略』では

　小口縄是亦右ノ追縄ニ拠所ノ小索《コナワ》也。之ヲ小中冑《コチユウケン》ト云。或手縄又差縄ト云リ。尋常ノ物尺寸《セキスン》不定也。大概ニ尋計《ヒロバカリ》。此等ヲ一間、二間ト云ベシ。間ハ双ノ理、且又尋《ヒロ》ト云通唱ナリ。常ニハ一筋二筋共云

とあり、差縄の長さは好みによって長短あるらしい。

また『小笠原入道宗賢記』に

　手縄と申も鎌縄と申候も、又さし縄と申候も同じ事なり。又しつな（おそらく尻綱『光源院殿御元服記』）をさして引共申候也

とあって、同物異名のようにも考えられる。

このほか『書簡故実』馬具書状には「はづな一間」とあり『北条五代記』福島伊賀守捕河鱸手柄の条に「あかねのは綱」の語が見えているが不詳。

轡《くつわ》

轡は馬を制御するために考案された道具で、日本で「くつわ」と訓むのは『和名類聚抄』によると

　鑣《クツハミ》　説文云鑣　音飄訓久都波美、俗云久々美、馬銜也。兼名苑云鑣一名勒。野王案盧則反馬口中鉄也

とあり、『和字彙』に「鑣ハ馬銜《バカン》ノ外鉄《トガネ》ナリ、一名ハ排末《ハイマツ》。『釈名』ニ鑣ハ包也。旁《ソバ》ニ在テ其口ヲ包斂《ツツミトル》」とある。

二本の金属棒を中央で鎖輪のようにして、その両端を、馬の口の外辺に触れるような鏡（色々の形式がある）が地につけた輪に鎖輪

轡の名所

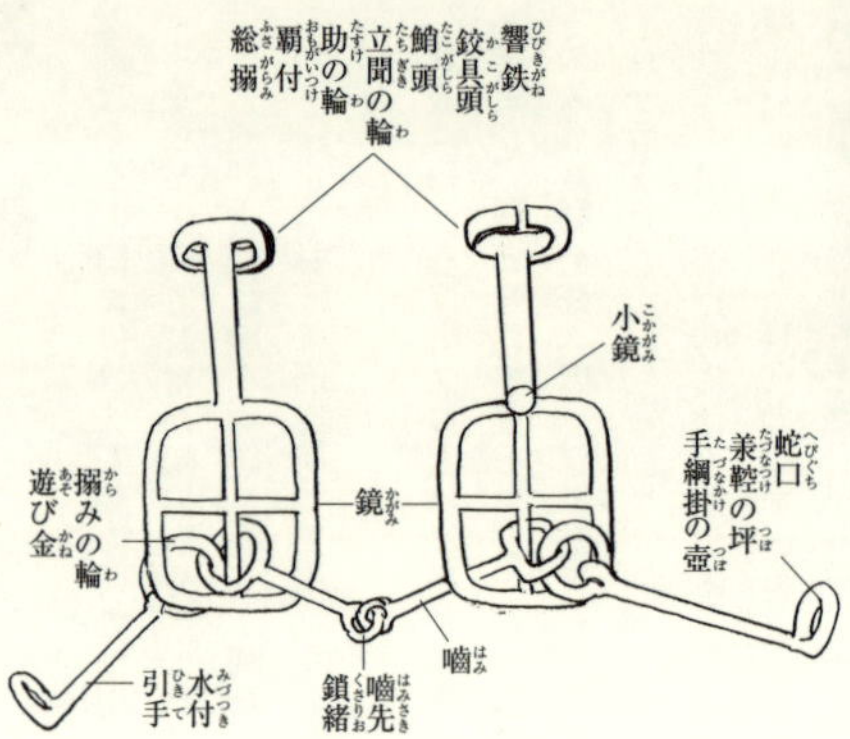

状のものに繋ぎ、この鎖輪にはまた手綱を結ぶための引手がある。鏡の上方は棒状に伸びて、先を輪とし、これに面懸の太紐を結び付けて馬の顔に装着し、轡の勒（啣鉄《きょうてつ》・噛《はみ》）を馬の口中に固定する。面懸はこの轡を定位置に固定させるための装置であり、轡に結び付けた手綱によって馬を操作するので、これは馬車、騎馬共にこの三部は必要欠かせないものとなった。

日本においては中国の制を採り入れて、中鏡式や、輪鏡式が奈良・平安時代に色々のデザインで行なわれた。古墳時代は銅製も用いられ、平時の盛儀用として後代にまで用いられたが、実用の轡はほとんど鍛鉄製である。

轡の形は挿図のように時代と好みによって鏡の形が異なる。

平文轡［ひょうもんくつわ］

『飾抄』に

移近衛次将乗用平文移有二錦心上敷一大滑
鐙轡或平文或金銅

とあり、平文の轡も行なわれた。平文とは金属などに模様を彫出したり、象嵌したりした上に漆を塗り、それを磨ぎ出して、彫刻や象嵌した部分の模様を明瞭にあらわしたものをいう。従って高級な轡である。

金銅轡［こんどうくつわ］

同じく『飾抄』に記されている。銅製に金鍍金したもの。

散物轡［ちりものぐつわ］

『御禊行幸服飾部類』寿永元　信範記に

散物轡鋂龍頭鼻華付金銅堅食文

とあり、片食《かたばみ》（酢漿草《すいものぐさ》）の模様のある轡。

白　轡［しろぐつわ］

鉄製の轡は白く磨いて錆を生じないようにしたのが普通で、白磨轡（『文正記』）ともいう。軍記物に「白き轡」とよく表現される。

塗　轡［ぬりぐつわ］

轡が錆びぬように漆を塗ったものをいう。多くは焼漆とする。『小笠原入道宗賢記』に

宗信は犬追物の時はぬりたる轡を被レ用候由に候（中略）ぬり候事はあかうるし也。はさみのうちをばぬらぬ物なり。

とあり、鏡と引手のみを塗る。

含み轡［ふくみくつわ］

『曽我物語』河津討れし条に「ふくみくつわに、こんのかたつなをいれてそのつたりける」とある。

出雲轡［いずもくつわ］

通常十字轡ともいい、鏡が杏葉や丸板でなく十文字に芯棒が入っており、この形式が一番多く用いられている。平安時代末期頃から流行し、『源平盛衰記』石橋山合戦条にも

与一（佐奈田）カ乗タル馬ハ本ヨリ強キ馬ナリケレドモ己ガカラヲ憑ミツツ、出雲轡ノ大ナルニ手縄《タヅナ》ニ筋ヨリアハセニゾ乗リタリケル

とあり『岡本記』には

いづもくつわという事は、かち上手にてならさすもする也。これ夜うちにもちいるくつわ也

各種の轡

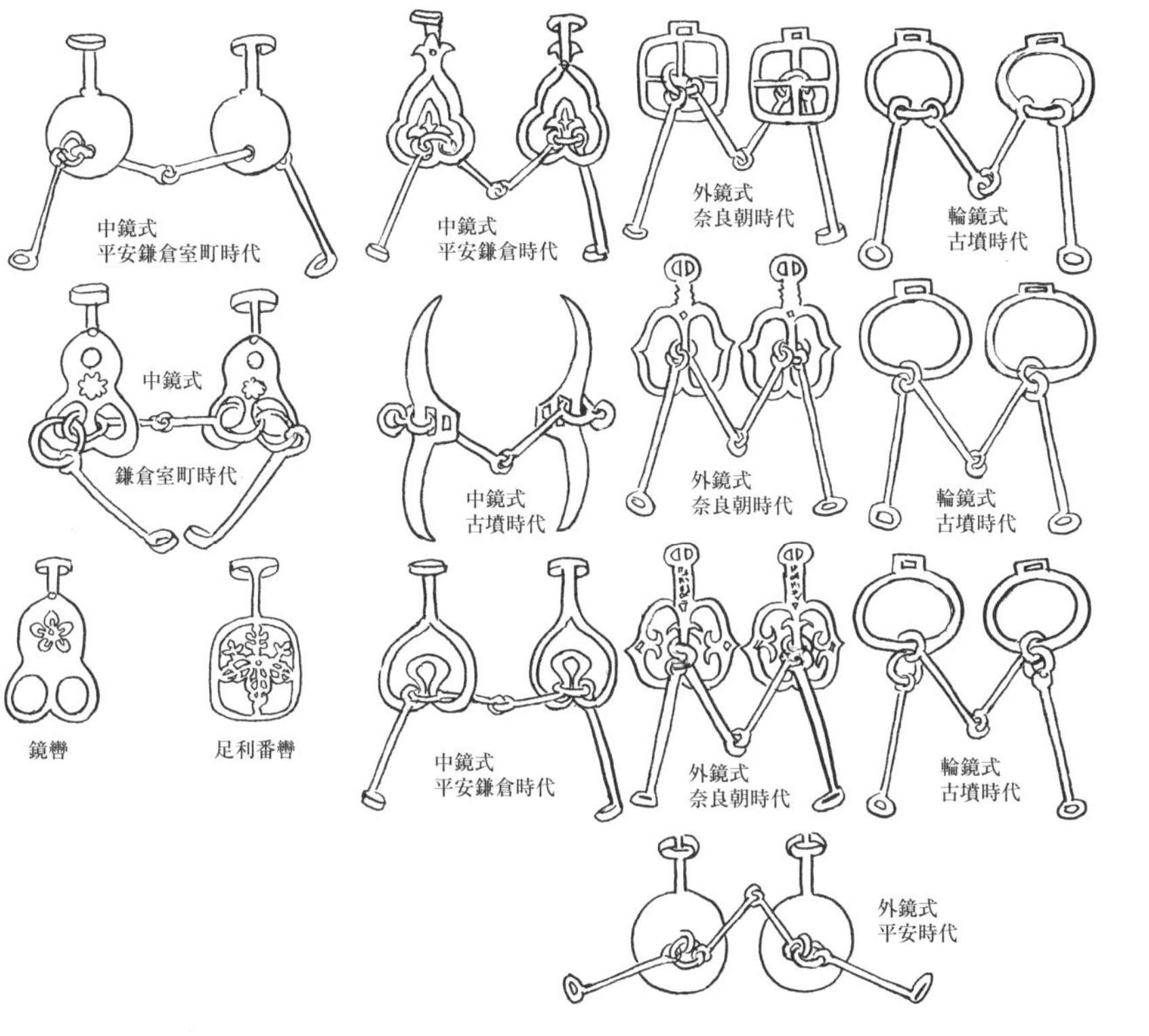

と記されているが、特別に夜討軍の轡と定ったことはなく、現存の轡の中でこの形式が一番多い。

玉井轡［たまいぐつわ］

『尺素往来』に

伴野鞍、那波鐙、長井鞦、玉井轡

とあり、製作地の名を冠した轡である。

忍　轡［しのびくつわ］

軍記物には夜討夜襲用に用いる、轡の音を立てぬように工夫された轡。『軍騎抄』に

夜討伏兵ニハ声色ヲ消シテ向フヘキナリ。故ニ轡ヲモ改テ響ナキヲ用ベシ。製作ハ太啣ニシテ啣先ノ輪ヲ太クシ、外ニ鏡引手搦ノ輪ヲ不付ナリ。扨明珍鎖ノ細キヲ二筋啣先ノ輪ニ引通シ打連レテ輪ト成シ、鉧ノ上ヲ布ニテ包ミ、韋ヲ以テクルミ總トナシテ、夫ニ羈ヲ取付テ用ヘシ。手綱ノ付ヤウハ小中間ノ太サナル三繰ノ苧縄ヲ啣先ノ輪ニ引通シ不搖ヤウニ緊付、引伸テ四五寸先ヲ鞭結ニ成シ、夫ニ手綱ヲ引入羈ノコトク結デ可乗。是ニテオトナク宜キナリ。

忍轡ヲ用意セズ、夜打等ニ出ル時ハ鏡拵金引手木ヲ布ニテ巻ベシ、是ニテモ音セヌナリ

とある。

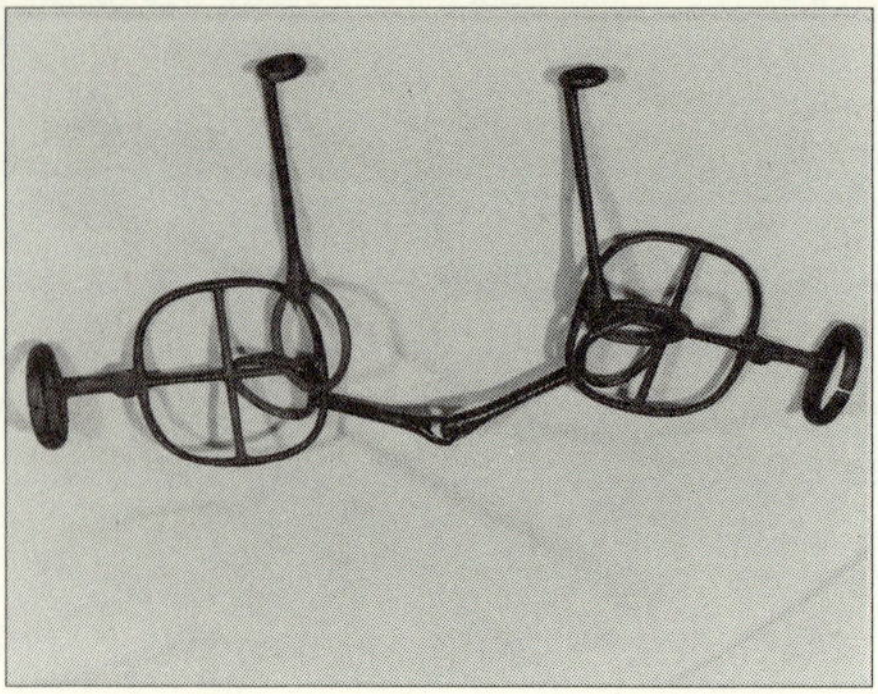
典型的十字轡

噛に凹凸つけた十字轡

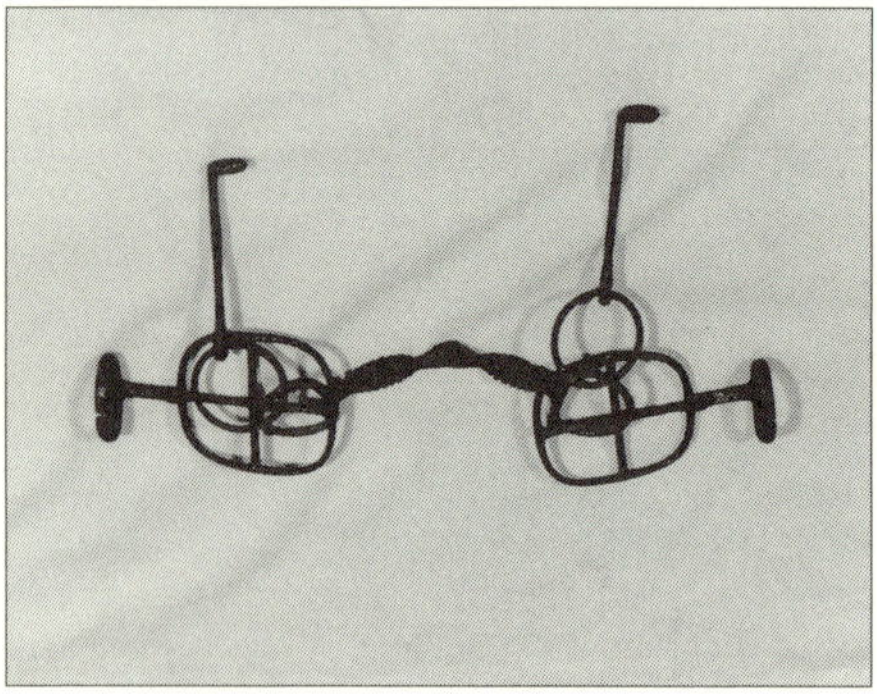
脹らみ形の噛の十字轡
（菅野菊雄氏所蔵）

鏡　轡［かがみぐつわ］
一般に鏡の所が平たい円形の板状のものをいう。紋透しのものもある。

鈴　蟲［すずむし］
鍛えが良いと打つと涼やかな音響を発するので鈴蟲という。『慶長見聞録』に木曽内蔵助義昌が織田信長より拝領した轡につけられた名。轡鍛冶であった明珍系の作にある。

乗　轡［のりぐつわ］
『大内問答』『家中竹馬記』等に記されている。牽馬の轡でなく乗用の轡の意か。

洗　轡［あらいぐつわ］
『大内問答』『諸家参会記』『岡本記』『家中竹馬記』『永禄五年礼拝講記』等に記されているが、略儀の轡。

懸替轡［かけかえぐつわ］
『光源院殿御元服記』天文十五年十二月十八日の條に「御厩者肩掛替之御轡」とあるから予備の轡の事らしい。

轡の部分名

鑣［くつはみ］
『和名類聚抄』に「鑣は馬の銜也」とあっ

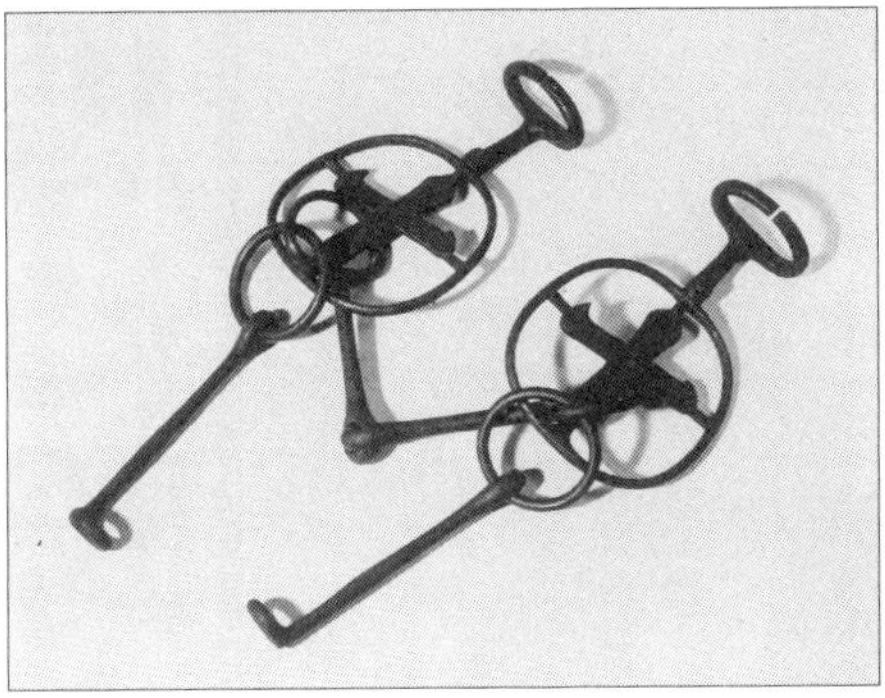

島津家　十文字紋十字轡

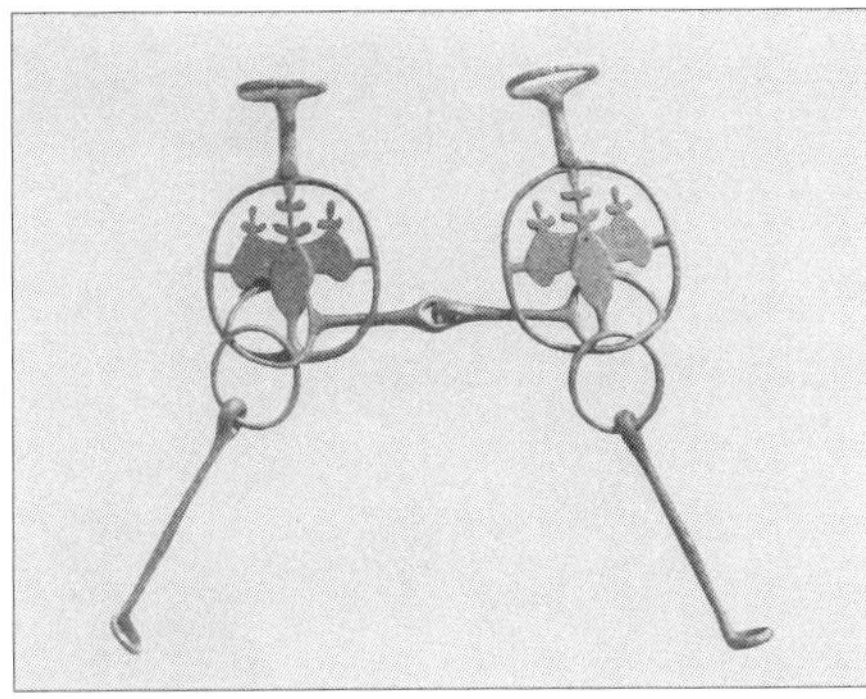

切紋十字轡

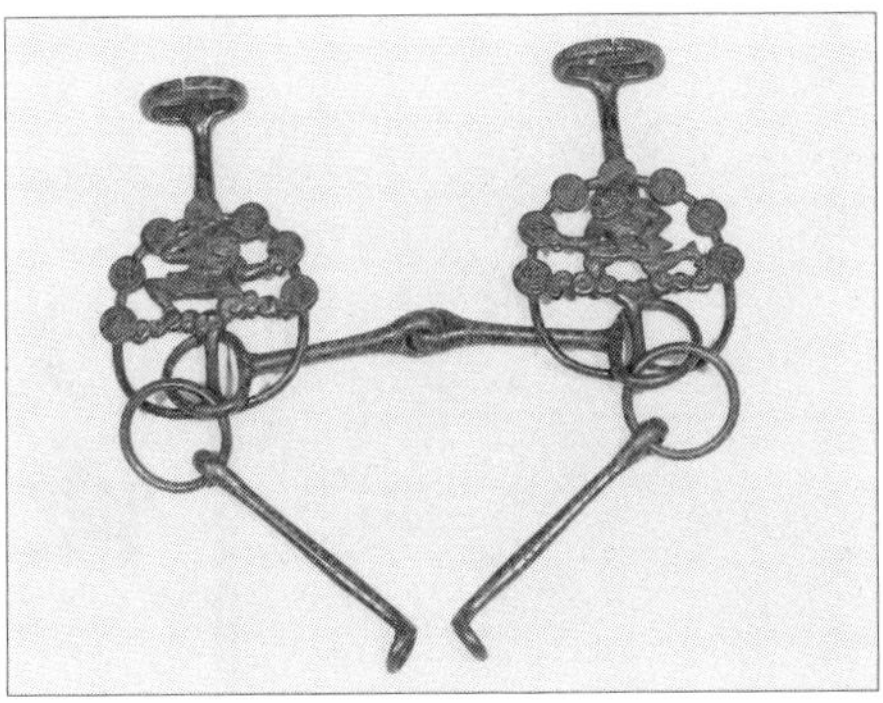

風神雷伯彫十字轡
天下一明珍豊後守藤原宗高作
（上杉神社所蔵）

て馬の口中の鉄とあるから啣鉄・俗にいう「嚙《はみ》」「嚙先」「組違」「ほうみ」（『今川大雙紙』）、「はみ」（『弓張記』）といっている。

承鞚［みづつき］

はみの端と輪によって連なり、先端の蛇口に手綱を通して四緒手結びにする。引手・承鞚ともいう。『和名類聚抄』では美豆岐《みづき》ともいい、七寸（約二十一センチ）の長さとしている。故に『太平記』船坂合戦条ではこれを七寸と書いて「みづつき」と訓ませているが、多くの書は水付と書く。

立聞［たちぎき］

轡の鏡の上方から伸びた鉄で先が嚙合せの輪になっていて、この輪に面懸の太紐を通して四緒手結びにして轡を馬の首に固定する。ちょうど馬の口取りが寄りそうと耳のあたりの高さ（馬の首が普通の高さの場合）になるのでこの部分の鉄をいうが、太紐を通すので総搦み、立聞の輪、鮹頭ともいい、助けを用いるようになってからは綼輪（助けの輪）などという。

馬に跨る〜各種の鞍

黒漆塗海有軍陣鞍
（靖国神社遊就館所蔵）

黒漆塗桐高蒔絵海有水干鞍

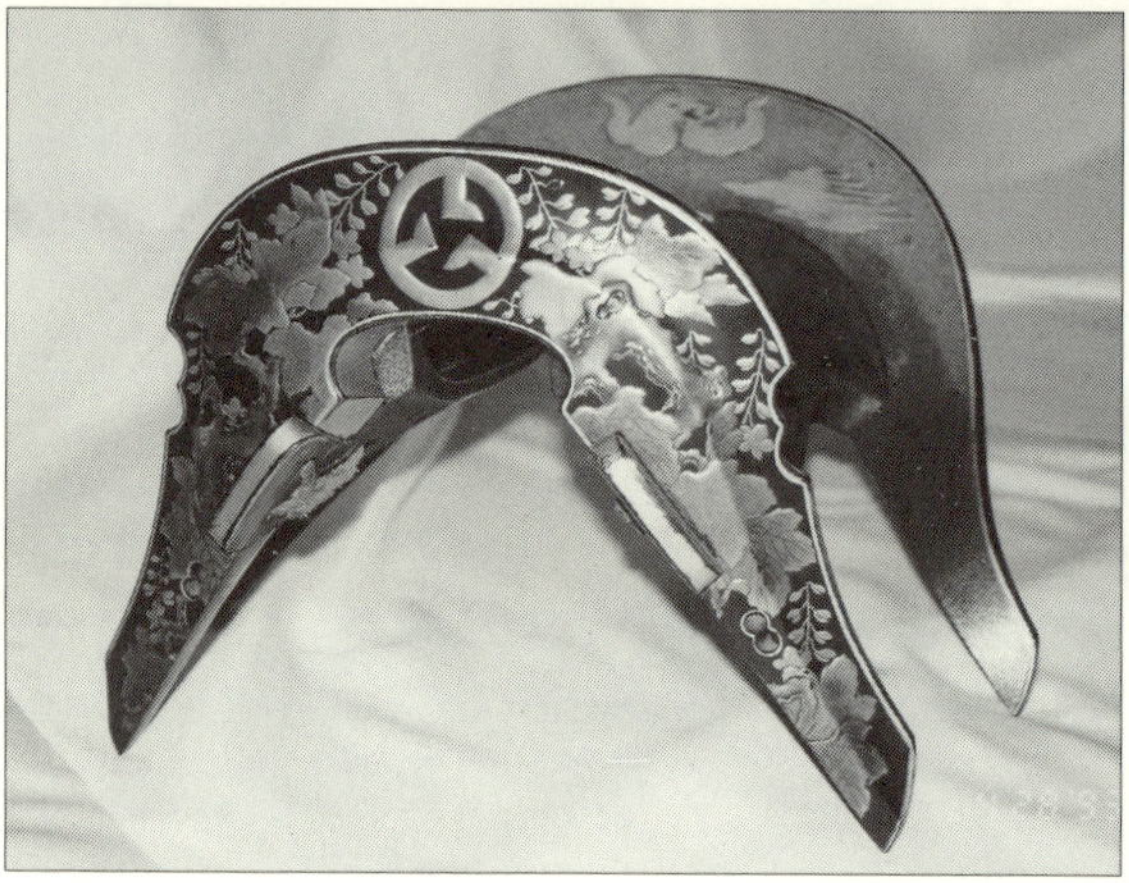

鞍《くら》

鞍の始まり

馬を家畜として飼い馴されてからは駄載用か車を牽かせるためが主で、乗馬の風が起るようになったのは古代ギリシャ人が紀元前五世紀頃に競技などで馬に乗ったのが古い記録である。この場合は裸馬かエフィッピオン(ephippion)という布をかけて乗ったらしい。この場合は布がずれないように馬腹から背にかけて紐で結んだようである。後世の腹帯の始まりである。

これが馬上に跨りやすいように鞍の発明された始原は不明であるが、紀元四世紀の終り頃にはヨーロッパにおいても鞍が用いられているから、おそらくアジア大陸から出現したフン族はそれ以前から鞍を用い、騎馬に優利な道具として騎兵戦力となっていた事が、馬を利用する人々によって拡まっていったものと思われる。

鞍の始めはおそらく牛や馬の皮を剥いで、それを処理し加工して馬背に合うように作ったものと推定される。

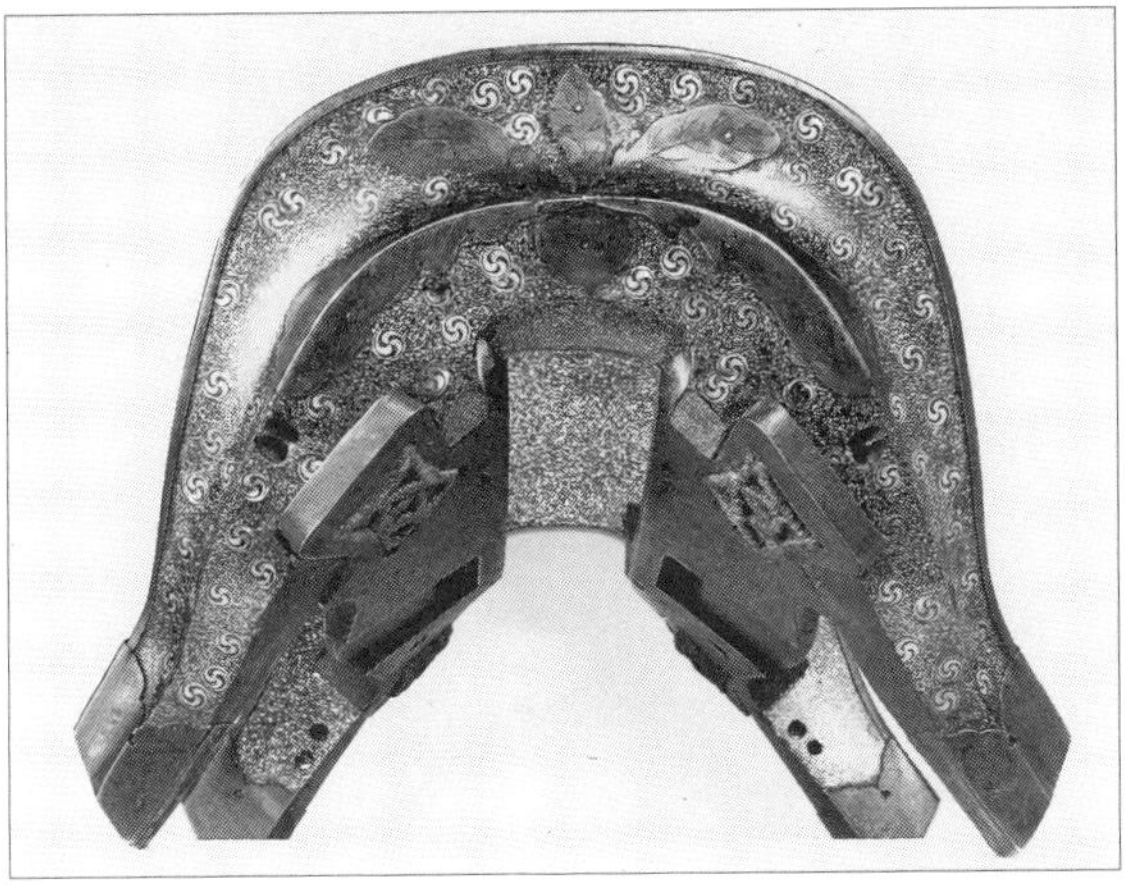

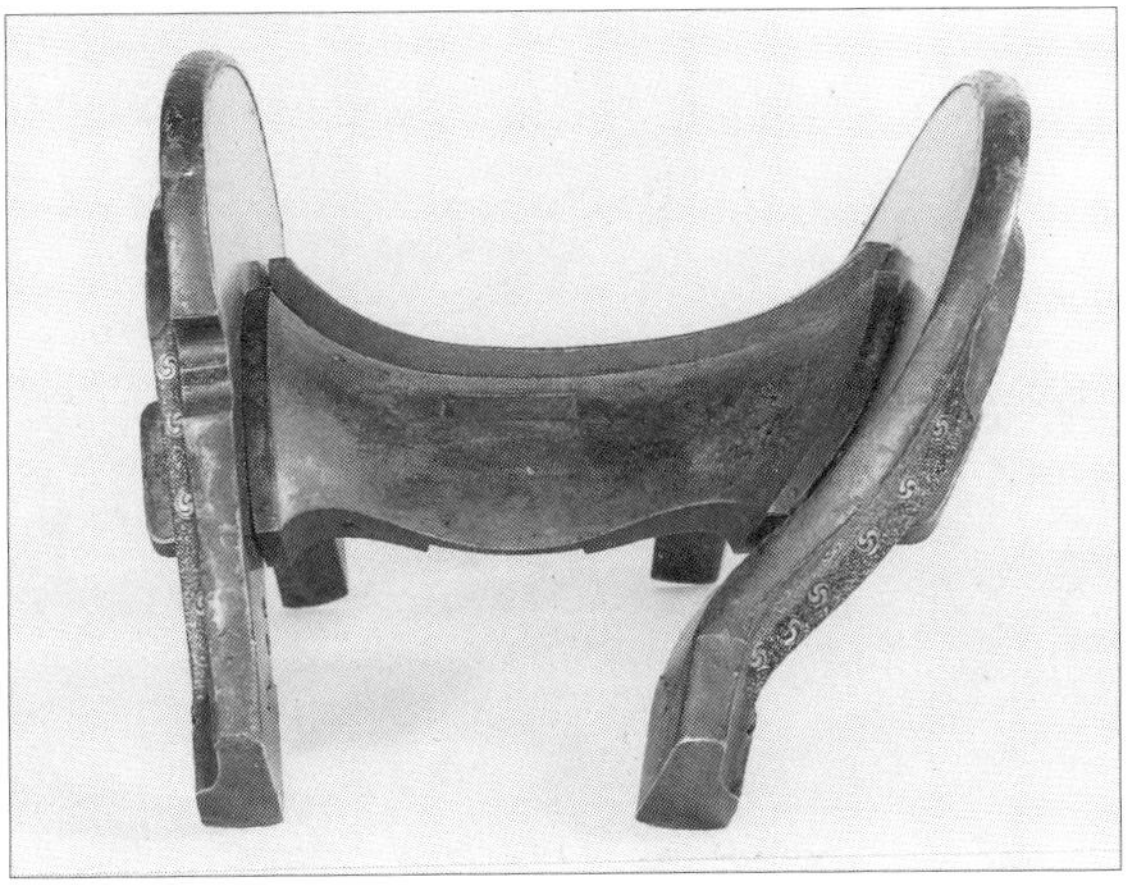

青貝末塵尾長巴紋散らし海有軍陣鞍
（故藤原宗十郎氏所蔵・上下とも）

古代人は死んだ動物の皮を剥いで利用する法をすでに知っていた。たとえば人間や動物の糞尿の中に、酵素のために不要な蛋白を除去する成分のある事を知っていたので、これに漬けたり塗ったりして、皮革を作った。

厚い生革等を適当に撓めたり、軟らかい鞣韋で覆ったりして馬上に居心地良い形を作り、その形はやがて木で作ったりするようになった。

日本の鞍

日本に乗馬の風が伝わった頃は木組の鞍であったらしく、大阪府の応神陵出土の鞍や、宮崎県児湯妻町西都原発掘の鞍は、前輪・後輪に金銅装透彫の板を貼った鞍で、木部はすべて腐朽して痕跡を留めないが、立派な鞍であった事がうかがえる。『記紀』の神代記は神話であるが、すでに鞍の語がある。『武用弁略』には

説文ニ云。鞍ハ音安鞌共作。順和名ニ久《ク》良《ラ》。俗ニ唐鞍、移鞍、結鞍《ムスビクラ》等ノ名アリ。

馬鞍也。今又韃鞍《ダツクラ》、高麗鞍《コマグラ》ノ故アリ

と記しており、日本の場合には前輪・後輪とこれを繋ぎ、腰をおろす部分に当る居木の三部より成り、居木は馬背に左右から当てるために二つに分かれ、これらが組み合さって構成される。また前後輪の表側には、鞍が前後に動かぬように固定する胸懸・鞦を結び付け

黒漆塗紋蒔絵海無水干鞍
（某家所蔵）

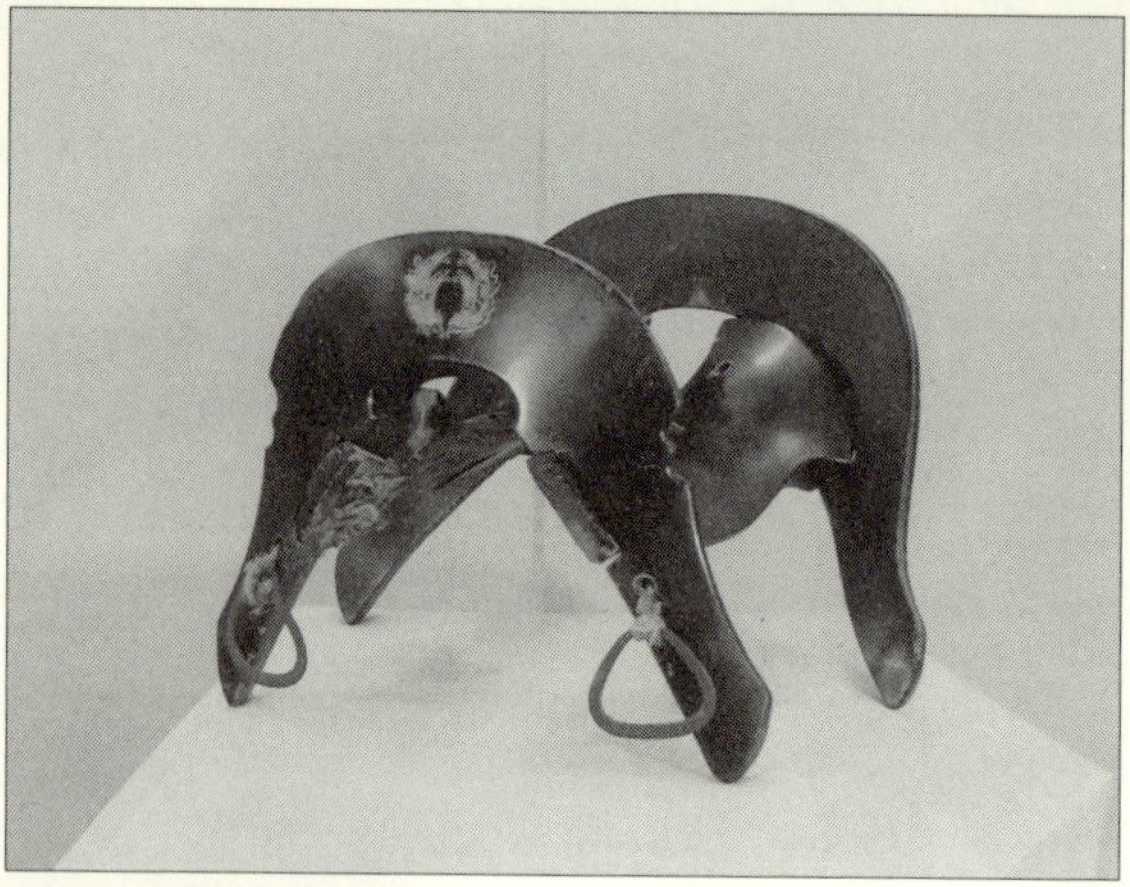

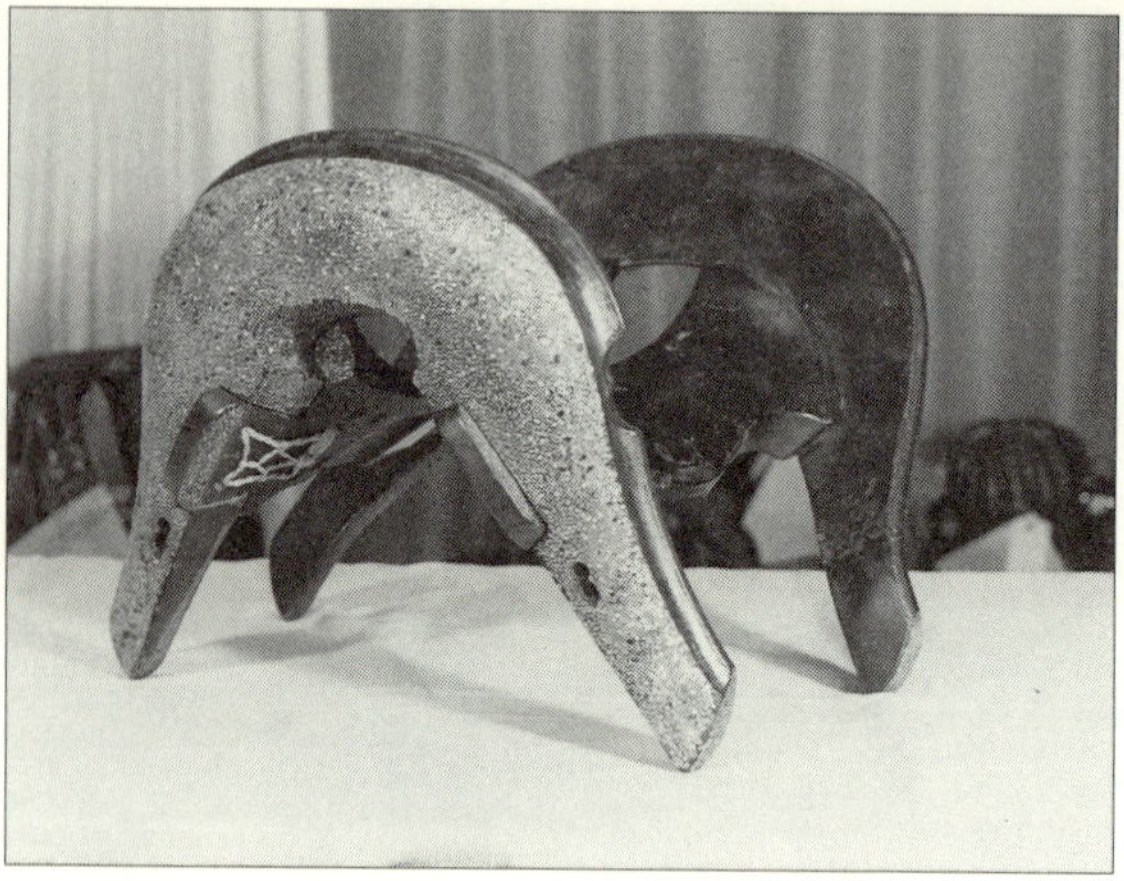

青貝末塵布袋水干鞍
（菅野菊雄氏所蔵）

る四緒手が装置され、これらは時代によって多少の変化はあるが、鞍としての基本は同じである。前輪・後輪が立っていて独特の形をした木製のものを俗に和鞍といっている。

各種の鞍

和　鞍［わぐら］

『小右記』長和二年九月廿七日の条にあり、これは中国式の唐鞍に対していった用語であり、大和鞍ともいう。

鏡　鞍［かがみぐら］

鏡地鞍ともいう。内側は漆塗りであるが、外側は銀や金銅で包むか、箔を置いた鞍をいう。晴儀用に用いたが『保元物語』二、義朝白河殿夜討条にあるように武家も戦場用にも用いた。

飾　鞍［かざりぐら］

平安時代の威儀に用いる飾馬につける唐様の鞍（正確には中国式ではない）。居木を切組を作らず、前輪・後輪を乗せて穿孔して革緒搦みとし、黒漆塗りで表面に唐花唐草や尾長鳥を螺鈿としている。表敷《うわしき》は幅広で錦を用いる。『続日本紀』霊亀元年九月巳卯の条に記されている。

移　鞍［うつしぐら］

左右馬寮で飼っている馬を役人が公用で乗る時に用いる鞍で、鞍橋は二つ居木から成り、寮の五位以上は貝や銀を塗りこめて磨き上げた平文、地下は黒漆塗、私用の移は黒漆に山形の端だけ縁螺鈿とした。

『御禊行幸服飾部類』に随身内舎人の騎乗の項に記される。

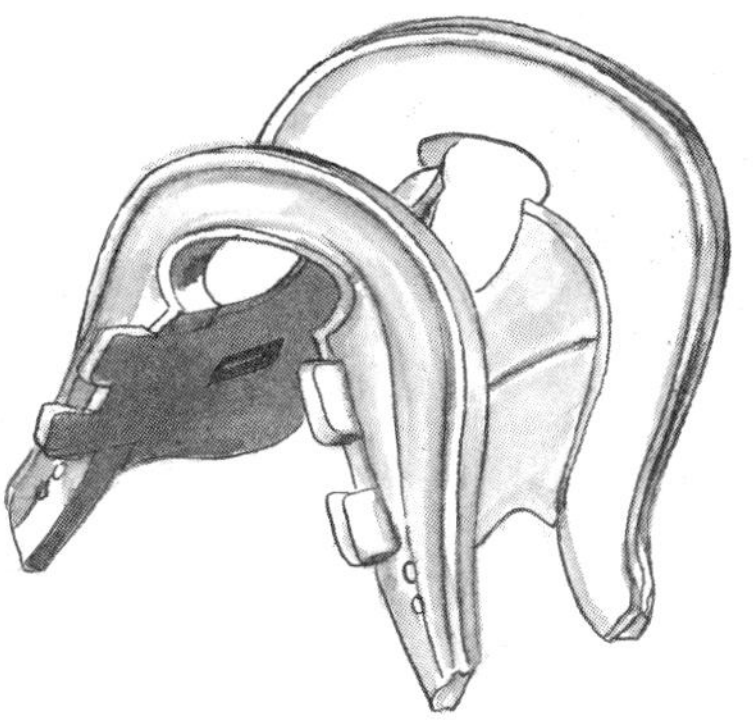

移　鞍

鈴唐鞍［すずからぐら］

『御禊行幸服飾部類』仁安元兼光記、摂政の乗馬に記される。唐鞍の後輪の居木先に蝶番付で五条の筋金をつけ、各先端に鈴をつけた。四条ずつの八条もあり、六条ずつの十二条もある。

女　鞍［おんなぐら］

婦人用の鞍で『延喜式』左右馬寮式に

造二女鞍一具料一　紫草四条（各長二尺広一寸）

とあり、伊勢の斎宮や賀茂の斎院に供奉する命婦、女孺が乗るときの鞍で、女房装束の裾が汚れるのを防ぐために垢取りという、鞍橋の背面から馬腹にかけて長方形の布を垂れる。

この態は『志貴山縁起』『粉河寺縁起』の絵巻物に描かれている。

青葉鞍［あおばぐら］

『名月記』建暦二年十月廿八日に

馬寮（史自馬夜前給之）鞍（如二去年一）和鞍付二青葉鞍一

とあるが不詳。

走馬鞍［はしりうまのくら］

『延喜式』左馬寮式に

造二走馬鞍一具一料脊鞢料緋革（以二一張一充二具一有二革大小一准量充レ之）

とある。

御幸鞍［ごこうくら］

『諸鞍日記』に

移ノ形ニテ赤銅ヲ外ニ打テ掛テ覆輪ヲ掛タリ。此カネニ各ガ紋ヲ打テ付タリ

とある。

結　鞍［ゆいくら］

長門本『平家物語』明雲僧正被罰の条に

あやしげなるてんまに、ゆいくらという ものをきせて

とあり、栗原信充は

荷を結び付る鞍なれば、むすび鞍とも、ゆひ鞍ともいえるなるべし

といい、『古今要覧稿』百五十、器財、馬具の項では、

結鞍、木を二つ結合せて作る故に名付しなり。

とあり、荷鞍代りであるから本来は牛の駄載用に用いた。

張　鞍［はりくら］

『鎌倉年中行事』に

公方様御張鞍虎豹皮葛切付（小泥障ハナシ）

とあり、革を張った鞍をいう。

腰張鞍［こしはりくら］

『岡本記』に

こしはりくらと申事は、むかしはさいくも上ずにて、なまこをわらしべにてくくりて、ながくなりたる所をとりて、それにてくらはしをはりたるゆえに、こしは

雲龍木地高彫布袋水干鞍

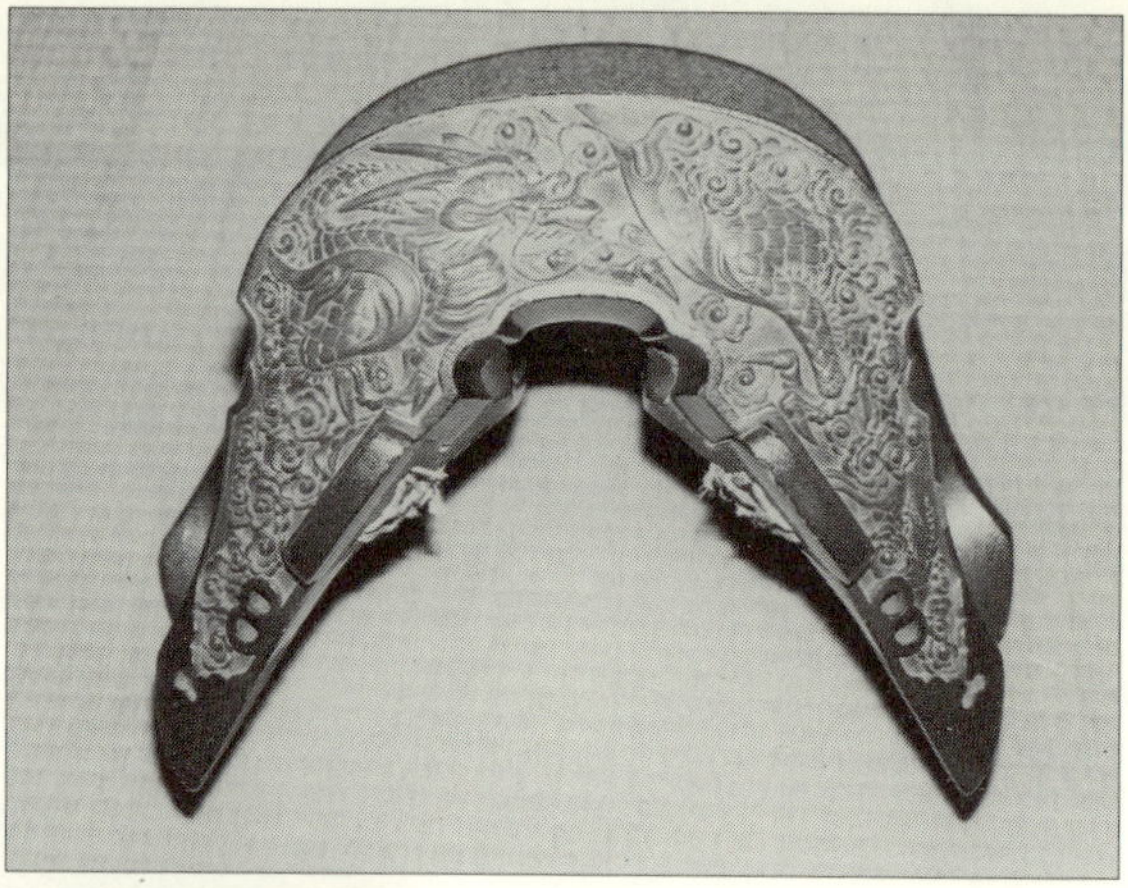

黒皺韋包海有水干鞍
（吉田知栄氏所蔵）

りくらと申候也。今はさいくへたにてこ
しはりくらなし。

とある。

黒塗張皮鞍［くろぬりはりかわぐら］

鞍を韋包みとして黒漆塗としたものをいう。『吾妻鏡』建久二年十一月廿二日条に記されている。黒皺韋包鞍などがこれに当る。

伴野鞍［とものぐら］

『尺素往来』に

伴野鞍、那波鐙、長井鞦、玉井轡

とあるが不明。

草　鞍［くさくら］

『甲乱記』に武田勝頼一行が新府を落ちる条に

アヤシゲ成夫馬一疋尋出シ草鞍ヲシキ

とあり、鞍無きままに馬背に莚などをかけて鞍代りとしたもので、馬に限らず牛の背等に草刈に行くときに覆った。本来鞍という名称で呼ぶのには相応しくない。

作鞍(大坪鞍)［つくりぐら（おおつぼぐら）］

神作ともいう。『大友記』耳川合戦条などに記されている。大坪流の祖といわれる道禅が常陸に行って鹿島神宮に祈願した時に夢の中で鞍の規矩の寸法の割合を知り、頑丈な鞍を作ったという伝承があり、この鞍の形式を大坪鞍といい、道禅の作及び大坪流の鞍を作の鞍といった。『雍州府志』七、土産門、下、に

始平貞盛之裔、有二伊勢摂津守者一、其先貞継、任二伊勢守一爾来以二伊勢一為二称号一世、仕二室町家一而、為二執事之一員一、又兼二勢州之任一、伊勢守貞継、嘗伝二乗馬之法於大坪道禪一而、受下作二鞍鐙一之巧上、其後、祈二鹿島神一、而、益得二其妙一、因レ玆、彼所レ造、始謂二神作一、爾後　省二神字一、号二作鞍一作鐙其形模異二于他一、且、雖レ行二遠方一、其鞍不レ裂、其馬不レ痛、今伊勢祐仙、其裔也

とあり『千城小伝』四にも

大坪式部大夫慶秀（中略）善レ馭後薙髪而号二道禪一亦能作二鞍鐙一、一日赴二常陸一而祈二鹿島神一、夢中得二鞍鐙曲尺一謂二之夢想鐙一（中略）伊勢氏数代伝レ之、今謂二作鞍鐙一

と記されている。

乗替鞍［のりかえぐら］

乗替馬につけた鞍で特別に異なったものではない。『賀越闘諍記』於棗庄大窪浜犬追物之条に記されている。

海有鞍［うみありぐら］

鞍の前輪・後輪の表に中程より区切って高く、外側に向って低くなっている形式で、低い方を海といい高い方を磯というが、この海のあるのを海有鞍という。この形式は比較的多い。『岡本記』にも

うみあるが本、うみなしは略儀也

作鞍（大坪鞍）

『鞍鐙図式』による大坪道禅作の鞍

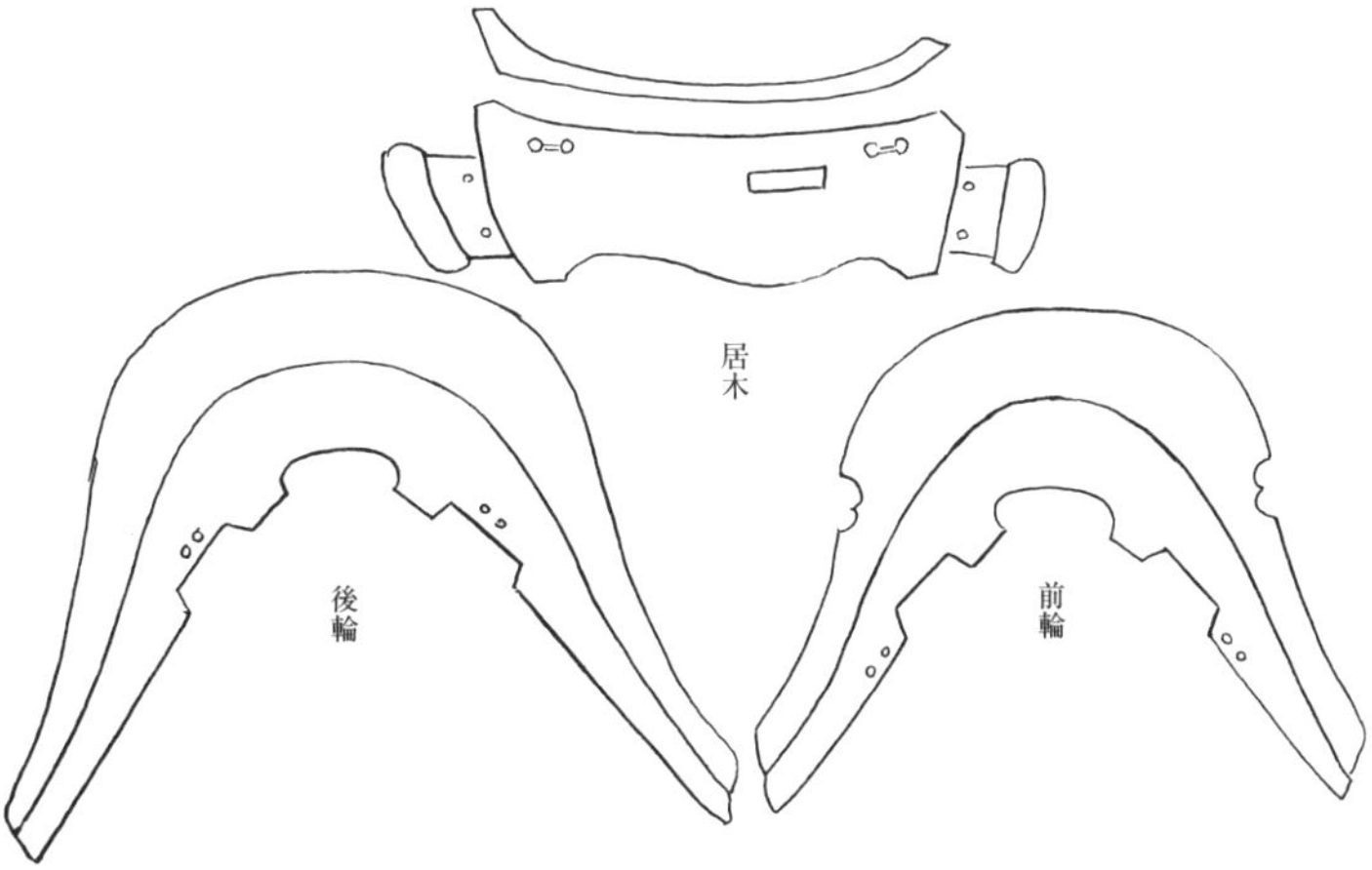

前輪の表の形式

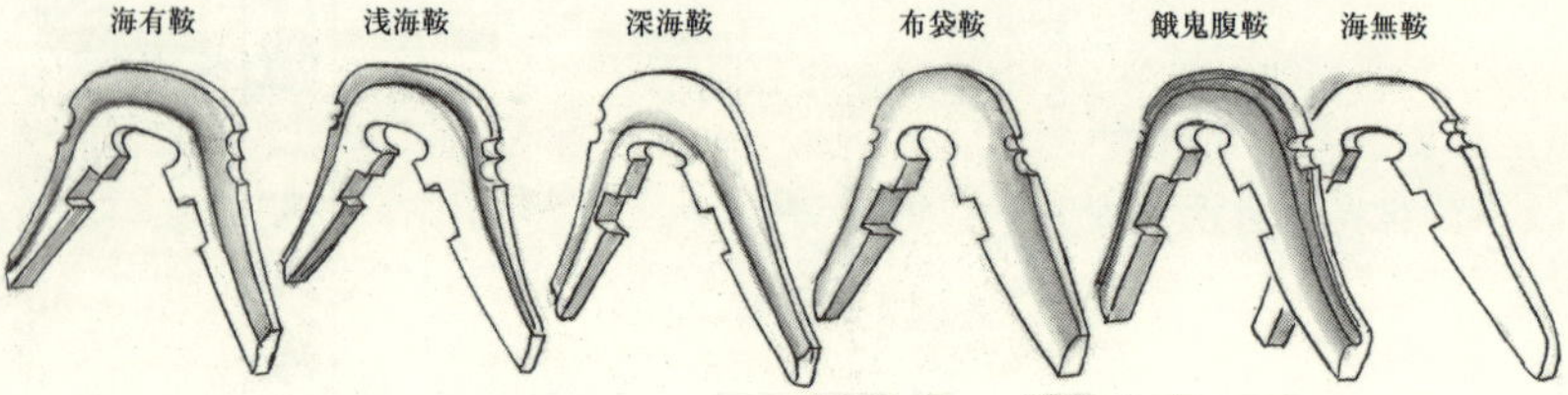

とある。浅海と深海を入れると三種類ある。

海無鞍［うみなしぐら］

前記のごとく前輪・後輪の表に高低の区分のない平面のものをいう。『宗吾大雙紙』に

よめ入の供に猿毛の馬に乗べからず。猿皮空穂させず（猿は去る。離縁に通じる縁起）うみなし（海を産みにかけて出産しないの意にとる）の鞍にのらず。故実なり

とある。海無鞍は略式という観念があった。

布袋鞍［ほていぐら］

前輪・後輪の外輪がなだらかになって、布袋腹のように膨らんで見える鞍をいう。浅海で磯が布袋式のを「餓鬼腹鞍」という。

覆輪鞍［ふくりんくら］

前輪・後輪の外端を金属で覆輪した鞍をいう。

金覆輪［きんぷくりん］

『平治物語』を始めとして軍記物によく記されている。銅製金メッキである。

白覆輪・銀覆輪［しろぶくりん・ぎんぷくりん］

『保元物語』を始めとして軍記物によく記されている。

沃懸地鞍［いかけじのくら］

金・銀粉を漆に混ぜて塗った鞍。金焼付、銀焼付（『鎌倉年中行事』）ともいう。

金銀鞍［きんぎんのくら］

『明月記』承元二年六月二日の条にある。

白　鞍［しろくら］

『源平盛衰記』福原怪異条にある。

白骨鞍［しらほねぐら］

『職人尽歌合』にある。

黒漆鞍（黒鞍・黒地鞍）［くろうるしぐら（くろぐら・くろじぐら）］

鞍全体を黒漆で塗った鞍。軍記物に多い。予備の鞍にも見られ、使用する時に蒔紋、梨地にしたりする。

赤漆鞍［あかうるしぐら］

赤漆で塗った鞍。『御供故実』に赤漆塗鞍は庭乗りには差支えないが、晴の時の御供には用いてはならないとしている。

貝　鞍［かいぐら］

夜光貝を螺鈿《らでん》した鞍で、青貝鞍、螺鈿鞍、

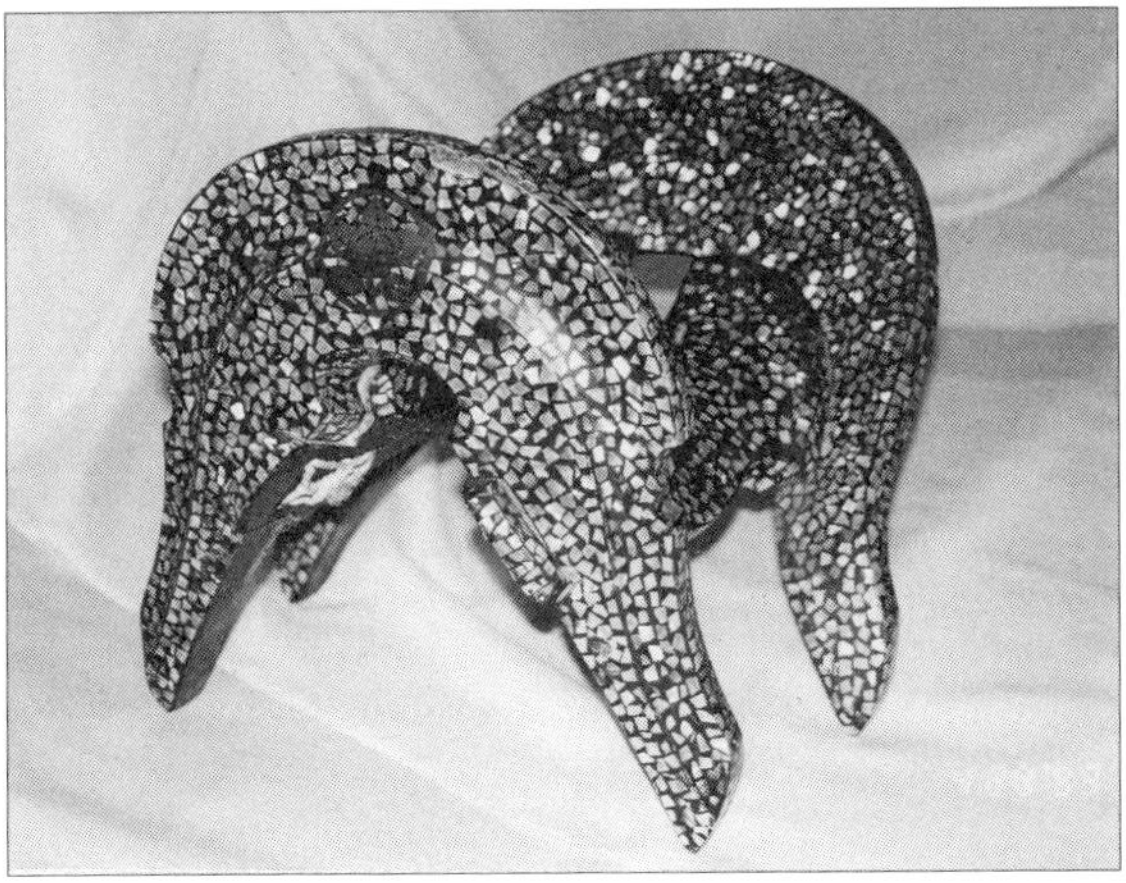

青貝螺鈿海有軍陣鞍
（熊川東一郎氏所蔵）

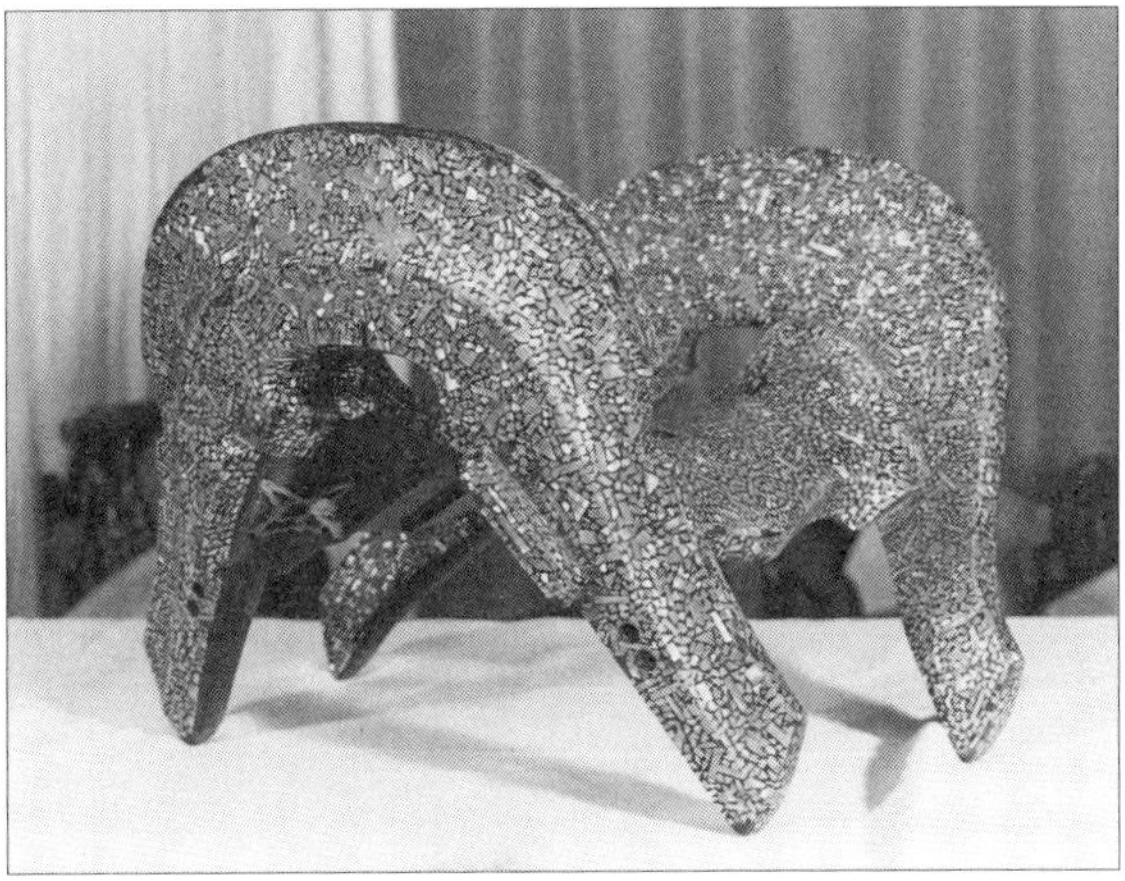

青貝未塵螺鈿海有軍陣鞍
（菅野菊雄氏所蔵）

貝を摺たる鞍等という。

青貝鞍［あおかいぐら］

夜光貝を薄板として模様などを切り、漆地に貼ったものをいう。貝鞍ともいう。貼り付ける模様の部分を薄く削ってその上に貼りつけたものと、さらに全体に漆を塗って磨き出したものとがある。

総青貝鞍［そうあおかいぐら］

青貝を不規則に割ったものを一面に列べて貼った鞍をいう。

未塵青貝鞍［みじんあおかいぐら］

青貝を細かく砕いて一面に敷きつめた鞍をいう。また覆輪代りに山筋や、居木先だけ未塵青貝を敷く事もある。

金貝鞍［かながいぐら］

金・銀の薄板を模様などに切って貼ったもので、金金貝・銀金貝という。平文に似ている。『太平記』巻六、関東大勢上洛事の条にある。

金梨地に金貝摺った鞍

［きんなしじにかながいすったくら］

一面に金梨地とした上に模様を切った金貝を貼った鞍。『室町殿物語』にある。

金覆輪に金貝摺った鞍［きんぷくりんにかながいすったくら］

『土岐家聞書』『賀越闘諍記』『武蔭叢話』に記されている。

蒔絵鞍［まきえぐら］

前輪・後輪に蒔絵した鞍。平蒔絵と高蒔絵があり、螺鈿を併せて施したものもあり、梨地蒔絵のものもある。

平紋鞍［ひょうもんぐら］

漆地に模様や紋の金・銀を重ねて漆で塗り潰して磨ぎ出した鞍。『小右記』等にある。

御紋鞍［ごもんぐら］

主将などの紋を前輪・後輪の表に金貝・青貝または蒔絵、金銀銅で打付けた鞍をいう。『関東兵乱記』等に記される。

水干鞍［すいかんぐら］

『禁秘抄』に

隨身移馬、或前駆馬無ニ定様一如ニ近衛将一用ニ水干鞍一用ニ移并和鞍一不レ可レ然

と記され、『諸鞍日記』にも

水干鞍ノ事。常サマノ鞍ナリ。マレハ褻ノ御幸ノ時浄衣ノ御幸ニモ公卿殿上人ノ乗ル鞍ナリ

等とあるように宮廷の官人が平常の水干装束姿のままで気軽に乗馬する時に用いる鞍で、儀式用の鞍でないので、乗用には広く用いられていた。在来の鞍に比べて軽快に作られているので、前輪・後輪の木の厚さも薄目で、時には海無もあり、後輪の雉股の反りも緩やかであるから、他の鞍や、軍用に用いた鞍から比べると姿は優美である。また居木の幅も狭く、鞍壺も浅いので軽快に感じられる。室町時代以降広く普及し、軍陣用にも用いられたので、今日では大坪鞍の方が数が少ない遺品となった。海有・海無・布袋の形式もあるが、軍用に用いられてから手形を刳るようになったが、その位置は高くない。その規矩は『鞍鐙新書』によると明瞭に割出してある。それによると約一尺五分（約三十二センチ）の正三角形を作り、頂点から低辺の中央に直線を引き、これが円の直径となり、この円の中に前輪の山中央を接点とし、両爪先を水平に結んだ線が円直径の下端の線に等しくなるような割当てとなる。

これが前輪の外廓の取り方で、中央鰐口（洲浜・見入）の上縁の線が直径の四分の一に当るように定める。故に従来の前輪よりも山と鰐口の間の幅が狭く軽快に見える。後輪も山と鰐口までの間は円の直径の四分の一に取る。この規矩は幕末まで踏襲され伊勢流の鞍打師もこれに拠ったので天保十五年（一八四四）に栗原孫之丞の刊行した『鞍鐙図式』

前輪の規矩

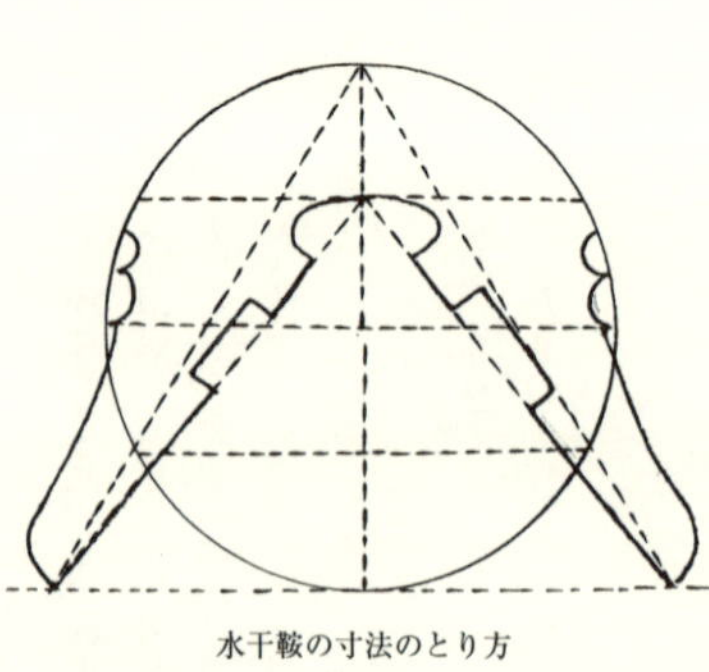

水干鞍の寸法のとり方

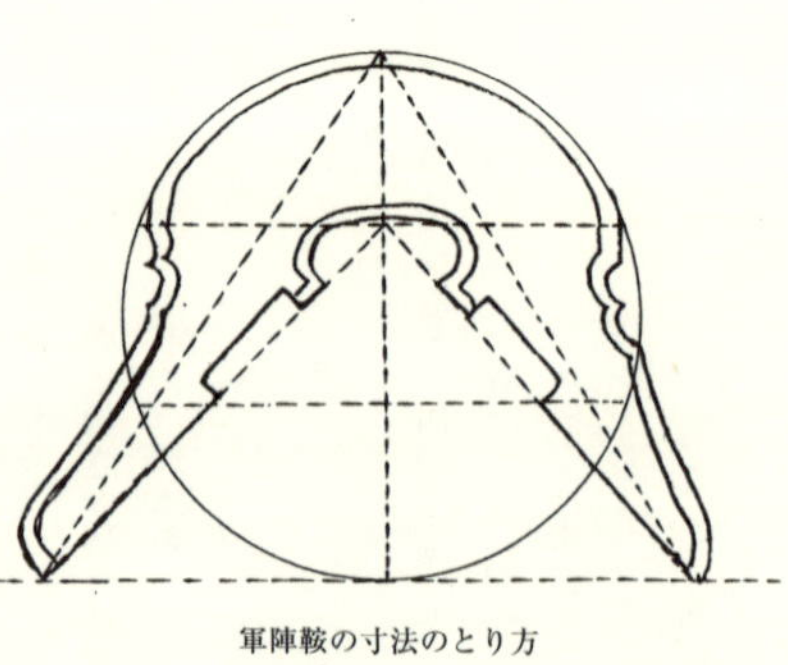

軍陣鞍の寸法のとり方

にも「水干鞍寸法」として図示されている。馬挟みも約一尺五分前後、前輪の爪長さも約六寸五分（約十九・七センチ）前後のものである。

軍陣鞍［ぐんじんぐら］

平安時代からの大和鞍の形式を踏襲し、鞍壺が水干鞍に比して深く、前後輪の肉間《ししあい》が厚く堅固であるので甲冑を着用して使用するのに適合していたので軍陣鞍という名称を生じた。『平治物語』に悪源太義平が短刀で手形を削って乗ったというのは伝説であるが、この頃から手形は刳られ、軍陣鞍の特色であるが、室町期より水干鞍も手形を設けたのは手綱をかけたり、乗降に前輪に手をかけると便利であったからである。軍陣鞍は堅固と美観のために金・銀銅で覆輪を前・後輪の縁に付けるのを普通とし、鞍爪も欠損を防ぐのと美観のために逆輪（入八双型の金具）を入れるのを普通とした。

また戦陣における装飾化から、前後輪の表に金・銀銅の薄板を貼った鏡鞍、沃懸地鞍・螺鈿鞍・金貝鞍も行なわれ、鞍橋（居木）の様式から関東鞍・筑紫鞍などの形式があるが、代表的なのは大坪鞍である。

その規矩はまず正三角形の中央頂天から底上に伸ばした線を円の直径として、前輪の場合、洲浜の上線から山中央までの長さを、円の直径の三分の一とする。つまり前輪の山が水干鞍より高く、居木が水干鞍より低い位置、鞍壺が深い形式となる。そして山部が高い故に、前後輪は厚く頑丈な板を用いることになるから軍陣用には適した鞍ということになる。これは『鞍鐙図式』にも図示されている。

関東鞍・筑紫鞍もこれに準じるが、この二種は山がなだらかで手形は山形の角、つまり古式の鞍のように手形がかなり上方につけられるのが常である。手形の位置が高いからといって古いとは言えない。関東鞍の居木間はやや直角より少し鋭角で、洲浜から垂直を四としたら、洲浜の角から爪先までが五、爪先と爪先の間が六という割合で開く。

筑紫鞍は居木間が広いので、洲浜も拡がり、居木の切組も大きい。

軍陣鞍の鞖口は水干鞍より深くして大きい事は規矩の割り付けからも当然であるが、『大坪道禪鞍鐙記』にもあるように

鞖口のふかさは一寸（約三・三センチ）也。すがたは山形の姿に順して作るべきなり。内外同前也。又後輪の権合《かねあい》鞖口の深さ一寸また一寸一分（約三・四センチ）までは有べし

とし、雉股についても

裏金のなけば板にて作り、合て用ふべし。一雙にてのなけば三角の権合也。四雙にて一分、或は八厘程も増べし。雉子股のいほしにて二分増也。爪先にては三分程ますべし。然共爪先は鞍の堅ふし大小にも寄るべし口伝

また肉間は

肉間の事。肉間（厚さ）と云は前輪の鞖口の角より爪先へつるをかけて二雙にて一分程にすへて去共少劣へて又三雙にて二分と云共一分半計にもする也。爪先迄なそろへて取べし。又後輪の肉間は是も鞖口の庵より爪先へつるをかけて二雙にて二分、三雙にて五分たるべし。但如レ此してつめさきまではなそろへて取べき也。

中道。前後の輪を和する事。前後の輪を盤の上に立て乗間両爪の間を権合する事也。後の輪の伏は前輪に随ふべし。但前輪の直高一雙の肩迄五寸六分有べし。其五寸六分の直高に随ひて、後輪の一雙の直高五寸六分に成程に伏せて、扨乗合を定るなり。先後輪の爪先に曲尺を立て山形にて五寸六分に伏を定める。扨前輪の山形へ五寸六分に権合して両方合て一尺一寸二分也。扨爪の間は後輪の広さの寸を取て、後輪の左の方より前輪の右の爪先へくらべて扨後の右の爪先より前輪の左の方の爪先にくらべて定る也。此権合無ニ相違ニ由木を切入べき也。但爪先のすぢかひは後輪の広さより一分半程劣た

後輪の爪先と前輪の爪先による後輪の反りと居木長さの出し方

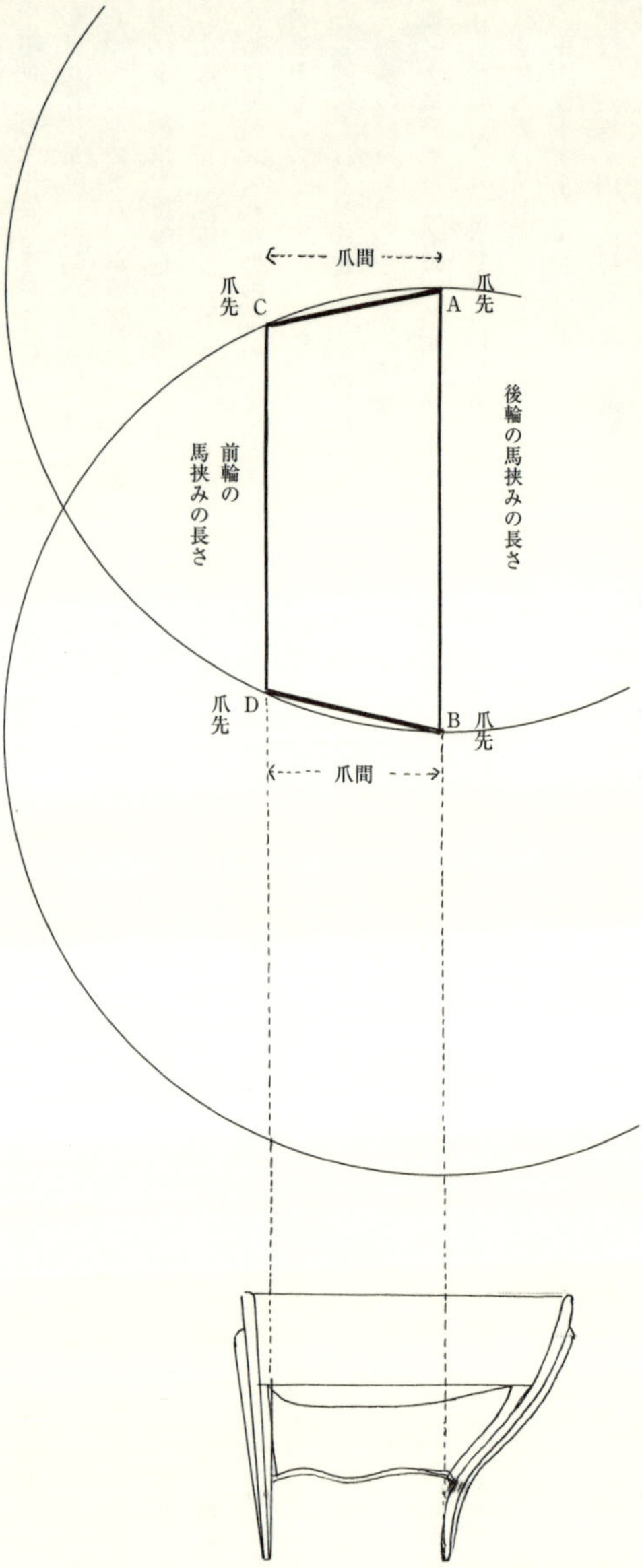

後輪における居木の割出し

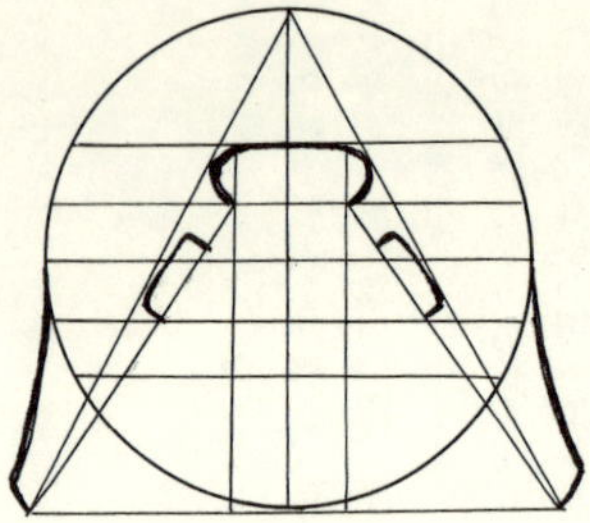

るが能きく也。中道の高さは三方同事成がよし。是各十心貫中の権合也。中道の一大事也。可レ秘可レ秘ともったいをつけているからすこぶる難解で理解しにくい。これの大要を記すと、まず後輪の馬挟みの長さを測ってAとBを繋いだ長さを半径とし、AとBそれぞれから円を描き、Aの円周とBの円周上の点CとDを定め、これを繋ぐ。つまりAとBが後輪の両爪先、CとDが前輪の両爪先となる。そして前輪はCとDに爪先を載せて立てるが、垂直よりわずか前伏せにして、上部で垂直より一寸二三分(約三・六〜三・九センチ）近く前のめりとする。この位置における鰐口と水平になるまで後輪の爪先をAとBに置いて後ろに寝かせた鰐口を前輪の鰐口と水平になる位置に斜めにした所が居木の切組までの長さになる。もちろん後輪の反りは上端と下端がやや立つようにし、中間を斜めとする。これが居木長の長さの形のとり方である。

鞍の名称〜部分名と付属具

鞍の名所

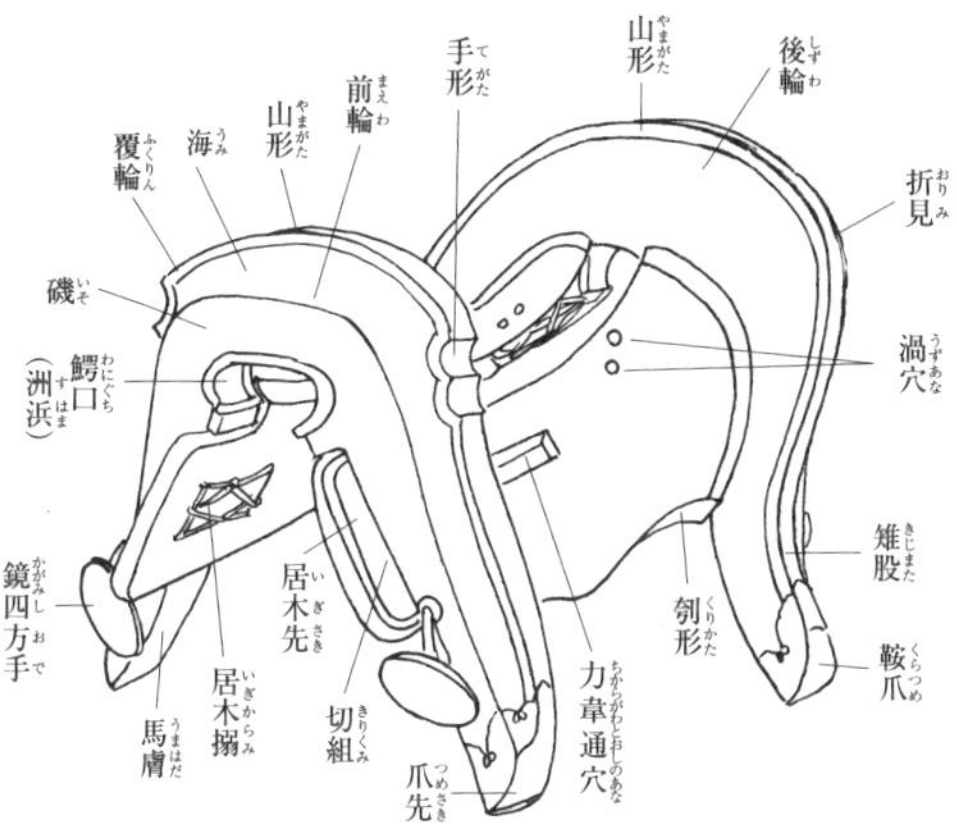

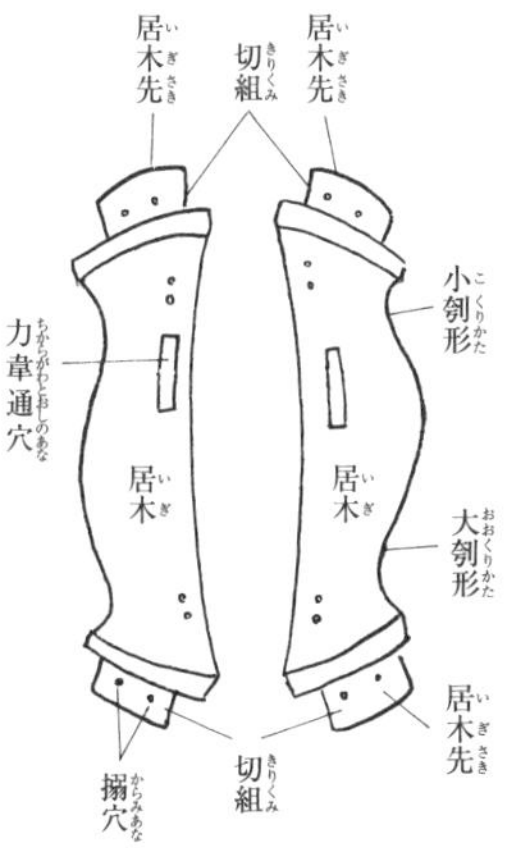

鞍の各部名

山形［やまがた］

鞍の前輪・後輪の上部の曲線形の部分をいう。『曾我物語』に

僅か乗ったる鞍の後の山形を射けり

とあり、ここは鎧着用の場合には草摺で覆われている。『職人尽歌合』にも

夕まぐれ山形近き三日月の
曲りながらに入ぬべきかな

とあるように曲線を描いており、その左右を小山形などと呼んでいる。

手形［てがた］

前輪の山形から爪先に下る線の際に二段に半円形に刳《えぐ》れた部分をいう。手綱を掛たり、乗降に手をかけたりする部分。『平治物語』待賢門軍条に、寒さ故に鞍が凍って手をかけ難いので悪源太義平が小刀で手形を削ったと記してあり、この時代以来前輪には必ず手形を刻んだ。『大坪道禪鞍鐙記』に

手形の作り様は中のては一雙の權合也。ふり分て一寸四分（約四・二センチ）なり。是はすがた見能様に作るべし。一寸四分といえども一寸四分五分迄も不レ苦。是は高しを中にして上下の事也

とあり、上下二つ曲線に列べて刳るから、一つは七分（約二センチ）で指の幅が入るくらいである。

鞖（四緒手）通の孔と鞖（四緒手）

［しおでどおしのあなとしおで］

鞍の前後輪の表の雉股の内側近く、居木の切組の下に二孔あるのを鞖通《しおでどおし》といい、これに四緒手を結びつける。鞖は胸懸・鞦、障泥《あおり》の

緒を結びつける大切な部分で、鐶状のものと管金物とがあるが、中世初期は鏡鞖といって円盤を表面にしたものもあった。『武用弁略』では鞴《しおで》、緘附《かけつけ》、物附、搦み、捕付《とつつけ》、加礼比《かれい》都気《つけ》、鞍辺《くらまわり》の帯等と記している。『和名類聚抄』では

鞖（辟同反和名之保天）　穿㆓鞍橋㆒皮也

とあるから、古くは韋紐を綰状にしたものらしい。軍記物ではここに討取った敵首をしばしば結び付けている。

取付〔とりつけ〕

古い用語らしく『平家物語』『今昔物語』『太平記』等に記され、胸懸・鞦を四緒手結びにする装置の本質を忘れて敵首を結び付ける所となり、『軍陣聞書』では、

頸を取付に付る事。大将の頭を左に付也。武者の頭をば右に付る也

等と作法を生じるに至った。

居木〔いぎ〕

由木・鞍橋ともいう。由木は『大坪道禪鞍鐙記』に

由木の長は鞍の作様に依て少の長短有べし。一様に不㆑可㆑有。大概は一尺一分（約三十・六センチ）或は一尺五六厘の事也

とあり、木質については

鞖（四緒手）

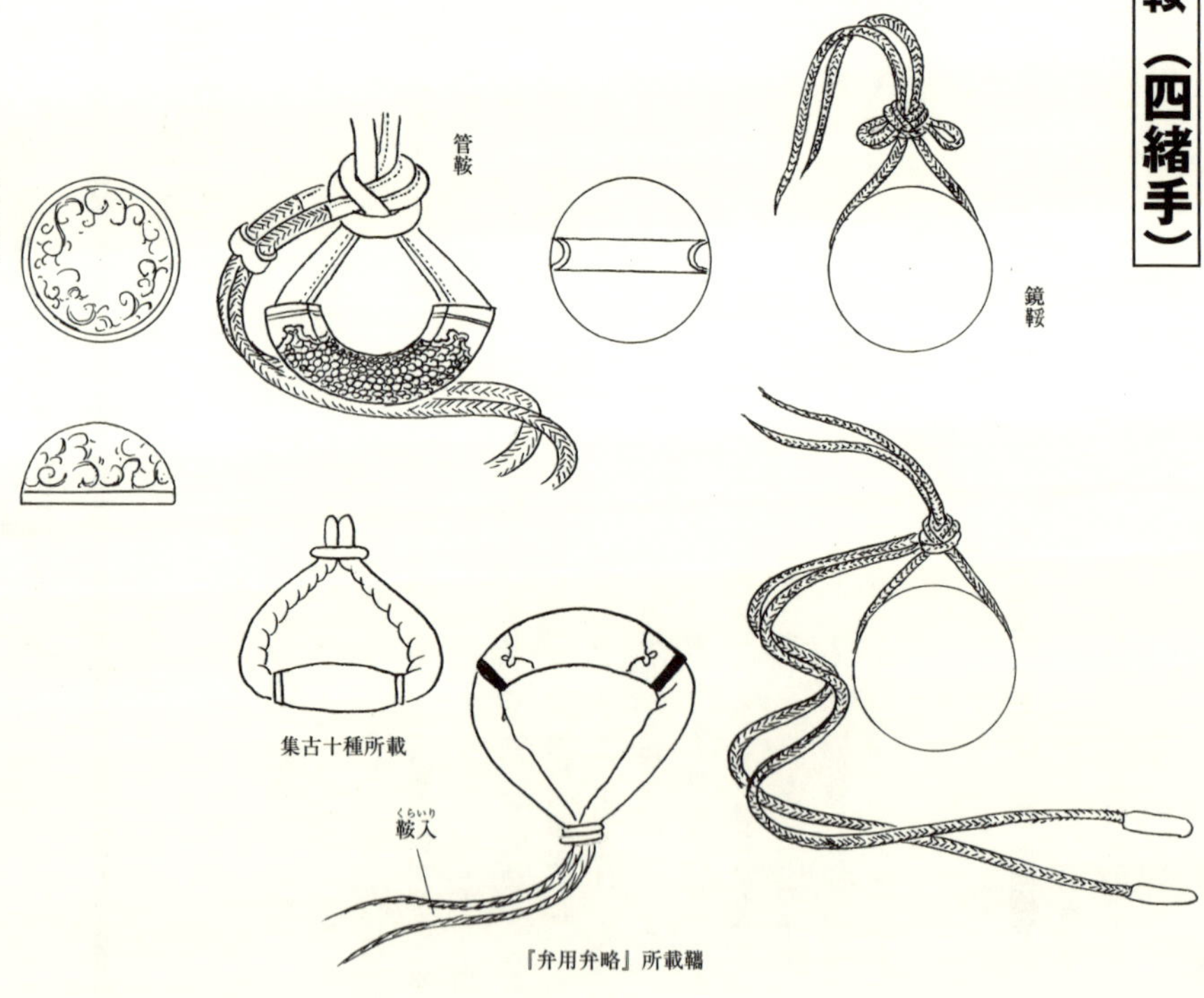

集古十種所載

『弁用弁略』所載鞴

何木にて作る共、ねむりの木、此木には火のなき木にて、殊にうれい去り、よろこびをますと云名木也。さわ栗の木、又はぜの木にても作る也。

また

木口櫛形なりに随ふべし。裏の方は瀧口の切目の後廉《かど》にて分、中前の切目の廉にて貳厘三厘の透たるべし

とあり、前輪と後輪を切組で繋ぎ、乗馬の折に腰を据える所で「鞍壺」（『保元物語』『平治物語』『平家物語』以下、軍記物にしばしば記されるが、正確には鞍壺といった場合は前・後輪の内側と居木表つまり乗馬の折に腰を据える容積をいう）、『手綱秘記』では「鞍中」、『源平盛衰記』高綱渡宇治川条では「四居」といっている。

居木は古くは左右二枚ずつ四枚居木であったが、平安時代頃から左右一枚ずつ二枚居木となった。古くは居木幅が広いので、各切組が二つずつあったが、中世より前後各一になった。居木の切組と、前後輪の切組が組み合って、居木裏に四通（表まで貫通しない）あって麻紐で前後輪と居木を結んで固定した。居木は居木間に近く二孔ずつ前後に孔があり、この孔は肌付・切付の居木留めの緒（通〆緒）を通して、居木間で結び、鞍と肌付・切付を一体とするのである。

また居木のやや前方、居木間に添って力韋通しの穴があり、この穴に二つ折にした力韋を通し、下に鐙をつける。この革が居木裏に当る部分は、革の幅よりやや広く平らに削って置くのを滝口という。また前後輪と切組に組む部分を居木先といい、前後輪の厚さよりやや長くするので居木先が露出するのが常で、前後輪と組んで麻紐で結むために搦穴《からみのあな》が二孔ずつあけられている。

居木は通常中膨らみの形に刻み、前後を凹ませ中膨らみとし、前の凹みを小刳形、後ろの凹みを大刳形といっている。

瀧口は力韋の帯道であるが『大坪道禪鞍鐙記』由岐裏の事の条に

前後の鰐口の廉の胡桃形の角にて、長さ九寸三分四分五分（約二十九センチ以下）迄も鞍に依って有べき也。縦其長は長くとも短くともま、三におりて一つ分前の方の力韋の穴に權合して、後の方の穴の長さ一寸八分又九分（約五・五センチ前後）にてもする也。下の方にては二寸一分又は二寸二分（約六・六センチ）にもする也。由木の裏は幅は一寸七分八分九分迄もする也。力革の上のちりは七分也。表裏同じ事也。但瀧口への横幅四分なり。瀧口下角にては二寸一分にも二分（約六・五センチ）にもする也。此切り様は後の方を一文字に少心得て切るべし。前の方にてすぢかへて切るべし

鞍と居木

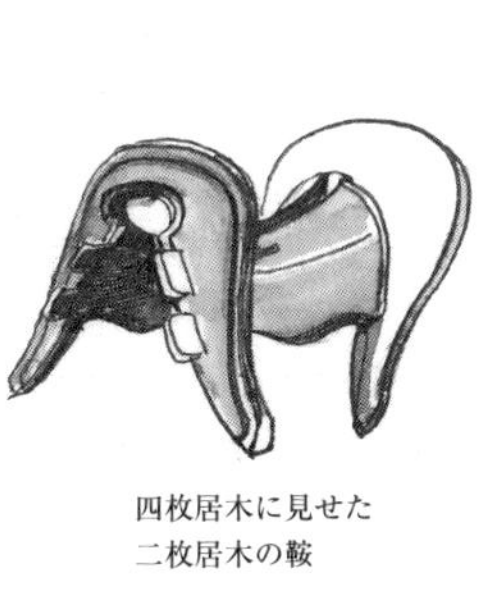

四枚居木に見せた
二枚居木の鞍

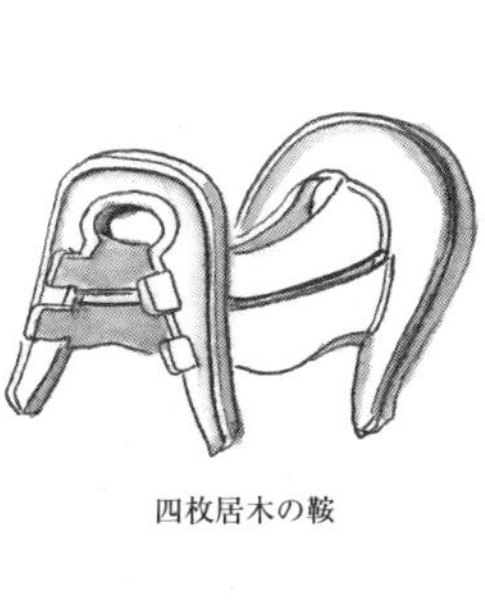

四枚居木の鞍

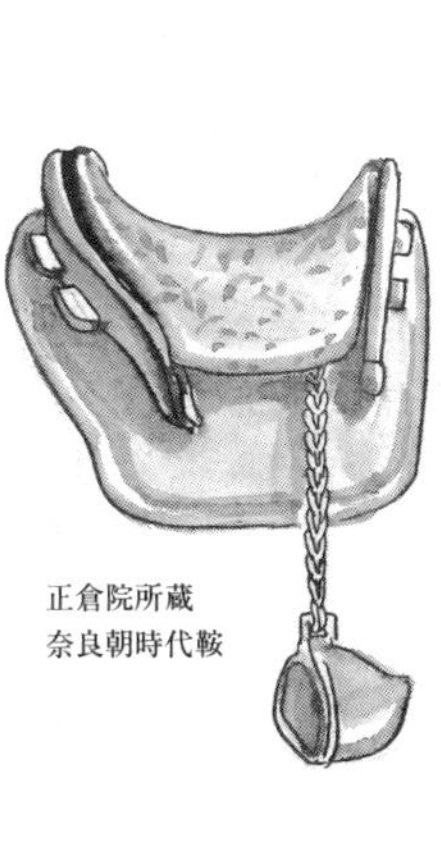

正倉院所蔵
奈良朝時代鞍

とあり、この瀧口の幅は居木間から、居木裾までは色漆を塗らず、木地を見せて生漆を塗るのがしきたりである。鞍作り師はこの部分に作銘・花押・年紀を書いたり彫ったりするから、鞍の製作年代、作者などがわかる。他の部分は麻布を漆糊で貼って漆塗りとする。

力韋《ちからがわ》（逆靼《げきそ》）

鐙を鞍に連接するための韋帯（ベルト）で、『和名類聚抄』に

逆靼　チカラカワ　楊氏漢語抄云。逆靼
知賀良加波　一云逆靳《ゲキキン》

とある。鞍の居木の力韋通しの穴に二つ折して、両先端を鐙の鉸具《かこ》に通して鐙を固定しさげる。壺鐙の頃は鉸具から鎖または水尾韋が出ていて、その先に鉸具があって、これに力韋を留めたから、長さも短かかったが、舌長鐙の時代になると、渡《わたり》の上に鉸具が付いて鐙は水尾韋を用いなくなったので、力韋も長くなった。『馬具寸法記』では

ちからかはの長さ二尺八寸、廣さ二寸五
分なるべし

とあり、約八十七センチから一〇〇センチぐらいの長さになった。一方には鉸具の刺金を貫ぬく孔が並んでおり、一方の先端、鯰頭の巾着韋となっていて、その裏に刺金《さすが》通しの孔のある短い韋が付いていていた。

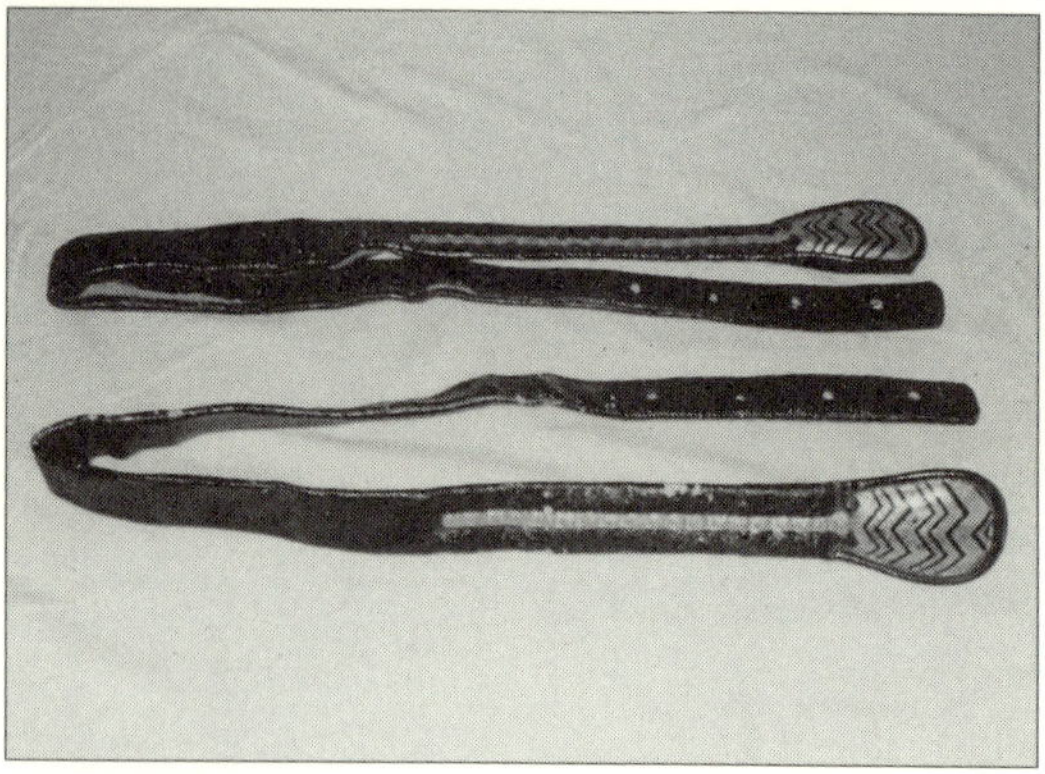

力韋（安部光男氏蔵）

力韋はだいたい板目革を芯として表裏を滑韋・皺韋等で包んだが、盛儀用の馬装の時は以下のような物も用いた。

赤地錦力韋［あかじにしきのちからがわ］
『御禊行幸服飾部類』永仁六年十月廿五日仲定記にある。表面を赤地錦で包んだもの。

白力韋［しろちからがわ］
『酌并記』『弓張記』に記され表面を白滑韋で包んだものをいう。

力韋の名所

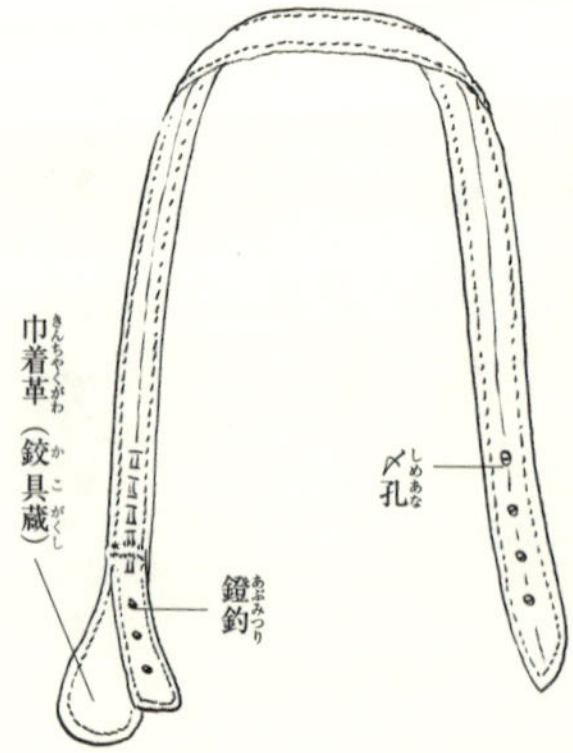

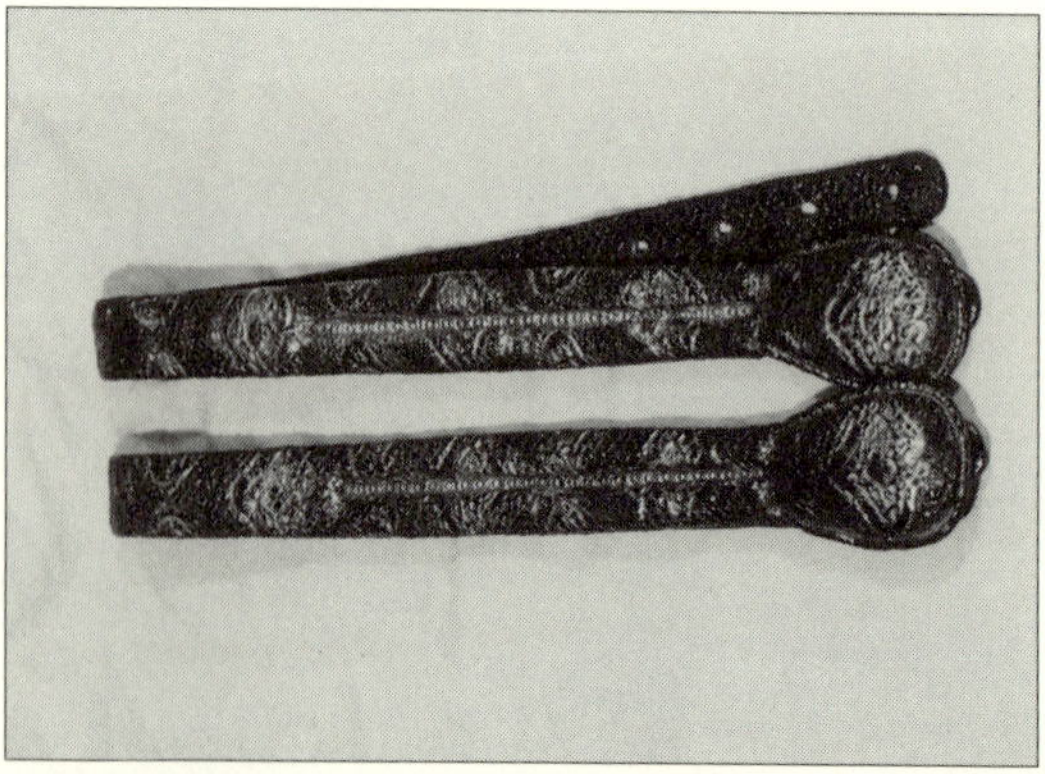

力韋（今村龍馬氏蔵）

力韋

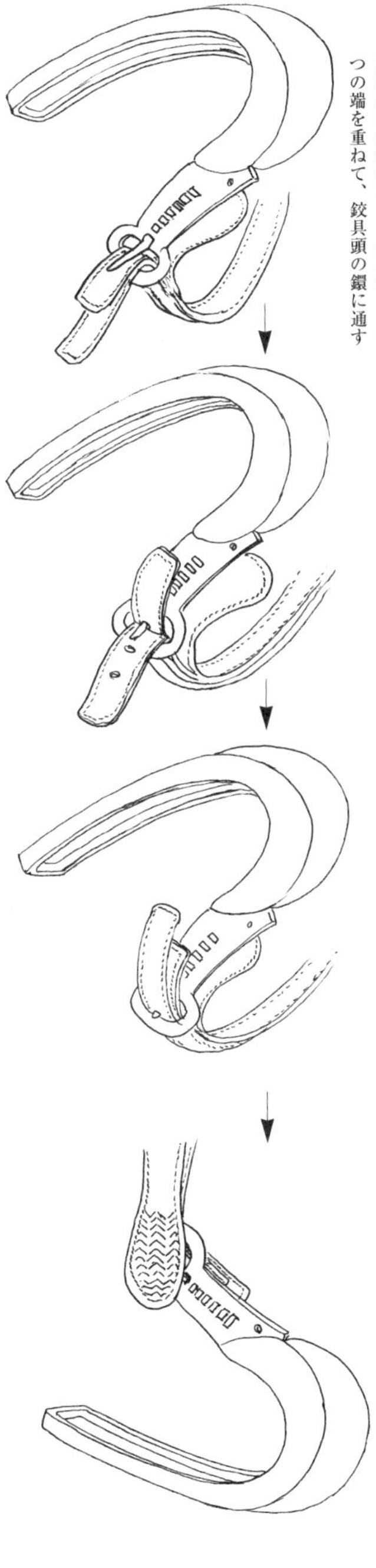

力韋に鐙を吊る時は鐙を担ぐように逆さにして、刺金が外向きのまま、巾着革裏の鐙釣革と、力革のもう一つの端を重ねて、鉸具頭の鐶に通す

鐙釣革に刺金を通し、もう一つの端も刺金に通す

この二つの革を引くと、刺金が締って固定する

以上逆さに持った鐙を吊った位置に戻すと刺金は内向きになり、鉸具の上を巾着革が覆う

黒塗力韋［くろぬりのちからがわ］

一般に見る所で、生革を馬韋や皺韋で包んだもので、中には金・銀泥で模様を描いたものもある。

貫《ぬき》鞘《さや》

力韋を二つ折にして鐙を掛けたものに毛皮の筒状の袋を冠せたものをいう。もちろん鐙をつける前にかぶせ、上方に押し縮めて巾着韋や、他の一端をよく露出させ、鐙の鉸具を装置してから、毛皮を伸すようにして覆う。

奈良時代の鐙が水尾革の代りに兵庫鎖式であったので、鎖で袴がこすれるので、それを防ぐためと美観装飾のために用いたもので、後世は力韋となったから必要ないのであるから用いられなかったが、近世は盛装の折には装飾的に用いた。虎皮・豹の皮などが用いられた。

馬《ば》氈《せん》

鞍には居木間があるので、両居木を覆うように韋の蒲団状を作り、その両脇に力韋通しの穴をつけた。この穴は居木の力韋通しの穴と重なる。

この蒲団状のものを馬氈という。『和名類聚抄』に

鞍褥　楊氏漢語抄云、鞍褥　久良之岐

俗云宇波之岐

とあり、『延喜式』左馬寮式に

鞍褥料一斤五両一分二朱

とあり『彈正台式』に

以二独窠錦一為二鞍褥一者禁レ之

と記され、また表敷《うわしき》ともいう。廣上敷・縫物表敷・色韋表敷・水豹の表敷等あるが、近世は馬韋や皺韋を表地として用いる。

また『太平記』には錦馬氈、板馬氈の名称があるが、錦馬氈は水に入った時に水分を吸って良くないとしている。

『武用弁略』には

馬氈　鞍褥也。

として『和名類聚抄』を引用し、

韉《バセン》亦同。馬ノ駕《ガ》スル具、鞍上ノ被《ヲヲイ》也。一ニ曰。乃利之岐《ノリシキ》、又説文ニ猶《ナオ》シ、今ノ人韉馬ト言ンガ如ト云云。近世異物多シ。高麗馬氈等ノ物アリ。又前後ノ輪へ懸ル様ニシタルアリ。之ヲバ敷皮ノ鞍幪《クラオホヒ》ト云。又帊馬氈《ヲヲヒバセン》トモ云。是ヲ一枚ト云。板馬氈ノ外ハ一敷ト云。

とあり、前後の輪まで覆ったのは、馬氈とは別に鞍覆というが、鞍覆をつけたまま乗馬する風があるので、これも馬氈の一種と見て帊（覆い）馬氈と呼んだという。

また毛皮製の馬氈は一枚と数えずに、一敷と数えるとしている。

近世は裏表を馬韋として縁縫いしたものが多く、またその上を黒漆で塗ったりする。

馬氈

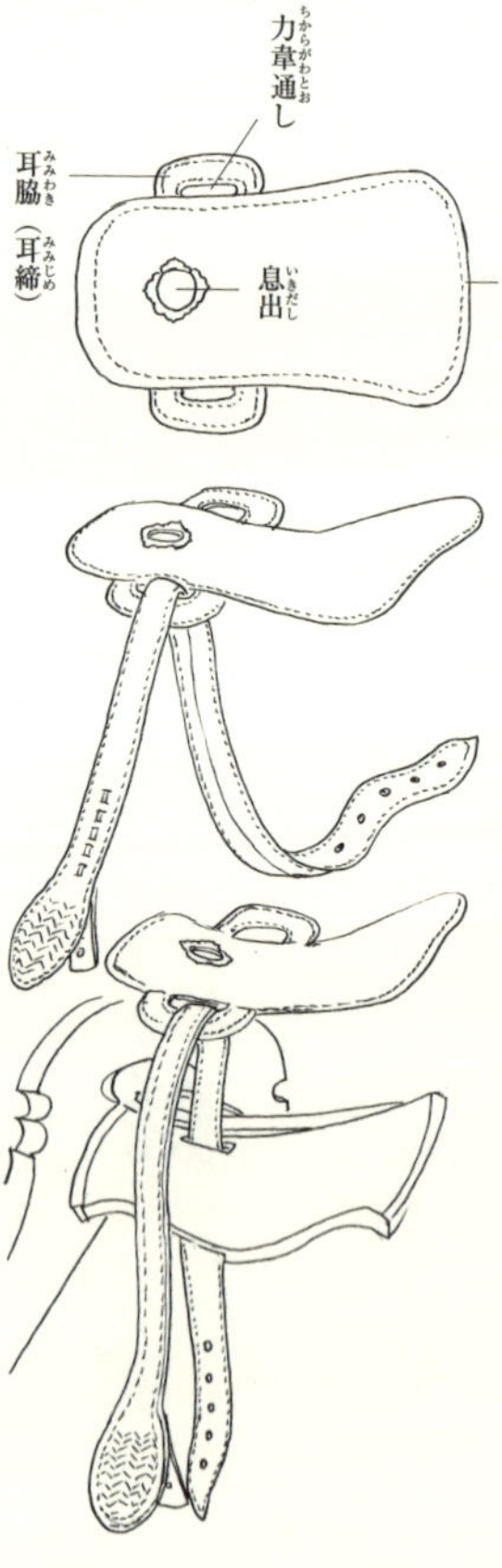

馬氈の耳の力韋通しに巾着革を外側にして二つ折にして入れ、内側は居木の力韋通しに通して馬氈を居木上に密着させる

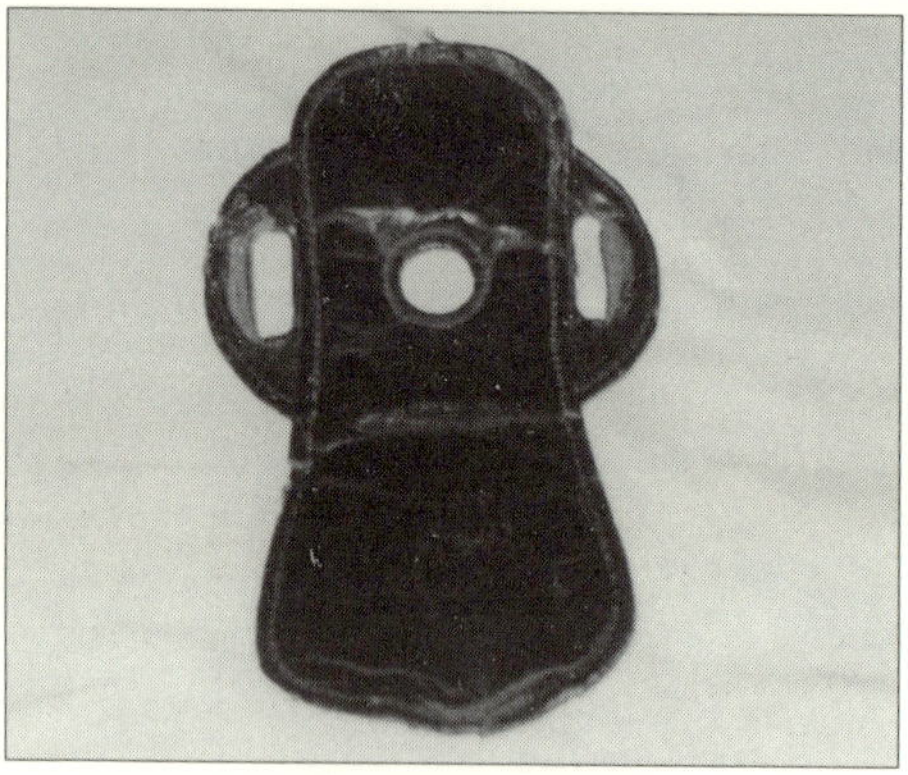

馬氈

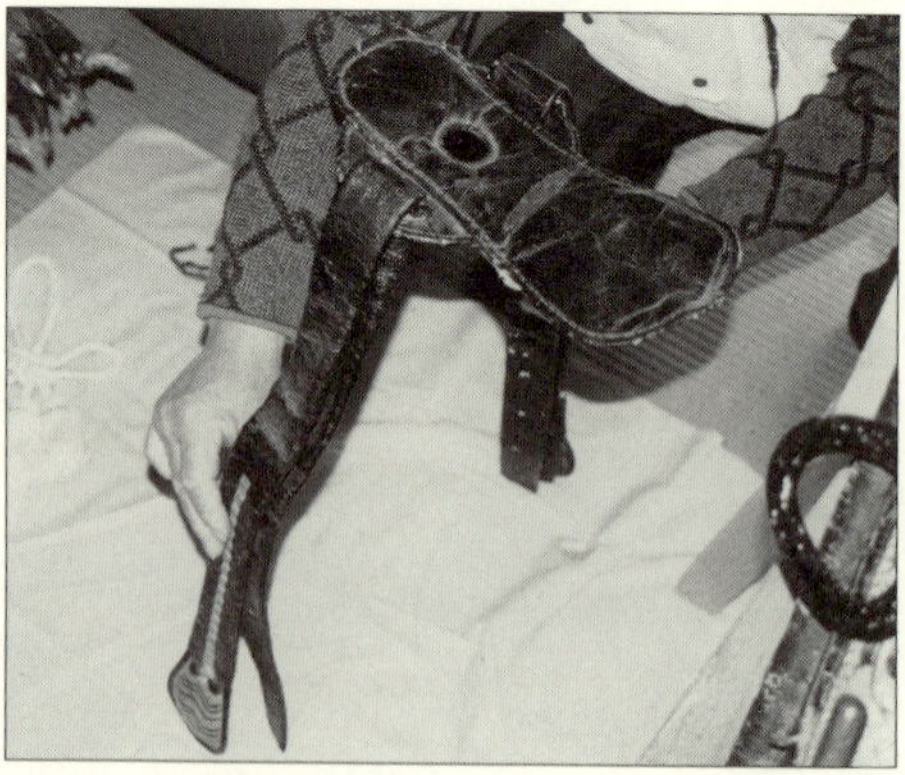

馬氈に力韋を二つ折にして通す

鞍覆［くらおおい］

『和名類聚抄』に

鞍杷　揚氏漢語抄云　鞍杷　久良於保比

下芳覇反

とあり、鞍の上を覆う装飾の裂《きれ》か皮である。

『物具装束抄』に

鞍覆事打鞍覆　面濃打　裏蘇芳打

とあり、『御禊行幸服飾部類』にも葡萄染の鞍覆を用いた事が記されている。

『撰塵装束抄』には

大臣已上覆鞍者用二浅紫一参議已上深緋、諸王五位已上緑色、諸臣黄色、六位已下不レ得レ用

とあり、位階によって鞍覆の色が異なったが六位以下は用いてはならないと規定された。

しかし時代降ると位階を無視して武家でも用るようになり、羅《うすもの》、紗から、裏重ねの鞍覆、皮も用いるようになった。皮を用いたのは始めは敷皮や行縢を用いたらしく『今川大雙紙』にも

村雨など降る時に鞍覆なければ大引敷を鞍覆にする也

とか『義経記』にあるように

大まだらの行縢鞍覆にしてぞ出きたる

と記されるごとくであったが、室町時代頃から武家の格式が厳しくなり、熊・虎・豹・鹿の毛皮、身分の低い者は滑皮に赤漆を塗った塗鞍覆を用いた。江戸期には毛氈・天鵞絨《ビロード》・緞子・金襴・兜羅綿《とらめん》を用い、また鞍の形に縫い整えたものも行なわれた。

虎皮は輸入品で、古くから珍重されたので大名でも三十八家、陪臣では八人に限られ、権威の象徴とされた。

透鞍覆［すかしくらおおい］

薄物裂地で『物具装束抄』にある。

毛氈鞍覆［もうせんくらおおい］

『蜷川親俊記』にある。

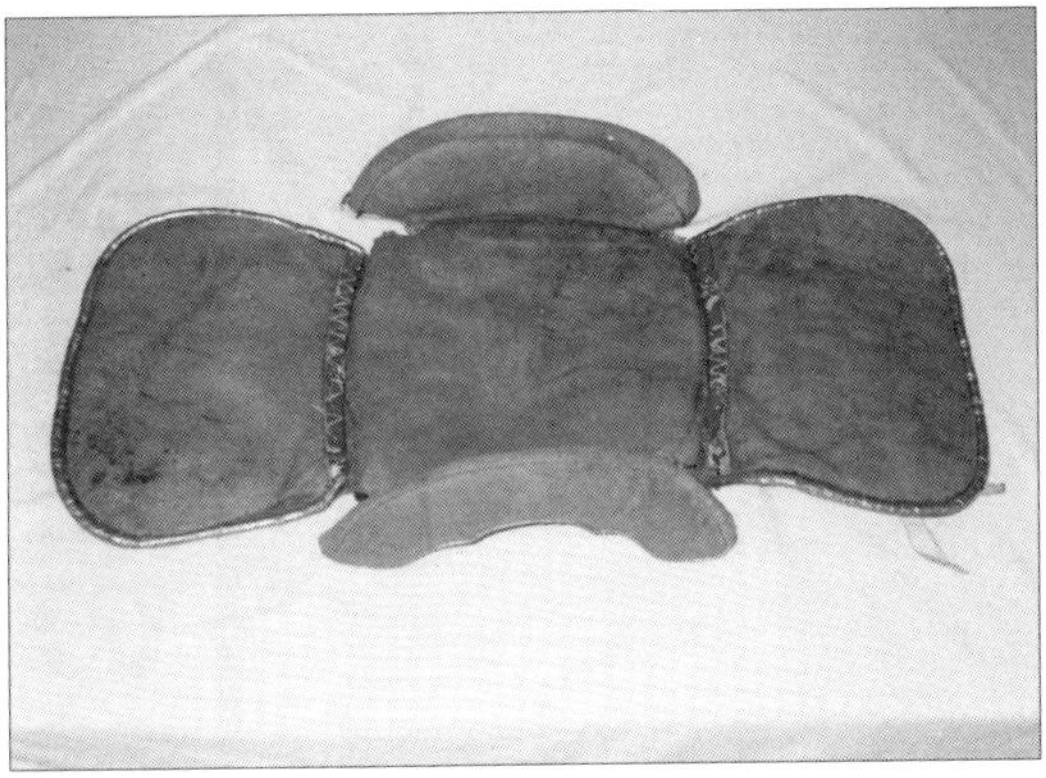

鞍覆

緞子金襴鞍覆［どんすきんらんのくらおおい］

『鎌倉年中行事』にある。

赤毛氈鞍覆［あかもうせんくらおおい］

『蜷川記』『宗吉大雙紙』にある。

花氈鞍覆［かせんくらおおい］

『御供故実』にある。

赤鞍覆［あかくらおおい］

『吾妻鏡』『武雑記』にある。

鹿皮鞍覆［しかがわのくらおおい］

『物具装束抄』にある。

虎皮鞍覆［とらがわのくらおおい］

『物具装束抄』にある。

縫物鞍覆［ぬいもののくらおおい］

『餝抄』にある。

鞍の固定〜取付紐の種類

韉《したぐら》

切付・肌付［きっつけ・はだつけ］

鞍は直接馬背に載せるのではなく、韉を載せてから鞍をつけるのであり、単に韉の上に乗せただけでは鞍が固定されないから、韉と鞍は居木の渦穴によって麻紐で結び付けられ、鞍と韉が一体となっているのが普通である。故に韉を腹帯で締めれば鞍も定位置に固定される。『武用弁略』に

韉　キツツケ。シタグラ、上韉《キツツケ》也　下裹ニ在ヲ屧脊《ハダツケ》トス。切付ハ亢《スベ》テノ名トス。

とあるように、切付と肌付の二枚重なりになっているが、総称して切付と呼んでいる。『和名類聚抄』にも

蔣魴切韻屧《ナメ》思協反 屧脊 和名奈女　鞍下屧脊也

とあり、古くは大滑を用いた（『御禊行幸服飾部類』『餝抄』）が、中世は左右切付・肌付を重ねた二面となった。切付は、前側はやや垂直で、後側は斜めで下方が狭くなっている。これは後輪の雉股の曲線に合わせたものである。上辺左右に居木留穴（通〆緒の孔）が二孔ずつあって、そこから通〆緒を出し、鞍に装着する時は、この緒を居木の渦穴から出し、左右の緒は居木間で結び、緒の余りは前後の緒をさらに結んで居木間に押し込んでおく。肌付下方やや前寄りに腹帯通しの韋製の枠が取り付けてあり、切付のその上方には腹帯通しの穴がある。肌付・切付共に表裏韋で包み、縁は覆輪縫いとし、芯には麻屑・綿・パンヤ等を入れて膨らまして厚みを持たせ、馬背に抵抗少なくしてあるが、たいていの場合はこれを載せる前に馬背に布か薦《むしろ》・畳表等を敷く。この馬合毛並が揃って後方に向くように鬣《たてがみ》近くから載せて、少し後方にずらすと毛並が整う。毛並が乱れていると、乗った場合に重量によって鞍傷（鞍擦れ）を起して毛が失われ馬膚が傷んで、治癒するまで乗れない。現代では鞍下毛布《ケット》を用いる。

切付には毛皮を用いる事もあり、朝廷では毛皮の種類は官位によって定められていた。

竹豹の切付［ちくひょうのきっつけ］

小豹よりも上位の上達部使用。

小豹の切付［こひょうのきっつけ］

『餝抄』に公卿及四位以上とある。

韉

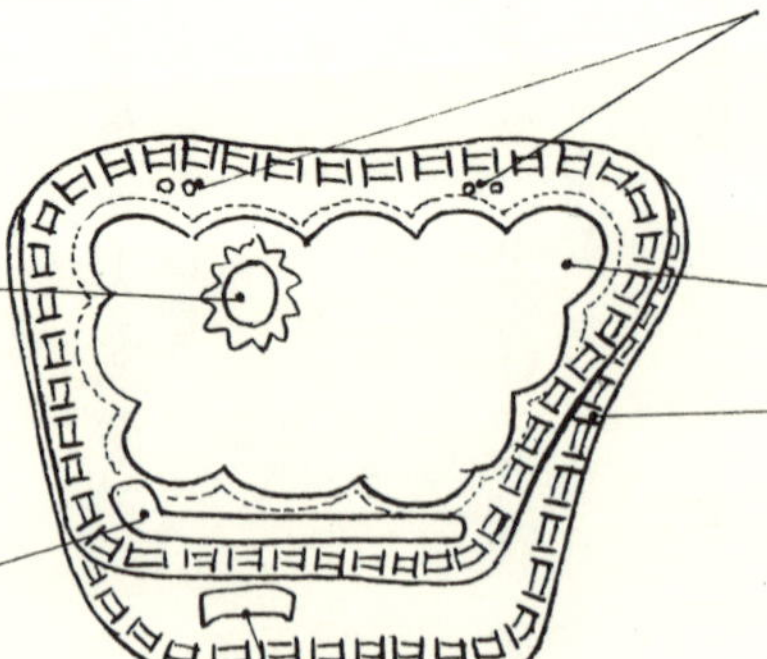

切付肌付の名所と装着法

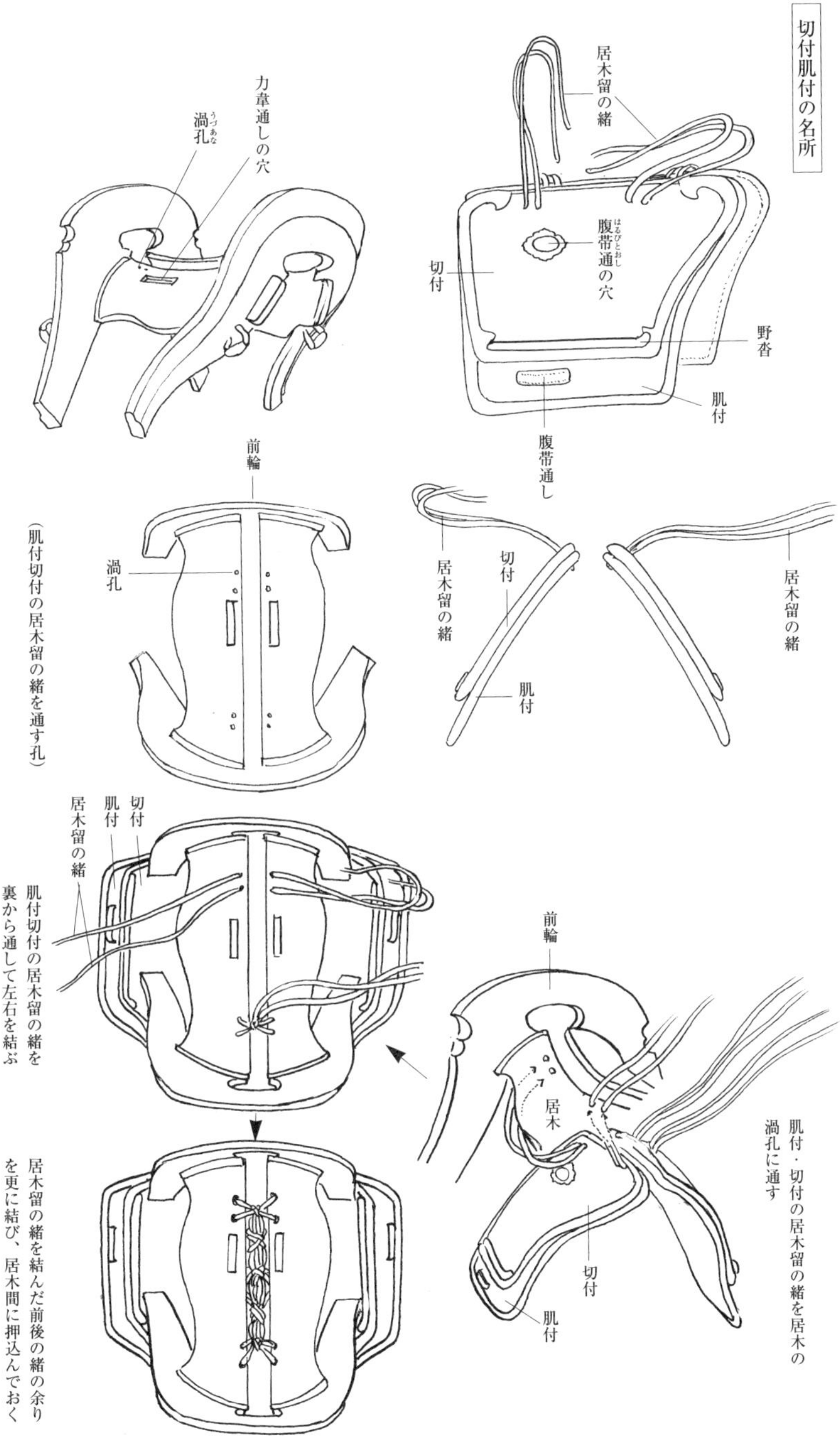

肌付切付の居木留の緒を裏から通して左右を結ぶ

肌付・切付の居木留の緒を居木の渦孔に通す

居木留の緒を結んだ前後の緒の余りを更に結び、居木間に押込んでおく

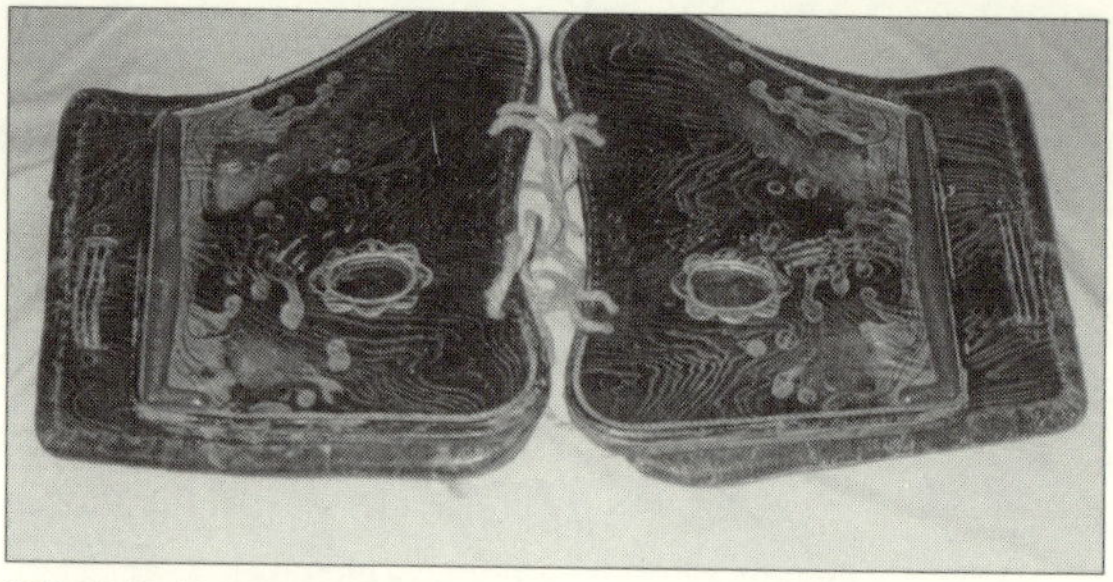

肌付と切付（安部光男氏蔵）

豹皮の切付［ひょうがわのきっつけ］

『餝抄』によると四位以上。

虎皮の切付［とらがわのきっつけ］

『物具装束抄』によると五位の者の使用。

水豹皮の切付［あざらしがわのきっつけ］

六位の者の使用。

以上は輸入品であるから高価である。

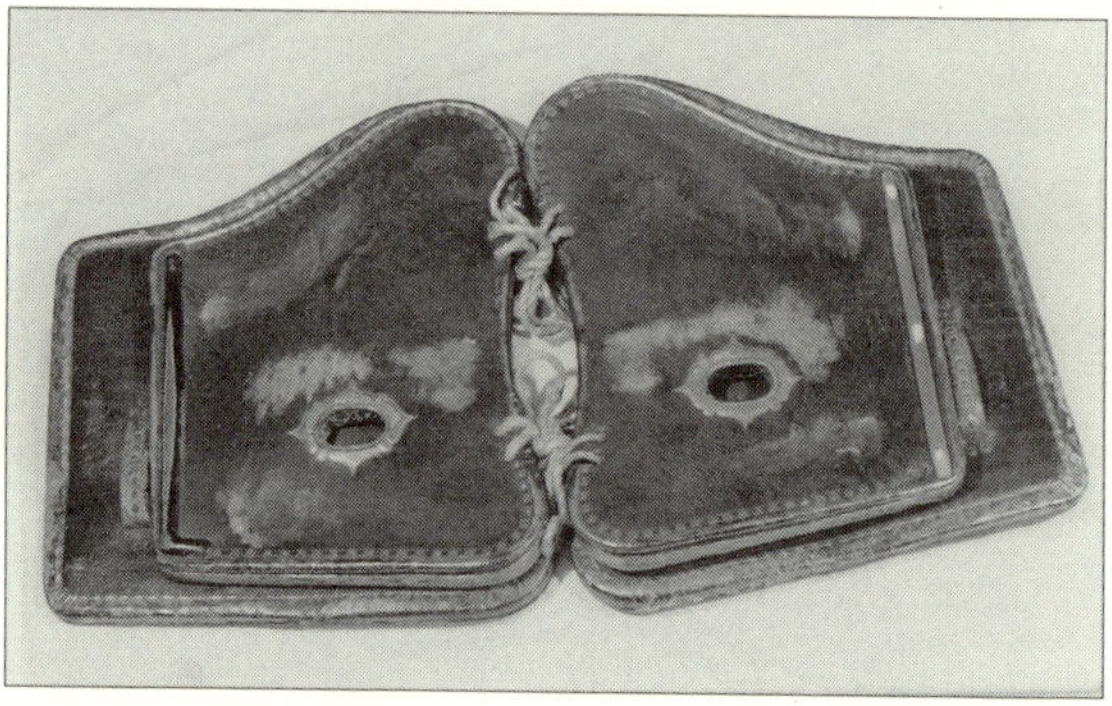

肌付と切付（末永国太郎氏蔵）

葦鹿皮の切付［あしかがわのきっつけ］

あしかも輸入品で高価。

唐筵の切付［とうむしろのきっつけ］

『岡本記』『弓張記』にあり「とうむしろ」「からむしろ」と呼び輸入品。

つづら切付［つづらきっつけ］

『酌并記』にあり。

葛切付［くずきっつけ］

『三好義長亭之御成記』葛編みの切付。

以上これらは切付の表の材料で、裏は牛革か馬革を用いる。

野沓［のぐつ］

切付の下縁。縫覆輪に沿って銅または真鍮をもって樋を伏せたごとく打出した金具をつけたものをいう。『武用弁略』に韡と書き「力韋ヲ支受《ササエウク》ルノ用也」とある。

腹《はる》帯《び》

腹帯は馬の鞍を馬背に固定する紐で、古くは革も用いられたであろうが、日本では布を畳んで帯として結び付けた。『和名類聚抄』には

腹帯　唐韻云。纕　甚良反　和名波良於比　馬腹帯也

とあり、『武用弁略』には八尺あるいは九尺三寸（約二四二〜約二八一センチ）で

索《ナワ》ヲ連テ組用ス

とある。これは室町時代末期頃から行なわれた釻腹帯《つくはるび》の事である。

それ以前は一条の布であったらしく、正倉院御物の中に「常陸国茨木郡大幡郷戸主大口口馬麻呂調一端」と記され国印を捺した調布

腹帯

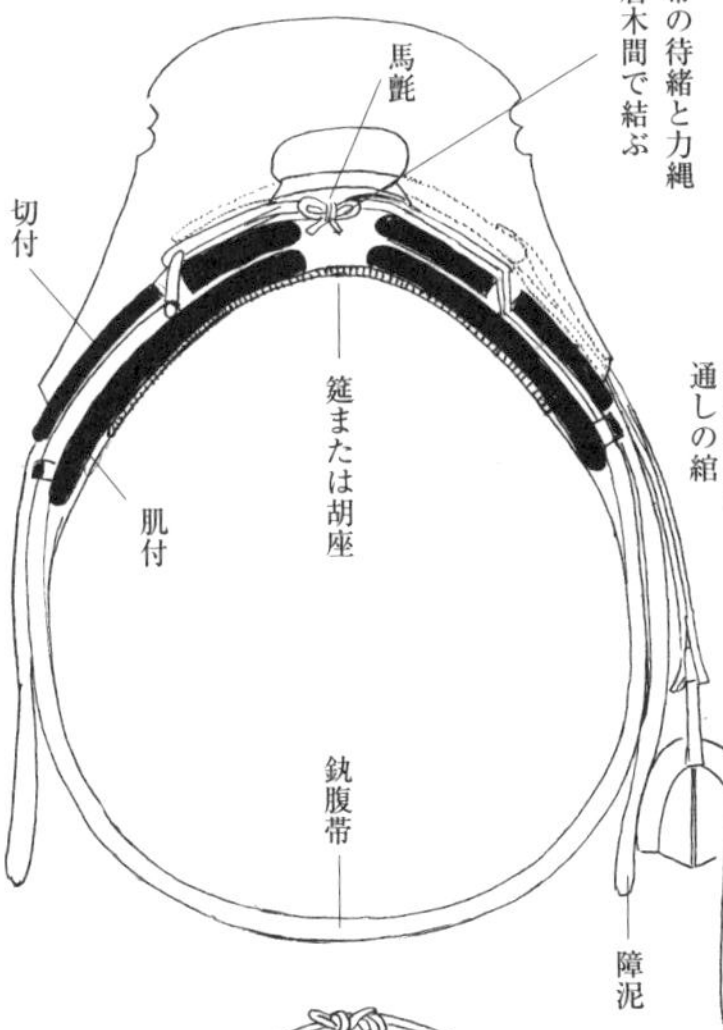
腹帯の待緒と力縄を居木間で結ぶ
馬氈
切付
筵または胡座
肌付
釻腹帯
障泥

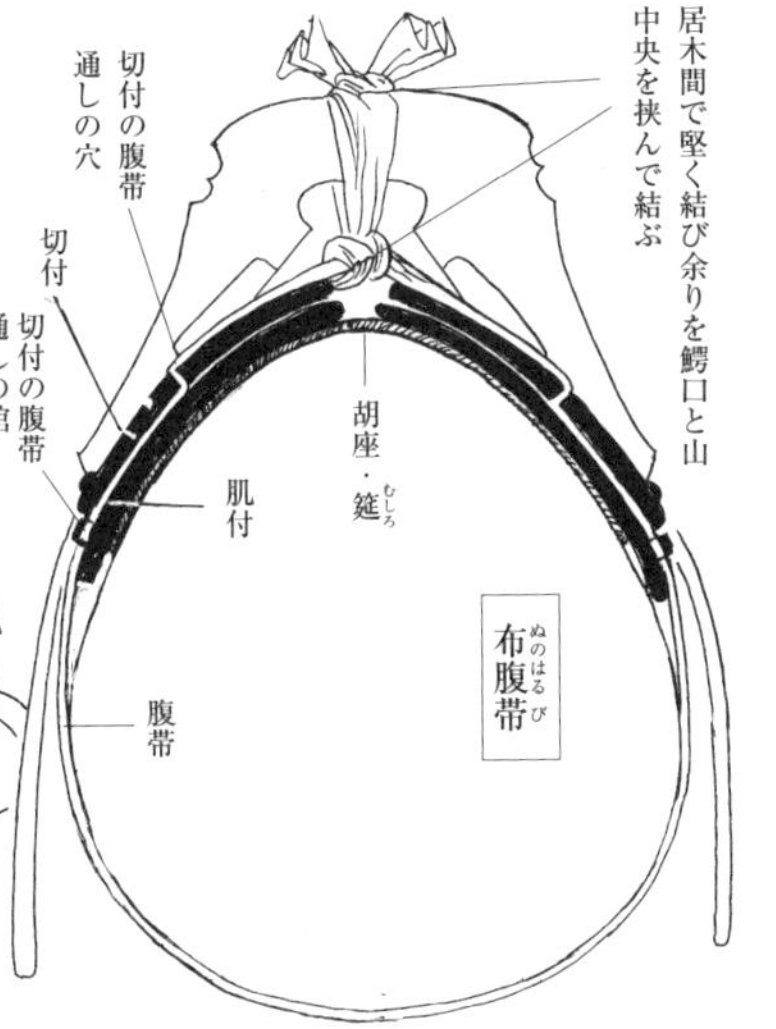
居木間で堅く結び余りを鰐口と山中央を挟んで結ぶ
切付の腹帯通しの穴
切付
切付の腹帯通しの綰
胡座・筵《むしろ》
肌付
布腹帯《ぬのはるび》
腹帯

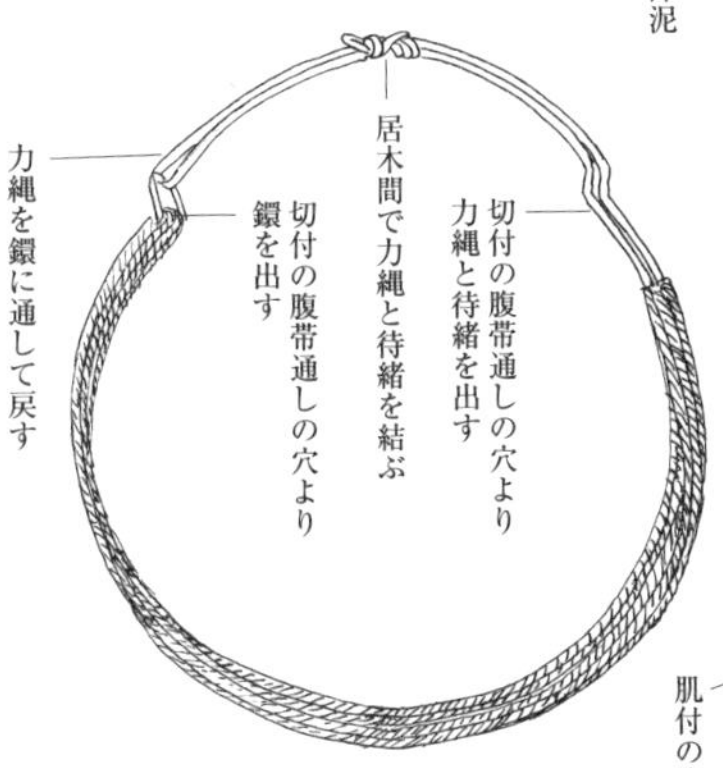
力縄を鐶に通して戻す
居木間で力縄と待緒を結ぶ
切付の腹帯通しの穴より力縄と待緒を出す
切付の腹帯通しの穴より鐶を出す

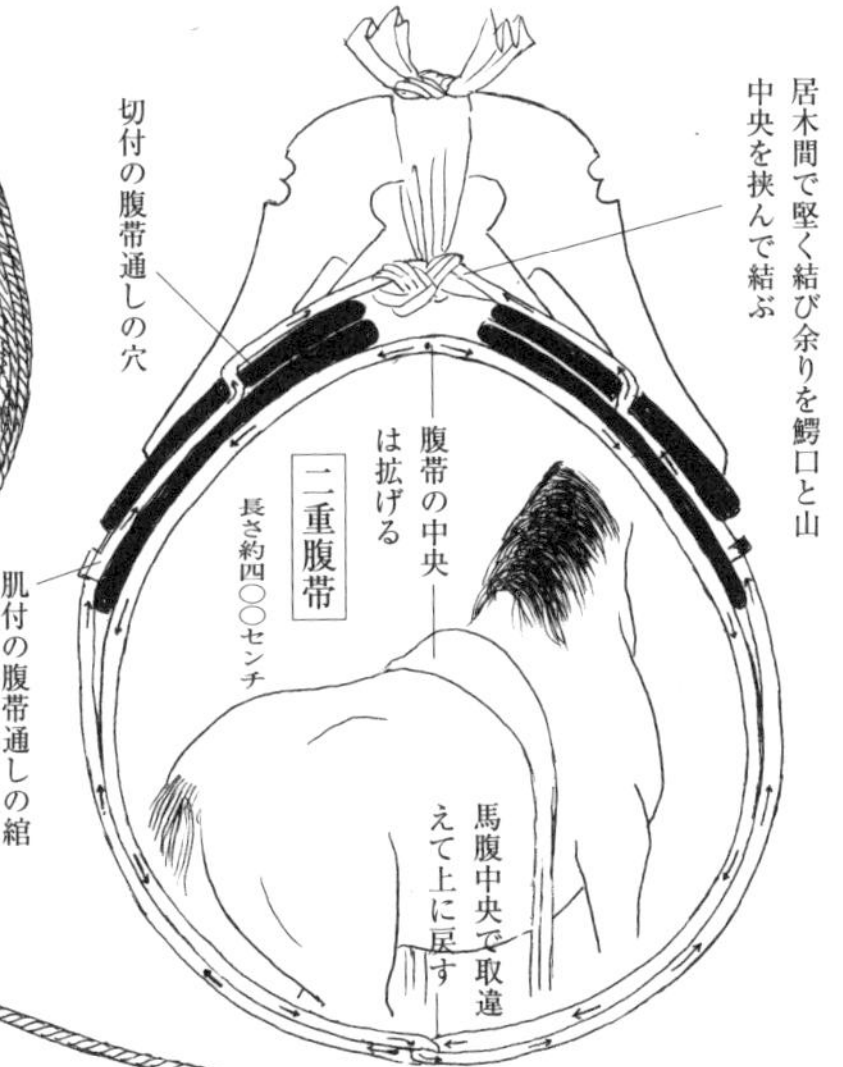
居木間で堅く結び余りを鰐口と山中央を挟んで結ぶ
切付の腹帯通しの穴
腹帯の中央は拡げる
二重腹帯
長さ約四〇〇センチ
肌付の腹帯通しの綰
馬腹中央で取違えて上に戻す

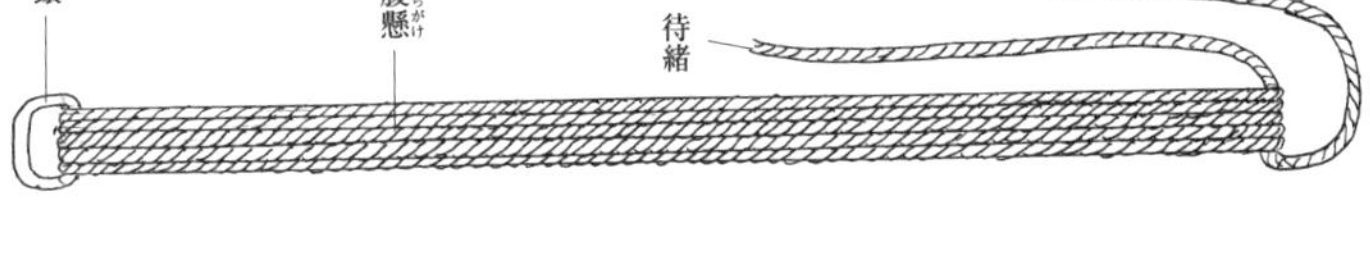
力縄
鐶
腹懸《はらがけ》
待緒

があるのは馬の腹帯に用いたものとされている。また『延喜式』内蔵寮式に

春日祭条　馬部（中略）韁鞚《タツナ》腹帯各一條 韁鞚長四尺二寸 腹帯長七尺

とあり、また左馬寮式にも、賀茂社祭走馬の項に表腹帯七尺の記事があり、小腹帯は五尺（約一五一センチ）、表腹帯は七尺（約二一二センチ）が用いられたことがわかる。

これらは細布・調布の一幅を畳んで帯として用いたもので、小腹帯でまず馬腹を締めて、その上に鞍を乗せて表腹帯で固定したもので、これをもって二重腹帯と見る向きもあるが、室町時代の『伊勢貞助雑記』や『常照愚草』の記述の二重腹帯から考えると違うらしい。

また平安時代の表腹帯で御幸鞍に用いる表腹帯は後世の釻腹帯に似た形式で、『諸鞍日記』に

御幸鞍ノ事。腹帯ハ下ニ結デ（小腹帯のこと）、表敷ノ上ニハ上腹帯トテ革ヲ一寸（約三センチ幅）計ニ切テ錦ニテ包デ先ニ鐙ノ鉸具ノ様ニシテ打テ付ルナリ

とあって、これは装飾的腹帯で、軍用にはもちろん用いない。一般の腹帯は手綱と同質・同じ染のものを用いるのが普通である。

そして表腹帯を専用として用いてからこれを二重腹帯といった。『伊勢貞助雑記』には

犬追物の折に用いる腹帯は二重腹帯で一尺計の絞を浅葱とひわ色の段々か、梅絞りに染める

とし、『今川大雙紙』では

腹帯の長さ一丈二尺（約三六三センチ）

であるとし、その締め方は『常照愚草』に

二重腹帯の事。常のはるび（腹帯）の長さ一倍にはかるなり。一重にとりて輪の方真中を鞍の上敷にあて、腹帯とをしへ両の腹帯さきを入て馬の下腹にて取りちがえて、腹帯さきを、又はるびとをしへとほして能々しめて、上敷の上にて如レ常一ゆひしめて、ねじて両の前輪の手形にかけて、前輪の前にて、むなかひにかけて如レ常とむべし。当流にはさして不レ用レ之。然共為二心得一注置也

とあり、『小笠原入道宗賢記』も小笠原流では用いないとしているが、伊勢流ではもっぱら用いたらしい。

この方法は『大坪流馬書』にも

長腹帯の事。常の腹帯よりながく入る也。此腹帯を中程をよくひろげて、馬のせなかにうちつけて、其上に鞍を置て、扱腹帯を馬の下腹にて取違てしめて、扱鞍の上にて常のごとく結べし。腹帯あなへとおせ、是は鞍かへらぬなり

と記している。具体的にいうと二重腹帯（長腹帯）は、長さ二丈二尺の畳んだ腹帯の長さを二つ折りにした中央を馬の背に当て、この部分は拡げておき、その上に鞍（切付・肌付の紐を鞍に結びつけた鞍）を乗せ、腹帯両端は下にとって、馬腹の中央で取り違えて上にとり、肌付の腹帯通しを潜らせて、肌付・切付の間を通って、切付の腹帯通しの穴から表に出し、居木下を通って居木間で固く結び、余りは前輪の手形にかけて、前輪前で再び結ぶか、洲浜の穴から前輪の山上で、二条を結び留めるかする。

これは鞍がゆるんで廻るのを防ぐのに適当であるために戦場用に好まれたらしい。

小腹帯［こはるび］

『義貞記』に

鎧を着する程の時は弓手妻手に小腹帯を懸る也。手綱の中に鎖を入れよ

とあるが、手綱の中に鎖を入れよとは『太平記』巻第三十一　鎌倉合戦条に

小手の手覆（手甲）を切ながさるる太刀にて、手綱のまがりを、づんと切れて

とあるように、手綱を斬られるおそれがあるので、手綱に鎖を入れる事は効果的であるが、小腹帯の意味が不分明である。あるいは上腹帯の下に先につける腹帯か、『馬具寸法記』に記される「長さ六尺」のものか、『延喜式』賀茂社祭走馬項の小腹帯五尺がこれに当るかも知れぬ。また『竹崎五郎絵巻（蒙古襲来絵詞）』の中に胸懸中央から腹帯にかけて縦一条の腹帯状のものが締められているのは他の

図には見られないものだが、これを小腹帯といったかどうかも記録上では不明である。また『諸鞍日記』に

腹帯とはいはで由木搦と云て由木に結付てしめるなり

とあるのも不明である。由木は居木の事であるから短い腹帯の場合、腹から肌付の腹帯通しから切付の腹帯通しの穴に出して、居木間で結ぶ、小腹帯に似た腹帯を言ったのかも知れない。いずれにしても古記録、古画には未だ不分明のものがある。

釻腹帯［つくはるび］

腹帯は布製の物がほとんどであったが室町時代末期頃から『諸鞍日記』に記される錦腹帯（飾り）をそのまま腹帯に利用したような釻腹帯という形式が行なわれ、これは後世に及んだ。これは麻捻りの紐を三尺くらい（約九十センチ）に折り重ねて幅三寸（約九センチ）程の平紐状に縫い付け、一方に鐶をつけ、もう一方は三、四尺くらい（九十～一二〇センチ）の紐を待緒とし、一つは六、七尺くらい（約一八〇～二一〇センチ）の力縄とする。

この腹帯の鐶の方を肌付の腹帯通しに潜らせ、肌付と切付の間を通って腹帯通しの穴に出し、他方の力縄と待緒も反対側の肌付の腹帯通しを潜らせ、肌付と切付の間を通って切付の穴から出し居木下を通って、力縄だけ反対側の鐶に引かけて戻し、居木間で待緒と結ぶ。この時よく引いて結びかけ、さらに力を入れて引いて固く結び、緒の余りは居木間に押し込んでおく。この場合は二重腹帯や布腹帯のように、手形や前輪の峯（山）には縛り付けない。釻腹帯は布と違って幾條もの麻紐を平組のように組んだ丈夫なものであるから近世以降この形式が流行し、布腹帯は儀式・祭儀以外には用いられなくなった。

障泥《あおり》

泥障とも書く。切付・肌付が小型化したために両馬側に垂れたもので、室町時代末期頃から流行した。『和名類聚抄』鞍馬具の項に

障泥　唐韻云韝。音章。障泥和名阿不利。鞍飾也。西京雑記云。玫理鞍以㆓緑地錦㆒為㆓蔽泥㆒今按障泥也。後稍以㆓熊羆皮㆒為㆑之

とあり、一説に装束をつけて乗馬すると馬の膚擦れで装束を汚すのを防ぐために用いたのが、後に飾りとしてつけるようになったという。

古くは毛皮を表に貼ったが、後に皺韋・馬韋・象韋などを用いた。

毛皮のものを「あおり」といい、革のものを「鐙摺」と呼んだ。齋藤直芳氏の説による

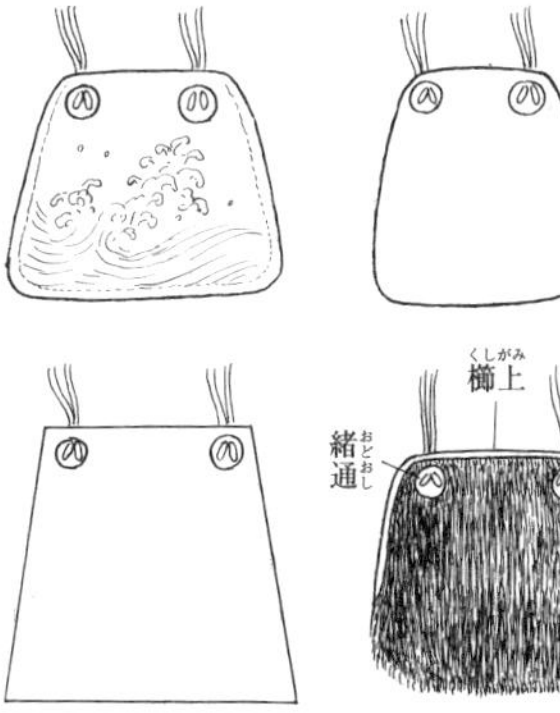

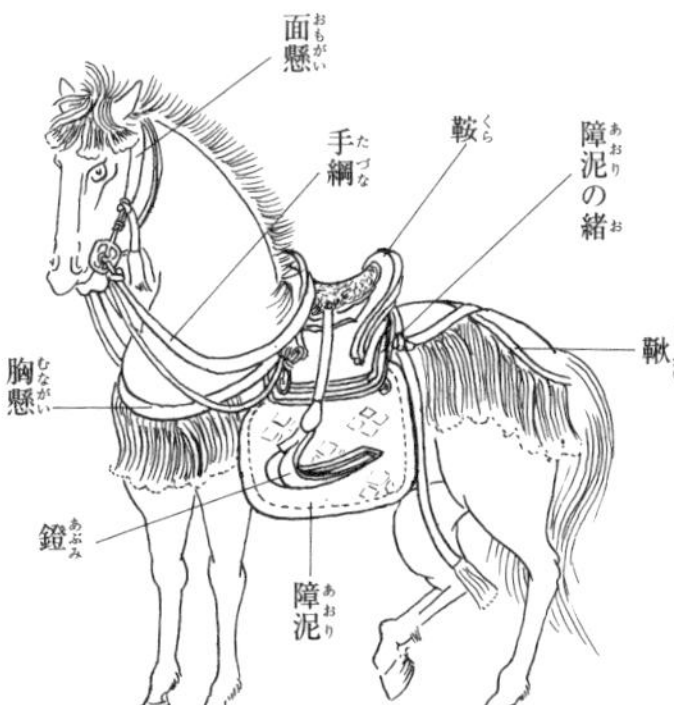

障泥

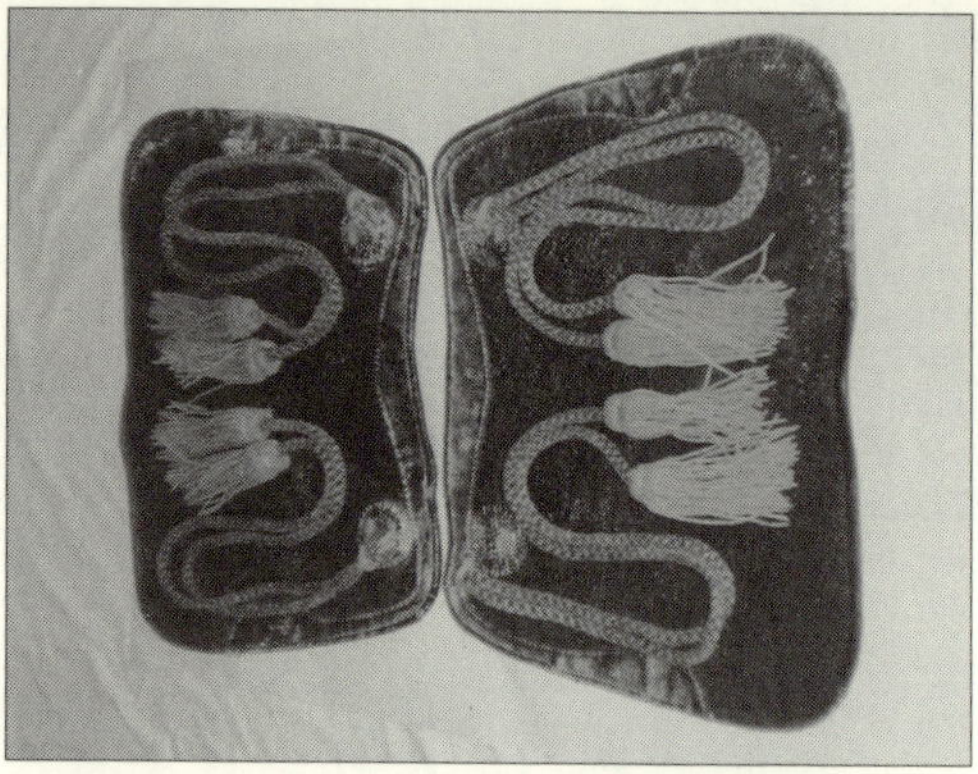

象韋の障泥　安部光雄氏蔵

と、昔の大滑が小型になって肌付になると、鐙は重みで内屈して乗りにくくなるので、それを支えるために両側に堅い革板を垂れたのが障泥の始めであるとし、また鐙で「角を入れ」て馬に合図するのに、重い鐙で馬腹を傷付けるのを防ぐためともいっている。

ただし『甲子夜話』に織田信長が千利休に障泥の形を作れと命じたとあるのが始まりであると説くが、『和名類聚抄』にすでに記されているから、江戸時代に流行した障泥の祖型は平安時代すでに行なわれ、飾りも兼ねていたものであろう。

金箔押青海波模様押出韋障泥
菅野菊雄氏蔵

障泥上部両側には緒の孔があいていて、これに太めの丸組紐二条宛出し、前の緒は鞍の前輪の四緒手に、後の緒は後輪の四緒手に結び、櫛上（障泥の上辺）は肌付の下部まで引上げて装着するのが常である。

障泥は馬韋・皺韋で表裏を包むが、芯に藺・棕梠皮、毛氈・綿などを入れる事、切付肌付と同じである。

障泥を四緒手に結び付ける法は三三八ページの図を参照されたい。

豹障泥［ひょうあおり］

『宮参次第』にある。

熊皮障泥［くまがわあおり］

『延喜式』彈正台式。五位以上。

白覆輪障泥［しろふくりんのあおり］

『吾妻鏡』文治五年六月六日の条。

小障泥［こあおり］

『家中竹馬記』後世いう尺障泥のことか。

阿曝毛泥障［あざらしけあおり］

『明月記』建暦三年七月廿五日条。あざらしの毛皮を用いた障泥であるから、陸奥からの献上品か。

胸《むな》懸《がい》

『武用弁略』に

靷《ムナガイ》　纓靷《エイイン》也。馬の胸前ニ在者ト去リ。故ニ纓亦胸懸ト訓ズ。曲礼ノ下ニ纓ハ馬ノ繁綏《ハンスイ》也。左伝成公三年ノ註ニ一繁綏ハ馬ノ飾。皆諸侯ト云云　又斑胸ニ作。漢語抄ニ斑胸無奈加岐靷也。牛馬ヲ駕スル具、胸ニ在ヲ靷ト曰。皮ヲ以之ヲ為。今糸ニ縦テ斑胸ニ作。胷ハ胸ト同。又鉤膺ニ作。膺ハ胷也。中庸ニ拳々服膺スト云云。丈繁也。馬ノ胸帯也。詩経ニ鉤膺鞗革ス。註ニ膺ハ樊纓《ハンエイ》也。膺ニアル飾ト云リ。或当胸後。漢書ニ佩刀ヲ抜テ馬ノ当胸ヲ截ルト云云。靳《キン》説文ニ膺ニ当也

とあり、鞦は押掛という。『岡本記』におしかけと申なわるし、おもがひと申べ

各種の障泥

この図下四個『集古十種』馬具巻三『尾張国熱田社飾馬具図』より

大滑《おおなめ》

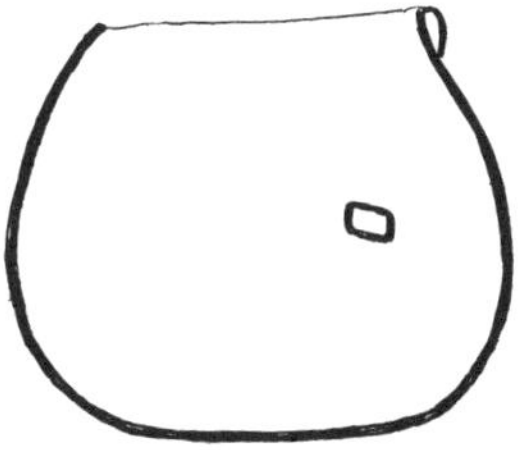

下鞍《したぐら》

奈良東大寺八幡宮所蔵障泥

障泥の名所

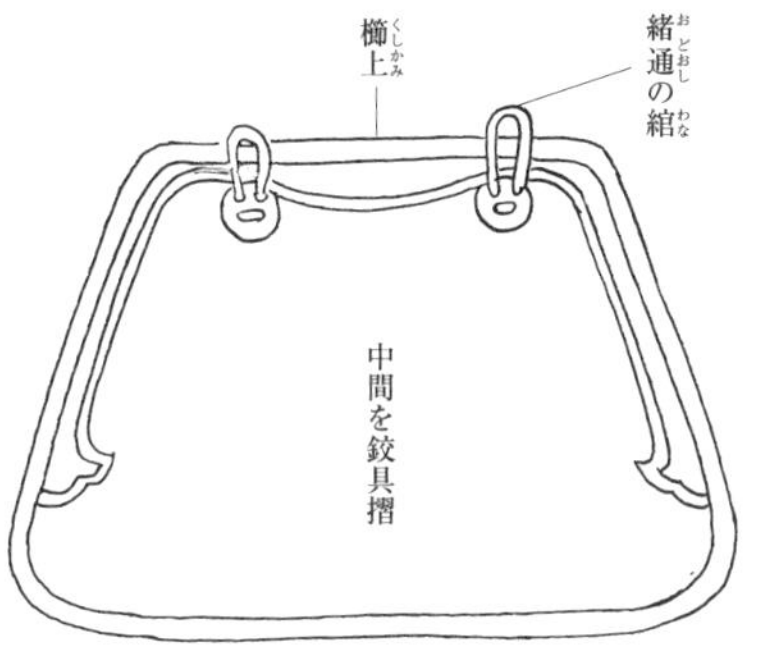

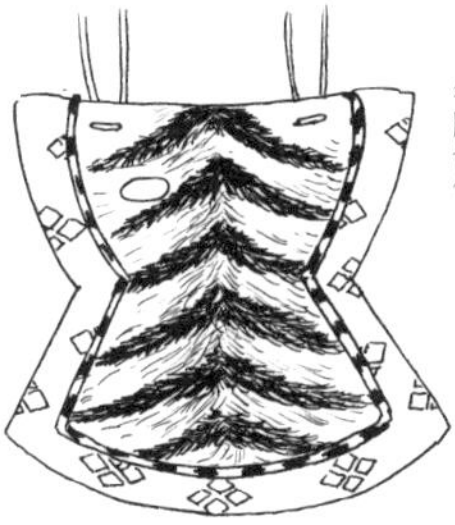

行縢切付《むかばききつけ》

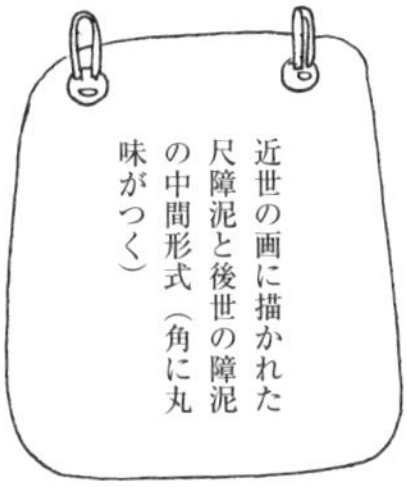

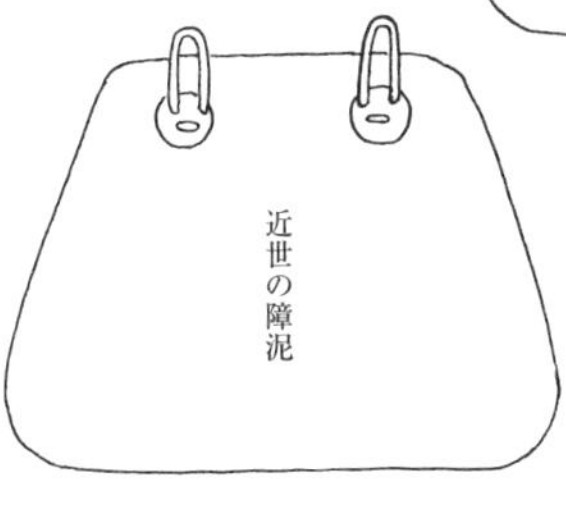

障泥の装着

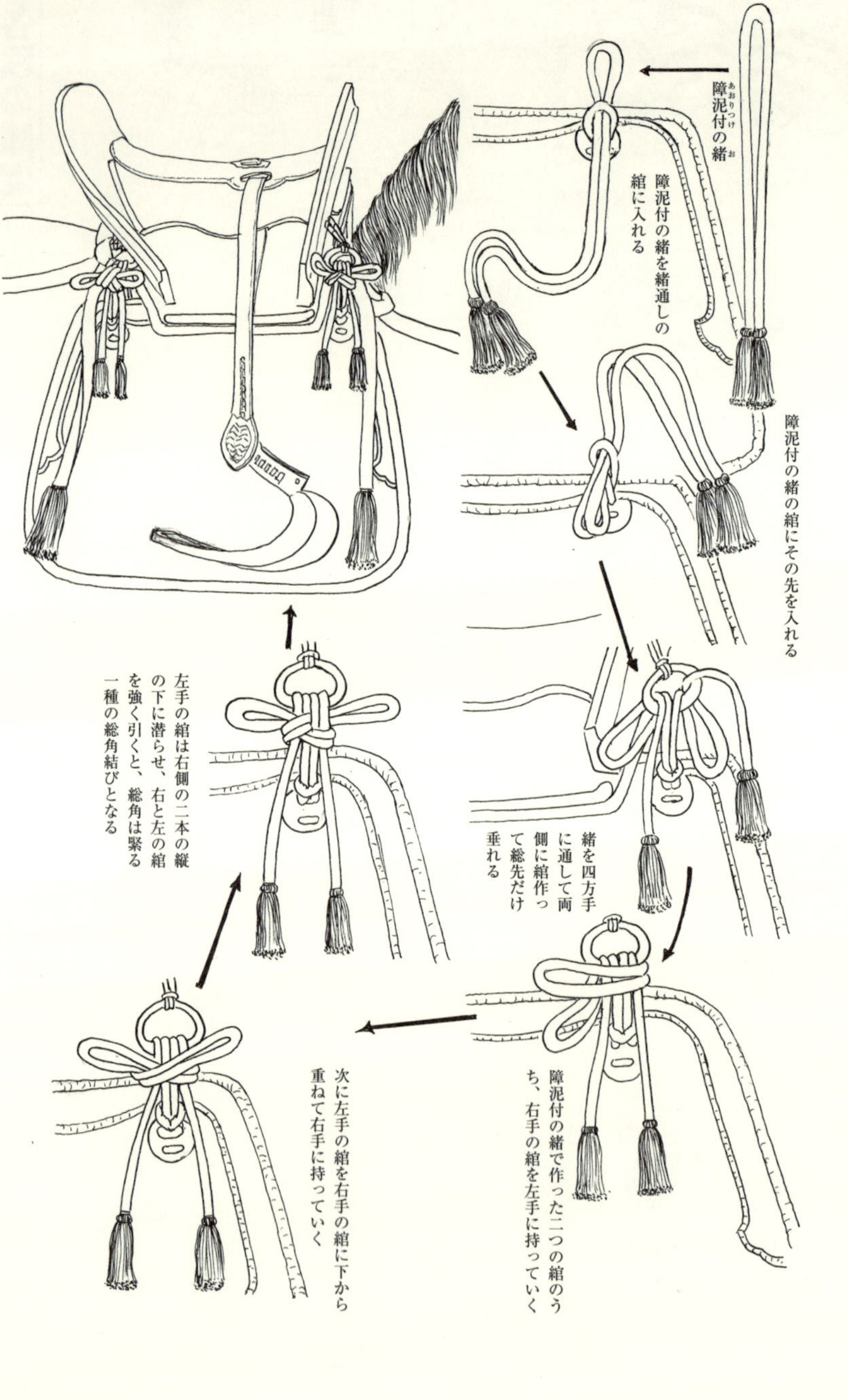
障泥付《あおりつけ》の緒《お》
障泥付の緒を緒通しの絎に入れる
障泥付の緒の絎にその先を入れる
緒を四方手に通して両側に絎作って総先だけ垂れる
障泥付の緒で作った二つの絎のうち、右手の絎を左手に持っていく
次に左手の絎を右手の絎に下から重ねて右手に持っていく
左手の絎は右側の二本の縦の下に潜らせ、右と左の絎を強く引くと、総角は緊る一種の総角結びとなる

し

とあり、ややこしくなってくるが、馬の顔面に装着するのが面懸、胸に装着するのが胸懸、尾から背に装着するのが鞦（尻懸）である。

胸懸と尻懸は鞍が前後に移動するのを防いで鞍を固定する装着である。つまり腹帯で上下左右を固定し、胸懸・尻懸で前後を固定するのである。面懸も胸懸も尻懸もすべて「鞦」の文字で表されるが、古記録では尻懸だけ鞦の文字を用いている。

胸懸は面懸と同じ革紐か、同じ太さの厚い組紐で作られ一方に取締《とりなわ》があり、他方は總《ふさ》（総）が付いている。

取締を馬の前輪の左側の四緒手を潜らせて通し、その紐を馬の胸前に廻して右の四緒手に四緒手結びにして、余った紐を垂れる。故に垂れた総は右側だけになる。

近世は四懸といってあらかじめ前輪の両四緒手に、絎の平組紐を四緒手結びとし、これに胸懸を掛けたので両四緒手から総が垂れるようになった。

胸懸・鞦については色々の種類がある。

杏葉鞦［ぎょうようしりがい］

『御禊行幸服飾部類』仁治三年（一二四二）十月廿一日公光卿記に

行粧装束（中略）馬唐鞍橋鐙轡左蹕鞦杏
葉

とあるように、儀式上の飾馬は唐鞍を用いて雲珠を立て、胸懸・鞦には杏葉をいくつも垂れた。一種の鞦の装飾であるから、面懸の太紐にも小型の杏葉を連ねた。

こうした三鞦を杏葉鞦という。

両総の胸懸

両総の胸懸をつけるための四鞦

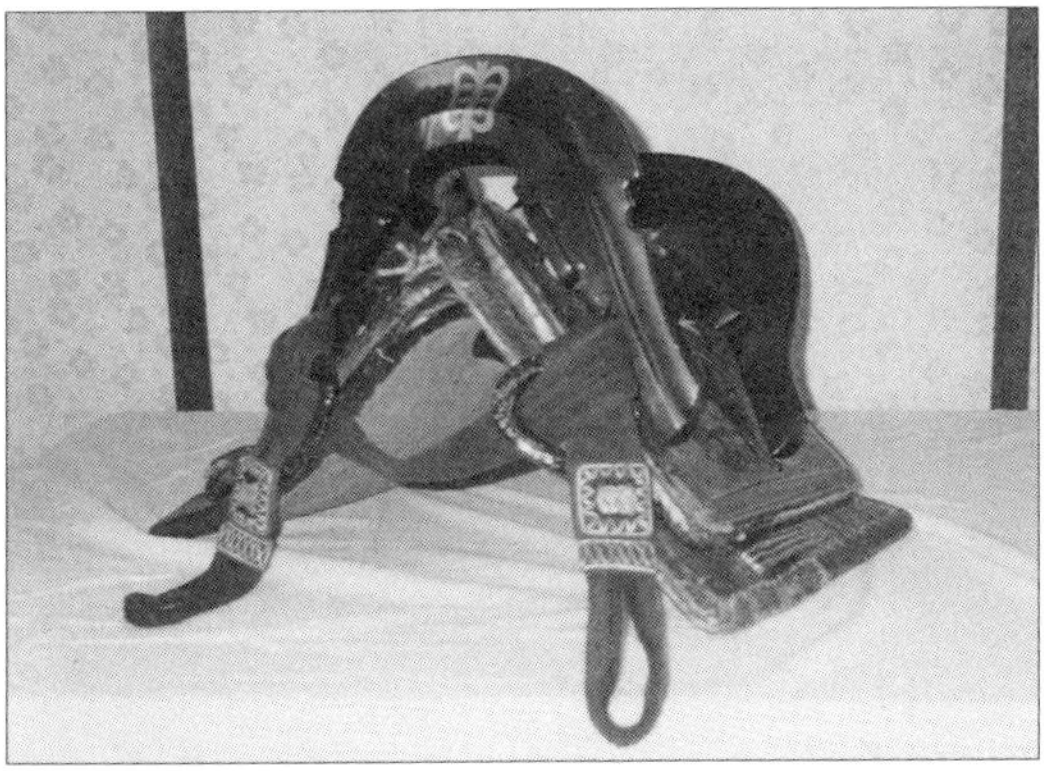

四鞦を鞍の前輪の両四緒手に結んだところ

連著鞦［れんじゃくしりがい］

　連著とは、胸懸・鞦・面懸の面連《おもづら》に総のように多くの絲を垂れたものをいい、総鞦《ふさしりがい》ともいう。胸懸の場合は総胸懸であるが、一か所だけ総を付けることはないから、三鞦の総を総称して総鞦また連著（尺）鞦という。平安時代頃から身分の高い者や、武家のおもだったものが装飾的に用いた。平安以降武家は好んで用いたが、江戸時代になると総が長くなり、鞦の外側五寸から、はなはだしいのは一尺程も網目に編んでその下を総とし、かなり長目の総となった。

　これを俗に厚総といっているが、中世の厚総とは少し意味が異なる。

厚総鞦［あつふさしりがい］

　『平家物語』『源平盛衰記』等の軍記物を始め『吾妻鏡』等に記される厚総は、紐先の総のようにまとめた絲先を繁く並べたもので、江戸期のように中間を網目にしたものではない。

小総鞦［こぶさしりがい］

　『実親卿記』保安四年（一一二三）二月十九日の条、『平家物語』等に記され、総の短めの鞦をいう。

厚総と小総

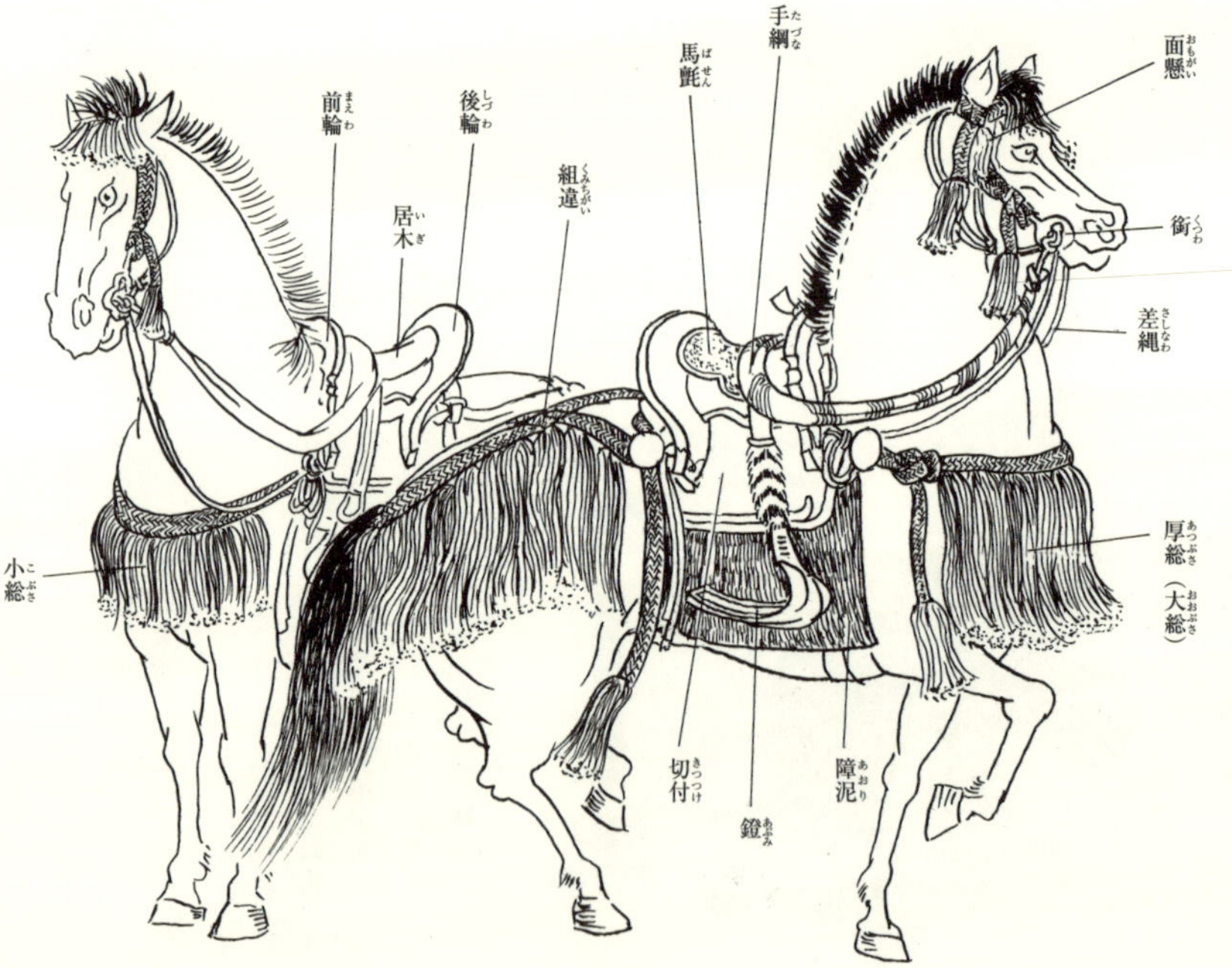

古式の胸懸の掛方

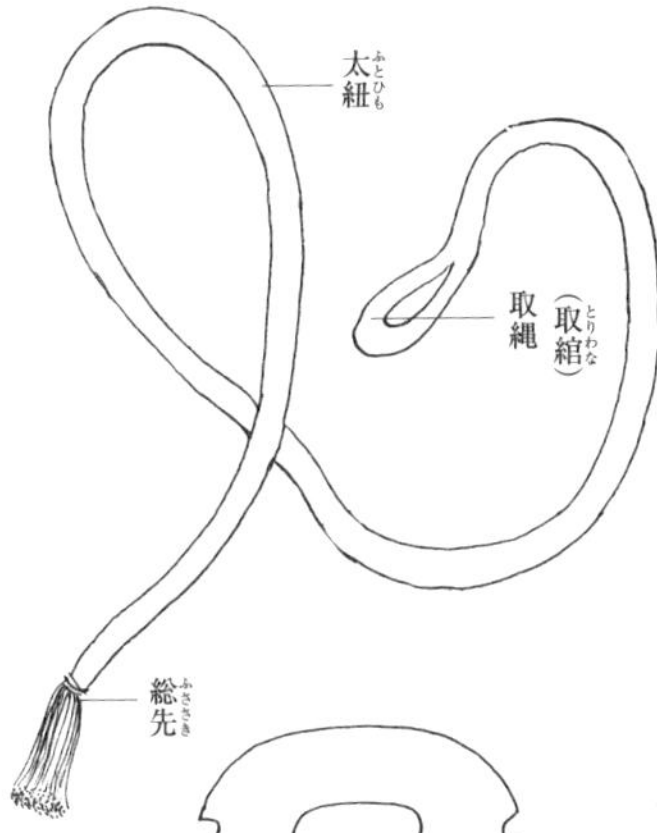

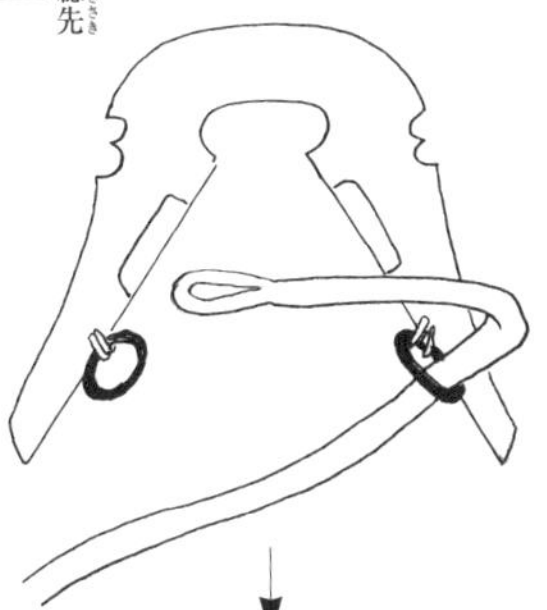
取縄を左（馬側から見て）の四緒手にくぐらす

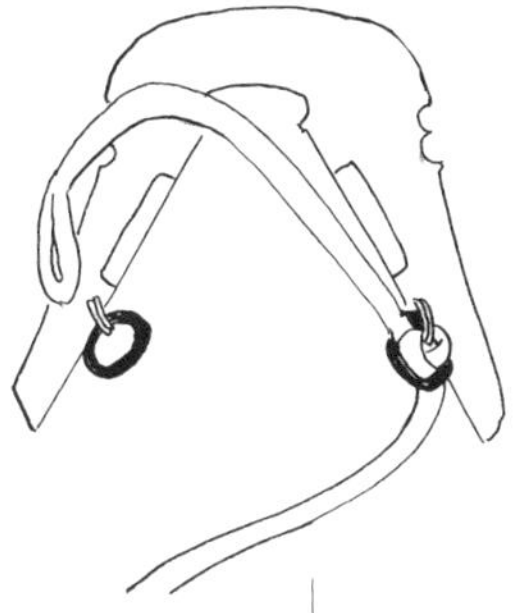
取縄を四十センチ程の余裕で四緒手結びとする

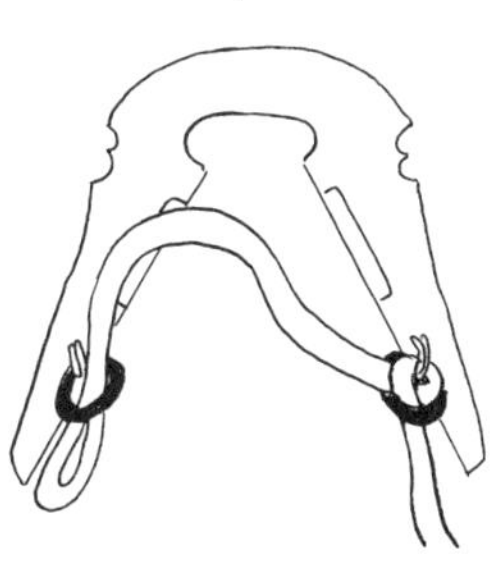
取縄の先を右の四緒手にくぐらす

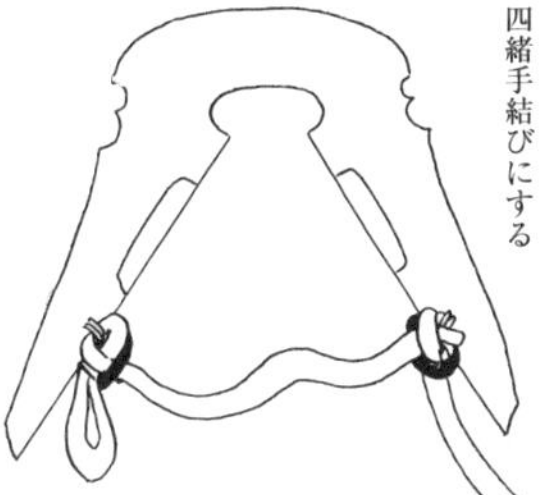
取縄を右の四緒手に四緒手結びにする

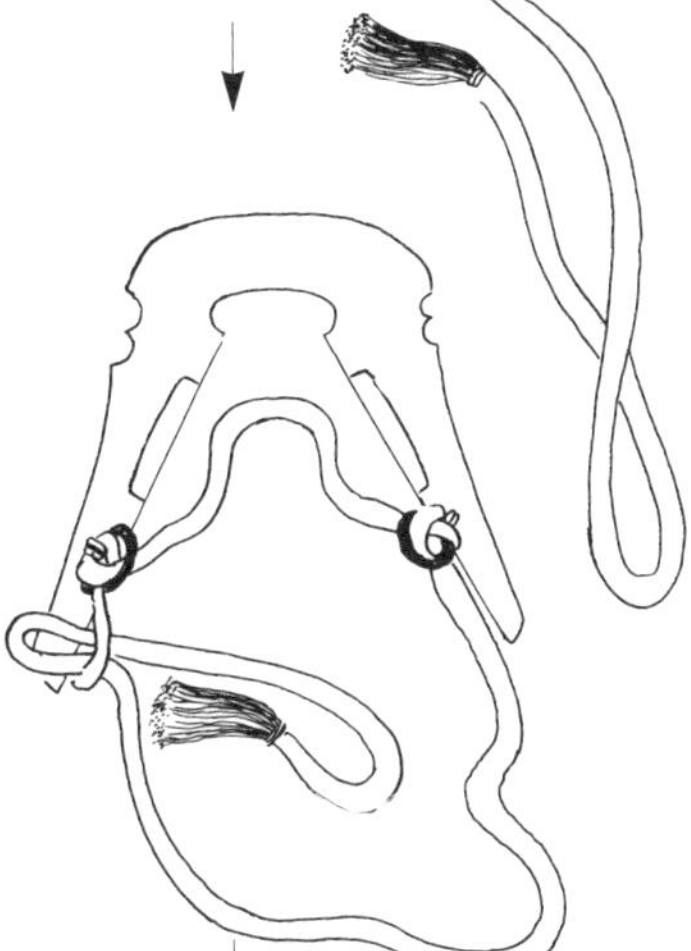
太紐を馬の胸前に廻して、右の四緒手結びにした取縄に二つ折にして通し、四緒手結びにする

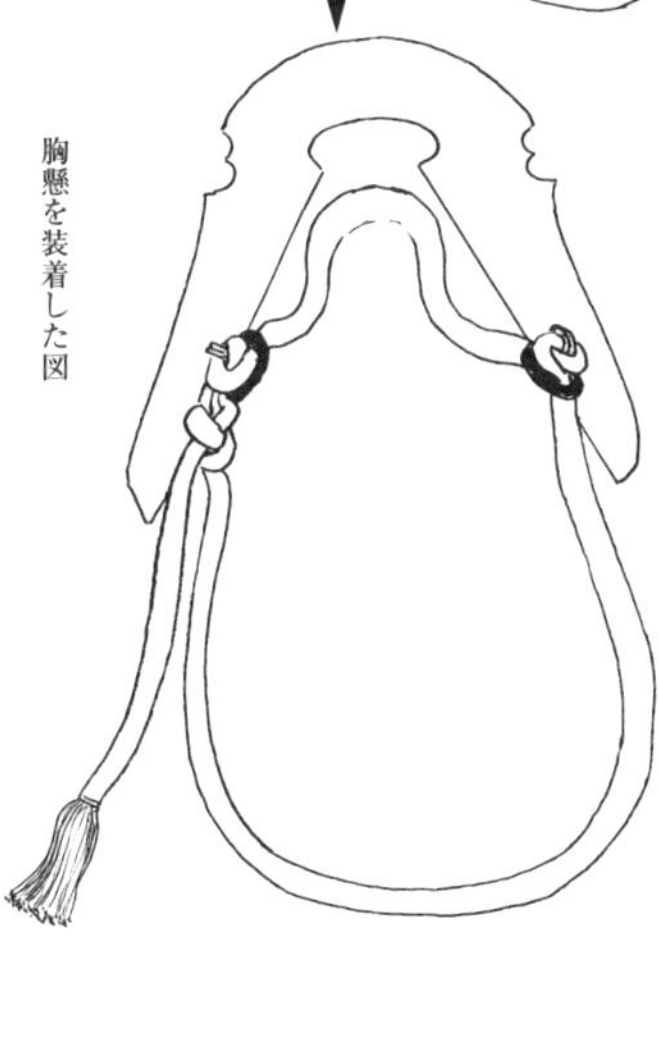
胸懸を装着した図

近世の胸懸の掛方

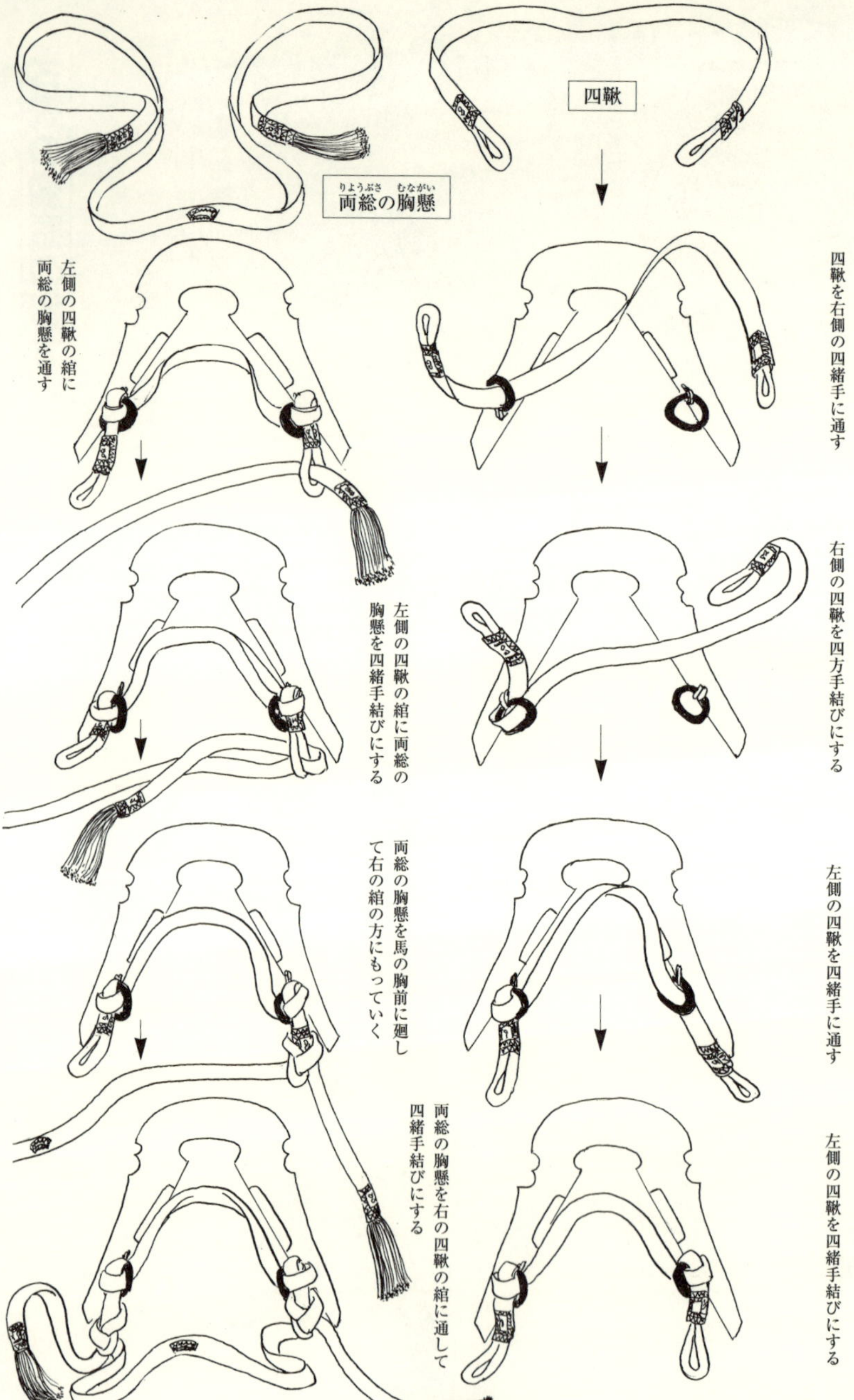
四鞦
両総《りようぶさ》の胸懸《むながい》
四鞦を右側の四緒手に通す
左側の四鞦の絎に両総の胸懸を通す
右側の四鞦を四方手結びにする
左側の四鞦の絎に両総の胸懸を四緒手結びにする
左側の四鞦を四緒手に通す
両総の胸懸を馬の胸前に廻して右の絎の方にもっていく
左側の四鞦を四緒手結びにする
両総の胸懸を右の四鞦の絎に通して四緒手結びにする

大総鞦［おおぶさしりがい］

おりしりがいともいう。小総鞦に対しての用語。『小笠原入道宗賢記』に

　鞦の事。むかしは大ふさたる也。然間大ふさ本儀也。又鞦はおりしりかい本也。くみたるよりはおりしりかいを用べし

とあり、おりしりかいとは織鞦の事で、組紐式でなく織物として紐状に織ったもので、これは平安時代頃から始まっている。従って総は別個に房束を列べて綴じつける。

細　鞦［ほそしりがい］

『御禊行幸服飾部類』文永十一年（一二七四）十月廿二日の条に諸大夫の馬に細鞦を用いた記事がある。一般の織鞦より細目のものをいう。

辻総鞦［つじしりがい］

『世俗浅深秘抄』に記されているが馬の三頭の上で鞦が組違いになっている所に総をつけたもので、『延喜式』弾正台式では六位以下の乗用の馬の鞦としている。

連子総［つれごふさ］

『物具装束抄』に「鞦事連著鞦畝鞦楚鞦小総連子総」とあり、総の束が所々隙間ある鞦をいう。

鞦《しりがい》

古くは面懸・胸懸・尻懸の三具を総称して「鞦」の文字を用いたり、押懸（掛）の総称で呼んだが、後世は、鞍の後輪に結び付ける。組違いによって尾挟ある鞦をもって鞦と書き「しりがい」と読ませている。『和名類聚抄』に

　唐式云。諸番入朝。調度帳幕鞍韉鞦轡量事供給。鞦音秋。和名之利加岐《シリカキ》

とあり、『武用弁略』では

　今世韅《オモガイ》、靷《ムナガイ》、鞦《シリガイ》ノ三品ヲ馬ノミカイト云リ。共ニ三具一懸《カケ》ト云也

とあり、三具をもって一懸といい、鞦の字は尻懸の通称になった。

　三具は同質・同手法で作るので、材質染色は胸懸・面懸と同じに揃えるのが通常である。緒紐の長さは三鞦中では一番長く、中央から二つ折にして、三頭《さんず》に当る部分を交叉して重ねる。これを組違いというが、この大綰の中に馬尾を通し、馬尾の根元にまで引上げ、両方の太紐を、後輪の四緒手に四緒手結びにする。そして緒の余りは垂れるが長すぎると馬の脚に触れて、馬がいら立つので、少し短くするために右の緒を左の四緒手に、左の緒を右の四緒手に通して垂れる。その方法は図のごとくである。

このように胸懸・鞦によって鞍は前後に移動する事なく固定される。

　これらの三鞦は近世は馬肌に当る裏側に韋か羅紗を縫い付けて当りを良くするが、鞦の尾挟み部は韋で包んだり、組違いや面懸の辻の表には韋や羅紗布を縫い付け、その中央に金糸で、蛇結びや紋様をあらわしたりする。

　また面懸の面連中央や、胸懸の馬胸の中央にあたる部分の表に、韋や羅紗地を縫い付け

鞦

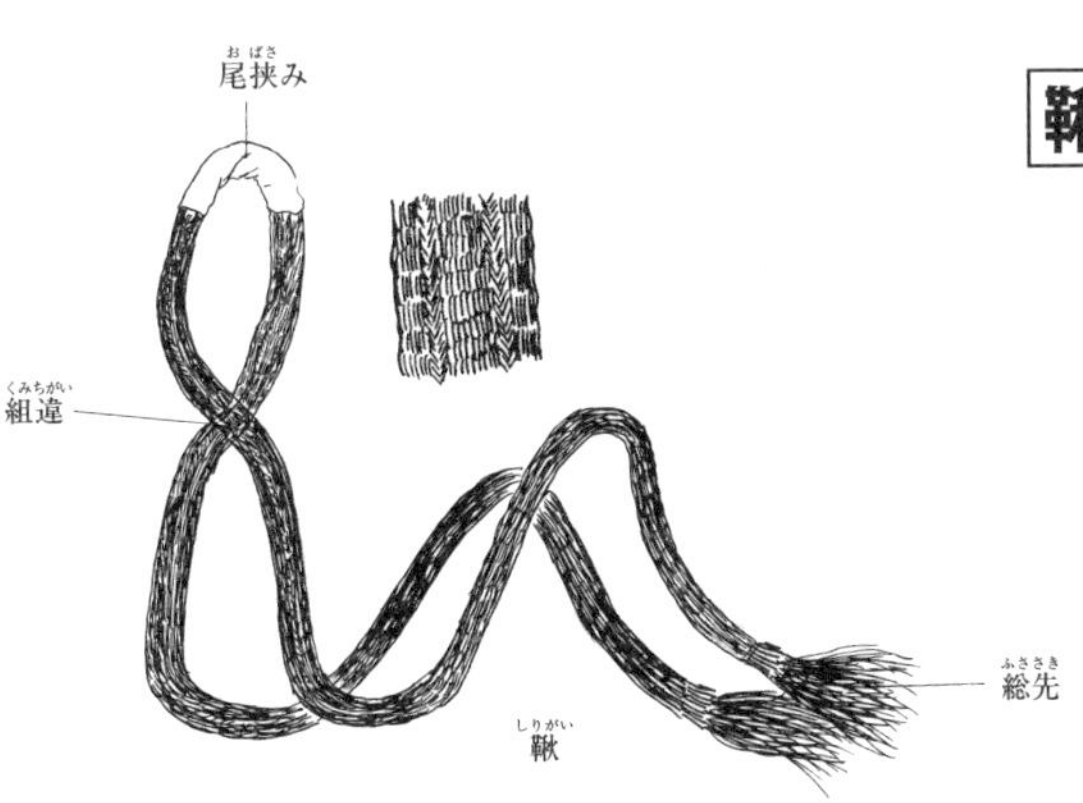

鞦の掛方

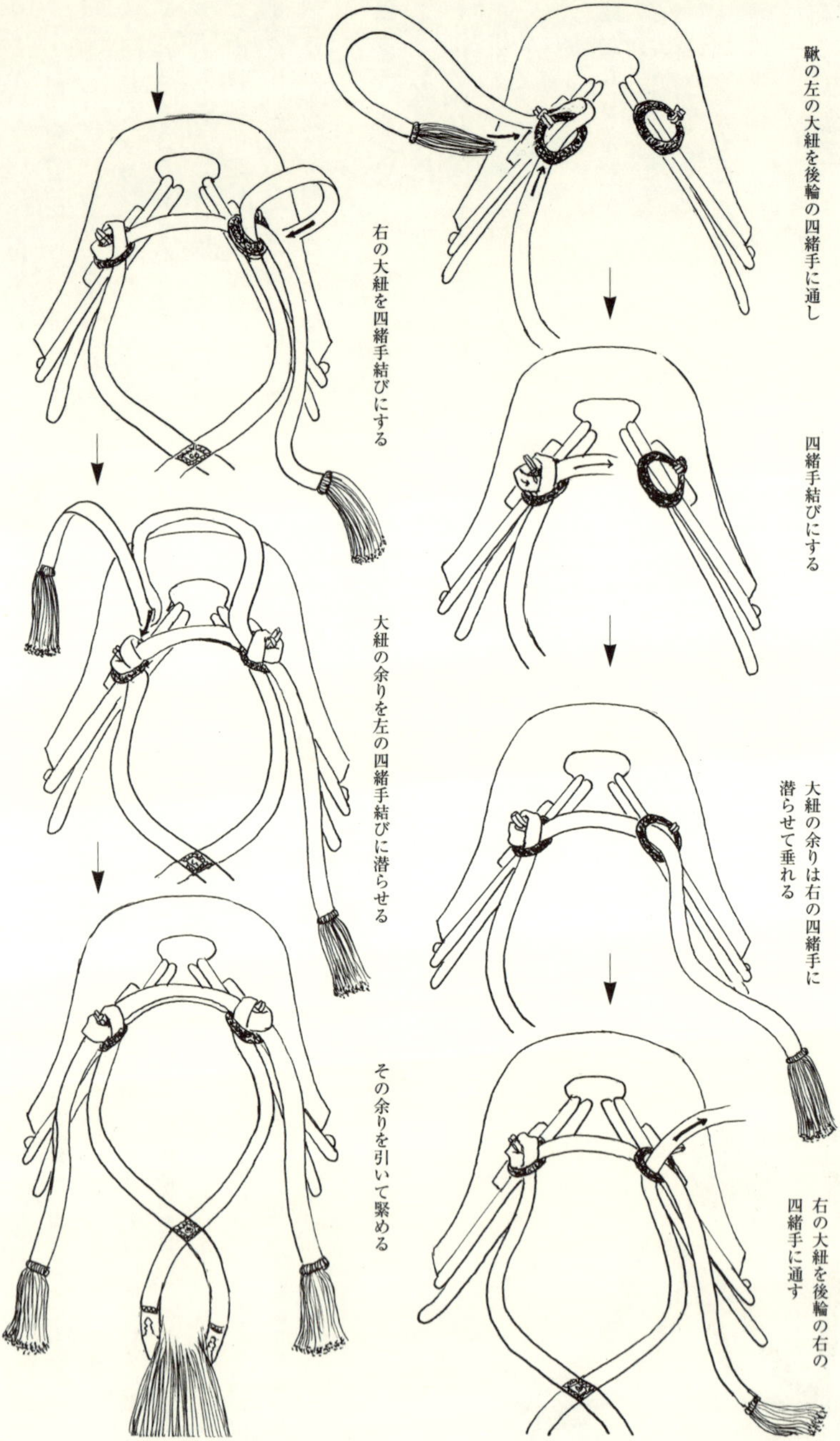
鞦の左の大紐を後輪の四緒手に通し
四緒手結びにする
大紐の余りは右の四緒手に潜らせて垂れる
右の大紐を後輪の右の四緒手に通す
右の大紐を四緒手結びにする
大紐の余りを左の四緒手結びに潜らせる
その余りを引いて緊める

て、金糸で蚫結《あわびむす》びあるいは紋章をつけておくと、装着にあたって中央の位置が確認されて便利であるために近世はこの印をつけたものが多い。

上総鞦［かずさしりがい］

上総国で作られた三鞦であろうか『平家物語』『源平盛衰記』『吾妻鏡』建久六年五月廿日の条などに記されている。平上総守忠清（実名忠景）が富士川で源氏に破れて逃げた時の歌に

忠景は逃げの馬（二毛の馬）にぞ乗りてける、上総尻懸かけて甲斐なし（『平家物語』）

忠景は逃げの馬にやのりにけん　かけぬにおつる上総尻懸（長門本『平家物語』）

忠清は逃げの馬にやのりたらむ　かけぬにおつる上総尻懸（『源平盛衰記』）

と上總守忠清（忠景）と上総鞦をかけた歌であるが、『庭訓往来』にも上総鞦は記されているから聞えた鞦の産地であったのである。

長井鞦［ながいしりがい］

これも産地の名を冠した鞦。

野　鞦［のしりがい］

『吾妻鏡』建長四年（一二五二）四月十四日の条に記されているが形式不明。

鞦の蜘蛛手［しりがいのくもて］

『手綱秘書』に

さうつのゐ、しりかひのくもての下中ほねにそひてあり

と記され、組違いの事か。

鞦の色と素材

鞦は三鞦共に同色・同手法の織組絲を用いるので、色によって色々呼んでいる。

茜総鞦［あかねぶさしりがい］

『文正記』以下軍記物によく記され、茜染のものをいう。

浅黄（葱）総鞦［あさぎぶさしりがい］

『石清水御幸記』弘安十一年（一二八八）正月二六日条殿上人の乗馬に記され、軍記物にも多い。

黄総鞦［きぶさしりがい］

『室町殿物語』諸卿驚給条。

紅大総鞦［くれないのおおぶさしりがい］

『宮参次第』他軍記物に多く記されている。

萌黄大総鞦［もえぎのおおぶさしりがい］

『室町殿日記』他軍記物に多く記されている。

緋色鞦［ひいろしりがい］

『延喜式』彈正台式。検非違使別当以下府生までこの色を用いる。緋は紅花で染めたもの、茜色は茜で染めたもの。二種共に一般で

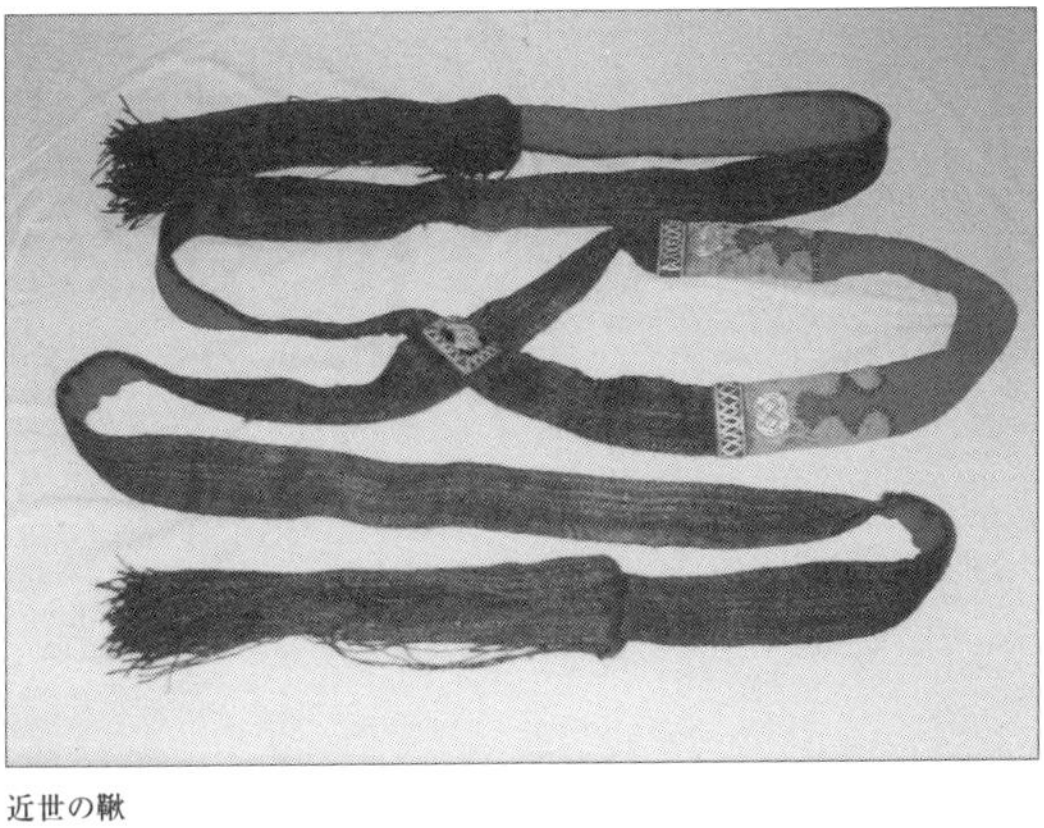

近世の鞦

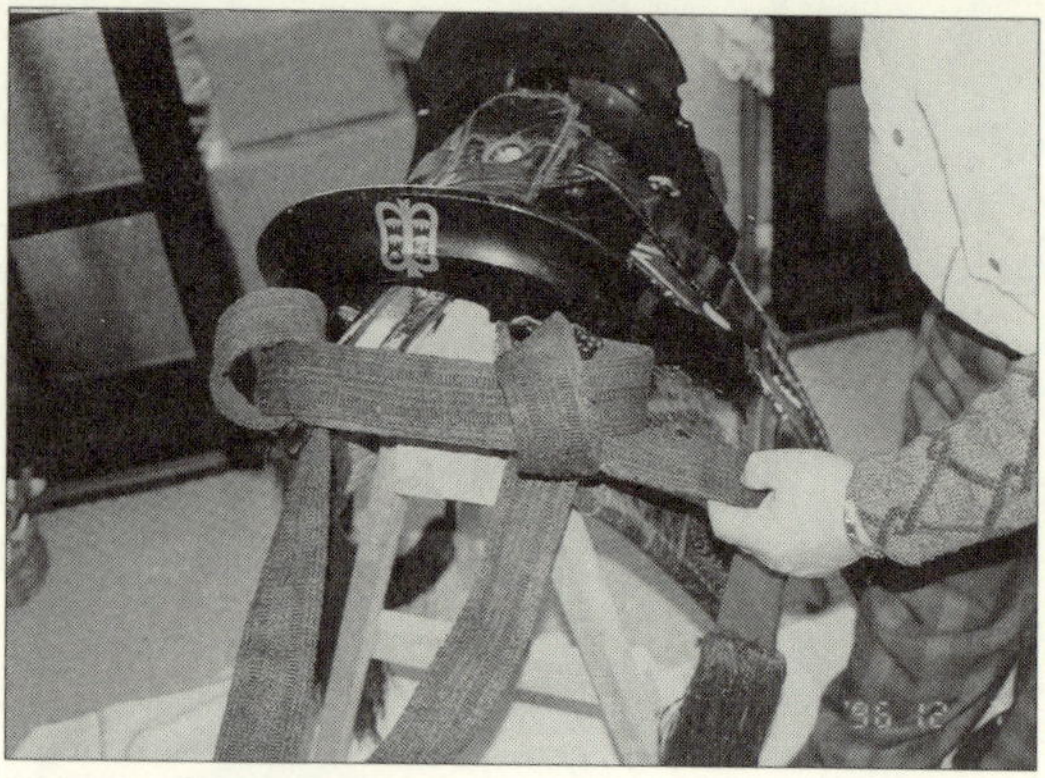

鞦を後輪の四緒手に結んだ形

は赤といっている。

紫　鞦［むらさきしりがい］

『伊勢貞助雑記』に延徳四年（一四九二）二月八日聖護院門跡が用いた記録があり、『伊勢貞順記』では将軍以外用いられないとしてある。

紫下濃鞦［むらさきすそごのしりがい］

『五代帝王物語』にあり、紫裾濃（紫色が次第に薄くなる染め方）の鞦を用いた記事がある。

紺　鞦［こんしりがい］

紺染の鞦。『鎌倉年中行事』に記されている。

青　鞦［あおしりがい］

青は紺の薄い色にも緑にも混用されているが、六位の位袍は「あおきころも」といって深緑であるから、緑の俗称と見て良い。さすれば緑染の鞦の意になる。

唐茶萌黄鞦［からちゃもえぎのしりがい］

『弓張記』に記されているが、唐茶と萌黄の二種をいったものか、茶がかった緑、いわゆる油色・海松《みる》色の系統の色で染めた鞦をいうのか不明。

鈍色鞦［にびいろしりがい］

『万松院殿穴太記』に記されている。薄黒色で葬礼に用いる色であるから、葬儀の折の門役松田対馬守が、この色染の鞦を用いた記事がある。

五色鞦［ごしきのしりがい］

赤・白・青・黄・黒の五色を順に染めた鞦で、派手な行装の時に用いる。『五代帝王物語』に正嘉元年（一二五七）三月廿日高野行幸の折に供奉の北面の武士が用いた記録がある。

黒　鞦［くろしりがい］

これは牛車の牛に用いたものらしく『餝抄』『康富記』等に記されている。

纁　鞦［くんしりがい］

纁は薄赤であるから今日いうピンク色であるが、茜の薄赤か、緋の薄赤か不明。『撰鹿装束抄』に六位以下の者には使用が許されている色の鞦。

木綿鞦［もめんしりがい］

『馬具寸法記』に記されており、木綿織りの鞦をいう。

麻　鞦［あさしりがい］

麻押掛ともいい、麻糸で編んだ鞦をいう。古式である。

黒漆革鞦［くろうるしがわしりがい］

古墳時代に用いられたらしい。なお、現代の馬は革の鞦である。

玉　鞦［たましりがい］

玉押懸ともいい、まれに荷馬に用いられた。木製の丸玉を連ねて紐を通して鞦とした。

馬上での身体の安定〜鐙

鐙は『和名類聚抄』巻十五調度部下　鞍馬具第百九十一の項に

　鐙　蔣魴切韻云。鐙、都鄧反　和名阿布美　鞍両辺承レ脚具也

とある。

　古代乗馬の風が行われても暫くは鐙は考案されなかった。蒙古馬・四川馬・果下馬等は背高一メートルそこそこであったから鐙は無くても良かったが、馬が次第に改良されて背が高くなると、馬を走らせると足元が不安定になり、特に馬で戦う時には充分に戦闘力が発揮できなかった。それで馬上で踏張って、上半身の活動能力を高めるために鐙が発明されたが、その考案のもとはどこの国であるか不明である。

　しかし秦時代にはすでに発明されていたと考えられる。騎馬のフン族が中国にしばしば侵入して始皇帝をおびやかし、ついに防壁としての万里の長城を築かしめた事を見ても、フン族はすでに鐙を用いていたであろう事が推定できる。

　鐙を用いる事によって騎射、刺突、斬撃も充分に行えるので、馬上の戦闘力が増した。

　その最初の鐙はどういう形であったかわからない。足先を掛けるだけで踏張る力と安定感が得られるのであれば輪状の紐であっても良いはずであるが、それでは着脱に不便である。靴を入れるに足る丸い輪状の金属が用いられ、それを紐か韋で釣って固定したものであろう。

鐙の型

輪　鐙［わあぶみ］

　中国・朝鮮・ヨーロッパでも同様で、日本の古墳から出土したものも同形式である。ただし正円ではなく、輪の下方はやや直線で足を掛けやすいようにしてあり、上中央は力韋が結び付けられるように直立した棒状とし、上頭には力韋通しの穴があけられている。古墳時代には壺鐙も見られるから、時には力韋と繋ぐに兵庫鎖式の鎖を用いたかも知れないが、その痕跡はうかがえない。この輪鐙は唐鞍に付属して祭礼・儀式等の飾馬に近世まで用いられていた。

　また輪鐙も足の踏込みの幅を筬《おさ》形に広げたり、足溜り良いように凹凸の條をつけたりしたものもある。

壺　鐙［つぼあぶみ］

　古墳時代末期になると、輪鐙の前方を突起した金属で覆う壺鐙が用いられた。これは発掘品にも埴輪にも見られ、足先を入れる部分が壺状に見えるので名付けられ、これが流行したらしいが、後には儀式用の馬装に用いられた。『物具装束抄』に

　和鞍具事　鐙大滑之時壺鐙

とあり、この事は『餝抄』『無名装束抄』『諸鞍日記』に記されている。壺の入口中央に前に向って、後世の鉸具頭に当るものがあり、これに数段の兵庫鎖を編んで、先端に刺金付鉸具頭をつけるか、水尾革を通して、鞍から出ている力韋に留めた。また兵庫鎖の先に水尾革をつけて、その先の尾錠で力韋と連繋する形式もあった。壺鐙は上部中央鎬があって、前方尖り気味のものと、円みを帯びたものとがあり、この膨らみが後世日本独特の舌長鐙の鳩胸に発展するのである。

半舌鐙［はんしたあぶみ］

　やがて壺鐙の足先だけ入れるより、踏込みに都合が良いように、壺鐙の後方に十センチ前後の踏板を伸ばした形式が考えられた。こ

鐙の型

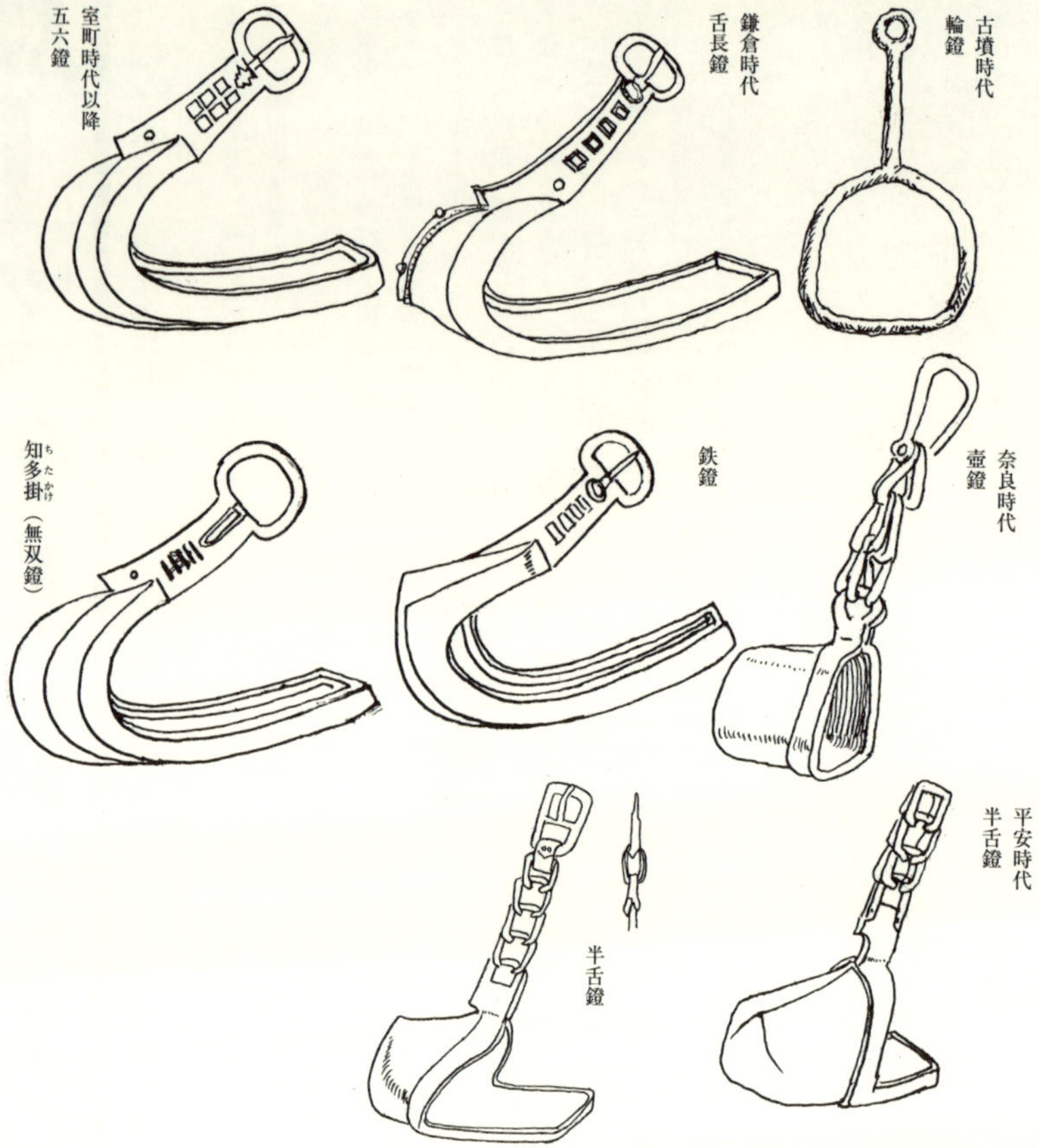

黒漆塗舌長鐙・御嶽形（靖国神社遊就館所蔵）

れを半舌鐙という。半舌鐙の名称は『桃葉蘂葉』にも鐙の種類の一つに数えられ『無名装束抄』にも記されるが、『餝抄』や『明月記』に記される舌短鐙もこれにあたるらしい。この形式は奈良時代から平安時代末期に盛行したらしい事は『伴大納言絵巻』『年中行事絵巻』『随身庭騎図巻』に描かれ、『平治物語絵巻』にも散見する。

舌長鐙［したながあぶみ］

踏込が長くなって、充分に足裏が踏込に入るようになったものを言い、平安時代末期以降、幕末に洋鐙（輪鐙）が入るまで、形状にいくつかの種類を生じたが舌長鐙は一貫して踏襲された。

舌長鐙の特徴は、壺鐙・半舌鐙の前方の壺状のものが、中央鎬の鳩胸と、その左右が波《なみ》分《わけ》（谷間《たにあい》）の凹みの線を作り、さらに左右に張り出て肥満脇《ひみわき》となって曲線を描き、舌が後に長く出て踏込を作り、縁取り（受縁《うけべり》・踏端《くつはし》）とする。鐙を吊った場合にこれでは前部が重くなるので、兵庫鎖や水尾革で吊った部分を鳩胸上部に連接した渡り金をつけ、その先端に鉸具（尾錠）を固定した。このバランスで、鳩胸と舌先がやや垂平に近くなって、乗降に足を懸けやすくなり、日本独特の鐙の形が形成された。

この舌長鐙も鉄枠木製の木鐙と、鉄、銅、真鍮の金《かな》（鉄）鐙《あぶみ》の二種がある。

鐙の作り

木　鐙［きあぶみ］

鉄で枠を作り、木片を貼って鐙の形を作ったもので、ほとんど漆塗りで仕上る。

鏡　鐙［かがみあぶみ］

『飾抄』にも記され、木地に漆を塗って鏡地に仕上げた鐙。

黒塗鐙［くろぬりあぶみ］

木鐙は黒漆塗か朱漆塗が多い。『万松院殿穴太記』に「黒鞍置て鐙のうちに至るまで黒塗也」と記され『岡本記』では「くろぬりあぶみとて出家のほかはのらざる事也」とあり、黒塗鐙は僧体のものが乗った。

故に一般は黒漆塗鐙には金銀で紋や模様を蒔絵したり金貝を貼った。鐙の外装はだいたい鞍の外装に合せ、鞍鐙を揃い物とするのが普通である。

梨地金紋鐙［なしじきんもんあぶみ］

木鐙は漆を塗るが、表面を金・銀梨地、そして紋・模様を平蒔絵か高蒔絵とし、この場合鞍も同手法で揃える。

ち　鐙［ちあぶみ］

鉸具から鳩胸まで、金・銀覆輪をかけた鐙をいう。『小笠原入道宗賢記』に

ちあぶみという事。随兵のときあぶみのやないばを惣別かたより、かこくびたかがしら、さるしり鳩むねまで白も金にもふくりんをかけ候て持い候事也

とある。

籠鐙（水馬鐙）［かごあぶみ（すいばあぶみ）］

『岡本記』に

川をわたすあぶみは、かごあぶみとて、かねにてかうし（格子）のごとくしたるあぶみの事也

とあり、近世は水馬鐙といった。鉄で骨組だけか、鉄板に透かし模様を一面に彫って、水はけを良くした考案であるが、一般の鐙でも水が気にする程溜まらないから特に水馬鐙を用いる事は必要でなく、一部の好事家の用いたものである。

鉄　鐙［かなあぶみ］

鉄を鍛えて作るが、踏込みは板を張って漆

籠　鐙

塗りとする。

象嵌鐙［ぞうがんあぶみ］

『室町殿日記』『東遷基業』その他近世の軍記物に出てくる鐙で、鳩胸に紋や、踏込以外全般に模様や紋を象嵌した鐙をいう。金・銀、真鍮が用いられる。

金銅鐙［こんどうあぶみ］

『无名装束抄』に「鐙金銅壺舌長、半舌也」とあるように銅製に金鍍金したもの。『布衣記』にある「金地鐙」や、『庭訓往来』にある「白鐙」は、鉄鐙の上に金銅板、銀銅板をかぶせた鐙で、江戸時代においては真鍮鐙もある。

地域名を冠した鐙

武蔵鐙［むさしあぶみ］

伊勢貞丈は金沢（武蔵）住の銘ある鐙とし、栗原信充は木鐙を指していったとして未だ確定していないが、『伊勢物語』に

むさしあぶみ　さすがにかけて
たのむには
とはぬもつらし　とふもうるさし

と詠まれ、『新撰六帖』や『源平盛衰記』小坪合戦条に畠山重忠が

武蔵鐙ニ滋籐ノ弓真中トリテ

とあるから平安時代すでにこの名が用いられており、特定の形式とは思えない。

那波鐙［なわあぶみ］

『尺素往来』に記され、上野国（群馬県）の鐙工という説もあるが詳細不詳。

松坂鐙［まつざかあぶみ］

『毛吹草』に記され、伊勢国松坂で作られた鐙。

加賀鐙［かがあぶみ］

加賀国金沢で作られた鐙といわれ、金沢住と銘を鐫《き》った鐙と混同視される。

七條細工鐙［しちじょうさいくあぶみ］

『吾妻鏡』文治二年二月廿五日条に「七条細工鐙」の名があるから京都の鍛冶らしい。

知多懸［ちたがけ］

日野懸・佐々木懸ともいう鐙は刺金が左にも右にも廻るように鉸具の元の刺金の長さだけ渡り鉄を刳り除いた形式である。この鐙は左右区別無しに使用できる便利さがある。栗原信充の『鞍鐙図式』に尾張知多懸として図示されているのは渡りに刺金が収まる図となっていないのは誤りである。

五六鐙

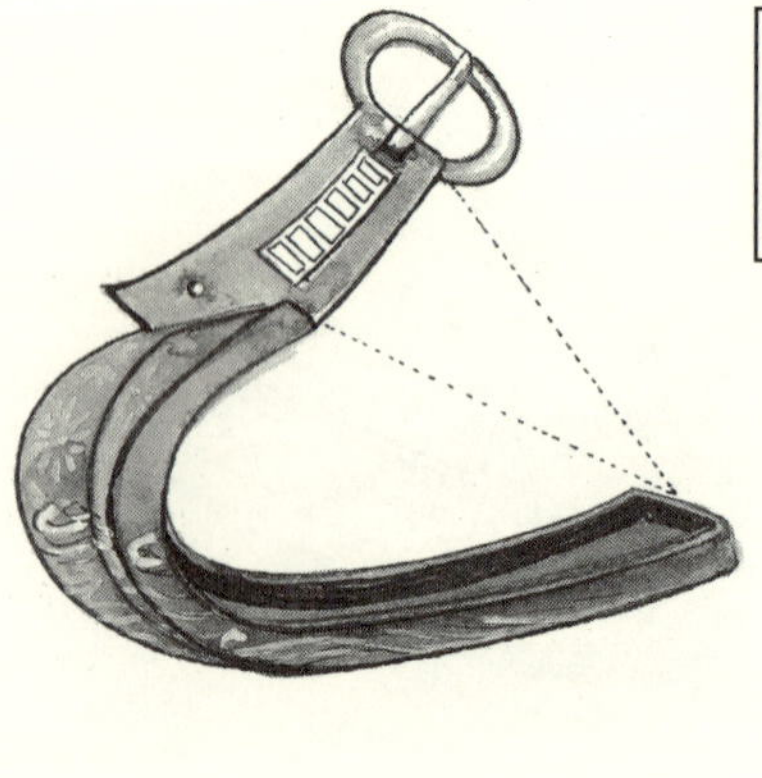

五六鐙［ごろくあぶみ］

鉄骨木張漆塗の鐙であるが、伊勢貞丈は『五六掛鐙考』を記し、鉄鐙に対して呼んだとするが異説も多い。

一、鉄五分、木六分の割合で構成されているからいう。
二、甲斐国五六の里で作られた。
三、五六三石の米を吊っても伸びない。
四、五六三十貫の重みにも堪えられる。
五、高頭（鉸具）の付根から舌先の角までの長さが五寸六分あるからいう。

等と諸説あるが、一般的鐙は高頭の付根から

舌先角までは五寸八分から六寸七分くらい（約十七・五～二十・三センチ）であるから、一般的鐙より微小であり小型ともいえる。

鐙の各部名

水緒金（水金）［みずおがね（みずがね）］
壺鐙の上部の兵庫鎖を力韋で繋ぐ間の革を水尾韋という。舌長鐙になってから、これが渡りというようになったので、この渡りを古語で水緒（尾）金と呼んだらしい。『義経記』兼房最後条や、『今川大雙紙』にこの用語は出てくる。

鐙の名所

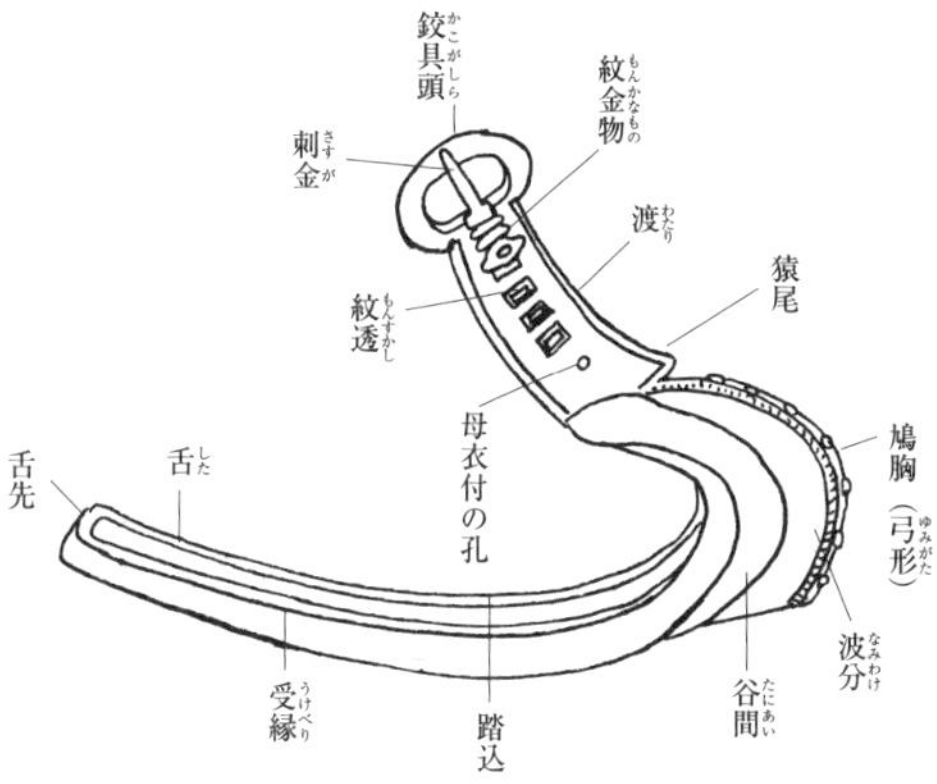

鉸　具［かこ］
平安時代末期以降の舌長鐙に設けられた渡りの先端の尾錠式装置をいう。
渡りの先端中央に刺金《さすが》といって力韋の孔を通す突起の鉄棒があり、鉸具の輪状の上部を鉸具頭《かこがしら》・高頭《たかがしら》といい、元を鉸具首《かこくび》という。
『壒嚢抄』に

鐙ノカコト云字ハ何ゾ。鉸具ハ又鋳具ト書。鐙ニカギラズ公家ノ装束ノ中石帯等具也。鐙ノ頸ノ逆鞆ヲ懸ル所。彼ノ形ヲ模スル故ニ鉸具ト云也。

とあり、『諸鞍日記』『奉公覚悟記』（いずれも室町時代の書）に記され、鉸具首は『小笠原入道宗賢記』『今川大雙紙』では鷹（高）首といっている。

猿尻（猿尾）［さるしり（さるお）］
鐙の渡りと鳩胸上端と接した部分をいう。『小笠原入道宗賢記』『蜷川記』には猿尻、『武用弁略』では猿尾といっている。『軍用記』では鉸具先といっている。

鳩　胸［はとむね］
鐙の前方の膨んだ部分をいい、中央は鎬立つ。（『小笠原入道宗賢記』『蜷川記』）

笑［えみ］
咲とも書く、鐙の鳩胸と肥満脇との間の谷筋をいう。『蜷川記』にあり、この谷筋の無いのを笑無という。

柳　葉［やなぎば］
鐙の踏込の側面をいう。『小笠原入道宗賢記』『奉公覚悟記』等。舌先に近い方を「うちおき」という。

踏込（沓込）［ふんごみ（くつこみ）］
鐙の舌の表面で、足を踏込むから踏込、沓入ともいう。『今川大雙紙』では沓込。

舌　先［したさき］
一文字。舌長鐙の沓込の端をいう。『奉公覚悟記』等に「両のしたさきを両の手にてひっそろえて持ち」などとある。

母衣付の孔［ほろつけのあな］
近世の鐙は渡りの下方に小孔あり、伊勢貞丈は、母衣を頭から前に被って、母衣の末端の紐をここに結びつけるための孔としているが、そんな用い方は無い。

馬の防具〜馬沓・馬面など

馬《うま》沓《ぐつ》

近代以前の日本の馬は鉄蹄を打たないので、馬蹄は丈夫であったが、それでも砂利道、岩だらけの道では馬蹄が傷むし、長距離行軍では擦り減る。そのために考えられたのが馬沓で、これは人の履く草鞋と同じように藁で作ったが、これの損耗ははなはだしかった。故に戦場などではたくさん用意したらしいが、絵巻物や古画では馬沓を履いている図は見られない。これは省略されたか、古い馬ほど蹄が丈夫であったか、この点は未だ不明である。江戸時代の浮世絵版画あたりであると荷馬等は馬沓を履いているが、武家の馬には描かれていない。

しかし馬沓を用いていた事は事実らしく、室町時代頃から記録が見られる。

『小笠原入道宗賢記』に

馬のくつをばうつといふなり。又かけ候とも申候也。くつかけすまひの馬とも被レ書たり。又とるときにはおこすとも、ぬがすとも申也

とあって、小笠原流らしく言葉使いにも厳しく区分し、馬に沓を履せる事を「打つ」「掛る」といい、沓を取ることも「起す」（居越す）とも「脱がす」ともいうべきだとしている。

『岡本記』にも

馬のくつかけたるが、あしのやぶれたるをばくつむきがありてとかたるべし。又馬にくつをはうつともかくるとも申也

と用語にこだわっている。故に室町時代頃は馬沓を履かせるのは常識であり、戦場に行くときは後輪の四緒手や、武者自身の腰に自分の履く予備の草鞋と共に用意したり、武家奉公人の供に沓箱持を連れたりした。

『増補家忠日記』にも天正十八年（一五九〇）三月秀吉の小田原陣に、秀吉が宇津山に到着したところ、郷民が勝栗と馬の沓をたくさん持って戦勝の祝いにやって来たという記録がある。馬沓を失うと、馬の行動に影響するので当時は軍事の備品でもあった。

藁で編むから、重量のためにすぐに傷んでつけ替えなければならぬので、武者草鞋が長持ちするように苦心したのと同じく、馬沓も丈夫なものを作るために様々に考案された。ただしこの考案は戦争の治まった江戸時代においてである事は、武者草鞋と同じである。

藁の代りに繊維の丈夫である蕨の根を叩いてやわらかくして編む法。竹の甘肌を細かく裂いて編む法。鯨の髭を細かく裂いて編む法。馬尾毛を編む法。麻、棕櫚毛、人髪、紙の繊維を藁に混ぜて編む法があった。

また蹄の減りを少くなるために、五倍子（御歯黒に用いるフシ）を溶かした水、鉄粉、胡粉（鉛の粉）等を混ぜて蹄裏に塗るのも良いとしてあるが、どれ程の効果があったかは不明で結局馬沓をマメに替えてやる以外方法が無かった。長途の旅や行動で馬を一日中乗り廻したら疲労するし蹄の減りがはなはだしく、爪がかなり減ったら、また伸びるまでその馬は役に立たない。

軍記物にはそうした現実的の記述はなく、小説・映画・テレビの時代物では一頭の馬に乗り詰めで、数日間戦ったり行進したように表現されているが、馬は時々予備の馬に乗替えたり、休憩させたり、常に馬沓を履き替えさせたり、馬の脚を冷やしたりする事が必要であった。戦場に行く時は必ず乗替馬が必要であった。

馬沓

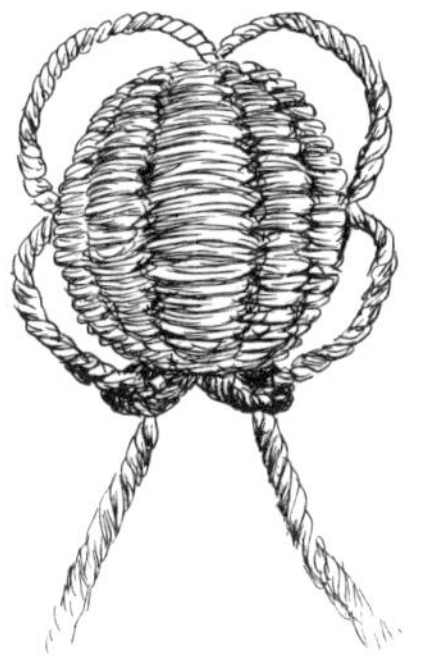

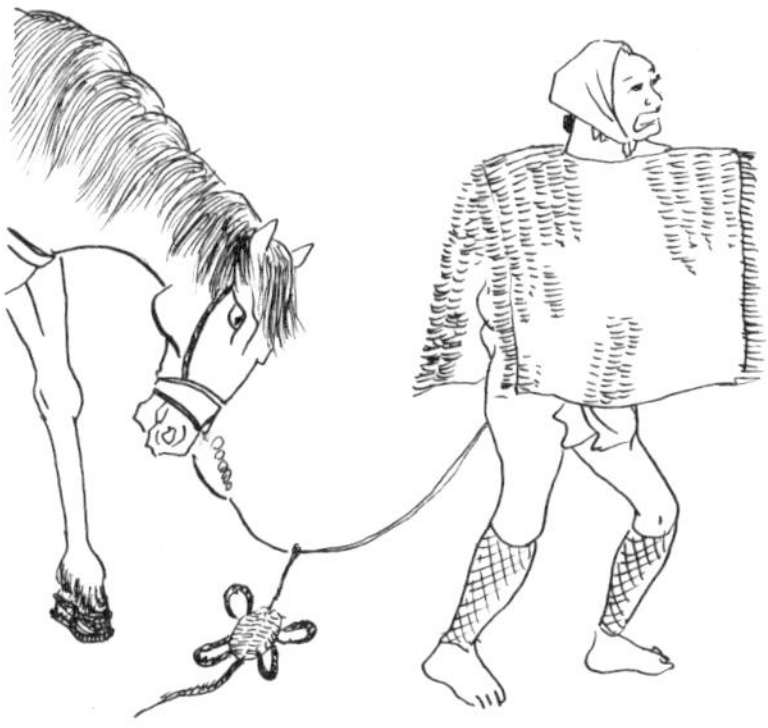

『江戸職人歌合せ』に描かれた馬沓

馬面《ばめん》

馬の顔の正面に当てる防具兼飾り。古墳時代の馬使用に用いたかどうかは不明であるが、平安朝頃の唐鞍の馬には銀面という装飾的板を面につけていた。

中世では馬甲に付属し、近世では馬甲を用いた時に必ず革か張子で龍面の馬面をつけた。鉄打出しの馬面は逆に江戸時代に見られ、安土・桃山時代の馬面は煉革か張子の紙製、漆固めである。防具としてよりむしろ威嚇効果を狙った威儀的装飾物として用いられた。

『武家閑談』『柴田退治記』等に馬面の記述があり、当時でも注目をひくほど珍しがられたらしい。

ただし、戦場に用いた馬面は、これだけ着けたのではなく馬体に馬甲（馬鎧）をつけて一揃いとした。

馬甲《うまよろい》（馬鎧）

『武用弁略』に

介《ヨロイ》ハ馬甲也。左伝成公十一年ニ馬ニ介セズシテ馳、註ニ介ハ甲也。史記ノ普ノ世家ニ駟介《シカイ》百乗ト云云。上古ハ鉄ノ板ヲ麻糸ニテ布ニ縫付左右エ掛タリ。是ヲ金ノ前後ト云リ。近代革ヲ以ス。其粧《ヨソオイ》一般ナラズ

とあり、中国では古くより用いられ、日本でも上古（古代）は用いたとあるが、その遺物は見られず、源平時代にはわずかに用いられたらしく『源平盛衰記』平三景時歌条に

大将軍ノ給ヒケルハ、此レハ大事ノ域、木戸ノ上ニハ高櫓ニ四国九国ノ精兵ヲ集メ置タルナルゾ。誤チスナ。稲ヲ重ネ馬冑（『源平盛衰記』では冑をヨロイと読み、甲を「カブト」と読んだ）ヲ着スベシ

と記されるくらいで、あまり流行しなかったらしい。記録にしばしば記されるようになったのは南北朝時代頃からで『太平記』『明徳記』『成氏年中行事』公方様御発向之条（関東公方足利成氏）や、『関東兵乱記』河越夜軍条、『柴田退治記』『家忠日記』『当代記』『北条五代記』『甲陽軍鑑』『深谷記』『大坂軍記』等に記されている。

現在遺物として見られる多くの型式は三センチ四方の煉革を型押して麻布に綴じつけたものである。頸の囲りの部分と、胸の部分、背尻の部分を覆うようにしたもので、たいてい金箔押にしてあるから金馬鎧（『北条五代記』『甲陽軍鑑』）、甲斐金の馬鎧（『深谷記』）と名付けられている。

しかし総鎖で馬体を覆った馬鎧の方が古いらしく、『太平記』畑六郎左衛門条に

煉革打出金箔押馬面
（靖国神社遊就館所蔵）

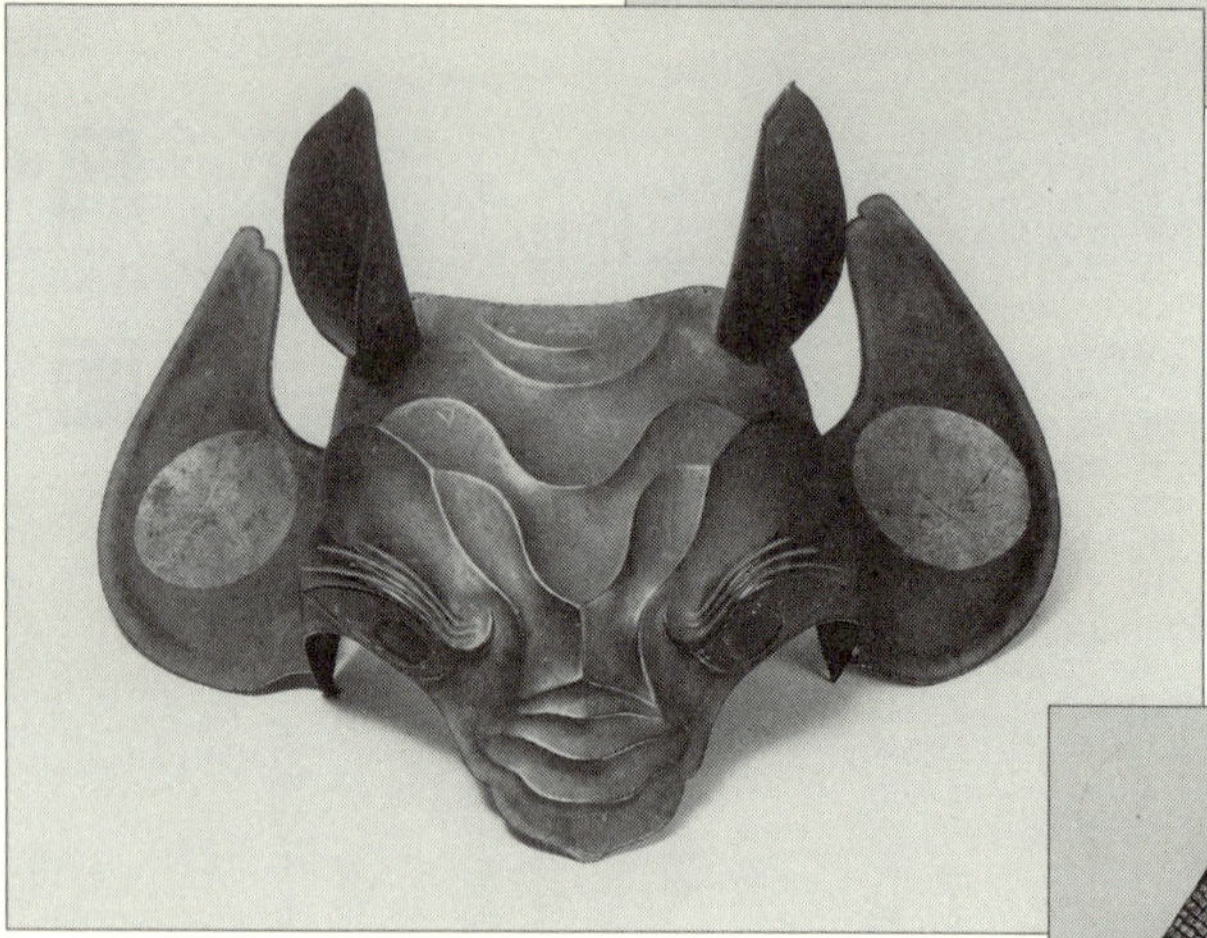

煉革打出黒漆塗羊馬面（靖国神社遊就館所蔵）

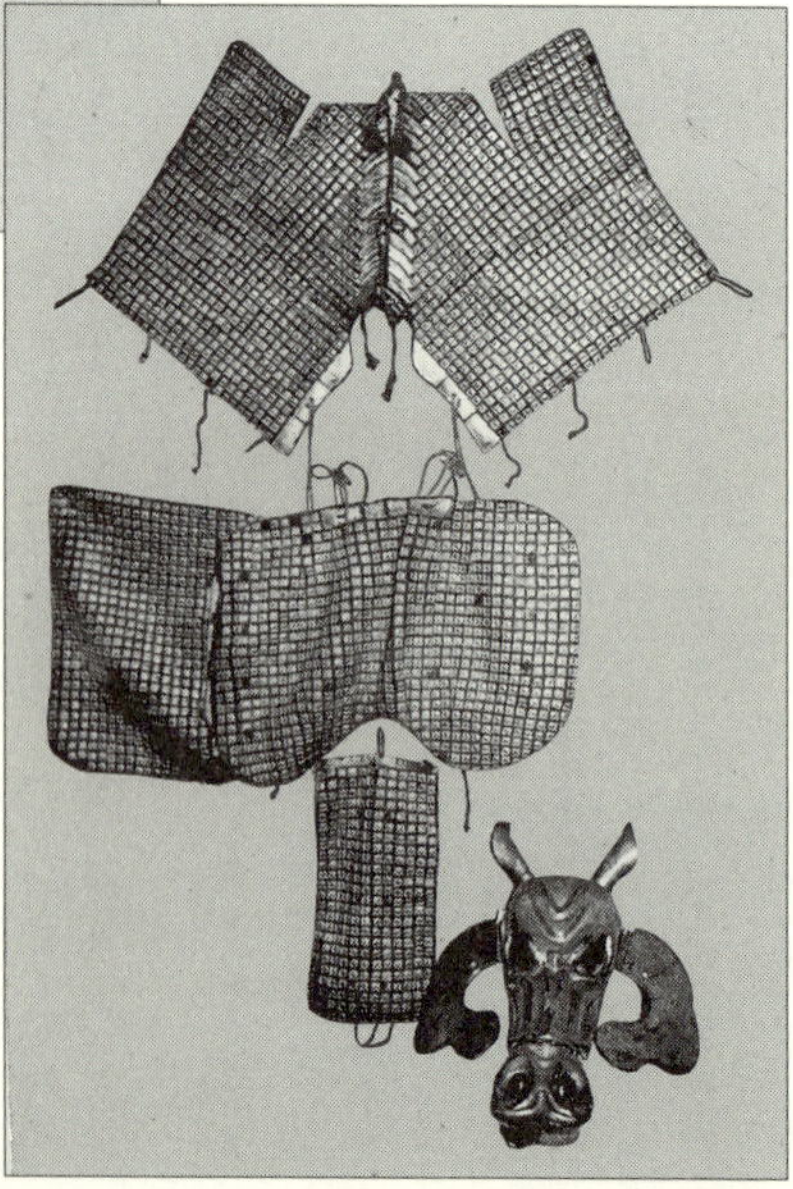

金箔押煉革馬鎧及馬面
（靖国神社遊就館所蔵）

金箔押煉革馬鎧

馬鎧

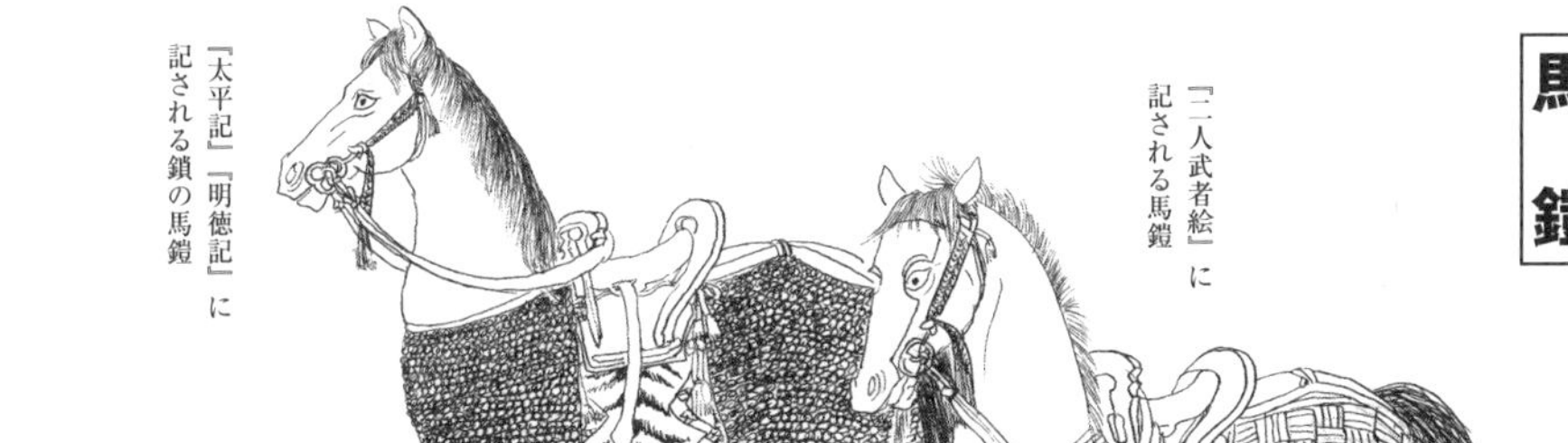
「二人武者絵」に
記される馬鎧
『太平記』『明徳記』に
記される鎖の馬鎧
金箔押革札の馬鎧
馬鎧の上に山鳥の羽の
馬衣をつけた態

　五尺三寸有ケル馬ニ鏁ノ冑懸サセ

と記されているから総鎖（隙間なく鎖地としたもの）の馬鎧も一部で用いられたらしく、室町時代の『明徳記』にも「金クサリノ馬鎧」とある。

この金鎖は金銅鎖か、金泥塗りか、金をカネと読ませて鉄鎖のことを指していったか不明であるが、おそらく鉄鎖地であろう。

しかし鎖帷子が意外と重いように、馬に鎖鎧を着せたら馬の負担は著しく、行動に支障を来したものと推察される。

こういった面で、軽い煉革製の馬鎧が用いられたので、金馬鎧・甲斐金の馬鎧というのは煉革金箔押の馬鎧であろう。北条家では馬鎧を用いる事は奨励したらしく、出陣の注文に馬鎧着用を指定したこともある。

また馬鎧をつけても、その上を毛皮や鳥の羽根で飾った事も桃山時代に流行し『奥羽永慶軍記』太閤洛陽出陣条に、伊達政宗の朝鮮出陣には

　馬ヨロヒハ虎豹ノ皮、或ハ孔雀ノ尾、熊ノ皮、好ミ々の出達《イデタチ》ナリ

とあり、馬鎧の上に虎・豹・熊の毛皮のほかに鳥の尾羽根を家地に列べ縫い付けたもので覆った。虎・豹の皮ですら当時輸入品で高価なものを鶏・雉子・山鳥の尾羽を何千と縫い付け、特に孔雀の尾羽根を用いる等は贅の極りを尽しているが一般ではとても用いられない。なお、『大坂軍記』に二代将軍秀忠は京都進発の折に山鳥の尾の陣羽織に、自らの馬の馬鎧の上に「孔雀尾の馬鎧をかけた」ことが記されている。

第三章 馬の周辺

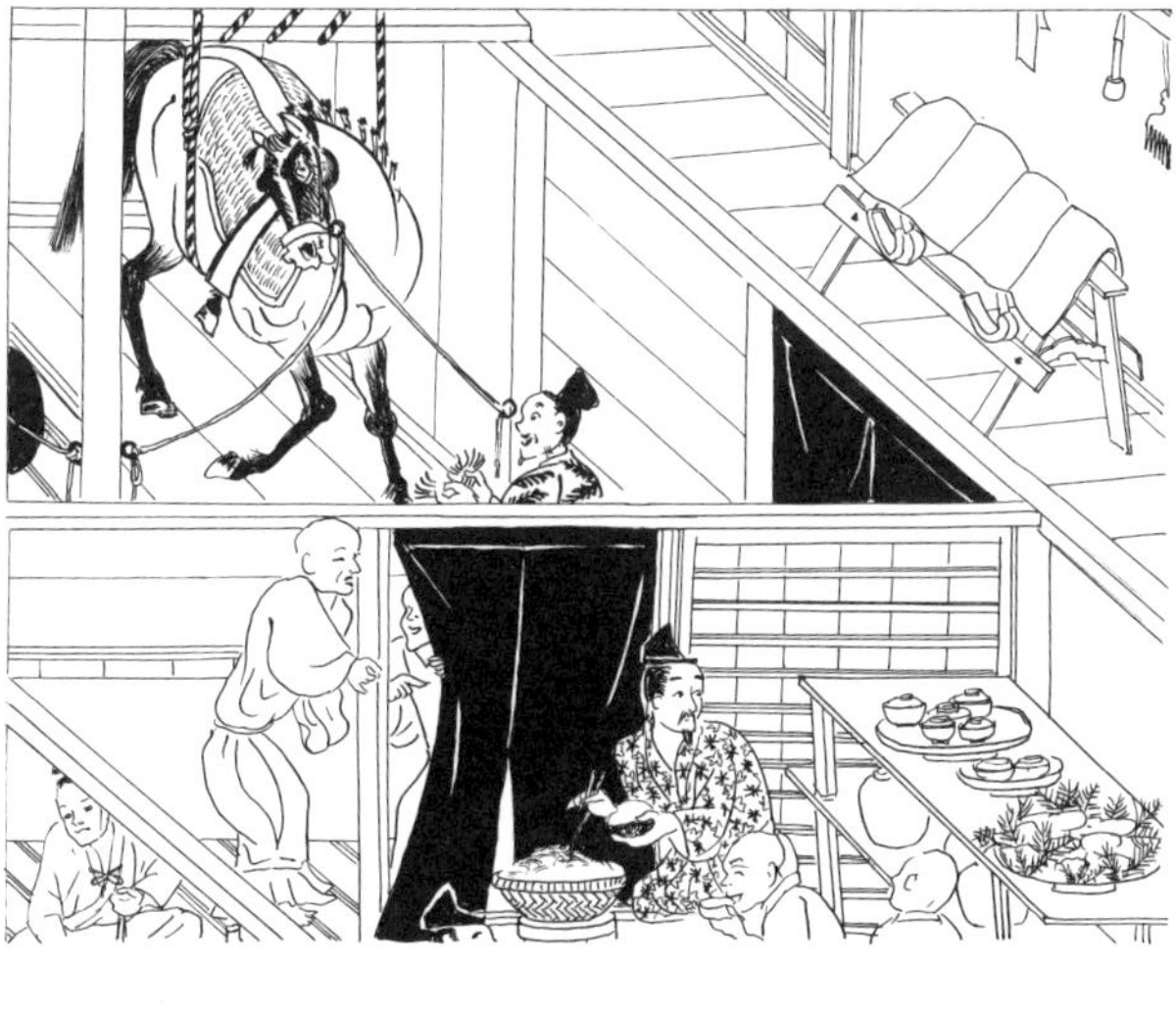

馬の管理人〜馬寮・厩奉行

馬寮《めりょう》

奈良時代から、宮中の御厩の馬や、諸国の牧場の管理、官馬の調教、飼育、牧草の管理、馬具一切の管掌、飼部の戸口、名籍等を掌る官庁で、『和名類聚抄』に

右馬寮　美岐乃牟馬乃豆加佐、左馬寮
比多里乃牟馬乃豆加佐

とあり、両方を併せて馬寮といった。

大宝令制定の時に設けられたが、年々御牧や諸国の牧より貢献する馬の事を掌り、兵部省にも兵馬司を置いて兵馬・郵駅の馬を掌らせたが、平城天皇の大同三年（八〇八）に兵馬司は廃され、馬事全般の事は馬寮の所管となった。

左馬寮は大内裏の談天門、藻壁門の間の内側、典薬寮の西方南北八十四丈（約二五五メートル）、東西三十五丈（約一〇六メートル）の面積で、右馬寮はその南方、諸陵寮の西に同じくらいの面積を占めた役所であった。

馬寮の長官は従五位上で頭といい、その下に正六位下の助が一人、その下に正七位下の大允、従七位上の小允、従八位上の大属、従

厩の様子

『男衾三郎絵詞』より

八位下の小属が左右馬寮共に一人ずついたが、後には大允・小允は各三十人で六位の者もこれに任ぜられ、五位の人が任せられた時は馬大夫と呼んだ。

これらの役の下に馬医・騎士・馬部《めぶ》・史生・使部の下役が付いた。

牧場は甲斐・信濃・武蔵・上野（山梨県・長野県・神奈川県の一部を含む東京都・群馬県）の内三十二箇所に及び、『大宝令』によれば各牧には、長一人、帳一人を置き、牛馬百匹を群といって牧子二人を置いた。

『延喜式』には信濃・甲斐・上野の国に牧監を各一人ずつ置いて職田六町を給し、武蔵は別当を置いた。

また『大宝令』に

掌㆔供㆓進乗馬鞍具之属㆒

とあり、春宮坊の管する主馬署があり、「シュメノツカサ」または「ウマノツカサ」と読み、長官を首、下に令史一人、馬部十人を置いた。平安時代にはこの主馬首は検非違使を兼ねて主馬判官といった。

この馬寮・主馬署を総轄したものが左右に一人ずつ御監《ごげん》（うまのつかさ）といって近衛大将が兼任した。

武家が政権をとってからはこれらの官職は空名となり、幕府の御廐別当（奉行）がもっぱらこの職を管掌した。

廐奉行《うまやぶぎょう》

古くは廐別当といった。別当とは本官の他に職別に専当する故に別当（べとうともいう）ということから始まり、朝廷では検非違使・蔵人所・淳和院・奨学院・大歌所等の長宮を別当と称し、後には国司の廐を預るものから、大寺の一山を管掌する者・皇族の家宰、院の厩の管理者等まで別当といった。

『平家物語』法住寺合戦の条に、源義仲が院の廐の別当になった事が記されているが、源頼朝が幕府を建てると、これに倣って、政所・侍所・廐所の長官を別当といい、遊女を管掌する役まで別当と称した。

『吾妻鏡』文治五年（一一八九）十二月九日の条によると、十五間の廐を建てて、陸奥の馬三十匹を梶原景時に管掌せしめて御廐別当し任じたという。

正治二年（一二〇〇）景時は誅せられて、三浦義村が代って廐別当に任ぜられ、以降この職は継続され、廐奉行とも称せられるに至った。室町幕府には応安四年（一三七一）十一月に伊勢貞継を厩奉行に任じて以来、代々伊勢家が世襲でこの職となった。朝廷においてもその職名はあり、上皇、摂関家においても厩には上下の別当を置いたりしたが、馬を取扱う馬飼・馬の口取りまで別当というようになったので、もっぱら奉行という名称が長官名として用いられるようになった。ちなみに馬の口取・馬飼は古くは廐舎人《うまやのとねり》といわれていたことは『吾妻鏡』『太平記』『花営三代記』等に散見する。

江戸幕府でも御馬別当と俗称されたが、馬預《あずかり》が正式名称で、幕府の用馬や、諸侯に下賜する用馬等の調教、馬具一切の備品を管掌した。御召馬預は禄は三百俵、御役料二百俵、馬預は二百俵役料十五人扶持、御召馬預配下は馬乗十人、見習四人で五十俵三人扶持であった。将軍は一月の初めに江戸城吹上か裏の馬場で、馬の乗初めがあり、この折は御小納戸頭が廐奉行から御召馬を受取って恵方に向って引き、将軍がこれに乗って走らせ、終ってから廐奉行に賞を与えることが幕府の年中行事の一つであった。

馬の管理1〜廐

廐

廐《うまや》

『和名類聚抄』巻十居処部十三居宅類第百卅六の廐の項に

四声字苑云　廐　救反　和名無万夜　牛馬舎也

とあり、馬を飼う舎屋の事をいう。古くより朝廷には左右馬寮があって、廐馬の事を掌り、長官は別当であったが、武家時代に入っても、武家の重要な兵具の一つであるから、騎馬する身分の者は必ず廐を持っていた。

廐と収入

『二判問答』に

禁中ニハ被置二左右馬寮一被レ繋二御馬一候、是ヲ号二寮ノ御馬一候。以二此淮拠一諸家ニ於二面向一不レ立レ廐候。武士ハ依レ為二守護一以二弓馬一為レ業。然間於二面向一必立レ廐。是公武之差別也。二間三間者諸人通法也。五間七間已上者依二分国之多少一有二其員一。仍細川家者為二十三ケ国之拝領一依レ之十三間之廐規模之由承候

と記されるように武家は拝領した土地の収入

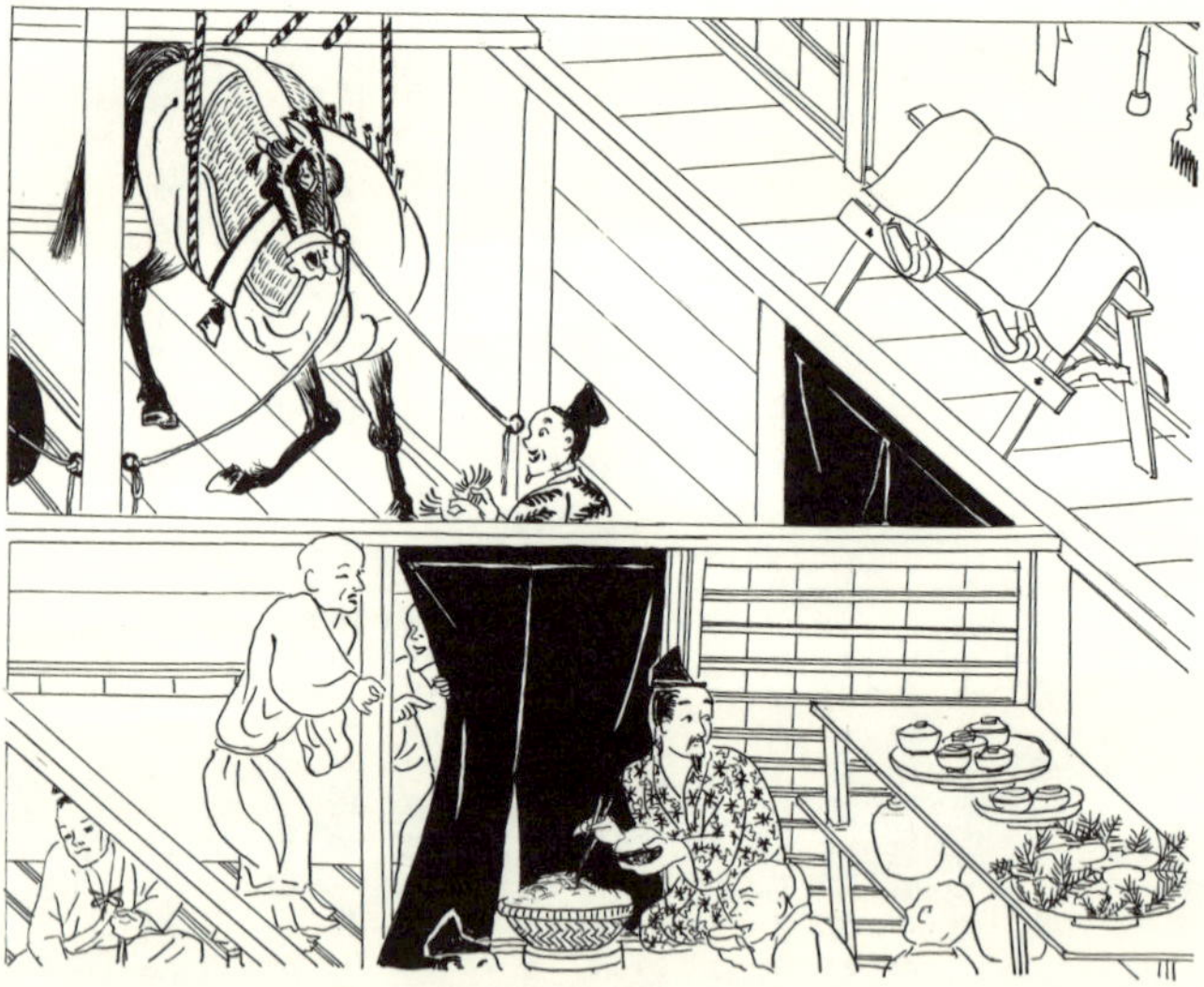

『幕帰絵詞』より

高に応じて必要の数だけの馬を飼うので、厩の規模も色々であった。これは立場格式に対しても面向（額・体面）の上でも必要の事であったとし、武者を一騎・二騎と数えるように騎馬武者が武家としての範疇に入るのであるから、騎馬武者としての資格ある者は是非とも馬を用意しなければならない。安土桃山時代の小田原北条家では五十貫一騎であったし、江戸幕府の軍役規定でも二百石から馬上の士とされていたから、五十貫・二百石級は必ず馬を用意する義務があった。江戸泰平時代には二百石級で馬を飼っている者はほとんど無いといって良く、四・五百石級でやっと馬一頭飼うのが、せい一杯であったのである。

　軍役における騎馬は、召集された時に馬一頭だけでは、乗り潰してしまうから、必ず乗替馬として最低二匹は飼わねばならぬから、厩も一匹だけの余地では駄目である。

厩の神

　厩には馬を守護する神を祀る風習が古くよりあり、上方では厩の戸に「申」の字を赤く書いたというが、何故申《さる》と馬との関係を生じたか解らない。これは馬を河童が害するのを河童より強い猿が馬を守護するという民間習俗から猿を厩に飼ったりしたのが後に形式的信仰となり、正月に猿廻しを厩に呼んで演じさせたり、また烏帽子をつけた猿が馬を牽いている絵を厩に貼ったりして、馬の災難除けとしたりした。

　このほかに蒼前神・馬頭観音・馬櫪神等を祀るようになったのは近世からである。

　ただし厩の神は平安時代に遡るらしく、天徳三年（九五九）に生馬神として右馬寮に祀り延喜三年（九〇三）には従五位下に叙され、『日本紀略』には左馬寮の生馬神にも加階した記録があり、『倭訓栞』では保食神《うけもちのかみ》が馬の祖、建御名方神も馬の守護神としている。

馬の餌

　また馬の食料は江戸時代までは秣（馬草）といい青草を刈って乾草とし、米や大豆を混ぜて食わしたが、土地によっては海藻を混ぜたり、時には乾草と大豆を食わせたりした。

『延喜式』左馬寮式に

　毎年四月十一日　始飼㆓青草㆒、十月十一日以後飼㆓乾草㆒ 馬日二束半牛二束、束別重十斤二両　其飼丁馬別一人以㆓衛士㆒充但刈㆓青草㆒丁并飼牛丁総七十四人并充㆓仕丁㆒。其飼㆑秣者冬細馬日米三升　大豆二升　中馬下馬各米一升　大豆一升　牛米八合　夏細馬日米二升　中馬一升　下馬反牛不㆑須

と定めている。細馬とは『釈日本紀』にあるように「ヨキウマ」で、逞しい元気のある馬の事である。毎年四月十一日から十月十一日までは青草を食べさせるが、それ以外は衛士に命じて刈らせた青草を乾草として刻んで食べさせる。それだけではカロリーがとれないから、細馬は一日に米三升・大豆二升を混ぜて食わせ、中馬・下馬は米一升・大豆一升を混ぜて食わせる。大豆はもちろん生のままではない。夏は青草を多く食わせるので細馬は米二升、中馬は一升、下馬は牛並に減らすとあるから左右馬寮で飼う馬は牧におけるよりずいぶん贅沢である。

　戦国時代は馬の数も多く、こうした馬糧ではとても賄いきれないから、主君が部下の馬に戦場で支給するときは大豆一升で、米までは支給しない。ただし夏は青草を各自が補給するが、秣は大荷駄が用意したりする。

　そうしないと、時によっては稔り前の稲などを刈って与えたりするので、軍陣ではこうした行為は厳しく禁制されていた。

　馬糧はこのほかに糠や麦も混ぜて用るが、発汗が激しい時はかなりの塩と水が必要である。

馬の管理2～馬の管理具

馬《うま》盥《だらい》

「ばだらい」ともいう。馬を洗う水を入れた盥をいう。

馬は発汗して毛に塵埃や、垢が溜ったり、長途の行動で疲労しているときは、毛を洗い血行を良くし回復させるために川や沼辺に連れて行ったりするが、廐舎にあっては盥に湯や水を汲んで、体を洗ってやる。

廐には必ず用意されていたもので『三好義長亭江御成記』にも

御廐三間新造に立　三間の廐の面の脇也。一間にはめし（召し）の御馬、一間に進上の御馬を繋で、御厩の者共此御廐にあり。自二此方一も御番に人を置ぬかくさ以下申付之、馬船（馬槽のこと）たらい（馬盥）同前。仍めしの御鞍のくらかけ失念候間、御廐孫左衛門と令二談合一殿中のを申出儀に難レ成間如レ此也

とあり、廐舎の備品であった。

江戸時代の『俳諧新選』に

馬盥に　さみだれ傘や　数十本

というのがある。

足《あし》結《ゆい》縄《なわ》

あしゆいなわ・あゆいなわ等と訓む。馬を停めた時に、馬が歩き出したり、走り出したりしないように馬の前脚二本を縄で縛るものをいう。面懸の首掛から辻にかけて頸に結びその先を轡の穴に通して前脚下方を縛るのと、鞍の前輪の片方の四緒手に結んだ紐を轡の穴に通して顎下を通して、もう一方の轡に通してから、その先の緒で前肢下方を縛るのとある。『馬具寸法記』に

あしゆひなはの寸、長さ七尺也。これなへのをの長さ同意也

とあり、約二一二センチ程度の長さの麻縄である。

単に足結い「あゆい」と訓むと古代袴の膝頭の下に結で結んで小鈴などをつけたものをいい、「あゆい」は机の花足《けそく》を覆いと共に結ぶことをいう。

足結縄といった場合は馬の前肢二脚を縛る縄で『今川大雙紙』では

結縄　馬ゆひなはの事。ゆひ縄と云は六尺五寸、駒ゆひ縄と云は八尺五寸、馬ゆ

足結縄

雑兵物語に描かれた狩袴

　ひと云は二丈三尺五寸也
とあり、『和名類聚抄』巻十五調度部下鞍馬具第百九十一ではこれを絆《ほだし》と呼んでいる。
　絆　釈名云絆　音半　和名保太之　半也
　物使下半行不上レ得二自縦一也
とあり、足結縄の事である。近世では足結縄は木に繋いで、前肢二本を、上下枠付の網目状の筒のようなものをはめて、前肢の動きを止め、これを狩袴と呼んでいる。
　江戸時代初期頃に書かれた『雑兵物語』の中で、馬の口取金六が他の馬丁に注意を与えている言葉に
　かりばかまをふんごませ、馬をとっぱなさない用心しろ
とある。

馬《ま》柄《び》杓《しゃく》

　馬に水を飲ませるための物で、馬上の者がこの柄杓で水を酌んでもらって馬上で飲む道具であるから柄が長くついている。平安時代末期頃から騎士の伴の者が、これを持って柄を肩にして随従したが、後世は柄が短くなり、伴の者がこれを腰に差した。
　『今川大雙紙』に
　請柄杓の柄長さ八尺五寸也。是はきぬかけの通りに可レ置
とあり、柄の長さ約二五七センチで、柄杓の先端に小さい桶が付き、それらを黒漆塗、桶の内側を朱漆塗とし、桶のすぐ下に鐶を打て、「きぬかけ」手拭状の布を掛けておく。
　『加賀守貞満筆記』には
　ハリヒシヤクエ五尺五寸、口七寸、深サ八寸五分
とあり、柄は約一六七センチと短くなったが、その先の桶は口径約二十一センチ、深さ約二十五・七センチと大きくなっている。この口径であれば馬も水を飲むことができる。
　また『馬具寸法記』では
　ひさく（柄杓）のふんりよう（分量）の事、まはり（周り）二尺二寸、ふかさ八寸也。え（柄）の長さ四尺八寸也
とし、柄の長さ約一四五センチといよいよ短くなり、桶の口径約二十一センチ、深さ約二十四センチとなり、これなら馬も水を飲むことができるが、江戸時代に入ると、柄はだいたい六十センチ前後、口径は十三センチ前後、深さも十三センチ前後であるから馬では口が入らぬ。
　馬上で騎士が飲むようになり、さらに装飾的備品となり、黒漆塗金紋や、青貝未塵の叩き塗りの形式的のものとなった。

馬《うま》針《はり》

　馬が疲労して脚が充血した時に針を用いて

馬柄杓

『春日権現霊験記』に描かれた馬柄杓

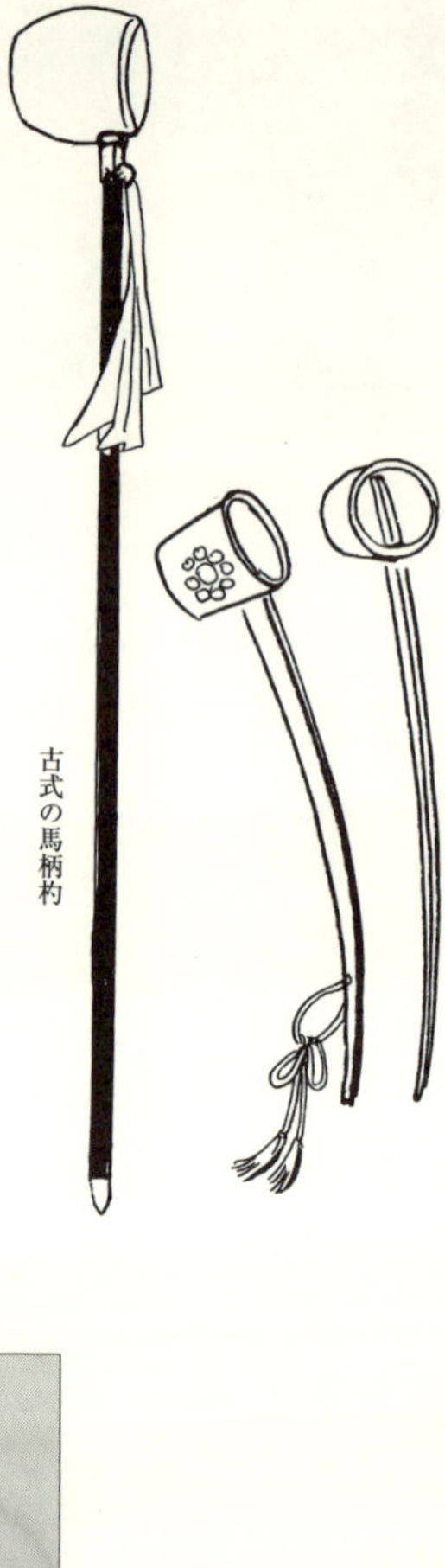

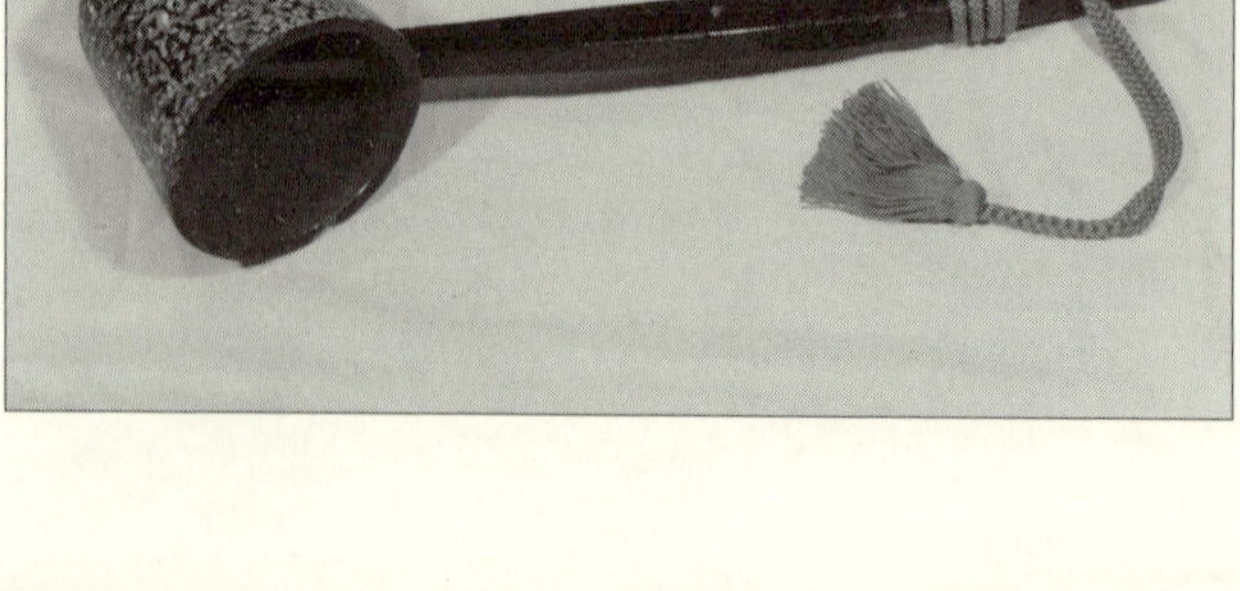

青貝末塵馬柄杓
（菅野菊雄氏所蔵）

瀉血する道具で、長さ十センチから十五センチくらいの槍身状の針で、軍陣等に用いられる。錐の役目も果す。

瀉血は馬針の無い時は手裏剣を代用することもある。

馬針

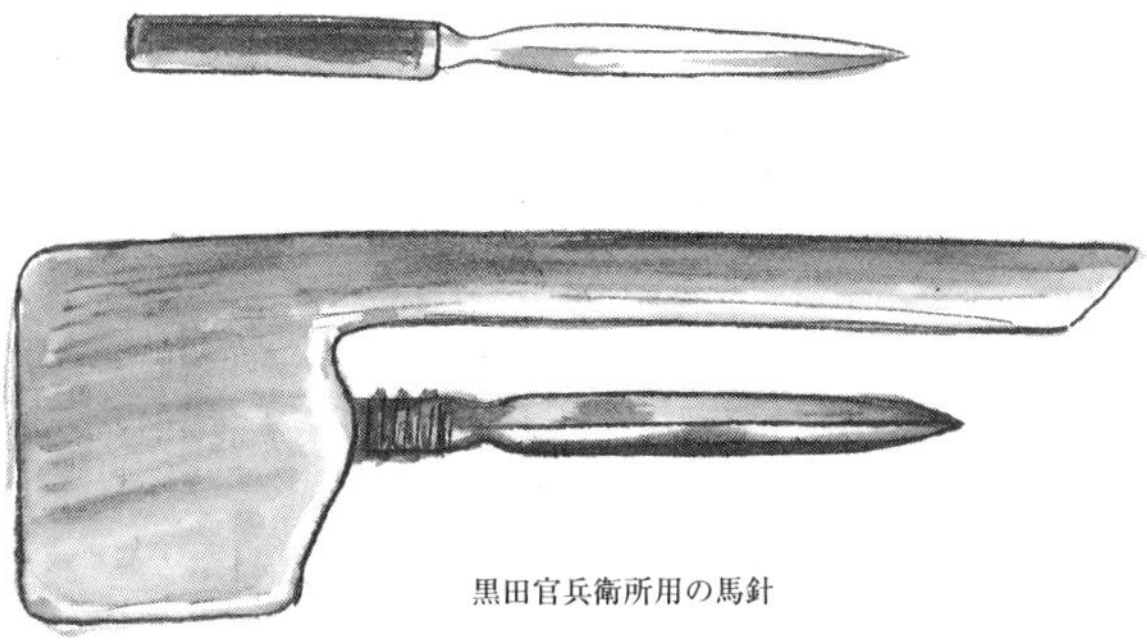

黒田官兵衛所用の馬針

馬櫛《うまぐし》・馬刷《うまはたけ》

馬梳とも書く。馬の手入道具である。

馬は運動すると発汗し、また常に皮脂、汗液、炭酸等を皮膚から排泄しているからこれらが汚垢となって毛間に膠着し、汗には塵埃が付着し、放置しておくと色々の障害を生ずる。

現代においては馬を扱う者は朝は馬体の異常をしらべ、全身を摩擦し、労働後の夕刻には湯水で汚れを拭ったり、摩擦して疲労を和らげ血行を良くしてやる。

こうした手入道具としては鉄櫛・木櫛・毛櫛・鉄篦《へら》・雑巾や布・揉藁・束ね藁が用いられ、衛生管理が行き届いているが、昔はどうであったろうか。

古代の馬の手入れについては詳しい記録は皆無であったが、馬櫛はすでに用いられていた。

『日本書紀』神功皇后紀の新羅征伐の項に、新羅王が降伏して

伏為二飼部一其不レ乾二船柁一而春秋献二馬梳及馬鞭一

と記され、史的事実の有無は別として、年二回馬櫛と馬の鞭を献上すると約束したことは一本の馬櫛や一本の馬鞭を献上するのではなく大量のものであると推理すべきであるから、古代日本には貴人の乗る馬や、騎兵の馬、また増産過程にある牧の馬が相当数あって献上の対象になるほど必要の道具であったのである。当時男女共に長髪であったから櫛は古くから用いられていたから、鬣や尾の長い馬に対しても当然馬用の櫛が考えられていた。

馬用の櫛は現代に至るまで用いられているが古代の馬櫛の形式はわからない。南北朝頃になると記録から形が想像され、それが江戸時代に用いられたものと異ならないものと思われる。

『今川大雙紙』に

馬櫛の寸は歯数の事は数は十三、長さは二寸五分、柄の長さ五寸に作るべし。なりは色々なるべし。但数は七も九もすべし

とあり歯数は、七・九・十三等の奇数で、長さは二寸五分（約七センチ）、柄の長さは五寸（約十五センチ）あるから柄を持って梳《す》くのである。垢を取るところから垢取りといって赤鳥に擬し、櫛の歯を鳥の拡げた羽、柄を鳥の首に見立てて、紋章として用いる家もある。

本来垢取とは婦人が髪を梳く櫛に溜った垢を取る道具であるが、馬櫛がこれに似ているので垢取（赤鳥）というようになった。

婦人用の櫛の垢取りは柄の先端に剛毛を揃えて結んであり、これで、歯で浮かした櫛に

付着した垢を取るのであり、馬櫛にはこの剛毛は付いていないが、櫛・柄の形が似ているので混同された。馬櫛は直接馬の毛並に当てて掻くので、もちろん垢塵は取れる。歯の数は櫛の幅によって異なるが十三本位が多い。

『馬具寸法記』には

くしの寸法の事。長さ三寸二分、え（柄）は四寸也。合て七寸二分、広さ三寸五分也。は（歯）を七ツ付べし

とあり、歯の長さ約十センチ弱、柄の長さ約十二センチ、総長約二十二センチとなる。

『甲陽軍鑑』にも

馬櫛長七寸、歯の相九七五也

と記されている。これは身体の毛を梳くより、鬣や尾の長毛を梳くのに用いたらしく、他の部分の毛並を梳くのには別の櫛を用いたらしい。柊の木で作るを本義とするという。外旅・軍陣にももちろん用意されたが、平常は廐の壁にかけておく事は『慕帰絵詞』五巻の第三段目、「閑窓集を撰す」の場面の厨と廐の隣接した所の壁に掛っている図が描かれている。

この馬櫛を家紋としたのは今川氏（赤鳥紋）と、飯室、安部氏がある。

また馬刷と書いて「うまはたけ」とも訓ましている。（はたく）とは掻き落す、こそば落す。削るの意で、『字類抄』にも

馬刷《ウマハタケ》　ムマノクシ

廐に掛った馬櫛

『慕帰絵詞』に描かれた廐の馬櫛と鼻捻

垢取り

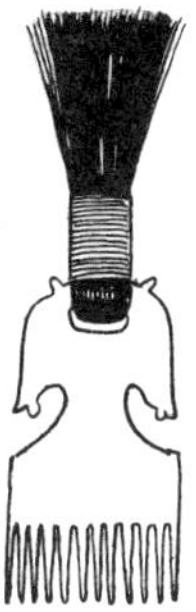

婦人の櫛の垢をとる垢取り

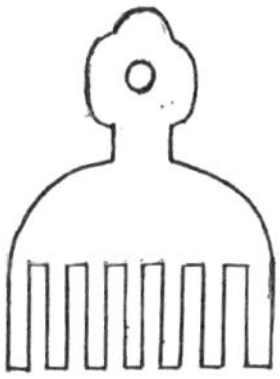

馬の櫛から形どった垢取（赤鳥）紋

とあり、『武用弁略』には
　櫛　馬刷《バサツ》也。『和名抄』（『和名類聚抄』
　十五　調度部下　鞍具第百九十一）ニ漢
　語抄ニ馬刷ハ于麻波太気《ウマハタケ》又爼談ニ曰、馬
　櫛長サ二寸五分、柄ノ所五寸也。歯ノ数
　十三或十五、又七ツ九ツ半ニ作ルベシ。
　形定ナシト云リ。是ヲ一刷《サツ》ト云。又箚《エン》ハ
　栓竹《センチク》ノ事也。燒炬毛燒松明《シヨウキヨケヤキタイマツ》トゾ
とあり、馬櫛の一名であるが竹刷は『風呂記』
に
　竹はたけを竹刀と云事はあやまり也。刀
　にて馬をはたくる事如何にあるべきや
と記しているのは『加賀守貞満筆記』に
　竹刀二尺五寸或二尺節は不定
また『甲陽軍鑑』に
　馬刷刀二尺一寸。中は二尺八寸。下は二
　尺五寸也
また『馬具寸法記』に
　身はたけ刀の寸二尺八寸　ふしを取て竹
　をけするをも付べし
等の「はたけ」が、竹の意にとられて誤られたものである。

馬《うま》槽《ぶね》

槽は「ふね」と訓む。馬の食物を入れるので飼葉桶ともいい、古記録では馬船・馬舟とも書く。『和名類聚抄』巻十五　調度部下鞍馬具第百九十一に
　槽　唐韻云槽、音曹　和名與レ舟同　馬
　槽也
とある。古来牛飲馬食といって大量に食を摂る形容にされるが、馬の食事の量はすこぶる多く、今日の馬では一日一キログラムぐらい摂る。

江戸時代までの馬も「太く逞しい」馬を強馬としたから、かなりの量で、平和時でも麦・米・大豆・乾草か青草、これに刻んだ藁に塩を交え、また人蔘や甘藷を与え、現代ではカロリーをよく計算してもっと多く与える。

従って馬の食べ物を入れる桶も大きく、だいたい箱状であるから舟といっていたことは『年中恒例記』に「御馬フネ」と記されている通りで、『加賀守貞満筆記』に
　馬船長二尺、広サ一尺七寸、深サ一尺三
　寸、アツサ八分
とある。すなわち長さ約六十一センチ、幅約五十一・五センチ、深さ約四十センチ、木の厚さ二・五センチという頑丈な底高の箱状のものであるから、一日の食扶持は大変な量である。

戦時に主君から支給される大豆だけでも一日一升（約一・八リットル）である。
また『今川大雙紙』では
　馬舟の長さ三尺也。馬の右にふせて可レ
　置
とあるのは、ほとんど一日で食べてしまうから、あとは伏せておくという状態である。

これは馬を飼う地方によっても馬槽の大きさは多少異なるから、『馬具寸法記』には
　馬ふね長さ一尺九寸也。せはさ（狭さ、
　幅のこと）一尺三寸也。ふかさ八寸也
とあり、また『甲陽軍鑑』では
　馬槽長さ二尺四寸、広さ一尺二寸、高さ
　八寸也
と色々である。
『延喜式』『馬寮式』には櫪を「ふね」と訓

ませ馬槽也としているが、『和名類聚抄』では櫪は廐に敷いた板としているから廐の踏板のことで飼葉桶のことではない。

鼻《はな》捻《ねじ》

はなねじり、略してはなねじという。五十センチ程の棒の端に近く穴をあけて、韋の紐で馬の口先が入るくらいの綰を作った道具。

暴れ馬の顎から鼻の上あたりに嵌めて棒をぐるぐる捻ると韋紐が締まって、鼻上を圧迫するので、馬は苦しくなって温順しくなる。

一種の馬の制御具で、馬を取扱う者が腰に挿したりして持参した。

『人車記』仁安二年（一一六七）十月廿日の条に

　左右居飼廿人、装束如ㇾ常、但大烏帽子、蒲扇、鼻捻、已上挿ㇾ腰、二行列ㇾ之

とあり、平安時代すでに行なわれていた。

『雑兵物語』馬取の項に金六の咄として、

　御出陣の時に、馬取（馬の口取。馬を扱う武家奉公人、馬丁のこと）というものは貳人ながら身にひっつける道具があるべい。先、馬びしやく鼻捻腰にひつぱさみ、轡におもがい、手綱をしつけて首にひっつけ、腹帯・立縄・力韋に至るまでひつ添て持べいぞ

とあり、挿図にも馬取藤六が右腰に鼻捻を挿挟んでいるさまが描かれている。

江戸時代には護身武器にも用いられたので享保（一七一六〜三六）頃の自笑の戯曲の『桜曾我女時宗』にも

　さばき髪して片肌ぬぎ、懐にはなねぢ、手に白刃取り

と記している。鎌倉時代末期の『慕帰絵詞』五巻三段目の廐の図にも壁に鼻捻がさがっている。

鼻捻は折れないように樫の木の棒を用いるが、江戸時代のものは黒漆塗、青貝末塵をちりばめたもの、蛭巻や蜷巻模様に塗ったものもあり、中には鉄製・真鍮製で象嵌したものや毛彫模様があり、無鉤十手や、なえしに似たものもあるが、これらは装飾的房紐をつけたり、握りを巻いたものがあり、鼻捻は、端

鼻捻

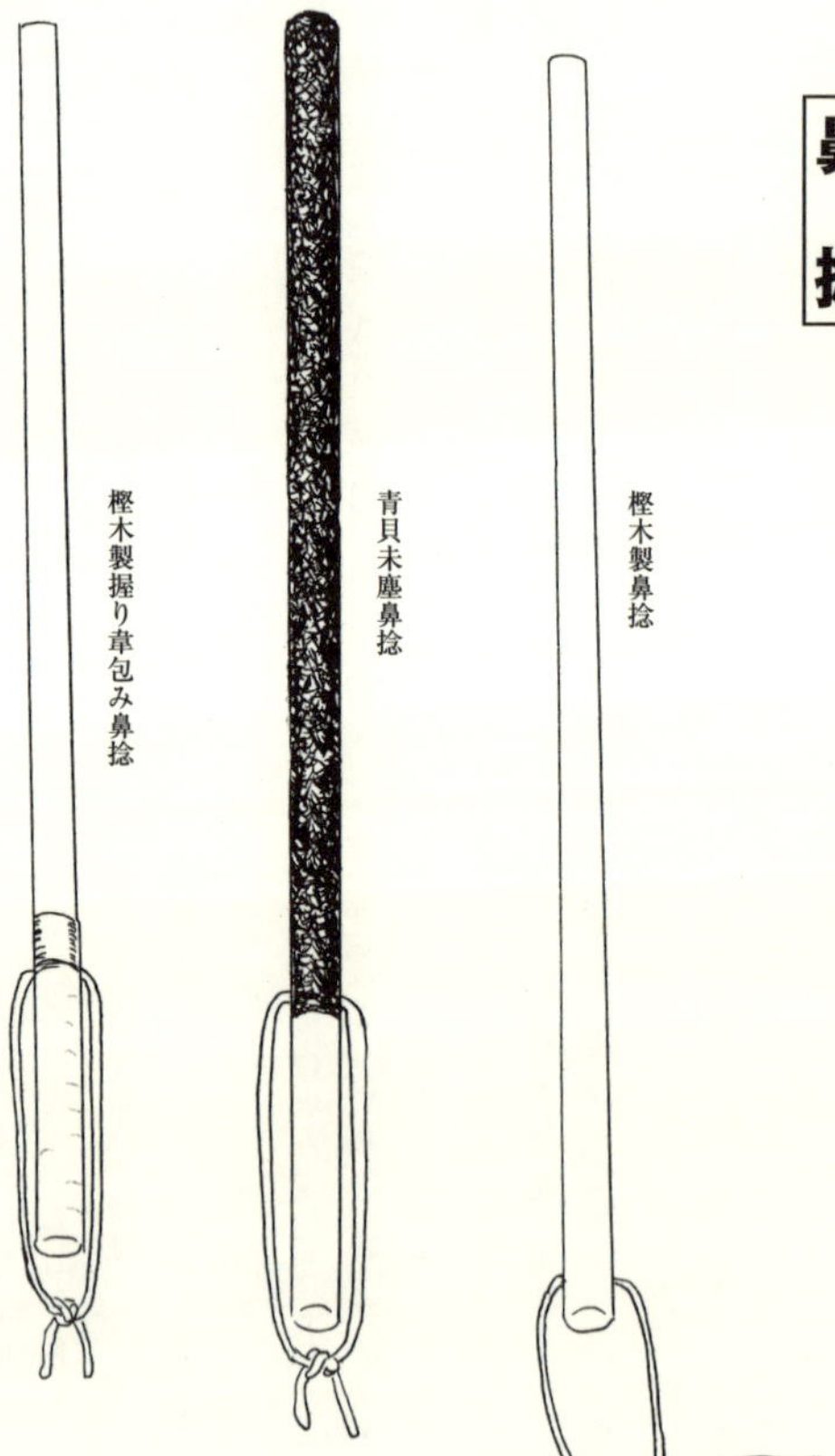

樫木製鼻捻

青貝末塵鼻捻

樫木製握り韋包み鼻捻

から少し上った所に馬の鼻口が入るくらいの絡が付いているのでわかる。

馬の薬

いずれ中国から伝わった漢方薬式のものであろうが、馬の息整える薬として、『蛤川親俊記』には牡蠣の殻と雉の足を黒焼として与えると良いとし、『甲陽軍鑑』にも牡蠣の殻を七日から十日かけて十九度よく焼いて酒で練って馬の舌に塗ると良いとしている。

水戸の鈴木鋒振道著『剣甲新論』巻下に馬の息合の薬として

一、馬ノ息合ハ赤龍丹ニ過タルナシ又人参ヲ轡ノハミニ付ルモ吉ト兵語抄ニ出ス

一、又馬ノ沓スレニ小豆ノ粉ヲ掛レバ一夜ニ直ル

とある。

爪《つめ》打《うち》刀《がたな》・爪《つめ》打《うち》槌《つち》

馬の爪（蹄）は長距離乗ったり砂利道を長く行くと擦り減る。また長く廐に置いたり、爪が減るような運動をさせないと爪が伸び、はなはだしく伸びると爪が傷んだり割れたりする。そのために爪は常に適当な状態にしておく必要があり、時々爪を削ったりする。このための道具を爪打刀・爪剪刀といい、その

『甲陽軍鑑』では

爪打刀七寸、ヒテ二寸　ツカ九寸

『加賀守貞満筆記』には

分。えは六寸にすべし

とあり、『馬具寸法記』には

つめうち刀の長さ四寸五分、廣さ一寸五の広さ六寸五分也

爪打刀長さは七寸五分也。是は広なり。またうらをこしらゆる刀は四寸五分也。是は幅せばし。長さすき〳〵也。但六寸五分、是うらすきのつか也。長さ、はば

に

故に爪剪刀も用意してあった。『今川大雙紙』

代の武士は自分で馬の手入をしたのである。

いる。極く身分の高い者は別として、古い時

ありながら馬の状態を知っていないと記して

馬の手入をほとんどしないから、自分の馬で

が熟練した馬係りの使用人に任せっきりで、

泰平の時代になってからは、ほとんどの武士

一切、騎る者自身が行うのが心得であったが、

とあり、江戸時代は爪打も爪切も馬の手入も

馬ハ大要ノ利畜ナレバニヤト云云

手錬ノ下夫ノ業トスル。心付ベキ事也。

来侍ノ仕侍タリ。今治平豊饒ノ世ト成テ

ヲ撫刷《ナデハタケ》　髪刈爪刻　或湯洗伏起以下ハ古

爪擣《ツメウチ》　搗槌《トウツイ》也。馬刀《バトウ》今云剔刀《テキトウ》。或書ニ馬

あとを爪打槌（爪撃槌）で馴らすように面を打ち固める。『武用弁略』にも

爪剪刀一尺二寸、広二寸

とあり、約十三～三十六センチくらいの間で、好みによって色々あったらしい。これで削るのであるが、蹄裏が固くなるように爪打槌で叩いて爪先を固める。

『今川大雙紙』では

爪打つちの事、長さ二寸五分、柄の長さ七寸五分也。六寸五分にもする

とあり『馬具寸法記』では

つめうちつちの寸まわりは八寸、長さ一尺二寸。つちのかた二寸五分。その下に一寸置て竹のふしをすべし

とあり、『加賀守貞満記』では

爪打槌二寸三分、四方エノ分七寸

『甲陽軍鑑』では

爪撃槌上二寸二分、下八寸、緒付三分フトサ五寸三分也。是ヲ合一尺八寸ト也

と記され、これも長さ、大きさは好みによるらしく色々である。

現代は鉄蹄を用いるようになったので爪打槌はほとんど見当らないが、『慕帰絵詞』巻五の三段目の廐の図などに描かれている。

また爪を丈夫にするために古くは廐の床を板で張ったが、この態も『慕帰絵詞』その他桃山時代の風俗画に見られる。これを古くは櫪《しきいた》といったことは『和名類聚抄』に

櫪　唐音云櫪、音歴、和名之岐以太、馬櫪也

とあり『延喜式』左馬寮式にも

凡馬底板者広一尺、厚六寸、長一丈一尺、足別十枚

とあってずいぶん厚い板を敷き並べたのも、蹄を強健にするためであった。

篼《はたこ》

『和名類聚抄』行旅具第百八十九に

篼　唐韻云篼　当侯反　漢語抄云波太古
俗用二旅籠二字一飼レ馬籠也

と記され、馬糧籠ともいう。竹の皮で編んだ籠で後には食糧も入れて旅の折に持ち歩いた。『万葉集』一二巻三十一に

八多籠馬我が夜昼ト云ハズ　行ク路ヲ
吾ハコトゴト　宮ヂニゾスル

とあり、『兼盛集』に

旅人の行くあいだに盗人にひたり
旅人は簏《すり》もはたごも空しきを
早く往ましね　山のとねたち

とあるように旅行用の食糧入れの意味にもなり、『宇津保物語』吹上　下四十二に「しろがねのはたごうま」の語もあって、行旅の食糧を積んだ容器とその馬の称になった。やがて旅行者に食事を賄う場所の意となりさらに食事を供して泊める宿の意になった。

腹懸

『慕帰絵詞』五巻三段目に描かれた腹懸

腹《はら》懸《がけ》

『武用弁略』に

腹懸ハ縄ナリ。(馬の)平伏ヲ御スル為ニ馬坊《ウマヤ》ノ上ノ方ヘ繋上《ツナギアグ》ル者也

とあり、馬を廐に繋いだ時に、馬が膝まずいたり、横臥するのを嫌って、廐の梁に横木を置き、これに太縄を絡めて、立っている馬の腹を潜らせて再びその縄を梁にからめて下方に戻して柱などに結んで置く。

こうすると馬は体を沈めようとしても腹懸によってさえぎられ膝を曲ることもできない。昔は乗用の馬は休憩も睡眠も立っているのを普通としたので、馬は廐内でも立ち続けであった。この腹懸の態は『慕帰絵詞』五巻目の三段図、廐の描写に見られるが、同じ廐の中でも隣にいる牛は膝を突いて臥している。

『三好義長亭江御成記』に

御廐二間新造ニ被二申付一一足ハ召ノ御馬、一足ハ進上御馬を繋申也。腹懸、鼻皮、馬舟等用意

とあり、この腹懸も単なる太縄でなく、麻心を巻いた布の二色、三色を捻り縄とした化粧腹懸もある。

『岡本記』に

氣しやうはらかけという事は、うちませにしてさるみにかけておき、常のことく又こしらへてそれをはらかけにはすべし

とある。「氣（気）しやう」とは化粧の事で、装飾的という意味である。

その他の用具〜鞍掛・鞭など

鞍掛と鞍櫃

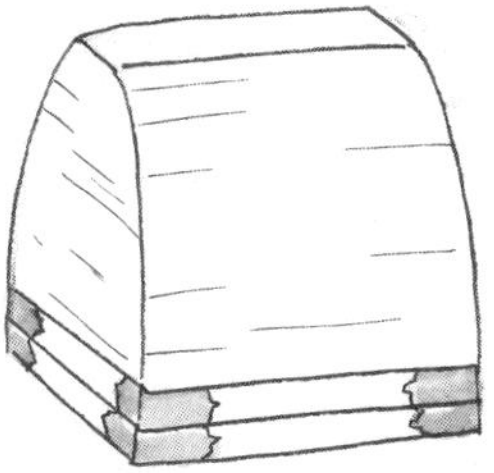

鞍櫃

鞍掛

馬具の保管

鞍掛［くらかけ］

廐などに肌付切付・鞍・馬氈・力韋・鐙を装置して、いつでも馬の背に装着できるように置く、四脚の台。

もちろん鞍の上か傍らに三鞦・腹帯等も副えておく。上方を馬の背のように膨らんだ板を貼ったものと、鞍が乗るだけの棟になったものとがある。

『馬具寸法記』に

くらかけの高さ三尺八寸也。長さは同じごとく也

とある。棟が長くて数多くの鞍を縦に列べて掛けることもあり、この態は『慕帰絵詞』五巻三段目の廐の外側に描かれている。

『宇治拾遺物語』に廐に移の鞍二十具鞍掛に置いてあった事が記されている。

鞍具はその日によって好みを替えたりするから、数少ない馬でも鞍具は多く持つのが常であり、鞍掛に列んでいる鞍が多い事は誇りであった。

鞍櫃［くらびつ］

廐においては鞍掛に置いて、いつでも馬に装着できるようにしてあるが、大切に蔵ってある鞍や、旅行用に持参する鞍は鞍櫃という木製、かぶせ蓋の櫃に収納した。『今昔物語』二七従東国上人値鬼語第十四に

今は昔、東の方より上りける人（中略）見れば本より傍に大きなる鞍櫃の様なる物の有けるが、人も不ㇾ寄にこほろと鳴て蓋の開ければ

とあって古くより用いられたらしい。『大館常興日記』にも「御くら箱」の名で見えているのは鞍櫃のことであろう。下は枠付の台で、その中心に鞍を入れ、蒲鉾型の被せ蓋をし、生漆か色漆を塗る。

木馬［もくば］

木で馬の骨組のようにして、肌付切付附属の鞍を乗せておく、廐などに設置しておく道具。

鞍掛と同じであるが、乗馬の基礎を練習するために面懸・轡・手綱を装置するために、首と顔にあたる部分も木で作られ、また腹懸・鞦まで付属させることもある。このよう

に揃えておくと厩内の裸馬に装置しやすい。

また乗馬の基礎用には大坪流・小笠原流・伊勢流・八条流その他馬術道にはそれぞれ特徴ある木馬が工夫され、木馬の規矩も秘伝口伝とされるほど厳しいものであった。

だいたい室町時代頃から木馬にまで規矩が定められるようになり『馬具寸法記』にはその寸尺が詳しく記されている。

木馬で乗馬の基礎を修得することは、騎兵の盛んであった中国からの影響らしく『南史』の斉記に

始レ欲レ騎レ馬、未レ習二其事一愈靈韻為作二木馬一、人在二其中一行動進退、隨二意所一レ適、其後遂為二善騎一。

とある。日本においては木馬がいつ頃から用いられたかは不明であるが、少なくとも鎌倉時代には用いられていたらしい。

江戸時代には身分の高い武士の子弟は正月二日に馬の騎始めて行なうのが習わしであるので、十二月になると庭内に木馬を据えて、毎夜木馬に乗って馬の御法、姿勢の訓練をした。この場合には障泥、鐙までつけて、両の腕の開き、手先指先の具合から髀《もも》の締め様、足の張り、鐙の踏様を様々に練習するので、江戸の武家屋敷などは諸方で鐙の障泥にぶつかる音が聞えたというから、馬を飼う武家の家では少なくとも一台は必ず用意してあった。ただし木馬は動かぬので、思うように働い

木馬

『絵本風俗往来』に描かれた木馬での稽古

てくれぬ馬を「木馬」といって揶揄した。

『武具要説』に

山本勘助申分、馬も不吟味なる所より出たる馬は、とくと穿鑿致可レ求事。其故は今川義元の家中によねまきと申候伯楽有レ之。肢なり悪敷馬の筋を切申候。不吟味なる士衆《さむらいしゅう》、馬の足ふりを専に好み、馬を求ては前肢後肢の筋を切。常に責廻ては前後能《よし》などと云ありき候。或時義元の出頭人三浦右衛門大夫と申もの松平清康の内衆内藤又左衛門と申者と天竜の渡し場にて喧嘩を仕候。内藤は騎馬拾騎計歩行彼是五十人計の人数にて御座候。三浦は五十騎歩行足軽共三百計にて押懸候て、内藤川を引越申候。三浦がものども是を見て勝に乗二三拾騎ひたひたと川に打入候を見すまし、内藤取て返し鎗を合て候。例の筋切れたる馬ども川中をおよぎ得ず散々に押流され、内藤突勝て騎馬徒立五六十人討取申候。馬の筋切る馬鹿者言語道断に候。筋切ったる馬は水およぎ得ず。坂を越事ならず。大方木馬同前なるべし

とあり、馬の足の筋を切ると荒々しく疾走できぬから、優美に歩くように見えるが、走ったり水泳ぎの力が失われていて、いざというときに役に立たない。こうした馬を木馬同然というのであるが、江戸時代には騎馬で人中

木馬の寸法

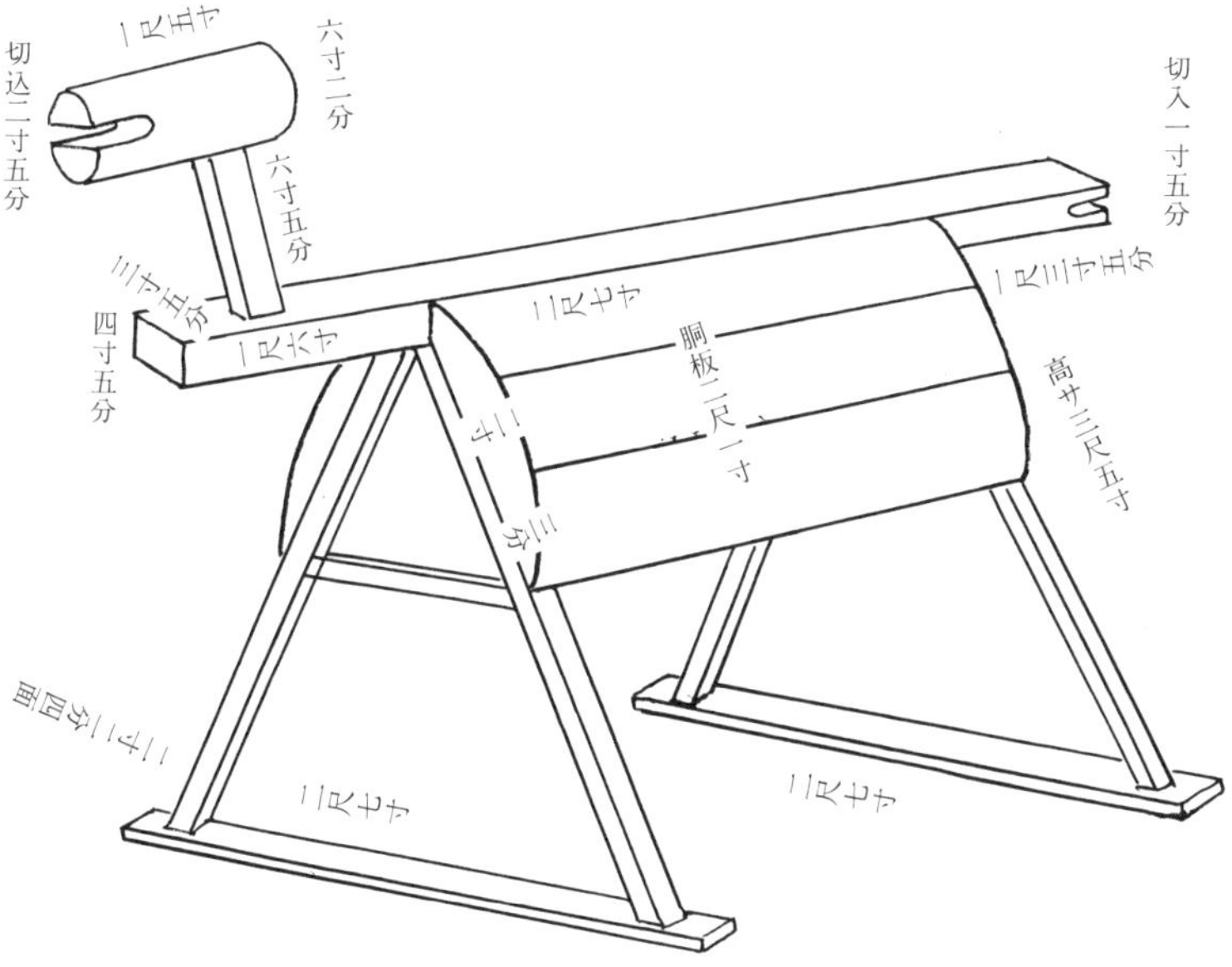

八條流木馬之図

に躍り込むような元気のある馬は反って苦手であるために博労はよく調教したように見せかけるために足の筋を切り、また求める武士は馬術不鍛練のため温順しい馬を良しとしたので、泰平時代の馬はわざわざ筋を切った馬を求めて気が付かないでいたのである。

木馬は馬具を載せておいたり馬術の基礎訓練に用いるものであるが、鞍無しで跨ったら上部が三角稜になっていて、腰を落着かせる事はできない。鞍が木馬上に安定するのは肌付・切付や、力韋をつけた鐙を下げることによってバランスがとれるからである。

鞍無しで木馬に跨ることはできない。

故にこの木馬の背を利用した拷問も古くから行なわれた事は『十訓抄』に記されており、室町時代以降も折々木馬責という拷問が行なわれた。この木馬は胴の背筋が三角稜となっていて、これに責める者を跨がらせて載せ、両足首には重しとして石を吊り下げる。

もちろん馬上から逃げられぬように縛って、その縄を梁に吊っておく。こうすると股が裂けんばかりの苦痛となるので、江戸時代においても地方では酷拷としてまれに行なわれた。

鞭《むち》

鞭は馬を御する時にも用いられたが、軍陣においては指揮にも用いられた。

鞭の語は打・ぶちから来て、打つ棒をいうから、罪人を懲らしめのために打ち据える棒も「むち」で笞と書くが、革偏に便と書くのはほとんど馬に用いる道具である。

『和名類聚抄』巻十五　調度部下　鞍馬具第百九十一に

鞭　ムチ　野王案鞭　音篇　和名無知
俗云無遅　馬筴也　筴音冊字亦作策
馬檛也　檛音花　所ニ以箠レ馬駆一レ遅也

とあって、馬の走りが遅い時に叱りや励ましの意で馬を打つことから無遅、箠と書いたとしているが、現在に至るまで鞭は馬を叱るために鞭打ち、時には馬が順応しないと感情にまかせて打つが、良く調教された馬は、合図的に軽く鞭打つだけで良い。

馬鞭の語はすでに『日本書紀』神功皇后紀に新羅王が馬飼部として臣従し、春秋に馬櫛と馬鞭を献上するという記事に見られ、乗馬には欠かせぬ道具となっていた。

鞭はこのように馬を叩く道具であるが、騎者の一種の装飾品でもあったので、『餝抄』に見られる蒔絵鞭（平文鞍の時に用いる）、舞人用の籐巻鞭、『今昔物語』に記される籐巻鞭、将軍の用いる三所籐鞭、『常徳院殿御乗馬始記』による熊柳鞭等は漆塗りである。

この他に室町時代頃から犬射鞭（犬追物の時に用いる鞭）、責鞭、入部鞭、検見鞭、軍陣鞭等のほかに厩で用いる馬屋鞭等があり、流儀によっては八寸の鞭（『大坪流馬書』）、四寸の鞭（『同書』）、六寸横手の鞭（『幕打様記』）等があり、近世では鞭の拵え、寸法にやかましい規定を設けた。

たとえば紫竹の鞭は将軍家しか持てぬ（『光源院殿御元服記』『犬追物手組』『岡本記』『高忠聞書』『家中竹馬記』等）とある。

竹鞭は『弓張記』『今川大雙紙』『犬追物手組』『岡本記』『高忠聞書』『出陣聞書』等に記され、やがて鞭の長さ拵えもうるさく『今川大雙紙』には

鞭の寸の事、二尺五寸、二尺六寸、二尺七寸、二尺八寸五分、二尺七寸五分、ふとさは木なり。取束は六寸なり。執束のなりは口伝。下地をしてその上を革にてくけべし。緒のとめ事は執つかのくけとめへとどくほどにむすぶへし。むすびやうあり。口伝有。是はせめ鞭なり

とあり、馬の調教用に用いる鞭で責鞭といった。『弓張記』にも

とつかのかはの事。むらさき本也。但略儀に常にせめむちなとには、ふすべかは又黒かはなどにでもする也

つまり責鞭は握り韋は紫韋であるが、略式は重韋とか黒韋であっても良いというのである。

さらに『今川大雙紙』には

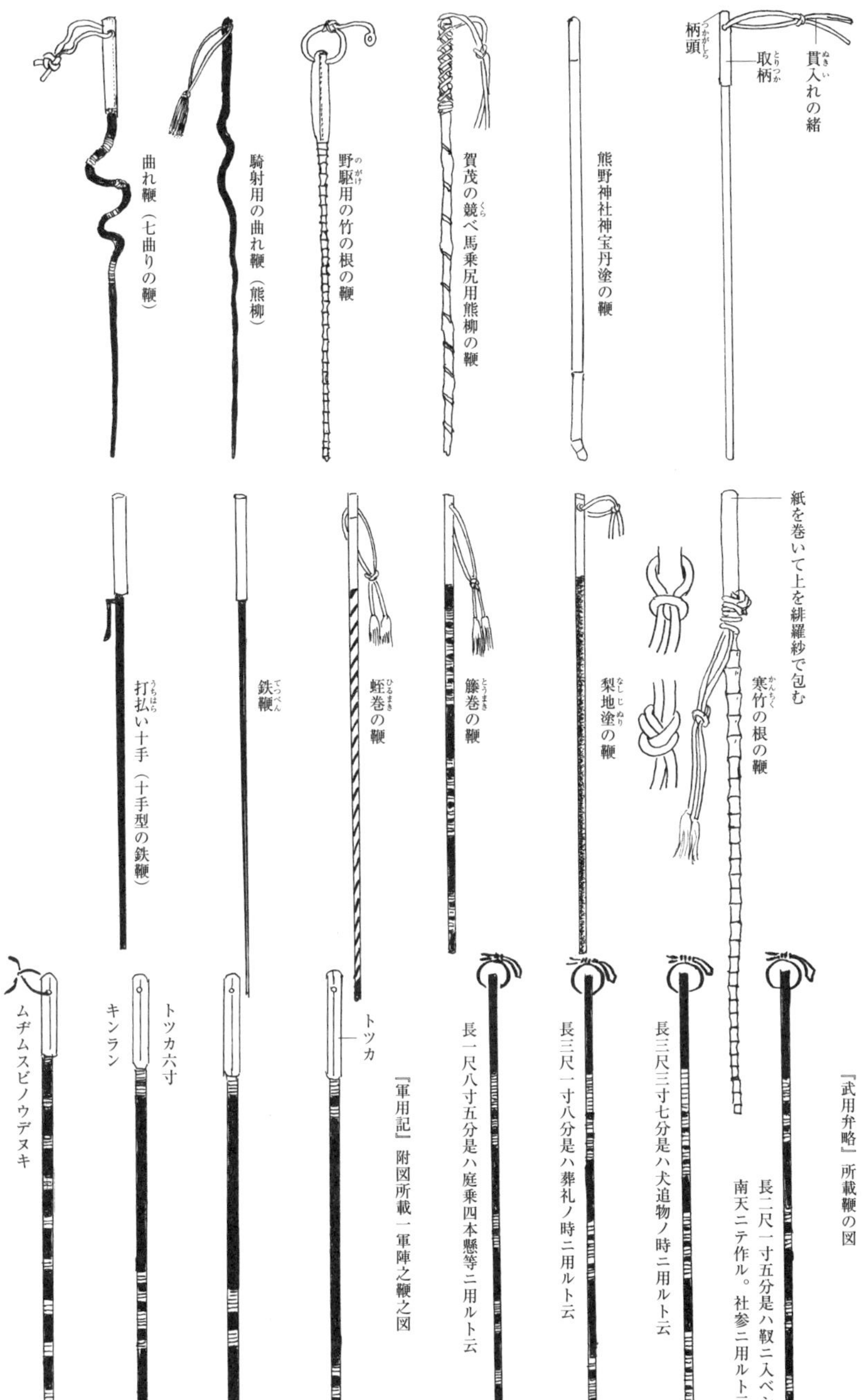

柄頭《つかがしら》
取柄《とりつか》
貫入《ぬきい》れの緒
熊野神社神宝丹塗の鞭
賀茂の競《くら》べ馬乗尻用熊柳の鞭
野駆《のがけ》用の竹の根の鞭
騎射用の曲れ鞭（熊柳）
曲れ鞭（七曲りの鞭）
紙を巻いて上を緋羅紗で包む
寒竹《かんちく》の根の鞭
梨地塗《なしじぬり》の鞭
籐巻《とうまき》の鞭
蛭巻《ひるまき》の鞭
鉄鞭《てつべん》
打払《うちはら》い十手（十手型の鉄鞭）
『武用弁略』所載鞭の図
長二尺一寸五分是ハ轂ニ入ベシ
南天ニテ作ル。社参ニ用ルト云
長三尺三寸七分是ハ犬追物ノ時ニ用ルト云
長三尺一寸八分是ハ葬礼ノ時ニ用ルト云
長一尺八寸五分是ハ庭乗四本懸等ニ用ルト云
『軍用記』附図所載一軍陣之鞭之図
トツカ
トツカ六寸
キンラン
ムヂムスビノウデヌキ

鞭の事。三尺三寸、三尺五寸、三尺六寸、三尺七寸、三尺八寸とつか　うでぬきは何も同前なり、六尺五寸にする事も有。竹の鞭は節をかずえて寸にする事もあり。

と記されすこぶる長い鞭もあるが、前記のものや『弓張記』ではだいたい二尺七寸、取柄六寸、貫緒（腕抜き）は柄の端から五分程の所に孔をあけるとし、『甲陽軍鑑』では矢束を測るように十二束三ツかけ等という表現で測っている。

また貫緒・取柄も流儀によってやかましい規則を作っているが、本来はこうした規則にこだわる必要のない事である。

以上の鞭の中で武器にも用いられるのは鉄鞭、すなわち金鞭で、『走衆故実』にも記されているが、江戸時代においては乗馬用でなく、ステッキ代りの護身用に用い二尺五寸から三尺（約七十六〜九十一センチ）以上もあり、中には十手のごとく握り上に鈎をつけたものや、竹のように節や、握りを刻んだもの、または刃をわずかにつけたものもあるという。これらは明らかに乗馬用ではない。

馬の衣

靶　［はなかわ］

『武用弁略』に

靶

必《ヒツ》駕《カ》ノ切音《カエシコエ》、覇轡革也。字注前ニ出靶鞏《ハナカワ》ノ二字。亦鼻革ト訓ズ。馬ノ鼻上ヲ帯ル革ナレバ俗ノ称スル辞《コトバ》也。俎談ニ曰。靶鞏革ハ革轡。今云鼻革也。靶鼻上ニ在。鞏ハ頤ノ下、重鐶ノ張綱ナリ。

とあり、籠頭と書いて「おもづら」といったのを近世は鼻皮というようになった。これは牽馬や廐舎に繋いでおくときに、面懸と轡を外して面部につけるものである。

『三好義長亭之御成記』や『宗吾大雙紙』

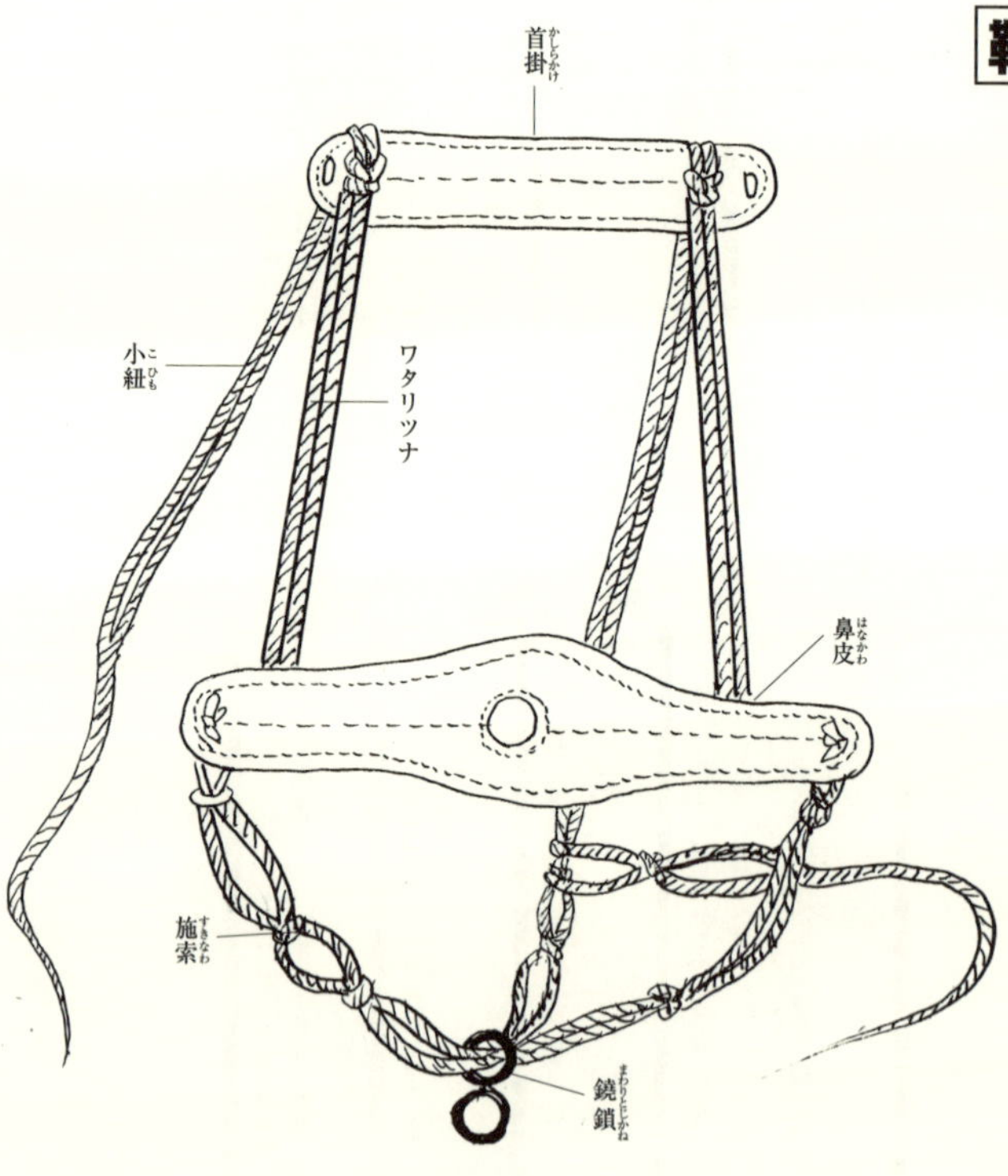

にも牽馬の折に用いた由が記されている。

『馬具寸法記』には

はなかはの寸長さ一尺二寸也。広さ二寸五分也

とあり、鼻の上から顎にかけ、面懸の首掛《かしらかけ》と、太紐と小紐に当る所を麻緒で作り、顎下の小紐と鼻皮の元を繋ぎ鐶から紐をつける。

鼻皮は面懸の首掛に当る所を革とし、その両端から小紐が鼻革に繋がり、鼻皮の両端から顎下に施索《すきなわ》があってそれに小紐が付き、その先に鐃鎖《まわりとじかね》をつける。

尾袋［おぶくろ］

『和名類聚抄』に

尾韜　考声切韻云紛、音分俗云尾袋　所以韜《ツツム》馬尾也

とあり『延喜式』『左馬寮式』にも記されている。馬が尾を振るのが煩わしいので袋に包んで尾の根元を締めるので『飭抄』『御禊行幸服飾部類』寛治記にも記され、後代も晴の時には用いた。

『小笠原入道宗賢記』にも尾袋は進物に用いてはいけないとし、また『岡本記』では

軍陣の馬のをに、おふくろを入候事ゆめ〳〵あるべからず事也

とし、軍陣には用いない。その大きさは『馬具寸法記』に

尾袋の寸長さ四尺五分とこゝろへべき也

尾袋

『絵本風俗往来』に描かれた長い尾袋

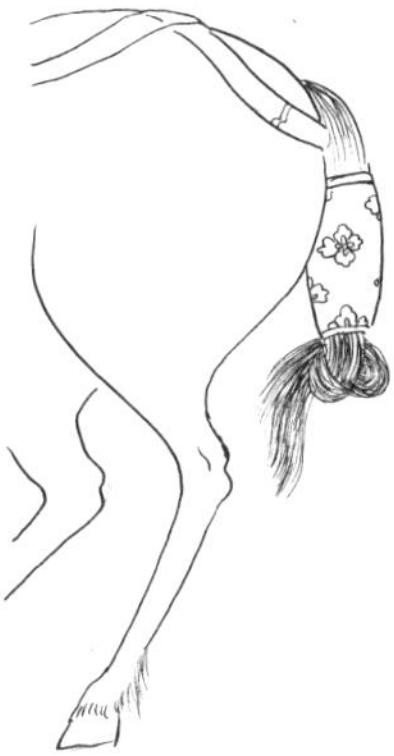

飾馬の尾袋

シーボルトの『日本』より
江戸時代の武士の乗馬姿と尾袋

とあり四尺五分（約一二三センチ）は随分長い。尾の長さだけを収めたらしいが、近世は短くなり、尾を二つ折以上に短く畳んで、尾先をひと廻しして結んで短くし、それを尾袋に入れる。袋口は紐で結んでおく。

馬　衣［うまきぬ］

きせきぬともいう。牽馬などの折に、鞍の上から背にかけて覆うもので、綾・紗を用いて美麗の刺繍を行なったりする。平安時代すでに行なわれていて『和名類聚抄』巻十五調度下　鞍馬具第百九十一に

馬衣　ムマキヌ　左伝注云馬褐　和名無
麻岐沼　馬被也

とあり、『年中恒例記』に

中亥日ヨリ御馬ワラニ付、同衣ヲキセ申ス也

とあり、『今川大雙紙』に

きぬの長さ五尺、但四尺五寸、四尺三寸にもすべし。如レ斯定れ共、馬のたけによるべし。尾の上にかゝるをば折返して衣の中へ届ほどにすべし。賞翫の染様は石たたみ、色はもよぎ也。但染様は其外色々たるべし

とあり、長さは約一三〇～一五〇センチ前後まで、馬の背の高さによって自由であるが、背にかけた折に尾の上まであったら、内側に折返す。石畳模様に染めるが、萌黄色が良いとして、たいていの場合陽色を用い、暗色は用いない。

また『馬具寸法記』では

きせきぬの寸法の事。三尺八寸のは五のにつゞけてぬふべきなり

とあって短めのきせきぬは五幅《いつの》で縫い並べて作るとしている。

薄絹製で有機質であるから、江戸時代までの大名家使用の品でも改造されたり消耗しつくして現在見る事はまれである。

馬の食

樓　額［ぬかがき］

馬糧を掻き混ぜる容器をいう。『武用弁略』馬事部七には

辨色立成ニ云。樓額、順ノ曰。和名沼賀賀既、今案スルニ豆糠ヲ合ス大器也。

と、樓額を豆糠を混ぜる容器としているが、『大言海』では『和名抄』を揚げて、それの意味を「馬の頭を覆う具。今銀面という」としている。

木下義俊は糠を掻くという語から馬糧の容器としたのであろうと共に、江戸時代においては「ぬかがき」はそうした容器の名として用いられていたのであろう。

粥　袋［かゆぶくろ］

『武用弁略』には

粥袋。後ヘカケテ両方ニ垂ルヤウニシテ調付ル也。品目ニ立スヨシ近来ノ制トゾ

とあるが、これも難解の説明で、何故粥の文字を用いたか。おそらく糧袋《かてぶくろ》の訛りを粥の文字を用いたのであろうか。「後ヘカケテ両方ニ垂ルヤウニシテ調付ル也」とあるのは後輪の四緒手の左右に平均して下げる物をいっているのであるから、馬の備品と見るべきであろう。当時の軍馬の軍装品を描写した書の中に江戸時代初期の『雑兵物語』があるが、馬取（馬の口取）金六の咄として

前輪には、くら胴乱くくりつけろ。後輪に鞍飼の糒《ほしい》袋か、又は沓（馬沓）左右の四緒手へ引かけて、うごかないやうにひつかけ、がまさし縄（蒲差縄）常に引かけ

とあるように馬糧の袋を後輪の左右の四緒手に結びつけているから、これが粥袋（糒袋・飼袋）のことである。飼袋は大豆《まめ》袋ともいうように、戦地では青草・干草等を刻んだ中に大豆や麦・塩を混ぜて与えるのである。

前の四緒手には乗馬者の弁当箱にあたる面《めん》桶《つう》を布に包んだり網袋に入れて左につけ、右には、小鉄砲（馬上筒）や、差物用の請筒などと結び付ける。

大豆は戦時では一日一升の割合で配給され

るが、大豆だけ食べさせることは特別の状況以外有り得ない。

秣［まぐさ］

秣、漢書ノ注ニ謂ル粟米《ソクベイ》ヲ以之ヲ飼ト云云。順ノ曰。和名、万久佐　又蒭《シヨ》。説文ニ曰。乾草也。和名鈔ニ字、又芻ニ作。和名　加良久佐。今云剉薙《カリマメ》豆ノ類ナリ。又刈大豆ニ作

とあり、馬糧は夏は青草、冬は干草を刻み、大豆、時には粟・麦・米に塩を混ぜて与える。これを「まぐさ」というが「うまくさ」すなわち馬の食糧にする草をいうのである。

馬の六具

近世軍用品のそれぞれの分野において六種の必要品の名を挙げて六具としたが、具とは「そなえる・備品」の意で、これが揃っているのを具足という。六つの備品が揃っている事を六具としたので、馬装にも一般的には、面懸・胸懸・鞦・鞍・切付肌付・鐙であるが、轡・手綱は面懸に付属するもの、障泥は切付肌付に付属するものと見ての上である。ただし『武用弁略』に記された馬の六具とは、馬面・胸掛・馬甲・鎖手綱・鎖脚絆・鉄履としているが、これは前に述べた六具とは別に、馬の防御用具としての六具で、平常時には用いられず、軍陣用の特殊のものである。

馬面は馬の顔面を守るものであるが、鉄製は少なく、だいたいが煉革打出しの龍面を象ったものであるから、むしろ威嚇的・威儀的のものである。

胸掛は胸懸とは別で、胸懸の辺に鉄片を編んだり鎖地とした胸懸で、当然鞦にも用いる一種の馬甲である。

馬甲は馬の頸から鬣・胸・肩まで覆い、また背腰から尾上まで覆ったもので煉革の小片を並べた布に綴付けた馬のよろいであり、時にはその上に鳥の羽を植えつけた布で覆ったりするので防御物でありながら一種の威儀的のものであるから一般的でない。

鎖手綱は手綱布の中に鎖紐を包んだもので、心得ある武士の使用するもので、これも一般的でない。

鎖脛絆も馬の下肢を守るもので、甲冑備品の臑当にあたるが、これも一般的には用いられない品である。

鉄履は馬草鞋（馬沓）に鉄板を縫い付けたもので、形式は異なるが今日の鉄蹄と同じ効果のものであるが、一般的には用いられていない。結局『武用弁略』に記す、軍馬の六具とは普遍的のものでなく、軍学者の定義付けた泰平時代の道具である。

索引

あ行

あいうち　相打……21
あいづぐろ　会津黒……271
あおうま　青馬……273
あおかいぐら　青貝鞍……319
あおかすげ　青糟毛……272
あおぐろ　青黒……271
あおさぎかすげ　青鷺糟毛……272
あおさぎげのうま　青鷺毛馬……277
あおさしげ　青刺毛……272
あおしりがい　青鞦……346
あおばぐら　青葉鞍……315
あおぶち　青駁……275
あおり　障泥（泥障）……335
あかあしげ　赤葦毛……273
あかうるしぐら　赤漆鞍……318
あかくらおおい　赤鞍覆……329
あかじにしきのちからがわ　赤地錦力章……326
あかたて　赤楯……184
あかとり　垢取（赤鳥）……365
あかねぶさしりがい　茜総鞦……345
あかもうせんくらおおい　赤毛氈鞍覆……329
あきわ　アキワ……301
あさぎぶさしりがい　浅黄（葱）総鞦……345
あさしりがい　麻鞦……346
あざらしがわのきっつけ　水豹皮の切付……332
あざらしけあおり　阿曝毛泥障……336
あしかがわのきっつけ　葦鹿皮の切付……332
あしげ　葦毛（蘆毛）……272
あしげぶち　葦毛駁……276
あししろのたち　足白太刀……97
あしだか……238
あしなか　足半……238
あしぬぐい　足拭い……243
あしぶち　足駁……276
あしゆいなわ　足結縄……362
あずさゆみ　梓弓……12
あせぬぐい　汗拭……242
あだたらまゆみ　吾田多良真弓……13
あだちまゆみ　安達真弓……13
あつふさしりがい　厚総鞦……340
あなほや　穴穂矢……46
あひさうぶち　アヒサウ駁……276
あぶみ　鐙……347
あぶみずり　鐙摺……335
あぶらかげ　油鹿毛……274
あまおおい　雨覆い……149
あまのいわたて　天磐盾……184
あみがさ　編笠……240
あめのかぐや　天加久矢……46
あめのはしゆみ　天梔弓……13
あめのはばや　天羽々矢……46
あめのはばゆみ　天羽羽弓……14
あめのまかごや　天真鹿兒矢……46
あめのまかごゆみ　天之麻迦古弓……14
あやいがさ　綾藺笠……240
あらいぐつわ　洗轡……310
あらうま　荒馬……298
あらきまゆみ　荒木真弓……13
あらきゆみ　荒木弓……40
あらしかげ　嵐鹿毛……274
あらの　荒箆……53
あらゆみ　荒弓……40
あわせはぎ　合せ矧……51
いかけじのくら　沃懸地鞍……318
いかものづくりのたち　嗔物（怒物・厳物）造りの太刀……97
いぎ　居木……324
いしづき　石突……117
いしひや　石火矢……139
いしゆみ　弩……36
いしゆみ　石弓（石弩）……37
いずもくつわ　出雲轡……308
いそ　磯……317
いちぐゆがけ　一具韘……82
いちぶぐろ　一部黒……271
いちまいたて　一枚楯……187
いちまいはぎのわたしたて　一枚矯の渡楯……187
いちもつ　逸物……297
いつけのふし　射付の節……55
いっちょうきゅう　一張弓……25
いとつつみゆみ　絲裹弓……28
いとまきのたち　絲巻太刀……97
いぬいひきめ　犬射蟇目……69
いぬいむち　犬射鞭……218
いのうえぐろ　井上黒……271
いのこひきめ　猪子蟇目……69
いばく　帷幕……162
いるべのむち　入部鞭……218
いわてつきげ　岩手鴾毛……274
いんようゆみ　陰陽弓……34
いんろう　印籠……250
うきすの　うきす箆……52
うさゆづる　宇佐由豆留（設弦）……44
うしろぐろかすげ　後黒糟毛……272
うしろはちまき　後鉢巻……242
うず　雲珠……288
うすふしかげ　うす節陰……54
うすべにのほろ　薄紅母衣……226
うすむらさきのほろ　薄紫母衣……226
うずらげのうま　鶉毛馬……277
うちいた　打板……197
うちかいぶくろ　内飼袋……249
うちかいらぎのこがねづくり　打鮫金作……97
うちかぎ　打鎰……125

うちこし　打越……278
うちね　打根……71
うちぶくろ　内嚢……248
うちや　内矢……72
うちわ　団（団扇）……213
うつしうま　移馬……290
うつしぐら　移鞍……290・315
うつぼ　空穂……74
うびたいのうま　戴星馬……276
うまあづかり　馬預……359
うまきぬ　馬衣……378
うまぐし　馬櫛（馬梳）……365
うまぐつ　馬沓……352
うまたて　馬楯……187
うまだらい　馬盥……362
うまのかね　馬の印……278
うまのなどころ　馬の名所……280
うまのろくぐ　馬の六具……379
うまはたけ　馬刷……365
うまはり　馬針……363
うまふせぎのさく　馬防柵……172
うまぶね　馬槽……367
うまや　廐……360
うまやのとねり　廐舎人……359
うまやぶぎょう　廐奉行……359
うまやべっとう　廐別当……359
うまやむち　馬屋鞭……218
うまよろい　馬甲（馬鎧）……353
うみ　海……317
うみありぐら　海有鞍……317
うみなしぐら　海無鞍……318
うめくさ　埋草……193
うめゆみ　梅弓……15
うらしげとうゆみ　末重籐弓……32
うらのかね　裏の金……278
うらはぎ　末矧……50
うらはず　末弭……20
うるしぬりゆみ　漆塗弓……28
うるしはぎのまとや　漆矧の的矢……65
うるしゆぎ　漆靫……73
うわざし　上挿……67
うわぜき　上関……44
えおひっぷす　エオヒップス……262
えくす　エクス……263
えちぜんかげ　越前鹿毛……274
えっちゅうふんどし　越中褌……219
えびかげ　海老鹿毛……274
えびら　箙……74
えふぃっぴおん　エフィッピオン……312
えふのたち　衛府太刀……92
えぼし　烏帽子……238
えみ　笑……351
おいうま　老馬……298
おいしげとうゆみ　負重籐弓……33
おいそや　負征矢……65
おうぎ　扇……206
おうしゅうぐろ　奥州黒……271
おうちだんのたづな　棟綟の手綱……304
おうみくりげ　近江栗毛……275
おおあしげ　大葦毛……273
おおがい　大貝……201
おおかげ　大鹿毛……274
おおかぶら　大鏑……68
おおかわらげ　大河原毛……271
おおくりげ　大栗毛……275
おおぐろ　大黒……271
おおたて　大楯……185
おおづつ　大筒……139
おおつぼぐら　大坪鞍……316
おおとがりや　大尖矢……57
おおとりうち　大鳥打……21
おおひきめ　大蟇目……69
おおひも　大紐……300
おおぶさしりがい　大総鞦……343
おおふしかげ　大節陰……54
おかぶね　岡船……294
おしだいこ　押太鼓……202
おしてゆがけ　押手韘……82
おつとりのふし　おつとりの節……55
おとしあな　陥し穴……191
おにあしげ　鬼葦毛……273
おにかわらげ　鬼河原毛……271
おにまるこしらえ　鬼丸拵え……97
おばなあしげ　尾花葦毛……272
おばなくりげ　尾花栗毛……275
おぶくろ　尾袋……377
おもがい　面懸……300
おもがいだすけ　面懸助け……303
おもづら　面連……300
おもてのかね　表の金……278
おりえぼし　折烏帽子……238
おりしりがい　織鞦……343
おろしかね　下印……278
おんなぐら　女鞍……315

か行

かいぐら　貝鞍……318
かいだて　掻楯……189
かいのくろこま　甲斐黒駒……271
かいほう　芥砲……138
かいらぎ　梅花皮（鰄）……97
かいらぎのこがねづくりのたち　鰄金作太刀……97
かいらぎのたち　鰄太刀……97
かいをゆるされる　貝を許される……201
かえづる　替弦……44
かがあぶみ　加賀鐙……350
かがぞめのたづな　加賀染の手綱……305
かかば　果下馬……265
かがみあぶみ　鏡鐙……349
かがみぐつわ　鏡轡……310
かがみぐら　鏡鞍……314
かがみじぐら　鏡地鞍……314
かがみもん　鏡紋……271
かがみもんかげ　鏡紋鹿毛……274
かがみもんくりげ　鏡紋栗毛……275
かがり　篝……168
かがりび　篝火……168

かきつきげ　柿鴾毛……274
かぎなわ　鈎縄……252
がきはらぐら　餓鬼腹鞍……318
がくのどう　我屈洞（楽の堂）……174
かげ　鹿毛……273
かけかえぐつわ　懸替轡……310
かけかえづる　懸替弦……44
かげかすげ　鹿毛糟毛……272
かげぶち　鹿毛駁……276
かけや　掛矢……128
かこ　鉸具……351
かごあぶみ　籠鐙……349
かこがしら　鉸具頭……351
かこくび　鉸具首……351
かごはんきゅう　籠半弓……35
かさかけひきめ　笠懸蟇目……69
かさはず　笠筈……62
かざりうま　飾馬……288
かざりぐら　飾鞍……314
かしらかけ　首掛……300
かすかげ　糟鹿毛……272
かすげ　糟毛……272
かすげぶち　糟毛駁……276
かずさしりがい　上総鞦……345
かずじんとう　数神頭……70
かすみぐろ　霞黒……271
かすみげ　霞毛……272
かせんくらおおい　花氈鞍覆……329
かたうきすの　片うきす篦……52
かたなつけのこま　片馴付駒……294
かたの　堅篦……52
かたぼうし　堅帽子……82
かちゆぎ　歩靫……73
がちりんまき　月輪巻……21
かつらづつみ　桂包み……241
かとうづつみ　裏頭包……242
かなあぶみ　鉄鐙……349
かながいぐら　金貝鞍……319
かなさいぼう　金砕棒（金材棒）……126
かなづち　金鎚……128
かなばさみ　鉄鋏……244
かなばし　鉄箸……244
かなぼう　金棒……126
かなむち　金鞭……218
かなゆぎ　金靫……73
かね　鉦（鐘・銅鑼）……203
かねかげ　金鹿毛……273
かねじんとう　鉄神頭……70
かば　下馬……297
かばまきゆみ　樺巻弓……28
かばゆぎ　蒲靫……73
かぶつちのたち　頭椎の太刀……90
かぶらしげとうゆみ　鏑重籐弓……32
かぶらとう　鏑籐……21
かぶらや　鏑矢……66
かま　鎌……131
かみたて　神楯……184
かやく　火薬……149
かゆぶくろ　粥袋……378
からいとのたづな　唐絲の手綱……305
からぐら　唐鞍……314
からす　烏……49
からちゃもえぎのしりがい　唐茶萌黄鞦……346
からむし　枲……42
かり　雁……49
かりまた　雁股……58
かりやなぐい　狩胡簶……74
かるか　カルカ……154
かわえびら　革箙……74
かわかり　川雁……48
かわごえぐろ　河越黒……271
かわたて　皮楯……184
かわづつみたち　皮（韋）裹太刀……97
かわゆぎ　革靫……73
かわらげ　河原毛……271
かんけつば　汗血馬……296
かんしくりげ　柑子栗毛……275
がんせきぐろ　巖石黒……271
がんせきばしご　巖石梯子……191
がんどう　龕燈……170
かんとうぐら　関東鞍……321
かんとうのたち　環刀太刀……90
かんば　騂馬……297
かんよきうま　勘良き馬……297
きあぶみ　木鐙……349
きかわらげ　黄河原毛……272
きさしげ　黄刺毛……272
きじ　雉……48
きつきげ　黄鴾毛……275
きっそうのうま　吉相の馬……285
きっつけ　切付……330
きつふしかげ　きつ節陰……54
きばうつぼ　騎馬空穂……74
きはず　木筈……62
きぶさしりがい　黄総鞦……345
きぼう　木鋒……60
きめびたいのうま　きめ額の馬……277
きょうそうのうま　凶相の馬……286
きょうてつ　啣鉄……311
きょうば　強馬……297
ぎょうよう　杏葉……290
ぎょうようしりがい　杏葉鞦……339
きりひなわ　切火縄……149
きんぎんのくら　金銀鞍……318
きんけん　金剣……97
ぎんけん　銀剣……97
きんじあぶみ　金地鐙……350
きんちゃく　巾着……250
ぎんながふくりんのだち　銀長覆輪野劔……97
きんなしじにかながいすったくら　金梨地に金貝摺った鞍……319
きんぷくりん　金覆輪……318
ぎんぷくりん　銀覆輪……318
きんぷくりんにかながいすったくら　金覆輪に金貝摺った鞍……320
きんやきつけ　金焼付……318

ぎんやきつけ　銀焼付……318
くぐひ　鵠……48
くさくら　草鞍……316
くさりだすけ　鎖助け……303
くじらはんきゅう　鯨半弓……35
くずきっつけ　葛切付……332
ぐそくしたぎ　具足下着（具足襯衣）……221
くだだすけ　管助け……303
くたのふえ　小角……200
くだふしかげ　管節陰……54
くつこみ　沓込……351
くつはみ　鑣……310
くつまき　沓巻……63
くつわ　轡……307
くにくずし　国崩し……135
くびぶくろ　頸袋……250
くびふだ　首札……252
くまがわあおり　熊皮障泥……336
くまで　熊手……125
くまやなぎのむち　熊柳鞭……217
くみちがい　組違……311
くら　鞍……312
くらおおい　鞍覆……329
くらかけ　鞍掛……371
くらつけのうま　鞍付馬……291
くらびつ　鞍櫃……371
くらぼね　鞍橋……324
くりげ　栗毛……275
くりげぶち　栗毛駮……276
くりさしげ　栗刺毛……272
くりや　繰矢……66
くるまじかけのたけたば　車仕掛の竹把……174
くるまびし　車菱……191
くるりや　娋矢……66
くれないのおおぶさしりがい　紅大総鞦……345
くろあしげ　黒葦毛……272
くろうま　黒馬……270
くろうるしがわしりがい　黒漆革鞦……346
くろうるしぐら　黒漆鞍……318
くろうるししらかなもののたち　黒漆白金物太刀……97
くろうるしのだち　黒漆野劔……97
くろかげ　黒鹿毛……273
くろかすげ　黒糟毛……272
くろかすげぶち　黒糟毛駮……276
くろがねのゆみ　鉄弓……35
くろかわらげ　黒河原毛……272
くろぐら　黒鞍……318
くろくりげ　黒栗毛……275
くろこま　黒駒……270
くろさやのだち　黒鞘野劔……97
くろじぐら　黒地鞍……318
くろしりがい　黒鞦……346
くろだち　黒太刀……97
くろたて　黒楯……184
くろつきげ　黒鴾毛……275
くろづくりのたち　黒作太刀……97
くろぬりあぶみ　黒塗鐙……349
くろぬりのちからがわ　黒塗力韋……327
くろぬりはりかわぐら　黒塗張皮鞍……316
くろぶち　黒駮……275
くわしうま　細馬……296
くわゆみ　桑弓……15
ぐんこ　軍鼓……201
くんしりがい　纁鞦……346
ぐんじんぐら　軍陣鞍……321
ぐんじんたづな　軍陣手綱……305
ぐんじんのむち　軍陣鞭……218
ぐんせん　軍扇……206
ぐんばいうちわ　軍配団扇……215
げかんのうま　下かんの馬……298
げきそ　逆靼……326
けさずきん　袈裟頭巾……242
けしょうばかま　化粧袴……223
けなみ　毛並……270
けぬきだち　毛抜太刀……92
けんさき　剣先……58
けんじり　剣尻……58
げんのう　玄翁……128
けんひかいたるゆみ　劔樋掻たる弓……15
けんみむち　検見鞭……218
こあおり　小障泥……336
こうがい　笄……105
こうがんかくし　睾丸隠し……250
こうばいつきげ　紅梅鴾毛……274
こかげ　小鹿毛……274
こがしの　焦篦……53
こかすげ　小糟毛……272
こがねづくりのたち　金作太刀……92
こがねづくりのたち　金銅作太刀……97
こがねのむらくくみのたち　金村含太刀……97
こかぶら　小鏑……68
こがらめのうま　小雀目馬……276
こくりげ　濃栗毛……275
こぐろ　小黒……271
ごこうくら　御幸鞍……315
こしあて　腰当……257
ごしきのしりがい　五色鞦……346
こしづと　腰苞……250
こしはりくら　腰張鞍……315
こしべん　腰弁……250
ごしゃくふんどし　五尺褌……219
こだいこ　小太鼓……203
こたて　小楯……185
こづか　小柄……105
こつきげ　小鴾毛……274
ことじ　琴柱……129
ことりうち　小鳥打……21
こば　小羽……47
こばかま　小袴……221
こはるび　小腹帯……334
こひきめ　小蟇目……69
こびたい　小額……277
こひょうのきっつけ　小豹の切

付 ……330
ごふ 護符 ……254
こぶさしりがい 小総鞦 ……340
こふしかげ 小節陰 ……54
こふんどし 小褌 ……219
こべにのほろ 濃紅母衣 ……226
こま 高麗馬 ……265
こまつるぎ 狛劔 ……91
こむぎわらがさ 小麦藁笠 ……240
ごもんぐら 御紋鞍 ……320
こやまがた 小山形 ……323
こよめ 小四目 ……70
ごろくあぶみ 五六鐙 ……350
こんしりがい 紺鞦 ……346
こんぞめたづな 紺染手綱 ……304
こんどうあぶみ 金銅鐙 ……350
こんどうくつわ 金銅轡 ……308

さ行

さい 采 ……207
さいはい 采配 ……207
さいはいつけのわ 采配付の鐶 ……242
さいをゆるされる 采を許される ……210
さがけ 差掛 ……44
さかつらえびら 逆頬箙 ……74
さかづる 坂弦 ……44
さかないうま さかない馬 ……294
さかもぎ 逆茂木 ……190
さぎ 鷺 ……48
さく 柵 ……172
さぐり 探（捜） ……44
さくろう 柵楼 ……172
さげつつ 提筒 ……135
ささきがけ 佐々木懸 ……350
ささは ささ羽 ……49
さしえびら 差箙 ……74
さしかげ 刺鹿毛 ……272
さしげ 刺毛 ……272
さしなわ 差縄 ……307
さしや 差矢 ……66
さすまた 長脚鑚（刺股） ……129
さつまかげ 薩摩鹿毛 ……274
さつまぐろ 薩摩黒 ……271
さどの 佐渡箆 ……52
さむらいえぼし 侍烏帽子 ……238
さめつきげ 佐目鴾毛 ……275
さらしなつきげ 更科鴾毛 ……274
さるお 猿尾 ……351
さるげ 猿毛 ……277
さるしり 猿尻 ……351
さわいぐろ 沢井黒 ……271
さわしの 渋箆 ……53
さんじゃくがわ 三尺革 ……303
さんじゃくなわ 三尺索（三尺縄） ……303
さんじゃくふんどし 三尺褌 ……219
さんじょひきめ 産所蟇目 ……69
さんまいうちのゆみ 三枚打弓 ……18
しいのよんまいたて 椎四枚楯 ……187
しおつぐろ 塩津黒 ……271
しおで 鞖（四緒手） ……323
しおでおしのあな 鞖（四緒手）通しの孔 ……323
しかがわのくらおおい 鹿皮鞍覆 ……329
しきがわ 敷皮 ……194
しきりば 仕切羽 ……51
しげとうゆみ 重籐弓 ……30
しこ 尻籠（矢籠） ……74
しこめたるゆみ しこめたる弓 ……31
しこめのしげとう しこめの重籐 ……31
ししや 鹿矢 ……64
しずわ 後輪 ……313
しせんば 四川馬 ……266
しそくきゅう 四足弓 ……30
したおしろのうま 下尾白馬 ……277
したぐら 韉 ……330
したさき 舌先 ……351
したながあぶみ 舌長鐙 ……348
しちくのむち 紫竹鞭 ……217
しちじょうさいくあぶみ 七條細工鐙 ……350
じって 十手 ……127
しないたて シナイ楯 ……187
しないづる 順弦 ……44
しなのぐろ 信濃黒 ……271
しなのまゆみ 信濃真弓 ……13
しのぎ 鎬 ……98
しのびくつわ 忍轡 ……309
しばや 芝矢 ……66
しほう 紙炮 ……134
しほうだけのゆみ 四方竹弓 ……18
しぼりぞめのたづな 絞染の手綱 ……304
しめのせきづる ……43
しもぜき 下関 ……44
じゃぎょうきゅう 蛇形弓 ……26
しゃくどうづくりのたち 赤銅作太刀 ……97
しゃくとうゆみ 尺籐弓 ……34
じゃばらゆみ 蛇腹弓 ……25
じゅうはちまいのかさねたて 十八枚ノ重楯 ……187
じゅうもんじやり 十文字槍 ……116
しゅくじん 宿陣 ……158
しゅくしんのは 肅慎の羽 ……48
しゅんめ 駿馬 ……297
しょうぎ 床几 ……196
しょうきゅう 小弓 ……16
しょうじょうひ 猩々緋 ……240
しょうじょうひのかさ 猩々緋の笠 ……240
じょうのう 貞能 ……58
しよせみち 仕寄道 ……158
しらいしかげ 白石鹿毛 ……274
しらきゆみ 白木弓 ……26
しらづる 白弦 ……43
しらとうゆみ 白籐弓 ……34

しらの　白箆……52
しらほねぐら　白骨鞍……318
しらみがきのぎんはず　白磨の銀筈……62
しらみがきのくつわ　白磨轡……308
しりがい　鞦……343
しりがいのくもて　鞦の蜘蛛手……345
しりざや　尻鞘……108
しろあしげ　白葦毛……273
しろあぶみ　白鐙……350
しろいうつぼ　白猪空穂……74
しろかげ　白鹿毛……273
しろがねづくりのたち　銀造太刀……97
しろかわらげ　白河原毛……272
しろくずゆぎ　白葛靫……73
しろぐつわ　白轡……308
しろくら　白鞍……318
しろくりげ　白栗毛……275
しろだち　白太刀……97
しろちからがわ　白力韋……326
しろつきげ　白鴾毛……274
しろづくりのたち　白作太刀……97
しろてなわ　白手縄……307
しろぶくりん　白覆輪……318
しろふくりんのあおり　白覆輪障泥……336
しろほろ　白母衣……226
じん　陣……158
じんしょう　陣鐘……204
じんだいこ　陣太鼓……202
じんとう　神頭……69
じんぶ　陣夫……160
しんめ　神馬……296
すいかん　水干……221
すいかんぐら　水干鞍……320
すいしょうはず　水晶筈……62
すいは　水破……69
すいばあぶみ　水馬鐙……349
すおう　素襖……221
すおうだんのたづな　蘇芳緂の手綱……304
すかしくらおおい　透鞍覆……329
すかりまた　素雁股……58
すげがさ　菅笠……240
すげのこがさ　菅の小笠……240
すげふし　すげ節……55
すずからぐら　鈴唐鞍……315
すずのいたつき　錫の平題……66
すずむし　鈴蟲……310
すずめこゆみ　雀小弓……16
すなずりの　砂摺箆……53
すなやまぐろ　砂山黒……271
すみやぐら　角櫓……174
すやり　直（素）槍……116
せいろう　井楼（栖楼）……174
せおいだいこ　背負太鼓……203
せきいた　関板……21
せきづる　関弦……43
せせり　セセリ……154
せっしゃのひとくせ　拙射の一癖……84
せめのせきづる……43
せめのむち　責鞭……218
せんだんづる　栴檀弦……44
せんだんとうのゆみ　千檀籐の弓……29
せんば　川馬……266
そうあおかいぐら　総青貝鞍……319
そういきゅう　相位弓……30
ぞうがんあぶみ　象嵌鐙……350
ぞうりわらじ　草履草鞋……238
そえづる　副弦……44
そごうふしかげ　十河節陰……54
そでがらみ　袖搦み……130
そですりのふし　袖摺の節……55
そでぼそ　袖細……221
そばぐろゆみ　側黒弓……28
そばしらきゆみ　側白木弓……26
そめつきげ　染鴾毛……274
そめば　染羽……49
そや　征矢……64
そり　反り……98
そりまゆみ　反檀弓……13

た行

たいこ　太鼓……201
たいこやぐら　太鼓櫓……203
だいのかりまた　大の雁股……60
たいほう　大砲……139
たいまつ　松明……169
だいもん　大紋……221
たか　鷹……48
たかいぐろ　高井黒……271
たかがしら　高頭……351
たかたてぐろ　高楯黒……271
たかやまあしげ　高山葦毛……273
たけえびら　竹箙……74
たけがさ　竹笠……240
たけたば　竹把（竹束）……174
たけなぎなた　竹薙刀……120
たけのねひきめ　竹根蟇目……69
たけむち　竹鞭……217
たけやらい　竹矢来……172
たこがしら　鮹頭……311
たごかわらげ　多胡川原毛……272
たすけ　助け（手助・紳）……300
たすけのわ　紳輪（助けの輪）……311
たたみしょうぎ　畳床几……196
たたみたて　帖楯（畳楯）……186
たちぎき　立聞……303
たちぎきのわ　立聞の輪……311
たつかゆみ　手束弓……17
たっつけばかま　裁付袴……221
たづな　手綱……303
たづなぞめ　手綱染……304
たづなのまがり　手綱の曲り……306
たづなのわ　手綱の輪……306
たて　楯（盾）……180
たてあげ　立挙……233
たてえぼし　立烏帽子……238

たてたいまつ　楯松明……170
たてわり　楯破……60
たばかり　手量……63
たま　玉（弾・弾丸）……152
たまいぐつわ　玉井轡……309
たまぐすり　玉薬……151
たましりがい　玉鞦……346
たまばこ　玉箱……154
たままきのたち　玉纏太刀……91
たらしまゆみ　多羅枝真弓……16
たんざくえびら　短冊箙……74
だんしげとうゆみ　段重籐弓……34
だんせん　団扇……213
ちあぶみ　ち鐙……349
ちからがわ　力韋……326
ちぎりき　乳切木……127
ちくしえびら　筑紫箙……74
ちくしぐら　筑紫鞍……321
ちくの　ちく箆……52
ちくひょうのきっつけ　竹豹の切付……330
ちたがけ　知多懸……350
ちょうしゅうぐんぷ　徴集軍夫……160
ちょうちん　提灯……170
ちょうどがけ　調度掛……76
ちりものぐつわ　散物轡……308
つえ　杖……126
つか　柄……104
つきげ　鴾毛（槻毛・月毛）……274
つきげぶち　鴾毛駮……276
つぎばしご　継梯子……191
つぎはず　継筈……62
つきびたい　月額……277
つきゆみ　槻弓……13
つくはるび　鈨腹帯……335
つくぼう　突棒（鈨棒）……129
つくりぐら　作鞍……316
つくりたて　作楯……189
つげゆみ　柘弓……14
つじしりがい　辻総鞦……343
つち　槌……128
つづみ　鼓……202
つづらきっつけ　つづら切付……332
つのかぶら　角鏑……67
つのたて　ツノ楯……187
つののつきゆみ　つののつき弓……13
つのはず　角筈……62
つば　鍔……105
つばやり　鍔槍……116
つぼあぶみ　壺鐙……347
つぼやなぐい　壺胡簶……74
つまよる　爪縒る……55
つめうちがたな　爪打刀……369
つめうちつち　爪打槌……369
つゆうすのふし　露承の節……55
つよきうま　強き馬……297
つらぬき　貫（頬貫）……233
つりかご　釣籠……180
つりがね　吊鐘……204
つりせいろう　釣勢楼……180
つる　弦……42
つる　鶴……48
つるぎがしらのたち　劔頭太刀……97
つるさいで　弦さいで……44
つるはし　鶴觜……131
つるぶくろ　弦袋……85
つるぶち　鶴駮……276
つるまき　弦巻……85
つるわ　弦輪……44
つれごふさ　連子総……343
てがた　手形……323
てだて　手楯……187
てづきや　手突矢……71
てつじょう　鉄杖……127
てつぞく　鉄鏃……56
てつだて　鉄楯……185
てっとう　鉄刀……127
てつはう……134
てつべん　鉄鞭……127・218
てっぽうはざま　鉄砲狭間……177
てなわ　手縄……306
てぬぐい　手拭……241
てぬぐいつけのわ　手拭付の鐶……242
てぼこ　手鉾……113・118
てんば　天馬……296
とうかうま　桃花馬……273
どうしろかげ　胴白鹿毛……274
とうせき　投石……131
とうせきき　投石器……131
どうぞく　銅鏃……56
とうば　騰馬……297
どうほう　道宝……44
どうまえや　堂前矢……66
とうむしろのきっつけ　唐筵の切付……332
とうろう　蟷螂……298
とがけば　外懸羽……47
とがりや　尖矢……56
とき　鴇……48
どくや　毒矢……70
とちうちかげ　橡内鹿毛……274
とちくりげ　橡栗毛……275
とつかのつるぎ　十握劔……90
とつがわまゆみ　十津川真弓……13
とのいひきめ　宿直蟇目……69
どば　駑馬……298
とび　鳶……49
とびかげ　飛鹿毛……274
どひょう　土俵……174
どひょううつぼ　弩俵（土俵）……74
とも　鞆……84
とものぐら　伴野鞍……316
どら　銅鑼……203
とらがわのきっつけ　虎皮の切付……332
とらがわのくらおおい　虎皮鞍覆……329
とりくびのたち　鳥頸太刀……97
とりげのうま　鶏毛馬……277

とりぞめのたづな　取染の手綱……304
とりつけ　取付……324
とりのした　鳥の舌……58
どろあしげ　泥葦毛……273
どろつきげ　泥鴾毛……275
どんすきんらんのくらおおい　緞子金襴鞍覆……329
とんぼぞうり……238

な行

ながいしりがい　長井鞦……345
なかうま　中馬……294
なかご　茎……101
なかざし　中挿……67
なかしげとうゆみ　中重籐弓……34
なかぜき　中関……44
ながふしかげ　長節陰……54
なかまき　中巻……123
ながまき　長巻……123
なぎがま　薙鎌……121
なぎなた　薙刀……118
なしじきんもんあぶみ　梨地金紋鐙……349
ななところとうゆみ　七所籐弓……32
ななまがりしたるゆみ　七曲したる弓……15
ならびそや　並征矢……65
なりかぶら　鳴鏑……66
なるとぐろ　鳴戸黒……271
なわあぶみ　那波鐙……350
なわわらじ　縄草鞋……238
なんばんがさ　南蛮笠……240
にえ　錵……101
におい　匂……101
においしげとうゆみ　匂重籐弓……34
にかけだ　荷掛駄……292
にぎりした　握り下……21
にぐらうま　荷鞍馬……292
にけのうま　仁毛馬……275
にしきゆぎ　錦靫……73
にちりんまき　日輪巻……21
にづる　煮弦……44
にぬりや　丹塗矢……46
にびいろしりがい　鈍色鞦……346
にひきりょうのほろ　二引両母衣……226
にべ　鰾……17
ぬいひきめ　縫い蟇目……69
ぬいものくらおおい　縫物鞍覆……329
ぬえしげとうゆみ　鵺重籐弓……34
ぬかがき　樓額……378
ぬきさや　貫鞘……327
ぬぐいの　拭篦……53
ぬたはず　ぬた筈……62
ぬためかぶら　ぬため鏑……67
ぬりえびら　塗箙……74
ぬりぐつわ　塗轡……308
ぬりごめのや　塗籠の矢……53
ぬりづる　塗弦……43
ぬりの　塗篦……53
ぬりむち　塗鞭……217
ぬりゆみ　塗弓……28
ねこくぐりのかりまた　猫潜の雁股……60
ねじり　捻り……130
ねじりはちまき　捻り鉢巻……242
ねずみげ　鼠毛……272
ねだまき　根多巻……63
ねや　根矢……64
の　篦……52
のぐつ　野沓……332
のごひの　のごひ篦……53
のしつきのたち　熨斗付太刀……97
のしりがい　野鞦……345
のだち　野剣……92
のだち　野太刀……122
のなかのふし　篦中の節……55
のみね　鑿根……58
のや　野矢……64
のりいちのうま　乗一馬……297
のりかえうま　乗替馬……290
のりかえぐら　乗替鞍……317
のりぐつわ　乗轡……310

は行

ばくろうば　博労馬……298
はこたて　箱楯……187
はさみたけ　挟竹……129・245
はさみばこ　挟箱……245
はじきゆみ　弾弓……15・40
はしゆみ　梔（櫨）弓……13
はじゆみ　波自由美……13
ばじょうぐつ　馬上沓……233
はしりうまのくら　走馬鞍……315
はしりがさ　走笠……240
はしりば　走羽……47
はず　弭……20
はず　筈……62
はずだまり　筈溜り……45
はずまき　筈巻……63
はぜぞめたづな　櫨染手綱……304
ばせん　馬氈……327
ばそう　馬相……283
はだかい　羽高い……24
はだかうま　裸馬……291
はたこ　篼……370
はだせうま　膚脊馬……291
はだつけ　肌付……330
はちまき　鉢巻……242
はちわり　鉢割……127
はっすんのむち　八寸の鞭……218
はっちょうきゅう　八張弓……25
はづな　走綱（張綱・紲）……303
はづやり　弭鎗……40
はとむね　鳩胸……351
はなかのふし　羽中の節……55
はながみぶくろ　用嚢……249
はなかわ　靶……376
はなねじ　鼻捻……368
はね　羽……46

はひくい 羽低い……24
はぶとい 羽太い……24
ばぼく 馬牧……267
はぼそい 羽細い……24
はまや 破魔矢……16
はまゆみ 破魔弓……16
はみ 噛……311
はみさき 噛先……311
ばめん 馬面……353
はやごう 早盒……154
はらあしげ 腹葦毛……273
はらがけ 腹懸……370
はらのふえ 大角……200
はらまゆみ 腹檀弓……13
はりくら 張鞍……315
はりまゆみ……13
はるび 腹帯……332
はんきゅう 半弓……35
はんしたあぶみ 半舌鐙……347
はんしょう 半鐘……204
はんそうのうま 半相の馬……286
はんひきめ 半蟇目……69
ひ 樋……98
ひいらぎかぶら 柊鏑……67
ひいろしりがい 緋色鞦……345
ひうちがま 火打鎌……245
ひうちぶくろ 火打袋（燧袋）……245
ひきうま 引馬……292
ひきがい 退き貝……201
ひきがね 引き鉦（退き鐘）……202
ひきそえうま 引副馬……291
ひきて 引手……311
ひきめ 蟇目……68
ひきめたたき 蟇目叩……21
ひきりょうしげとうゆみ 引両重籐弓……34
びこう 鼻高……233
ひごゆみ 弓胎弓……18
ひし 菱……190
ひしぎたて ヒシギ楯……186
ひぞめたづな 緋染手綱……304
ひたいぎ 額木……21
ひたいじろ 額白……276
ひたたれ 直垂……221
ひたちまゆみ 常陸真弓……13
ひっしき 引敷……196
ひとつぐろ 一黒……271
ひとてじんとう 一手神頭……70
ひとてよめ 一手四目……70
ひなわ 火縄……148
ひなわじゅう 火縄銃……136
ひのがけ 日野懸……350
ひばりげのうま 鶬毛馬……277
ひめかぶら 姫鏑……68
ひめゆぎ 姫靫……73
ひや 火矢……71・132
ひょうあおり 豹障泥……336
ひょうがわのきっつけ 豹皮の切付……332
ひょうごぐさりのたち 兵庫鎖太刀……97
ひょうしぎ 拍子木……205
ひょうは 兵破……69
ひょうもんくつわ 平文轡……308
ひょうもんぐら 平紋鞍……320
ひょうもんのたけがさ 平文の竹笠……240
ひょうもんのだち 平文野劔……97
ひらがさ 平笠……240
ひらたて 平楯……186
ひらね 平根……58
ひらはり 帟……163
ひらやなぐい 平胡籙……74
ふえとうゆみ 笛籐弓……34
ふきや 吹矢……72
ふきよせしげとうゆみ 吹寄重籐弓……33
ふきよせとう 吹寄籐……30
ふくぞうゆみ 福蔵弓……34
ふくみくつわ 含み轡……308
ふくりんくら 覆輪鞍……318
ふくろう 梟……49
ふさがらみ 総搦み……311
ふさだすけ 総（房）助け……303
ふし 節……54
ふしかげ 節陰……54
ふしかげの 節陰篦……54
ふじかづらはなし 藤葛放……40
ふしぐろ 節黒……54
ふしごめしげとうゆみ 節篭重籐弓……34
ふしぬり 節塗……54
ふじのはあしげ 藤葉葦毛……273
ふしはず 節筈……62
ふじばなしのゆみ 藤放弓……39
ふじまきのむち 籐巻鞭……217
ふしまきゆみ 節巻弓……29
ふじむち 籐鞭……217
ふしをしょうする 節を正する……55
ふすまひたたれ 衾直垂……221
ふせだけのゆみ 伏竹弓……17
ふせづる ふせ紘……44
ふたえはず 二重筈……62
ふたえはるび 二重腹帯……334
ぶたち 武太刀……92
ふたところとうゆみ 二所籐弓……32
ぶち 駁……275
ぶちうま 駁馬……275
ふでなり 筆成……58
ふなさいはい 船采配……213
ふらんき 仏狼器……135
ぷりおひっぷす プリオヒップス……262
ふりづえ 振杖……127
ぷるせわるすきーば プルセワルスキー馬……263
ふんごみ 踏込……351
ふんどし 褌……219
へいつい 兵椎……128
べつくりげ 別栗毛……275
べにかげ 紅鹿毛……273

べにくりげ　紅栗毛……275
べにほろ　紅母衣……226
へみゆみ　椐弓……14
ほうせき　抛石……37
ほうせきき　抛石機……37
ほうみ……311
ほおかむり　頬かむり……242
ほこ　弰……20
ほこ　鉾……110
ほこや　鉾矢……56
ほこゆみ　鉾弓……40
ほしかわらげ　星河原毛……272
ほしづきのうま　落星駒……276
ほそうつぼ　細空穂……74
ほそしりがい　細鞦……343
ほていぐら　布袋鞍……318
ほねつよきうま　骨強馬……297
ほら　螺……200
ほらがい　法螺貝……200
ほろ　保侶……224
ほろかご　保侶籠……230
ほろぐし　保侶串……230
ほろつけのあな　母衣付の孔……351
ほんかね　本金……278
ぼんしょう　梵鐘……204

ま行

まえぐろかすげ　前黒糟毛……272
まえわ　前輪……313
まかごゆみ　天鹿兒弓……14
まがれむち　曲れ鞭……218
まきえぐら　蒔絵鞍……320
まきえのだち　蒔絵野劔……97
まきえのむち　蒔絵鞭……217
まきえゆみ　蒔絵弓……28
まく　幕……162
まくぐし　幕串……162
まぐさ　秣……379
まくのでいり　幕の出入……166
まくりかいだて　まくり掻楯……189
まくりだて　転楯……189
まことのしげとうゆみ　眞の重籐弓……31
まさかり　鉞（戉）……130
まぜば　交羽……50
まぜはぎのまとや　交矧的矢……65
まつざかあぶみ　松坂鐙……350
まとや　的矢……65
まとりば　真鳥羽……47
まば　真羽……47
まびしゃく　馬柄杓……363
まゆみ　檀弓……12
まるきゆみ　丸木弓……12
まるね　丸根……58
まるねとがりや　丸根尖矢……57
まん　幔……162
まんねんづる　万年弦……44
まんまく　幔幕……162
みかぐろ　三日黒……271
みじかや　短矢……72
みじんあおかいぐら　未塵青貝鞍……319
みずおがね　水緒金……351
みずがね　水金……351
みずはじき　水弾……180
みずひなわ　水火縄……148
みたてば　三立羽……46
みたらしのあずさゆみ　御執乃梓弓……17
みたらしのゆみ　みたらしの弓……17
みたらしゆみ　御執弓……17
みづき　美豆岐……311
みつぐろ　三黒……271
みつじんとう　三神頭……70
みつたてば　三つ立羽……46
みづつき　承鞚（水付）……311
みつところとうのむち　三所籐鞭……217
みつめかぶら　三目鏑……67
みつゆがけ　三つ韘……82
みところとうゆみ　三所籐弓……32
みとりあわせ　三鳥合せ……51
みのわかげ　箕輪鹿毛……274
むこうはちまき　向う鉢巻……242
むさしあぶみ　武蔵鐙……350
むすびだすけ　結助け……303
むち　鞭……215・374
むながい　胸懸……336
むもんのそめば　無紋の染羽……50
むらこきゆみ　村揩弓……27
むらさきしりがい　紫鞦……346
むらさきすそごのしりがい　紫下濃鞦……346
むらしげとうゆみ　村重籐弓……31
めかすげ　目糟毛……272
めぬき　目貫……104
めりょう　馬寮……358
めんどりばにつく　雌鳥羽に突く……180
もうこば　蒙古馬……265
もうせんくらおおい　毛氈鞍覆……329
もえぎのおおぶさしりがい　萌黄大総鞦……345
もがり　虎落……189
もくば　木馬……371
もちだて　持楯……189
もとしげとうゆみ　本重籐弓……31
もとはぎ　本矧（下作）……50・63
もとはず　本弭……20
ものいぐつ　物射沓……233
ものみ　物見……163
もみえぼし　萎烏帽子……239
もめんしりがい　木綿鞦……346
ももぬひあまりやそぬひのしらたて　百八十縫之白楯……184
ももやだい　百矢台……76
ももゆみ　桃弓……15
もろゆがけ　諸韘……82

や行

やがら　簳……52

やがら　矢幹……52
やきくさ　焼草……191
やぐら　櫓……174
やぐらかいだて　櫓掻楯……189
やじり　鏃……56
やじるし　矢印……63
やずりしげとうゆみ　矢摺重籐弓……33
やずりとう　矢摺籐……21
やだうま　頑馬……298
やたて　矢立……246
やたてのすずり　矢立の硯……246
やつか　矢束……63
やつかのつるぎ　八握劔……90
やっこばかま　奴袴……223
やづつ　矢筒……76
やっとこ……244
やつめかぶら　八目鏑……67
やどりつきげ　宿鴾毛……275
やなぎば　柳葉……351
やなぐい　胡簶……73
やはざま　矢狭間……177
やばね　矢羽……46
やびつ　矢櫃……76
やほろ　矢保侶（矢母衣・矢幌・矢武羅）……78
やまうつぼ　山空穂……74
やまがた　山形……323
やまがりゅうのじんだいこ　山鹿流の陣太鼓……203
やまぐちぐろ　山口黒……271
やまぞうり……238
やまとうつぼ　大和空穂……74
やまとぐら　大和鞍……314
やまどり　山鳥……48
やまどりあしげ　山鳥葦毛……272
やらい　矢来……172
やり　槍（鎗・鑓・也利・矢利）……113
やりざや　槍鞘……117
やりじるし　槍印……117
やりたて　鑓楯……187
やりば　遣羽……47
やわらかぼうし　柔帽子……82
やをつまよる　矢を爪縒る……55
ゆいくら　結鞍……315
ゆがけ　韘（弽）……82
ゆぎ　靫……73
ゆぎ　由木……324
ゆずりば　弓摺羽……47
ゆづか　弣……20
ゆはず　弓弭……20
ゆみだい　弓台……76
ゆみはりがお　弓張顔……24
ゆみぶくろ　弓袋……86
ようきゅう　楊弓……15
ようのたち　陽の太刀……92
よこていっしゃくのむち　横手一尺の鞭……218
よせがい　寄せ貝……201
よたてば　四立羽……47
よつしろ　四白……276
よつたづな　四手綱……305
よつたてば　四つ立羽……47
よつゆがけ　四つ韘……82
よはず　よ筈……62
よめ　四目……70
よろいひたたれ　鎧直垂……221

ら行

らぎょうきゅう　羅形弓……26
らく　駱……271
らち　埒……172
らでんのだち　螺鈿野劔……97
らんぐい　乱杭……190
りまんきゅう　李満弓……35
りゅうぞうじかすげ　龍造寺糟毛……272
りゅうた　龍吒……125
れんじゃくしりがい　連著鞦……340
れんぜん　連銭……271
れんぜんあしげ　連銭葦毛……273
ろうげぼう　狼牙棒……130
ろくあしげ　六葦毛……273
ろくさい　鹿砦……190
ろくしゃくふんどし　六尺褌……219
ろくしゃくぼう　六尺棒……126
ろくすんよこてのむち　六寸横手の鞭……218

わ行

わあぶみ　輪鐙……347
わきざしでっぽう　脇差鉄砲……138
わきしろのうま　腋白馬……277
わぐら　和鞍……314
わたくり　腸繰……58
わな　罠……189
わらじ　草鞋……236
わりだけ　破竹……129

笹間良彦（ささま・よしひこ）

1916年東京下谷に生まれる。文学博士、元日本甲冑武具歴史研究会会長。2005年逝去。

［主な著書］

『日本の甲冑』『日本甲冑図鑑（上・中・下）』『甲冑と名将』『日本甲冑名品集』『趣味の甲冑』『江戸幕府役職集成』『戦国武士事典』『武士道残酷物語』『図説日本の軍装（上・下）』『古武器の職人』（共筆）『日本の名兜（上・中・下）』『図解日本甲冑事典』『甲冑鑑定必携』『歓喜天信仰と俗信』『弁財天信仰と俗信』（以上雄山閣）、『龍』（刀剣春秋社）、『真言密教立川流』『ダキニ天信仰と俗信』『蛇物語』（第一書房）、『日本甲冑大鑑』（五月書房）、『武士はつらいよ』（ＰＨＰ研究所）、『図説日本武道事典』『図説江戸町奉行所事典』『日本甲冑大図鑑』『資料日本歴史図録』『復元江戸生活図鑑』『図録日本の甲冑武具事典』『図説日本未確認生物事典』『図説世界未確認生物事典』『図説日本戦陣作法事典』（以上柏書房）

図説《ずせつ》 日本《にほん》合戦《かつせん》武《ぶ》具《ぐ》事典《じてん》

2004年 4月30日　第 1 刷発行
2006年 2月10日　第 2 刷発行

著　者　笹　間　良　彦
発行者　富　澤　凡　子
発行所　柏書房株式会社
東京都文京区本駒込 1-13-14（〒113-0021）
電話　03(3947)8251／営業
03(3947)8254／編集

製作協力　株式会社　雅麗
装　丁　なかね　ひかり
印　刷　株式会社光陽メディア
製　本　小高製本工業株式会社

ISBN 4-7601-2533-7 C1521